Prismas moderna ficklexikon

är upplagda efter helt nya idéer. Strävan efter *praktisk
användbarhet* har varit huvudprincipen för vilken alla
andra hänsyn fått vika. De viktigaste nyheterna är:

maximalt antal uppslagsord genom en ytterst utrymmesbesparande men samtidigt lättläst typografi och genom
hård komprimering av innehållet

ett verkligt modernt ordförråd

uttal även i den svensk-utländska delen, till samtliga ord
i det engelska och det franska lexikonet, till vissa svåruttalade ord i de övriga.

Antalet uppslagsord uppgår till ca 30 000 i varje lexikon.
Ljudskriften är den enklaste möjliga och avsedd att kunna
förstås utan särskild förklaring. Endast ett litet fåtal
fonetiska tecken används.

Synpunkter på innehållet med tanke på kommande upplagor mottas tacksamt av Lexikonredaktionen, Bokförlaget
Prisma, Stockholm.

Redaktionen

Räkneord

1 *one* [wann]	15 *fifteen* [fiff'ti:'n]
2 *two* [to:]	16 *sixteen* [sikk'sti:'n]
3 *three* [θri:]	17 *seventeen* [sevv'nti:'n]
4 *four* [få:]	18 *eighteen* [ej'ti:'n]
5 *five* [fajv]	19 *nineteen* [naj'nti:'n]
6 *six* [sikks]	20 *twenty* [twenn'ti]
7 *seven* [sevv'n]	21 *twenty-one* [twenn'tiwann']
8 *eight* [ejt]	30 *thirty* [θө:'ti]
9 *nine* [najn]	40 *fourty* [få:'ti]
10 *ten* [tenn]	50 *fifty* [fiff'ti]
11 *eleven* [ilevv'n]	60 *sixty* [sikk'sti]
12 *twelve* [twellv]	70 *seventy* [sevv'nti]
13 *thirteen* [θө:'ti:'n]	80 *eighty* [ej'ti]
14 *fourteen* [få:'ti:'n]	90 *ninety* [naj'nti]

      100 *a hundred* [ə hann'drəd]
      101 *one hundred and one* [wann' hann'drəd ənn wann']
      200 *two hundred* [to:' hann'drəd]
   1 000 *a thousand* [ə θao'zənd]
   1 001 *one thousand and one* [wann' θao'zənd ənn wann']
  10 000 *ten thousand* [tenn' θao'zənd]
  10 050 *ten thousand and fifty* [tenn' θao'zənd ənn fiff'ti]
1 000 000 *a million* [ə mill'jən]

Alfabetet

a [ej], *b* [bi:], *c* [si:], *d* [di:], *e* [i:], *f* [eff], *g* [dsji:], *h* [ejtsj], *i* [aj], *j* [dsjej], *k* [kej], *l* [ell], *m* [emm], *n* [enn], *o* [åo], *p* [pi:], *q* [kjo:], *r* [a:], *s* [ess], *t* [ti:], *u* [jo:], *v* [vi:], *w* [dabb'ljo:], *x* [ekks], *y* [waj], *z* [zedd]

PRISMAS LILLA ENGELSKA ORDBOK

INNEHÅLL

BOKFÖRLAGET PRISMA STOCKHOLM

© 1974 Eva Gomer, Gösta Åberg och Bokförlaget Prisma
Redaktion Eva Gomer, Vivien Lindeberg och Gösta Åberg
Första upplagan 1974
Andra upplagan 1977
Tolfte tryckningen 1991
ISBN 91-518-2460-4

Tryckt och bunden i Storbritannien av
Clays Ltd., St Ives plc, 1991

Nyckel till ljudskriften

Huvudregel:
Uttala som om ljudskriften vore ett svenskt ord. Obs. att k alltid uttalas som i kall, inte som i källa, t.ex. *cannibal* [känn'ibəl]. I tvåstaviga ´ord har engelskan alltid akut accent som i svenska an´den (fågeln), inte grav accent som i svenska an`den (av ande). Ljudskriften är avsedd att vara till hjälp *både* för dem som kan engelska mycket bra och för dem som har mycket bristfälliga kunskaper.

lång vokal anges med kolon (:)	*call* [kå:l]
kort vokal anges genom dubbel-skrivning av följande konsonant	*hat* [hätt]
betoningen anges med accent (´) efter den betonade vokalen om denna är lång	*secret* [si:´kritt]
efter följande (dubbelskrivna) konsonant om vokalen är kort	*pity* [pitt´i]

Särskilda tecken:

ə kort ö-liknande ljud	*after* [a:´ftə]
ə: långt ö-liknande ljud	*service* [sə:´viss]
θ tonlöst läspljud	*thing* [θing]
ð tonande läspljud	*the* [ðə]
w konsonantliknande o-ljud	*way* [wej], one [wann]

Obs! Vokalljudet i love, cup etc., som i regel återges med tecknet ʌ, har något oegentligt återgivits med a, alltså [lavv], [kapp], detta för att så långt det över huvud taget är möjligt underlätta användningen av uttalsbeteckningarna.

Förkortningar

adj. adjektiv *adv.* adverb *Am.* amerikansk engelska *a p.* a person *bildl.* bildligt *imperf.* imperfektum *interj.* interjektion *konj.* konjunktion *mat.* matematik *mil.* militärt *ngn* någon *ngt* något *o.s.* oneself *perf. part.* perfekt particip *pl* pluralis *prep.* preposition *pron.* pronomen *s.b.* somebody *sg* singularis *sl.* slang *s.o.* someone *s.th.* something *subst.* substantiv *ung.* ungefär *vard.* vardagligt *äv.* även.

Övriga förkortningar torde inte kräva förklaring.

Svensk-engelska delen

à *2 biljetter à 1 pund* 2 tickets at 1 pound [to: tikk'its ət wann' pao'nd]; *3 à 4 dagar* 3 or 4 days [θri:' ə få:' dej'z] **AB** Ltd. [limm'itidd]; *Am.* Inc. [inkå:'pərejtid] **abborre** perch [pə:tʃ] **abdikera** abdicate [äbb'dikejt] **abnorm** abnormal [äbnå:'məl] **abonnemang** subscription [səbskripp'ʃən] **abonnent** subscriber [səbskraj'bə] **abonnera** subscribe [səbskraj'b] *(på* to); *abonnerad buss* hired bus [haj'əd bass'] **abort** abortion [əbå:'ʃən] **abrupt** abrupt [əbrapp't] **absolut** *(adj.)* absolute [äbb'səlo:t]; *(adv.)* absolutely [-li] **absolutist** teetotaller [ti:tåo'tlə] **abstrakt** abstract [äbb'sträkkt] **absorbera** absorb [əbså:'b] **acceleration** acceleration [äkselərej'ʃən] **accelerera** accelerate [äksell'ərejt] **accent** accent [äkk'sənt] **acceptabel** acceptable [äksepp'təbl] **acceptera** accept [äksepp't] **accessoarer** accessories [äksess'ərizz] **accis** excise [eksaj'z] **aceton** acetone [äss'itåon] **acklimatisera sig** become acclimatized [bikamm' əklaj'mətajzd] **ackompanjera** accompany [əkamm'pəni] **ackord** *(musik)* chord [kå:d]; *arbeta på ackord* work at piece-rates [wə:'k ətt pi:'srejts] **ackordsarbete** piecework [pi:'swə:k] **ackumulera** accumulate [əkjo:'mjolejt] **a conto** on account [ånn əkao'nt] **addera** add up [ädd' app'] **addition** addition [ədisj'ən] **adel** nobility [nəbill'itti] **adelsman** nobleman [nåo'bəlmən] **aderton** eighteen [ej'ti:'n] **adjunkt** assistant master [əsiss'tənt ma:'stə] **adjö** good-bye [goddbaj'] **adlig** noble [nåo'bl] **administration** administration [ədminnistrej'ʃən] **administrera** administrate [ədminn'istrejt] **adoptera** adopt [ədåpp't] **adoption** adoption [ədåpp'ʃən] **adoptivbarn** adopted child [ədåpp'tidd tsjajld] **adoptivföräldrar** adoptive parents [ədåpp'tiv pärr'ənts] **adress** address [ədress'] **adressat** addressee [ädresi:'] **adressera** address [ədress'] **adressförändring** change of address [tsjej'ndsj əvv ədress'] **adresskalender** directory [direkk'təri] **adresslapp** address label [ədress' lej'bl] **advent** Advent [ädd'vənt] **advokat** lawyer [lå:'jə] **advokatbyrå** lawyer's office [lå:'jəz åff'iss] **aerogram** aerogram [ä:'rəgrämm] **affekterad** affected [əfekk'tidd] **affektionsvärde** sentimental value [sentimenn'tl väll'jo:] **affisch** poster [påo'stə] **affär** *(butik)* shop [sjåpp]; *en dålig affär* a bad bargain [ə bädd' ba:'ginn]; *en fin affär* a bargain [ə ba:'ginn]; *göra affär av* make a fuss about [mejk ə fass' əbao't] **affärsbiträde** shop-assistant [sjåpp'əsistənt] **affärsgata** shopping street [sjåpp'ing stri:t] **affärsinnehavare** shopkeeper [sjåpp'ki:pə] **affärsman** businessman [bizz'niss-mən] **affärsresa** business trip [bizz'niss tripp] **affärstid** business hours [bizz'niss ao'əz] **Afrika** Africa [äff'rikə] **afrikansk**

African [äff'rikən] **afro-asiatisk** Afro-Asian [äff'roej'sjən] **afton** evening [i:'vning] **aftongudstjänst** evensong [i:'vənsång] **agave** agave [əgej'vi] **aga** flog [flågg], *subst.* flogging **agent** agent [ej'dsjənt] **agentur** agency [ej'dsjənsi] **agera** act [äkkt] **agg** grudge [graddsj] **aggregat** unit [jo:'nitt] **aggression** aggression [əgress'jən] **aggressiv** aggressive [əgress'ivv] **aggressivitet** aggressiveness [əgress'ivvniss] **agitation** agitation [äddsjitej'sjən] **agitator** agitator [ädd'sjitejtə] **agitera** agitate [ädd'sjitejt] **agn 1** (*på säd*) husk [hassk] **2** (*bete*) bait [bejt] **agronom** graduate of agricultural college [grädd'joitt əvv ägrikall'tsjərəl kåll'idsj] **ajournera** adjourn [ədsjə:'n] **akademi** academy [əkädd'əmi] **akademiker** university graduate [jo:nivə'sitti grädd'joitt] **akademisk** university ... [jo:nivə'sitti], academic [äkkədemm'ikk] **akrobat** acrobat [äkk'rəbätt] **akt 1** act [äkkt] **2** *ge akt på* pay attention to [pej ətenn'sjən to:]; *ta sig i akt* be on one's guard [bi: ånn wannz ga:'d] **akta** be careful with [bi: kä:'əfoll wið]; *akta sig* take care [tejk kä:'ə] **aktad** respected [rispekk'tidd] **akter** stern [stə:n] **aktersnurra** outboard motor [ao'tbå:'d måo'tə] **aktie** share [sjä:'ə] **aktiebolag** limited company [limm'itidd kamm'pəni] **aktieägare** shareholder [sjä:'əhåoldə] **aktion** action [äkk'sjən] **aktiv** active [äkk'tivv] **aktivera** activate [äkk'tivejt] **aktivitet** activity [äkktivv'itti] **aktning** respect [rispekk't] **aktsam** careful [kä:'əfoll] **aktualisera** (*föra på tal*) bring to the fore [bring' to ðə få:']; (*modernisera*) bring up to date [bring' app to dej't] **aktualitet** topicality [tåppikäll'itti] **aktuell** of current interest [əvv karr'ənt in'trest] **aktör** actor [äkk'tə] **akustik** acoustics [əko:stikks] **akut** acute [əkjo:'t] **akvarell** watercolour [wå:'təkallə] **akvarium** aquarium [əkwä:'əriəm] **akvavit** aquavit [akk'vəvitt] **al** alder [å:'lda] **aladåb** aspic [äss'pikk] **alarm, alarmera** alarm [əla:'m] **Albanien** Albania [älbej'njə] **album** album [äll'bəm] **aldrig** never [nevv'ə] **alfabet** alphabet [äll'fəbitt] **alg** alga [äll'gə] **algebra** algebra [äll'dsjibrə] **Algeriet** Algeria [äldsji:'əriə] **alibi** alibi [äll'ibaj] **alkohol** alcohol [äll'kəhåll] **alkoholhaltig** alcoholic [ällkəhåll'ikk] **alkoholist** alcoholic [ällkəhåll'ikk] **all** all [å:l]; (*varje*) every [evv'ri]; *för all del!* not at all! [nått ətt å:'l], don't mention it! [dåo'nt menn'sjən itt] **alla** all [å:l]; (*varenda en*) everybody [evv'ribåddi], everyone [evv'riwann] **alldeles** quite [kwajt] **allehanda** all sorts of [å:'l så:'ts əvv] **allé** avenue [ävv'injo:] **allergi** allergy [äll'ədsji] **allergisk** allergic [ələ:'dsjikk] **allesammans** all of them [å:'l əvv ðəm], all of us [å:'l əvv ass] **allhelgonadag(en)** All Saints' Day [å:'l sej'nts dej] **allians** alliance [əlaj'əns] **alliera sig** ally o.s. [əlaj' wannsell'f] **allierad** allied [əlaj'd]; *de allierade* the allies [ði: äll'ajz] **alligator** alligator [äll'igejtə] **allmoge** country people [kann'tri pi:'pl] **allmosa** alms [a:mz] **allmän** (*vanlig*) common [kåmm'ən]; (*gemensam*) general [dsjen'ərəl]; (*offentlig*) public [pabb'likk]; (*gängse*) current [karr'ənt]

allmänbildad well-informed [well'infå:md] **allmängiltig** generally applicable [dsjenn'əreli äpp'likəbl] **allmänhet** *allmänheten* the public [ðə pabb'likk]; *i allmänhet* in general [inn dsjenn'ərəl], as a rule [äzz ə ro:'l] **allra** of all [evv å:'l]; very [verr'i] **alls** at all [ätt å:'l] **allsidig** all round [å:'l rao'nd] **allsmäktig** almighty [âlmaj'ti] **allström** universal current [jo:nive:'səl karr'ənt] **allsång** community singing [kəmju:'nitti sing'ing] **allt** all [å:l], everything [evv'riθing]; *allt som allt* all told [å:'l tåo'ld]; *när allt kommer omkring* after all [a:'ftər å:'l] **allteftersom** as [äzz] **alltför** too [to:] **alltid** always [å:'lwəz]; *för alltid* for ever [fər evv'ə] **alltifrån** ever since [evv'ə sinn's] **alltigenom** through and through [θro:' ənn θro:'] **allting** everything [evv'riθing] **alltjämt** still [still] **alltmer(a)** more and more [må:'r ənn må:'] **alltsammans** all [å:l] **alltsedan dess** ever since then [evv'ə sins ðenn'] **alltså** accordingly [əkå:'dingli], thus [ðass] **allvar** seriousness [si:'əriəsniss]; *mena allvar* be serious [bi: si:'əriəs] **allvarlig, allvarsam** serious [si:'əriəs] **alm** elm [ellm] **almanacka** almanac [å:'lmənäkk] **alpin** alpine [äll'pajn] **alpinist** alpinist [äll'pinist] **alster** product [prådd'əkt] **alstra** produce [prədjo:'s] **alstring** production [prədakk'sjən] **altan** balcony [båll'kəni] **altare** altar [å:'ltə] **alternativ** alternative [å:ltə'nə-tivv] **alträst** contralto [kəntrå:'ltəo] **aluminium** aluminium [älljominn'jəm] **amalgam** amalgam [əmäll'gəm] **amanuens** assistant university teacher [əsiss'tənt jo:nive:'sitti ti:'tsjə] **amatör** amateur [ämm'ətə] **amatörmässig** amateurish [ämmətə'risj] **ambassad** embassy [emm'bəsi] **ambassadör** ambassador [ämmbäss'ədə] **ambition** ambition [ämmbisj'ən] **ambitiös** ambitious [ämmbisj'əs] **ambulans** ambulance [ämm'bjoləns] **Amerika** America [əmerr'ikə] **amerikan(sk)** American [əmerr'ikən] **ametist** amethyst [ämm'iθist] **amiral** admiral [ädd'mərəl] **amma** nurse [nə:s] **ammoniak** ammonia [əmåo'njə] **ammunition** ammunition [ämmjonisj'ən] **amnesti** amnesty [ämm'nesti] **amortera** pay off by instalments [pej å:'f baj instå:'lmənts] **ampel** hanging flower-basket [häng'ing flao'əba:skitt] **ampull** ampoule [ämm'po:l] **amputation** amputation [ämmpjotej'sjən] **amputera** amputate [ämm'pjotejt] **amulett** amulet [ämm'jolitt] **an** *av och an* up and down [app' ənn dao'n] **ana** have a feeling [hävv' ə fi:'ling] **analfabet** illiterate [illitt'əritt] **analfabetism** illiteracy [illitt'ərə-si] **analogi** analogy [ənäll'ədsji] **analogisk** analogical [ännə-lådd'sjikəl] **analys** analysis [ənäll'əsiss] **analysera** analyse [änn'əlajs] **ananas** pineapple [paj'näppl] **anarki** anarchy [änn'ə-ki] **anatomi** anatomy [ənätt'əmi] **anbefalla** *(påbjuda)* enjoin [indsjåj'n]; *(rekommendera)* recommend [rekəmenn'd] **anbelanga** *vad mig anbelangar* as far as I am concerned [əzz fa:'r əzz aj' ämm kənsə:'nd] **anblick** sight [sajt]; *vid första anblicken* at first sight [ətt fə:'st saj't] **anbringa** place [plejs] **anbud** *(köp-)* bid [bidd]; *(sälj-)* offer [åff'ə] **and** wild duck [waj'ld dakk']

anda (*andedräkt*) breath [breθ]; (*stämning*) spirit [spirr'itt]
andakt devotion [divåo'sjən] **andas** breathe [bri:ð] **ande** spirit
[spirr'itt] **andedräkt** breath [breθ] **andel** share [sjä:'ə] **andetag**
breath [breθ] **andfådd** out of breath [ao't əvv breθ'] **andhämt-
ning** breathing [bri:'ðing], respiration [resspərej'sjən] **andlig**
(*själslig*) spiritual [spirr'itsjoəl]; (*psykisk*) intellectual [inti-
lekk'tsjoəl], mental [menn'tl] **andlös** breathless [breθ'liss] **and-
ning** breathing [bri:'ðing], respiration [resspərej'sjən] **andnings-
organ** respiratory organ [risspaj'ərətri å:'gən] **andra** second
[sekk'ənd] **andrahands-** second-hand [sekk'əndhänn'd] **andra-
klassbiljett** second-class ticket [sekk'əndkla:'s tikk'itt] **andre**
second [sekk'ənd] **andrum** breathing-space [bri:'ðingspejs]
anekdot anecdote [änn'ikdåot] **anemi** anaemia [əni:'mjə] **ane-
mon** anemone [ənemm'əni] **anfall** attack [ətäkk']; (*sjukdoms-
etc.*) fit [fitt] **anfalla** attack [ətäkk'] **anfordran** *vid anfordran*
on demand [ånn dima:'nd] **anföra** (*leda*) lead [li:d]; (*framhålla*)
state [stejt] **anförande** (*yttrande*) statement [stej'tmənt]; speech
[spi:tsj] **anförare** leader [li:'də] **anförtro** entrust [intrass't]
anförvant relation [rilej'sjən] **ange** (*uppge*) inform [infå:'m];
(*anmäla för myndighet*) report [ripå:'t] **angelägen** (*om sak*)
urgent [ə:'dsjənt]; (*om person*) anxious [äng'ksjəs] **angelägen-
het** (*sak*) matter [mätt'ə], affair [əfä:'ə] **angenäm** pleasant
[plezz'nt] **angiva** *se ange* **angivare** informer [infå:'mə] **anglo-
saxisk** Anglo-Saxon [äng'glåo säkk'sən] **angrepp, angripa**
attack [ətäkk'] **angripare** assailant [əsej'lənt] **angränsande**
adjacent [ədsjej'sənt] **angå** *det angår dig inte* it's none of your
business [itts nann' əvv jå:' bizz'niss] **anhalt** halt [hå:lt] **anhålla**
(*arrestera*) arrest [əress't]; (*begära*) ask [a:sk] **anhållan** request
[rikwess't] **anhållande** arrest [əress't] **anhängare** follower
[fåll'åoə] **anhörig** relative [rell'ətivv] **anilin** aniline [änn'ili:n]
aning (*förkänsla*) presentiment [prizenn'timənt]; (*föreställning*)
notion [nåo'sjən]; *en aning* (*en smula*) a little [ə litt'l] **anka**
duck [dakk] **ankare** anchor [äng'kə] **ankarplats** anchorage
[äng'kəriddsj] **ankel** ankle [äng'kl] **anklaga** accuse [əkjo:'z]
anklagelse accusation [äkjozej'sjən] **anknyta** attach [ətätt'sj]
anknytning connection [kənekk'sjən] **ankomma** (*anlända*)
arrive [əraj'v]; (*bero*) depend [dipenn'd] **ankomst** arrival
[əraj'vəl] **ankra** anchor [äng'kə] **anlag** talent [täll'ənt] **anlags-
prov** aptitude test [äpp'titjo:d tess't] **anledning** reason [ri:'zn]
(*till* for [få:'], of [åvv]); *med anledning av* on account of [ånn
əkao'nt əvv] **anlita** apply to [əplaj' to:]; (*tillgripa*) resort to
[rizå:'t to:] **anlägga** (*bygga*) build [billd] **anläggning** (*byggnad*)
building [bill'ding] **anlända** arrive [əraj'v] **anmana** demand
[dima:'nd] **anmaning** request [rikwess't] **anmoda, anmodan**
request [rikwess't] **anmäla** (*meddela*) announce [ənao'ns];
(*rapportera*) report [ripå:'t] **anmälan** report [ripå:'t] **anmälnings-
avgift** registration fee [redsjistrej'sjən fi:'] **anmärka** (*klandra*)

find fault [faj'nd få:'lt] **anmärkning** (*yttrande*) comment [kåm'mənt]; (*klander*) objection [əbdsjekk'sjən] **anmärkningsvärd** remarkable [rima:'kəbl] **annalkande** (*subst.*) approach [əprå'tsj]; (*adj.*) approaching [əprå'tsjing] **annan** other [aðʼə]; *en annan* another [ənaðʼə], somebody else [samm'bədi ell's]; *alla andra* all the others [å:'l ði aðʼəz], everybody else [evv'ribåddi ell's]; *ingen annan* nobody else [nåo'bədi ell's]; *någon annan* somebody else [samm'bədi ell's] **annandag** annandag jul Boxing-day [båkk'-singdej]; *annandag pingst* Whit-Monday [witt'mann'di]; *annandag påsk* Easter Monday [i:'stə mann'di] **annanstans** elsewhere [ell'swä:'ə]; *ingen annanstans* nowhere else [nåo'wä:ə ell's] **annars** otherwise [aðʼəwajz], or (else) [å:' (ell's)] **annat** (*jfr annan*); *inte annat än jag vet* as far as I know [əzz fa:' əzz aj' nåo]; *hon kunde inte annat än skratta* she could not help laughing [sji kodd nått hell'p la:'fing] **annons** advertisement [ədva:'tismənt] **annonsbyrå** advertising agency [ädd'vətajzing ej'dsjənsi] **annonsera** (*genom annons*) advertise [ädd'vətajz]; (*tillkännage*) announce [ənao'ns] **annonsering** advertising [ädd'vətajzing] **annorlunda** (*adv.*) otherwise [aðʼəwajz]; (*adj.*) different [diff'-rənt] **annuitetslån** instalment credit [instå:'lmənt kredd'itt] **annullera** cancel [känn'səl] **anonym** anonymous [ənånn'iməs] **anonymitet** anonymity [ännənimm'itti] **anor** ancestry [änn'sistri] **anorak** anorak [änn'əräkk] **anordna** arrange [ərej'ndsj] **anordning** (*apparat*) apparatus [äppərej'təs] **anpassa** adapt [ədäpp't] **anpassning** adaptation [ädäptej'sjən] **anrika** enrich [inrit'sj] **anropa** call [kå:l] **anrätta** prepare [pripä:'ə] **anrättning** (*rätt*) dish [disj] **ansa** tend [tennd] **ansats** (*början*) start [sta:t]; (*försök*) attempt [ətemm'pt] **anse** (*mena*) think [θingk]; (*betrakta*) consider [kənsidd'ə], regard [riga:'d] **ansedd** (*aktad*) esteemed [isti:'md] **anseende** reputation [repjotej'sjən]; esteem [isti:'m] **ansenlig** considerable [kənsidd'ərəbl] **ansikte** face [fejs] **ansjovis** anchovy [änn'tsjəvi] **anskaffa** acquire [əkwaj'ə] **anskaffningskostnad** acquisition cost [äkwizisj'ən kåss't] **anslag** (*kungörelse*) notice [nåo'tiss]; (*penningmedel*) provision [prəvisj'ən]; (*komplott*) design [dizaj'n]; (*musik*) touch [tattsj] **anslagstavla** notice-board [nåo'tissbå:d] **ansluta** connect [kənekk't]; *ansluta sig till ett parti* join a party [dsjåj'n ə pa:'ti] **anslutning** connection [kənekk'sjən] **anslå** (*anvisa*) assign [əsaj'n]; (*pengar*) grant [gra:nt]; (*musik*) strike [strajk] **anspela** allude [əlo:'d] (*på* to) **anspelning** allusion [əlo:'sjən] **anspråk** claim [klejm]; *göra anspråk på* lay claim to [lejj klej'm to:] **anspråksfull** pretentious [pritenn'sjəs] **anspråkslös** modest [mådd'ist] **anstalt** (*institution*) institution [institjo:'sjən] **anstrykning** (*skiftning*) tinge [tinndsj]; (*tycke*) touch [tattsj] **anstränga** strain [strejn]; *anstränga sig* exert o.s. [iggzə:'t wannsell'f] **ansträngande** strenuous [strenn'joəs] **ansträngning** effort [eff'ət] **anstå** (*uppskjutas*) wait [wejt] **anstånd** delay

anställa — arbetsmarknad 12

[dilej'] **anställa** employ [immplåj']; (*företaga*) make [mejk] **anställd** employee [emmplåji:'] **anställning** employment [immplåj'mənt] **anständig** respectable [rispekk'təbl] **anstöt** offence [əfenn's] **ansvar** responsibility [rispånsøbill'itti] **ansvarig** responsible [rispånn'səbl] **ansvarighetsförsäkring** liability insurance [lajəbill'itti insjo'ərəns] **ansvarsfull** responsible [rispånn'səbl] **ansvarslös** irresponsible [irrispånn'səbl] **ansätta** press [press] **ansöka om** apply for [əplaj' få:] **ansökan** application [äpplikej'sjən] **antaga** (*mottaga*) take [tejk], accept [əksepp't]; (*förmoda*) assume [əs-jo:'m], suppose [səpåo's] **antagande** (*förmodan*) assumption [əsamm'psjən] **antagligen** probably [pråbb'əbli] **antagonist** antagonist [änntägg'ənist] **antal** number [namm'bə] **Antarktis** the Antarctic [ði: änta:'ktikk] **antasta** molest [məless't] **anteckna, anteckning** note [nåot] **anteckningsbok** notebook [nåo'tbokk] **antenn** (*radio-*) aerial [ä:'əriəl]; *zool.* antenna [änntenn'ə] **antibiotika** antibiotics [änn'tibijått'iks] **antik** antique [ännti:'k] *antiken* classical antiquity [kläss'ikəl änntikk'witti] **antikropp** antibody [änn'tibåddi] **antikvariat** second-hand bookshop [sekk'əndhännd bokk'sjåpp] **antikvitet** antiquity [änntikk'witti] **antikvitetshandlare** antique dealer [äntti:'k di:'lə] **antilop** antelope [änn'tiláop] **antingen ... eller** (*ettdera*) either ... or [aj'ðə å:']; (*vare sig*) whether ... or [weð'ə å:'] **antisemitism** anti-semitism [änn'ti-semmitizm] **antiseptisk** antiseptic [änntisepp'tikk] **antologi** anthology [änθåll'ədsji] **anträffa** find [fajnd] **antyda** suggest [sədsjess't] **antydan** (*vink*) insinuation [insinjoej'sjən]; (*ansats*) suggestion [sədsjess'tsjən] **anvisa** (*visa*) show [sjåo] **anvisning** direction [direkk'sjən], instruction [instrakk'sjən] **använda** use [jo:z] **användbar** useful [jo:'sfoll] **användning** use [jo:s] **apa** monkey [mang'ki]; *apa efter* ape [ejp] **apatisk** apathetic [äppəθett'ikk] **apelsin** orange [årr'indsj] **apostel** apostle [əpåss'l] **apotek** pharmacy [fa:'məssi] **apparat, apparatur** apparatus [äppərej'-təs] **applicera** apply [əplaj'] **applåd** applause [əplå:'z] **applådera** applaud [əplå:'d] **appretur** finishing [finn'isjing] **aprikos** apricot [ej'prikått] **april** April [ej'prəl] **apropå** talking of ... [tå:'kingg əvv] *helt apropå* incidentally [insidenn'tli] **aptit** appetite [äpp'itajt] **aptitretande** appetizing [äpp'itajzing] **arab** [ärr'əb] **Arabien** Arabia [ərej'bjə] **arabisk** Arabian [ərej'bjən] **arbeta** work [wə:k] **arbetare** worker [wə:'kə] **arbetarparti** Labour Party [lej'bə pa:'ti] **arbetarrörelse** labour movement [lej'bə mo:'vmənt] **arbete** work [wə:k] **arbetsam** laborious [ləbå:'riəs] **arbetsdag** working day [wə:'king dej] **arbetsför** fit for work [fitt' fə wə:'k] **arbetsförmedling** employment exchange [implåj'mənt ikstsjej'ndsj] **arbetsgivare** employer [implåj'ə] **arbetsgrupp** team [ti:m] **arbetskraft** labour [lej'bə] **arbetsledare** foreman [få:'mən] **arbetslös** unemployed [ann'implåj'd] **arbetslöshet** unemployment [ann'implåj'mənt] **arbetsmarknad** labour market [lej'bə ma:'kitt] **arbetsplats** place of work [plej's əvv wə:'k] **arbetsrum** workroom [wə:'kromm] **arbetstagare** employee [emmplåji:'] **arbetsterapeut** occupational therapist [åkkjopej'sjənl θerr'əpist] **arbetstid** working hours [wə:'king aoəz] **arbetstillstånd** work permit [wə:'k pə:'mit] **arbetsuppgift** task [ta:sk] **arg** angry [äng'gri] **Argentina** Argentine [a:'dsjəntajn] **argumentera** argue [a:'gjo:] **ark** sheet [sji:t] **arkad** arcade [a:kej'd] **arkebusera** shoot [sjo:t] **arkeologi** archaeology [a:kiåll'ədsji] **arkipelag** archipelago [a:kipell'igåo] **arkitekt** architect [a:'kitekkt] **arkitektur** architecture [a:kitekktsjə] **arkiv** archives [a:'kajvz] **arkivera** file [fajl] **arktisk** Arctic [a:'ktikk] **arm** (*subst.*) arm [a:m] **armband** bracelet [brej'slitt] **armbandsur** wrist-watch [riss'twåttsj] **armbåge** elbow [ell'båo] **armé** army [a:'mi] **armera** (*försöka*) reinforce [ri:infå:'s] **armstöd** (*på stol*) arm [a:m] **armsvett** underarm perspiration [ann'dəa:'m pə:spərej'sjən] **arrangemang** arrangement [ərej'ndsjmənt] **arrangera** arrange [ərej'ndsj] **arrangör** arranger [ərej'ndsjə] **arrendator** tenant [tenn'ənt] **arrende, arrendera** lease [li:s] **arrest** custody [kass'tədi] **arrestera** arrest [əress't] **art** (*sort*) kind [kajnd]; *biol.* species [spi:'sji:z] **arta sig** shape [sjejp] **artig** polite [pəlaj't] **artificiell** artificial [a:tifisj'əl] **artikel** article [a:'tikl] **artilleri** artillery [a:till'əri] **artist** artist [a:'tist] **arton** eighteen [ej'ti:'n] **artonde** eighteenth [ej'ti:'nθ] **artonhundratalet** the nineteenth century [ðə naj'nti:nθ senn'tsjəri] **arv** inheritance [inherr'ittəns] **arvlös** disinherited [diss'inherr'itidd] **arvode** fee [fi:] **arvsanlag** gene [dsji:n] **arvsskatt** death duty [deθ djo:ti] **as** carcass [ka:'kəs] **asfalt, asfaltera** asphalt [äss'fällt] **asiatisk** Asiatic [ejsjiätt'ikk] **Asien** Asia [ej'sjə] **ask 1** (*träd*) ash [äsj] **2** (*låda*) box [båkks] **aska** ashes [äsj'izz] **askfat** ashtray [äsj'trej] **asp** asp [ässp] **aspekt** aspect [äss'pekt] **aspirin** aspirin [äss'pərinn] **assiett** small plate [små:'l plej't] **assimilera** assimilate [əsimm'ilejt] **assistent** assistant [əsiss'tənt] **assistera** assist [əsiss't] **association** association [əsåosiej'sjən] **associera** associate [əsåo'sijejt] **astma** asthma [äss'mə] **astrologi** astrology [əstråll'ədsji] **astronaut** astronaut [äss'trənå:t] **astronomi** astronomy [əstrånn'əmi] **asymmetrisk** asymmetrical [äss'imett'rikəl] **ateist** atheist [ej'θiist] **ateljé** studio [stjo:'diåo] **Atlanten** the Antlantic [ði: ətlänn'tikk] **atlas** atlas [ätt'ləs] **atmosfär** atmosphere [ätt'məsfiə] **atmosfärisk** atmospheric [ässtməsferr'ikk] **atom** atom [ätt'əm] **atombomb** atom bomb [ätt'əm båmm] **atomenergi** nuclear energy [njo:'kliə enn'ədsji] **att** (*infinitivmärke*) to [to:]; (*konj.*) that [ðätt] **attack, attackera** attack [ətäkk'] **attentat** attempt [ətemm't] (*mot någon* on a person's life [ån ə pə:'sənz laj'f]) **attestera** attest [ətess't] **attityd** attitude [ätt'itjo:d] **attrahera** attract [əträkk't] **attraktion** attraction [əträkk'sjən] **attraktiv** attractive [əträkk'tiv] **audiens** audience [å:'djəns] **augusti** August [å:'gəst] **auktion** auction [å:'ksjən] **auktionsförrättare** auctioneer [å:ksjəni:'ə] **auktorisera** authorize [å:'θərajz]' **auktoritet** authority [å:θårr'itti] **Australien** Australia [åstrej'ljə] **australisk** Australian [åstrej'ljən] **autentisk** authentic [å:θenn'tikk] **autograf** autograph [å:'təgra:f] **automat** automatic machine [å:təmätt'ikk məsji:'n] **automatisera** automate [å:'təmejt] **automatisk** automatic [å:təmätt'ikk] **av** (adj.) of [åvv]; (betecknande medlet) by [baj]; (betecknande orsak) for [få:], out of [ao't əvv]; (adv.) (bort, i väg) off [å:f] **avancera** advance [ədva:'ns] **avbeställa** cancel [känn'səl] **avbetalning** instalment [instå:'lmənt]; köpa på avbetalning buy on the instalment plan [baj' ånn ði instå:'lmənt plänn'] **avbilda** reproduce [ri:prədjo:'s] **avbildning** reproduction [ri:prədakk'sjən] **avblåsning** stoppage of game [ståpp'iddsj əvv gej'm] **avbrott** (uppehåll) break [brejk]; (upphörande) stop [ståpp] **avbryta** interrupt [intərapp't] **avbytare** replacement [riplej'smənt]; (vid motortävling) co-driver [kåo'draj'və] **avböja** decline [diklaj'n] **avdelning** (del) part [pa:t]; (av företag) division [divisj'ən]; (sjukhus-) ward [wå:d] **avdelningschef** departmental manager [di:pa:tmenn'tl männ'iddsjə] **avdrag** deduction [didakk'sjən]; allowance [əlao'əns] **avel** breeding [bri:'ding] **avelsdjur** breeder [bri:'də] **aveny** avenue [ävv'injo:] **avfall** waste [wejst]; (köks-) garbage [ga:'biddsj] **avfatta** word [wə:d]; (avtal) draw up [drå:' app'] **avfolkning** depopulation [di:påppjolej'sjən] **avfrosta** defrost [di:fråss't] **avfyra** fire [faj'ə] **avfärd** departure [dipa:'tsjə] **avfärda** dismiss [dissmiss'] **avföring** evacuation [iväkkjoej'sjən] **avföringsmedel** purgative [pə:'gətivv] **avgas** exhaust [iggzå:'st] **avgasrör** exhaust pipe [iggzå:'st paj'p] **avge** (ge ifrån sig) emit [imitt']; (avlägga) give [givv] **avgift** charge [tsja:dsj]; fee [fi:] **avgjord** decided [disaj'didd] **avgrund** abyss [əbiss'] **avgränsa** demarcate [di:'ma:kejt] **avguda** idolize [aj'dəlajz] **avgå** leave [li:v], start [sta:t] **avgång** departure [dipa:'tsjə] **avgöra** decide [disaj'd] **avgörande** decision [disisj'ən] **avhandling** treatise [tri:'tiz]; (akademisk) thesis [θi:'sis] **avhjälpa** remedy [remm'iddi] **avhålla** prevent [privenn't]; avhålla sig från keep away from [ki:'p əwej' fråmm] **avhämtning** collection [kələkk'sjən] **avi** advice [ədvaj's] **avig** inside out [inn'sajd ao't] **avigsida** wrong side [rång' saj'd] **avisera** advice [ədvaj's] **avkall** ge avkall på renounce [rinao'ns] **avkastning** proceeds [pråo'si:dz] **avkomma** offspring [å:ff'spring] **avkoppling** (avspänning) relaxation [ri:läksej'sjən] **avkrok** out-of-the-way spot [ao'təvðəwej' spått'] **avkunna** pronounce [prənao'ns] **avkylning** cooling [ko:'ling] **avlastning** unloading [ann'låo'ding] **avleda** divert [dajvə:'t]; (vatten) drain [drejn] **avlida** expire [ikkspaj'ə] **avliden** deceased [disi:'st] **avliva** put ... to death [pott' tə deθ'] **avlopp** sewer [sjo:'ə], drain [drejn] **avlossa** fire [faj'ə] **avlyssna** listen to [liss'n to:] **avlyssning** wire-tapping [waj'ətäpping] **avlång** oblong [åbb'lång] **avlägga** make; avlägga rapport report [ripå:'t]

avlägsen distant [diss'tənt] **avlägsna** remove [rimo:'v]; *avlägsna sig* go away [gåo' əwej'], leave [li:v] **avlämna** deliver [dilivv'ə] **avläsa** read [ri:d] **avlöning** pay [pej] **avlöningsdag** pay-day [pej'dej] **avlöpa** (*utfalla*) turn out [tə:'n ao't] **avlösa** relieve [rili:'v] **avlösning** relieving [rili:'ving] **avmattas** grow weak [gråo' wi:'k] **avmattning** flagging [flägg'ing] **avpassa** fit [fitt] **avreagera sig** let off steam [lett' å:'f sti:'m] **avregistrera** deregister [dredd'sjistə] **avresa** (*subst.*) departure [dipa:'tsjə] **avresedag** day of departure [dejj' əvv dipa:'tsjə] **avringning** ring-off [ring'å:'f] **avrunda** round [raond] **avråda** *avråda ngn från ngt* advise s.b. against s.th. [ədvaj'z samm'bədi əgenn'st samm'θing] **avräkning** deduction [didakk'sjən] **avrätta** execute [ekk'sikjo:t] **avrättning** execution [ekksikjo:'sjən] **avsaknad** *vara i avsaknad av* lack [läkk] **avse** mean [mi:n], intend [intenn'd] **avseende** (*hänseende*) respect [risspekk't]; *med avseende på* with regard to [wið' riga:d to:] **avsevärd** considerable [kənsidd'ərəbl] **avsides** aside [əsaj'd] **avsikt** intention [intenn'sjən], purpose [pə:'pəs]; *ha för avsikt* intend [intenn'd]; *i avsikt att* for the purpose of [fə ðə pə:'pəs əvv]; *med avsikt* on purpose [ånn pə:'pəs] **avsiktlig** intentional [intenn'sjənl] **avskaffa** abolish [əbåll'isj] **avsked** dismissal [dissmiss'əl]; *ta avsked från* resign [rizaj'n]; *ta avsked av* say farewell to [sej' fäəwell' to:] **avskeda** dismiss [dissmiss'] **avskedsansökan** resignation [rezignej'sjən] **avskild** secluded [siklo:'didd] **avskildhet** retirement [ritaj'əmənt] **avskilja** separate [sepp'ərejt] **avskjuta** fire [faj'ə] **avskrift** copy [kåpp'i] **avskräcka** frighten [fraj'tn]; discourage [disskarr'iddsj] **avskräde** refuse [reff'jo:s] **avsky** detest [ditess't]; disgust [dissgass't] **avskyvärd** abominable [əbåmm'inəbl] **avslag** refusal [rifjo:'zəl] **avslagen** (*om dryck*) stale [stejl] **avsluta** finish [finn'isj] **avslutning** end [ennd] **avslöja** disclose [dissklåo'z] **avslöjande** disclosure [dissklåo'sjə] **avsmak** dislike [disslaj'k] **avsmalnande** narrowing [närr'åoing] **avsnitt** sector [sekk'tə] **avspark** kick-off [kikk'å:'f] **avspegla sig** be reflected [bi: riflekk'tidd] **avspänd** relaxed [riläkk'st] **avspärra** bar [ba:] **avstanna** stop [ståp] **avstavning** division into syllables [divisj'ən inn'tə sill'əblz] **avstå, avstå från** give up [givv' äpp'] **avstånd** *på avstånd* at a distance [ätt ə diss'təns], (*i fjärran*) in the distance [inn ðə diss'təns] **avståndsmätare** range-finder [rej'ndsjfajndə] **avsvimmad** in a swoon [inn ə swo:'n] **avsvärja (sig)** abjure [əbdsjo'ə] **avsäga sig** renounce [rinao'ns] **avsända** send [sennd] **avsändare** sender [senn'də] **avsätta** dismiss [dissmiss']; (*varor*) sell [sell] **avsättning** dismissal [dissmiss'əl]; (*varors*) sale [sejl] **avtaga** (*minska*) decrease [di:kri:'s] **avtagbar** removable [rimo:'vəbl] **avtagsväg** turn [tə:n] **avtal** agreement [əgri:'mənt] **avtala** (*överenskomma om*) agree upon [əgri:' əpånn], (*tid*) fix [fikks] **avteckna sig** stand out [stänn'd ao't] **avtjäna** work on [wə:'k

avtorka — baktanke 16

ånn] **avtorka** wipe [wajp] **avtryck** imprint [imm'print] **avtryckare** (*på gevär*) trigger [trigg'ə]; (*på kamera*) shutter lever [sjatt'ə li:'və] **avträda** give up [givv' app'] **avträde** privy [privv'i] **avtvinga** *avtvinga ngn ngt* extort s.th. from s.b. [ikkstå:'t samm'-θing fråmm samm'bədi] **avtåga** march off [ma:'tsj å:'f] **avtäcka** uncover [annkavv'ə]; (*staty*) unveil [annvej'l] **avund, avundas** envy [enn'vi] **avundsjuk** envious [enn'viəs] **avundsjuka** envy [enn'vi] **avvakta** await [əwej't] **avvaktan** *i avvaktan på* while waiting for [waj'l wej'ting få:'] **avvara** spare [spä:'ə] **avveckla** wind up [waj'nd app'] **avverka** (*hugga*) fell [fell]; (*slutföra*) accomplish [əkåmm'plisj] **avvika** (*från ämne*) digress [dajgress']; (*rymma*) abscond [əbskånn'd] **avvikelse** digression [dajgresj'ən] **avvisa** send away [senn'd əwej']; (*förslag*) reject [ridsjekk't] **avväg** *komma på avvägar* go astray [gåo' əstrej'] **avväga** balance [bäll'əns] **avväpna** disarm [dissa:'m] **avvärja** ward off [wå:'d åff'] **ax** (*på växt*) spike [spajk]; (*sädes-*) ear [iə]; (*nyckel-*) bit [bitt] **axel 1** (*hjul-*) axle [äkk'sl] **2** (*skuldra*) shoulder [sjåo'ldə] **axelband** shoulder-strap [sjåo'ldəsträpp] **axeltryck** axle load [äkk'sl låod] **axelväska** satchel [sätt'sjəl] **babord** port [på:t]; *om babord* to port [to på:'t] **babian** baboon [bəbo:'n] **bacill** bacillus [bəsill'əs] **back 1** (*öl-*) crate [krejt] **2** *sport.* back [bäkk] **backa** reverse [rivə:'s] **backe** hill [hill]; *sakta i backarna!* easy does it! [i:'zi dazz'itt] **backhoppning** ski-jumping [ski:'-dsjammping] **backlykta** reversing light [rivə:'sing lajt] **backspegel** driving mirror [draj'ving mirr'ə] **bad** bath [ba:θ]; (*utomhus*) bathe [bejð] **bada** take a bath [tejk ə ba:'θ]; (*utomhus*) bathe [bejð], take a swim [tejk ə swimm'] **badbyxor** swimming-trunks [swimm'ingtrangks] **badda** bathe [bejð] **baddräkt** bathing suit [bej'ðing sjo:t] **badhandduk** bath towel [ba:'θ taoəl] **badkappa** bath-robe [ba:'ðråob] **badkar** bath [ba:θ] **badlakan** bath towel [ba:'θ taoəl] **badmössa** bathing-cap [bej'ðingkäpp] **badort** seaside resort [si:'sajd rizå:'t] **badrum** bathroom [ba:'θ-romm] **badstrand** beach [bi:tsj] **badvatten** bath-water [ba:'θ-wå:tə] **bagage** luggage [lagg'iddsj] **bagare** baker [bej'kə] **bagatell** trifle [trajfl] **bageri** baker's (shop) [bej'kəz (sjåpp)] **bak** at the back [ätt ðə bäkk']; *bak och fram* the wrong way round [ðə rång' wej' rao'nd] **baka** bake [bejk] **bakben** hind leg [haj'nd legg] **bakelse** pastry [pej'stri] **bakgrund** background [bäkk'graond] **bakhjul** rear wheel [ri:'ə wi:'l] **bakhåll** ambush [ämm'bosj] **bakifrån** from behind [fråmm bihaj'nd] **baklykta** rear light [ri:'ə lajt] **baklås** *dörren har gått i baklås* the lock has jammed [ðə låkk' häzz dsjämm'd] **baklänges** backwards [bäkk'-wədz] **bakning** baking [bej'king] **bakom** behind [bihaj'nd] **bakpå** (*adv.*) behind [bihaj'nd]; (*prep.*) at the back of [ätt ðə bäkk' əvv] **bakre, baksida** back [bäkk] **bakslag** (*reaktion*) reverse [rivə:'s] **baksmälla** hangover [häng'åovə] **baktala** slander [sla:'ndə] **baktanke** secret motive [si:'kritt måo'tivv]

bakterie bacterium [bäkkti:'əriəm] **baktill** behind [bihaj'nd] **bakväg** back way [bäkk' wej] **bakvänd** the wrong way round [ðə rång' wej' rao'nd]; (*befängd*) absurd [əbsə:'d] **bakåt** backward(s) [bäkk'wəd(z)] **bal** ball [bå:l] **balans, balansera** balance [bäll'əns] **balett** ballet [bäll'e] **balja** tub [tabb] **balk** beam [bi:m] **balkong** balcony [bäll'kəni] **ballong** balloon [bəlo:'n] **balsamera** embalm [imba:'m] **balustrad** balustrade [bälləstrej'd] **bambu** bamboo [bämmbo:'] **bana** path [pa:θ]; *astron.* orbit [å:'bitt]; (*levnads-*) career [kəri:'ə]; *sport.* track [träkk] **banal** banal [bəna:'l] **banan** banana [bəna:'nə] **banbrytande** pioneering [pajəni:'əring] **band** band [bännd]; (*prydnads-*) ribbon [ribb'ən]; (*bok-*) binding [baj'nding]; (*volym*) volume [våll'jomm]; (*ngt som sammanbinder*) tie [taj], bond [bånnd]; *lägga band på sig* restrain oneself [ristrej'n wannsell'f] **bandage** bandage [bänn'didsj] **bandit** bandit [bänn'ditt] **bandspelare** tape recorder [tej'p rikå:'də] **bang** (*överljudsknall*) sonic bang [sånn'ikk bäng'] **bank** bank [bängk]; *sätta in på banken* deposit at the bank [dipåzz'itt ətt ðə bäng'k] **bankbok** pass book [pa:'s book] **bankett** banquet [bäng'kwitt] **bankfack** safe-deposit box [sej'fdipäzzitt båkk's] **bankir** banker [bäng'kə] **bankkonto** bank account [bäng'k əkao'nt] **bankkontor** bank office [bäng'k åff'iss] **banta** slim [slimm] **banvakt** lineman [laj'nmən] **banvall** embankment [imbäng'kmənt] **bar 1** (*utskänkningsställe*) bar [ba:] **2** (*naken*) bare [bä:'ə]; naked [nej'kidd] **bara** only [åo'nli] **barack** barracks [bärr'əks] **barbar** barbarian [ba:bä:'əriən] **barbarisk** barbaric [ba:bärr'ikk] **barberare** barber [ba:'bə] **barfota** bare-foot [bä:'əfott] **barhuvad** bare-headed [bä:'əhedd'idd] **bark** bark [ba:k] **barkbåt** bark boat [ba:'k båot] **barmhärtig** merciful [mə:'sifoll] **barmhärtighet** mercy [mə:'si] **barn** child [tsjajld] (*pl* children [tsjill'drən]) **barnadödlighet** infant mortality rate [inn'fənt må:täll'itti rejt] **barnavård** child welfare [tsjaj'ld well'fä:ə] **barnavårdsnämnd** child welfare committee [tsjaj'ld well'fä:ə kəmitt'i] **barnbarn** grandchild [gränn'tsjajld] **barnbegränsning** birth control [bə:'θkəntråo'l] **barnbidrag** child allowance [tsjaj'ld əlao'əns] **barndom** childhood [tsjaj'ldhodd] **barnförbjuden** for adults only [fər ädd'əlts åo'nli] **barnkammare** nursery ' [nə:'sri] **barnläkare** children's specialist [tsjill'drəns spesj'əlist] **barnmorska** midwife [midd'wajf] **barnsjukdom** children's disease [tsjill'drəns dizi:'z] **barnsköterska** nurse [nə:s] **barnslig** childish [tsjaj'ldisj] **barnsäker** child-proof [tsjaj'ldpro:f] **barnvagn** pram [prämm], perambulator [prämm'-bjolejtə] **barnvakt** baoy-sitter [bej'bisittə] **baron** baron [bärr'ən]; (*eng. titel*) Lord [lå:d] **barr** needle [ni:'dl] **barra** shed its needles [sjedd' itts ni:'dlz] **barrskog** coniferous forest [kåoniff'ərəs fårr'ist] **barrträd** conifer [kåo'nifə] **barsk** harsh [ha:sj] **bas 1** (*musik*) bass [bejs] **2** (*arbetsförman*) foreman [få:'mən]; boss [båss] **3** (*matematik o. kemi*) base [bejs] **basera sig på**

be based upon [bi: bej'st əpånn'] **basfiol** double-bass [dabb'l-bej's] **basis** basis [bej'siss] **bassäng** basin [bejsn]; (*bad-*) swimming-pool [swimm'ingpo:l] **bast** bast [bässt] **bastu** sauna [sao'nə]; *bada bastu* take a sauna [tejk ə sao'nə] **bastuba** bass tuba [bej's tjo:'bə] **basun** trombone [tråmmbåo'n] **batik** batik [bätt'ikk] **batong** truncheon [trann'tsjən] **batteri** battery [bätt'əri] **batteriradio** battery receiver [bätt'əri risi:'və] **be** (*anhålla*) ask [a:sk] (*om* for [få:]); (*förrätta bön*) pray [prej] **beakta** pay attention to [pej ətenn'sjən to:]; observe [əbbzə:'v] **bearbeta** work [wə:k]; (*jord*) cultivate [kall'tivejt]; (*bok*) revise [rivaj'z] **bebo** inhabit [inhäbb'itt] **beboelig** inhabitable [inhäbb'ittəbl] **bebygga** build on [bill'd ånn] **bebyggelse** buildings [bill'dingz] **beckasin** snipe [snajp] **bedja** se be **bedraga** deceive [disi:'v] **bedragare** impostor [impåss'tə] **bedrift** exploit [ekk'splåjt] **bedriva** carry on [kärr'i ånn'] **bedrägeri** fraud [frå:d] **bedröva** distress [disstress'] **bedrövlig** deplorable [diplå:'rəbl] **bedårande** charming [tsja:'ming] **bedöma** judge [dsjaddsj] **bedömande** judging [dsjadd'sjing] **bedöva** make unconscious [mejk annkånn'sjəs]; *läk.* anaesthetise [änni:'səitajz] **bedövningsmedel** anaesthetic [änniseett'ikk] **befalla, befallning** order [å:'də] **befara** fear [fi:'ə] **befatta sig med** concern [kənsə:'n] **befattning** post [påost], appointment [əpåj'ntmənt] **befinna sig** (*vara*) be [bi:]; (*känna sig*) feel [fi:l] **befintlig** existing [iggziss'-ting] **befogad** justifiable [dsjass'tifajəbl] **befogenhet** authority [å:θårr'itti] **befolkning** population [påppjolej'sjən] **befordra** (*sända*) forward [få:'wəd], send [sennd]; (*främja*) promote [prəmåo't] **befordran** promotion [prəmåo'sjən] **befria** set free [sett' fri:'], liberate [libb'ərejt]; (*från löfte o.d.*) release [rili:'s] **befrielse** (*frigörelse*) liberation [libbərej'sjən]; (*frikallande*) exemption [iggzemm'psjən]; (*lättnad*) relief [rili:'f] **befrielse-krig** war of liberation [wå:'r əvv libbərej'sjən] **befrukta** fertilize [fə:'tilajz] **befruktning** fertilization [fə:tilajzej'sjən] **befrämja** promote [prəmåo't] **befäl** command [kəma:'nd]; *befälet* the officers [ði åff'issəz] **befälhavare** commander [kəma:'ndə] **befästa** fortify [få:'tifaj]; *bildl.* consolidate [kənsåll'idejt] **begagna** use [jo:z]; *begagna sig av* (*använda*) make use of [mejk jo:'s əvv], (*dra fördel av*) profit by [pråff'itt baj] **begagnad** used [jo:zd]; second-hand [sekk'əndhänn'd] **begeistrad** enthusiastic [innθjo:ziäss'tikk] **bege sig, begiva sig** go [gåo] **begrava** bury [berr'i] **begravning** funeral [fjo:'nərəl], (*jordfästning*) burial [berr'iəl] **begrepp** conception [kənsepp'sjən], idea [ajdi:'ə] **begripa** understand [anndəstänn'd] **begriplig** intelligible [inntell'idsjəbl] **begrunda** ponder [pånn'də] **begränsa** bound [baond]; (*inskränka*) limit [limm'itt] **begränsning** limitation [limmitej'sjən] **begå** commit [kəmitt'] **begåvad** gifted [giff'tidd], clever [klevv'ə] **begåvning** talent [täll'ənt], gift [gifft] **begär** desire [dizaj'ə] **begära** ask [a:sk] **begäran** request [rikwess't]

begärlig ... in demand [inn dima:'nd] **behag** pleasure [plesj'ə]; charm [tsja:m] *efter behag* at pleasure [ätt plesj'ə] **behaga** *(tilltala)* please [pli:z]; *(verka tilldragande)* attract [əträkk't] **behaglig** pleasant [plezz'nt]; *(tilltalande)* attractive [əträkk'tivv] **behandla** treat [tri:t]; deal with [di:'l wiθ]; *(hantera)* handle [hänn'dl] **behandling** treatment [tri:'tmənt] **behov** want [wånnt], need [ni:d] **behovsprövning** means test [mi:'nz tesst] **behå** bra [bra:] **behålla** keep [ki:p] **behållare** container [kəntej'nə] **behållning** remainder [rimej'ndə] **behändig** handy [hänn'di] **behärska** control [kəntrảo'l]; *(dominera)* command [kəma:'nd]; *behärska sig* control o.s. [kəntrảo'l wannsell'f] **behärskning** control [kəntrảo'l] **behörig** qualified [kwåll'ifajd] **behöva** need [ni:d] **behövande** needy [ni:'di] **behövas** be needed [bi: ni:'didd], be necessary [bi: ness'isəri] **beige** beige [bejsj] **bekant** *(känd)* known [nåon]; well-known [well'nảo'n]; *(personligen bekant)* acquainted [əkwej'ntidd]; *en bekant* an acquaintance [ənn əkwej'ntəns], a friend [ə frenn'd] **bekantskap** acquaintance [əkwej'ntəns]; *göra bekantskap med* become acquainted with [bikamm' əkwej'ntidd wiθ] **beklaga** be sorry for [bi: sårr'i få:]; pity [pitt'i]; *beklaga sig* complain [kəmplej'n] *(över af* [åvv]; *för* to [to:]) **beklaglig** regrettable [rigrett'əbl] **bekosta** pay for [pej' få:] **bekostnad** expense [ikkspenn's]; *på bekostnad av* at the expense of [ätt ði: ikkspenn's əvv] **bekräfta** confirm [kənfə:'m] **bekräftelse** confirmation [kånnfəmej'sjən] **bekväm** comfortable [kamm'fətəbl] **bekvämlighet** convenience [kənvi:'njəns] **bekymmer** anxiety [ängzaj'əti], worry [warr'i] **bekymmersam** anxious [äng'ksjəs] **bekymmerslös** light-hearted [laj'tha:'tidd] **bekymra** trouble [trabb'l], worry [warr'i] **bekämpa** fight against [faj't əgejnst] **bekänna** confess [kənfess'] **bekännelse** confession [kənfesj'ən] **belasta** load [låod] **belevad** well-bred [well'bredd'] **Belgien** Belgium [bell'-dsjəm] **belgisk** Belgian [bell'dsjən] **belopp** amount [əmao'nt] **belysa** illuminate [illjo:'minejt] **belysning** lighting [lajting] **belåten** content [kəntenn't]; satisfied [sätt'isfajd] **belåtenhet** contentment [kəntenn'tmənt]; satisfaction [sättisfäkk'sjən] **belägen** situated [sitt'joejtidd] **beläggning** coat [kåot] **belägra** besiege [bissi:'dsj] **belägring** siege [si:dsj] **beläst** well-read [well'redd'] **belöna** reward [riwå:'d] **belöning** reward [riwå:'d] **belöpa sig till** amount to [əmao'nt to:] **bemärkelse** sense [senns] **bemästra** master [ma:'stə] **bemöda sig** try hard [traj' ha:d] **bemöta** *(behandla)* treat [tri:t]; *(besvara)* answer [a:'nsə] **ben 1** *(i kroppen)* bone [båon]; *(lem)* leg [legg] **2** *(bena fisk)* bone [båon] **benbrott** fracture [fräkk'tsjə] **bensin** petrol [pett'rəl], *Am.* gas [gäss] **bensinstation** filling station [fill'ing stəj'sjən] **bensintank** petrol tank [pett'rəl tängk] **benåda** pardon [pa:'dn] **benägen** inclined [inklaj'nd] **benägenhet** inclination [inklinej'sjən], tendency [tenn'dənsi] **benämning**

beordra — bestick   **20**

name [nejm] (*på* for [få:]) **beordra** order [å:'də] **beprövad**
well-tried [well'trajd'] **bereda** (*tillreda*) prepare [pripä:'ə]; (*för-
orsaka*) cause [kå:z]; *beredd på* prepared for [pripä:'əd få:];
bereda sig prepare o.s. [pripä:'ə wannsell'f] (*på* for [få:]) **bered-
skap** military preparedness [mill'itəri pripä:'ədniss]; *i beredska*
in readiness [inn redd'iniss], ready [redd'i]; *ha ngt i beredsk*
have s.th. up one's sleeve [hävv' samm'θing app wannz sli:'\
berest travelled [trävv'ld]; *vara mycket berest* have travelled a
great deal [hävv trävv'ld ə grej't di:'l] **berg** mountain [mao'ntinn]
bergbestigare climber [klaj'mə] **berggrund** bedrock [bedd'-
råkk'] **bergig** mountainous [mao'ntinəs]; rocky [råkk'i] **berg-
kristall** crystal [kriss'tl] **berg- och dalbana** switchback [switt'sj-
bäkk] **bergskedja** mountain chain [mao'ntinn tsjejn] **bergskre-
va** crevice [krevv'iss] **bergsluttning** mountain slope [mao'ntinn
slåop] **berguv** eagle owl [i:'gl aol] **berika** enrich [innritt'sj]
berlock charm [tsja:m] **bero** *bero på* be due to [bi: djo:' to:];
(*komma an på*) depend on [dipenn'd ånn] **beroende** (*subst.*)
dependence [dipenn'dəns]; (*adj.*) dependent [dipenn'dənt] **be-
rusa** intoxicate [intåk'sikejt] **beryktad** notorious [nåotå:'riəs]
(*för* for [få:]) **beräkna** calculate [käll'kjolejt] **beräkning** cal-
culation [källkjolej'sjən]; *ta med i beräkningen* take ... into con-
sideration [tej'k intə kənsiddərej'sjən] **berätta** tell [tell] **berättel-
se** tale [tejl]; narrative [närr'ətivv] **berättiga** entitle [intajt'l]
berättigande justification [dsjasstifikej'sjən] **beröm** praise [prejz]
berömd famous [fej'məs] **berömma** praise [prejz] **beröra**
touch [tattsj]; *illa berörd* unpleasantly affected [annplezz'ntli
əfekk'tidd] **beröring** contact [kånn'täkkt] **beröva** deprive (di-
praj'v] **bese** see [si:] **besegra** conquer [kång'kə] **besiktiga**
inspect [innspekk't] **besiktning** inspection [innspekk'sjən] **be-
siktningsinstrument** registration certificate [reddsjistrej'sjən
sətiff'ikitt] **besinningslös** rash [räsj] **besitta** possess [pəzess']
besittning *ta i besittning* take possession of [tejk pəzesj'ən
əvv] **besk** bitter [bitt'ə] **beskaffad** constituted [kånn'stitjo:tidd]
beskatta tax [täkks] **beskattningsbar** taxable [täkk'səbl]
besked answer [a:'nsə]; *ge besked* give an answer [givv ənn
a:'nsə]; *veta besked om* know about [nåo' əbaot] **beskickning**
embassy [emm'bəsi] **beskriva** describe [diskraj'b] **beskrivning**
description [diskripp'sjən] **beskydd** protection [prətekk'sjən]
beskydda protect [prətekk't] **beskylla** accuse [əkjo:'z] (*för* of
[åvv]) **beslag** (*metall- o.d.*) fittings [fitt'ingz]; (*kvarstad*) seizure
[si:'sjə] **beslagta** confiscate [kånn'fisskejt] **beslut** decision
[disisj'ən] **besluta** decide [disaj'd]; *besluta sig* decide [disaj'd]
(*för* upon [əpånn']), make up one's mind [mejk app' wannz
maj'nd] **beslutsam** resolute [rezz'əlo:t] **besläktad** related [ri-
lej'tidd] **besparing** saving [sej'ving]; (*på plagg*) yoke [jåok]
bespetsa sig på look forward to [look' få:'wəd to:] **bespruta**
spray [sprej] **bestick** (*mat-*) set of knife, spoon and fork [sett'

ɘvv naj'f spo:'n ənn få:'k] **bestiga** (*berg*) climb [klajm]; (*tron*) ascend [əsenn'd]; (*talarstol*) mount [maont] **bestraffa** punish [pann'isj] **bestrida** contest [kəntess't] **beströ** strew [stro:] **bestyrka** confirm [kənfə:'m]; (*intyga*) attest [ətess't] **bestå** (*vara*) last (la:st]; (*utgöras*) consist [kənsiss't] (*av* of [åvv]) **beståndsdel** constituent [kənstitt'joənt] **beställa** order [å:'də]; (*plats, biljett*) book [bokk]; *beställa tid hos* make an appointment with [mej'k ənn əpåj'ntmənt wið] **beställning** order [å:'də] **bestämd** determined [ditə:'minnd]; (*om tid*) fixed [fikkst], appointed [əpåj'ntidd] **bestämdhet** determination [ditə:minej'-sjən]; *veta med bestämdhet* know for certain [nåo' fə sə:'tn] **bestämma** determine [ditə:'minn]; (*fastställa*) fix [fikks]; *bestämma sig* decide [disaj'd (*för* on [ånn], upon [əpånn']) **bestämmelse** (*stadga*) regulation [reggjolej'sjən]; (*i kontrakt*) stipulation [stippjolej'sjən] **bestämt** definitely [deff'inittli]; *veta bestämt* know for certain [nåo' fə sə:tn] **besvara** answer [a:'nsə] **besvikelse** disappointment [dissəpåj'ntmənt] **besviken** disappointed [dissəpåj'ntidd] (*på* in [inn]; *över* at [ätt]) **besvär** trouble [trabb'l] **besvära** trouble [trabb'l], bother [båð'ə] **besvärlig** troublesome [trabb'lsəm]; (*ansträngande*) trying [traj'-ing] **besynnerlig** strange [strejndsj] **besätta** *mil.* occupy [åkk'-jopaj] **besättning** (*fartygs-, flyg-*) crew [kro:] **besättningsman** one of the crew [wann' əvv ðə kro:'] **besök** visit [vizz'itt] (*hos, i* to [to:]); (*vistelse*) stay [stej] (*hos* with [wið]) **besöka** visit [vizz'itt] **besökare** visitor [vizz'ittə] **besökstid** visiting-hours [vizz'ittingao'əz] **beta 1** (*om djur*) graze [grejz] **2** (*rotfrukt*) beet [bi:t] **betacka sig** decline [diklaj'n] **betala** pay [pej]; (*vara, arbete*) pay for [pej' få:] **betalning** payment [pej'mənt] **betalningsvillkor** terms of payment [tə:mz əvv pej'mənt] **bete 1** (*huggtand*) tusk [tassk] **2** (*för djur*) pasture [pa:'stsjə] **3** (*agn*) bait [bejt] **bete sig** behave [bihej'v] **beteckna** represent [repprizenn't]; designate [dezz'ignejt] **beteckning** designation [deziggnej'sjən] **beteende** behaviour [bihej'vjə] **betesmark** pasture [pa:'stsjə] **betingelse** condition [kəndisj'ən] **betjäna** serve [sə:v] **betjäning** service [sə:'viss] **betjänt** footman [fott'mən] **betona** emphasize [emm'fəsajz] **betong** concrete [kånn'kri:t] **betoning** emphasis [emm'fəsiss], stress [stress] **betrakta** look at [look' ätt']; *betrakta ... som* regard ... as [riga:'d äzz] **betrodd** trusted [trass'tidd] **betryggande** reassuring [ri:əsjo:'əring] **beträffar** *vad mig beträffar* as far as I am concerned [əs fa:'r əs aj' əm kənsə:'nd] **beträffande** concerning [kənsə:'ning] **betsa** stain [stejn] **betsel** bridle [brajdl] **bett** (*hugg*) bite [bajt] **betungande** burdensome [bə:'dnsəm] **betvivla** doubt [daot] **betyda** mean [mi:n] **betydande** important [impå:'tənt]; (*ansenlig*) considerable [kənsidd'ərəbl] **betydelse** (*innebörd*) meaning [mi:'ning]; (*vikt*) importance [impå:'təns]; *det har ingen betydelse* it doesn't matter [itt dazz'nt mätt'ə] **betydlig** considerable [kənsidd'ərəbl] **betyg**

certificate [sətiff'ikejt]; (*termins-*) report [ripå:'t]; (*vitsord*) mark [ma:k] **betänka** consider [kənsidd'ə] **betänketid** time for consideration [taj'm fə kənsiddərej'sjən] **betänksam** deliberate [dilibb'əritt] **beundra** admire [ədmaj'ə] **beundran** admiration [äddmərej'sjən] **beundransvärd** admirable [ädd'mərəbl] **beundrare** admirer [ədmaj'rə] **bevaka, bevakning** guard [ga:d] **bevara** (*bibehålla*) preserve [prizə:'v]; (*förvara*) keep [ki:p] **beveka** (*röra*) move [mo:v] **bevilja** grant [gra:nt] **bevis** proof [pro:f] **bevisa** prove [pro:v] **bevista** attend [ətenn'd] **bevittna** witness [witt'niss] **beväpna** arm [a:m] **bi** bee [bi:] **bibehålla** keep [ki:p]; (*upprätthålla*) maintain [mejntej'n] **bibel** bible [baj'bl] **bibliotek** library [laj'brəri] **bibliotekarie** librarian [lajbrä:'əriən] **bidé** bidet [bi:'dej] **bidrag** contribution [kånntribjo:'sjən]; (*penning-*) allowance [əlao'əns] **bidraga** contribute [kəntribb'jot]; *bidraga till* aid [ejd], promote [prəmåo't] **bidragande** contributory [kəntribb'jotəri] **bidragsgivare** contributor [kəntribb'jotə] **bifall** (*samtycke*) assent [əsenn't]; (*applåder*) applause [əplå:'z] **bifalla** approve [əpro:'v]; (*bevilja*) grant [gra:nt] **bifallsrop** shout of approval [sjao't əvv əpro:'vəl] **biff, biffstek** (beef)steak [(bi:'f)stej'k] **biflod** tributary [tribb'jotəri] **bifoga** enclose [inklåo'z] **bikupa** beehive [bi:'hajv] **bil** car [ka:] **bila** travel by car [trävv'l baj ka:'] **bilaga** (*i brev*) enclosure [inklåo'sjə]; (*i tidning*) supplement [sapp'limennt] **bild** picture [pikk'tsjə] **bilda** (*åstadkomma*) form [få:m] **bildad** cultivated [kall'tivejtidd]; educated [edd'jokejtidd] **bilderbok** picture-book [pikk'tsjəbokk] **bildhuggare** sculptor [skall'ptə] **bildning** culture [kall'tsjə]; education [eddjokej'sjən] **bilfabrik** motor works [måo'tə wə:ks] **bilfirma** car dealer [ka:' di:lə] **bilfärd** car drive [ka:' drajv] **bilfärja** car ferry [ka:' ferri] **bilförare** driver [draj'və] **bilism** motorism [måo'tərizəm] **bilist** motorist [måo'tərisst] **biljard** billiards [bill'jədz] **biljett** ticket [tikk'itt] **biljettlucka** booking-office [bokk'ingåffiss]; (*på teater*) box-office [båkk'såffiss] **bilkarta** road map [råo'd mäpp] **bilkö** line of cars [laj'n əvv ka:'z] **billig** cheap [tsji:p] **bilolycka** motor accident [måo'tə äkk'sidənt] **biltävling** car race [ka:' rejs] **bilverkstad** garage [gärr'a:sj] **binda** (*verb*) bind [bajnd]; (*knyta*) tie [taj]; (*subst.*) roller [råo'lə]; *elastisk binda* elastic bandage [iläss'tikk bänn'diddsj] **bindestreck** hyphen [haj'fən] **biograf** cinema [sinn'imə]; *Am.* movies [mo:'viz]; *gå på bio* go to the cinema [gåo' tə ðə sinn'imə] **biografi** biography [bajågg'rəfi] **biologi** biology [bajåll'ədsji] **bisak** matter of secondary importance [mätt'ə əvv sekk'əndəri impå:'təns] **biskop** bishop [bisj'əp] **bismak** (extraneous) flavour [(ekkstrej'njəs) flej'və] **bister** grim [grimm] **bisting** bee-sting [bi:'sting] **bistå** assist [əsiss't] **bistånd** assistance [əsiss'təns] **bit** piece [pi:s] **bita, bitas** bite [bajt] **biträde** (*medhjälpare*) assistant [əsiss'tənt] **bitsocker** lump sugar [lamm'p sjogg'ə] **bitter** bitter [bitt'ə] **bitterhet** bitterness [bitt'əniss] **bittermandel** bitter almond [bitt'ə aː'mənd] **bitti** *i morgon bitti* (early) to-morrow morning [(əː'li) təmårr'åo måː'ning] **bitvis** bit by bit [bitt' baj bitt'] **biverkningar** *pl* secondary effects [sekk'ndəri ifekk'ts] **bjuda** (*befalla; på auktion*) bid [bidd] (*er-*) offer [åff'ə]; (*undfägna med*) treat to [triː't toː]; (*in-*) invite [invaj't]; *bjuda ngn på lunch* invite s.b. to lunch [invaj't samm'bədi tə lann'tsj]; *bjuda ngn på middag på restaurang* invite s.b. out for dinner [invaj't samm'bədi aot fə dinn'ə]; *bjuda till* try [traj] **bjudning** (*kalas*) party [paː'ti] **bjudningskort** invitation card [invitej'sjən kaːd] **bjälke** beam [biːm] **bjällra** bell [bell] **björk** birch [bəːtsj] **björn** bear [bäː'ə] **björnbär** blackberry [bläkk'bəri] **blad** leaf [liːf]; (*pappers-*) sheet [sjiːt]; (*kniv-, år- o.d.*) blade [blejd] **blad** among(st) [əmang'(st)]; *bland andra* among others [əmang aðˈəz]; *bland annat* among other things [əmang aðˈə θing'z] **blanda** mix [mikks]; *blanda sig i* meddle in [medd'l inn]; *blanda till* mix [mikks] **blandning** mixture [mikk'stsjə] **blank** shiny [sjaj'ni] **blankett** form [fåːm]; *fylla .i en blankett* fill in a form [fill' inn' ə fåːm] **blanksliten** shiny [sjaj'ni] **blazer** jacket [dsjäkk'itt] **blek** pale [pejl] **bleka** bleach [bliːtsj] **blekna** turn pale [təː'n pejˈl] **bli** (*hjälpverb*) be [biː]; *vard.* get [gett]; (*självst. verb*) be [biː]; become [bikamm']; (*för-*) remain [rimej'n]; *bli av* take place [tej'k plej's]; *bli av med* get rid of [gett ridd' əvv]; *bli efter* drop behind [dråpp' bihaj'nd]; *bli kvar* remain [rimej'n]; *bli över* be left [biː' leff't]; *låt bli!* don't [dåont] **blick** look [lokk]; (*hastig*) glance [glaːns]; *kasta en blick på* look at [lokk' att] **blid** mild [majld] **blidka** appease [əpiː'z] **blind** blind [blajnd] (*för* to [toː]) **blindbock** blindman's-buff [blaj'ndmännz-baff'] **blindskrift** braille [brejl] **blindtarm** appendix [əpenn'-dikks] **blindtarmsinflammation** appendicitis [əpenndisaj'-tiss] **blink** twinkling [twing'kling] **blinka** blink [blingk] **bliva** se bli **blivande** future [fjoː'tsjə] **blixt** lightning [laj'tning]; *en blixt* a flash of lightning [ə fläsj' əvv laj'tning] **blixtlås** zip fastener [zipp' faːsnə] **blixtnedslag** stroke of lightning [strå̊o'k əvv laj'tning] **blixtra** *det blixtrar* there is (a flash of) lightning [ðr izz (ə fläsj' əvv) laj'tning]; (*bildl.*) flash [fläsj] **blixtsnabb** swift as lightning [swiff't əz laj'tning] **block** block [blåkk]; (*skriv-*) pad [pädd] **blockera** blockade [blåkkej'd] **blockflöjt** recorder [rikå̊ː'də] **blod** blood [bladd] **bloda ner** stain with blood [stej'n wið bladd'] **blodbrist** anaemia [əniː'mjə] **blodförgiftning** blood-poisoning [bladd'påjzning] **blodgrupp** blood group [bladd'groːp] **blodig** bloody [bladd'i] **blodpropp** blood-clot [bladd'-klått] **blodprov** blood test [bladd' tesst] **blodpudding** black-pudding [bläkk'podd'ing] **blodtryck** blood pressure [bladd' presj'ə] **blom** blossom [blåss'əm]; *stå i blom* be in bloom [biː inn bloː'm] **blomkruka** flower-pot [flao'əpått] **blomkål** cauliflower [kåll'iflaoə] **blomma** flower [flao'ə] **blommig** flowery [flao'əri] **blomsterhandel** florist's [flårr'ists] **blomstra** blossom [blåss'əm] **blond** blond, (fem.) blonde [blånnd] **blondin** blonde [blånnd] **bloss** (fackla) torch [tå:tsj]; (på cigarr o.d.) puff [paff] **blossa** blaze [blejz] **blott** (adv.) only [åo'nli]; (adj.) mere [mi:'ə] **blotta** lay ... bare [lej' bä:'ə]; (röja) disclose [diss-klåo'z] **bluff, bluffa** bluff [blaff] **blund** inte få en blund i ögonen not get a wink of sleep [nått' gett' ə wing'k əvv sli:'p] **blunda** shut one's eyes [sjatt' wannz aj'z] **blus** blouse [blaoz] **bly, blyerts** lead [ledd] **blyertspenna** (lead-)pencil [(ledd')penn'sl] **blyg** shy [sjaj] **blygsam** modest [mådd'ist] **blå** blue [blo:] **blåbär** bilberry [bill'bəri] **blåmärke** bruise [bro:z] **blåsa 1** (subst.) (hud-) blister [bliss'tə]; (luft-) bubble [babb'l] **2** (verb) blow [blåo] **blåsig** windy [winn'di] **blåsippa** hepatica [hipätt'ikkə] **blåskatarr** inflammation of the bladder [infləmej'sjən əvv ðə blädd'ə] **blåögd** blue-eyed [blo:'aj'd] **bläck** ink [ingk] **bläck-fisk** cuttle-fish [katt'lfisj] **bläckpenna** pen [penn] **bläddra** turn over the leaves [tə:'n åo'və ðə li:'vz] **blända** blind [blajnd] **bländare** (kamera-) diaphragm [daj'əfrämm] **blänka** shine [sjajn] **blöda** bleed [bli:d] **blöja** nappy [näpp'i] **blöjbyxor** baby pants [bej'bi pännts] **blöt** wet [wett] **bo** (verb) live [livv]; (subst.) (fågel-) nest [nesst]; sätta bo settle [sett'l] **bock** he-goat [hi:'gåo't] **bocka** (buga) bow [bao]; bocka sig för bow to [bao' to:]; bocka för (markera) tick [tikk] **bofast** resident [rezz'idənt] **bofink** chaffinch [tsjäff'intsj] **bog** (på djur) shoulder [sjåo'ldə]; (på fartyg) bow [bao] **bogsera** tow [tåo] **bogserbåt** tug [tagg] **bogsering** towing [tåo'ing] **bohag** household goods [hao'shåold goddz] **boj** buoy [båj] **bojkott, bojkotta** boycott [båj'kət] **bok 1** book [bokk] **2** (träd) beech [bi:tsj] **boka, bokföra** book [bokk] **bokföring** book-keeping [bokk'ki:ping] **bokförlag** publishing company [pabb'lisjing kamm'pəni] **bokförläggare** publisher [pabb'lisjə] **bokhandel** book-shop [bokk'sjåpp] **bok-handlare** bookseller [bokk'sellə] **bokhylla** bookcase [book'kejs] **bokmärke** bookmark [bokk'ma:k] **bokslut** göra bokslut balance the books [bäll'əns ðə bokk's] **bokstav** letter [lett'ə] **bokstavera** spell [spell] **bokstavligen** literally [litt'ərəli] **bokstavslås** permutation lock [pə:mjotej'sjən låkk] **bolag** company [kamm'-pəni]; Am. corporation [kå:pərej'sjən] **bolagsstämma** annual meeting of shareholders [änn'joəl mi:'ting əvv sjä:'əhåoldəz] **boll** ball [bå:l] **bolla** play ball [plej' bå:'l] **bom 1** (stång) bar [ba:] **2** (felskott) miss [miss] **bomb, bomba** bomb [båmm] **bomma** miss [miss] **bomull** cotton [kått'n] **bomull** (förbands-) cotton-wool [kått'nwoll'] **bomullsklänning** cotton dress [kått'n dress] **bomullstyg** cotton fabric [kått'n fäbb'rikk] **bona** wax [wäkks] **bonde** farmer [fa:'mə]; (schack-) pawn [på:n] **bondgård** farm [fa:m] **bord 1** table [tej'bl] **2** sjö. board [bå:d] **bordduk** table cloth [tej'bl klåø] **borde** ought to [å:t to:], should [sjodd] **bordlägga** postpone [påostpåo'n] **bordslampa** table-lamp [tej'bllämr table to,np] **bordsskiva** table-top [tej'bltåpp] **bordtennis** [sitt'ennis tej'bl tennis] **borg** castle [ka:'sl] **borgare** citizen [sittⁿ] **borgen** security [sikjo'əritti]; *gå i borgen för* stand surety for [stännd sjo'əti få:] **borgensförbindelse** personal guarantee [pə:'snl gärrənti:'] **borgensman** guarantor [gärrəntå:'] **borgenär** creditor [kredd'ittə] **borgerlig** civil [sivv'l]; *de borgerliga partierna* the Liberals and Conservatives [ðə libb'ərəlz ənd kənsə:'vətivvz] **borgmästare** mayor [mä:'ə] **borr** bore [bå:'r]; (*drill-*) drill [drill] **borra** bore [bå:]; drill [drill] **borst** bristle [briss'l] **borsta, borste** brush [brasj] **borsyra** boric acid [bå:'rikk äss'idd] **bort** away [əwej']; *gå bort* go out [gåo' ao't] **borta** away [əwej']; (*försvunnen*) gone [gånn]; (*ej tillfinnandes*) missing [miss'ing]; *där borta* over there [åo'və ðä:'ə] **bortbjuden** invited out [invaj'tidd ao't] **bortförklara** explain away [ikksplej'n əwej'] **bortförklaring** prevarication [privärrikej'sjən] **bortglömd** forgotten [fəgått'n] **bortkastad** thrown away [θråo'n əwej'] **bortkommen** lost [låsst] **bortom** beyond [bijånn'd] **bortre** further [fə:'ðə] **bortrest** *han är bortrest* he is away [hi:' izz' əwej'] **bortse från** disregard [diss'riga:'d] **bortskämd** spoilt [spåjlt] **bortåt** (*prep*) towards [təwå:'dz]; (*adv., nästan*) nearly [ni:'əli] **bosatt** resident [rezz'idənt] **boskap** cattle [kätt'l] **boskapsskötsel** cattle-breeding [kätt'lbri:ding] **bostad** dwelling [dwell'ing]; (*våning*) flat [flätt]; *fast bostad* permanent address [pə:'mənənt ədress'] **bostadsbrist** housing shortage [hao'zing sjå:'tiddsj] **bostadskö** housing queue [hao'zing kjo:] **bosätta sig** settle [sett'l] **bot** remedy [remm'iddi]; *råda bot för* remedy [remm'iddi] **bota** cure [kjo:'ə] **botanik** botany [bått'əni] **botanisk** botanical [bətänn'ikəl] **botemedel** remedy [remm'iddi] **botten** bottom [bått'əm]; *gå till botten med ngt* get to the bottom of s.th. [gett' tə ðə bått'əm əvv samm'θing]; *i grund och botten* at heart [ətt ha:'t]; *på nedre botten* on the ground floor [ånn ðə grao'nd flå:'] **bottenfärg** ground [graond] **bottenvåning** ground-floor [grao'ndflå:'] **bottna** reach the bottom [ri:'tsj ðə bått'əm]; *det bottnar i* it originates in [itt əridd'sjinejts inn] **bov** crook [krokk] **boxare** boxer [båkk'sə] **boxas** box [båkks] **boxning** boxing [båkk'sing] **bra** good [good]; (*frisk*) well [well]; *jag mår inte bra* I am not feeling well [aj ämm nått' fi:'ling well']; *se bra ut* be good-looking [bi: godd'lokk'ing]; *tycka bra om* like very much [laj'k verr'i matt'sj] **bragd** exploit [ekk'splåjt] **brak** crash [kräsj] **brand** fire [faj'ə] **brandgul** orange [årr'indsj] **brandkår** fire-brigade [faj'əbrigejd] **brandsegel** jumping sheet [dsjamm'ping sji:t] **brandsoldat** fireman [faj'əmən] **brandstege** fire-ladder [faj'əläddə] **bransch** line [lajn] **brant** (*subst.*) precipice [press'ipiss]; (*adj.*) steep [sti:p] **brasa** fire [faj'ə] **bravo** bravo! [bra:'våo'] **bred** broad [brå:d], wide [wajd] **breda** spread [spredd] **bredd** breadth [breddθ], width [widdθ] **bredda** broaden [brå:'dn], make wider [mejk waj'də] **bredvid**

brev — bråttom

beside [bisaj'd], by [baj]; *här bredvid* close by here [hi:'ə] **brev** letter [lett'ə] **brevbärare** postman [påo'stmən] **-kort** postcard [påo'stka:d] **brevlåda** letter-box [lett'åkks] **brevpapper** note-paper [nåo'tpejpə] **brevväxla** correspond [kårrispånn'd] **bricka** tray [trej] **briljant** brilliant [brill'jənt] **briljera** show off [sjåo'å:'f] **bringa 1** (*av kött*) brisket [briss'kitt] **2** (*verb*) bring [bring] **brinna** burn [bə:n] **bris** breeze [bri:z] **brist** lack [läkk], shortage [sjå:'tiddsj]; *lida brist på* be short of [bi:' sjå:'t əvv] **brista** (*sprängas*) burst [bə:st]; (*gå sönder*) break [brejk]; *brista i gråt* burst into tears [bə:'st inntə ti:'əz] **bristfällig** defective [difekk'tivv] **brits** bunk [bangk] **britterna** the British [ðə britt'isj] **brittisk** British [britt'isj] **bro** bridge [briddsj] **brock** hernia [hə:'njə] **broder** brother [brað'ə] **brodera** embroider [imbråj'də] **brokig** motley [måt'li] **broms, bromsa** brake [brejk] **bromsband** brake lining [brej'k laj'ning] **brons** bronze [brånnz] **bror** brother [brað'ə] **brorson** nephew [nevv'jo] **brosch** brooch [bråotsj] **broschyr** booklet [bokk'litt] **brosk** cartilage [ka:'tiliddsj] **brott** (*brytning*) break [brejk]; (*förbrytelse*) crime [krajm] **brottare** wrestler [ress'lə] **brottas** wrestle [ress'l] **brottning** wrestling [ress'ling] **brottslig** criminal [krimm'innl] **brottslighet** criminality [krimminäll'itti] **brottsling** criminal [krimm'innl] **brud** bride [brajd] **brudgum** bridegroom [braj'd-gromm] **brudklänning** wedding-dress [wedd'ingdress] **brudpar** bridal couple [braj'dl kappl] **bruk** (*användning*) use [jo:s]; (*sed*) custom [kass'təm] **bruka** (*begagna*) use [jo:z]; (*ha för vana*) be in the habit of [bi:' inn ðə häbb'itt əvv]; *jag brukar äta lunch kl. 12* I usually have lunch at twelve o'clock [aj jo:'sjoəli hävv lann'tsj ətt twell'v əklåkk'] **brukade** used to [jo:'st to:] **bruklig** customary [kass'təməri] **bruksanvisning** directions for use [direkk'sjənz fə jo:'s] **brun** brown [braon] **brunn** well [well] **brusa** roar [rå:]; *brusa upp* flare up [flä:'ə app'] **brutal** brutal [bro:'tl] **bruten** broken [bråo'kən] **brutto** gross [gråos] **bry** *bry sig om* mind [majnd], (*tycka om*) care [kä:'ə]; *det är inget att bry sig om* that's nothing to worry about [ðätt's naθ'ing tə warr'i əbao't] **brygga 1** (*subst.*) bridge [briddsj] **2** (*verb*) brew [bro:]; (*kaffe*) percolate [pə:'kəlejt] **bryggeri** brewery [bro:'əri] **bryna** brown [braon] **brysselkål** Brussels sprouts [brass'lsprao'ts] **bryta** break [brejk]; *bryta av* break [brejk]; *bryta på tyska* speak with a German accent [spi:'k wið ə dsjə:'mən äkk'sənt] **brytarspets** contact-breaker point [kånn'täkktbrejkə påjnt] **brytböna** French bean [frenn'tsj bi:'n] **brytning** (*i uttal*) accent [äkk'sənt] **brådska** (*subst. o. verb*) hurry [harr'i] **brådskande** urgent [ə:'dsjənt] **bråk** *mat.* fraction; [fräkk'sjən] (*buller*) noise [nåjz]; **bråka** (*stoja*) be noisy [bi: nåj'zi]; (*krångla*) make difficulties [mejk diff'ikəltizz] **bråkdel** fraction [fräkk'sjən] **bråkig** (*bullersam*) noisy [nåj'zi]; (*om barn*) fidgety [fidd'sjitti] **brås på** take after [tej'k a:'ftə] **bråttom** *ha bråttom* be in a hurry [bi:' inn ə harr'i] **bräcka** break [brejk]; (*övertrumfa*) crush [krasj]; (*steka*) fry [fraj] **bräcklig** fragile [frädd'sjal] **bräde** board [bå:d] **bräka** bleat [bli:t] **bränna** burn [bə:n]; *bränna vid* burn [bə:n] **brännas** burn [bə:n]; (*om nässla*) sting [sting] **brännbar** combustible [kəmbass'təbl]; *bildl.* controversial [kånntrəvə:'sjəl] **brännblåsa** blister [bliss'tə] **brännhet** burning hot [bə:'ning hått'] **bränning** (*i sjön*) breaker [brej'kə] **brännmärka** brand [brännd] **brännsår** burn [bə:n] **brännvidd** focal length [fåo'kəl leng'θ] **brännvin** schnapps [sjnäpps] **brännässla** stinging nettle [sting'ing nett'l] **bränsle** fuel [fjo:'əl] **brätte** brim [brimm] **bröd** bread [bredd]; *rostat bröd* toast [tåost] **brödrost** toaster [tåo'stə] **brödskiva** slice of bread [slaj's əvv bredd'] **bröllop** wedding [wedd'ing] **bröllopsresa** honeymoon [hann'imo:n] **bröst** breast [bresst]; (*-korg*) chest [tsjesst] **bröstkorg** chest [tsjesst] **bröstsim** breast-stroke [bress'tstråo'k] **bubbla** (*subst. o. verb*) bubble [babb'l] **buckla** (*subst.*) (*upphöjning*) boss [båss]; (*inbuktning*) dent [dennt]; (*verb*) buckle [bakk'l]; **bud** (*an-*) offer [åff'ə]; (*auktions-*) bid [bidd]; (*underrättelse*) message [mess'iddsj]; (*-bärare*) messenger [mess'indsjə]; *skicka bud efter* send for [senn'd få:] **budget** budget [badd'sjitt] **budskap** message [mess'iddsj] **buffel** buffalo [baff'əlåo] **buga, buga sig** bow [bao] (*för* to [to:]) **buk** belly [bell'i] **bukett** bouquet [bokk'ej] **bukt** (*böjning*) bend [bennd]; (*vik*) bay [bej], (*liten*) cove [kåov]; *få bukt med* manage [männ'iddsj] **bukta sig** bend [bennd] **buktig** bulging [ball'dsjing] **bula** bump [bammp] **buljong** clear soup [kli:'ə so:'p], meat broth [mi:'t bråθ] **buljongtärning** beef cube [bi:'f kjo:'b] **bulle** bun [bann] **buller** noise [nåjz] **bullra** make a noise [mejk ə nåj'z] **bult** bolt [båolt] **bulta** (*knacka*) knock [nåkk]; (*dunka*) thump [θammp] **bunden** bound [baond] **bundsförvant** ally [äll'aj] **bunke** bowl [båol] **bunt** packet [päkk'itt]; bundle [bann'dl] **bunta** *bunta* (*ihop*) make ... up into packets [mejk app' inntə päkk'itts] **bur** cage [kejdsj] **burdus** abrupt [əbrapp't] **burfågel** cagebird [kej'dsjbə:d] **burk** pot [pått]; (*sylt-*) jar [dsja:] **busig** rowdy [rao'di] **buske** bush [bosj]; (*liten*) scrub [skrabb] **buss** bus [bass]; (*turist-*) coach [kåotsj] **busschaufför** bus driver [bass' drajvə] **busshållplats** bus stop [bass' ståpp] **butelj** bottle [bått'l] **butik** shop [sjåpp]; *Am.* store [stå:] **by** village [vill'iddsj] **bygd** district [diss'trikkt] **bygel** bow [båo] **bygga** build [billd] **bygge** building [bill'ding] **byggmästare** building contractor [bill'ding kənträkk'tə] **byggnad** (*hus*) building [bill'ding]; (*konstruktion*) construction [kənstrakk'sjən] **byggnadsställning** scaffold [skäff'əld] **byrå** (*möbel*) chest of drawers [tsjess't əvv drå:'z]; *Am.* bureau [bjoə̀råo]; (*ämbetsverk etc.*) office [åff'iss] **byråkrati** bureaucracy [bjoràkk'rəsi]; *vard.* red tape [redd' tej'p] **byrålåda** drawer [drå:] **bysthållare** brassière [bräss'iä:ə] **byta** change [tsjejndsj] **byte** exchange [ikksstsjej'ndsj]; (*rov*) booty [bo:'ti]; (*rovdjurs o. bildl.*) prey

[prej] **byxdress** trouser suit [trao'zə sjo:t] **byxor** trousers [trao'-zəz], pants [pännts]; (*damunder-*) panties [pänn'tizz] **båda** both [båoθ]; (*obetonat*) the two [ðə to:'] **både** both [båoθ] **båge** (*vapen*) bow [båo]; (*i matematik*) arc [a:k]; (*valv o.d.*) arch [a:tsj]; (*glasögon*) frame [frejm] **bågna** sag [sägg] **bågskytte** archery [a:'tsjəri] **bål** (*kropp*) trunk [trangk]; (*brasa*) bonfire [bånn'fajə] **bår** (*lik-*) bier [bi:'ə]; (*sjuk-*) stretcher [strett'sjə] **bård** border [bå:'də] **båt** boat [båot] **bäck** brook [brokk]; *Am.* creek [kri:k] **bäcken** (*kroppsdel*) pelvis [pell'viss]; (*säng-*) bed-pan [bedd'pänn']; (*instrument*) cymbals [simm'bəlz] **bädd** bed [bedd] **bädda** make a bed [mejk ə bedd'] **bägare** cup [kapp] **bägge** both [båoθ] **bälte** belt [bellt] **bända** prize [prajz] (*upp* open [åo'pən]) **bänk** seat [si:t]; (*väggfast*) bench [benntsj]; (*skol-*) desk [dessk] **bär** berry [berr'i] **bära** carry [kärr'i]; (*kläder*) bear [bä:ə]; *bär hit böckerna!* bring me the books! [bring' mi ðə bokk's]; *bär ut det!* take it out! [tej'k itt ao't]; *bära sig åt* behave [bihej'v] **bärare** bearer [bä:'ərə]; (*stadsbud*) porter [på:'tə] **bärga** save [sejv]; (*fartyg o.d.*) salve [sällv]; (*skörda*) harvest [ha:'visst] **bärgningsbil** breakdown lorry [brej'kdaon lårr'i]; *Am.* wrecking truck [rekk'ing trakk'] **bärnsten** amber [ämm'bə] **bäst** best [besst]; *i bästa fall* at best [ätt bess't]; *det är bäst vi går* we had better go [wi hädd bett'ə gåo]; *förste bäste* the first that comes [ðə fə:'st ðət kamm'z]; *göra sitt bästa* do one's best [do:' wannz bess't] **bättra** *bättra på* touch up [tatt'sj app']; *bättra sig* mend [mennd] **bättre** better [bett'ə] **bäver** beaver [bi:'və] **böckling** smoked Baltic herring [småo'kt bå:'ltikk herr'ing] **böja** bend [bennd]; (*huvudet*) bow [bao] **böjd** bent [bennt] **böjelse** inclination [inklinej'sjən] **böjlig** flexible [flekk'səbl] **böld** boil [båjl] **bölja** (*subst.*) billow [bill'åo]; (*verb*) undulate [ann'djolejt] **bön** (*anhållan*) request [rikwess't] (*om* for [få:]); (*religiöst*) prayer [prä:'ə] **böna** bean [bi:n] **bönfalla** plead [pli:d] (*om* for [få:]) **bör** ought to [å:'t to:], should [sjodd] **börda** burden [bə:'dn] **bördig** fertile [fə:'tajl] **börja** begin [biginn']; start [sta:t]; *till att börja med* to begin with [tə biginn' wið] **början** beginning [biginn'ing]; start [sta:t]; *från första början* from the very beginning [fråmm ðə verr'i biginn'ing] **börs** (*portmonnä*) purse [pə:s]; (*fond-*) exchange [ikksstsjej'ndsj] **bössa** gun [gann] **böta** pay a fine [pej' ə faj'n] **böter, bötfälla** fine [fajn] **campa** camp [kämmp] **camping** camping [kämm'ping] **campingplats** camping ground [kämm'ping graond] **cancer** cancer [känn'sə] **cell** cell [sell] **cellkärna** nucleus [njo:'kliəs] **cellstoff** cellulose wadding [sell'jolåos wådd'ing] **cellulosa** cellulose [sell'jolåos] **cement** cement [simenn't] **censur** censorship [senn'səsjipp] **center** centre [senn'tə] **centiliter** centilitre [senn'tili:tə] **centimeter** centimetre [senn'timi:tə] **central** (*adj.*) central [senn'-trəl] **centralisera** centralize [senn'trəlajz] **centralstation** central station [senn'trəl stej'sjən] **centralvärme** central heating

[senn'trəl hi:'ting] **centrifugera** centrifuge [senn'trifjo:dsj]; (*tvätt*) spin-dry [spinn'draj'] **centrum** centre [senn'tə] **cerat** cerat [si:'əritt] **ceremoni** ceremony [serr'iməni] **certifikat** certificate [sətiff'ikitt] **champinjon** mushroom [masj'romm] **chans** chance [tsja:ns] **charkuteri** pork-butcher's [på:'kbott'sjəz] **charm** charm [tsja:m] **chaufför** driver [draj'və] **check** cheque [tsjekk] (*på* for [få:]) **checkhäfte** cheque book [tsjekk'bokk] **chef** manager [männ'iddsjə] (*för* of [əvv]); *vard.* boss [båss] **chefredaktör** editor-in-chief [edd'itə inn tsji:'f] **chock, chockera** shock [sjåkk] **choklad** chocolate [tsjåkk'litt] **chokladkaka** bar of chocolate [ba:'r əvv tsjåkk'litt] **cigarr** cigar [siga:'] **cigarrett** cigarette [siggərett'] **cigarrettpaket** packet of cigarettes [päkk'-itt əvv siggərett's] **cigarrettändare** lighter [laj'tə] **cirka** about [əbao't] **cirkel** circle [sə:'kl] **cirkulera** circulate [sə:'kjolejt] **cirkus** circus [sə:'kəs] **cistern** tank [tängk] **citat** quotation [kwåotej'sjən] **citera** quote [kwåot] **citron** lemon [lemm'ən] **city** centre [senn'tə] **civil** civil [sivv'l] **civilekonom** Bachelor of Economic Science [bätt'sjələ əvv i:kənåmm'ikk saj'əns]; *Am.* Master of Business Administration [ma:'stə əvv bizz'niss ədminnistrei'sjən] **civilingenjör** graduate engineer [grädd'joitt enndsjini:'ə] **civilisation** civilization [sivvilajzej'sjən] **civiliserad** civilized [sivv'ilajzd] **civilperson** civilian [sivill'jən] **civilstånd** civil status [sivv'l stej'təs] **curry** curry-powder [karr'ipaodə] **cykel** bicycle [baj'sikkl]; *vard.* bike [bajk] **cykla** cycle [saj'kl]; *vard.* ride a bike [raj'd ə baj'k] **cyklist** cyclist [saj'klist] **cyklopöga** skin-diver's mask [skinn'dajvəz ma:sk] **cylinder** cylinder [sill'ində] **cynisk** cynical [sinn'ikəl] **dadel** date [dejt] **dag** day [dej]; *endera dagen* one of these days [wann' əvv ði:'z dej'z]; *dag för dag* day by day [dej' baj dej']; *var fjortonde dag* every fortnight [evv'ri få:'tnajt]; *de närmaste dagarna* the next few days [ðə nekk'st fjo:' dej'z]; *i dag* today [tədej']; *i våra dagar* in our days [inn ao'ə dej'z]; *på dagarna* in the daytime [inn ðə dej'tajm]; *mitt på ljusa dagen* in broad daylight [inn brå:'d dej'lajt] **dagbok** diary [daj'əri] **dager** daylight [dej'lajt] **dagg** dew [djo:] **daggmask** earthworm [ə:'θwə:m] **daghem** day nursery [dej' nə:'sri] **daglig** daily [dej'li]; *dagligt tal* everyday speech [evv'ridej spi:'tsj] **dagligen** daily [dej'li] **dags** *hur dags?* at what time? [ätt wått' tajm'] **dagsnyheter** today's news [tədej'z njo:'z] **dagstidning** daily paper [dej'li pej'pə] **dagtraktamente** daily allowance [dej'li əlao'əns] **dal** valley [väll'i] **dalgång** glen [glenn] **dam** lady [lej'di]; (*i kortspel*) queen [kwi:n] **dambinda** sanitary towel [sänn'itəri tao'əl], *Am.* sanitary napkin [sänn'itəri näpp'kinn] **damfrisering** ladies' hairdressers [lej'dizz hä:'ədressəz] **damkläder** women's wear [wimm'innz wä:ə] **damm 1** (*vattensamling*) pond [pånnd]; (*fördämning*) dam [dämm] **2** (*stoft*) dust [dasst] **damma** dust [dasst]; (*avge damm*) raise a dust [rej'z ə dass't] **dammig** dusty [dass'ti] **dammsugare** vacuum cleaner [väkk'joəm kli:'nə] **dammtrasa** duster [dass'tə] **damtoalett** ladies' cloak-room [lej'dizz klåo'kromm] **Danmark** Denmark [denn'ma:k] **dans, dansa** dance [da:ns] **dansk** Danish [dej'nisj] **dansmusik** dance-music [da:'nsmjo:zikk] **dansör, dansös** dancer [da:'nsə] **darra** tremble [tremm'bl] **datamaskin** computer [kəmpjo:'tə] **datera, datum** date [dejt] **de** (*best art.*) the [ðə, ði]; (*pron*) they [ðej]; *de själva* they themselves [ðej ðəmsell'vz]; *de där* those [ðåoz]; *de här* these [ði:z] **debatt, debattera** debate [dibej't] **debet, debitera** debit [debb'itt] **debutera** make one's début [mej'k wannz dej'bo:] **december** December [disemm'bə] **decennium** decade [dekk'ejd] **decentralisera** decentralize [di:senn'trəlajz] **decimalkomma** decimal point [dess'iməl påj'nt] **defekt** defect [difekk't] **definiera** define [difaj'n] **definition** definition [deffinisj'ən] **definitiv** definite [deff'initt] **deformera** deform [difå:'m] **deg** dough [dåo] **degenerera** degenerate [didsjenn'əritt] **degradera** degrade [digrej'd] **deklamera** recite [risaj't] **deklaration** declaration [dekklərej'sjən] **deklarera** declare [diklä:'ə] **dekoration** decoration [dekkərej'sjən] **dekorativ** decorative [dekk'ərətivv] **dekorera** decorate [dekk'ərejt] **del** part [pa:t]; *en hel del böcker* a great many books [ə grej't menn'i bokk's]; *en hel del fel* quite a lot of mistakes [kwaj't ə lått' əvv misstej'ks]; *en hel del besvär* a good deal of trouble [ə godd' di:'l əvv trabb'l]; *i en del fall* in some cases [inn samm' kej'sizz]; *större delen* most of [måo'st əvv]; *till stor del* largely [la:'dsjli]; *ta del av* acquaint o.s. with [əkwej'nt wannsell'f wið]; *för all del!* don't mention it! [dåo'nt menn'sjən itt] **dela** (*i delar*) divide [divaj'd]; (*sinsemellan*) share [sjä:'ə]; *dela lika* go shares [gåo' sjä:'əz]; *dela ut* distribute [disstribb'jo:t], (*post*) deliver [dilivv'ə], (*order*) issue [iss'jo:]; *dela sig* divide [divaj'd]; (*gå isär*) part [pa:t] **delaktighet** participation [pa:'tissipej'sjən] **delegat** delegate [dell'igitt] **delge** inform [infå:'m] (*ngn ngt* s.b. of s.th. [samm'bədi əvv samm'θing]) **delikat** delicate [dell'ikitt] **delikatess** delicacy [dell'ikəsi] **delning** division [divisj'ən], partition [pa:tisj'ən] **dels** partly [pa:'tli] **deltaga** take part [tejk pa:'t], participate [pa:tiss'ipejt] **deltagande** participation [pa:'tissipej'sjən]; (*medkänsla*) sympathy [simm'pəθi]; *de deltagande* those taking part [ðåo'z tej'king pa:'t], (*i tävling o.d.*) the competitors [ðə kəmpett'itəz] **deltagare** participant [pa:tiss'ipənt] **deltid** part-time [pa:'ttajm] **delvis** partly [pa:'tli] **deläggare** partner [pa:'tnə] **dem** them [ðemm]; *dem själva* themselves [ðəmsell'vz] **dementera** deny [dinaj'] **demokrati** democracy [dimåkk'rəsi] **demonstrant** demonstrator [demm'ənstrejtə] **demonstration** demonstration [demənstrej'sjən] **demonstrera** demonstrate [demm'ənstrejt] **den** (*best. art.*) the [ðə, ði]; (*pron.*) it [itt]; *den där* that [ðätt]; *den här* this [ðiss]; *den som* anyone who [enn'iwann ho:'] **denne** this [ðiss] **densamme** the same [ðə sej'm] **deodorant** deodorant [di:åo'dərənt] **departement** department [dipa:'tmənt] **deponera** deposit [dipázz'itt] **depression** depression [dipresj'ən] **deprimera** depress (dipress') **deras** their [ðä:'ə]; (självst.) theirs [ðä:'əz] **desamma** the same [ðə sej'm] **desillusionerad** disillusioned [dissillo:'sjənd] **desperat** desperate (dess'pəritt] **dess** its [itts]; innan (till) dess before (till) then [bifä:' (till) ðenn'] **dessa** (de här) these [ði:z]; (de där) those [ðåoz] **dessert** sweet [swi:t] **dessförinnan** before then [bifä:' ðenn'] **dessutom** besides [bisaj'dz] **desto** desto bättre all the better [å:'l ðə bett'ə]; icke desto mindre nevertheless [nevvəðəless']; ju förr desto hellre the sooner the better [ðə so:'nə ðə bett'ə] **det** best. art. the [ðə, ði]; pers. pron it [itt]; det är mycket folk här there are a lot of people here [ðr a:' ə lått' əvv pi:'pl hi:ə]; jag tror det I think so [aj θing'k såo] **detalj** detail [di:'tejl]; närmare detaljer further details [fə:'ðə di:'tejlz] **detaljerad** detailed [di:'tejld] **detektiv** detective [ditekk'tivv] **detektivroman** detective story [ditekk'tivv stå:'ri] **detsamma** the same [ðə sej'm]; det gör detsamma it doesn't matter [itt dazz'nt mätt'ə]; tack, detsamma thanks, and the same to you! [θäng'ks, änd ðə sej'm tə jo:'] **detta** this [ðiss]; före detta former [få:'mə] **diabetiker** diabetic [dajəbett'ikk] **diagnos** diagnosis [dajəgnåo'siss] **dialekt** dialect [daj'əlekkt] **dialog** dialogue [daj'əlågg] **diamant** diamond [daj'əmənd] **diameter** diameter [dajämm'ittə] **diapositiv** transparency [trännspä:'ərənsi] **diarré** diarrhoea [dajəri:'ə] **dieselmotor** diesel engine [di:'zəl enn'dsjinn] **diet** diet [daj'ət]; hålla diet be on a diet [bi: ånn ə daj'ət] **differentiera** differentiate [diffərenn'sjiejt] **dig** you [jo:]; yourself [jå:'sell'f] **digna** sink down [sing'k dao'n] **dike** ditch [dittsj] **dikt** poem [påo'imm] **diktamen** dictation [dikktej'sjən] **diktare** poet [påo'itt] **diktator** dictator [dikktej'tə] **diktatur** dictatorship [dikktej'təsjipp] **diktera** dictate [dikktej't] **dikteringsmaskin** dictaphone [dikk'təfåon] **diktning** writing [raj'ting] **dill** dill [dill] **dimension** dimension [dimenn'sjən] **dimma** mist [misst]; (tjocka) fog [fågg] **din** (fören.) your [jå:]; (självst.) yours [jå:z]; de dina your people [jå:' pi:'pl] **diplomatisk** diplomatic [dippləmätt'ikk] **direkt** direct [direkk't] **direktion** direction [direkk'sjən]; management [männ'iddsjmənt] **direktiv** directions [direkk'sjəns] **direktör** director [direkk'tə]; (affärschef) manager [männ'iddsjə]; Am. vice president [vaj's prezz'idənt] **dirigent** conductor [kəndakk'tə] **dirigera** direct [direkk't]; mus. conduct [kəndakk't] **disciplin** discipline [diss'iplinn] **disig** hazy [hej'zi] **disk 1** (butiks-) counter [kao'ntə]; (bar-) bar [ba:] **2** (diskning) washing-up [wåsj'ing app']; (föremål) dishes [disj'izz] **diska** wash up [wåsj' app']; Am. wash the dishes [wåsj' ðə disj'izz] **diskbrock** slipped disc [slipp't diss'k] **diskbänk** sink [singk] **diskret** discreet [disskri:'t] **diskriminera** discriminate [disskrimm'inejt] **disktrasa** dish-cloth [disj'klåθ] **diskus** disc(us) [diss'k(əs)] **diskussion** discussion [disskasj'ən] **diskutera** discuss [disskass'] **diskvalificera** disqualify [disskwåll'ifaj] **dispens** exemption [iggzemm'p-sjən] **disponera** *disponera (över)* have … at one's disposal [hävv' ətt wannz disspåo'zəl] **disponerad** disposed [disspåo'zd] **disposition** disposition [disspəzisj'ən]; *stå till ngns disposition* be at a p.'s disposal [bi:' ətt ə pə:'snz disspåo'zəl] **dispyt** dispute [disspjo:'t] **distans** distance [diss'təns] **distrahera** distract [dissträkk't]; *distraherad* distraught [disstrå:'t] **distribuera** distribute [disstribb'jo:t] **distribution** distribution [disstribjo:'sjən] **distrikt** district [diss'trikkt] **dit** there [ðä:'ə] **ditt** se din **dittills** till then [till ðenn'] **ditåt** in that direction [inn ðätt' direkk'sjən]; *någonting ditåt* something like that [samm'θing lajk ðätt'] **diverse** various [vä:'əriəs] **dividera** divide [divaj'd] (*med* by [baj]) **djungel** jungle [dsjang'gl] **djup** (*subst.*) depth [deppθ]; (*adj.*) deep [di:p] **djupfrysa** deep-freeze [di:'pfri:'z] **djupsinnig** deep [di:p]; profound [prəfao'nd] **djupskärpa** (*foto.*) depth of field [deppθ əvv fi:'ld] **djur** animal [änn'iməl] **djurpark** zoological gardens [zåoəlådd'sjikəl ga:'dnz] **djärv** bold [båold]; intrepid [intrepp'idd] **djärvhet** boldness [båo'ldniss]; intrepidity [intripidd'itti] **djävlig** devilish [devv'lisj] **djävul** devil [devv'l] **docent** senior lecturer [si:'njə lekk'tsjərə]; *Am.* assistant professor [əsiss'tənt prəfess'ə] **dock** yet [jett] **docka 1** (*leksak*) doll [dåll] **2** (*för fartyg*) dock [dåkk] **dockskåp** doll's house [dåll'z haos] **dockteater** puppet-show [papp'ittsjåo] **doft** scent [sennt] **dofta** smell [smell] **doktor** doctor [dåkk'tə] **dokument** document [dåkk'jomənt] **dokumentärfilm** documentary (film) [dåkkjomenn'təri (film)] **dold** hidden [hidd'n] **dolk** dagger [dägg'ə] **dom 1** judg(e)ment [dsjadd'sjmənt]; (*utslag*) verdict [vä:'dikkt] **2** (*kyrka*) cathedral [kəθi:'drəl] **domare** judge [dsjaddsj]; (*i sporttävling*) umpire [amm'pajə]; (*i fotboll*) referee [reffəri:'] **domherre** bullfinch [boll'finntsj] **dominans** domination [dåmminej'sjən] **dominera** dominate [dåmm'inejt] **domkraft** jack [dsjäkk] **domkyrka** cathedral [kəθi:'drəl] **domstol** court [kå:t]; tribunal [trajbjo:'nl] **donation** donation [dåonej'sjən] **donera** donate [dåonej't] **dop** baptism [bäpp'tizəm]; (*barn-, fartygs-*) christening [kriss'ning] **dopfunt** baptismal font [bäpptizz'məl fånnt] **dopp** dip [dipp] **doppa** dip [dipp]; *doppa sig* have a dip [hävv' ə dipp'] **dopping** grebe [gri:b] **dos** dose [dåos] **dosa** box [båkks] **dosera** dose [dåos] **dotter** daughter [då:'tə] **dotterbolag** subsidiary company [səbsidd'jəri kamm'pəni] **dotterdotter** granddaughter [gränn'då:tə] **dotterson** grandson [gränn'sann] **dov** dull [dall] **dra** draw [drå:]; *dra* (*subst.*) pull [poll]; *dra sig för ngt* be afraid of s.th. [bi: əfrej'd əvv samm'θing]; *dra sig tillbaka* retire [ritaj'ə]; *dra till sig* (*attrahera*) attract [əträkk't]; *dra upp klockan* wind up the clock [wajnd app' ðə klåkk'] **drabba** hit [hitt]; (*hända ngn*) happen to [häpp'ən to:]; *drabbas av en olycka* meet with misfortune [mi:'t wið missfå:'tsjən] **drag** (*-ande*) pull

[poll]; (*i spel o. bildl.*) move [moːv]; (*luft-*) draught [draːft], *Am.* draft [draːft]; (*anlets-*) feature [fiːˈtsjə]; (*karaktärs-*) trait [trej] **draga** se dra **dragga** drag [drägg] **dragning** draw [drɔː]; (*böjelse*) tendency [tennˈdənsi] **dragningskraft** attraction [əträkkˈsjən]; (*tyngdkraft*) force of gravity [fɔːˈs ɘvv grävvˈitti] **dragningslista** lottery prize-list [lättˈəri prajˈzlisst] **dragspel** accordion [əkɔːˈdjən] **drake** dragon [dräggˈən]; (*leksak*) kite [kajt] **drama, dramatik** drama [draːˈmə] **dramatisk** dramatic [drəmättˈikk] **dramatisera** dramatize [drämmˈətajz] **draperi** drapery [drejˈpəri] **dras med** (*utstå*) put up with [pottˈ appˈ wið] **dregla** dribble [dribbˈl] **dressera** train [trejn] (*till* for [fɔːˈ]) **dressyr** training [trejˈning] **dribbla** dribble [dribbˈl] **dricka** drink [dringk]; (*intaga*) have [hävv], take [tejk]; *dricka ur* finish [finnˈisj] **dricks** tip [tipp]; *ge dricks* tip [tipp] **drift** (*gång*) running [rannˈing], operation [åppərejˈsjən]; (*instinkt*) instinct [innˈstingkt] **driva** (*subst.*) drift [drifft]; (*verb*) drive [drajv]; (*om fartyg*) drift [drifft]; *driva med* poke fun at [påoˈk fannˈ ätt]; *driva igenom* force through [fɔːˈs θroːˈ]; *driva på* urge ... on [əːˈdsj ånnˈ] **drivkraft** motive power [måoˈtivv paoˈə] **drog** drug [dragg] **droppa** (*falla i droppar*) drip [dripp]; (*hälla droppvis*) drop [dråpp] **droppe** drop [dråpp] **droppvis** drop by drop [dråppˈ baj dråppˈ] **droska** cab [käbb] **drottning** queen [kwiːn] **drucken** drunk [drangk] **drunkna** be drowned [bi drａoˈnd] **druva** grape [grejp] **druvsocker** grape-sugar [grejˈpsjoggə] **dryck** drink [dringk]; *mat och dryck* meat and drink [miːˈt ən dringˈk] **dryg** (*som räcker länge*) lasting [laːˈsting]; (*rågad*) heaped [hiːpt]; (*högfärdig*) stuck-up [stakkˈappˈ] **drypa** (*hälla droppvis*) drop [dråpp]; (*ge ifrån sig vätska*) drip [dripp] **dråp** manslaughter [männˈslåːtə] **dräkt** dress [dress]; (*jacka o. kjol*) suit, costume [sjoːˈt, kåssˈtjoːm] **dränera** drain [drejn] **dränka** drown [draon] **dräpa** slay [slej] **dröja** (*låta vänta på sig*) be late [bi lejˈt]; (*vara sen*) be long [biː lång]; (*vänta med*) wait [wejt]; (*stanna kvar*) stop [ståpp]; *det dröjer länge innan* it will be a long time before [itt will biˈ ə långˈ tajˈm bifåˈ] **dröjsmål** delay [dilejˈ] **dröm, drömma** dream [driːm] **du** you [joː] **dubbel** double [dabbˈl] **dubbelrum** double room [dabbˈl romm] **dubbelsäng** double bed [dabbˈl bedd] **dubblett** (*kopia*) duplicate [djoˈplikitt] **duett** duet [djoettˈ] **duga** do [doːˈ]; be suitable [biː sjuːˈtəbbl] (*till* for [fɔːˈ]); *det duger* that will do [ðättˈ will doːˈ] **dugg** *inte ett dugg* not a bit [nåttˈ ə bittˈ] **duggregn** drizzle [drizzˈl] **duglig** able [ejˈbl]; capable [kejˈpəbl] **duk** cloth [klåθ] **duka 1** lay the table [lejˈ ðə tejˈbl]; *duka av* clear the table [kliːˈə ðə tejˈbl]; *duka fram* put ... on the table [pottˈ ånn ðə tejˈbl] **2 duka under** succumb [səkammˈ] **duktig** able [ejˈbl]; capable [kejˈpəbl] **dum** stupid [stjoːˈpidd]; (*obetänksam*) silly [sillˈi] **dumhet** stupidity [stjopiddˈitti]; foolishness [foːˈlisjniss] **dun** down [daon] **dunder, dundra** thunder [θannˈdə] **dunk** (*be-

hållare) can [känn] **dunka** throb [θråbb] **dunkel** (*adj.*) dusky [dass'ki]; (*subst.*) dusk [dassk] **duns** bump [bammp] **dusch** shower [sjao'ə] **duscha** have a shower [hävv' ə sjao'ə] **dussin** dozen [dazz'n] **duva** pigeon [pidd'sjinn] **dvärg** dwarf [dwå:f] **dygd** virtue [və:'tjo:] **dygn** day and night [dej' ənn naj't] **dyka** dive [dajv]; *dyka upp* emerge [imə:'dsj], (*bildl.*) crop up [kråpp' app'] **dykare** diver [daj'və] **dykning** dive [dajv] **dylik** of that kind [əvv ðått' kaj'nd], similar [simm'ilə]; *eller dylikt* or the like [å: ðə laj'k] **dyna** cushion [kosj'ən] **dynamisk** dynamic [dajnämm'ikk] **dynamit** dynamite [daj'nəmajt] **dyr** dear [di:'ə]; (*kostsam*) expensive [ikkspenn'sivv] **dyrbar** expensive [ikkspenn'sivv]; (*värdefull*) precious [presj'əs] **dyrka** (*tillbedja*) worship [wə:'sjipp] **dyrkan** worship [wə:'sjipp] **dyster** gloomy [glo:'mi]; (*till sinnes*) melancholy [mell'ənkəli] **dyvåt** soaking wet [såo'king wett'] **då** (*konj*) when [wenn]; (*adv*) then [ðenn]; *då och då* now and then [nao' ənn ðenn'] **dåförtiden** at that time [ätt ðätt' taj'm] **dålig** bad [bädd]; (*sjuk*) ill [ill] **dån, dåna** roar [rå:]; thunder [θann'də] **dåraktig** foolish [fo:'lisj] **dåre** fool [fo:l] **dårskap** folly [fåll'i] **dåsig** drowsy [drao'zi] **dåvarande** the ... of that time [ðə əvv ðätt' taj'm], then [ðenn] **däck** (*fartygs-*) deck [dekk]; (*bil-*) tyre [taj'ə] **däggdjur** mammal [mämm'əl] **dämma** dam [dämm] **dämpa** moderate [mådd'ərejt]; (*ljud*) muffle [maff'l] **där** (*rel. adv.*) where [wä:'ə]; (*demonstr. adv.*) there [ðä:'ə]; *så där* like that [laj'k ðätt']; *där borta* over there [åo'və ðä:'ə] **därav** of that [əvv ðätt'] **därefter** after that [a:'ftə ðätt'] **däremot** on the other hand [ånn ði əð'ə hänn'd]; (*tvärtom*) on the contrary [ånn ðə kånn'trəri]; *då däremot* whereas [wä:ərazz'] **därför** therefore [ðä:'əfå:]; *därför att* because [bikåzz']; *det var därför som* that is why [ðätt' izz waj'] **däribland** among them [əmang' ðemm'] **därifrån** from there [fråmm ðä:'ə] **därigenom** thereby [ðä:'əbaj'] **därjämte** besides [bisaj'dz] **därmed** by that [baj' ðätt']; *i samband därmed* in this connection [inn ðiss' kənekk'sjən]; *därmed är inte sagt att* that is not to say that [ðätt' izz nått' tə sej' ðätt'] **därpå** after that [a:'ftə ðätt']; then [ðenn] **därtill** to that [to ðätt'] **därutöver** above that [əbavv' ðätt'] **därvid** at that [ätt ðätt'] **dö** die [daj] **död** (*subst.*) death [deθ]; (*adj.*) dead [dedd]; *den döde* the dead man [ðə dedd' männ'] **döda** kill [kill] **dödlig** deadly [dedd'li], mortal [må:'tl] **dödsannons** obituary notice [əbitt'joəri nåo'tiss] **dödsbo** estate of a deceased person [isstej't əvv ə disi:'st pə:'sn] **dödsbädd** deathbed [deθ'bedd] **dödsdom** death sentence [deθ' senn'təns] **dödsfall** death [deθ] **dödsoffer** victim [vikk'timm] **dödsolycka** fatal accident [fej'tl äkk'sidənt] **dölja** hide [hajd] **döma** (*be-*) judge [dsjaddsj]; (*avkunna dom över*) sentence [senn'təns]; (*i fotboll*) referee [reffəri:']; (*i tennis*) umpire [amm'pajə] **döpa** baptize [bäpptaj'z]; (*barn, fartyg*) christen [kriss'n] **dörr** door [då:] **dörrhandtag** door handle [då:' hänndl] **dörrnyckel**

35

dörröppning — eldfara

door-key [då:'ki:] **dörröppning** doorway [då:'wej] **döv** deaf [deff] **dövstum** deaf and dumb [deff' ənn damm'] **ebb** ebb [ebb]; *det är ebb* it is low tide [itt izz låo' taj'd] **ed** oath [åoθ]; *gå ed på* take an oath upon [tej'k ənn åo'θ əpånn'] **effekt** effect [ifekk't] **effektfull** striking [straj'king] **effektförvaring** left-luggage office [leff'tlagg'iddsj åff'iss] **effektiv** effective [ifekk'tivv]; (*om person*) efficient [ifisj'ənt] **effektivitet** efficiency [ifisj'ənsi] **efter** (*adj. o. adv.*) after [a:'ftə]; (*bakom äv.*) behind [bihaj'nd] **efterbilda** imitate [imm'itejt] **efterforska** search for [sə:'tsj få:] **efterfrågan** demand [dima:'nd] (*på* for [få:]) **efterföljare** follower [fåll'åoə] **eftergift** concession [kənsesj'ən] **eftergivenhet** indulgence [indall'dsjəns] **efterkommande** (*subst.*) descendants [disenn'dənts] **efterlevande** (*subst.*) survivor [səvaj'və] **efterlikna** imitate [imm'itejt] **efterlämna** leave [li:v] **efterlängtad** longed for [lång'd få:] **eftermiddag** *på eftermiddagen* in the afternoon [inn ði a:'ftəno:'n] **efternamn** surname [sə:'nejm] **efterrätt** sweet [swi:t] **eftersom** as [äzz], since [sinns] **eftersträva** aim at [ej'm ätt] **eftersända** (*skicka vidare*) forward [få:'wəd] **eftersökt** in great demand [inn grej't dima:'nd] **eftertanke** reflection [riflekk'sjən]; *vid närmare eftertanke* on second thoughts [ånn sekk'ənd θå:'ts] **eftertryck** (*kraft*) energy [enn'ədsji]; (*betoning*) stress [stress] **efterträda** succeed [səksi:'d] **efterträdare** successor [səksess'ə] **efteråt** afterwards [a:'ftəwədz] **egen** own [åon] **egendom** property [pråpp'əti]; *fast (lös) egendom* real (personal) estate [ri:'əl (pə:'snl) isstej't] **egendomlig** peculiar [pikjo:'ljə], strange [strejndsj] **egendomlighet** peculiarity [pikjo:liärr'itti], strangeness [strej'ndsjniss] **egenkär** conceited [kənsi:'tidd] **egenmäktig** arbitrary [a:'bitrəri]; *egenmäktigt förfarande* unlawful interference [ann'lå:'full inntəfi:'ərəns] **egennamn** proper name [pråpp'ə nejm] **egenskap** (*beskaffenhet*) quality [kwåll'itti] **egentlig** real [ri:'əl] **egentligen** really [ri:'əli] **egg** edge [eddsj] **egga** incite [insaj't] **egoistisk** egoistical [egåoiss'tikkəl] **Egypten** Egypt [i:'dsjippt] **egyptisk** Egyptian [i:dsjipp'sjən] **ej** se inte; *ej heller* nor [nå:] **ek** oak [åok] **eka 1** *subst.* skiff [skiff] **2** *verb* echo [ekk'åo] **eker** spoke [spåok] **ekipage** carriage [kärr'iddsj] **ekipera** equip [ikwipp'] **eko** echo [ekk'åo] **ekollon** acorn [ej'kå:n] **ekolod** echo-sounder [ekk'åosaondə] **ekonom** economist [ikånn'əmist] **ekonomi** economy [ikånn'əmi]; (*affärsställning*) financial position [fajnänn'sjəl pəzisj'ən] **ekonomisk** economic [i:kənämm'ikk]; (*penning-*) financial [fajnänn'sjəl] **ekorre** squirrel [skwirr'əl] **eksem** eczema [ekk'simmə] **ekvation** equation [ikwej'sjən] **ekvator** equator [ikwej'tə] **elak** evil [i:'vl], wicked [wikk'idd]; (*stygg*) naughty [nå:'ti] **elastisk** elastic [iläss'tikk]; *elastisk binda* elastic bandage [iläss'tikk bänn'diddsj] **eld** fire [faj'ə]; *fatta eld* catch fire [kätt'sj faj'ə] **elda** (*göra upp eld*) light a fire [laj't ə faj'ə]; (*uppvärma*) heat [hi:t]; (*egga*) rouse [raoz] **eldfara** danger of fire [dej'ndsjə avv faj'ə] **eldfarlig** inflammable [inflämm'əbl] **eldfast** fireproof [faj'əpro:f] **eldig** fiery [faj'əri] **eldröd** red as fire [redd' əzz fai'ə] **eldsläckare** fire-extinguisher [faj'ərikkstinggwisjə] **eldstad** fire-place [faj'əplejs] **eldsvåda** fire [faj'ə]; *vid eldsvåda* in case of fire [inn kej's əvv faj'ə] **elefant** elephant [ell'ifənt] **elegant** elegant [ell'igənt]; stylish [staj'lisj] **elektricitet** electricity [ilekk-triss'itti] **elektriker** electrician [ilekktrisj'ən] **elektrisk** electric [ilekk'trikk] **elektronik** electronics [ilekktrånn'ikks] **element** element [ell'imənt]; (*värme-*) radiator [rej'dejtə] **elementär** elementary [ellimenn'təri] **elev** pupil [pjo:'pl] **elfenben** ivory [aj'vəri] **elfte** eleventh [ilevv'nθ] **eliminera** eliminate [ilimm'inejt] **elit** elite [ejli:'t] **eller** or [å:]; *antingen ... eller* either ... or [aj'ðə å:']; *eller dylikt* or something like that [å: samm'θing lajk öätt']; *eller också* or [å:']; *varken ... eller* neither ... nor [naj'ðə ... nå:'] **elva** eleven [ilevv'n] **elverk** electricity board [ilekktriss'itti bå:d'] **elände** misery [mizz'əri] **eländig** miserable [mizz'ərəbl] **emalj, emaljera** enamel [inämm'əl] **emballage** packing [päkk'ing], wrapping [räpp'ing] **emballera** pack [päkk] **emedan** because [bikåzz']; (*eftersom*) as [äzz], since [sinns] **emellan** (*prep*) (*om två*) between [bitwi:'n]; (*om flera*) among [əmang']; (*adv*) between [bitwi:'n] **emellanåt** occasionally [əkej'sjnəli] **emellertid** however [haoevv'ə] **emigrant** emigrant [emm'igrənt] **emigrera** emigrate [emm'igrejt] **emot** *se mot; mitt emot* opposite [åpp'əzitt]; *inte mig emot* I have no objection [aj' hävv nåo' əbbdsjekk'sjən] **emotse** look forward to [lokk' få:'wədd to:] **emottaga** receive [risi:'v] **en 1** (*buske*) juniper [dsjo:'nipə] **2** (*räkn.*) one [wann]; *en gång* once [wanns]; (*obest. art.*) a [ə], an [ənn]; one [wann]; *ens egen* one's own [wannz åo'n]; *den ene ... den andre* (the) one ... the other [(ðə) wann' ði að'ə] **ena** unite [jo:naj't] **enas** agree [əgri:'] (*om* on [ånn]) **enastående** unique [jo:ni:'k] **enbart** merely [mi:'əli] **enda** only [åo'nli]; *inte en enda blomma* not a single flower [nått' ə sing'gl flao'ə] **endast** only [åo'nli] **endera** one [wann]; *endera dagen* one of these days [wann' əvv ði:'z dej'z] **endiv(sallad)** chicory [tsjikk'-əri] **energi** energy [enn'ədsji] **energisk** energetic [ennədsjett'ikk] **enervera ngn** get on a p.'s nerves [gett' ånn ə pə:'snz nə:'vz] **enfaldig** silly [sill'i] **enfamiljshus** self-contained house [sell'f-kəntej'nd] **enformig** monotonous [mənått'nəs] **enfärgad** one-coloured [wann'kall'əd] **engagemang** engagement [inngej'dsj-mənt] **engagera** engage [ingej'dsj] **engelsk** English [ing'g-lisj] **engelska** (*språk*) English [ing'glisj]; (*kvinna*) Englishwoman [ing'glisjwoman] **engelsk-svensk** Anglo-Swedish [äng'glåo-swi:'disj] **engelsman** Englishman [ing'glisjmən]; *engelsmännen* (*nationen*) the English [ði:' ing'glisj], (*några engelsmän*) the Englishmen [ði:' ing'glisjmən] **engångsförpackning** expendable package [ikkspenn'dəbl päkk'iddsj] **engångsglas** non-returnable bottle [nånn'ritə:'nəbl bått'l] **engångskostnad** once-for-all cost [wanns førå:'l kåss't] **enhet** unity [jo:'nitti]; unit [jo:'nitt] **enhetlig** uniform [jo:'nifå:m] **enhällig** unanimous [jonänn'iməs] **enig** (*enad*) united [jo:naj'tidd]; (*ense*) of one opinion [əvv wann' əpinn'jən] **enighet** unity [jo:'nitti] **enkel** (*mots. dubbel*) single [sing'gl]; (*mots. tillkrånglad*) simple [simm'pl]; *helt enkelt* simply [simm'pli] **enkelhet** simplicity [simmpliss'itti] **enkom** purposely [pə:'pəsli] **enkrona** *en enkrona* a one-krona [ə wann'kråo'nə] **enlighet** *i enlighet med* in accordance with [inn əkå:'dəns wið] **enligt** according to [əkå:'ding to:] **enorm** enormous [inå:'məs] **ens** *inte ens* not even [nått i:'vən]; *med ens* all at once [å:'l ətt wann's] **ensak** *det är min ensak* it is my affair [itt izz maj' əfä:'ə] **ensam** (*allena*) alone [əlåo'n]; lonely [låo'nli]; (*-stående*) solitary [såll'itəri] **ensamhet** loneliness [låo'nliniss]; solitude [såll'i-tjo:d] **ense** *bli ense om* agree upon [əgri:' əpånn'] **ensidig** one-sided [wann'saj'didd] **enskild** (*privat*) private [praj'vitt]; (*enstaka*) individual [individd'joəl]; (*särskild*) specific [spisiff'ikk] **enslig** solitary [såll'itəri] **enstaka** separate [sepp'ritt]; (*sporadisk*) occasional [əkej'sjənl]; *någon enstaka gång* once in a while [wanns' inn ə waj'l] **entonig** monotonous [mənått'nəs] **entré** entrance [enn'trəns] **entusiasm** enthusiasm [inθjo:'ziäzzəm] **en-tusiastisk** enthusiastic [inθjo:ziäss'tikk] **envis** stubborn [stabb'-ən] **envisas** be obstinate [bi: åbb'stinitt] **epidemi, epidemisk** epidemic [epidemm'ikk] **epileptiker** epileptic [epilepp'tikk] **epi-sod** episode [epp'isåod] **epok** epoch [i:'påkk] **er** (*pers. pron*) you [jo:]; *er* (*själv*) yourself [jå:sell'f]; *er* (*själva*) yourselves [jå:sell'vz]; (*poss. pron*) your [jå:], (*självst.*) yours [jå:z] **erbjuda** offer [åff'ə]; (*förete*) present [prizenn't]; *erbjuda sig* offer [åff'ə] **erbjudande** offer [åff'ə] **erfara** (*få veta*) learn [lə:n]; (*röna*) experience [ikkspi:'əriəns] **erfaren** experienced [ikkspi:'əriənst]; (*kunnig*) skilled [skilld] **erfarenhet** experience [ikkspi:'əriəns] **erforderlig** requisite [rekk'wizzitt] **erfordra** require [rikwaj'ə]; *om så erfordras* if necessary [iff ness'isəri] **erhålla** receive [risi:'v], get [gett] **erinra** remind [rimaj'nd]; *erinra sig* remember [rimemm'-bə] **erkänna** acknowledge [əkknåll'iddsj] **erkännande** acknow-ledgement [əkknåll'iddsjmənt] **erlägga** pay [pej] **erotisk** erotic [irått'ikk] **ersätta** (*gottgöra*) compensate [kåmm'pensejt]; (*byta ut*) replace [riplej's]; **ersättare** substitute [sabb'stitjo:t]; (*efter-trädare*) successor [səksess'ə] **ersättning** compensation [kåmm-pensej'sjən]; (*betalning*) remuneration [rimjo:nərej'sjən] **ertappa** catch [kättsj] **erövra** conquer [kång'kə] **erövring** conquest [kång'kwesst] **eskimå** Eskimo [ess'kimåo] **eskort** escort [ess'-kå:t] **eskortera** escort [iskå:t'] **essä** essay [ess'ej] **estetisk** aesthetic [i:sθett'ikk] **estrad** platform [plätt'få:m] **etablera** estab-lish [isstäbb'lisj] **etablissemang** establishment [isstäbb'lisjmənt] **etage** stor(e)y [stå:'ri]; *Am.* floor [flå:] **etapp** stage [stejdsj]; (*väg-sträcka*) day's march [dej'z ma:'tsj] **etikett** label [lej'bl]; (*umgänges-former*) etiquette [ettikett'] **etisk** ethical [eθ'ikəl] **etsa** etch [ettsj]

etsning etching [ett'sjing] **ett** (*räkn.*) one [wann]; (*obest. art.*) a [ə], an [änn, ənn]; one [wann] **etta** one [wann] **etui** case [kejs] **Europa** Europe [jo:'ərəp] **europé, europeisk** European [joərəpi:'ən] **evakuera** evacuate [iväkk'joejt] **evangelium** gospel [gåss'pəl] **evenemang** event [ivenn't] **eventuell** (if) any [(iff) enn'i], possible [påss'əbl] **eventuellt** possibly [påss'əbli], perhaps [pəhäpp's] **evig** eternal [itə:'nl] **evighet** eternity [itə:'nitti]; *i evighet* for ever [fərevv'ə] **evigt** *för evigt* for ever [fərevv'ə] **exakt** exact [iggzäkk't] **exakthet** exactness [iggzäkk'tniss] **examen** examination [iggzämminej'sjən]; (*akademisk*) degree [digri:'] **exekution** execution [ekksikjo:'sjən] **exempel** example [iggza:'mpl]; (*inträffat fall*) instance [inn'stəns]; *till exempel* for instance [frinn'stəns] **exemplar** copy [kåpp'i]; (*djur, växt*) specimen [spess'iminn] **exercis** drill [drill] **exil** exile [ekk'sajl] **existens** existence [iggziss'təns] **existera** exist [iggziss't] **exklusiv** exclusive [ikksklo:'sivv] **exklusive** excluding [ikksklo:'-ding] **expandera** expand [ikkspänn'd] **expansion** expansion [ikkspänn'sjən] **expediera** dispatch [disspätt'sj]; (*betjäna*) attend to [ətenn'd to:] **expedit** shop assistant [sjåpp' əsiss'tənt] **expedition** (*lokal*) office [åff'iss]; (*forsknings- o. mil.*) expedition [ekkspidisj'ən] **experiment** experiment [ikks-perr'imənt] **experimentera** experiment [ikksperr'imennt] **expert** expert [ekk'spə:t] **exploatera** exploit [ikksplåj't] **explodera** explode [ikksplåo'd] **explosion** explosion [ikksplåo'sjən] **exponera** (*utställa*) exhibit [iggzibb'itt]; (*foto*) expose [ikkspåo'z] **exponering** exposure [ikkspåo'sjə] **export** export [ekk'spå:t] **exportera** export [ekkspå:'t] **expressbrev** express letter [ikks-press' lett'ə], *Am.* special delivery letter [spesj'əl dilivv'əri lett'ə] **extas** ecstasy [ekk'stəsi] **exteriör** exterior [ekksti:'əriə] **extra** extra [ekk'strə] **extrakt** extract [ekk'sträkkt] **extranummer** (*tidning*) special issue [spesj'əl iss'jo:]; (*utöver programmet*) extra item [ekk'strə aj'temm] **extratåg** special (train) [spesj'əl (trejn)] **extrem** extreme [ikkstri:'m] **fabricera** manufacture [männjofäkk'tsjə] **fabrik** factory [fäkk'təri]; works [wə:ks]; *Am.* plant [pla:nt] **fabrikat, fabrikation** manufacture [männjofäkk'-tsjə] **fabrikör** factory owner [fäkk'təri åo'nə] **fack** (*förvaringsrum*) partition [pa:tisj'ən]; (*gren*) line [lajn] **fackförbund** federation of trade unions [feddərej'sjən ævv trej'd jo:'njənz] **fackförening** trade [trej'd] (*Am.* labor [lej'bə]) union [jo:'njən] **fackla** torch [tå:tsj] **facklig** professional [prəfesj'ənl]; (*fackförenings-*) (*attributivt*) trade-union [trej'd jo:'njən] **fackman** professional [prə-fesj'ənl]; specialist [spesj'əlist] **fadd** flat [flätt] **fader** father [fa:'ðə] **faggorna** *vara i faggorna* be imminent [bi: imm'inənt] **faktisk** real [ri:'əl] **faktiskt** really [ri:'əli] **faktor** factor [fäkk'tə] **faktum** fact [fäkkt] **faktura** invoice [inn'våjs] (*på ett belopp för an amount* [få: ənn əmao'nt]) **fakturera** invoice [inn'våjs] **fakultet** faculty [fäkk'əlti] **falk** falcon [få:'lkən] **fall** (*av falla*) fall [få:l]; (*händelse*) case [kejs]; *i alla fall* in any case [inn enn'i kej's]; *i annat fall* otherwise [aðˈəwajz]; *i bästa fall* at best [ätt bess't]; *i så fall* in that case [inn öätt' kej's]; *i värsta fall* if the worst comes to the worst [iff ðə wəː'st kamm'z tə ðə wəː'st] **falla** fall [få:l]; *falla till foga* yield [ji:ld]; *falla ur minnet* escape one's memory [isskejˈp wannz memmˈəri]; *falla ihop* collapse [kəläppˈs]; *det föll mig aldrig in* it never occurred to me [itt nevvˈər əkəˈd to mi:]; *det föll sig så att* it so happened that [itt såoˈ häppˈənd öätt'] **fallenhet** gift [gifft] **fallfärdig** tumble-down [tammˈbldaon] **fallskärm** parachute [pärr'əsjo:t] **falsk** false [få:ls] **falskhet** falseness [få:ˈlsniss] **familj** family [fämmˈilli] **famla** grope [gråop] (*efter* for [få:]) **famn** arms [a:mz]; (*fång*) armful [a:ˈmfoll]; (*mått*) fathom [fäðˈəm] **fan** the devil [ðə devvˈl]; *fy fan!* hell! [hell] **fana** banner [bännˈə] **fanatisk** fanatic [fənättˈikk] **fantasi** imagination [imäddsjinejˈsjən] **fantasifull** imaginative [imäddˈsjinətivv] **fantasilös** unimaginative [annˈimäddˈsjinətivv] **fantastisk** fantastic [fänntässˈtikk] **fantisera** indulge in day-dreams [inndallˈdsj inn dejˈdri:mz] **far** father [fa:ˈðə] **fara 1** (*subst.*) danger [dejˈndsjə] **2** (*verb*) go [gåo]; (*färdas*) travel [trävvˈl]; *fara illa* be badly treated [bi: bäddˈli triˈtidd] **farbror** uncle [angˈkl] **farfar** grandfather [gränˈdfa:ðə] **farfarsfar** great grandfather [grejˈtgrännˈdfa:ðə] **farhåga** apprehension [äpprihennˈsjən] **farkost** vessel [vessˈl] **farled** channel [tsjännˈl] **farlig** dangerous [dejˈndsjrəs] **farmacevt** dispenser [disspennˈsə] **farmor** grandmother [gränˈmaðə] **farmorsmor** great grandmother [grejˈtgrännˈmaðə] **fars** farce [fa:s] **fart** speed [spi:d]; *ta fart* get a start [gettˈ ə staːtˈ] **fartbegränsning** speed limit [spiːˈd limmitt] **fartyg** ship [sjipp] **farvatten** waters [wåːˈtəzz] **farväl** farewell [fåːˈəwell] **fas** phase [fejz] **fasa** (*subst.*) horror [hårrˈə]; (*verb*) shudder [sjaddˈə] (*för a* [ätt]) **fasad** façade [fəsaːˈd] **fasan** pheasant [fezzˈnt] **fascinera** fascinate [fässˈinejt] **fascinerande** fascinating [fässˈinejting] **fascism** Fascism [fäsjˈizəm] **fasett** facet [fässˈitt] **fason** (*form*) shape [sjejp]; (*sätt*) way [wej] **fast 1** (*konj.*) though [ðåo] **2** (*adj.*) (*mots. lös*) firm [fəːm]; (*-gjord*) fixed [fikkst]; (*mots. flyttbar*) stationary [stejˈsjnəri]; (*mots. flytande*) solid [sållˈidd]; *fast bostad* permanent address [pəːˈmənənt ədressˈ]; *bli fast* get caught [gettˈ kåːˈt] **fasta 1** (*subst.*) *fastan* Lent [lennt]; (*adj.*) *på fastande mage* on an empty stomach [ånn ənn emmˈpti stammˈäk] **2** *ta fasta på* bear … in mind [bäːˈə inn majˈnd] **faster** aunt [aːnt] **fastighet** (*hus*) house [haos]; (*jordagods*) landed property [lännˈdidd pråppˈəti] **fastighetsmäklare** estate agent [isstejˈt ejˈdsjənt] **fastland** (*i mots. t. öar*) mainland [mejˈnlənd] **fastna** get caught [gettˈ kåːˈt]; (*i ngt klibbigt o. om pers.*) get stuck [gettˈ stakkˈ] **fastna för** decide on [disajˈd ånn] **fastsatt** fixed [fikkst] (*vid* to [to:]) **fastslå** (*fastställa*) establish [isstäbbˈlisj] **fastställa** (*bestämma*) fix [fikks]; (*konstatera*) establish [isstäbbˈlisj]

fastän although [å:låå'] **fat** dish [disj]; (te-) saucer [så:'sə]; (bunke) basin [bej'sn] **fatal** fatal [fej'tl] **fatt 1** hur är det fatt? what's the matter? [wått's ðə mätt'ə] **2** få fatt i get hold of [gett' håo'ld əvv] **fatta** (ta tag i) grasp [gra:sp], seize [si:z]; (börja hysa) conceive [kənsi:'v]; fatta ett beslut make a decision [mej'k ə disisj'ən]; (begripa) understand [anndəstänn'd]; fatta sig kort be brief [bi: bri:'f] **fattas** (föreligga brist på) be wanting [bi: wånn'ting]; (saknas) be missing [bi: miss'ing]; vad fattas dig? what is the matter? [wått' izz ðə mätt'ə] **fattig** poor [po:'ə] **fattigdom** poverty [påvv'əti] **fattning** (grepp) hold [håold], grip [gripp]; (besinning) self-possession [self pəzesj'ən]; (lugn) composure [kəmmpåo'sjə]; förlora fattningen lose one's head [lo:'z wanns hedd'] **fatöl** draught beer [dra:'ft bi:'ə] **fauna** fauna [få:'nə] **favorit** favourite [fej'vəritt] **feber** fever [fi:'və]; ha feber have a temperature [hävv' ə temm'prittsjə] **feberfri** vara feberfri have no temperature [hävv' nåo' temm'prittsjə] **febrig** feverish [fi:'vərisj] **februari** February [febb'roəri] **feg** cowardly [kao'ədli] **feghet** cowardice [kao'ədiss] **fel** (subst.) fault [få:lt]; (misstag) mistake [misstej'k]; göra ett fel make a mistake [mej'k ə misstej'k]; ha fel be wrong [bi: rång']; (adj.) wrong [rång]; (adv.) ta fel make a mistake [mej'k ə misstej'k] **felaktig** wrong [rång]; faulty [få:'lti] **felfri** faultless [få:'ltliss] **felparkering** parking offence [pa:'king əfenn's] **felsteg** false step [få:'ls stepp'] **felsägning** slip of the tongue [slipp' əvv ðə tang'] **fem, femma** five [fajv] **femte, femtedel** fifth [fiffθ] **femtio** fifty [fiff'ti] **femtionde** fiftieth [fiff'tiiθ] **femton** fifteen [fiff'ti:n] **femtonde** fifteenth [fiff'ti:'nθ] **fena** fin [finn] **fenomen** phenomenon [finåmm'inən] **fenomenal** phenomenal [finåmm'-inl] **ferier** holidays [håll'ədizz] **ferieskola** summer school [samm'ə sko:l] **fernissa** varnish [va:'nisj] **fest** festival [fess'təvəl]; (bjudning) party [pa:'ti] **festa** feast [fi:st] **festival** festival [fess'təvəl] **festlig** festive [fess'tivv] **fet** fat [fätt]; (om kött) fatty [fätt'i] **fetma** fatness [fätt'niss] **fett** fat [fätt]; (smörj-) grease [gri:s] **fettbildande** fattening [fätt'ning] **fetvadd** unrefined cotton wool [ann'rifaj'nd kått'n woll'] **fiasko** fiasco [fiäss'-kåo]; göra fiasko be a fiasco [bi: ə fiäss'kåo] **fiber** fibre [faj'bə] **ficka** pocket [påkk'itt] **fickkniv** pocket-knife [påkk'ittnajf] **ficklampa** torch [tå:tsj]; Am. flashlight [fläsj'lajt] **ficktjuv** pickpocket [pikk'påkkitt] **fiende** enemy [enn'immi] (till of [əvv]) **fiendskap** enmity [enn'mitti]; hostility [håsstill'itti] **fientlig** hostile [håss'tajl] **figur** figure [figg'ə] **figurera** (förekomma) figure [figg'ə] **fikon** fig [figg] **fil 1** (rad) row [råo]; (kör-) lane [lejn] **2** (verktyg) file [fajl] **fila** file [fajl] **filé** fillet [fill'itt] **filial** branch [bra:ntsj] **film** film [fillm]; (spel-) (motion) picture [(måo'sjən) pikk'tsjə]; Am. äv. movie [mo:'vi] **filma** (take a [tej'k ə]) film [fillm]; (uppträda i film) act in a film [äkk't inn ə fillm] **filmkamera** film camera [fill'm kämm'ərə] **filmrulle** (kassett *med film*) reel [ri:l] **filmstjärna** film star [fill'm sta:] **filosof** philosopher [filåss'əfə] **filosofera** philosophize [filåss'əfajz] **filosofi** philosophy [filåss'əfi] **filt** (*material*) felt [fellt]; (*säng-*) blanket [bläng'kitt]; (*res-*) rug [ragg] **filter** filter [fill'tə] **fin** fine [fajn]; *en fin affär* a bargain [ə ba:'ginn] **final** (*musik.*) finale [fi-na:'li]; (*sport.*) final [faj'nl]; *gå till finalen* enter the finals [enn'tə ðə faj'nlz] **finanser** finances [fajnänn'sizz] **finansiera** finance [fajnänn's] **finansman** financier [fajnänn'siə] **finansminister** minister of finance [minn'istə əvv fajnänn's] **finess** finesse [finess']; *finesser* refinements [rifaj'nmənts] **finfördela** grind [grajnd] **finger** finger [fing'gə] **fingeravtryck** fingerprint [fing'-gəprint] **fingerborg** thimble [θimm'bl] **fingra på** finger [fing'gə] **finklädd** dressed up [dress't app'] **finkänslig** delicate [dell'ikitt] **finkänslighet** delicacy [dell'ikəsi] **Finland** Finland [finn'lənd] **finna** find [fajnd]; *tinna sig i* put up with [pott' app' wið] **finnas** be [bi:]; *finnas kvar (återstå)* be left [bi: left't], (*finnas på samma plats*) be still there [bi: still' ðæ:'ə]; *finnas till* exist [iggziss't] **finne 1** Finn [finn] **2** (*blemma*) pimple [pimm'pl] **finsk** Finnish [finn'isj] **fiol** violin [vajəlinn'] **fira** celebrate [sell'ibrejt] **firma** firm [fə:m] **firmamärke** trade mark [trej'd ma:k] **fisk, fiska** fish [fisj] **fiskaffär** fishmonger's [fisj'manggəz] **fiskare** fisherman [fisj'əmən] **fiske** fishing [fisj'ing] **fiskebåt** fishing-boat [fisj'ingbåot] **fiskmås** common gull [kåmm'ən gall'] **fitta** cunt [kannt] **fixera** fix [fikks] **fjol** *i fjol* last year [la:'st jə:'] **fjorton** fourteen [få:'ti:'n]; *fjorton dagar* a fortnight [ə få:'tnajt] **fjortonde** fourteenth [få:'ti:'nθ] **fjäder 1** (*på fågel*) feather [feð'ə] **2** (*spärr-*) spring [spring] **fjäll 1** (*berg*) mountain [mao'ntinn] **2** (*på fisk*) scale [skejl] **fjälla** (*fisk*) scale [skejl]; (*flagna av*) peel [pi:l] **fjärd** bay [bej] **fjärde, fjärdedel** fourth [få:θ] **fjäril** butterfly [batt'əflaj] **fjärilshåv** butterfly-net [batt'əflaj nett] **fjärilsnim** butterfly stroke [batt'əflaj ståok] **fjärran** *Fjärran östern* the Far East [ðə fa:' i:'st]; *i fjärran* in the distance [inn ðə diss'təns] **fjäska** make a fuss [mejk ə fass'] (*för of* [əvv]) **fladdermus** bat [bätt] **fladdra** flutter [flatt'ə]; (*om fågel*) flit [flitt]; (*om låga*) flicker [flikk'ə] **flaga** (*subst.*) flake [flejk]; (*verb*) shed flakes [sjedd flej'ks] **flagga** (*subst.*) flag [flägg]; (*verb*) fly (the flag) [flaj' (ðə flägg')] **flaggstång** flag-pole [flägg'påol] **flagna** flake [flejk] **flak** (*last-*) platform [plätt'få:m] **flamma** (*subst. o. verb*) flame [flejm] **flanell** flannel [flänn'l] **flanera** stroll about [ståo'l əbao't] **flankera** flank [flängk] **flaska** bottle [bått'l] **flat** flat [flätt] **flaxa** flutter [flatt'ə] **flera** (*mera*) more [må:]; (*åtskilliga*) many [menn'i]; several [sevv'rəl] **flerdubbel** multiple [mall'tipl] **flerstädes** in several places [inn sevv'rəl plej'sizz] **flertal** majority [mədsjårr'itti]; *ett flertal* several [sevv'rəl] **flesta** *de flesta* most [måost] **flexibel** flexible [flekk'sibl] **flicka** girl [gə:l] **flik** flap [fläpp] **flimra** quiver [kwivv'ə] **flinga** flake [flejk] **flinta** flint [flinnt] **flintskallig** bald [bå:ld] **flisa** splinter [splinn'tə] **flit** diligence [dill'idsjəns]; (*arbetsiver*) industry [inn'-dəstri]; *med flit* on purpose [ånn pə:'pəs] **flitig** diligent [dill'i-dsjənt]; (*idog*) industrious [indass'triəs] **flock** (*av fåglar, får o.d.*) flock [flåkk]; (*av vargar*) pack [päkk] **flocka sig** flock [flåkk] **flod** river [rivv'ə]; (*högvatten o. bildl.*) flood [fladd] **flodhäst** hippopotamus [hippəpått'əməs] **flora** flora [flå:'rə] **flott 1** (*adj.*) (*elegant*) stylish [stəj'lisj]; (*frikostig*) generous [dsjenn'ərəs] **2** (*subst.*) grease [gri:s]; (*stek-*) dripping [dripp'ing] **flotta** navy [nej'vi] **flotte** raft [ra:ft] **flottfläck** grease spot [gri:'s spått] **flottig** greasy [gri:'zi] **fluga** fly [flaj] **flundra** flounder [flao'ndə] **fly** fly [flaj] **flyg** *med flyg* by air [baj ä:'ə] **flyga** fly [flaj] **flygare** flyer [flaj'ə]; (*förare*) pilot [paj'lət] **flygbolag** airline (company) [ä:'əlajn (kamm'pəni)] **flygel** wing [wing]; *mus.* grand piano [gränn'd pjänn'åo] **flygning** flying [flaj'ing]; (*flygtur*) flight [flajt] **flygolycka** air(craft) crash [ä:'ə(kra:ft) kräsj] **flygplan** aircraft [ä:'əkra:ft]; aeroplane [ä:'ərəplejn] **flygplats** airport [ä:'əpå:t] **flygpost** airmail [ä:'əmejl] **flygtur** flight [flajt] **flyg-vapen** air force [ä:'ə få:s] **flygvärdinna** air hostess [ä:'ə håo'stiss] **flykt** flight [flajt]; (*rymning*) escape [isskej'p] **flykting** refugee [reffjodsji:'] **flyta** (*mots. sjunka*) float [flåot]; (*rinna o.d.*) flow [flåo]; (*om tårar*) run [rann] **flytande** (*i vätskeform*) fluid [flo:'idd]; *tala engelska flytande* speak English fluently [spi:'k ing'glisj flo:'əntli] **flytta, flytta sig** move [mo:v] **flyttfågel** migratory bird [maj'grətəri bə:'d] **flyttlass** vanload of furniture [vänn'låod əvv fə:'nitsjə] **flyttning** moving [mo:'ving], removal [rimo:'vəl] **flytväst** life jacket [laj'f dsjäkk'itt] **fläck** spot [spått] **fläcka ner** stain [stejn] **fläckfri** stainless [stejn'liss] **fläckig** spotted [spått'idd] **fläckurtagningsmedel** stain remover [stejn rimo:'və] **fläkt** (*vindpust*) breath [breθ]; (*apparat*) fan [fänn] **fläkta** fan [fänn] **fläktrem** fan belt [fänn' bellt] **flämta** pant [pännt] **fläsk** pork [på:k] **fläskfilé** fillet of pork [fill'itt əvv på:'k] **fläskkarré** loin of pork [låj'n əvv på:'k] **fläskkotlett** pork chop [på:'k tsjåpp] **fläta** (*subst. o. verb*) plait [plätt] **flöda** flow [flåo] **flöjt** flute [flo:t] **flörta** flirt [flə:t] **flöte** float [flåot] **fnittra** giggle [gigg'l] **fnysa** snort [snå:t] **foder 1** (*kreatursföda*) feed-[ing stuff] [fi:'d(ing staff)] **2** (*i kläder o.d.*) lining [laj'ning] **fodra** (*ge foder*) feed [fi:d]; (*sätta i foder*) line [lajn] **fodral** case [kejs] **fog 1** (*skäl*) reason [ri:'zn] **2** (*skarv*) joint [dsjåjnt] **foga** *foga ihop* join [dsjåjn]; *foga sig* give in [givv' inn']; *foga sig i* resign o.s. to [rizaj'n wannsell'f to:] **foglig** amenable [əmi:'nəbl] **fokus** focus [fåo'kəs] **folie** foil [fåjl] **folk** people [pi:'pl] **folk-dans** folk-dance [fåo'kda:ns] **folkhögskola** folk high-school [fåo'k haj'sko:l] **folklig** popular [påpp'jolə] **folkmassa** crowd of people [krao'd əvv pi:'pl] **folkmängd** population [påppjolej'-sjən] **folkomröstning** referendum [reffərenn'dəm] **folkpension** national old-age or disablement pension [näsj'ənl åo'ldejdsj å: dissej'blmənt penn'sjən] **folkvandring** migration [majgrej'sjən]

folkvisa folk-song [fåo'ksång] **fond 1** (*bakgrund*) background [bäkk'graond] **2** (*kapital*) fund [fannd] **fontän** fountain [fao'n-tinn] **forcera** speed up [spi:'d app'] **fordom** formerly [få:'məli] **fordon** vehicle [vi:'ikl] **fordra** demand [dima:'nd]; (*er-*) require [rikwaj'ə] **fordran** demand [dima:'nd]; (*penning-*) claim [klejm] **fordrande** exacting [iggzäkk'ting] **fordras** be required [bi: rikwaj'əd] **fordringsägare** creditor [kredd'ittə] **forell** river trout [rivv'ə traot] **form** form [få:m] **forma** form [få:m]; shape [sjejp] **formalitet** formality [få:mäll'itti] **format** size [sajz] **formbröd** tin loaf [tinn' låof] **formel** formula [få:'mjollə] **formell** formal [få:'məl] **formgivare** designer [dizaj'nə] **formsak** matter of form [mätt'ə əvv få:'m] **formulera** formulate [få:'mjolejt] **formulering** formulation [få:mjolej'sjən] **formulär** form [få:m] **fornminne** ancient monument [ej'nsjənt månn'jomənt] **forntiden** antiquity [änntikk'witi] **fors** rapids [räpp'idz] **forsa** rush [rasj] **forska** search [sə:tsj] (*efter* for [få:]) **forskare** scientist [saj'əntist] **forskning** research [risə:'tsj] **forskningsresande** explorer [ikksplå:'rə] **forsla** transport [trännspå:'t] **fort** fast [fa:st] **fortfarande** still [still] **fortkörning** speeding (offence) [spi:'ding (əfenn's)] **fortplanta sig** propagate [pråpp'əgejt] **fortplantning** propagation [pråppəgej'sjən] **fortsätta** continue [kənntinn'jo]; go on [gåo' ånn'] **fortsättning** continuation [kənntinnjoej'sjən]; *i fortsättningen* in future [inn fjo:'tsjə] **fosterland** (*native*) country [(nej'tivv) kann'tri] **fostra** bring up [bring' app'] **fostran** bringing up [bring'ing app'] **fot** foot [fott]; *stå på god fot med* be on a friendly footing with [bi: ånn ə frenn'dli fott'ing wið]; *på stående fot* instantly [inn'stəntli]; *gå till fots* go on foot [gåo' ånn fott'], walk [wå:k] **fotboll** football [fott'bå:l] **fotbollsspelare** football player [fott'bå:l plejə] **fotbroms** brake [brejk] **fotfäste** foothold [fott'håold] **fotgängare** pedestrian [pidess'triən] **fotknöl** ankle [äng'kl] **foto** photo [fåo'tåo] **fotogen** paraffin [pärr'əfinn]; *Am.* kerosene [kerr'əsi:n] **fotograf** photographer [fətågg'rəfə] **fotografera, fotografi** photograph [fåo'təgra:f] **fotsteg** (foot)step [(fott')stepp] **fox-terrier** fox-terrier [fåkk'sterriə] **fragment** fragment [frägg'mənt] **frakt** freight [frejt]; (*skeppslast*) cargo [ka:'gåo] **frakta** transport [trännspå:'t] **fraktgods** goods [goddz]; *Am.* freight [frejt] **fram** (*-åt, vidare*) on [ånn], along [əlång'], (*i dagen*) out [aot], (*fram till*) up (to) [app (to:)], (*till målet*) there [ðä:'ə]; *fram och tillbaka* there and back [ðä:'ə ənn bäkk'], (*av o. an*) to and fro [to:' ənn fråo']; *rakt fram* straight on [strejt ånn]; *ända fram* all the way there [å:'l ðə wej' ðä:'ə]; *fram på dagen* later in the day [lej'tə inn ðə dej'] **frambringa** bring forth [bring' få:'θ] **framfusig** pushing [posj'ing] **framför** before [bifå:'], in front of [inn frann't əvv]; *framför allt* above all [əbavv' å:'l] **framföra** (*uppföra*) present [prizenn't]; (*överbringa*) convey [kənvej'] **framförande** (*av föredrag o.d.*) delivery [dilivv'əri]; (*av musik*) performance [pəfå:'məns] **framgå** be clear [bi: kli:'ə] **framgång** success [səksess'] **framgångsrik** successful [səksess'foll] **framhjul** front wheel [frann't wi:l] **framhjulsdrift** front wheel drive [frann't wi:'l drajv] **framhjulsinställning** alignment of front wheels [əlaj'nmənt əvv frann't wi:lz] **framhålla** (*framhäva*) give prominence to [givv' pråmm'inəns to:]; (*påpeka*) point out [påj'nt ao't] **framhäva** hold up [håo'ld app'] **framifrån** from the front [fråmm ðə frann't] **framkalla** (*film*) develop [divell'əp]; (*förorsaka*) cause [kå:z] **framkallning** (*av film*) developing [divell'-əping] **framkomlig** passable [pa:'səbl] **framkomma** come out [kamm' ao't] **framkomst** arrival [əraj'vəl] **framlykta** head light [hedd' lajt] **framlägga** (*planer o.d.*) put forward [pott' få:'wəd] **framlänges** forwards [få:'wədz] **framme** (*vid målet*) there [ðä:'ə]; (*framlagd o.d.*) out [aot]; *hålla sig framme* push o.s. forward [posj' wannsell'f få:'wəd] **framsida** front [frannt] **framsteg** progress [pråo'gress]; *göra framsteg* make progress [mej'k pråo'gress] **framstå** stand out [stänn'd ao't] **framstående** prominent [pråmm'inənt] **framställa** (*återge*) represent [reprizen't]; (*skildra*) describe [disskraj'b]; (*tillverka*) produce [prədjo:'s] **framställning** (*i bild*) representation [repprizenntej'sjən]; (*skildring*) description [disskripp'sjən]; (*tillverkning*) production [prədakk'sjən] **framtand** front tooth [frann't to:θ] **framtid** future [fjo:'tsjə]; *för all framtid* for all time [fr å:'l taj'm]; *för framtiden* in (for the) future [inn (få: ðə) fjo:'tsjə] **framtill** in front [inn frann't] **framträda** appear [əpi:'ə] **framträdande** (*subst.*) appearance [əpi:'ərəns]; (*adj.*) prominent [pråmm'inənt] **framåt** ahead [əhedd']; on [ånn], onwards [ånn'wədz] **framåtskridande** progress [pråo'gress] **franc** franc [frängk] **frankera** stamp [stämmp] **Frankrike** France [fra:ns] **frans** fringe [frinndsj] **fransig** frayed [frejd] **fransk** French [frenntsj] **franska** (*språk*) French [frenntsj]; (*små franska*) French roll [frenn'tsj råol] **fransman** Frenchman [frenn'tsjmən]; *fransmännen* the French [ðə frenn'tsj] **fransyska** Frenchwoman [frenn'tsjwommən] **fras** phrase [frejz] **frasig** crisp [krissp] **fred** peace [pi:s]; *hålla fred* keep the peace [ki:'p ðə pi:'s]; *lämna ngn i fred* leave s.b. alone [li:'v samm'bədi əlåo'n] **fredag** Friday [fraj'di] **fredlig** peaceful [pi:'sfoll] **frekvens** frequency [fri:'kwənsi] **fresk** fresco [fress'-kåo] **fresta** tempt [temmpt] **frestelse** temptation [temmptej'-sjən] **fri** free [fri:]; *det står dig fritt att* you are free to [jo:' ə fri:' to:]; *fri idrott* athletics [äθlett'ikks] **fria** propose [prəpåo'z] **friare** suitor [sjo:'tə] **fribiljett** free ticket [fri:' tikk'itt] **fred** peace [pi:s] **fridfull** peaceful [pi:'sfoll] **frieri** proposal [prəpåo'zəl] **frige, frigivning** release [rili:'s] **frigjord** emancipated [imänn'sipejtidd] **frigöra sig** free o.s. [fri:' wannsell'f] **frigörelse** liberation [libbərej'sjən] **frihamn** free port [fri:'på:t] **frihandelsområde** free trade area [fri:' trej'd ä:'əriə] **frihet** freedom [fri:'dəm]; liberty [libb'əti] **friidrott** athletics [äθlett'ikks] **frikadell** forcemeat ball [få:'smi:t bå:'l] **frikassé** fricassee [frikkəsi:'] **frikoppling** slipping clutch [slipp'ing klatt'sj] **frikostig** generous [dsjenn'ərəs] **friktion** friction [frikk'sjən] **frikänna** acquit [əkwitt'] **friluftsliv** outdoor life [ao'tdå: laj'f] **frimodig** frank [frängk] **frimärke** stamp [stämmp] **frimärkssamlare** stamp-collector [stämm'pkəlekktə] **frisk** (*ej sjuk*) well [well]; (*ej sjuklig*) healthy [hell'θi]; (*sund*) sound [saond]; (*frisk och kry* hale and hearty [hej'l ənd ha:'ti]; *frisk luft* fresh air [fresj ä:'ə] **friska upp** refresh [rifresj'] **frisksportare** keep-fit enthusiast [ki:'pfitt' innθjo:'ziässt] **frispark** free kick [fri:' kikk'] **frispråkig** outspoken [aotspåo'kən] **frist** respite [ress'pajt] **fristående** detached [ditätt'sjt] **frisyr** hair style [hä:'ə stajl] **frisör** hairdresser [hä:'ədressə] **fritid** spare time [spä:'ə tajm] **frivillig** voluntary [våll'əntəri] **frivolt** somersault [samm'əså:lt] **frodas** thrive [θrajv] **from** pious [paj'əs] **front** front [frannt] **frontalkrock** head-on collision [hedd'ånn' kəlisj'ən] **ha frossa 1** (*subst.*) have the shivers [hävv' ðə sjivv'əz] **2** (*verb*) gorge [gå:dsj] **frost** frost [frååst] **frotté** terry cloth [terr'i klåθ] **frottéhandduk** Turkish towel [tə:'kisj tao'əl] **frottera** rub [rabb] **fru** (*gift kvinna*) married woman [märr'idd womm'ən] (*hustru*) wife [wajf]; (*titel*) Mrs. [miss'izz] **frukost** breakfast [brekk'fəst]; *äta frukost* have breakfast [hävv' brekk'fəst] **frukt** fruit [fro:t] **frukta** fear [fi:'ə] **fruktaffär** fruit-shop [fro:'tsjåpp] **fruktan** fear [fi:'ə] **fruktansvärd** terrible [terr'əbl] **fruktbar** fertile [fə:'tajl] **fruktkonserver** tinned (*Am.* canned [kännd]) fruit [tinn'd fro:'t] **fruktlös** fruitless [fro:'tliss] **fruktträdgård** orchard [å:'tsjəd] **frusen** frozen [fråo'zn]; (*kall*) cold [kåold] **frysa** (*till is*) freeze [fri:z]; (*känna kyla*) be cold [bi: cåo'ld] **frysbox** deep-freeze [di:'pfri:z] **fråga** (*subst.*) question [kwess'tsjən]; *i fråga om* as to [äzz to:], regarding [riga:'ding]; (*verb*) ask [a:sk] (*om* about [əbao't]); *fråga efter ngn* ask for s.b. [a:'sk fə samm'bədi] **frågetecken** question-mark [kwess'tsjənma:k] **från** from [fråmm] **frångå** (*ändra*) relinquish [riling'-kwisj] **frånsett (att)** apart from (the fact that) [əpa:'t fråmm (ðə fäkk't ðätt')] **frånsäga sig** decline [diklaj'n] **fråntaga** deprive [diprajv'] **frånvarande** absent [äbb'sənt] **frånvaro** absence [äbb'səns] **fräck** impudent [imm'pjodənt]; (*vard.*) cheeky [tsji:'ki] **fräknig** freckled [frekk'ld] **frälsning** salvation [sällvej'sjən] **frälsningsarmén** the Salvation Army [ðə sällvej'sjən a:'mi] **främja** further [fə:'ðə]; promote [prəmåo't] **främling** stranger [strej'ndsjə]; (*utlänning*) foreigner [fårr'innə] **främmande** (*subst.*) guests [gessts] (*adj.*) (*utländsk*) foreign [fårr'inn]; (*okänd*) strange [strejndsj] **främre** fore [få:]; front [frannt] **främst** foremost [få:'måost]; (*om ordning*) first [fə:st]; (*framför allt o.d.*) principally [prinn'səpli] **främsta** foremost [få:'måost]; (*om ordning*) first [fə:st] **frän** rank [rängk] **fräsa** hiss [hiss]; (*om katt*) spit [spitt]; (*i stekpanna*) sizzle [sizz'l]; (*snyta sig*)

fräsch — fångst   46

blow one's nose [blåo' wannz nåo'z] **fräsch** fresh [fresj] **fräscha upp** freshen up [fresj'n app'] **fräta** corrode [kəråo'd]; *bildl.* fret [frett] **frö** seed [si:d] **fröa sig** go to seed [gåo' to si:'d] **fröjd** joy [dsjåj] **fröken** unmarried woman [ann'märr'idd womm'ən]; *(titel)* Miss [miss]; *Fröken Ur* speaking clock [spi:'king klåkk']; *Fröken Väder* telephone weather forecast [tell'ifåon weð'ə få:'-ka:st] **fukt, fuktig** damp [dämmp] **ful** ugly [agg'li] **full** full [foll]; *(drucken)* drunk [drangk]; *till fullo* fully [foll'i] **fullborda** complete [kəmmpli:'t] **fullfölja** *(slutföra)* complete [kəmmpli:'t]; *(fortsätta)* continue [kənntinn'jo:] **fullgöra** *(utföra)* carry out [kärr'i ao't]; *(plikt)* perform [pəfå:'m] **fullkomlig** perfect [pə:'fikkt] **fullmakt** authorization [å:θərajez'jsən]; *(dokument)* letter of attorney [lett'ə əvv ətə:'ni]; *(vid röstning)* proxy [pråkk'si] **fullmåne** full moon [foll' mo:'n] **fullsatt** *(om lokal o.d.)* full [foll] **fullständig** complete [kəmpli:'t]; total [tåo'tl] **fullträff** direct hit [direkk't hitt'] **fullvuxen** full-grown [foll'gråo'n]; *en fullvuxen* a grown-up [ə gråo'napp] **fulländning** perfection [pəfekk'sjən] **fundera** ponder [pånn'də] **funderingar** thoughts [θå:ts], reflections [riflekk'sjəns] **fundersam** thoughtful [θå:'tfoll] **fungera** work [wə:k], function [fang'ksjən] **funktion** function [fang'ksjən]; *i (ur)* funktion in (out of) operation [inn (ao't əvv) åppərej'sjən] **funktionell** functional [fang'ksjənl] **funktionär** official [əfisj'əl] **fura** pine [pajn] **furste** prince [prins] **furstendöme** principality [prinsipäll'itti] **furstinna** princess [prinsess'] **furstlig** princely [prinn'sli] **fuska** cheat [tsji:t] **fylla** fill [fill]; *fylla i* fill up [fill' app']; *han fyller 25 år i morgon* he will be 25 tomorrow [hi: will bi: twenn'tifaj'v təmårr'åo] **fylleri** drunkenness [drang'kəniss] **fyllerist** drunkard [drang'kəd] **fyllig** *(om pers.)* plump [plammp] **fynd** find [fajnd] **fyr** lighthouse [lajt'-haos] **fyra** four [få:] **fyrdubbel** fourfold [få:'fåold] **fyrkant, fyrkantig** square [skwä:'ə] **fyrklöver** four-leaf clover [få:'li:'f klåo'və] **fyrtaktsmotor** four-stroke engine [få:'ströo'k enn'dsjinn] **fyrtio** forty [få:'ti] **fyrtionde** fortieth [få:'tiiθ] **fyrverkeri** fireworks [faj'əwə:ks] **fysik** *(vetenskap)* physics [fizz'ikks]; *(kroppsbeskaffenhet)* physique [fizi:'k] **fysiker** physicist [fizz'isist] **fysisk** physical [fizz'ikəl] **få 1** *(pron.)* few [fjo:]; *några få* a few [ə fjo:'] **2** *(verb)* receive [risi:'v], get [gett]; *få betalt* be paid [bi: pej'd]; *få ngn att göra ngt* get s.b. to do s.th. [gett' samm'bədi tə do: samm'θing]; *jag får inte glömma* I must not forget [aj mass't nått' fəgett']; *får jag tala med* can I speak to [känn aj' spi:'k to:]; *vi får väl se* we'll see [wi:'ll si:] **fåfäng** vain [vejn] **fåfänga** vanity [vänn'itti] **fågel** bird [bə:d] **fågelbo** bird's nest [bə:'dz nesst] **fågelbur** bird-cage [bə:'dkejdsj] **fågelholk** nesting-box [ness'tingbåkks] **fågelunge** young bird [jang' bə:'d] **fågelvägen** as the crow flies [äzz ðə kråo' flaj'z] **fåll, fålla** hem [hemm] **fånga** catch [kättsj]; *ta till fånga* capture [käpp'tsjə] **fånge** prisoner [prizz'nə] **fångenskap** captivity [käpptivv'itti] **fångst** (*byte*) catch [kättsj]; (*fiskares*) draught [dra:ft] **fånig** idiotic [iddiått'ikk] **får** sheep [sji:p] **fåra** furrow [farr'åo] **fårkött** mutton [matt'n] **fårstek** leg of mutton [legg' əvv matt'n] **fåtal** *ett fåtal* a few [ə fjo:'] **fåtalig** few [fjo:] **fåtölj** armchair [a:'mtjsä:'ə] **fäkta** fence [fenns] **fälg** rim [rimm] **fäll** fell [fell] **fälla 1** (*subst.*) trap [träpp] **2** (*verb*) fell [fell]; (*slå omkull*) knock down [nåkk' dao'n]; (*sänka*) lower [låo'ə]; (*tårar*) shed [sjedd]; *fälla ihop* fold up [fåo'ld app']; *fälla ner* let down [lett' dao'n] **fällkniv** clasp-knife [kla:'spnaj'f] **fällstol** (*vilstol*) deck-chair [dekk'-tsjä:'ə] **fält** field [fi:ld] **fälttåg** campaign [kämmpej'n] **fängelse** prison [prizz'n]; jail [dsjejl]; (*straff*) imprisonment [immprizz'n-mənt] **fängelsestraff** imprisonment [immprizz'nmənt] **fängsla** (*fjättra*) fetter [fett'ə]; (*sätta i fängelse*) imprison [immprizz'n]; *bildl.* fascinate [fäss'inejt] **färd** journey [dsjə:'ni]; (*till sjöss*) voyage [våj'idsj]; *vara i färd med att göra ngt* be busy doing s.th. [bi: bizz'i do:'ing samm'θing] **färdas** travel [trävv'l] **färdig** finished [finn'isjt]; (*klar*) ready [redd'i]; *få ... färdig* get ... done [gett' dann']; *göra ... färdig* get ... ready [gett' redd'i] **färdledare** guide [gajd] **färdväg** route [ro:t] **färg** colour [kall'ə]; (*målar-*) paint [pejnt] **färga** colour [kall'ə]; (*textil o.d.*) dye [daj]; *färga av sig* lose its colour [lo:'z itts kall'ə] **färgband** typewriter ribbon [taj'prajtə ribb'ən] **färgblind** colour-blind [kall'əblajnd] **färgfilm** colour film [kall'ə film] **färgglad** gay [gej] **färja** ferry [ferr'i] **färjförbindelse** ferry service [ferr'i sə:'viss] **färsk** (*ej gammal*) new [njo:]; (*ej skämd, konserverad*) fresh [fresj]; (*ej torkad*) green [gri:n] **färskvaror** perishable goods [perr'isjəbl goddz] **fästa** fasten [fa:'sn], fix [fikks]; *fästa sig vid ngn* become attached to s.b. [bikamm' ətätt'sjt to: samm'bədi] **fäste** hold [håold]; *bildl.* stronghold [strång'håold] **fästing** tick [tikk] **fästman** fiancé [fia:'nsej] **fästmö** fiancée [fia:'nsej] **fästning** fort [få:t] **föda** (*subst.*) food [fo:d]; (*verb*) give birth to [givv' bə:'θ to:]; (*ge näring åt*) feed [fi:d]; *födas* be born [bi: bå:'n] **född** born [bå:n] **födelse** birth [bə:θ] **födelsedag** birthday [bə:'θdej] **födelsekontroll** birth control [bə:'θ kəntråo'l] **födelseort** place of birth [plej's əvv bə:'θ] **födelseår** year of birth [jə:' əvv bə:'θ] **födoämne** food [fo:d] **föga** little [litt'l] **föl** foal [fåol] **följa** (*följa efter*) follow [fåll'åo]; (*ledsaga*) accompany [əkamm'pəni] **följaktligen** accordingly [əkå:'dingli]; *på varandra följande* successive [səksess'ivv] **följas åt** go together [gåo' təgeð'ə] **följd** consequence [kånn'sikwəns]; (*räcka*) succession [səksesj'ən]; *i följd* running [rann'ing] **följdsjukdom** complication [kåmmplikej'sjən] **följe** suite [swi:t] **följeslagare** companion [kəmpänn'jən] **följetong** serial [si:'ə-riəl] **fönster** window [winn'dåo] **fönsterbräde** window-sill [winn'dåosill] **fönsterlucka** shutter [sjatt'ə] **fönsterruta** window-pane [winn'dåopejn] **för 1** (*subst.*) stem [stemm] **2** (*adv.*) too [to:]; *för och emot* for and against [få:' ənd əgenn'st]; (*prep.*)

for [få:]; (framför) before [bifå:']; för alltid for ever [fərevv'ə]; för ett år sedan one year ago [wann' jə:' əgåo']; för länge sedan long ago [lång' əgåo']; (konj.) for [få:]; för att so that [såo' ðätt'], to [to:]; för att inte tala om not to mention [nått' tə menn'sjən]; för så vitt provided [prəvaj'didd] **föra** (ta med sig) (hit) bring [bring], (dit) take [tejk]; (bära) carry [kärr'i]; (leda) lead [li:d] **förakt** contempt [kəntemm'pt] **förakta** despise [disspaj'z] (försmå) disdain [dissdej'n] **föranleda** give rise to [givv' raj'z to:], lead to [li:'d to:]; känna sig föranledd att feel impelled to [fi:'l impell'd to:] **förare** (bil- etc.) driver [draj'və]; (flyg-) pilot [paj'lət]; (vägvisare) guide [gajd] **förarga** annoy [ənåj']; bli förargad be annoyed [bi:' ənåj'd] (över at [ätt]) **förarglig** annoying [ənåj'ing] **förarhytt** cockpit [kåkk'pitt] **förarsäte** driver's seat [draj'vəz si:t] **förband** (bandage) bandage [bänn'diddsj]; (militärt) unit [jo:'nitt]; första förband first-aid bandage [fə:'stejd bänn'diddsj] **förbanna** curse [kə:s]; bli förbannad på ngn get furious with s.b. [gett' fjo:'əriəs wið samm'bədi] **förbannelse** curse [kə:s] **förbaskad** confounded [kənfao'ndidd] **förbehåll** reserve [rizə:'v] **förbehålla sig** (betinga sig) reserve for (to) [rizə:'v få: (to:)]; (kräva) demand [dima:'nd] **förbehållslös** unconditional [ann'kəndisj'ənl] **förbereda** prepare [pripä:'ə] **förberedande** preliminary [prilimm'inəri] **förberedelse** preparation [preppərej'sjən] **förbi** past [pa:st] **förbifart** i förbifarten in passing [inn pa:'sing] **förbigå** pass over [pa:'s åo'və] **förbigående** i förbigående by the way [baj ðə waj'] **förbinda** (sår) bandage [bänn'diddsj]; (förena) join [dsjåjn] **förbindelse** connection [kənekk'sjən]; (samfärdsel) communication [kəmjo:nikej'sjən]; (förpliktelse) obligation [åbbligej'sjən] **förbise** overlook [åovəlokk'] **förbiseende** oversight [åo'vəsajt] **förbjuda** forbid [fəbidd']; (om myndighet o.d.) prohibit [prəhibb'itt] **förbli** remain [rimej'n] **förbluffande** amazing [əmej'zing] **förblöda** bleed to death [bli:'d tə de'θ] **förbruka** consume [kənsjo:'m]; (pengar) spend [spennd] **förbrukning** consumption [kənsamm'psjən] **förbrylla** confuse [kənnfjo:'z] **förbrytare** criminal [krimm'innl] **förbrytelse** crime [krajm] **förbränning** combustion [kəmbass'tsjən] **förbränningsmotor** internal combustion engine [inntə:'nl kəmbass'tsjən enn'dsjinn] **förbud** prohibition [pråoibisj'ən] **förbund** alliance [əlaj'əns], union [jo:'njən]; (förening) federation [feddərej'sjən], association [əsåosiej'sjən] **förbunden** (förenad) connected [kənekk'tidd]; (förpliktad) bound [baond]; vara ngn mycket förbunden be very much obliged to s.b. [bi: verr'i mattsj əblaj'dsjd tə samm'bədi] **förbundskansler** Federal Chancellor [fedd'ərəl tsja:'nslə] **förbytas** change [tsjejndsj] (i into [inn'to]) **förbättra** improve [immpro:'v] **förbättring** improvement [immpro:'vmənt]; (av hälsan) recovery [rikavv'əri] **fördel** advantage [əddva:'ntiddsj]; dra fördel av benefit by [benn'ifitt baj] **fördela** distribute [disstribb'jo:t] **fördelaktig** advantageous [äddvəntej'dsjəs] **fördelning** distribution [disstri-bjo:'sjən] **fördjupa** deepen [di:'pən]; *fördjupa sig i* enter deeply (into) [enn'tə di:'pli (inn'to)] **fördjupning** depression [dipresj'ən] **fördom** prejudice [predd'sjodiss] **fördomsfri** unprejudiced [annpredd'sjodisst] **fördrag** treaty [tri:'ti] **fördraga** bear [bä:'ə] **fördragsamhet** tolerance [tåll'ərəns] **fördriva** drive away [draj'v əwej']; *fördriva tiden* while away the time [waj'l əwej' ðə taj'm] **fördröja** delay [dilej'] **fördubbla** double [dabb'l] **för-dunkla** darken [da:'kən] **fördärv, fördärva** ruin [ro:'inn] **för-döma** condemn [kəndemm'] **före** before [bifå:'] **förebild** model [mådd'l] **förebrå, förebråelse** reproach [ripråo'tsj] **förebygga** prevent [privenn't] **föredra** prefer [prifə:'] *(framför* to [to:]*)* **föredrag** discourse [disskå:'s]; *(föreläsning)* lecture [lekk'tsjə] **föredragshållare** lecturer [lekk'tsjərə] **föredöme** example [igg-za:'mpl] **föredömlig** model [mådd'l] **förefalla** *(tyckas)* seem [si:m] **föregå** *(inträffa tidigare)* precede [pri:si:'d]; *föregå med gott exempel* set an example [sett' ənn iggza:'mpl] **föregående** preceding [pri:si:'ding], previous [pri:'vjəs] **föregångare** precursor [prikə:'sə]; *(företrädare)* predecessor [pri:'disessə] **före-gångsman** pioneer [pajəni:'ə] **förekomma** *(föregripa)* anticipate [änntiss'ipejt]; *(hända)* occur [əkə:'] **förekommande** occuring [əkə:'ring]; *ofta förekommande* frequent [fri:'kwənt] **förekomst** occurrence [əkarr'əns] **föreligga** exist [iggziss't], be [bi:'] **före-läsa, föreläsning** lecture [lekk'tsjə] **föremål** object [åbb'dsjikkt]; *(ämne)* subject [sabb'dsjikkt] *(för* of [åvv]*)* **förena** unite [jo:-naj't]; *(förbinda)* join [dsjåjn]; *förena sig* unite [jo:naj't] **förening** union [jo:'njən]; association [əsåosiej'sjən]; *i förening med* in combination with [inn kåmmbinej'sjən wið] **förenkla** simplify [simm'plifaj] **föresats** purpose [pə:'pəs] **föreskrift** direction [direkk'sjən] **föreslå** propose [prəpåo'z], suggest [sədsjess't] **förestå** be head of [bi: hedd' əvv]; *(affar e.d.)* manage [männ'-iddsj]; *(stunda)* be near [bi: ni:'ə] **föreståndare** manager [männ'iddsjə] **föreställa** represent [repprizenn't]; *forestalla sig* imagine [imädd'sjinn] **föreställning** representation [repprizenn-tej'sjən]; *(teater- o.d.)* performance [pəfå:'məns]; *göra sig en föreställning om* form a conception of [få:'m ə kənsepp'sjən əvv] **föresätta sig** set one's mind on [sett' wannz maj'nd ånn] **företag** enterprise [enn'təprajz]; *(affärs-)* company [kamm'pəni] **företaga, företaga sig** undertake [anndətej'k] **företagsamhet** enterprise [enn'təprajz] **företagsdemokrati** industrial democracy [indass'striəl dimåkk'rəsi] **företagsekonomi** business economics [bizz'niss i:kənåmm'ikks] **företal** preface [preff'iss] **förete** *(uppvisa)* show [sjåo]; *(erbjuda)* present [prizenn't] **företeelse** phenomenon [finåmm'inən] **företräda** *(gå före)* precede [pri:-si:'d]; *(representera)* represent [repprizenn't] **företrädare** predecessor [pri:'disessə] **företräde** preference [preff'ərəns]; *(överlägsenhet)* superiority [s-jopiəriårr'itti] *(framför* to [to:]*)* **företrä-**

desvis preferably [preff'ərəbli] **förevändning** pretext [pri:'-tekkst] **förfall** decay [dikej'] **förfalla** decay [dikej']; (*om byggnad o.d.*) go to ruin [gåo' to: ro:'inn]; (*om patent, fordran o.d.*) lapse [läpps] **förfalska** falsify [få:'lsifaj] **förfalskning** falsification [få:'lsifikej'sjən] **förfara** proceed [prəsi:'d] **förfaras** be wasted [bi: wej'stidd] **förfaringssätt** procedure [prəsi:'dsjə] **författa** write [rajt] **författare** author [å:'θə] **författning** constitution [kånnstitjo:'sjən] **förfela** miss [miss] **förfluten** past [pa:st]; *det förflutna* the past [ðə pa:'st] **förflyta** pass [pa:s] **förflytta, förflytta sig** move [mo:v] **förfoga** *förfoga över* have at one's disposal [hävv' ətt wannz disspåo'zəl] **förfogande** disposal [disspåo'zəl] **förfriskning** refreshment [rifresj'mənt] **förfrysa** get frost-bitten [gett' fråss'tbittn] **förfrågan** inquiry [innkwaj'əri] **förfäder** ancestors [änn'sisstəz] **förfäran** terror [terr'ə] **förfärlig** terrible [terr'əbl]; (*vard. oerhörd*) terrific [təriff'ikk] **förfölja** pursue [pəs-jo:'] **förföljelse** pursuit [pəs-jo:'t] **förföra** seduce [sidjo:'s] **förgasare** carburettor [ka:'bjorettə] **förgifta** poison [påj'zn] **förgiftning** poisoning [påj'zning] **förgylla** gild [gilld] **förgå** pass [pa:s]; *förgå sig* forget o.s. [fəgett' wannsell'f] **förgäves** in vain [inn vej'n] **förgöra** destroy [disstråj'] **förhand** *på förhand* beforehand [bifå:'hännd], in advance [inn ədva:'ns] **förhandla** negotiate [nigåo'sjiejt] **förhandling** negotiation [nigåosjiej'sjən] **förhinder** *få förhinder* be prevented from going (coming) [bi: privenn'tidd fråmm gåo'ing (kamm'ing)] **förhindra** prevent [privenn't] **förhoppning** expectation [ekkspekktej'sjən] **förhoppningsfull** hopeful [håo'pfoll] **förhålla sig** (*förbli*) keep [ki:p]; *hur förhåller det sig med?* how are things with? [hao' a: θing'z wið] **förhållande** conditions (*pl.*) [kəndisj'ənz]; (*inbördes ställning*) relationship [rilej'sjənsjipp]; (*proportion*) proportion [prəpå:'sjən] **förhållandevis** proportionately [prəpå:'-sjnittli] **förhärskande** predominant [pridämm'inənt] **förhör** examination [iggzämminej'sjən]; (*utfrågning*) interrogation [interrəgej'sjən]; (*rättsligt*) inquest [inn'kwesst] **förhöra** examine [iggzämm'inn]; interrogate [innterr'əgejt] **förinta** annihilate [ənaj'əlejt] **förkasta** reject [ridsjekk't] **förklara** explain [ikksplej'n]; (*tillkännage*) declare [diklä:'ə]; (*uppge*) state [stejt] **förklaring** explanation [ekksplənej'sjən]; (*tillkännagivande*) declaration [dekklərej'sjən] **förkläda** disguise [dissgaj'z] (*till* as [äzz]) **förkläde** apron [ej'prən] **förknippa** associate [əsåo'sjiejt] **förkorta** shorten [sjå:'tn]; (*ord e.d.*) abbreviate [əbri:'viejt] **förkunna** announce [ənao'ns] **förkunskaper** previous knowledge [pri:'vjəs nåll'iddsj] **förkyla sig** catch a cold [kätt'sj ə kåo'ld] **förkyld** *bli förkyld* catch a cold [kätt'sj ə kåo'ld]; *vara förkyld* have a cold [hävv' ə kåo'ld] **förkylning** cold [kåold] **förkärlek** predilection [pri:dilekk'sjən] **förköp** advance booking [əddva:'ns bokk'ing]; *Am.* reservation [rezzəvej'sjən] **förkörsrätt** right of way [rajt əvv wej'] **förlag** publishing house [pabb'-

lisjing haos] **förlama** paralyse [pärr'əlajz] **förlamning** paralysis [pəräll'isiss] **förleda** entice [intaj's] *(till* into [inn'to]) **förlika sig** become reconciled [bikamm' rekk'ənsajld] **förlisa** be wrecked [bi: rekk't] **förlita sig på** *(ngn)* trust in s.b. [trass't inn samm'bədi], *(ngt)* rely on s.th. [rilaj' ånn samm'θing] **förlopp** lapse [läpps]; *(utveckling)* course [kå:s] **förlora** lose [lo:z] **förlossning** delivery [dilivv'əri] **förlovad** engaged [inngej'dsjd] **förlova sig** become engaged [bikamm' inngej'dsjd] *(med* to [to:]) **förlovning** engagement [inngej'dsjmənt] **förlust** loss [låss] **förlåta** forgive [fəgivv']; *förlåt!* (I am) sorry! [(aj əm) sårr'i] **förlåtelse** forgiveness [fəgivv'niss] **förlägen** embarrassed [immbärr'əst] **förlägenhet** embarrassment [immbärr'əsmənt] **förlägga** *(slarva bort)* mislay [misslej']; *(placera)* locate [ləkej't] **förläggare** publisher [pabb'lisjə] **förlänga** lengthen [leng'θən] **förman** foreman [få:'mən] **förmana** *(råda o. varna)* warn [wå:n]; *(tillrättavisa)* admonish [ədmånn'isj] **förmedla** mediate [mi:'diejt] **förmiddag** morning [må:'ning]; *på förmiddagen* in the morning [inn ðə må:'ning] **förminska** diminish [diminn'isj] **förminskning** reduction [ridakk'sjən] **förmoda** suppose [səpåo'z] **förmodan** supposition [sappəzisj'ən] **förmodligen** presumably [prizjo:'məbli] **förmyndare** guardian [ga:'djən] **förmå** *(kunna, orka)* be able to [bi: ej'bl to:]; *förmå ngn att* induce s.b. to [inndjo:'s samm'bədi to:] **förmåga** *(kraft)* power [pao'ə]; *(prestations-)* capacity [kəpäss'itti]; *(fallenhet)* faculty [fäkk'əlti]; *(duglighet)* ability [əbill'itti] **förmån** advantage [ədva:'ntiddsj] **förmånlig** advantageous [äddvəntej'dsjəs] **förmögen** *(rik)* wealthy [well'θi] **förmögenhet** fortune [få:'tsjən] **förmörka** darken [da:'kən] **förnamn** Christian name [kriss'tjən nej'm] **förnedring** humiliation [hjo:milliej'sjən] **förneka** deny [dinaj'] **förnimma** perceive [pəsi:'v] **förnuft** reason [ri:'zn]; *sunt förnuft* common sense [kåmm'ən senn's] **förnuftig** reasonable [ri:'znəbl] **förnya** renew [rinjo:'] **förnäm** noble [nåo'bl]; *(högdragen)* lofty [låff'ti] **förnämlig** distinguished [disstìng'gwisjt] **förnärma** offend [əfenn'd] **förnödenheter** necessities [nisess'itizz] **förolyckas** meet with an accident [mi:'t wið ənn äkk'sidənt] **förolämpa** insult [insall't] **förolämpning** insult [inn'sallt] **förord** preface [preff'iss] **förordning** ordinance [å:'dinəns] **förorena** contaminate [kəntämm'inejt] **förorening** pollution [pəlo:'sjən] **förorsaka** cause [kå:z] **förort** suburb [sabb'ə:b] **förpackning** package [päkk'iddsj] **förplikta sig** bind o.s. [baj'nd wannsell'f] **förpliktelse** *(plikt)* duty [djo:'ti]; *(förbindelse)* engagement [inngej'dsjmənt] **förplägning** entertainment [entətej'nmənt] **förr** *(förut)* before [bifå:']; *(fordom)* formerly [få:'məli]; *(tidigare)* sooner [so:'nə], earlier [ə:'liə]; *(hellre)* rather [ra:'ðə] **förre** the former [ðə få:'mə]; *(senaste)* (the) last [(ðə) la:st] **förresten** besides [bisaj'dz] **förrgår** the day before yesterday [ðə dej' bifå:' jess'tədi] **förråd** store [stå:] **förråda** betray [bitrej'] **förrädare** traitor [trej'tə] **förräderi** treachery [trett'-sjərej] **förrädisk** treacherous [trett'sjərəs] **förrän** before [bifå:']; *icke förrän* not until (till) [nått' əntill' (till)] **förrätt** first course [fə:'st kå:'s] **försaka** go without [gåo' wiðao't] **församling** (*personer*) assembly [əsemm'bli]; (*möte*) meeting [mi:'ting]; (*socken*) parish [pärr'isj]; (*menighet*) congregation [kånggrigej'-sjən] **förse** furnish [fə:'nisj] **förseelse** offence [əfenn's] **för-segla** seal [si:l] **försena** delay [dilej']; *vara försenad* be late [bi: lej't] **försiggå** take place [tejk plej's] **försiktig** cautious [kå:'sjəs]; (*aktsam*) careful [kä:'əfoll] **försiktighet** caution [kå:'-sjən]; (*aktsamhet*) care [kä:'ə] **försiktighetsåtgärd** precaution [prikå:'sjən] **försilvra** silver [sill'və] **förskingra** embezzle [imm-bezz'l] **förskola** nursery school [nə:'sri sko:'l] **förskollärare** nursery-school teacher [nə:'srisko:'l ti:'tsjə] **förskott** advance payment [ədva:'ns pej'mənt] **förskräckelse** fright [frajt] **för-skräcklig** dreadful [dredd'foll], frightful [fraj'tfoll] **förskärare** carving-knife [ka:'vingnajf] **försköna** embellish [imbell'isj] **förslag** proposal [prəpåo'zəl]; *Am.* proposition [pråppəzisj'ən] **förslå** suffice [səfaj's] **försmak** foretaste [få:'tejst] **försmå** disdain [dissdej'n] **försona** (*förlika*) reconcile [rekk'ənsajl] **för-sorg** *dra försorg om* provide for [prəvaj'd få:']; *genom ngns försorg* through s.b. [θro:' samm'bədi] **försova sig** oversleep [åo'vəsli:p] **förspel** prelude [prell'jo:d] **försprång** start [sta:t] **först** first [fə:st]; (*inte förrän*) not until (till) [nått'əntill' (till)]; *först och främst* first of all [fə:'st əvv å:'l]; *först nu* not until now [nått' əntill' nao'] **första** first [fə:st]; *för det första* in the first place [inn ðə fə:'st plej's]; *från första början* from the very beginning [fråmm ðə verr'i biginn'ing]; *första bästa* the first that comes along [ðə fə:'st ðätt kamm'z əlång'] **förstad** suburb [sabb'ə:b] **förstatliga** nationalize [näsj'nəlajz] **förstavelse** prefix [pri:'fikks] **förstklassig** first-class [fə:'stkla:'s] **förstnämnda** the first-mentioned [ðə fə:'stmenn'sjənd] **förstora** enlarge [inn-la:'dsj] **förströelse** diversion [dajvə:'sjən] **förstulen** furtive [fə:'tivv] **förstå** understand [anndəstänn'd]; *det förstås!* that is clear! [ðätt' izz kli:'ə]; *förstå sig på* understand [anndəstänn'd] **förståelig** understandable [anndəstänn'dəbl] **förståelse** understanding [anndəstänn'ding] **förstånd** (*tankeförmåga*) intellect [inn'tilekkt]; (*sunt förnuft*) (common) sense [kåmm'ən senn's]; *det övergår mitt förstånd* it is beyond me [itt izz bijänn'd mi:']; *efter bästa förstånd* to the best of one's ability [to: ðə bess't əvv wannz əbill'itti] **förståndig** (*klok*) wise [wajz]; (*förnuftig*) sensible [senn'səbl] **förstås** of course [əvv kå:'s] **förstärka** strengthen [streng'θən] **förstärkning** strengthening [streng'-θəning] **förstöra** destroy [disstråj'] **förstörelse** destruction [disstrakk'sjən] **försumma, försummelse** neglect [niglekk't] **försvaga** weaken [wi:'kən] **försvagas** grow weak [gråo' wi:'k] **försvagning** weakening [wi:'kning] **försvar** defence [difenn's]

försvara defend [difenn'd] **försvarsadvokat** counsel for the defence [kao'nsəl få: ðə difenn's] **försvinna** disappear [dissəpi:'ə]; (*plötsligt*) vanish [vänn'isj] **försvåra** make ... difficult [mej'k diff'ikəlt] **försynt** considerate [kənsidd'əritt] **försäga sig** let the cat out of the bag [lett' ðə kätt' ao't ævv ðə bägg'] **försäkra** (*betyga*) assure [əsjo:'ə]; (*assurera*) insure [innsjo:'ə]; **försäkra sig** (*förvissa sig*) make sure [mej'k sjo:'ə] (*om ngt* of s.th. [əvv samm'θing]) **försäkran** assurance [əsjo:'ərəns] **försäkring** (*brand-, liv-*) insurance [innsjo:'ərəns] **försäkringsbolag** insurance company [innsjo:'ərəns kamm'pəni] **försäljare** salesman [sej'lzmən] **försäljning** sale [sejl] **försäljningsvillkor** terms of sale [tə:'mz ævv sej'l] **försämra, försämras** deteriorate [diti:'ərejt] **försök** attempt [ətemm'pt]; effort [eff'ət] **försöka** try [traj]; *försöka sig på* try one's hand at [traj' wannz hänn'd ətt] **försörja** support [səpå:'t] **förta(ga)** (*hindra*) take away [tej'k əwej']; (*dämpa*) deaden [dedd'n]; *förta sig* overwork o.s. [åo'vəwə:'k wannsell'f] **förtal** slander [sla:'ndə] **förteckning** list [lisst] **förtid** *i förtid* prematurely [premmətjo:'əli] **förtjusande** charming [tsja:'ming] **förtjusning** enchantment [inntsja:'ntmənt] **förtjust** (*intagen*) charmed [tsja:md] (*i* with [wið]); (*mycket glad*) delighted [dilaj'tidd] (*över* with [wið]) **förtjäna** earn [ə:n]; (*vara värd*) deserve [dize:'v] **förtjänst** (*inkomst*) earnings [ə:'ningz]; (*vinst*) profit [pråff'itt]; (*merit*) merit [merr'itt] **förtroende** confidence [kånn'fidəns] (*för* in [inn]) **förtrogen** familiar [fəmill'jə] **förtrolig** intimate [inn'timitt]; (*konfidentiell*) confidential [kånnfidenn'sjəl] **förtrolla** enchant [inntsja:'nt] **förtrollning** enchantment [inntsja:'ntmənt] **förtryck** oppression [əpresj'ən] **förträfflig** excellent [ekk'sələnt] **förtulla** declare [diklä:'ə] **förtvivlad** in despair [inn disspä:'ə] **förtvivlan** despair [disspä:'ə] (*över* at [ätt]) **förtydliga** make ... clear(er) [mej'k kli:'ə(rə)] **förtära** eat [i:t]; consume [kəns-jo:'m] **förtäring** consumption [kənsamm'psjən] **förtöja** moor [mo:'ə] **förundras** wonder [wann'də] before [bifå:'']; (*förr*) formerly [få:'məli] **förutom** besides [bisaj'dz] **förutsatt att** provided [prəvaj'didd] **förutse** foresee [få:si:'] **förutseende** foresight [få:'sajt] **förutsäga** predict [pridikk't] **förutsägelse** prediction [pridikk'sjən] **förutsätta** assume [əs-jo:'m], presume [prizjo:'m] **förutsättning** assumption [əsamm'psjən], presumption [prizamm'psjən]; (*villkor*) condition [kəndisj'ən]; (*erforderlig egenskap*) qualification [kwållifikej'sjən]; *under förutsättning att* on condition that [ånn kəndisj'ən ðätt'] **förutvarande** (*forra*) former [få:'mə]; (*föregående*) previous [pri:'vjəs] **förvalta** administer [ədminn'istə] **förvaltare** administrator [ədminn'istrejtə]; (*av lantgods*) steward [stjo:'əd] **förvaltning** administration [ədminnistrej'sjən], management [männ'iddsjmənt] **förvandla** transform [trännsfå:'m] **förvandlas** turn [tə:n] (*till* into [inn'to]) **förvandling** transformation [trännsfəmej'sjən] **förvar** custody [kass'tədi] **förvara** keep [ki:p] **förvarning** notice [nåo'tiss] **förverkliga** realize [ri:'əlajz] **förverkligande** realization [riəlajzej'sjən] **förvirra** confuse [kən-fjo:'z]; *(förbrylla)* bewilder [biwill'də] **förvirring** confusion [kənfjo:'sjən] **förvisa** banish [bänn'isj] **förvissa sig** make sure [mej'k sjo:'ə] **förvissning** assurance [əsjo:'ərəns]; *i förvissning om* in the assurance of [inn ði əsjo:'ərəns əvv] **förvisso** *(visserligen)* certainly [sə:'tnli]; *(utan tvivel)* for certain [fə sə:'tn] **förvåna** surprise [səpraj'z]; *förvåna sig över* be surprised at [bi: səpraj'zd ätt] **förvånansvärd** surprising [səpraj'zing] **förvåning** surprise [səpraj'z] **förväg** *i förväg* in advance [inn ədva:'ns] **förväntan, förväntning** expectation [ekkspekktej'sjən]; *över förväntan bra* better than expected [bett'ə öänn ikks-pekk'tidd] **förvärra** make ... worse [mej'k wə:'s] **förvärras** grow worse [gråo' wə:'s] **förvärva** acquire [əkwaj'ə] **förvärvs-arbetande** wage-earning [wej'dsjə:ning] **förväxla** confuse [kən-fjo:'z] **förväxling** confusion [kənfjo:'sjən] **föråldrad** out-of-date [ao'təvvdej't] **förädla** *(djur-, växt-)* improve [immpro:'v]; *(rå-vara)* refine [rifaj'n] **förälder** parent [pä:'ərənt] **föräldralös** orphan [å:'fən] **föräldrar** parents [pä:'ərənts] **förälskad** in love [inn lavv'] *(i* with [wiö]) **förälska sig** fall in love [få:'l inn lavv'] *(i* with [wiö]) **förändra, förändras** change [tsjejndsj]; alter [å:'ltə] **förändring** change [tsjejndsj]; alteration [å:ltərej'-sjən] **föräta sig** overeat [åo'vəri:'t] **föröva** commit [kəmitt'] **fötter** feet [fi:t] **gadd** sting [sting] **gaffel** fork [få:k] **gala** crow [kråo]; *(om gök)* call [kå:l] **galen** mad [mädd]; *vard.* crazy [krej'zi] **galge** gallows [gäll'åoz]; *(klädhängare)* hanger ['häng'ə] **galla** gall [gå:l] **galler** grating [grej'ting] **galleri** gallery [gäll'əri] **gallra** *(plantor)* thin out [θinn' ao't]; *(skog)* thin [θinn] **gall-skrika** yell [jell] **gallsten** gall-stone [gå:'lståon] **gallstens-anfall** biliary colic [bill'jəri kåll'ikk] **galon** plastic-coated fabric [pläss'tikk-kåo'tidd fäbb'rikk] **galopp, galoppera** gallop [gäll'əp] **galosch** galosh [gəlåsj'] **gammal** old [åold]; *(ej färsk, om bröd o.d.)* stale [stejl] **gammaldags, gammalmodig** old-fashioned [åo'ldfäsj'ənd] **ganska** *(mycket)* very [verr'i]; *(tämligen)* fairly [fä:'əli]; *ganska mycket (som adj.)* a great deal of [ə grej't di:'l əvv], *(som adv.)* very much [verr'i mattsj], a great deal [ə grej't di:'l] **gap** mouth [maoθ]; *(djurs)* jaws [dsjå:z] **gapa** open one's mouth [åo'pən wannz mao'θ] **gapskratt** roar of laughter [rå:' əvv la:'ftə] **gapskratta** roar with laughter [rå:' wiö la:'ftə] **garage** garage [gärr'a:dsj] **garantera** guarantee [gärrənti:'], warrant [wårr'ənnt] **garanti** guarantee [gärrənti:'] **garderob** wardrobe [wå:'dråob] **gardin** curtain [kə:'tn] **garn** yarn [ja:n] **garnera** *(kläder)* trim [trimm]; *(mat)* garnish [ga:'nisj] **gas, gasa** gas [gäss] **gasbinda** gauze bandage [gå:'z bänn'diddsj] **gasol** bottled gas [bått'ld gäss'] **gaspedal** accelerator [əkksell'ərejtə] **gasspis** gas-cooker [gäss'kokkə] **gassa** be blazing [bi: blej'zing] **gata** street [stri:t]; *på gatan* in the street [inn öə stri:'t] **gatlykta** street lamp [stri:'t lämmp] **gatukorsning** crossing [kråss'ing] **gavel** gable [gej'bl] **ge** give [givv]; *kortsp.* deal [di:l]; *ge bort* give away [givv' əwej']; *ge efter* yield [ji:ld] (*för* to [to:]); *ge ut* (*pengar*) spend [spennd], (*publicera*) publish [pabb'lisj], (*ut-färda*) issue [iss'jo:]; *ge sig* give o.s. [givv' wannsell'f], (*erkänna sig besegrad*) yield [ji:ld], surrender [sərenn'də]; *ge sig av* set out [sett ao't], (*bege sig i väg*) be off [bi:' å:'f]; *ge sig ut för att vara* pretend to be [pritenn'd tə bi:] **gedigen** solid [såll'idd] **gehör** ear [i:'ə]; *efter gehör* by ear [baj i:'ə]; *vinna gehör* meet with sympathy [mi:'t wið simm'pəθi] **gelé** jelly [dsjell'i] **gemen** (*nedrig*) low [låo], mean [mi:n] **gemensam** common [kåmm'ən] (*för* to [to:]); (*för två el. flera*) joint [dsjåjnt] **gemensamhet** community [kəmjo:'nitti] **gemensamt** in common [in kåmm'ən] **gemenskap** community [kəmjo:'nitti] **gemytlig** good-natured [godd'nej'-tsjəd] **genant** embarrassing [immbärr'əsing] **genast** at once [ətt wann's] **genera** (*besvära*) bother [båð'ə], trouble [trabb'l]; (*göra förlägen*) be embarrassing to [bi: immbärr'əsing to:] **generad** embarrassed [immbärr'əst] **general** general [dsjenn'ərəl] **generalisera** generalize [dsjenn'ərəlajz] **generalrepetition** dress rehearsal [dress' rihə:'səl] **generation** generation [dsjennərej'-sjən] **generator** generator [dsjenn'ərejtə] **generell** general [dsjenn'ərəl] **generös** generous [dsjenn'ərəs] **gengäld** *i gengäld* in return [inn ritə:'n] **geni** genius [dsji:'njəs] **genial** brilliant [brill'jənt] **genljuda** reverberate [rivə:'bərejt] **genom** through [θro:] **genomblöt** soaking wet [såo'king wett] **genombrott** break through [brej'kθro:'] **genomdriva** force ... through [få:'s θro:'] **genomfart** passage [päss'iddsj] **genomföra** carry ... through [kärr'i θro:'] **genomgå** go through [gåo' θro:'] **genomgång** going through [gåo'ing θro:']; (*väg o.d.*) passage [päss'iddsj] **genomresa** journey through [dsjə:'ni θro:'] **genomskinlig** transparent [trännspä:'ərənt] **genomskåda** see through [si:' θro:'] **genomskärning** (*tvärsnitt*) cross section [kråss' sekk'sjən] **genomsnitt** (*medeltal*) average [ävv'əriddsj]; *i genomsnitt* on average [ånn ävv'əriddsj] **genomsnittlig** average [ävv'əriddsj] **genomtränga** penetrate [penn'itrejt] **genomträngande** (*om blåst, blick*) piercing [pi:'əsing]; (*om lukt, röst*) penetrating [penn'itrejting] **genomtänkt** well thought-out [well' θå:'taot] **genomvåt** wet through [wett' θro:'] **genre** genre [sja:'ngrə] **gensvar** response [rispånn's] **gentemot** against [əgenn'st] **gentjänst** service in return [sə:'viss inn ritə:'n] **genuin** genuine [dsjenn'-joinn] **genväg** short cut [sjå:'t katt'] **geografi** geography [dsji̇åg'rəfi] **geografisk** geographical [dsjiəgräff'ikəl] **geologi** geology [dsjiåll'ədsji] **geometri** geometry [dsjiåmm'ittri] **gerilla** guerrilla [gərill'ə] **gest** gesture [dsjess'tsjə] **gestalt** figure [figg'ə], (*form*) shape [sjejp] **get** goat [gåot] **geting** wasp [wåssp] **gevär** rifle [raj'fl]; gun [gann] **giffel** croissant [kroa:-sa:'ng] **gift 1** (*subst.*) poison [påj'zn] **2** (*adj.*) married [märr'idd] (*med* to [to:]) **gifta** *gifta bort* give away in marriage [givv əwej'inn märr'iddsj]; *gifta sig* marry [märr'i] **giftermål** marriage [märr'-iddsj] **giftig** poisonous [påj'znəs] **gilla** approve of [əpro:'v əvv] **gillande** approval [əpro:'vəl] **giltig** valid [väll'idd] **giltighetstid** period of validity [pi:'əriəd əvv vəlidd'itti] **gin** gin [dsjinn] **gips** plaster [pla:'stə] **gipsa** put … in plaster [pott' inn pla:'stə] **gir, gira** sheer [sji:'ə]; (*friare*) turn [tə:n] **giraff** giraffe [dsjira:'f] **girera** transfer [trännsfə:'] **girig** avaricious [ävvərisj'əs] **gissa, gissa sig till** guess [gess] **gisslan** hostage [håss'tiddsj] **gissning** guess [gess] **gitarr** guitar [gita:'] **giv** deal [di:l] **giva** *se ge* **givande** profitable [pråff'itəbl] **givare** giver [givv'ə] **given** given [givv'n]; (*avgjord*) clear [kli:'ə]; *ta för givet* take it for granted [tej'k itt fə gra:'ntidd] **givetvis** of course [əvv kå:'s] **givmild** generous [dsjenn'ərəs] **gjuta** cast [ka:st] **gjutjärn** cast iron [ka:st aj'ən] **glaciär** glacier [gläss'jə] **glad** (*gladlynt*) cheerful [tsji:'əfoll]; (*upprymd*) merry [merr'i]; happy [häpp'i] **glans** lustre [lass'tə]; (*prakt*) magnificence [mäggniff'issns] **glansig** lustrous [lass'trəs] **glappa** be loose [bi: lo:s] **glas** glass [gla:s] **glasbruk** glassworks [gla:'swə:ks] **glass** ice-cream [aj'skri:'m] **glasyr** glazing [glej'zing]; (*på porslin*) glaze [glejz] **glasögon** glasses [gla:'sizz], spectacles [spekk'təkklz] **glatt** smooth [smo:ð]; (*hal*) slippery [slipp'əri] **gles** (*ej tät*) thin [θinn] **glesbygd** thinly populated area [θinn'li påpp'jolejtidd ä:'əriə] **glida** glide [glajd]; (*över ngt hårt*) slide [slajd]; *glida undan* slip away [slipp' əwej'] **glidflygplan** glider [glaj'də] **glimma** gleam [gli:m] **glimt** gleam [gli:m]; (*skymt*) glimpse [glimmps] **glittra** glitter [glitt'ə] **glo** stare [stä:'ə] (*på at* [ätt]) **glob** globe [gläob] **glosa** word [wə:d] **glugg** hole [håol] **glupsk** greedy [gri:'di] **glädja** make … happy [mej'k häpp'i]; *det gläder mig* I am so glad [aj əm såo' glädd']; *glädja sig åt* be glad at [bi: glädd' ätt]; look forward to [lokk' få:'wəd to:] **glädjande** pleasant [plezz'nt] **glädje** joy [dsjåj] (*över at* [ätt]); pleasure [plesj'ə]; delight [dilajt'] **glädjeämne** subject for rejoicing [sabb'dsjikkt få: ridsjåj'sing] **glänsa** shine [sjajn] **glänt** *stå på glänt* stand ajar [stänn'd ədsja:'] **glöd** embers [emm'bəz]; (*-ande sken o. bildl.*) glow [gläo]; (*hetta*) heat [hi:t] **glöda** glow [gläo] **glödlampa** bulb [ballb] **glömma** forget [fəgett'] **glömsk** forgetful [fəgett'foll] **glömska** oblivion [əblivv'iən] **gnaga** gnaw [nå:] **gnida** rub [rabb] **gnissel, gnissla** screech [skri:tsj]; (*om gångjärn e.d.*) creak [kri:k]; (*om hjul e.d.*) squeak [skwi:k] **gnista** spark [spa:k] **gnistra** emit sparks [imitt' spa:'ks]; (*blixtra*) sparkle [spa:'kl] **gnola** hum [hamm] **gnugga** rub [rabb] **gnutta** tiny bit [taj'ni bitt'] **gnägga** neigh [nej] **gnäll, gnälla** whine [wajn] **gobeläng** tapestry [täpp'isstri] **god** good [godd]; *god dag!* good morning (afternoon, evening)! [goddmå:'ning (a:'ftəno:'n, i:'vning)], (*vid första mötet med ngn*) how do you do! [hao' djodo:']; *var så god!* (*när man ger ngt*) here you are! [hi:'ə jo a:'], (*ta för er*) help yourself, please! [hell'p jå:sell'f pli:z]; *var så god och* ... please ... [pli:z] **godhet** goodness [godd'niss] **godkänd** approved [əpro:'vd] **godkänna** approve [əpro:'v]; (*i examen*) pass [pa:s] **godkännande** approval [əpro:'vəl] **godo** *i godo* amicably [ämm'ikəbli]; *hålla till godo med* put up with [pott' app' wið] **gods** (*varor*) goods [goddz]; (*jorda-*) estate [isstej't] **godståg** goods train [godd'ztrejn] **godsägare** estate owner [isstej't åonə] **godta** accept [əksepp't] **godtrogen** credulous [kredd'joləs] **godtycke** discretion [disskresj'ən] **godtycklig** arbitrary [a:'bitrəri] **golf** golf [gållf] **golv** floor [flå:] **golvväxel** floor gearshift [flå:' gi:'əsjifft] **gondol** gondola [gånn'dələ] **gorilla** gorilla [gərill'ə] **gosse** boy [båj] **gott** (*jfr god*); *gott om* plenty of [plenn'ti əvv]; *lukta gott* smell nice [smell' naj's]; *sova gott* sleep well [sli:'p well']; *kort och gott* briefly [bri:'fli]; *göra så gott man kan* do one's best [do:' wannz bess't]; *så gott som* practically [präkk'tikkli] **gottgöra** make good [mejk godd'] **gottgörelse** compensation [kåmmpennsej'sjən]; (*betalning*) remuneration [rimjo:nərej'sjən] **grabb** boy [båj] **graciös** graceful [grej'sfoll] **grad** degree [digri:']; (*rang*) rank [rängk]; *i hög grad* to a great extent [to ə grej't ikkstenn't] **gradera** graduate [grädd'-joejt] **gradering** graduation [gräddjoej'sjən] **gradvis** gradually [grädd'joəli] **grafik** (*grafiska blad*) prints [prinnts] **gram** gram(me) [grämm] **grammatik** grammar [grämm'ə] **grammofon** gramophone [grämm'əfåon]; *Am.* phonograph [fåo'nəgra:f] **grammofonskiva** record [rekk'å:d] **gran** fir [fə:], spruce [spro:s] **granat** (*ädelsten*) garnet [ga:'nitt]; *mil.* shell [sjell] **granit** granite [gränn'itt] **grann** (*brokig*) gaudy [gå:'di]; (*ståtlig*) fine-looking [faj'nlokking] **granne** neighbour [nej'bə] **grannland** neighbouring country [nej'bəring kann'tri] **grannskap** neighbourhood [nej'bəhodd] **granska** examine [iggzämm'inn] **granskning** examination [iggzämminej'sjən] **gratinera** bake in a gratin-dish [bej'k in ə grätt'ängdisj] **gratis** free [fri:] **grattis** congratulations [kəngrättjolej'sjənz] **gratulation** congratulation [kəngrättjolej'sjən] **gratulera** congratulate [kəngratt'jolejt] **gratäng** grating [grätt'äng] **grav** grave [grejv]; (*murad e.d.*) tomb [to:m] **gravera** engrave [inngrej'v] **gravid** pregnant [pregg'nənt] **gravlax** raw spiced salmon [rå:' spaj'st sämm'ən] **grejor** things [θingz] **grek, grekisk** Greek [gri:k] **Grekland** Greece [gri:s] **gren, grena sig** branch [bra:ntsj] **grepp** grasp [gra:sp] **greve** count [kaont] **grevinna** countess [kao'ntiss] **grevskap** county [kao'nti] **grill, grilla** grill [grill] **grillbar** rotisserie [råotiss'əri:] **grimas** grimace [grimej's] **grimasera** pull faces [poll' fej'sizz] **grina** (*gråta*) whine [wajn] **grind** gate [gejt] **gripa** seize [si:z]; (*tjuv e.d.*) catch [kättsj]; *gripa sig an med* set about [sett' əbao't] **gris** pig [pigg] **gro** germinate [dsjə:'minejt] **groda** frog [frågg] **grodman** frogman [frågg'mən] **grogg** whisky and soda [wiss'ki ənn såo'də] **grop** pit [pitt] **grosshandel** wholesale trade [håo'lsejl trejd] **grosshandlare, grossist** wholesale dealer [håo'lsejl di:'lə] **grotesk** grotesque [gråotess'k] **grotta** cave [kejv]; cavern [kävv'ən] **grov** caorse [kå:s]; (om yta o. bildl.) rough [raff]; i grova drag in rough outline [inn raff' ao'tlajn] **grovarbetare** unskilled worker [ann'skill'd wə:'kə] **grovlek** thickness [θikk'niss] **grubbla** brood [bro:d] **grumlig** muddy [madd'i] **grund 1** subst. (botten) ground [graond]; (underlag) foundation [faondej'sjən]; (orsak) cause [kå:z]; på grund av on account of [ånn əkao'nt əvv] **2** (sand- o.d.) bank [bängk]; (klipp-) sunk rock [sang'k råkk']; gå på grund run aground [rann' əgrao'nd] **3** (adj.) shallow [själl'åo] **grunda** found [faond]; establish [isstäbb'lisj]; (stödja) base [bejs] **grundare** founder [fao'ndə] **grundavgift** basic charge [bej'sikk tsja:dsj] **grund-forskning** basic research [bej'sikk risə:'tsj] **grundlag** constitution [kånnstitjo:'sjən] **grundlig** thorough [θarr'ə] **grundlägga** found [faond] **grundläggande** (adj.) fundamental [fanndə-menn'tl] **grundsats** principle [prinn'səpl] **grundskola** ung. comprehensive school [kåmmprihenn'sivv sko:'l] **grundval** foundation [faondej'sjən]; (bildl. äv.) basis [bej'siss] **grundämne** element [ell'imənt] **grupp, gruppera** group [gro:p] **grus** gravel [gräv'əl] **gruva** mine [majn] **gruvarbetare** miner [maj'nə] **gry** dawn [då:n] **grym** cruel [kro:'əl] **grymhet** cruelty [kro:'əlti] **gryn** grain [grejn] **gryning** dawn [då:n] **gryta** pot [pått] **grytlapp** saucepan holder [så:'spən håo'ldə] **grå** grey [grej] (i sht Am.) gray [grej] **gråhårig** grey-haired [grej'hä:'əd] **gråsparv** sparrow [spärr'åo] **gråsäl** grey seal [grej' si:'l] **gråta** cry [kraj]; weep [wi:p] (av for [få:]) **grädda** bake [bejk] **grädde** cream [kri:m] **gräl** quarrel [kwårr'əl] **gräla** quarrel [kwårr'əl]; gräla på ngn scold s.b. [skåo'ld samm'bədi] **gräma sig** grieve [gri:v] **gränd** alley [äll'i] **gräns** geogr. boundary [bao'ndəri]; polit. frontier [frann'tjə]; (friare) border-line [bå:'dəlajn]; (yttersta) limit [limm'itt] **gränsa till** border on [bå:'də ånn] **gränslös** boundless [bao'ndliss]; (ofantlig) tremendous [trimenn'dəs] **gränsområde** border district [bå:'də diss'trikkt] **gräs** grass [gra:s] **gräsbevuxen** grass-grown [gra:'sgråo'n] **gräshoppa** grasshopper [gra:'shåppə] **gräsklippare** lawn-mower [lå:'nmåoə] **gräslig** horrid [hårr'idd]; terrible [terr'əbl] **gräslök** chive [tsjajv] **gräsmatta** lawn [lå:n] **gräva** dig [digg] **grävskopa** bucket [bakk'itt] **grön** green [gri:n] **Grönland** Greenland [gri:'nlənd] **grönsaker** vegetables [vedd'sj-itəblz] **grönsaksaffär** greengrocer's [gri:'ngråosəz] **grönska** (subst.) verdure [və:'dsjə]; (verb) be green [bi: gri:'n] **gröt** porridge [pårr'iddsj] **gubbe** old man [åo'ld männ'] **gud** god [gådd]; för Guds skull! for goodness' sake! [fə godd'niss sej'k] **gudfruktig** devout [divao't] **gudinna** goddess [gådd'iss] **gudomlig** divine [divaj'n] **gudskelov** thank goodness [θäng'k godd'niss] **gudstjänst** service [sə:'viss] **gul** yellow [jell'åo] **gula** yolk [jåok] **guld** gold [gåold] **guldfisk** goldfish [gåo'ldfisj]

guldgrävare gold-digger [gåo'lddiggə] **gullregn** laburnum [ləbə:'nəm] **gullviva** cowslip [kao'slipp] **gulsot** jaundice [dsjå:'ndiss] **gumma** old woman [åo'ld womm'ən] **gummi** rubber [rabb'ə] **gummiband** rubber band [rabb'ə bänn'd] **gummistövlar** rubber-boots [rabb'əbo:ts] **gunga** swing [swing] **gungbräde** see-saw [si:'så:] **gungstol** rocking-chair [råkk'ingtsjä:ə] **gunst** favour [fej'və] **gunstling** favourite [fej'vəritt] **guppa** jolt [dsjåolt] **gurgla** sig gargle [ga:'gl] **gurka** cucumber [kjo:'kəmbə] **guvernör** governor [gavv'ənə] **gylf** fly [flaj] **gyllene** golden [gåo'ldən] **gymnasium** upper secondary school [app'ə sekk'əndəri sko:l]; Am. senior high school [si:'njə haj' sko:'l] **gymnastik** gymnastics [dsjimmnäss'tikks] **gymnastisera** do gymnastics [do: dsjimmnäss'tikks] **gynekolog** gynaecologist [gajnikåll'ədsjist] **gynna** favour [fej'və] **gynnsam** favourable [fej'vərəbl] **gyttja** mud [madd] **gyttjig** muddy [madd'i] **gå** (mots. åka) walk [wå:k]; (mots. stanna, stå) go [gåo]; (av-) start [sta:t], leave [li:v]; gå ur vägen för ngn get out of a p.'s way [gett' aot əvv ə pə:'snz wej']; gå an be all right [bi: å:'l rajt']; gå av (stiga av) get out [gett' aot], (brista) break [brejk], (om skott) go off [gåo å:'f]; gå efter walk behind [wå:'k bihaj'nd], (om klocka) be slow [bi: slåo'], (hämta) go and fetch [gåo ənd fett'sj]; gå ifrån leave [li:v]; gå isär come apart [kamm' əpa:'t]; gå om ngn overtake s.b. [åovətej'k samm'bədi]; gå omkull (om företag) go bankrupt [gåo' bäng'krəpt]; gå sönder be broken [bi: bråo'kən], (om maskin o.d.) break down [brejk dao'n]; gå till (hända) happen [häpp'ən]; gå upp go up [gåo' app'], (stiga upp) rise [rajz]; gå upp mot come up to [kamm' app' to:]; gå ut och gå go for a walk [gåo' fər ə wå:'k]; gå åt (ta slut) be used up [bi: jo:'zd app'], (behövas) be needed [bi: ni:'didd] **gång 1** (sätt att gå) walk [wå:k]; (motors o.d.) running [rann'ing]; i full gång well under way [well' ann'də wej']; få ... i gång get ... going [gett' gåo'ing]; hålla i gång keep going [ki:'p gåo'ing]; komma i gång get started [gett' sta:'tidd]; sätta i gång start going [sta:'t gåo'ing]; vara i gång be running [bi: rann'ing] **2** (väg) path [pa:θ]; (korridor) passage [päss'iddsj] **3** (tillfälle) time [tajm]; en gång once [wanns]; en gång till once more [wann's må:']; för en gångs skull for once [få:' wann's]; på en gång (samtidigt) at the same time [ätt ðə sej'm tajm'], (plötsligt) suddenly [sadd'nli]; gång på gång time and again [tajm' ənd əgenn']; gång någon gång some time [samm' tajm']; två gånger twice [twajs]; tre gånger three times [θri:' tajm'mz] **gångbana** pavement [pej'vmənt] **gångjärn** hinge [hinndsj] **går** i går yesterday [jess'tədi]; i går morse yesterday morning [jess'tədi må:'ning] **gård** (kringbyggd) yard [ja:d]; (bak-) backyard [bäkk'-ja:d]; (bond-) farm [fa:m] **gårdagen** yesterday [jess'tədi] **gårdsplan** courtyard [kå:'tja:'d] **gås** goose [go:s] **gåta** riddle [ridd'l] **gåtfull** mysterious [missti:'əriəs] **gåva** gift [gifft] **gädda** pike [pajk] **gäl** gill [gill] **gäll** shrill [sjrill] **gälla** (vara giltig) be valid [bi: väll'idd]; (anses) pass [pa:s]; vad gäller saken? what is it about? [wått' izz itt əbao't]; nu gäller det att now we have got to [nao' wi: hävv' gått' to:] **gällande** valid [väll'idd]; göra gällande (påstå) assert [əsə:'t]; göra sig gällande assert o.s. [əsə:'t wannsell'f] **gäng** gang [gäng] **gängse** current [karr'ənt] **gärdsgård** fence [fenns] **gärna** gladly [glädd'li]; willingly [will'ingli]; ja, gärna (för mig)! by all means! [baj' å:'l mi:'nz] **gärning** (handling) act [äkkt]; (syssla) work [wə:k] **gärningsman** culprit [kall'pritt] **gäspa** yawn [jå:n] **gäspning** yawning [jå:'ning]; en gäspning a yawn [ə jå:'n] **gäst** guest [gesst] **gästa** visit [vizz'itt] **gästfri** hospitable [håss'pitəbl] **gästfrihet** hospitality [håsspitäll'itti] **gästrum** spare room [spä:'ə room] **gästspel** special performance [spesj'əl pəfå:'məns] **göda** (djur) fatten [fätt'n]; (jord, växter) fertilize [fə:'tilajz] **gödning** fertilizing [fə:'tilajzing] **gödsel** manure [mənjo:'ə], dung [dang] **gödselstack** dunghill [dang'hill] **gödsla** manure [mənjo:'ə], fertilize [fə:'tilajz] **gök** cuckoo [kokk'o:] **gömma, gömma sig** hide [hajd] **göra** do [do:]; make [mejk]; göra sitt bästa do one's best [do: wannz bess't]; det gör ingenting! it doesn't matter! [itt dazz'nt mätt'ə]; göra om (på nytt) do ... over again [do: åo'və əgenn'], (upprepa) repeat [ripi:'t], (ändra) alter [å:'ltə]; göra upp (förslag) draw up [drå:' app']; göra sig av med get rid of [gett' ridd' əvv]; göra sig till be affected [bi: əfekk'tidd] **görningen** ngt är i görningen s.th. is brewing [samm'θing izz bro:'ing] **göromål** work [wə:k] **gös** pike-perch [paj'kpə:tsj] **ha** have [hävv]; (mera vard.) have got [hävv' gått']; ha rätt be right [bi: raj't]; ha ledigt be free [bi: fri:']; ha roligt have a good time [hävv' ə godd' taj'm]; vad vill ni ha? what do you want? [wått' do jo wann't]; ha bort (förlägga) mislay [misslej']; vad har du för dig? what are you doing? [wått' a: jo do:'ing]; ha för sig (inbilla sig) imagine [imädd'sjinn]; ha på sig have ... on [hävv' ånn']; ha sönder break [brejk] **hack** notch [nåttsj] **hacka** (subst.) pick [pikk]; (verb) hoe [håo]; (kött o.d.) chop [tsjåpp] **hackspett** woodpecker [wodd'pekkə] **hagel** (iskorn, koll.) hail [hejl]; (blykula) shot [sjått] **hagla** hail [hejl] **hagtorn** hawthorn [hå:'θå:n] **haj** shark [sja:k] **haka 1** (verb) hook [hokk]; haka av unhook [ann'hokk'] **2** (subst.) chin [tsjinn] **hake** hook [hokk] **haklapp** bib [bibb] **hal** slippery [slipp'əri] **hala** haul [hå:l] **halka** (subst.) slipperiness [slipp'əriniss] (verb) slip [slipp], slide [slajd] **hall** hall [hå:l] **hallon** raspberry [ra:'zbəri] **hallå** hallo [halåo'] **halm** straw [strå:] **hals** neck [nekk]; (strupe) throat [θråot]; hals över huvud head over heels [hedd' åovə hi:'lz]; ha ont i halsen have a sore throat [hävv' ə så:' θrå:'t] **halsband** necklace [nekk'liss] **halsduk** scarf [ska:f] **halster** gridiron [gridd'ajən] **halstra** grill [grill] **halt 1** subst. (kvantitet) content [kånn'tennt]; **2** (uppehåll) halt [hå:lt] **3** (adj.) lame [lejm] **halta** limp [limmp] **halv** half [ha:f]; klockan är halv ett it is half past twelve [itt izz ha:'f pa:'st twell'v] **halva** half [ha:f] **halvera** halve [ha:v] **halvtimme** half-hour [ha:'fao'ə]; *en halvtimme* half an hour [ha:'f ənn ao'ə] **halvvägs** half way [ha:'f wej'] **halvår** six months [sikk's mann'θs] **halvö** peninsula [pinninns'jolə] **hammare** hammer [hämm'ə] **hamn** harbour [ha:'bə]; (*-stad, mål för resa*) port [på:t] **hamra** hammer [hämm'ə] **han** he [hi:] **hand** hand [hännd]; *ha hand om* be in charge of [bi: inn tsja:'dsj əvv]; *ta hand om* take charge of [tejk tsja:'dsj əvv]; *efter hand* gradually [grädd'joəli]; *efter hand som* as [äzz]; *för hand* by hand [baj hänn'd]; *i första hand* in the first place [inn ðə fə:'st plejs]; *till hands* at hand [ätt hänn'd] **handarbete** needlework [ni:'dlwə:k] **handbagage** hand-luggage [hänn'dlaggiddsj] **handbojor** handcuffs [hänn'dkaffs] **handbok** handbook [hänn'dbokk] **handbroms** handbrake [hänn'dbrejk] **handduk** towel [tao'əl] **handel** trade [trejd]; (*i sht internationell*) commerce [kåmm'ə:s] **handelsbod** shop [sjåpp] **handelsfartyg** merchant vessel [mə:'tsjənt vess'l] **handelsflotta** merchant navy [mə:'tsjənt nej'vi] **handelskorrespondens** commercial correspondence [kəmə:'sjəl kårrispånn'dəns] **handfat** basin [bej'sn]; *Am.* washbowl [wåsj'båol] **handflata** palm [pa:m] **handgjord** hand-made [hänn'dmej'd] **handha** have charge of [hävv' tsja:'dsj əvv] **handikapp** handicap [hänn'-dikäpp] **handla** (*göra uppköp*) shop [sjåpp]; (*göra affärer*) trade [trejd], deal [di:l] (*med in* [inn]); (*bete sig*) act [äkkt]; *handla om* (*ha till innehåll*) deal with [di:'l wið], (*vara fråga om*) be a question of [bi: ə kwess'tsjən əvv] **handlag** *ha gott handlag med* have a good hand with [hävv' ə godd' hänn'd wið] **handlande** shopkeeper [sjåpp'ki:pə]; (*köpman*) tradesman [trej'dzmən] **handled** wrist [risst] **handling** (*gärning*) action [äkk'sjən]; (*dokument*) document [dåkk'joment] **handlägga** handle [hänn'dl] **handpenning** down-payment [dao'npejmənt] **handskas med** (*hantera*) handle [hänn'dl]; (*behandla*) treat [tri:t] **handske** glove [glavv] **handskrift** (*manuskript*) manuscript [männ'joskrippt] **handskriven** hand-written [hänn'drittn] **handstil** handwriting [hänn'drajting] **handtag** handle [hänn'dl] **handväska** handbag [hänn'dbägg] **hane** male [mejl] **hangar** hangar [hang'ə] **hans** his [hizz] **hantera** handle [hänn'dl] **hantverk** handicraft [hänn'-dikra:ft]; (*yrke*) trade [trejd] **hantverkare** craftsman [kra:'ftsmən] **hare** hare [hä:'ə] **haricots verts** haricot beans [härri'ikåo bi:nz] **harmoni** harmony [ha:'məni] **harmonisk** harmonious [ha:-måo'njəs] **harpa** harp [ha:p] **harpun** harpoon [ha:po:'n] **hasard** chance [tsja:ns] **hasselnöt** hazelnut [hej'zlnatt] **hast** haste [hejst]; *i hast* in a hurry [inn ə harr'i] **hastig** rapid [räpp'idd] **hastighet** speed [spi:d]; *med en hastighet av* at a rate of [ätt ə rej't əvv] **hastighetsbegränsning** speed limit [spi:'d limm'itt] **hastighetsmätare** speedometer [spidåmm'ittə] **hat** hatred [hej't-ridd] **hata** hate [hejt] **hatt** hat [hätt] **hav** sea [si:]; *till havs* (*riktning*) to sea [to: si:'], (*befintlighet*) at sea [ätt si:'] **hava se ha havandeskap** pregnancy [pregg'nənsi] **haveri** (*förlisning*) shipwreck [sjipp'rekk] **havre** oats_ [åots] **havregryn** hulled oats [hall'd åo'ts] **havstulpan** sea-acorn [si:'ejkå:n] **havsörn** white-tailed eagle [waj'ttej'ld i:'gl] **hed** moor [mo:'ə] **heder** honour [ånn'ə] **hederlig** honourable [ånn'ərəbl]; (*ärlig*) honest [ånn'isst] **hedersgäst** guest of honour [gess't əvv ånn'ə] **hedersord** word of honour [wə:'d əvv ånn'ə] **hedning, hednisk** heathen [hi:'ðən] **hedra** honour [ånn'ə] **hej** hallo! [həlåo']; (*adjö*) cheerio! [tsji:'əriåo'] **hejarklack** claque [kläkk] **hejda** stop [ståpp] **hekto** hectogram [hekk'tåogrämm] **hel** whole [håol]; entire [inntaj'ə]; *hela dagen* all day [å:'l dej']; *en hel del* a great deal [ə grejt di:'l], quite a lot [kwaj't ə lått'] *på det hela taget* on the whole [ånn ðə håo'l] **helautomatisk** fully automatic [foll'i å:təmätt'ikk] **helg** festival [fess'təvəl] **helgdag** holy-day [håo'lidej'] (*ledighetsdag*) holiday [håll'ədi] **helgeflundra** halibut [häll'ibət] **helgon** saint [sejnt] **helhet** entirety [inntaj'əti]; *i sin helhet* as a whole [äzz ə håo'l] **helhetsintryck** general impression [dsjenn'ərəl impresj'ən] **helig** holy [håo'li] **helikopter** helicopter [hell'ikåpptə] **heller** either [aj'ðə]; *ej heller* nor [nå:] **helljus** (*på bil*) headlight [hedd'lajt] **hellre** rather [ra:'ðə]; sooner [so:'nə] **helnykterist** total abstainer [tåo'tl əbstej'nə] **helpension** full board and lodging [foll' bå:'d ənn lådd'sjing] **helsiden** pure silk [pjo:'ə sill'k] **helspänn** *på helspänn* on tenterhooks [ånn tenn'təhokks] **helst** preferably [preff'ərəbli]; *allra helst* most of all [måo'st əvv å:'l]; *hur som helst* anyhow [enn'ihao]; *ingen som helst* risk no risk whatever [nåo' riss'k wåttevv'ə]; *i vilket fall som helst* anyhow [enn'ihao]; *när som helst* (at) any time [(ätt) enn'i taj'm]; *vad som helst* anything [enn'iθing]; *vem som helst* anybody [enn'ibåd-di], anyone [enn'iwann] **helt** entirely [inntaj'əli]; *helt och hållet* altogether [å:ltəgeð'ə], completely [kəmpli:'tli]; *helt enkelt* simply [simm'pli] **heltäckande matta** fitted carpet [fitt'idd ka:'pitt] **helvete** hell [hell] **helylle** all wool [å:'l woll'] **hem** home [håom] **hemarbete** home-work [håo'mwə:k] **hembiträde** domestic servant [dəmess'tikk sə:'vənt] **hembygd** native place [nej'tivv plej's] **hemfärd** journey home [dsjə:'ni håo'm] **hemgjord** home-made [håo'mmej'd] **hemifrån** from home [fråmm håo'm] **hemkomst** return home [ritə:'n håo'm] **hemland** native country [nej'tivv kann'tri] **hemlig** secret [si:'kritt] **hemlighet** secret [si:'kritt]; *i hemlighet* in secret [inn si:'kritt] **hemlighetsfull** mysterious [missti:'əriəs] **hemlighålla** keep ... secret [ki:'p si:'kritt] **hemlängtan** homesickness [håo'msikkniss] **hemma** at home [ätt håo'm] **hemmafru** housewife [hao'swajf] **hemma-hörande i** native of [nej'tivv əvv] **hemmaplan** home ground [håo'm graond] **hemorrojder** h(a)emorrhoids [hemm'əråjdz] **hemort** legal domicile [li:'gəl dåmm'isajl] **hemresa** journey home [dsjə:'ni håo'm] **hemsk** ghastly [ga:'stli]; *vard.* (*väldig*) awful [å:'foll] **hemslöjd** hand(i)craft [händ'd(i)kra:ft] **hemtrevlig** nice and comfortable [naj's ənn kamm'fətəbl] **hemväg** way home [wej' håo'm] **hemåt** homewards [håo'mwədz] **henne** her [hə:]; **hennes** (*fören.*) her [hə:]; (*självst.*) hers [hə:z] **herde** shepherd [sjepp'əd] **hermelin** ermine [ə:'minn] **herr** (*framför namn*) Mr. [miss'tə] **herre** gentleman [dsjenn'tlmən]; *bli herre över* gain the mastery of [gej'n ðə ma:'stəri əvv]; *Herren* the Lord [ðə lå:'d] **herrgård** manor-house [männ'əhaos] **herrkläder** men's wear [menn'z wä:'ə] **herrskap** (*herre o. fru*) master and mistress [ma:'stə ənn miss'triss]; *mitt herrskap!* ladies and gentlemen! [lej'dizz ənn dsjenn'tlmən] **herrtoalett** men's lavatory [menn'z lävv'ətəri]; *Am.* men's room [menn'z romm'] **hertig** duke [djo:k] **hertiginna** duchess [datt'sjiss] **hes** hoarse [hå:s] **het** hot [hått] **heta** be called [bi: kå:'ld]; *jag heter Kate* my name is Kate [maj' nejm izz kej't]; *vad heter det på tyska?* what is the German for it? [wått' izz ðə dsjə:'mən få: itt] **hetsa** bait [bejt]; (*uppegga*) incite [innsaj't] **hetsig** hot [hått], fiery [faj'əri]; (*jäktig*) bustling [bass'ling] **hetta** heat [hi:t] **hicka** (*subst. o. verb*) hiccup [hikk'app]; *ha hicka* have the hiccups [hävv' ðə hikk'apps] **himmel** sky [skaj] **hinder** obstacle [åbb'stəkl] (*för, mot* to [to:]) **hindra** (*för-*) prevent [privenn't]; (*hejda*) stop [ståpp] **hingst** stallion [ställ'jən] **hink** bucket [bakk'itt] **hinna 1** (*biol.*) membrane [memm'brejn]; (*mycket tunn*) film [fillm] **2** (*komma i tid*) be in time [bi: inn taj'm]; (*ha el. få tid*) have time [hävv' taj'm]; *h. fatt* catch up with [kättsj app' wið]; *h. fram* arrive [əraj'v]; *h. med* (*tåget etc.*) catch [kättsj] **hiss** lift [lifft]; *Am.* elevator [ell'ivejtə] **hissa** hoist [håjst] **hissna** feel dizzy [fi:'l dizz'i] **historia** history [hiss'təri]; (*berättelse*) story [stå:'ri] **historisk** historical [hisstårr'ikəl] **hit** here [hi:'ə] **hitta** (*finna*) find [fajnd]; (*hitta vägen*) find the way [fajn'd ðə wej']; *hitta på* make up [mej'k app'], (*uppfinna*) invent [invenn't] **hittegodsmagasin** lost property office [låss't pråpp'əti åff'iss] **hittelön** reward [riwå:'d] **hittills** till now [till nao']; so far [såo' fa:] **hitåt** this way [ðiss' wej'] **hjord** herd [hə:d] **hjort** (*kron-*) red deer [redd' di:'ə]; (*dov-*) fallow-deer [fäll'åodi:ə] **hjortron** cloudberry [klao'dberri] **hjul** wheel [wi:l] **hjälm** helmet [hell'mitt] **hjälp** help [hellp]; *med hjälp av* with the help of [wið ðə hell'p əvv] **hjälpa, hjälpa till** help [hellp] **hjälpas** *det kan inte hjälpas* it can't be helped [itt ka:'nt bi: hell'pt]; *hjälpas åt* help one another [hell'p i:'tsj að'ə] **hjälplös** helpless [hell'pliss] **hjälpmedel** aid [ejd] **hjälpsam** helpful [hell'pfoll] **hjälte** hero [hi:'əråo] **hjältinna** heroine [herr'åoinn] **hjärna** brain [brejn]; *bry sin hjärna* rack one's brains [räkk' wannz brej'nz] **hjärnblödning** cerebral h(a)emorrhage [serr'ibrəl hemm'əriddsj] **hjärnskada** brain injury [brej'n inn'dsjəri] **hjärnskakning** concussion [kənkasj'ən] **hjärta** heart [ha:t] **hjärtattack** heart attack [ha:'t ətäkk'] **hjärter** hearts [ha:ts] **hjärtfel** heart disease [ha:'t dizi:'z] **hjärtinfarkt** myocardial infarction [majaka:'diəl infa:'ksjən] **hjärtlig** hearty [ha:'ti]; *hjärtliga hälsningar* kind regards [kaj'nd riga:'dz]; *hjärtliga lyck-önskningar* sincere congratulations [sinnsi:'ə kəngrättjolej'sjənz]; *hjärtligt tack* hearty thanks [ha:'ti θäŋ'ks] **hjärtlös** heartless [ha:'tliss] **hjässa** crown [kraon] **hobby** hobby [håbb'i] **holländare** Dutchman [datt'sjmən] **holländsk** Dutch [dattsj] **holme** islet [aj'litt] **homosexuell** homosexual [håo'måosekk'sjoəl] **hon** she [sji:] **hona** female [fi:'mejl] **honom** him [himm] **honorar** fee [fi:]; *(författares äv.)* royalty [råj'əlti] **honung** honey [hann'i] **hop** heap [hi:p] *(med of* [åvv]); *(av människor)* crowd [kraod] **hopa** heap up [hi:'p app']; *hopa sig (om saker)* accumulate [əkjo:'mjolejt] **hopfällbar** folding [fåo'lding], collapsible [kəläpp'-səbl] **hopp** *(förhoppning)* hope [håop] *(om of* [åvv]); *(språng)* jump [dsjamm] **hoppa** jump [dsjamm]; *hoppa över* jump over [dsjamm'p åo've], *(bildl.)* skip [skipp] **hoppas** hope [håop] *(på* for [få:]); *jag hoppas det* I hope so [aj håo'p såo] **hoppfull** hopeful [håo'pfoll] **hopplös** hopeless [håo'pliss] **hopprep** skipping-rope [skipp'ingråop] **horisont** horizon [hərajˈzn] **hormon** hormone [hå:'måon] **horn** horn [hå:n] **hornhinna** cornea [kå:'ni:ə] **horoskop** horoscope [hårr'əskåop] **hortensia** hydrangea [hajdrej'ndsjə] **hos** with [wiδ]; *(i ngns hus o.d.)* at [ätt]; *(bredvid)* by [baj] **hosta** *(subst. o. verb)* cough [kåff] **hostmedicin** cough-medicine [kåff'medd'sinn] **hot** threat [θrett] **hota** threaten [θrett'n] **hotell** hotel [håotell'] **hotellrum** hotel room [håotell' romm]; *beställa hotellrum* make a reservation at a hotel [mejk' ə rezzəvej'sjən ätt ə håotell'] **hotelse** threat [θrett] **hov 1** *(på djur)* hoof [ho:f] **2** *(furstes)* court [kå:t]; *vid hovet* at court [ätt kå:t] **hovmästare** head waiter [hedd'wejtə] **hovrätt** court of appeal [kå:'t əvv əpi:'l] **hovtång** large pincers [la:'dsj pinn'səz] **hud** skin [skinn]; *(av större djur)* hide [hajd] **hudkräm** skin-cream [skinn'kri:m] **hugg** cut [katt]; *(med spetsen av ngt)* stab [stäbb] **hugga** *(med vapen el. verktyg)* cut [katt]; stab [stäbb]; *(om djur)* bite [bajt] **huggorm** viper [vaj'pə] **huj** *i ett huj* in a flash [inn ə fläsj'] **huk** *sitta på huk* squat [skwått] **hull** *lägga på hullet* put on weight [pott' ånn' wejt']; *med hull och hår* completely [kəmpli:'tli] **huller om buller** pell-mell [pell'mell'] **hum** *ha litet hum om* have some idea of [hävv' samm' ajdi:'ə əvv] **human** humane [hjo:mej'n] **humanitet** humanity [hjo:männ'itti] **humla** bumble-bee [bamm'blbi:] **humle** hop [håpp] **hummer** lobster [låbb'stə] **humor** humour [hjo:'mə] **humoristisk** humorous [hjo:'mərəs] **humör** temper [temm'pə]; mood [mo:d]; *(på gott (dåligt) humör* in a good [bad] temper [inn ə godd' (bädd') temm'pə] **hund** dog [dågg]; *röda hund* German measles [dsjə:'mən mi:'zlz] **hundkapplöpning** greyhound-racing [grej'haondrejsing] **hundra** hundred [hann'drəd] **hundratal** *ett hundratal* about a hundred [əbao't ə hann'drəd] **hundratals** hundreds [hann'drədz] **hunger** hunger [hang'gə] **hungersnöd**

famine [fämm'inn] **hungra** be hungry [bi: hang'gri]; (*bildl.*)
hunger [hang'gə] (*efter* for [få:]); *hungra ihjäl* starve to death
[sta:'v tə deð'] **hungrig** hungry [hang'gri] **hur** how [hao];
hur så? why? [waj]; *hur sa?* what did you say? [wått' didd jo
sej']; *eller hur?* isn't that so? [izz'nt ðått' såo'], don't you think?
[dåo'nt jo θing'k] **hurra** hurrah! [hora:'] **hurrarop** cheer [tsji:'ə]
huruvida whether [weð'ə] **hus** house [haos] **husbonde** master
[ma:'stə] **husdjur** domestic animal [dəmess'tikk änn'iməl] **hus-
gerård** household utensils [hao'shåold jotenn'slz] **hushåll** (*arbetet
i ett hem*) housekeeping [hao'ski:ping]; (*familj*) household [hao's-
håold] **hushålla** keep house [ki:'p hao's]; (*vara sparsam*)
economize [i:kånn'əmajz] **hushållerska** housekeeper [hao'ski:-
pə] **hushållsarbete** housework [hao'swə:k] **huslig** domesti-
cated [dəmess'tikejtidd] **husmor** housewife [hao'swajf] **hustru**
wife [wajf] **husvagn** caravan [kärrəvänn'] **huttra** shiver [sjivv'ə]
huv hood [hodd]; (*skrivmaskins- etc.*) cover [kavv'ə]; (*motor-*)
bonnet [bånn'itt] **huva** hood [hodd] **huvud** head [hedd] **huvud-
bonad** headgear [hedd'gi:ə] **huvudbyggnad** main building
[mej'n bill'ding] **huvudgata** main street [mej'n stri:t] **huvudkon-
tor** head office [hedd' åff'iss] **huvudkudde** pillow [pill'åo]
huvudled major road [mej'dsjə råod] **huvudperson** principal
figure [prinn'səpəl figg'ə]; (*i roman o.d.*) principal character
[prinn'səpəl kärr'iktə] **huvudroll** leading part [li:'ding pa:t]
huvudsak *huvudsaken* the main thing [ðə mej'n θing'] **huvud-
saklig** principal [prinn'səpəl], chief [tsji:f] **huvudstad** capital
[käpp'ittl] **huvudvärk** headache [hedd'ejk] **hy** complexion
[kəmplekk'sjən] **hyacint** hyacinth [haj'əsinnθ] **hycklare** hypo-
crite [hipp'əkritt] **hyckleri** hypocrisy [hipåkk'rəsi] **hydda** hut
[hatt] **hygglig** decent [di:'snt] **hygien** hygiene [haj'dsji:n]
hygienisk hygienic [hajdsji:'nikk] **hylla 1** *subst.* shelf [sjell'f];
(*bagage-, sko- o.d.*) rack [räkk] **2** *verb* (*uppvakta*) pay homage
to [pej' håmm'iddsj to:] **hyllning** congratulations [kəngrättjolej'-
sjənz] **hylsa** case [kejs] **hymn** hymn [himm] **hypnos** hypnosis
[hippnåo'siss] **hypnotisera** hypnotize [hipp'nətajz] **hypotes**
hypothesis [hajpåθ'isiss] **hyra** (*subst. o. verb*) rent [rennt];
([*för*] *bil, båt e.d.*) hire [haj'ə] **hyresgäst** tenant [tenn'ənt];
(*inneboende*) lodger [lådd'sjə] **hyreshus** block of flats [blåkk'
əvv flätt's]; *Am.* apartment house [əpa:'tmənt haos] **hyresvärd**
landlord [länn'lå:d] **hysa** house [haos]; (*nära, bära*) entertain
[enntətej'n] **hyska** eye [aj] **hysterisk** hysteric [hissterr'ikk]
hytt cabin [käbb'inn] **hyttplats** berth [bə:θ] **hyvel, hyvla**
plane [plejn] **hål** hole [håol] **håla** cave [kejv]; (*djurs o. bildl.*)
den [denn] **hålfotsinlägg** arch support [a:'tsj səpå:'t] **hålkort**
punch card [pann'tsj ka:d] **håll** (*avstånd*) distance [diss'təns];
(*riktning*) direction [direkk'sjən]; (*häftig smärta*) stitch [stittsj];
på nära håll close at hand [klåo's ətt hänn'd]; *på annat håll*
elsewhere [ell'swä:'ə]; *åt andra hållet* the other way [ði að'ə wej]

hålla hold [håold]; (*bibe-*) keep [ki:p]; (*ej gå sönder*) hold [håold]; (*om kläder*) wear [wä:'ə]; *hålla av* be fond of [bi: fånn'd əvv]; *hålla ihop* hold (keep) together [håo'ld (ki:'p) təgeð'ə]; *hålla med ngn* agree with s.b. [əgri:' wið samm'bədi]; *hålla på med* be busy with [bi: bizz'i wið]; *hålla på att kvävas* be on the point of choking [bi: ånn ðə påj'nt əvv tsjåo'king]; *hålla sig vaken* keep awake [ki:'p əwej'k]; *jag kunde inte hålla mig för skratt* I couldn't help laughing [aj kudd'nt hell'p la:'fing] **hållare** holder [håo'ldə] **hållbar** (*varaktig*) durable [djo:'ərəbl] **hållning** (*kropps-*) carriage [kärr'iddsj]; (*beteende*) attitude [ätt'itjo:d] **hållplats** stop [ståpp] **hån** scorn [skå:n] **håna** put ... to scorn [pott' tə skå:'n] **hånfull** scornful [skå:'nfoll] **hånle** smile scornfully [smaj'l skå:'nfolli] **hånleende** scornful smile [skå:'nfoll smaj'l] **hår** hair [hä:'ə] **hårband** hair-ribbon [hä:'əribbən] **hårborste** hairbrush [hä:'əbrasj] **hård** hard [ha:d]; (*om ljud*) harsh [ha:sj]; (*påfrestande*) tough [taff]; *hård i magen* constipated [kånn'stipejtidd] **hårdhänt** rough [raff] **hårdkokt** hard-boiled [ha:'dbåj'ld] **hårdna** harden [ha:'dn] **hårdsmält** difficult to digest [diff'ikəlt to daj'dsjesst] **hårfrisörska** ladies' hairdresser [lej'dizz hä:'ədressə] **hårnål** hairpin [hä:'əpinn] **hårspänne** hair-slide [hä:'əslajd] **hårstrå** hair [hä:'ə] **hårvatten** hair tonic [hä:'ə tånn'ikk] **håv** landing-net [länn'dingnett] **häck** hedge [heddsj]; *sport.* hurdle [hə:dl] **häcka** breed [bri:d] **hädanefter** from now on [fråmm nao' ånn'] **hädelse** blasphemy [bläss'fimi] **häfte** booklet [bokk'litt] **häftig** (*våldsam*) violent [vaj'ələnt]; (*obehärskad*) vehement [vi:'imənt]; (*om smärta*) sharp [sja:'p] **häftplåster** adhesive plaster [əddhi:'sivv pla:'stə] **häftstift** drawing-pin [drå:'ingpinn]; *Am.* thumbtack [θamm'täkk] **hägg** bird-cherry [bə:'dtsjerri] **häkta** arrest [əress't] **häkte** custody [kass'tədi] **häktning** arrest [əress't] **häl** heel [hi:l] **hälft** half [ha:f] **hälla** pour [på:] **hälleflundra** halibut [häll'ibətt] **hälsa 1** (*subst.*) health [hellθ] **2** (*verb*) greet [gri:t]; *hälsa hem!* remember me to your family! [rimemm'bə mi: to jå: fämm'illi]; *hälsa henne!* give her my regards [givv' hə: maj' riga:'dz]; *hälsa på* (*besöka*) go and see [gåo' ənn si:'] **hälsning** greeting [gri:'ting]; *hjärtliga hälsningar* kind regards [kaj'nd riga:'dz] **hälsosam** wholesome [håo'ləsm] **hälsovårdsnämnd** public health committee [pabb'likk hell'θ kəmitt'i] **hämma** (*hejda*) check [tsjekk] **hämmad** inhibited [inhibb'itidd] **hämnas** avenge [əvenn'dsj] **hämnd** revenge [rivenn'dsj] **hämning** (*psyk.*) inhibition [innhibisj'ən] **hämta** fetch [fettsj]; *hämta sig* recover [rikavv'ə] **hända** happen [häpp'ən]; *det kan nog hända* that may be (so) [ðått' mej' bi: (såo)] **händelse** occurrence [əkarr'əns]; (*episod*) incident [inn'sidənt]; (*tillfällighet*) coincidence [kåoinn'sidəns]; *av en ren händelse* quite by chance [kwaj't baj tsja:'ns]; *i alla händelser* at all events [ätt å:'l ivenn'ts] **händelserik** eventful [ivenn'tfoll] **händelsevis** by chance [baj tsja:'ns] **händig** handy [hänn'di]

hänföra (*föra ... till*) assign [əsaj'n]; (*tjusa*) carry away [kärr'i əwej']; *hänföra sig till* have reference to [hävv' reff'rəns to:] **hänförelse** rapture [räpp'tsjə] hang [häng]; (*bero*) depend [dipenn'd] (*på* on [ånn]) **hängare** (*krok*) hook [hokk]; (*i kläder*) hanger [häng'ə] **hängiven** devoted [divåo'tidd] **hänglås** padlock [pädd'låkk] **hängslen** braces [brej'sizz]; *Am.* suspenders [səspenn'dəz] **hänseende** *i vissa hänseenden* in certain respects [inn sə:'tn risspekk'ts] **hänsyn** consideration [kənsiddərej'sjən]; regard [riga:'d]; *ta hänsyn till* take ... into consideration [tej'k inn'to kənsiddərej'sjən]; *med hänsyn till* with regard to [wið riga:'d to:], (*i betraktande av*) in view of [inn vjo:' əvv]; *utan hänsyn till* regardless of [riga:'dliss əvv] **hänsynsfull** considerate [kənsidd'əritt] **hänsynslös** inconsiderate [innkənsidd'əritt] **hänvisa** refer [rifə:'] **hänvisning** reference [reff'rəns] **häpen** amazed [əmej'zd] **häpenhet** amazement [əmej'z mənt] **häpnadsväckande** amazing [əmej'zing] **här 1** (*subst.*) army [a:'mi] **2** (*adv.*) here [hi:'ə] **härav** from this [fråmm ðiss'] **härbärgera** lodge [låddsj] **härda** temper [temm'pə]; (*göra motståndskraftigare*) harden [ha:'dn] **härefter** after this [a:'ftə ðiss'] **härifrån** from here [fråmm hi:'ə] **härigenom** through here [θro:' hi:'ə]; *bildl.* owing to this [åo'ing to: ðiss'] **härja** ravage [rävv'iddsj] **härleda** derive [diraj'v] **härlig** glorious [glå:'riəs]; splendid [splenn'didd] **härma** imitate [imm'itejt] **härmed** with this [wið ðiss'] **häromdagen** the other day [ði åð'ə dej'] **härröra från** come from [kamm' fråmm] **härska** rule [ro:l] **härskare** ruler [ro:'lə] **härsken** rancid [ränn'sidd] **härstamma från** be descended from [bi: disenn'didd fråmm] **härstamning** descent [disenn't]; (*ursprung*) origin [årr'idsjinn] **härtill** to this [to: ðiss'] **härvidlag** in this respect [inn ðiss' risspekk't] **häst** horse [hå:s]; *sitta till häst* be on horseback [bi: ånn hå:'sbäkk] **hästkapplöpning** horse-racing [hå:'srejsing] **hästkraft** horse-power [hå:'s paoə] **häva** heave [hi:v] **hävda** (*påstå*) maintain [mejntej'n]; *hävda sig* hold one's own [håo'ld wannz åo'n] **hävstång** lever [li:'və] **häxa** witch [wittsj] **hö** hay [hej] **höft** hip [hipp]; *på en höft* at random [ätt ränn'dəm] **hög 1** (*subst.*) heap [hi:p] **2** (*adj.*) high [haj] **högaktningsfullt** (*i brev*) Yours faithfully [jå:z fejθ'folli], *Am.* Very truly yours [verr'i tro:'li jå:'z] **höger** right [rajt] **högerparti** conservative party [kənsə:'vətivv pa:'ti] **högfärdig** conceited [kənsi:'tidd] **höghus** multi-storey building [mall'tistå:'ri bill'ding] **högkonjunktur** boom [bo:m] **högkvarter** headquarters [hedd'kwå:'təz] **högljudd** loud [laod]; noisy [nåj'zi] **högmodig** haughty [hå:'ti] **högmässa** morning service [må:'ning sə:'viss]; (*katolsk*) high mass [haj' mäss'] **högskola** university [jo:nivə:'sitti], college [kåll'iddsj] **högslätt** table land [tej'blännd] **högst** highest [haj'ist]; *i högsta grad* in the highest degree [inn ðə haj'ist digri:'] **högsäsong** peak season [pi:'k si:'zn] **högt** high [haj]; highly [haj'li] **högtalare** loud-speaker [lao'dspi:kə] **högtid** festival [fess'təvəl] **högtidlig** solemn [sàll'-əm] **högtidlighet** solemnity [sələmm'nitti] **höja** raise [rejz] **höjd** height [hajt]; *på sin höjd* at the most [att ðə måo'st]; *det är väl höjden!* that's the limit! [ðått's ðə limm'itt] **höjdhopp** high jump [haj' dsjamm'p] **höjdpunkt** climax [klaj'mäkks]; peak [pi:k] **höjning** raising [rej'zing] **hök** hawk [hå:k] **höna** hen [henn] **höns** fowls [faolz] **höra** *(räknas)* belong [bilång'] *(till* to [to:]); *(uppfatta ljud)* hear [hi:'ə]; *(få höra)* hear [hi:'ə]; *höra på* listen [liss'n] **hörbar** audible [å:'dəbl] **hörn** corner [kå:'nə] **hörsel** hearing [hi:'əring] **höst** autumn [å:'təmm]; *Am.* fall [få:l]; *i höst* this autumn [ðiss' å:'təmm], *(nästkommande)* next autumn [nekk'st å:'təmm]; *i höstas* last autumn [la:'st å:'təmm] **hövding** chief [tsji:f] **hövlig** civil [sivv'l], polite [pəlaj't] **i** in [inn], *(framför namn på mindre orter)* at [ätt]; *(tidslängd)* for [få:] **iaktta(ga)** observe [əbzə:'v] **iakttagare** observer [əbzə:'və] **iakttagelse** observation [åbbzə:vej'sjən] **ibland** sometimes [samm'tajmz]; *mitt ibland* amid[st] [əmidd'(st)] **icke** not [nått]; *icke desto mindre* nevertheless [nevvəðəless'] **idag** today [tədej'] **idé** idea [ajdi:'ə] **ideal** ideal [ajdi:'əl] **idealisera** idealize [ajdi:'əlajz] **idealisk** ideal [ajdi:'əl] **ideell** idealistic [ajdiəliss'tikk] **ideligen** perpetually [pəpett'joəli] **identifiera** identify [ajdenn'tifaj] **identisk** identical [ajdenn'tikəl] **identitet** identity [ajdenn'titti] **identitetskort** identity card [ajdenn'titti ka:d] **ideologi** ideology [ajdiåll'ədsji] **idiot** idiot [idd'iət] **idiotisk** idiotic [iddiətt'ikk] **idka** carry on [kärr'i ånn'] **idol** idol [aj'dl] **idrott** sports [spå:ts] **idrotta** go in for sport [gåo' inn' fə spå:'t] **idrottsman** athlete [ǟθ'li:t] **idrottsplats** sports ground [spå:'ts graond] **idrottstävling** sports meeting [spå:'ts mi:ting] **idyll** idyll [idd'il] **idyllisk** idyllic [ajdill'ikk] **ifall** if [iff] **ifrågasätta** question [kwess'tsjən] **ifrån** *se från; komma ifrån* (bli fri el. ledig) get off [gett' å:'f] **igelkott** hedgehog [hedd'sjhägg] **igen** again [əgenn'] **igenkännande** recognition [rekkəgnisj'ən] **igenom** through [θro:] **ignorera** ignore [iggnå:'] **igång** *se gång 1* **igår** yesterday [jess'tədi] **ihjäl** to death [tə deθ']; *slå ihjäl* kill [kill] **ihop** together [təgeð'ə]; *fälla ihop* shut up [sjatt' app'] **ihåg** *komma ihåg* remember [rimemm'bə] **ihålig** hollow [håll'åo] **ihållande** prolonged [prəlång'd] **ikapp** *springa ikapp med ngn* run a race with s.b. [rann' ə rej's wið samm'bədi]; *hinna ikapp ngn* catch s.b. up [kätt'sj samm'bədi app'] **iklädda** dress [dress] **ilasta** load [låod] **ilgods** express goods [ikkspress' goddz] **illa** badly [bädd'li]; *låta illa* sound bad [sao'nd bädd']; *göra sig illa* hurt oneself [hə:'t wann'self']; *lukta (smaka) illa* have a nasty smell (taste) [hävv' ə na:'sti smell' (tej'st)]; *må illa* feel poorly [fi:'l po:'əli], *(vilja kräkas)* feel sick [fi:'l sikk']; *ta illa upp* take it amiss [tej'k itt əmiss'] **illamående** *(adj.)* poorly [po:'əli]; *känna sig illamående (ha kväljningar)* feel sick [fi:'l sikk'] **illegal** illegal [illi:'gəl] **illojal** disloyal [diss'låj'əl] **illuminera** illuminate [illjo:'minejt] **illusion**

illusion [illo:'sjən] **illustration** illustration [illəstrej'sjən] **illu-strera** illustrate [ill'əstrejt] **ilska** anger [äng'gə], rage [rejdsj] **ilsken** angry [äng'gri] **imitera** imitate [imm'itejt] **imma** (*ånga*) mist [misst]; (*beläggning*) steam [sti:m] **immigrera** immigrate [imm'igrejt] **immun** immune [imjo:'n] **imperialism** imperialism [impi:'əriəlizzəm] **imperium** empire [emm'pajə] **imponera** make an impression [mej'k ənn immpresj'ən] **imponerande** impressive [immpress'ivv] **impopulär** unpopular [ann'påpp'jolə] **import, importera** import [imm'på:t] **impregnera** impregnate [imm'-preggnejt] **improvisera** improvise [imm'prəvajz] **impuls** impulse [imm'palls] **impulsiv** impulsive [immpall'sivv] **in** in [inn]; *in i* into [inn'to] **inackordera** board and lodge [bå:'d ənn lådd'sj]; *vara inackorderad* board and lodge [bå:'d ənn lådd'sj] **inackordering** board and lodging [bå:'d ənn lådd'sjing]; (*person*) boarder [bå:'də] **inandas** inhale [innhej'l] **inbegripa** comprise [kəmpraj'z] **inberäkna** include [innklo:'d] **inbilla** *inbilla ngn ngt* make s.b. believe s.th. [mej'k samm'bədi bili:'v samm'θing]; *inbillad* imagined [imädd'sjinnd]; *inbilla sig* imagine [imädd'-sjinn] **inbillning** imagination [imäddsjinej'sjən] **inbjuda** invite [innvaj't] **inbjudan** invitation [innvitej'sjən] **inbjudningskort** invitation card [innvitej'sjən ka:d] **inblandning** interference [inntəfi:'ərəns] **inblick** insight [inn'sajt] **inbringa** yield [ji:ld] **inbrott** (*under dagen*) housebreaking [hao'sbrejking]; (*under natten*) burglary [bə:'gləri]; *göra inbrott hos ngn* break into a p.'s house [brej'k inn'to ə pə:'snz hao's] **inbrottsförsäkring** burglary insurance [bə:'gləri innsjo:'ərəns] **inbunden** (*om bok*) bound [baond] **inbördes** mutual [mjo:'tjoəl] **inbördeskrig** civil war [sivv'l wå:'] **indela** divide [divaj'd] **index** index [inn'dekks] **indian, indiansk** Indian [inn'djənn] **indicium** circumstantial evidence [sə:kəmstänn'sjəl evv'idəns] **Indien** India [inn'djə] **indier** Indian [inn'djən] **indignation** indignation [inndiggnej'sjən] **indignerad** indignant [inndigg'nənt] **indirekt** indirect [inndirekk't] **indisk** Indian [inn'djən] **individ, individuell** individual [inn-dividd'joəl] **industri** industry [inn'dəstri] **industrialisering** industrialization [inndasstriələjzej'sjən] **industriarbetare** industrial worker [inndass'triəl wə:'kə] **industriell** industrial [inndass'-triəl] **ineffektiv** ineffective [innifekk'tivv]; (*om person*) inefficient [innifisj'ənt] **inemot** (*om tid*) towards [təwå:'dz]; (*om antal o.d.*) nearly [ni:'əli] **infall** (*påhitt*) idea [ajdi:'ə]; (*nyck*) whim [wimm] **infart** approach [əprəo'tsj] **infektion** infection [innfekk'sjən] **infinna sig** appear [əpi:'ə] **inflammation** inflammation [inn-fləmej'sjən] **inflation** inflation [innflej'sjən] **influensa** influenza [innfloenn'zə]; (*vard.*) flu [flo:] **inflytande** influence [inn'floəns] (*på ngn* with s.b. [wið samm'bədi]) **inflytelserik** influential [innfloenn'sjəl] **information** information [innfəmej'sjən] **informell** informal [innfå:'məl] **informera** inform [innfå:'m] **infria** redeem [ridi:'m] **infödd, inföding** native [nej'tivv] **inför** before [bifả:'] **införa** introduce [inntrǝdjo:'s] **införliva** incorporate [innkả:'pǝrejt] **ingalunda** by no means [baj nåo' mi:'nz] **ingefära** ginger [dsjinn'dsjǝ] **ingen** (*fören.*) no [nåo], (*självst.*) nobody [nåo'bǝdi], no one [nåo' wann']; **inga** (*fören.*) no [nåo], (*självst.*) none [nann]; **ingendera** neither [naj'ðǝ] **ingenjör** engineer [enndsjini:'ǝ] **ingenstans** nowhere [nåo'wä:ǝ] **ingenting** nothing [naθ'ing] **ingrediens** ingredient [inngri:'djǝnt] **ingrepp** (*bildl.*) interference [inntǝfi:'ǝrǝns]; (*operation*) operation [åppǝrej'sjǝn] **ingripa** intervene [inntǝvi:'n] **ingripande** intervention [inntǝvenn'sjǝn] **ingå i** be part of [bi: pa:'t ǝvv] **ingående** (*grundlig*) thorough [θarr'ǝ] **ingång** entrance [enn'trǝns] **inhemsk** domestic [dǝmess'tikk] **inhägna** enclose [innklåo'z] **inhägnad** enclosure [innklåo'sjǝ] **inifrån** (*adv.*) from within [frảmm wiðinn']; (*prep.*) from the interior of [frảmm ðǝ innti:'ǝriǝ ǝvv] **initial** initial [inisj'ǝl] **initiativ** initiative [inisj'iǝtivv] **injektion** injection [inndsjekk'sjǝn] **injektionsspruta** hypodermic syringe [hajpǝdǝ:'mikk sirr'inndsj] **inkalla** call in [kả:'l inn']; (*möte e.d.*) summon [samm'ǝn]; (*mil.*) call up [kả:'l app'] **inkassera** collect [kǝlekk't] **inkludera** include [innklo:'d] **inklusive** ... included [innklo:'didd] **inkompetent** incompetent [innkảmm'pitǝnt] **inkomst, inkomster** income [inn'kǝm] **inkonsekvent** inconsistent [innkǝnsiss'tǝnt] **inkräkta** trespass [tress'pǝs] **inkräktare** trespasser [tress'pǝsǝ] **inkubationstid** incubation period [innkjobej'sjǝn pi:'ǝriǝd] **inkvartera** (*mil.*) billet [bill'itt]; (*friare*) accommodate [ǝkảmm'ǝdejt] **inköp** purchase [pǝ:'tsjǝs] **inköpspris** cost price [kảss't prajs] **inlaga** (*skrift*) petition [pitisj'ǝn] **inleda** open [åo'pǝn] **inledande** (*adj.*) introductory [inntrǝdakk'tǝri] **inledning** introduction [inntrǝdakk'-sjǝn] **inlevelse** feeling [fi:'ling]; insight [inn'sajt] **inlopp** entrance [enn'trǝns] **inlåta sig i (på)** enter into [enn'tǝ inn'to] **inlägg** (*i diskussion*) contribution [kảnntribjo:'sjǝn] **inlösa** (*check e.d.*) cash [kȧsj] **innan** before [bifả:'] **innanför** inside [inn'saj'd] **innanlår** thick flank [θikk' fläng'k] **inne** inside [inn'saj'd]; (*inomhus*) indoors [inn'då:'z] **inneboende** (*subst.*) lodger [låddʹ-sjǝ] **innebära** imply [immplaj'], mean [mi:n] **innebörd** signification [siggnifikej'sjǝn] **innehavare** possessor [pǝzess'ǝ] **innehåll** contents [kảnn'tennts] **innehålla** contain [kǝntej'n] **innerst inne** farthest in [fa:'ðisst inn']; (*bildl.*) at heart [ätt ha:'t] **innersta** innermost [inn'ǝmåost] **innerstad** city centre [sitt'i senn'tǝ] **innesluta** enclose [innklåo'z] **inofficiell** unofficial [ann'ǝfisj'ǝl] **inom** within [wiðinn']; (*om*) in [inn]; *inom kort* shortly [sjả:'tli] **inomhus** indoors [inn'då:'z] **inrama** frame [frejm] **inre** (*adj.*) inner [inn'ǝ] (*subst.*) inside [inn'saj'd] **inreda** fit up [fitt' app'] **inregistrera** register [redd'sjisstǝ] **inresetillstånd** entry permit [enn'tri pǝ:'mitt] **inrikes** (*adv.*) in the country [inn' ðǝ kann'tri] (*adj.*) inland [inn'lǝnd]; domestic [dǝmess'tikk] **inrikesflyg** domestic aviation [dǝmess'tikk ejviej'sjǝn] **inrikespolitik** domestic policy [dəmess'tikk påll'issi] **inrikta** (*bildl.*) direct [direkk't] **inrådan** *på min inrådan* on my advice [ånn maj' ədvaj's] **inrätta** (*anlägga*) establish [isstäbb'lisj]; (*ordna*) arrange [ərej'ndsj] **inrättning** (*anstalt*) establishment [isstäbb'lisjmənt] **insamling** collection [kəlekk'sjən] **insats** (*i spel, företag o.d.*) stake [stejk]; (*prestation*) achievement [ətsji:'vmənt] **inse** see [si:]; realize [ri:'əlajz] **insekt** insect [inn'sekkt] **insektsmedel** insecticide [innsekk'tisajd] **insida** inside [inn'sajd] **insikt** knowledge [nåll'iddsj] **insinuera** insinuate [innsinn'joejt] **insistera** insist [innsiss't] **insjö** lake [lejk] **inskjuta** put in [pott' inn']; (*införa*) insert [innsə:'t] **inskrift, inskription** inscription [innskripp'-sjən] **inskränka** (*begränsa*) restrict [risstrikk't]; (*minska*) reduce [ridjo:'s] **inskränkning** restriction [risstrikk'sjən]; reduction [ridakk'sjən] **inslag** (*bildl.*) element [ell'imənt] **inslagen** (*om paket*) wrapped-up [räpp'tapp'] **inspektera** inspect [innspekk't] **inspektör** inspector [innspekk'tə] **inspelning** recording [rikå:'-ding]; (*film-*) production [prədakk'sjən] **inspiration** inspiration [innspərej'sjən] **inspirera** inspire [innspaj'ə] **inspärra** shut ... up [sjatt' app'] **installera** install [innstå:'l] **insteg** *vinna insteg* gain a footing [gej'n ə fott'ing] **instinkt** instinct [inn'stingkt] **institut** institute [inn'stitjo:t] **institution** institution [innstitjo:'-sjən] **instruktion** instruction [innstrakk'sjən] **instruktör** instructor [innstrakk'tə] **instrument** instrument [inn'strəmənt] **instrumentbräde** instrument panel [inn'strəmənt pänn'l] **inställa** (*avpassa*) adjust [ədsjass't]; (*upphöra med*) cancel [känn'səl]; (*betalningar*) suspend [səspenn'd] **inställning** adjustment [ədsjass'tmennt]; *bildl.* attitude [ätt'itjo:d] **instämma** (*jur.*) summon ... to appear [samm'ən to: əpi:'ə]; (*samtycka*) agree [əgri:'] **instängd** shut up [sjatt' app']; (*unken*) stuffy [staff'i] **insulin** insulin [inn's-jolinn] **insändare** letter to the editor [lett'ə to ði edd'itə] **insätta** put in [pott' inn']; (*i bank*) deposit [dipázz'itt] **inta(ga)** take in [tej'k inn']; (*inmundiga*) take [tejk]; (*måltid*) eat [i:t], have [hävv]; (*ta i besittning*) take [tejk] **intagande** (*adj.*) attractive [əträkk'tivv] **inte** not [nått]; *inte sant?* don't you think so? [dåo'nt jo θing'k såo'] **inteckning** mortgage [må:'giddsj] **intellektuell** intellectual [inntilekk'tjoəl] **intelligens** intelligence [intell'idsjəns] **intelligent** intelligent [inntell'idsjənt] **intendent** (*föreståndare*) manager [männ'iddsjə]; (*vid museum*) keeper [ki:'pə] **intensifiera** intensify [inntenn'sifaj] **intensitet** intensity [inntenn'sitti] **intensiv** intense [inntenn's] **interiör** interior [innti:'əriə] **intermezzo** interlude [inn'tələo:d]; (*bildl.*) incident [inn'sidənt] **intern** (*adj.*) internal [inntə:'nl] **internationell** international [inntə:næsj'ənl] **internatskola** boarding-school [bå:'dingsko:l]; (*i England*) public school [pabb'likk sko:l] **intervention** intervention [inntəvenn'sjən] **intervju, intervjua** interview [inn'təvjo:] **intet** *se ingen*; nothing [naθ'ing]; (*intighet*) nothingness [naθ'ingniss] **intill** next to [nekk'st to:]; (*emot*) against [əgenn'st]; *nära intill* close to [klåo's to:] **intim** intimate [inn'timitt] **intolerant** intolerant [inntåll'ərənt] **intressant** interesting [inn'trisssting] **intresse** interest [inn'trisst] **intressera** interest [inn'trisst]; *intresserad av (för)* interested in [inn'trisstidd inn] **intrig** intrigue [inntri:'g] **introducera** introduce [inntradjo:'s] **introduktion** introduction [inntrədakk'sjən] **intryck** *bildl.* impression [immpresj'ən]; *(märke)* impress [imm'press] **inträde** entrance [enn'trəns]; *i sht bildl.* entry [enn'tri] **inträdesbiljett** admission-ticket [əddmisj'ən tikk'itt] **inträdesprov** entrance examination [enn'trəns iggzämminej'sjən] **inträffa** *(hända)* happen [häpp'ən]; *(infalla)* occur [əka:'] **intuition** intuition [inntjoisj'ən] **intyg** certificate [sətiff'ikitt] **intyga** *(skriftligen)* certify [sə:'tifaj]; *(bekräfta)* affirm [əfə:'m] **inuti** inside [inn'saj'd] **inval** election [ilekk'sjən] **invalid** disabled person [dissej'bld pə:'sn] **invaliditet** disability [dissəbill'itti] **invandrare** immigrant [imm'igrənt] **invandring** immigration [immigrej'sjən] **invasion** invasion [innvej'sjən] **inveckla** involve [innvåll'v] **invecklad** involved [innvåll'vd]; *(svårlöst)* complicated [kåmm'plikejtidd] **inventarier** effects [ifekk'ts] **inverka** have an effect [hävv' ənn ifekk't] **inverkan** influence [inn'floəns] **invid** by [baj] **inverkan** influence [inn'floəns] **investering** investment [innvess'tmənt] **inviga** *(t.ex. kyrka)* consecrate [kånn'sikrejt]; *(skola)* inaugurate [innå:'gjorejt] **invigning** consecration [kånnsikrej'sjən]; inauguration [innå:gjorej'sjən] **invitera** invite [innvaj't] **invånare** inhabitant [innhäbb'itənt] **invända** object [əbdsjekk't] **invändig** internal [innta:'nl] **invändning** objection [əbdsjekk'sjən] **invärtes** internal [inntə:'nl] **inåt** *(prep.)* towards the interior of [təwå:'dz ði innti:'əriə əvv]; *(adv.)* inwards [inn'wədz] **inälvor** bowels [bao'əlz] **Irland** Ireland [aj'ələnd] **irländare** Irishman [aj'ərisjmən] **irländsk** Irish [aj'ərisj] **ironi** irony [aj'ərəni] **ironisk** ironic [ajrånn'ikk] **irra** wander [wånn'də] **irritera** irritate [irr'itejt] **is** ice [ajs] **isbjörn** polar bear [påo'lə bä:'ə] **isbrytare** ice-breaker [aj'sbrejkə] **iscensättning** staging [stej'dsjing] **ischias** sciatica [sajätt'ikkə] **ishockey** ice-hockey [aj'shåkk'i] **isig** icy [aj'si] **iskall** ice-cold [aj'skåo'ld] **Island** Iceland [aj'slənd] **isländsk** Icelandic [ajslänn'dikk] **isolera** isolate [aj'səlejt] **Israel** Israel [izz'rejəl] **istapp** icicle [aj'sikkl] **ister** lard [la:d] **isär** apart [əpa:'t] **Italien** Italy [itt'əli] **italienare, italiensk** Italian [itäll'jən] **itu** in two [inn to:']; *ta itu med* set about [sett' əbao't] **iver** eargerness [i:'gəniss]; *(nit)* ardour [a:'də] **ivrig** eager [i:'gə]; *(angelägen)* anxious [ang'ksjəs] **iögon(en)fallande** striking [straj'king] **ja** yes [jess]; *ja visst!* (yes) certainly [(jess') sə:'tnli] **jacka** jacket [dsjäkk'itt] **jag** I [aj]; *det är jag* it is me [itt izz mi:'] **jaga** hunt [hannt]; *(förfölja)* chase [tsjejs] **jakt** hunting [hann'ting]; *(med gevär)* shooting [sjo:'ting]; *(förföljande)* pursuit [pəs-jo:'t]; *(letande)* hunt [hannt] **jaktplan** fighter plane [faj'tə plejn] **jama** mew [mjo:] **januari** January [dsjänn'joəri] **Japan** Japan [dsjə-

pänn'] japan, japansk Japanese [dsjäppəni:'z] **jaså** oh! [åo], indeed! [inndi:'d] **jetplan** jet plane [dsjett' plejn] **jo** yes [jess] **jobb** work [wə:k], job [dsjåbb] **jobba** work [wə:k] **jod** iodine [aj'ədi:n] **jolle** dinghy [ding'gi] **jollra** babble [bäbb'l] **jonglera** juggle [dsjagg'l] **jord** earth [ə:θ]; (*mark*) ground [graond] **jordbruk** agriculture [ägg'rikalltsjə] **jordbrukare** farmer [fa:'mə] **jordbävning** earthquake [ə:'θkwejk] **jordfästning** burial service [berr'iəl sə:'viss] **jordglob** (terrestrial) globe [tiress'triəl glåob] **jordgubbe** strawberry [strå:'bəri] **jordisk** earthly [ə:'θli] **jordmån** soil [såjl] **jordnöt** peanut [pi:'natt] **jordärtskocka** Jerusalem artichoke [dsjəro:'sələm a:'titsjåok] **jourhavande läkare** doctor on duty [dåkk'tə ånn djo:'ti] **journal** journal [dsjə:'nl]; (*sjukhus-*) case record [kej's rekk'å:d] *film.* newsreel [njo:'zri:l] **journalfilm** newsreel [njo:'zri:l] **journalist** journalist [dsjə:'n-nəlisst] **ju** why [waj]; (*som du vet*) you know [jo nåo']; *ju förr desto bättre* the sooner the better [ðə so:'nə ðə bett'ə] **jubel** rejoicing [ridsjåj'sing] **jubileum** jubilee [dsjo:'bili:] **jubla** shout for joy [sjao't fə dsjåj'] **jude** Jew [dsjo:] **judinna** Jewish woman [dsjo:'isj womm'ən] **judisk** Jewish [dsjo:'isj] **Jugoslavien** Jugoslavia [jo:'gåosla:'viə] **jugoslav, jugoslavisk** Jugoslavian [jo:'gåosla:'vjən] **jul** Christmas [kriss'məs]; *god jul!* A Merry Christmas! [ə merr'i kriss'məs] **julafton** Christmas Eve [kriss'məs i:'v] **julgran** Christmas tree [kriss'məs tri:'] **juli** July [dsjo:laj'] **julklapp** Christmas present [kriss'məs prezz'nt] **jullov** Christmas holidays [kriss'məs håll'ədizz] **julsång** Christmas carol [kriss'məs kärr'əl] **jultomten** Father Christmas [fa:'ðə kriss'məs] **jumper** jumper [dsjamm'pə] **jungfru** virgin [və:'dsjinn] **jungfruresa** maiden voyage [mej'dn våj'idsj] **juni** June [dsjo:n] **juridik** law [lå:] **juridisk** juridical [dsjoəridd'ikəl] **jurist** lawyer [lå:'jə] **jury** jury [dsjo:'əri] **just 1** (*adv.*) just [dsjasst]; exactly [iggzäkk'tli]; *just det!* that's exactly it! [ðått's iggzäkk'tli itt'] **2** (*adj.*) fair [fä:'ə] **justera** adjust [ədsjass't] **justering** adjustment [ədsjass'tmennt] **juvel** jewel [dsjo:'ələ] **juvelerare** jeweller [dsjo:'ələ] **juver** udder [add'ə] **jägare** hunter [hann'tə] **jäklar!** damn! [damm] **jäkt** hurry [harr'i] **jäkta** be in a hurry [bi: inn ə harr'i] **jäktad** hurried [harr'idd] **jäktig** hectic [hekk'tikk] **jämföra** compare [kəmmpä:'ə] **jämförelse** comparison [kəmmpärr'issn] **jämförelsevis** comparatively [kəmmpärr'ətivvli] **jämlike** equal [i:'kwəl] **jämlikhet** equality [i:kwåll'itti] **jämn** (*om yta*) even [i:'vən]; (*slät*) smooth [smo:ð]; (*oavbruten*) continuous [kəntinn'joəs]; (*mots. udda*) even [i:'vən] **jämna** level [levv'l], even out [i:'vən ao't] **jämnhöjd** *i jämnhöjd med* on a level with [ånn ə levv'l wið] **jämnmod** equanimity [i:kwənimm'itti] **jämnårig** of the same age [əvv ðə sej'm ej'dsj] (*med as* [äzz']) **jämra** sig wail [wejl] **jäms med** at the level of [ätt ðə levv'l əvv] **jämsides** side by side [saj'd baj saj'd] **jämt** always [å:'lwəz] **jämvikt** (*äv. bildl.*) balance [ball'əns] **järn** iron [aj'ən] **järnek** holly [håll'i] **järnhandel** ironmonger's

järnväg — kapa 74

[aj'ənmanggəz] **järnväg** railway [rej'lwej]; *Am.* railroad [rej'lråod] **järnvägsknut** railway junction [rej'lwej dsjang'ksjən] **järnvägsspår** railway track [rej'lwej träkk] **järnvägsstation** railway station [rej'lwej stej'sjən] **järv** wolverine [woll'vəri:n] **jäsa** ferment [fə:menn't] **jäsning** fermentation [fə:menntej'sjən] **jäst** yeast [ji:st] **jätte** giant [dsjaj'ənt] **jättelik** gigantic [dsjajgänn'-tikk] **jökel** glacier [gläss'jə] **jösses!** good heavens! [godd' hevv'nz] **kabaré** cabaret [käbb'ərej] **kabel** cable [kej'bl] **kafé** café [kaff'ej] **kaffe** coffee [kåff'i]; *koka kaffe* make coffee [mej'k kåff'i] **kaffekopp** coffee-cup [kåff'ikapp] **kaj** quay [ki:] **kaja** jackdaw [dsjäkk'då:] **kajuta** cabin [käbb'inn] **kaka** cake [kejk]; *(små-)* biscuit [biss'kitt], *Am.* cookie [kokk'i] **kakao** cacao [kəka:'åo]; *(dryck)* cocoa [kåo'kåo] **kakel** tile [tajl] **kakelugn** tiled stove [taj'ld ståo'v] **kaktus** cactus [käkk'təs] **kal** bare [bä:'ə] **kalas** party [pa:'ti] **kalender** calendar [käll'inndə] **kalk** lime [lajm] **kalkon** turkey [tə:'ki] **kalksten** limestone [laj'mståon] **kalkyl** calculation [källkjolej'sjən] **kalkylera** calculate [käll'kjolejt] **kall** cold [kåold] **kalla** call [kå:l]; *så kallad* so-called [såo'kå:'ld] **kallelse** summons [samm'ənz] **kallna** cool [ko:l]; *(om mat e.d.)* get cold [gett' kåo'ld] **kalori** calorie [käll'əri] **kalsonger** underpants [ann'dəpännts] **kalv** calf [ka:f]; *kokk.* veal [vi:l]; *kalvar* calves [ka:vz] **kalvkotlett** veal chop [vi:l tsjåpp] **kalvskinn** calfskin [ka:'fskinn] **kam** comb [kåom] **kamaxel** camshaft [kämm'sja:ft] **kamel** camel [kämm'əl] **kamera** camera [kämm'ərə] **kamin** stove [ståov] **kamma** comb [kåom] **kammare** room [romm]; *Engl. polit.* house [haos] **kammarmusik** chamber music [tsjej'mbə mjo:'zikk] **kamning** combing [kåo'ming] **kamomill** wild camomile [waj'ld kämm'əmajl] **kamouflage, kamouflera** camouflage [kämm'ofla:sj] **kamp** struggle [stragg'l] **kampanj** campaign [kämmpej'n] **kampare** *se campare* **kamrat** fellow [fell'åo] **kamratlig** friendly [frenn'dli] **kamratskap** companionship [kəmpänn'jənsjipp] **kamrer** accountant [əkao'ntənt] **kan** can [känn], may [mej]; *kan inte* cannot [känn'ått], may not [mej' nått] **kana** slide [slajd]; *åka kana* slide [slajd] **Kanada** Canada [känn'ədə] **kanadensare, kanadensisk** Canadian [kənej'djən] **kanal** *(naturlig)* channel [tsjänn'l]; *(grävd)* canal [kənäll'] **kanariefågel** canary [kənä:'əri] **Kanarieöarna** the Canary Islands [ðə kənä:'əri aj'ləndz] **kandidat** candidate [känn'idditt] **kanel** cinnamon [sinn'əmən] **kanhända** perhaps [pəhäpp's] **kanin** rabbit [räbb'itt] **kanna** *(kaffe- etc.)* pot [pått]; *(grädd-)* jug [dsjagg] **kannibal** cannibal [känn'ibəl] **kannring** piston ring [piss'tən ring] **kanon** gun [gann] **kanonskott** gun-shot [gann'sjått] **kanot** canoe [kəno:'] **kanske** perhaps [pəhäpp's] **kansler** chancellor [tsja:'nsələ] **kansli** secretariat(e) [sekkrətä:'əriət] **kant** kanta edge [eddsj] **kantarell** chanterelle [tsjänntərell'] **kantra** turn over [tə:'n åo'və] **kantstött** chipped [tsjippt] **kaos** chaos [kej'åss] **kapa** capture [käpp'tsjə]; *(flygplan)* hijack [haj'dsjäkk] **kapacitet** capacity [kəpäss'itti] **kapell** orchestra [å:'kisstrə], band [bännd]; *(överdrag)* cover [kavv'ə]; *(kyrkobyggnad)* chapel [tsjäpp'əl] **kapital** capital [käpp'ittl] **kapitalism** capitalism [käpp'itəlizəm] **kapitalplacering** investment [innvess'tmənt] **kapitel** chapter [tsjäpp'tə] **kapitulation** capitulation [kəpittjolej'sjən] **kapitulera** surrender [sərenn'də] **kappa** coat [kåot] **kapplöpning** racing [rej'sing] **kapplöpningsbana** *(häst-)* race-course [rej'skå:s], *Am.* race track [rej's träkk] **kapplöpningshäst** race-horse [rej'shå:s] **kapprodd** boat-racing [båo'trejsing] **kapprum** cloak-room [klåo'kromm] **kappsegling** yacht-racing [jått'rejsing] **kappseglingsbåt** racing-boat [rej'singbåot] **kappsäck** suit-case [s-jo:'t-kejs] **kaprifol** honeysuckle [hann'isakkl] **kapris** *(krydda)* capers [kej'pəz] **kapsejsa** capsize [käppsaj'z] **kapsel** capsule [käpp's-jo:l] **kapsyl** cap [käpp] **kapten** captain [käpp'tinn] **kapuschong** hood [hodd] **kar** vat [vätt]; *(bad-)* bath tub [ba:'θ tabb] **karaff** decanter [dikänn'tə] **karakterisera** characterize [kärr'ikktərajz] **karakteristisk** characteristic [kärriktəriss'tikk] *(för of* [əvv]) **karaktär** character [kärr'ikktə] **karamell** sweet [swi:t] **karantän** quarantine [kwärr'ənti:n] **karbonpapper** carbon paper [ka:'bən pejpə] **kardinal** cardinal [ka:'dinl] **kardanknut** universal joint [jo:nivə:'səl dsjäj'nt] **kardemumma** cardamom [ka:'dəməm] **karg** barren [bärr'ən] **karies** caries [kä:'ərii:z] **karikatyr** caricature [kärrikkətjo:'ə] **karl** man [männ] **karmstol** armchair [a:'mtsjä:'ə] **karneval** carnival [ka:'nivəl] **karosseri** *(car)* body [(ka:') bådd'i] **karott** deep dish [di:'p disj'] **karriär** career [kəri:'ə] **kart** unripe fruit [ann'raj'p fro:'t] **karta** map [mäpp] *(över* of [åvv]) **kartlägga** map [mäpp]; *(bildl.)* map out [mäpp' ao't] **kartong** *(styvt papper)* cardboard [ka:'dbå:d]; *(pappask)* cardboard box [ka:'dbå:d båkks] **kartotek** card index [ka:'d inndekks] **karusell** merry-go-round [merr'igåoraond] **kasern** barracks [bärr'əks] **kasino** casino [kəsi:'nåo] **kasperteater** Punch-and-Judy show [pann'-tsjəndsjo:'di sjåo] **kassa** *(penningförråd)* cash [käsj]; *(-låda)* cash-box [käsj'båkks]; *(i butik)* cash desk [käsj' dessk]; *(i bank)* cashier [käsji:'ə] **kassaapparat** cash register [käsj' redd'sjisstə] **kassarabatt** cash discount [käsj' diss'kaont] **kasse** string-bag [string'bägg]; *(pappers-)* carrier bag [kärr'iə bägg] **kassera** reject [ridsjekk't]; *(kasta bort)* discard [disska:'d] **kassettbandspelare** cassette tape-recorder [käsett' tej'prikå:də] **kassör** cashier [käsji:'ə] **kast, kasta** throw [θråo] **kastanje** chestnut [tsjess'natt] **kastanjett** castanet [kässtənett'] **kastrull** saucepan [så:'spən] **kastspö** casting-rod [ka:'stingrådd] **katalog** catalogue [kätt'əlågg] **katapultstol** ejection seat [i:dsjekk'sjən si:'t] **katarr** catarrh [kəta:'] **katastrof** catastrophe [kətass'trəfi] **katastrofal** catastrophic [kättəstråff'ikk] **kateder** teacher's desk [ti:'tsjəz dess'k] **katedral** cathedral [kəθi:'drəl] **kategori** category [kätt'igəri] **katolik, katolsk** Catholic [käθ'əlikk] **katt** cat [kätt] **kattunge** kitten [kitt'n] **kautschuk** (*radergummi*) *Am.* (india-) rubber [(inn'djə) rabb'ə], eraser [irej'zə] **kavaj** jacket [dsjäkk'itt] **kavajkostym** lounge suit [lao'ndsj s-jo:'t] **kavaljer** cavalier [kävvəli:'ə]; (*bords-*) partner [pa:'tnə] **kavalkad** cavalcade [kävvəlkej'd] **kavalleri** cavalry [kävv'əlri] **kavat** plucky [plakk'i] **kavel** rolling-pin [råo'lingpinn] **kaviar** caviar(e) [kävv'ia:] **kavla** roll [råol] **kedja** chain [tsjejn]; *sport.* forward-line [få:'wədlajn] **kejsardöme** empire [emm'pajə] **kejsare** emperor [emm'pərə] **kejsarinna** empress [emm'priss] **kejserlig** imperial [immpi:'-əriəl] **kela** pet [pett] **kemi** chemistry [kemm'isstri] **kemikalier** chemicals [kemm'ikəlz] **kemisk** chemical [kemm'ikəl] **kemist** chemist [kemm'isst] **kemtvätt** dry cleaning [draj' kli:'ning]; (*lokal*) dry cleaner's [draj' kli:'nəz] **keramik** ceramics [sirämm'-ikks] **kex** biscuit [biss'kitt] **kika** peep [pi:p] **kikare** binoculars [binåkk'joləz] **kikhosta** whooping-cough [ho:'pingkåff] **kil** wedge [weddsj] **kila** *nu kilar jag!* I'll be off now! [aj'l bi: å:'f nao] **kilo** kilo [ki:'låo] **kilometer** kilometre [kill'əmi:tə] **Kina** China [tsjaj'nə] **kind** cheek [tsji:k] **kindtand** molar [måo'lə] **kines, kinesisk** Chinese [tsjaj'ni:'z] **kinkig** petulant [pett'jolənt]; (*fordrande*) particular [pətikk'jolə] **kiosk** kiosk [kiåss'k] **kirurg** surgeon [sə:'dsjən] **kisa** screw up one's eyes [skro:' app' wannz aj'z] **kiselsten** pebble [pebb'l] **kissa** wee-wee [wi:'wi:'] **kissekatt** pussy(-cat) [poss'i(kätt)] **kista** chest [tsjesst]; (*lik-*) coffin [kåff'inn] **kitt** cement [simenn't] **kittla** tickle [tikk'l] **kittlig** ticklish [tikk'lisj] **kivas** contend [kəntenn'd] **kjol** skirt [skə:t] **klack, klacka** heel [hi:l] **kladd** rough copy [raff' kåpp'i] **kladdig** sticky [stikk'i] **klaff** flap [fläpp] **klaga** complain [kəmplej'n]; (*jämra*) lament [ləmenn't] **klagan** complaint [kəmplej'nt]; (*jämmer*) lament [ləmenn't] **klagomål** complaint [kəmplej'nt]; (*reklamation*) claim [klejm] **klampa** tramp [trämmp] **klamra sig** cling [kling] **klander, klandra** blame [blejm] **klang** ring [ring] **klapp** tap [täpp]; (*smeksam*) pat [pätt] **klappa** tap [täpp]; pat [pätt]; (*om hjärtat*) beat [bi:t]; *klappa händerna* clap one's hands [kläpp' wannz hänn'dz] **klar** clear [kli:'ə]; (*om färg*) bright [brajt]; (*färdig*) ready [redd'i]; *få klart for sig* get a clear idea of [gett' ə kli:'ə ajdi:'ə əvv] **klara** (*reda upp*) settle [sett'l]; (*strupen*) clear [kli:'ə]; *klara sig* get off [gett' å:'f], (*reda sig*) manage [männ'iddsj]; *klara av* clear off [kli:'ə å:'f] **klarhet** clearness [kli:'əniss] **klarinett** clarinet [klärrinett'] **klarna** (*om vädret*) clear up [kli:'ə app']; *bildl.* become clear(er) [bikamm' kli:'ə(rə)]; (*ljusna*) brighten [braj'tn] **klarvaken** wide awake [waj'd əwej'k] **klase** bunch [banntsj] **klass** class [kla:s] **klassiker** classic [kläss'ikk] **klassisk** classical [kläss'ikəl] **klasskamrat** class-mate [kla:'smejt] **klassrum** class-room [kla:'sromm] **klaviatur** keyboard [ki:'bå:d] **klen** feeble [fi:'bl] **kletig** messy [mess'i] **klia** itch [ittsj]; *klia sig* scratch o.s. [skrätt'sj wannsell'f]

klibbig sticky [stikk'i] **klick** pat [pätt] **klicka** misfire [miss'faj'ə] **klient** client [klaj'ənt] **klimat** climate [klaj'mitt] **klimax** climax [klaj'mäkks] **klimp** lump [lammp] **klimpa sig** get lumpy [gett'lamm'pi] **klinga 1** (subst.) blade [blejd] **2** (verb) ring [ring] **klinik** clinic [klinn'ikk] **klippa 1** (verb) cut [katt]; (gräs o.d.) mow [måo]; (biljett) punch [panntsj] **2** (subst.) rock [råkk] **klippig** rocky [råkk'i] **klister, klistra** paste [pejst] **kliva** stride [strajd] **klo** claw [klå:] **kloak** sewer [sjo:'ə] **klocka** (ring-) bell [bell]; (vägg- o.d.) clock [klåkk]; (armbands-) watch [wåttsj]; hur mycket är klockan? what time is it? [wått taj'm izz itt]; klockan är fem it is five [itt izz faj'v] **klockstapel** detached bell-tower [ditätt'sjt bell'taoə] **klok** wise [wajz]; (vid sina sinnen) sane [sejn] **klosett** closet [klåzz'itt] **kloss** block [blåkk] **kloster** (nunne-) convent [kånn'vənt]; (munk-) monastery [månn'əstri] **klot** ball [bå:l] **klottra** scrawl [skrå:l] **klubb** club [klabb] **klubba** club [klabb] **klubbjacka** blazer [blej'zə] **klucka** cluck [klakk] **kludda** daub [då:b] **klump** lump [lammp] **klumpig** clumsy [klamm'zi] **klunga** cluster [klass'tə] **klunk** draught [dra:ft] **kluven** split [splitt] **klyfta** (bergs-) gorge [gå:dsj]; (apelsin-) segment [segg'mənt] **klyva** split [splitt] **klåda** itch [ittsj] **klä** se klä(da) **kläcka** hatch [hättsj] **klä(da)** clothe [klåoð]; dress [dress]; (passa) suit [sjo:t]; klä sig dress [dress]; klä av (sig) undress [ann'dress]; klä om sig change [tsjejndsj]; klä på sig dress [dress] **kläder** clothes [klåoðz] **klädhängare** clotheshanger [klåo'ðzhängə] **klädnypa** clothes-peg [klåo'ðzpegg] **klädsam** becoming [bikamm'ing] **klädsel** dress [dress] **klädskåp** wardrobe [wå:'dråob] **klädstreck** clothes-line [klåo'ðzlajn] **klämma 1** (subst.) (knipa) pinch [pinntsj]; (hår-, pappers- e.d.) clip [klipp] **2** (verb) squeeze [skwi:z] **klämta** toll [tåoll] **klängväxt** climbing plant [klaj'ming pla:'nt] **klänning** dress [dress **klättra** climb [klajm] **klösa** scratch [skråttsj] **klöver** (ört) clover [klåo'və]; (i kortspel) club(s) [klabb(z)] **knacka** tap [täpp]; (på dörr) knock [nåkk] **knackning** knock [nåkk] **knagglig** bumpy [bamm'pi] **knaka** crack [kräkk] **knall** report [ripå:'t]; (åsk-) peal [pi:l] **knallpulver** detonating-powder [dett'åonejting pao'də] **knapp 1** (subst.) button [batt'n]; (på lock e.d.) knob [nåbb] **2** (adj.) scanty [skänn'ti] **knappast** scarcely [skä:'əsli], hardly [ha:'dli] **knapphål** buttonhole [batt'nhåol] **knappnål** pin [pinn] **knappt** scantily [skänn'tilli]; (nätt o. jämnt) barely [bä:'əli]; knappt ... förrän scarcely ... before [skä:'əsli bifå:'] **knaprig** crisp [krissp] **knark** dope [dåop] **knarkare** drug addict [dragg'ädd'ikkt] **knarra** creak [kri:k] **knastra** crackle [kräkk'l] **knekt** (i kortspel) jack [dsjäkk] **knep** trick [trikk] **knippa** bunch [banntsj] **kniv** knife [najf] **knoga** labour [lej'bə] (med at [ätt]) **knoge** knuckle [nakk'l] **knop** knot [nått] **knopp** (blom-) bud [badd]; (knapp) knob [nåbb] **knoppas** bud [badd] **knota** grumble [gramm'bl] (över at [ätt]) **knott** gnat [nätt] **knubbig**

plump [plammp] **knuff, knuffa, knuffas** push [posj] **knulla** fuck [fakk] **knusslig** niggardly [nigg'ədli] **knut** knot [nått] **knutpunkt** junction [dsjang'ksjən] **knycka** jerk [dsjə:k]; (*stjäla*) pinch [pinntsj] **knysta** utter a sound [att'ə ə sao'nd] **knyta** tie [taj] **knyte** bundle [bann'dl] **knytkalas** *ung.* Dutch treat [datt'sj tri:t] **knytnäve** fist [fisst] **knåda** knead [ni:d] **knä** knee [ni:] **knäböja** kneel [ni:l] **knäck** toffee [tåff'i] **knäckebröd** crispbread [kriss'predd'] **knäpp** click [klikk] **knäppa** button [batt'n]; (*spänne, händerna*) clasp [kla:sp]; *knäppa upp* unbutton [ann'-batt'n]; *knäppa igen* button (up) [batt'n (app')]; *knäppa på* (*elektr.*) switch on [switt'sj ånn'] **knäppning** buttoning [batt'-ning] **knäskål** knee-cap [ni:'käpp] **knöl** bump [bammp]; (*drummel*) swine [swajn] **ko** cow [kao] **koagulera** coagulate [kåoägg'jolejt] **kobbe** islet [aj'litt] **kock** cook [kokk] **koffert** trunk [trangk] **kofta** cardigan [ka:'digən] **kofångare** bumper [bamm'pə] **koj** (*häng-*) hammock [hämm'ək] **koja** cabin [käbb'-inn] **koka** boil [båjl]; (*tillreda mat*) cook [kokk]; (*t.ex. gröt, kaffe*) make [mejk] **kokbok** cookery-book [kokk'əribokk] **kokerska** cook [kokk] **kokhet** boiling hot [båj'ling hått'] **kokosnöt** coconut [kåo'kənatt] **kokplatta** hot-plate [hått'plejt] **koks** coke [kåok] **koksalt** salt [så:lt] **kokt** boiled [båjld] **kol** carbon [ka:'bən]; (*bränsle*) coal [kåol] **kola** caramel [kärr'əmell] **kolgruva** coal-mine [kåo'lmajn] **kolhydrat** carbohydrate [ka:'-båohaj'drejt] **kolik** colic [kåll'ikk] **kolja** haddock [hädd'ək] **kollega** colleague [kåll'i:g] **kollektiv** (*subst. o. adj.*) collective [kəlekk'tivv] **kolli** package [päkk'iddsj] **kollidera** collide [kəlaj'd] **kollision** collision [kəlisj'ən] **kolmörk** pitch dark [pitt'sj da:'k] **koloni** colony [kåll'əni] **kolonisera** colonize [kåll'ənajz] **kolonn** column [kåll'əm] **kolossal** colossal [kəlåss'l] **koloxid** carbon monoxide [ka:'bən månåkk'sajd] **kolsvart** coal-black [kåo'l-bläkk'] **kolsyra** carbonic acid [ka:'bånn'ikk äss'idd] **koltablett** charcoal tablet [tsja:'kåol täbb'litt] **koltetraklorid** carbon tet-rachloride [ka:'bən tett'rəklå:'rajd] **koltrast** black-bird [bläkk'-bə:d] **kolumn** column [kåll'əm] **kolv** butt [batt]; (*glas-*) retort [ritå:'t] **kombination** combination [kåmmbinej'sjən] **kombinera** combine [kəmmbaj'n] **komedi** comedy [kåmm'iddi] **komet** comet [kåmm'itt] **komfortabel** comfortable [kamm'fətəbl] **komiker** comic actor [kåmm'ikk äkk'tə] **komisk** comic [kåmm'ikk] **komma 1** (*subst.*) comma [kåmm'ə] **2** (*verb*) come [kamm]; *komma att* shall [själl], will [will]; *det kommer sig av att* it is due to the fact that [itt izz djo:' tə ðə fäkk't ðätt']; *hur kommer det sig att* how is it that [hao' izz itt ðätt']; *komma bort* (*gå förlorad*) get lost [gett' låss't]; *komma sig för med att* bring o.s. to [bring' wannsell'f to] **kommando** command [kəma:'nd] **kommandobrygga** bridge [briddsj] **kommendera** command [kəma:'nd] **kommentar** commentary [kåmm'əntəri]; *kommentarer* comment [kåmm'ennt] **kommentera** comment on [kåmm'ennt ånn] **kommersiell** commercial [kəmə:'sjəl] **komminister** assistant vicar [əsiss'tənt vikk'ə] **kommissarie** superintendent [s-jo:-prinntenn'dənt] **kommission** commission [kəmisj'ən] **kommitté** committee [kəmitt'i] **kommun** municipality [mjo:nisipäll'itti] **kommunal** municipal [mjo:niss'ipəl] **kommunalskatt** local taxes [låo'kəl täkk'sizz] **kommunikationsmedel** means of communication [mi:'nz əvv kəmjo:nikej'sjən] **kommuniké** communiqué [kəmjo:'nikej] **kommunist** Communist [kåmm'jonisst] **kompakt** compact [kəmpäkk't] **kompani** company [kamm'-pəni] **kompanjon** partner [pa:'tnə] **kompass** compass [kamm'-pəs] **kompensation** compensation [kåmmpennsej'sjən] **kompensera** compensate [kåmm'pennsejt] **kompetent** competent [kåmm'pitənt] **komplett, komplettera** complete [kəmpli:'t] **komplex** (av hus o.d.) block [blåkk]; psykol. complex [kåmm'-plekks] **komplicera** complicate [kåmm'plikejt] **komplimang** compliment [kåmm'plimənt] **komplott** plot [plått] **komponera** compose [kəmpåo'z] **komposition** composition [kåmmpəzisj'ən] **kompositör** composer [kəmmpåo'zə] **kompress** compress [kåmm'press] **komprimera** compress [kəmmpress'] **kompromettera, kompromiss, kompromissa** compromise [kåmm'-prəmajz] **koncentration** concentration [kånnsenntrej'sjən] **koncentrera (sig)** concentrate [kånn'senntrejt] **koncept** draft [dra:ft] **koncern** concern [kənsə:'n] **kondensator** condenser [kəndenn'sə] **kondition** condition [kəndisj'ən] **konditori** confectioner's [kənfekk'sjənəz] **kondom** condom [kånn'dəm] **konduktör** ticket-collector [tikk'ittkəlekk'tə]; (tåg-) guard [ga:d] **konfekt** assorted sweets and chocolates [əså:'tidd swi:'ts ənn tsjåkk'əlitts] **konfektion** ready-made clothing [redd'imejd klåo'-ðing] **konferencié** compère [kåmm'pä:ə] **konferens** conference [kånn'fərəns] **konferera** confer [kənfə:'] **konfirmation** confirmation [kånnfəmej'sjən] **konflikt** conflict [kånn'flikkt] **kongress** congress [kång'gress] **konjak** brandy [bränn'di] **konjunkturer** business conditions [bizz'niss kəndisj'ənz] **konkret** concrete [kånn'kri:t] **konkurrens** competition [kåmmpitisj'ən] (om for [få:]) **konkurrenskraftig** competitive [kəmpett'itivv] **konkurrent** competitor [kəmpett'ittə] **konkurrera** compete [kəmpi:'t] **konkurs** bankruptcy [bäng'krəpsi] **konsekvens** consequence [kånn'sikwəns] **konsekvent** consistent [kənsiss'tənt] **konsert** concert [kånn'sət] **konserthus** concert hall [kånn'sət hå:'l] **konserver** tinned goods [tinn'd godd'z] **konservativ** conservative [kənsə:'vətivv] **konservburk** tin [tinn], Am. can [känn] **konservera** preserve [prizə:'v]; (i burk) can [känn] **konservöppnare** tin-opener [tinn'åopnə] **konsistens** consistency [kənsiss'tənsi] **konspiration** conspiracy [kənspirr'əsi] **konst** art [a:t] **konstant** constant [kånn'stənt] **konstapel** constable [kånn'stəbl] **konstatera** (faststalla) establish [isstäbb'lisj] **konstbevattning** artificial irrigation [a:tifisj'əl irrigej'sjən] **konstgjord** artificial [a:tifisj'əl] **konsthandel** art-dealer's [a:'tdi:ləz] **konsthantverk** handicraft [hänn'dikra:ft]; (varor) art wares [a:'t wä:əz] **konsthistoria** history of art [hiss'təri əvv a:'t] **konstig** strange [strejndsj] **konstmuseum** art museum [a:'t mjo:zi:'əm] **konstnär** artist [a:'tisst] **konstnärlig** artistic [a:tiss'tikk] **konstruera** construct [kənstrakk't] **konstruktion** construction [kənstrakk'sjən] **konstsiden** artificial silk [a:tifisj'əl sill'k] **konstutställning** art exhibition [a:'t ekksibisj'ən] **konstverk** work of art [wə:'k əvv a:'t] **konståkning** figure-skating [figg'əskejting] **konsul** consul [kånn'səl] **konsulat** consulate [kånn'sjolitt] **konsultera** consult [kənsall't] **konsumbutik** co-operative shop [kåoåpp'ərətiv sjåpp'] **konsument** consumer [kənsjo:'mə] **konsumtion** consumption [kənsamm'psjən] **kontakt** (strömbrytare) switch [swittsj]; få kontakt med get into touch with [gett inn'to tatt'sj wið] **kontakta** contact [kəntäkk't] **kontaktlins** contact lens [kånn'täkkt lennz] **kontant, kontanter** cash [käsj] **kontinent** continent [kånn'tinənt] **kontinental** continental [kånntinenn'tl] **konto** account [əkao:nt] **kontor** office [åff'iss] **kontorist** clerk [kla:k] **kontrakt** contract [kånn'träkkt] **kontrast** contrast [kånn'trässt] **kontroll** control [kəntråo'l] **kontrollant** controller [kəntråo'lə] **kontrollera** check [tsjekk]; control [kəntråo'l] **kontroversiell** controversial [kånntrəvə:'sjəl] **kontur** contour [kånn'to:ə] **konvalescent** convalescent [kånnvəless'nt] **kontroll** control [kəntråo'l] **konung** se kung **konventionell** conventional [kənvenn'sjənl] **konversation** conversation [kånnvəsej'sjən] **konversera** converse [kənvə:'s] **konvoj** convoy [kånn'våj] **kooperativ** co-operative [kåoåpp'ərətivv] **kopia** copy [kåpp'i]; (foto.) print [prinnt] **kopiera** (foto.) print [prinnt] **kopp** cup [kapp] (kaffe of coffee [əvv kåff'i]) **koppar** copper [kåpp'ə] **kopparstick** copperplate [kåpp'əplejt] **koppel** (hund-) lead [li:d] **koppla** (tekn.) couple up [kapp'l app']; (elektr.) connect [kənekk't]; (tel.) connect up [kənekk't app']; koppla av (radio) switch off [swittʼsj å:'f], (vila) relax [riläkk's] **koppling** (i bil) clutch [klattsj] **kor** choir [kwaj'ə] **korall** coral [kårr'əl] **koreografi** choreography [kårriågg'rəfi] **korg** basket [ba:'skitt] **korgboll** basketball [ba:'skittbå:l] **korint** currant [karr'ənt] **kork** cork [kå:k] **korkmatta** linoleum [linåo'ljəm] **korkskruv** corkscrew [kå:'kskro:] **korn** (frö) grain [grejn]; (säd) barley [ba:'li] **kornig** granular [gränn'jollə] **kornighet** (foto.) graininess [grej'niniss] **korp** raven [rej'vn] **korrekt** correct [kərekk't] **korrektur** proof [pro:f] **korrespondens** correspondence [kårrisspånn'dəns] **korrespondent** correspondent [kårrisspånn'dənt] **korrespondera** correspond [kårrisspånn'd] **korridor** corridor [kårr'idå:] **korruption** corruption [kərapp'sjən] **kors, korsa** cross [kråss] **korsdrag** (through)draught [(θro:')dra:'ft] **korsett** corset [kå:'sitt] **korsning** crossing [kråss'ing] **korsord** crossword [kråss'wə:d] **korsstygn** cross-stitch [kråss'stittsj] **korståg** crusade [kro:sej'd] **kort 1** (*subst.*) card [ka:d]; *spela kort* play cards [plej' ka:'dz] **2** (*adj.*) short [sjå:t]; (*adv.*) shortly [sjå:'tli] **kortbrev** letter-card [lett'əka:d] **kortbyxor** shorts [sjå:ts] **kortege** cortège [kå:tej'sj] **kortfattad** brief [bri:f] **kortfilm** short film [sjå:'t fill'm] **kortlek** pack of cards [päkk' əvv ka:'dz] **kortslutning** short-circuit [sjå:'tsə:'kitt] **kortsynt** short-sighted [sjå:'tsaj'tidd] **kortvarig** short [sjå:t] **korv** sausage [såss'iddsj] **kosmetik** cosmetic [kåzzmett'ikk] **kost** food [fo:d] **kosta** cost [kåsst]; *vad kostar det?* how much is it? [hao' matt'sj izz itt] **kostnad** cost [kåsst] **kostym** suit [sjo:t] **kota** vertebra [və:'tibrə] **kotlett** cutlet [katt'litt] **kotte** cone [kåon] **krabba** crab [kräbb] **kraft** force [få:s]; (*styrka*) strength [streŋθ]; (*elektr.*) power [pao'ə]; *träda i kraft* come into force [kamm' inn'to få:'s] **kraftansträngning** exertion [iggzə:'sjən] **kraftfull** powerful [pao'əfoll] **kraftig** powerful [pao'əfoll]; (*om mat*) substantial [səbstänn'sjəl] **kraftlös** powerless [pao'əliss] **kraftverk** power station [pao'ə stej'sjən] **krage** collar [kåll'ə] **krama** (*pressa*) squeeze [skwi:z]; (*omfamna*) embrace [immbrej's] **kramp** cramp [krämmp] **kran** tap [täpp], *Am.* faucet [få:'sitt] **krans** wreath [ri:θ] **kransartär** coronary artery [kårr'ənəri a:'təri] **kras** *gå i kras* go to pieces [gåo' tə pi:'sizz] **krasch** crash [kräsj] **krasse** nasturtium [nəstə:'sjəm] **krater** crater [krej'tə] **kratta** (*subst. o. verb*) rake [rejk] **krav** demand [dima:'nd]; claim [klejm] **kreatur** [farm] animal [(fa:m) änn'iməl] **kreatursskötsel** stock-raising [ståkk'rejzing] **kredit, kreditera** credit [kredd'itt] **krets, kretsa** circle [sə:'kl] **krevad** explosion [ikksplåo'sjən] **krig** war [wå:] **kriga** make war [mejk wå:'] **krigförande** belligerent [bilidd'-sjərənt] **krigföring** warfare [wå:'fä:ə] **krigisk** warlike [wå:'lajk] **krigsfartyg** warship [wå:'sjipp] **krigsfånge** prisoner of war [prizz'nə əvv wå:'] **krigslist** stratagem [strätt'idsjəm] **krigsmakt** military power [mill'itəri pao'ə] **krigsutbrott** outbreak of war [ao'tbrejk əvv wå:'] **kriminalitet** criminality [krimminäll'itti] **kriminalroman** detective novel [ditekk'tivv nåvv'əl] **kriminell** criminal [krimm'innl] **kring** (a)round [(ə)rao'nd] **kringgå** (*bildl.*) get round [gett' rao'nd] **kringla** figure-of-eight biscuit [figg'-ərəvej't biss'kitt] **kris** crisis [kraj'siss] **kristall** crystal [kriss'tl] **kristen** Christian [kriss'tjən] **kristendomen** Christianity [kriss-tiänn'itti] **Kristi himmelsfärdsdag** Ascension Day [əsenn'sjən dej] **kristlig** Christian [kriss'tjən] **Kristus** Christ [krajst] **krita** chalk [tsjå:k]; *när det kommer till kritan* when it comes to it [wenn itt kamm'z to itt] **kritik** criticism [kritt'isizzəm] **kritiker** critic [kritt'ikk] **kritisera** criticize [kritt'isajz] **kritisk** critical [kritt'ikəl] **krock** collision [kəllisj'ən] **krocka** collide [kəllaj'd] **krocket** croquet [kråo'kej] **krog** restaurant [ress'tərånnt] **krok** hook [hokk] **krokben** *sätta krokben för ngn* trip s.b. up [tripp' samm'-bədi app'] **krokig** crooked [krokk'idd]; (*böjd*) bent [bennt] **krokodil** crocodile [kråkk'ədajl] **krokus** crocus [kråo'kəs] **kro-**

mosom chromosome [kråo'məsåom] **krona** crown [kraon]; *krona eller klave?* heads or tails? [hedd'z ə tej'lz] **kronisk** chronic [krånn'ikk] **kronologisk** chronologic [krånnəlådd'sjikk] **kronprins** crown prince [krao'n prinn's] **kronärtskocka** artichoke [a:'titsjåok] **kropp** body [bådd'i] **kroppsarbete** manual labour [männ'joəl lej'bə] **kroppsbyggnad** (*fysik*) physique [fizi:'k] **kroppslig** bodily [bådd'illi] **kroppsvisitera** search [sə:tsj] **krossa** crush [krasj]; (*slå sönder*) smash [smäsj] **krucifix** crucifix [kro:'sifikks] **kruka** pot [pått] **krus** jar [dsja:] **krusa** crisp [krissp] **krusbär** gooseberry [gozz'bəri] **krut** powder [pao'də] **kry** well [well] **krycka** crutch [krattsj] **krydda** (*subst.*) spice [spajs]; (*verb*) season [si:'zn] **kryddpeppar** Jamaica pepper [dsjəmej'kə pepp'ə] **krympa** shrink [sjringk] **krympfri** unshrinkable [ann'sjring'kəbl] **krypa** crawl [krå:l] **kryssa** beat [bi:t]; (*segla fram o. tillbaka*) cruise [kro:z] **kryssning** cruise [kro:z] **kråka** crow [kråo] **kråma sig** prance [pra:ns] **krångel** bother [båd'ə], trouble [trabb'l] **krångla** make a bother [mej'k ə båd'ə]; (*ej fungera*) be troublesome [bi: trabb'lsəm] **krånglig** troublesome [trabb'lsəm] **kräfta** crayfish [krej'fisj], *Am.* crawfish [krå:'fisj]; (*sjukdom*) cancer [känn'sə] **kräkas** be sick [bi: sikk] **kräla** crawl [krå:l] **kräldjur** reptile [repp'tajl] **kräm** cream [kri:m] **kränka** (*lag e.d.*) violate [vaj'əlejt]; (*förolämpa*) insult [innsall't] **kränkning** violation [vajələj'sjən]; insult [inn'sallt] **kräsen** fastidious [fässtidd'iəs] **kräva 1** *subst.* craw [krå:] **2** *verb* (*fordra*) demand [dima:'nd]; (*behöva*) require [rikwaj'ə]; *kräva ngn på pengar* press s.b. for money [press' samm'bədi fə mann'i], request s.b. to pay [rikwess't samm'bədi tə pej] **krök** bend [bennd] **kröka** bend [bennd] **krön** crest [kresst] **kröna** crown [kraon] **krönika** chronicle [krånn'ikkl] **kröning** coronation [kårrənəj'sjən] **kub** cube [kjo:b] **kubikmeter** cubic metre [kjo:'bikk mi:tə] **kudde** cushion [kosj'ən]; (*säng-*) pillow [pill'åo] **kugga** reject [ridsjekk't] **kugge** cog [kågg] **kugghjul** cog-wheel [kågg'wi:l] **kuk** cock [kåkk] **kul** funny [fann'i] **kula** ball [bå:l]; (*gevärs-*) bullet [boll'itt]; (*leksak*) marble [ma:'bl]; *stöta kula* put the shot [pott' ðə sjått'] **kuliss** wing [wing] **kull** (*av däggdjur*) litter [litt'ə]; (*av fåglar*) hatch [hättsj] **kullager** ball bearing [bå:'l bä:əring] **kulle** hill [hill] **kullerbytta** somersault [samm'əså:lt] **kulmen** culmination [kallminej'sjən] **kulminera** culminate [kall'minejt] **kulspetspenna** ballpoint pen [bå:'lpåjnt penn'] **kulspruta** machine-gun [məsji:'ngann] **kultiverad** cultivated [kall'tivejtidd] **kultur** (*civilisation*) civilization [sivvilajzej'sjən]; (*bildning*) culture [kall'tsjə] **kulturell** cultural [kall'tsjərəl] **kummin** caraway [kärr'əwej] **kund** customer [kass'təmə] **kung** king [king] **kungadöme, kungarike** kingdom [king'dəm] **kunglig** royal [råj'əl] **kunglighet** royalty [råj'əlti] **kungöra** announce [ənao'ns] **kungörelse** announcement [ənao'nsmənt] **kunna** (*veta, känna t.*) know [nåo]; (*vara i stånd att*) be able to [bi: ej'bl to:]

kunnig skilful [skill'foll] **kunskap** knowledge [nåll'iddsj] **kupé** compartment [kəmpa:'tmənt] **kupol** cupola [kjo:'pələ] **kupong** coupon [ko:'pånn]; (mat- äv.) voucher [vao'tsjə] **kupp** coup [ko:] **kur 1** (skjul) shed [sjedd] **2** (behandling) treatment [tri:'tmənt]; göra ngn sin kur court s.b. [kå:t samm'bədi] **kurator** welfare officer [well'fää åff'isə]; (sjukhus-) almoner [a:'mənə] **kurera** cure [kjo:'ə] **kuriositet** curiosity [kjoəriåss'itti] **kurort** spa [spa:] **kurs** (läro- o. sjö.) course [kå:s]; (valuta-) rate [rejt] **kurtisera ngn** carry on a flirtation with s.b. [kärr'i ånn ə fla:tej'sjən wið samm'bədi] **kurva** curve [kə:v] **kusin** cousin [kazz'n] **kuslig** dismal [dizz'məl] **kust** coast [kåost] **kuttra** coo [ko:] **kuva** subdue [səbdjo:'] almoner [enn'-vilåop]; (bords-) cover [kavv'ə] **kvadrat** square [skwä:'ə] **kva-dratmeter** square metre [skwä:'ə mi:'tə] **kval** pain [pejn]; (ångest) anguish [äng'gwisj] **kvalificera** qualify [kwåll'ifaj] **kvalifikation** qualification [kwållifikej'sjən] **kvalitet** quality [kwåll'itti] **kvalmig** suffocating [saff'əkejting] **kvantitet** quantity [kwånn'titti] **kvar** (i behåll, kvarlämnad) left [lefft]; (efter de andra o.d.) behind [bihaj'nd] **kvarleva** remnant [remm'nənt] **kvarlämnad** left behind [lefft bihaj'nd] **kvarn** mill [mill] **kvarstå** remain [rimej'n] **kvart** quarter of an hour [kwå:'tə əvv ao'ə]; en kvart i (över) a quarter to (past) [ə kwå:'tə to: (pa:st)] **kvartal** quarter (of a year) [kwå:'tə (əvv ə jə:')] **kvarter** block [blåkk]; (distrikt) district [diss'trikkt] **kvartett** quartet [kwå:tett'] **kvarts-final** quarter-final [kwå:'təfajnl] **kvarvarande** remaining [ri-mej'ning] **kvast** broom [bromm] **kvav** close [klåos]; (instängd) stuffy [staff'i] **kvick** quick [kwikk]; (spirituell) witty [witt'i] **kvicka på** hurry up [harr'i app'] **kvickhet** (kvickt yttrande) witticism [witt'isizzəm], joke [dsjåok] **kvickna till** (efter svimning) come round [kamm' rao'nd] **kvicksilver** quicksilver [kwikk'sillvə] **kvinna** woman [womm'ən] **kvinnlig** female [fi:'mejl]; (som karakteriserar kvinnor) feminine [femm'ininn] **kvissla** pimple [pimm'pl] **kvist** twig [twigg]; (i träd avskuren) spray [sprej]; (i trä) knot [nått] **kvitt** bli kvitt ngn get rid of s.b. [gett' ridd' əvv samm'bədi]; vara kvitt be quits [bi: kwitt's] **kvittera** receipt [risi:'t]; (t.ex. belopp) acknowledge [əknåll'iddsj] **kvitto** receipt [risi:'t] **kvittra** chirp [tsjə:p] **kväka** croak [kråok] **kvälja** det kväljer mig I feel sick [aj fi:'l sikk'] **kväljning** få kväljningar be sick [bi: sikk'] **kväll** evening [i:'vning]; night [najt] **kvällsmat** supper [sapp'ə] **kväva** choke [tsjåok], suffocate [saff'əkejt] **kväve** nitrogen [naj'tridsjən] **kvävning** suffocation [saffəkej'-sjən], choking [tsjåo'king] **kyckling** chicken [tsjikk'inn] **kyla** (subst.) cold [kåold]; (verb) chill [tsjill] **kylare** cooler [ko:'lə]; (på bil) radiator [rej'diejtə] **kylarhuv** (på bil) bonnet [bånn'itt] **kylarvätska** anti-freeze [änn'tifri:'z] **kylig** chilly [tsjill'i] **kyl-skåp** refrigerator [rifridd'sjərejtə] **kypare** waiter [wej'tə] **kyrka** church [tsjə:tsj]; gå i kyrkan go to church [gåo' tə tsjə:'tsj]

kyrkklocka — köksträdgård 84

kyrkklocka church bell [tʃəˈtʃ bell] **kyrkogård** cemetery [semmˈittri]; (*kring kyrka äv.*) churchyard [tʃəˈtʃjaˈd] **kyrko-herde** rector [rekkˈtə] **kyss, kyssa** kiss [kiss] **kåda** resin [rezzˈinn] **kål** cabbage [käbbˈiddsj] **kålrot** Swedish turnip [swiˈdiʃ təˈnipp] **kår** (*sammanslutning*) body [båddˈi]; (*mil. o. diplomatisk*) corps [kåː] **kåseri** chatty article [tʃjättˈi aˈtikkl] **kåsör** (*tidnings-*) columnist [kållˈəmnist] **käck** (*oförfärad*) bold [båold]; (*hurtig*) spirited [spirrˈitidd] **kägla** *spela käglor* play ninepins [plejˈnajˈnpinnz] **käke** jaw [dsjåː] **kälke** sledge [sleddsj]; toboggan [təbågˈgən]; *åka kälke* sledge [sleddsj], toboggan [təbågˈgən] **källa** spring [spring]; (*bildl.*) source [såːs] **källare** cellar [sellˈə] **källarmästare** restaurant-keeper [ressˈtərənnt kiːˈpə] **kämpa** (*strida*) struggle [straggˈl] (*om* for [fåː]); (*slåss*) fight [fajt] **kämpe** fighter [fajˈtə]; (*stridande*) combatant [kåmmˈbətənt] **känd** (*bekant*) known [nåon]; (*som man är förtrogen med*) familiar [fəmillˈjə] **känga** boot [boːt] **känguru** kangaroo [känggərɔˈ] **känn** *ha på känn att* have a feeling that [hävvˈ ə fiːˈling åått] **känna** feel [fiːl]; *känna av* (*efter*) feel [fiːl]; *känna igen* recognize [rekkˈəggnajz]; *känna på sig* have a feeling [hävvˈ ə fiːˈling]; *känna till* know [nåo]; *känna sig* feel [fiːl] **kännare** connoisseur [kånnisəˈ]; (*sakkunnig*) expert [ekkˈspəːt] **kännas** feel [fiːl]; *hur känns det?* how do you feel? [hao dɔ jɔ fiːˈl]; *kännas vid* acknowledge [əkknållˈiddsj] **kännbar** (*förnimbar*) perceptible [pəseppˈtəbl]; (*svår*) severe [siviˈə] **kännedom** knowledge [nållˈiddsj]; *få kännedom om* get to know [gettˈ tə nåo] **känne-tecken** mark [maːk]; (*egenskap*) characteristic [kärrikktərissˈtikk] **kännetecka** characterize [kärrˈikktərajz] **känsel** feeling [fiːˈl-ing] **känsla** feeling [fiːˈling]; (*kroppslig*) sensation [sennsejˈsjən] **känslig** sensitive [sennˈsitivv] (*för* to [toː]); (*känslofull*) full of feeling [follˈ əvv fiːˈling] **känslolös** (*kroppsligt*) insensitive [innsennˈsitivv]; (*själsligt*) unfeeling [annfiːˈling] **käpp** stick [stikk] **kär** (*förälskad*) in love [innlavvˈ]; (*avhållen*) dear [diːˈə] **kärl** vessel [vessˈl]; (*förvarings-*) receptacle [riseppˈtəkl] **kärlek** love [lavv] (*till ngn* for s.b. [fåː sammˈbədi]) **kärleksbrev** love-letter [lavvˈlettə] **kärleksfull** loving [lavvˈing] **kärlekshistoria, kärleksroman** love-story [lavvˈståːri] **kärna** (*i frukt*) pip [pipp]; (*i stenfrukt*) stone [ståon]; (*i nöt o. bildl.*) kernel [kəːˈnl] **kärn-fysik** nuclear physics [njoːˈkliə fizzˈikks] **kärnhus** core [kåː] **kärnkraft** nuclear power [njoːˈkliə paoˈə] **kärnpunkt** the principal point [ðə prinnˈsəpəl påjˈnt] **kärnreaktion** nuclear reaction [njoːˈkliə riːäkkˈsjən] **kärnvapen** nuclear weapon [njoːˈkliə weppˈ-ən] **kärr** marsh [maːsj]; (*sumpmark*) swamp [swåmmp] **kärra** cart [kaːt] **kärve** sheaf [sjiːf] **kätting** chain [tʃejn] **kö** queue [kjoː], *Am.* line up [lajˈn app]; *bilda kö* form a queue [fåːˈm ə kjoːˈ]; *ställa sig i kö* queue up [kjoːˈ app], *Am.* line up [lajˈn app] **köa** queue (up) [kjoːˈ (app)], *Am.* line up [lajˈn app] **kök** kitchen [kittˈsjinn] **köksmästare** chef [sjeff] **köksträdgård**

kitchen garden [kitt'sjinn ga:dn] **köksväxt** vegetable [vedd'sjitəbl] **köl** keel [ki:l] **köld** cold [kåold] **Köln** Cologne [kəlåo'n] **kölvatten** wake [wejk] **kön** sex [sekks] **könsroll** the roles of the sexes [ðə råo'lz əvv ðə sekk'sizz] **köp** purchase [pə:'tsjəs]; *ett gott köp* a bargain [ə ba:'ginn]; *på köpet* into the bargain [inn'to ðə ba:'ginn]; *till på köpet* in addition [inn ədisj'ən] **köpa** buy [baj] **köpare** buyer [baj'ə] **Köpenhamn** Copenhagen [kåopnhej'gən] **köpkort** credit card [kredd'itt ka:d] **köpman** merchant [mə:'tsjənt] **köpslå** bargain [ba:'ginn] **kör 1** (*subst.*) (*pers.*) choir [kwaj'ə]; (*sång*) chorus [kå:'rəs] **2** *i ett kör* unceasingly [ənnsi:'singli]; (*motor e.d.*) run [rann]; *köra* drive [drajv]; (*motor e.d.*) run [rann]; *köra om* overtake [åovətej'k]; *köra på* run into [rann' inn'to]; *köra ut ngn* turn s.b. out of the room [tə:'n samm'bədi ao't əvv ðə romm']; *köra över* (*bro e.d.*) cross [kråss], (*ngn*) run over [rann'åo'və] **körbana** roadway [råo'dwej] **körkort** driving licence [draj'ving laj'səns] **körsbär** cherry [tsjerr'i] **körsnär** furrier [farr'iə] **körtel** gland [glännd] **kött** flesh [flesj]; (*som födoämne*) meat [mi:t] **köttaffär** butcher's [bott'sjəz] **köttbulle** meat ball [mi:'t bå:l] **köttfärs** minced meat [minn'st mi:t], *Am.* ground meat [grao'nd mi:t] **laboratorium** laboratory [ləbårr'ətəri] **laborera** work with [wə:'k wið] **labyrint** labyrinth [läbb'ərinnθ] **lack** (*sigill-*) sealing-wax [si:'lingwäkks]; (*fernissa*) varnish [va:'nisj] **lacka** seal [si:l] **lackera** lacquer [läkk'ə] **lada** barn [ba:n] **ladda** load [låod] **ladugård** cow-house [kao'haos] **lag 1** (*förordning*) law [lå:] **2** (*avkok*) decoction [dikåkk'sjən] **3** (*arbets-, sportlag*) team [ti:m]; *göra ngn till lags* please s.b. [pli:'z samm'bədi] **laga** (*till-*) prepare [pripä:'ə]; (*reparera*) mend [mennd]; (*ombesörja*) arrange [ərej'ndsj] **lager 1** (*förråd*) stock [ståkk]; (*magasin*) warehouse [wä:'əhaoz]; (*varv*) layer [lej'ə]; (*färg-*) coat [kåot]; *tekn.* bearing [bä:'əring]; *ha på lager* have in stock [hävv' inn ståkk'] **2** *bot.* laurel [lårr'əl] **lagerblad** bay leaf [bej' li:f] **laglig** lawful [lå:'foll]; (*rättmätig*) legitimate [lidsjitt'imitt], (*lagenlig*) legal [li:'gəl] **lagning** repairing [ripä:'əring] **lagom** just right [dsjass't raj't]; (*passande*) suitable [sjo:'təbl] **lagra** store [stå:] **lagring** storing [stå:'ring] **lagstiftning** legislation [leddsjisslej'sjən] **lagtävling** team competition [ti:'m kåmmpitisj'ən] **lagun** lagoon [ləgo:'n] **lakan** sheet [sji:t] **lake** burbot [bə:'bət] **lakrits** liquorice [likk'əriss] **lam** paralysed [pärr'əlajzd]; (*bildl.*) lame [lejm] **lamell** lamella [ləmell'ə] **lamellkoppling** disc-clutch [diss'kklattsj] **lamm** lamb [lämm] **lammkotlett** lamb chop [lämm' tsjåpp] **lammstek** roast lamb [råo'st lämm'] **lammull** lamb's-wool [lämm'zwoll] **lampa** lamp [lämmp]; (*glöd-*) bulb [ballb] **lampskärm** lamp-shade [lämm'psjejd] **land** country [kann'tri]; (*motsats till sjö e.d.*) land [lännd]; *gå i land* go ashore [gåo' əsjå:']; *gå i land med* (*bildl.*) manage [männ'iddsj] **landa** land [lännd] **landgång** gangway [gäng'wej] **landning** landing [länn'ding] **landsbygd** country(side) [kann'tri(saj'd)]

landsflykt — lek

landsflykt exile [ekk'sajl] **landsförvisa** exile [ekk'sajl] **landskamp** international match [inntənäsj'ənl mätt'sj] **landskap** (*landsdel*) province [pråvv'inns]; (*ur natursynpunkt*) landscape [länn'skejp] **landslag** national team [näsj'ənl ti:'m] **landsman** fellow-countryman [fell'åokann'trimən] **landsort** *i landsorten* in the provinces [in ðə pråvv'insizz] **landstigning** landing [länn'ding] **landsväg** highway [haj'wej] **langare** bootlegger [bo:'tleggə]; (*narkotika-*) dope pedlar [dåo'p peddlə] **langust** spiny lobster [spaj'ni låbb'stə] **lansera** launch [lå:ntsj] **lantarbetare** farm worker [fa:'m wə:kə] **lantbruk** agriculture [ägg'rikalltsjə] **lantbrukare** farmer [fa:'mə] **lanterna** lantern [länn'tən] **lantgård** farm [fa:m] **lantlig** rural [ro:'ərəl]; (*pappers-*) slip [slipp] **lappa** patch [pättsj] **larm** din [dinn]; (*alarm*) alarm [əla:'m]; *slå larm* sound the alarm [sao'nd ði əla:'m] **larma** (*alarmera*) alarm [əla:'m]; (*bullra*) make a noise [mej'k ə nåj'z] **larv** caterpillar [kätt'əpillə] **lasarett** hospital [håss'pittl] **lass** load [låod] **lasso** lasso [läss'åo] **last** cargo [ka:'gåo]; (*belastning*) load [låod] **lasta** load [låod] **lastbil** lorry [lårr'i] **lastbåt** cargoship [ka:'gåosjipp] **lastning** loading [låo'ding] **lastrum** hold [håold] **lat** lazy [lej'zi] **lata sig** be lazy [bi: lej'zi] **latent** latent [lej'tənt] **latin** Latin [lätt'inn] **lav** lichen [laj'kenn] **lava** lava [la:'və] **lavemang** enema [enn'immə] **lavendel** lavender [lävv'inndə] **lavin** avalanche [ävv'əla:nsj] **lax** salmon [sämm'ən] **laxativ** purgative [pə:'gətivv] **le** smile [smajl] (*åt* at [ätt]) **led 1** (*väg o.d.*) way [wej]; (*far-*) passage [päss'iddsj] **2** (*fog*) joint [dsjåjnt]; (*länk*) link [lingk]; (*släktled*) generation [dsjennəraj'sjən] (*mil.*) rank [rängk]; *gå ur led* get dislocated [gett' diss'ləkejtidd] **leda** (*föra*) lead [li:d]; (*väg-*) guide [gajd]; (*elström o.d.*) conduct [kəndakk't]; (*anföra*) conduct [kəndakk't] **ledamot** member [memm'bə] **ledande** leading [li:'ding] **ledare** leader [li:'də]; (*väg-*) guide [gajd]; (*företags-*) manager [männ'iddsjə]; (*tidningsartikel*) leader [li:'də] **ledgångsreumatism** rheumatoid arthritis [ro:'mətåjd a:θraj'tiss] **ledig** (*lätt o. ledig*) easy [i:'zi]; free [fri:]; (*om sittplats o.d.*) unoccupied [ann'åkk'jopajd]; (*om tjänst o.d.*) vacant [vej'kənt] **ledighet** (*från arbete*) time off [taj'm å:'f]; (*semester*) holiday [håll'ədi] **ledning** (*väg-*) guidance [gaj'dəns]; (*skötsel*) management [männ'iddsjmənt]; *elektr.* wire [waj'ə]; (*rör-*) pipe [pajp] **ledsaga** accompany [əkamm'pəni] **ledsam** (*tråkig*) boring [bå:'ring]; (*sorglig*) sad [sädd] **ledsen** sorry [sårr'i]; (*sorgsen*) sad [sädd] (*över* about [əbao't]) **ledstång** handrail [hänn'drejl] **ledtråd** clue [klo:] **leende** smile [smajl] **legation** legation [ligej'sjən] **legend** legend [ledd'sjənd] **legendarisk** legendary [ledd'sjəndəri] **legitim** legitimate [lidsjitt'imitt] **legitimationskort** identity card [ajdenn'titti ka:d] **legitimera** legitimate [lidsjitt'imejt]; *legitimera sig* prove one's identity [pro:'v wannz ajdenn'titti] **lejon** lion [laj'ən] **lek** game

[gejm]; (-*ande*) play [plej] **leka** play [plej] **lekkamrat** playmate [plej'mejt] **lekman** layman [lej'mən] **leksak** toy [tåj] **lekskola** nursery school [nəː'sri skoːl] **lektion** lesson [less'n] **lektor** senior master [siː'njə maːˈstə] **lektyr** reading [riːˈding] **lem** limb [limm] **lemonad** lemonade [lemmənej'd] **len** (*mjuk*) soft [såfft]; (*slät*) smooth [smoːð] **lena** soothe [soːð] **leopard** leopard [lepp'əd] **lera** clay [klej] **lerig** clayey [klejˈi] **leta** search [səːtsj] (*efter* for [fåː]); *leta reda på* try to find [traj' tə fajˈnd] **leva** live [livv] **levande** living [livvˈing] **leve** cheer [tsjiːˈə] **levebröd** living [livvˈing] **lever** liver [livvˈə] **leverans** delivery [dilivvˈəri] **leverantör** supplier [səplajˈə] **leverera** (*tillhandahålla*) supply [səplajˈ]; (*avlämna*) deliver [dilivvˈə] **leverpastej** liver paste [livvˈə pejst] **levnad** life [lajf] **levnadskostnader** cost of living [kåssˈt əvv livvˈing] **levnadsstandard** standard of living [stännˈdəd əvv livvˈing] **levra sig** coagulate [kåoäggˈjolejt] **lexikon** dictionary [dikkˈsjənri] **lian** liana [liːännˈə] **liberal** liberal [libbˈərəl] **liberalisera** liberalize [libbˈərəlajz] **liberalism** liberalism [libbˈərəlizzəm] **libretto** libretto [librettˈåo] **licens** licence [lajˈsəns] **lida** suffer [saffˈə]; (*uthärda*) endure [inndjoːˈə] **lidande** suffering [saffˈəring] **lidelse** passion [päsjˈən] **lidelsefull** passionate [päsjˈənitt] **lie** scythe [sajð] **liera sig** ally o.s. [əlajˈ wannsellˈf] **lifta** hitch-hike [hittˈsjhajk] **liftare** hitch-hiker [hittˈsjhajkə] **liga** (*förbrytarband*) gang [gäng]; (*sport.*) league [liːg] **ligga** lie [laj] **ligist** hooligan [hoːˈligən] **lik 1** (*subst.*) corpse [kåːps] **2** (*adj.*) like [lajk]; (*om två el. flera*) alike [əlajˈk]; *han är sig inte lik* he is not at all himself [hiː' izz nått ått åːˈl himmsellˈf] **lika** (*i storlek e.d.*) equal [iːˈkwəl] (*med* to [toː]); (*likvärdig*) equivalent [ikwivvˈələnt]; *de är lika stora* they are the same size [ðej' aː ðə sejˈm sajˈz] **likadan** of the same sort [əvv ðə sejˈm såːˈt] **likaså** also [åːˈlsåo] **like** equal [iːˈkwəl] **likgiltig** indifferent [inndiffˈrənt] **likgiltighet** indifference [inndiffˈrəns] **likhet** resemblance [rizemmˈbləns] (*med* to [toː]); *i likhet med* in conformity with [inn kənfåːˈmitti wið] **likkista** coffin [kåffˈinn] **likna** resemble [rizemmˈbl] **liknande** similar [simmˈilə]; *eller liknande* or the like [åːˈ ðə lajˈk] **liksom** (*konj.*) like [lajk] (*adv.*) as if [äzzˈ iffˈ] **likström** direct current [direkkˈt karrˈənt] **likställd** equal [iːˈkwəl] **likställdhet** equality [iːkwållˈitti] **liktorn** corn [kåːn] **likvidera** liquidate [likkˈwidejt] **likviditet** liquidity [likkwiddˈitti] **likväl** nevertheless [nevvəðəlessˈ] **likvärdig** equivalent [ikwivvˈələnt] **likör** liqueur [likjoːˈə] **lila** lilac [lajˈlək] **lilja** lily [lillˈi] **liljekonvalje** lily of the valley [lillˈi əvv ðə vällˈi] **lilla** small [småːl]; little [littˈl] **lillasyster** little sister [littˈl sissˈtə] **lillfinger** little finger [littˈl fingˈgə] **lim, limma** glue [gloːˈ] **limpa** loaf [låof] **lin** flax [fläkks] **lina** rope [råop]; (*smalare*) cord [kåːd]; *visa sig på styva linan* (*bildl.*) show off [sjåoˈ åːˈf] **linbana** ropeway [råoˈpwej]; (*för skidåkare*) ski-lift [skiːˈlifft] **lind** lime [lajm] **linda** wire [wajˈə]; *linda in* wrap up [räppˈ appˈ]

lindra (*mildra*) mitigate [mitt'igejt]; (*lugna*) soothe [so:ð] **lindrig** (*obetydlig*) slight [slajt]; (*mild*) mild [majld] **lindring** relief [rili:'f] **lingon** cowberry [kao'bəri] **linjal** ruler [ro:'lə] **linje** line [lajn] **linjera** rule [ro:l] **linka** limp [limmp] **linne** vest [vesst]; (*tyg*) linen [linn'inn] **linoleum** linoleum [linåo'ljəm] **lins** lens [lenns] **Lissabon** Lisbon [lizz'bən] **list** (*-ighet*) cunning [kann'ing]; (*bård*) border [bå:'də]; (*remsa*) strip [stripp] **lista** list [lisst] (*över av* [əvv]) **listig** cunning [kann'ing] **lita på** trust (in) [trass't (inn)] **liten** small [små:l], little [litt'l] **liter** litre [li:'tə] **litet** little [litt'l] **litteratur** literature [litt'ərittsjə] **litteratur-historia** history of literature [hiss'təri əvv litt'ərittsjə] **litterär** literary [litt'ərəri] **liv** life [lajf]; (*oväsen*) commotion [kəmåo'sjən] **livbåt** lifeboat [laj'fbåot] **livbälte** lifebelt [laj'fbellt] **livför-säkring** life insurance [laj'f innsjo:'ərəns] **livlig** lively [laj'vli]; (*t. temperamentet*) vivacious [vivej'sjəs] **livlös** lifeless [laj'fləss] **livré** livery [livv'əri] **livrem** belt [bellt] **livrädd** terrified [terr'ifajd] **livräddning** life-saving [laj'fsejving] **livsfara** deadly peril [dedd'-li perr'ill] **livsfarlig** perilous [perr'iləs] **livsföring** way of life [wej' əvv laj'f] **livskraft** vital force [vaj'tl få:s] **livsmedel** provisions [prəvisj'ənz] **livsmedelsbutik** food shop [fo:'d sjåpp] **livstid** lifetime [laj'ftajm] **livsåskådning** view of life [vjo:' əvv laj'f] **ljud, ljuda** sound [saond] **ljuddämpare** (exhaust) silencer [(iggzå:'st) saj'lənsə] **ljudlig** loud [laod] **ljudlös** noiseless [nåj'zliss] **ljudvall** sound barrier [sao'nd bärr'iə] **ljuga** lie [laj] (*för* a [to:]) **ljum** lukewarm [lo:'kwå:m] **ljumske** groin [gråjn] **ljung** heather [heð'ə] **ljus** (*subst.*) light [lajt]; (*stearin- etc.*) candle [känn'dl] (*adj.*) light [lajt]; (*lysande*) bright [brajt]; (*om hy, hår*) fair [fä:'ə] **ljusblå** light blue [laj't blo:'] **ljushårig** fair [fä:'ə] **ljusna** get light [gett laj't]; (*bildl.*) brighten [braj'tn] **ljusreklam** illuminated sign [illjo:'minejtidd saj'n] **ljussken** shining light [sjaj'ning la:j't] **ljusstake** candlestick [känn'dlstikk] **ljusstump** candle-end [känn'dlennd] **ljuv, ljuvlig** sweet [swi:t] **lock 1** (*hår-*) lock [låkk] **2** (*på kärl o.d.*) lid [lidd] **locka 1** (*göra lockig*) curl [kə:l] **2** (*förleda*) entice [inntaj's]; (*fresta*) tempt [temmpt] **lockbete** lure [ljo:'ə] **lockig** curly [kə:'li] **lodjur** lynx [lingks] **lodrät** perpendicular [pə:pəndikk'jollə] **loge 1** barn [ba:n] **2** (*teater-*) box [båkks] **logi** accommodation [əkåmmədej'-sjən]; *kost och logi* board and lodging [bå:'d ənn lådd'sjing] **logik, logisk** logic [lådd'sjikk] **lojal** loyal [låj'əl] **lokal** (*subst.*) place [plejs]; (*adj.*) local [låo'kəl] **lokalisera** locate [låokej't] **lokalsinne** *ha lokalsinne* have a good sense of direction [hävv'ə godd' senn's əvv direkk'sjən] **lokförare** engine driver [enn'-dsjinn draj'və]; (*på ellok*) motorman [måo'təmən] **lokomotiv** engine [enn'dsjinn] **londonbo** Londoner [lann'dənə] **lopp** run [rann]; (*tävling*) race [rejs]; *inom loppet av* within (the course of) [wiðinn' (ðə kå:'s əvv)] **loppa** flea [fli:] **loss** loose [lo:s] **lossa** (*lösa upp*) loose [lo:s]; (*urlasta*) unload [ann'låo'd] **lossna** come loose [kamm' lo:'s] **lots** pilot [paj'lət] **lott** (-sedel, öde, jord-) lot [lått]; dra lott om draw lots for [drå:' lått's få:] **lotteri** lottery [lått'əri] **lottsedel** lottery ticket [lått'əri tikk'itt] **lov** (tillåtelse) permission [pəmisj'ən]; (ferier) holiday [håll'ədi] **lova** promise [pråmm'iss] **lucka** (ugns- o.d.) door [då:]; (fönster-) shutter [sjatt'ə]; (källar-) flap [fläpp]; (öppning) hole [håol]; (i minnet) blank [blängk] **ludd** fluff [flaff] **luden** hairy [hä:'əri] **luffare** tramp [trämmp] **luft** air [ä:'ə] **luftförorening** air pollution [ä:'ə pəlo:'sjən] **luftgevär** air-gun [ä:'əgann] **luftig** airy [ä:'əri] **luft-konditionering** air-conditioning [ä:'əkəndisjəning] **luftombyte** change of air [tsjej'ndsj əvv ä:'ə] **luftrör** windpipe [winn'dpajp] **luftrörskatarr** bronchitis [brångkaj'tiss] **lugg 1** (ludd) nap [näpp]; (på sammet) pile [pajl] **2** (pann-) fringe [frinndsj] **lugn** (subst.) calm [ka:m]; (stillhet) quiet [kwaj'ət]; i lugn och ro in peace and quiet [inn pi:'s ənn kwaj'ətt]; adj. calm [ka:m]; (stilla) quiet [kwaj'ət]; lugna sig calm (down) [ka:'m (dao'n)] **lukt** smell [smell]; odour [åo'də] **lukta** smell [smell]; lukta gott smell nice [smell' naj's] **luktsinne** sense of smell [senn's əvv smell'] **luktärt** sweet pea [swi:'t pi:'] **lummig** thickly foliaged [θikk'li fåo'liiddsjd] **lump** rags [räggz] **lunch** lunch [lanntsj] **luncha** have lunch [hävv lann'tsj] **lunga** lung [lang] **lunginflammation** pneumonia [njo:måo'njə] **lupp** pocket lens [påkk'itt lenns] **lur 1** (instrument) horn [hå:n] **2** (slummer) nap [näpp]; ligga på lur lie in wait [laj' inn wej't] **lura** (bedra) cheat [tsji:t]; (dupera) dupe [djo:p]; låta lura sig be taken in [bi: tej'kən inn] **lurvig** rough [raff] **lus** louse [laos] **lust** inclination [innklinej'sjən]; ha lust att feel like [fi:'l lajk] **lustig** funny [fann'i] **lustjakt** yacht [jått] **lustspel** comedy [kåmm'iddi] **luta 1** (verb) lean [li:n]; (slutta) slope [slåop] **2** (subst.) lute [lo:t] **lutad** leaning [li:'ning] **lutning** inclination [innklinej'sjən]; (sluttning) slope [slåop] **lya** lair [lä:'ə] **lycka** happiness [häpp'iniss]; lycka till! good luck! [godd' lakk'] **lyckad** successful [səksess'foll] **lyckas** succeed [səksi:'d]; lyckas hitta manage to find [männ'iddsj tə faj'nd] **lycklig** happy [häpp'i]; (gynnad av lycka) fortunate [få:'tsjnitt]; lycklig resa! a pleasant journey! [ə plezz'nt dsjə:'ni] **lyckligtvis** fortunately [få:'tsjnittli] **lyckträff** stroke of luck [ståo'k əvv lakk'] **lyckönska** congratulate [kəngrätt'jolejt] **lyckönskan** congratulation [kəngrättjolej'sjən] **lyda** obey [əbej']; (ha viss lydelse) run [rann] **lydelse** wording [wə:'ding] **lydig** obedient [əbi:'djənt] **lydnad** obedience [əbi:'djəns] **lyfta** lift [lifft]; (höja) raise [rejz] **lyftkran** crane [krejn] **lykta** lantern [länn'tən]; (gat-, bil- o.d.) lamp [lämmp] **lykt-stolpe** lamp-post [lämm'ppåost] **lymfkörtel** lymph gland [limm'f glännd] **lynne** temperament [temm'pərəmənt] **lynnig** capricious [kəprisj'əs] **lyra** lyre [laj'ə] **lyrik** lyrics [lirr'ikks] **lyriker** lyric poet [lirr'ikk påo'itt] **lysa** shine [sjajn] **lysande** shining [sjaj'ning]; bildl. brilliant [brill'jənt] **lyse** light [lajt] **lysrör** fluorescent tube [flo:əress'nt tjo:'b] **lyssna** listen [liss'n] (*på* to [to:]) **lyssnare** listener [liss'nə] **lyte** defect [difekk't] **lyx** luxury [lakk'sjəri] **lyxig** luxurious [laggzjo:'əriəs] **låda** box [båkks]; (*byrå- o.d.*) drawer [drå:ə] **låg** low [låo] **låga** flame [flejm] **lågtryck** depression [dipresj'ən] **lån** loan [låon] **låna** (*ut-*) lend [lennd] (*åt* to [to:]); (*få t. låns*) borrow [bårr'åo] (*av* from [fråmm]) **lång** long [lång]; (*om pers.*) tall [tå:l] **långbyxor** (long) trousers [(lång') trao'zəz] **långfinger** middle finger [midd'l fing'gə] **långfranska** French loaf [frenn'tsj låo'f] **långfredag** Good Friday [godd' fraj'di] **långgrund** (*om strand*) shelving [sjell'ving] **långsam** slow [slåo] **långt** (*rumsbetydelse*) far [fa:]; (*tidsbetydelse*) long [lång] **långtradare** transport lorry [tränn'spå:t lårr'i]; *Am.* freight truck [frej't trakk'] **långtråkig** very tedious [verr'i ti:'djəs] **lång-varig** of long duration [əvv lång' djoərej'sjən] **lår 1** (*låda*) (large) box [(la:'dsj) båkks] **2** (*del av ben*) thigh [θaj] **lås** lock [låkk]; (*knäppe*) clasp [kla:sp] **låsa** lock [låkk]; *låsa in* lock ... up [låkk' app']; *låsa upp* unlock [ann'låkk']; *låsa sig ute* lock o.s. out [låkk' wannsell'f ao't] **låssmed** locksmith [låkk'smiθ] **låta 1** (*ljuda*) sound [saond]; *det låter som om* it seems as if [itt si:'mz əzz iff] **2** (*hjälpverb*) let [lett]; *låta bli ngt* leave s.th. alone [li:'v samm'-θing əlåo'n]; (*laga att*) have [hävv]; get [gett]; (*förmå*) make [mejk]; *låta ngn vänta* keep s.b. waiting [ki:'p samm'bədi wej'ting] **låtsas** pretend [pritenn'd] **lä** lee [li:]; *i lä* to leeward [tə li:'wəd] **läcka** leak [li:k] **läcker** delicious [dilisj'əs] **läckerhet** delicacy [dell'ikəsi] **läder** leather [leð'ə] **läge** situation [sittjoej'sjən]; (*belägenhet*) site [sajt]; *i rätt läge* in place [inn plej's] **lägenhet** flat [flätt], *Am.* apartment [əpa:'tmənt] **läger** camp [kämmp]; *slå läger* encamp [innkämm'p] **lägereld** camp-fire [kämm'pfajə] **lägga** put [pott]; (*i vågrät ställning*) lay [lej]; *lägga an på* aim at [ej'm ätt]; *lägga fram* put out [pott' ao't]; *lägga ifrån sig* put ... down [pott' dao'n]; *lägga till* (*tillfoga*) add [ädd]; *lägga upp* put ... up [pott' app'], (*klänning*) shorten [sjå:'tn], (*hår*) set [sett]; *lägga ut* lay out [lej' ao't]; *lägga sig* lie down [laj' dao'n], (*gå t. sängs*) go to bed [gåo' tə bedd']; *lägga sig i* interfere [inntəfi:'ə] **läglig** suitable [sjo:'təbl] **lägre** lower [låo'ə]; (*i värde o.d.*) inferior [innfi:'əriə] **lägst** lowest [låo'isst] **läka** heal [hi:l] **läkare** doctor [dåkk'tə] **läkarintyg** doctor's certificate [dokk'təz sətiff'ikitt] **läkarvård** medical care [medd'ikəl kä:'ə] **läkas** heal [hi:l] **läkemedel** medicine [medd'sinn] **läktare** gallery [gäll'əri]; (*utomhus*) stand [stännd] **lämna** leave [li:v]; (*in-*) hand in [hänn'd inn']; *lämna ifrån sig* hand over [hänn'd åo'və]; *lämna igen* return [ritə:'n]; *lämna kvar* leave ... behind [li:'v bihaj'nd] **lämplig** suitable [sjo:'təbl] **län** county [kao'nti] **länga** row [råo] **längd** length [lengθ]; (*människas*) height [hajt]; *i längden* in the end [inn ði enn'd] **längdhopp** long jump [lång' dsjamm'p] **länge** long [lång]; *för länge sedan* long ago [lång' əgåo']; *än så länge* for the present [få: ðə prezz'nt] **längre** (*adj.*)

longer [lång'gə]; *(högre)* taller [tå:'lə]; *(adv.)* further [fə:'ðə], farther [fa:'ðə]; *längre bort* farther away [fa:'ðə əwej']; *längre fram* further on [fə:'ðə ånn']; *(senare)* later on [lej'tə ånn'] **längsefter, längsmed** along [əlång'] **längst** *(adj.)* longest [lång'gisst]; *i det längsta* as long as possible [äzz lång' äzz påss'əbl]; *adv.* farthest [fa:'ðisst], furthest [fə:'ðisst] **längta** long [lång] *(efter* for [få:]) **längtan** longing [lång'ing] *(efter* for [få:]) **länk** link [lingk] **länstol** armchair [a:'mtsjä:'ə] **läpp** lip [lipp] **läppstift** lipstick [lipp'stikk] **lär** *(torde)* am (are, is) likely to [ämm (a:, izz) laj'kli to:]; *(påstås)* am (are, is) said to [ämm (a:, izz) sedd' to:] **lära** *(subst.)* doctrine [dåkk'trinn]; *(verb)* *(lära andra)* teach [ti:tsj]; *(lära sig)* learn [lə:n] **lärare, lärarinna** teacher [ti:'tsjə] **lärd** learned [lə:'nidd] **lärdom** learning [lə:'ning] **lärjunge** pupil [pjo:'pl] **lärka** lark [la:k] **lärling** apprentice [əprenn'tiss] **lärobok** text-book [tekk'stbokk] **lärorik** instructive [innstrakk'tivv] **läsa** read [ri:d] **läsare** reader [ri:'də] **läsebok** reader [ri:'də] **läsekrets** readers [ri:'dəz] **läska** *(med läskpapper)* blot [blått]; *läska sig* refresh o.s. [rifresj' wannsell'f] **läskedryck** soft drink [såff't dringk] **läskpapper** blotting-paper [blått'ingpejpə] **läslig** legible [ledd'sjəbl] **läsning** reading [ri:'ding] **läspa** lisp [lissp] **läsår** school-year [sko:'ljə:] **läte** sound [saond]; *(djurs)* call [kå:l] **lätt** *(mots. tung)* light [lajt]; *(mots. svår)* easy [i:'zi] **lätta** *(göra lättare)* lighten [laj'tn]; *(ge lättnad)* be a relief [bi: ə rili:'f]; *(om dimma o.d.)* lift [lifft] **lättad** relieved [rili:'vd] **lätthet** lightness [laj'tniss]; easiness [i:'zniss] **lättja** laziness [lej'ziniss] **lättläst** easy to read [i:'zi tə ri:'d] **lättnad** relief [rili:'f] **lättsmält** easily digested [i:'zilli didsjess'tidd] **läxa** lesson [less'n]; *(hemläxa)* homework [håo'mwə:k] **lödder, löddra** lather [la:'ðə] **löfte** promise [pråmm'iss] **lögn** lie [laj] **lögnaktig** untruthful [ann'tro:'θfoll] **lögnare** liar [laj'ə] **löjlig** ridiculous [ridikk'joləs] **löjtnant** lieutenant [lefftenn'ənt] **lök** *(blom-)* bulb [ballb]; *(gul etc.)* onion [ann'jən] **lömsk** insidious [innsidd'iəs] **lön** *(arbetares)* wages [wej'dsjizz]; *(tjänstemans o.d.)* salary [säll'əri] **löna sig** pay [pej]; *det lönar sig inte* it is no use [itt izz nåo' jo:'s] **lönande** profitable [pråff'itəbl] **lönlös** useless [jo:'sliss] **lönn** maple [mej'pl] **lönsam** profitable [pråff'itəbl] **löntagare** *(arbetare)* wage-earner [wej'dsjə:nə]; *(tjänsteman o.d.)* salary-earner [säll'əriə:nə] **löpa** run [rann]; *(om tik)* be on heat [bi: ånn hi:'t] **löpare** runner [rann'ə] **löpning** running [rann'ing]; *(kapp-)* race [rejs] **löpsedel** placard [pläkk'a:d] **lördag** Saturday [sätt'ədi] **lös** loose [lo:s]; *(ej hårt spänd)* slack [släkk] **lösa** *(tjudrat djur)* untether [ann'teð'ə]; *(lossa på)* loose(n) [lo:'s(n)]; *(knut o.d.)* undo [ann'do:']; *(gåta o.d.)* solve [sållv] **lösgöra** detach [ditätt'sj] **löskokt** lightly boiled [laj'tli båj'ld] **lösning** solution [səlo:'sjən] **löv** leaf [li:f] **lövträd** deciduous tree [disidd'joəs tri:] **madrass** mattress [mätt'riss] **magasin** *(förrådshus)* storehouse [stå:'haos]; *(på vapen; tidskrift)* magazine [mäggəzi:'n] **maga-**

sinera store [stå:] **mage** stomach [stamm'ək]; (*buk*) belly [bell'i]; *ha ont i magen* have stomach-ache [hävv stamm'əkejk]; *vara hård i magen* be constipated [bi: kånn'stipejtidd] **mager** lean [li:n]; (*bildl.*) meagre [mi:'gə] **magi, magisk** magic [mädd'-sjikk] **magister** schoolmaster [sko:'lma:stə] **magkatarr** catarrh of the stomach [kəta:' əvv ðə stamm'ək] **magnet** magnet [mägg'nitt] **magnetisk** magnetic [mäggnett'ikk] **magra** (get) thinner [(gett) θinn'ə] **maj** May [mej]; *första maj* May Day [mej'dej'] **majestät** majesty [mädd'sjisti] **majestätisk** majestic [mədsjess'tikk] **majonnäs** mayonnaise [mejənej'z] **major** major [mej'dsjə] **majoritet** majority [mədsjårr'itti] **majs** maize [mejz] **majskolv** corn-cob [kå:'nkåbb] **majstång** may-pole [mej'påol] **maka 1** (*verb*) move [mo:v] **2** (*subst.*) wife [wajf] **makalös** matchless [mätt'sjliss] **makaroner** macaroni [mäkkəråo'ni] **make** (*äkta make*) husband [hazz'bənd]; (*en av ett par*) fellow [fell'åo]; (*like*) match [mättsj] **makrill** mackerel [mäkk'rəl] **makt** power [pao'ə]; *ha makten* be in power [bi: inn pao'ə] **maktlös** powerless [pao'əliss] **mal** (*insekt*) moth [måθ] **mala** grind [grajnd] **mallig** cocky [kåkk'i] **malm** ore [å:] **malör** mishap [miss'häpp] **mamma** mother [maθ'ə]; *vard.* mummy [mamm'i] **man 1** (*subst.*) man [männ]; (*äkta man*) husband [hazz'bənd] **2** *pron.* one [wann], you [jo:]; (*folk*) people [pi:'pl] **3** *subst.* (*häst- o.d.*) mane [mejn] **mandat** (*som riksdagsman*) seat [si:t] **mandel** almond [a:'mənd] **mandolin** mandoline [männdəli:'n] **maner** manner [männ'ə] **manet** jelly-fish [dsjell'ifisj] **mangel, mangla** mangle [mäng'gl] **mani** mania [mej'njə], *vard.* craze [krejz] **manick** gadget [gädd'-sjitt] **manifest, manifestera** manifest [männ'ifesst] **maning** appeal [əpi:'l] **manlig** (*av mankön*) male [mejl]; (*som anstår en man*) manly [männ'li] **mannekäng** (fashion) model [(fäsj'ən) mådd'l] **mannekänguppvisning** fashion show [fäsj'ən sjåo] **manschett** cuff [kaff] **manschettknapp** cuff-link [kaff'lingk] **mantel** mantle [männ'tl] **manufakturaffär** draper's shop [drej'-pəz sjåpp] **manuskript** manuscript [männ'joskrippt] **manöver, manövrera** manœuvre [məno:'və] **mapp** file [fajl] **mardröm** nightmare [naj'tmä:ə] **margarin** margarine [ma:dsjəri:'n] **marginal** margin [ma:'dsjinn] **Marie bebådelsedag** Lady Day [lej'di dej] **marin** navy [nej'vi] **marinad** marinade [märrinej'd] **marionett** puppet [papp'itt] **mark** ground [graond]; *på svenskt mark* on Swedish soil [ånn swi:'disj såjl] **markant** striking [straj'king] **markatta** guenon [gənåo'n] **markera** mark [ma:k] **marketenteri** canteen [känti:'n] **markis 1** sun-blind [sann'-blajnd] **2** (*adelstitel*) marquess [ma:'kwiss] **markisinna** marchioness [ma:'sjəniss] **marknad, marknadsföra** market [ma:'kitt] **marmelad** marmalade [ma:'məlejd] **marmor** marble [ma:'bl] **marockansk** Moroccan [mərâkk'ən] **Marocko** Morocco [mə-råkk'åo] **mars** March [ma:tsj] **marsch** march [ma:tsj] **marschall** torch [tå:tsj] **marschera** march [ma:tsj] **marsipan** marzipan [ma:zipänn'] **marskalk** marshal [ma:'sjəl] **marsvin** guinea-pig [ginn'ipigg] **martyr** martyr [ma:'tə] **marxistisk** Marxist [ma:'k-sisst] **maräng** meringue [məräng'] **mask 1** worm [ma:m] **2** (ansikts- o.d.) mask [ma:sk] **maska** (subst.) stitch [stittsj]; (på strumpa) ladder [lädd'ə] **maskera** mask [ma:sk] **maskerad** masquerade [mässkərej'd] **maskin** machine [məsji:'n] **maskinell** mechanical [mikänn'ikəl] **maskineri** machinery [məsji:'nəri] **maskinskriverska** typist [taj'pisst] **maskinskrivning** typing [taj'ping] **maskopi** vara i maskopi med be in collusion with [bi: inn kələo:'sjən wið] **maskot** mascot [mäss'kət] **maskros** dandelion [dänn'dilajən] **massa** mass [mäss]; en massa ... lots of ... [lått's əvv] **massage** massage [mäss'a:sj] **massaker, massakrera** massacre [mäss'əkə] **massera** massage [mäss'a:sj] **massiv** (adj.) solid [sålľidd] **massmedia** mass media [mäss' mi:'djə] **massproduktion** mass production [mäss' prədakk'sjən] **massvis** in large numbers [inn la:'dsj namm'bəz] **mast** mast [ma:st] **mat** food [fo:d]; mat och husrum board and lodging [bå:'d ənn lådd'sjing] **mata** feed [fi:d] **matador** matador [mätt'ədå:] **matbord** dining-table [daj'ningtejbl] **match** match [mättsj] **matematik** mathematics [mäθimätt'ikks] **matematisk** mathematical [mäθimätt'ikk'ikəl] **materia** matter [mätt'ə] **material** material [məti:'əriəl] **materiel** materials [məti:'əriəls] **matfett** cooking fat [kokk'ing fätt] **matförgiftning** food poisoning [fo:'d påj'z-ning] **matiné** matinée [mätt'inej] **matlagning** cooking [kokk'-ing] **matlust** appetite [äpp'itajt] **matros** able seaman [ej'bl si:'mən] **matsal** dining-room [daj'ningromm] **matsedel** menu [menn'jo:] **matservis** dinner service [dinn'ə sə:'viss] **matsilver** table silver [tej'bl silľvə] **matsmältning** digestion [didsjess'tsjən] **matstrupe** œsophagus [i:såff'əgəs] **matsäck** packed lunch [päkk't lann'tsj] **matt** (svag) weak [wi:k]; (glanslös) dull [dall] **matta** carpet [ka:'pitt]; (mindre) rug [ragg]; (dörr- o.d.) mat [mätt] **mattas** get weak [gett' wi:'k]; (om sken) get dim [gett' dimm']; (om färg) fade [fejd] **matte** mistress [miss'triss] **matvaror** provisions [prəvizj'ənz] **maximal** maximum [mäkk'siməm] **med** with [wið]; (vid kommunikationsmedel) by [baj] **medalj** medal [medd'l] **medan** while [wajl] **medarbetare** collaborator [kəläbb'ərejtə] **medborgare** citizen [sitt'izzn] **medborgarskap** citizenship [sitt'izznsjipp] **medborgerlig** civil [sivv'l] **medbrottsling** accomplice [əkåmm'pliss] **meddela** (omtala) inform [inn-få:'m]; (kungöra e.d.) announce [ənao'ns]; meddela sig communicate [kəmmjo:'nikejt] **meddelande** (budskap) message [mess'iddsj]; (officiellt) announcement [ənao'nsmənt]; (anslag) notice [nåo'tiss] **medel** means [mi:nz] **medel-** medium [mi:'djəm] **Medelhavet** the Mediterranean [ðə medditərej'njən] **medelklassen** the middle classes [ðə midd'l kla:'sizz] **medelmåttig** medium [mi:'djəm]; neds. mediocre [mi:'diåokə] **medelpunkt** centre [senn'tə] **medelst** by [baj] **medelstor** ... of medium size [əvv mi:'djəmm saj'z] **medeltal** average [ävv'əriddsj]; (*matematiskt*) mean [mi:n] **medeltemperatur** mean temperature [mi:'n temm'-prittsjə] **medeltida** medieval . [meddii:'vəl] **medeltiden** the Middle Ages [ðə midd'l ej'dsjizz] **medelålders** middle-aged [midd'lej'dsjd] **medfödd** inborn [inn'bå:'n] **medföra** bring [bring]; (*förorsaka*) cause [kå:z] **medge** admit [ədmitt'] **med-givande** (*tillåtelse*) permission [pəmisj'ən]; (*erkännande*) admission [ədmisj'ən]; (*eftergift*) concession [kənsesj'ən] **medgång** prosperity [pråssperr'itti] **medgörlig** accommodating [əkämm'-ədejting] **medhjälpare** assistant [əsiss'tənt] **medicin** medicine [medd'sinn] **medicinsk** medical [medd'ikəl] **meditera** meditate [medd'itejt] **medkänsla** sympathy [simm'pəθi] **medla** mediate [mi:'diejt] **medlare** mediator [mi:'diejtə] **medlem** member [memm'bə]; (*av lärt sällskap äv.*) fellow [fell'åo] **medlems-avgift** membership fee [memm'bəsjipp fi:'] **medlemskap** membership [memm'bəsjipp] **medlemskort** membership card [memm'-bəsjipp ka:'d] **medlidande** compassion [kəmpasj'ən] **medlidsam** compassionate [kəmpasj'ənitt] **medling** mediation [mi:diej'-sjən] **medmänniska** fellow-creature [fell'åokri:'tsjə] **medpas-sagerare** fellow-passenger [fell'åopäss'inndsjə] **medryckande** exciting [ikksaj'ting] **medspelare** fellow-actor [fell'åoäkk'tə] **medtagen** tired out [taj'əd ao't] **medtävlare** competitor [kəmpett'ittə] **medurs** clockwise [klåkk'wajz] **medverka** (*samverka*) co-operate [kåoåpp'ərejt]; (*deltaga*) participate [pa:tiss'ipejt]; (*bidraga*) contribute [kəntribb'jo:t] **medverkan** co-operation [kåoåppərej'sjən]; (*deltagande*) participation [pa:tissipej'sjən] **medvetande** consciousness [kånn'sjəsniss] **medveten** conscious [kånn'sjəs] **medvetslös** unconscious [annkånn'sjəs] **med-vind** tail-wind [tej'lwinnd] **mejeri** dairy [dä:'əri] **mejsel** chisel [tsjizz'l] **mekaniker** mechanic [mikänn'ikk] **mekanisk** mechanical [mikänn'ikəl] **mekanism** mechanism [mekk'ənizəm] **melan-kolisk** melancholy [mell'ənkəli] **mellan** (*vanl. om två*) between [bitwi:'n]; (*om flera*) among [əmang'] **mellanakt** interval [inn'-təvəl] **mellangärde** diaphragm [daj'əfrämm] **mellanlanda** make an intermediate landing [mejk ənn inntə:mi:'djət länn'ding] **mel-lanmål** snack [snäkk] **mellanrum** interval [inn'təvəl] **mellan-skillnad** difference [diff'rəns] **mellanstorlek** medium size [mi:'djəm sajz] **mellersta** middle [midd'l] **melodi** melody [mell'ədi] **melon** melon [mell'ən] **memoarer** memoirs [memm'-wa:z] **men 1** (*konj.*) but [batt] **2** (*lyte*) disability [dissəbill'itti] **mena** mean [mi:n] **menad** perjury [pə:'dsjəri] **menig** private [praj'vitt] **mening** (*uppfattning*) opinion [əpinn'jən]; (*innebörd*) meaning [mi:'ning]; (*avsikt*) intention [inntenn'sjən]; (*sats*) sentence [senn'təns] **meningslös** senseless [senn'sliss], useless [jo:'sliss] **menstruation** menstruation [mennstroej'sjən] **mental** mental [menn'tl] **mentalsjukhus** mental hospital [menn'tl håss'pittl] **mer** more [må:] **merarbete** extra work [ekk'strə wə:k]

merit (*kvalifikation*) qualification [kwållifikej'sjən] **mervärde** added value [ädd'idd väll'jo:] **mervärdesskatt** value-added tax [väll'jo:äddidd täkk's] **mes** titmouse [titt'maos]; (*ynkrygg*) coward [kao'əd] **mest** most [måost] **meta** angle [äng'gl] **metall** metal [mett'l] **meter** metre [mi:'tə] **metersystem** metric system [mett'rikk siss'timm] **metkrok** fish-hook [fisj'hokk] **metod** method [meθ'əd] **metodism** Methodism [meθ'ədizəm] **metodist** Methodist [meθ'ədisst] **metrev** fishing-line [fisj'inglajn] **metspö** fishing-rod [fisj'ingrådd] **middag** (*mitt på dagen*) noon [no:n]; (*måltid*) dinner [dinn'ə]; *god middag!* good afternoon! [godd a:ftəno:'n]; *äta middag* have dinner [hävv dinn'ə]; *bjuda ngn på middag* invite s.b. to dinner [innvaj't samm'bədi tə dinn'ə] **midja** waist [wejst] **midjemått** waist-measurement [wej'st-mesj'əmənt] **midnatt** midnight [midd'najt] **midnattssol** midnight sun [midd'najt sann] **midsommar** midsummer [midd'-sammə] **midsommarafton** Midsummer Eve [midd'sammə i:v] **midsommardag** Midsummer Day [midd'sammə dej] **mig** me [mi:]; myself [majsell'f] **migrän** migraine [mi:'grejn] **mikrofon** microphone [maj'krəfåon] **mikroskop** microscope [maj'krəskåop] **mil** ten kilometres [tenn' kill'əmi:təz]; about six miles [əbao't sikk's maj'lz]; *engelsk mil* mile [majl] **mild** mild [majld] **mildra** mitigate [mitt'igejt] **militär** military [mill'itəri] **militärtjänst** military service [mill'itəri sə:'viss] **miljard** milliard [mill'ja:d]; *Am.* billion [bill'jən] **miljon** million [mill'jən] **miljonär** millionaire [milljənä:'ə] **miljö** environment [innvaj'ərənmənt] **miljöförstöring** pollution [pəlo:'sjən] **min 1** (*pron.*) my [maj]; (*självständigt*) mine [majn] **2** (*ansiktsuttryck*) expression [ikks-presj'ən] **mina** mine [majn] **mindervärdeskomplex** inferiority complex [innfiəriårr'itti kåmm'plekks] **mindervärdig** inferior [innfi:'əriə] **mindre** smaller [små:'lə]; less [less] **Mindre Asien** Asia Minor [ej'sjə maj'nə] **mineral** mineral [minn'ərəl] **minimal, minimum** minimum [minn'iməm] **minister** minister [minn'isstə]; *secretary of state* [sekk'rətri əvv stejt]; *svenske ministern i London* the Swedish ambassador in London [ðə swi:'disj ämmbäss'ədə inn lann'dən] **mink** mink [mingk] **minkpäls** mink coat [ming'k kåot] **minnas** remember [rimemm'bə] **minne** memory [memm'-əri]; *hålla i minnet* keep in mind [ki:'p inn maj'nd] **minnesmärke** memorial [mimå:'riəl] **minoritet** minority [majnårr'itti] **minsann** to be sure [tə bi sjo:'ə] **minska** reduce [ridjo:'s] **minst** smallest [små:'lisst]; at least [ətt li:'st] **minus** minus [maj'nəs]; *minus 10 grader* 10 degrees (Centigrade) below zero [tenn' digri:'z (senn'tigrejd) bilåo' zi:'əråo] **minut** minute [minn'itt]; *fem minuter över tre* five minutes past three [faj'v minn'itts pa:'st θri:'] **mirakel** miracle [mirr'əkl] **miss, missa** miss [miss] **missakta** disdain [dissdej'n] **missanpassad** maladjusted [mäll'ədsjass'tidd] **missbelåten** displeased [disspli:'zd] **missbelåtenhet** dissatisfaction [diss'sättisfäkk'sjən] **missbildning** defect [difekk't] **missbruk**

abuse [əbjo:'s] **missbruka** abuse [əbjo:'z] **missdådare** malefactor [mäll'ifäkktə] **missfall** miscarriage [misskärr'iddsj] **missförhållande** incongruity [innkånggro:'itti] **missförstå** misunderstand [miss'anndəstänn'd] **missförstånd** misunderstanding [miss'anndəstänn'ding] **misshandla** maltreat [mälltri:'t] **mission** mission [misj'ən]; (*relig.*) missions [misj'ənz] **missionär** missionary [misj'nəri] **missklä(da)** be unbecoming to [bi: ənn'bikamm'ing to:] **missklädsam** unbecoming [ann'bikamm'ing] **missköta** neglect [niglekk't] **misslyckad** unsuccessful [ann'səksess'foll] **misslyckande** failure [fej'ljə] **misslyckas** fail [fejl] **misslynt** ill-humoured [ill'hjo:'məd] **missmodig** downhearted [dao'nha:'tidd] **missnöjd** dissatisfied [diss'sätt'isfajd] **missnöje** dissatisfaction [diss'sättisfäkk'sjən] **missräkna** miscalculate [miss'käll'kjolejt] **misstag** mistake [misstej'k] **misstaga sig** make a mistake [mej'k ə misstej'k] **misstanke** suspicion [səspisj'ən] **misstro** distrust [disstrass't] **misströsta** despair [disspä:'ə] **misstänka** suspect [səspekk't] (*för of* [əvv]) **misstänksam** suspicious [səspisj'əs] **missunna** grudge [graddsj] **missuppfatta** misunderstand [miss'anndəstänn'd] **missuppfattning** misunderstanding [miss'anndəstänn'ding] **missvisande** misleading [missli:'ding] **missöde** mishap [miss'häpp] **mista** lose [lo:z] **miste** *ta miste på* miss [miss] **mistel** mistletoe [miss'ltåo] **mitt** middle [midd'l]; *mitt emellan* midway between [midd'wej' bitwi:'n]; *mitt i* in the middle of [inn ðə midd'l əvv] **mjuk** soft [såfft] **mjäll** dandruff [dänn'drəf] **mjältbrand** anthrax [änn'θräkks] **mjälte** spleen [spli:n] **mjöl** flour [flao'ə] **mjölk** milk [millk] **mjölktand** milk-tooth [mill'kto:θ] **mobil** mobile [måo'bajl] **mobilisera** mobilize [måo'bilajz] **mocka** suède [swejd] **mod 1** (*modighet*) courage [karr'iddsj] **2** fashion [fäsj'ən] **modell** model [mådd'l] **moder** mother [mað'ə] **moderat** moderate [mådd'əritt] **modern** modern [mådd'ən] **modernisera** modernize [mådd'ənajz] **modifiera** modify [mådd'ifaj] **modig** brave [brejv] **mogen** ripe [rajp]; (*bildl.*) mature [mətjo:'ə] **mogna** ripen [raj'pən] **molekyl** molecule [måll'ikjo:l] **moll** minor [maj'nə] **moln** cloud [klaod] **moment** moment [måo'mənt] **moms** value-added tax [väll'jo:äddidd täkk's] **monark** monarch [månn'ək] **monarki** monarchy [månn'əki] **mongolisk** Mongolian [månggåo'ljən] **monopol** monopoly [mənåpp'əli] **monoton** monotonous [mənått'nəs] **monster** monster [månn'stə] **monsun** monsoon [månnso:'n] **monter** show-case [sjåo'kejs] **montera** (*sätta upp*) mount [mənt]; (*sätta ihop*) assemble [əsemm'bl] **montör** fitter [fitt'ə] **monument** monument [månn'jomənt] **moped** moped [måo'pedd] **mopp** mop [måpp] **mor** mother [mað'ə] **moral** morals [mårr'əlz]; morality [mərall'itti] **moralisk** moral [mårr'əl] **morbror** (maternal) uncle [(mətə:'nl) ang'kl] **mord** murder [mə:'də] **mordbrand** arson [a:'sn] **mordisk** murderous [mə:'dərəs] **morfar** (maternal) grandfather [(mətə:'nl) gränn'dfa:ðə] **morfin** morphine [må:'fi:n] **morgon** morning [må:'ning]; *god morgon!* good morning! [goddmå:'ning]; *i dag på morgonen* this morning [ðiss' må:'ning]; *i morgon* tomorrow [təmårr'åo] **morgonrock** dressing-gown [dress'inggaon] **morgontidning** morning paper [må:'ning pej'pə] **mormor** (maternal) grandmother [(mətə:'nl) gränn'maðə] **morot** carrot [kärr'ət] **morra** growl [graol] **morse** *i morse* this morning [ðiss' må:'ning]; *i går morse* yesterday morning [jess'tədi må:'ning] **mos** pulp [pallp], mash [mäsj] **mosaik** mosaic [məzej'ikk] **moskit** mosquito [məski:'təo] **mossa** moss [måss] **moster** (maternal) aunt [(mətə:'nl) a:nt] **mot** against [əgenn'st], (*riktning*) towards [təwå:'dz] **motarbeta** work against [wə:'k əgenn'st] **motell** motel [måotell'] **motfordran** counter-claim [kao'ntəklejm] **motgift** antidote [änn'tidåot] **motgång** set-back [sett'bäkk] **motion** (*kroppsrörelse*) exercise [ekk'səsajz]; (*förslag*) motion [måo'sjən] **motiv** motive [måo'tivv] **motivera** account for [əkao'nt få:] **motor** motor [måo'tə]; engine [enn'dsjinn] **motorbåt** motor boat [måo'tə båot] **motorcykel** motor-cycle [måo'təsajkl] **motorstopp** engine failure [enn'dsjinn fej'ljə] **motorväg** motorway [måo'təwej] **motsats** contrast [kånn'trässt]; opposite [åpp'əzitt]; *i motsats till* contrary to [kånn'trəri to:]; *de är varandras motsatser* they are absolute opposites [ðej' a: äbb'səlo:t åpp'əzitts] **motsatt** opposite [åpp'əzitt] **motstå** resist [riziss't] **motstånd** resistance [riziss'təns] **motståndare** adversary [ädd'vəsəri] **motsvara** correspond to [kårrisspånn'd to:]; *motsvara ngns förväntningar* come up to a p.'s expectations [kamm app' to: ə pə:'snz ekkspekktej'sjənz] **motsvarande** corresponding [kårrisspånn'-ding] **motsvarighet** correspondence [kårrisspånn'dəns] **motsäga** contradict [kånntrədikk't] **motsätta sig** oppose [əpåo'z] **mottaga** receive [risi:'v] **mottagare** receiver [risi:'və] **mottagning** reception [risepp'sjən] **motverka** counteract [kaontər-äkk't] **motvikt** counterbalance [kao'ntəbälləns] **motvilja** dislike [disslaj'k] **motvind** head-wind [hedd'winnd] **mugg** mug [magg]; jug [dsjagg] **muhammedan** Mohammedan [måohämm'-idən] **mula** mule [mjo:l] **mulatt** mulatto [mjo:látt'åo] **mulen** overcast [åo'vəka:st] **mullvad** mole [måol] **multiplicera** multiply [mall'tiplaj] (*med* by [baj]) **mulåsna** mule [mjo:l] **mumla** mumble [mamm'bl] **mun** mouth [maoθ] **munk** monk [mangk] **mun-mot-mun-metoden** the mouth-to-mouth method [ðə mao'θ tə mao'θ meθ'əd] **munstycke** mouthpiece [mao'θpi:s]; (*tekn.*) nozzle [nåzz'l], jet [dsjett] **munter** merry [merr'i] **muntlig** oral [å:'rəl]; (*om meddelande*) verbal [və:'bəl] **muntra upp** cheer ... up [tsji:'ə app'] **mur** wall [wå:l] **murare** bricklayer [brikk'lejə] **murbruk** mortar [må:'tə] **murgröna** ivy [aj'vi] **murken** decayed [dikej'd] **mus** mouse [maos], (*pl* mice [majs]) **museum** museum [mjo:zi:'əm] **musik** music [mjo:'zikk] **musikalisk** musical [mjo:'zikəl] **musiker** musician [mjo:zisj'ən]

musikinstrument musical instrument [mjo:'zikəl inn'stromənt] **musikstycke** piece of music [pi:'s əvv mjo:'zikk] **muskel** muscle [mass'l] **muslin** musling [mazz'linn] **mussla** mussel [mass'l], clam [klämm] **must** must [masst] **mustasch** moustache [məsta:'sj] **mustig** rich [rittsj] **muta** (*subst. o. verb*) bribe [brajb] **mutter** (*tekn.*) (screw) nut [(skro:) natt] **mycket** much [mattsj]; a great deal of [ə grejt di:'l əvv]; (*gott om*) plenty of [plenn'ti əvv]; (*många*) many [menn'i] **mygga** midge [middsj]; mosquito [məski:'tåo] **myggmedel** anti-mosquito preparation [änn'timəski:'tåo preppərej'sjən] **mylla** mould ['måold] **München** Munich [mjo:'nikk] **myndig** ... of age [əvv ej'dsj] **myndighet** authority [å:θårr'itti]; (*myndig ålder*) majority [mədsjärr'itti] **mynna** (*om flod*) fall [få:l]; (*om gata*) lead [li:d]; (*bildl.*) end [ennd] **mynt** coin [kåjn] **myr** bog [bågg] **myra** ant [ännt]; *flitig som en myra* as busy as a bee [äzz bizz'i äzz ə bi:'] **myrstack** ant-hill [änn'thill] **myrten** myrtle [mə:'tl] **mysterium** mystery [miss'təri] **mystisk** mystic [miss'tikk]; (*gåtfull*) mysterious [missti:'əriəs] **myt** myth [miθ] **myteri** mutiny [mjo:'tinni] **mytologi** mythology [miθåll'ədsji] **må** (*känna sig*) feel [fi:l]; *hur mår du?* how are you? [hao' a:' jo:]; *jag mår mycket bra* I am very well [aj ämm verr'i well']; (*hjälpverb*) may [mej] **måfå** *på måfå* at random [ätt ränn'dəm] **måg** son-in-law [sann'innlå:] **mål 1** goal [gåol] (*äv. sport*); (*syfte*) aim [ejm] **2** (*mat*) meal [mi:l] **3** (*rättegång*) case [kejs] **måla** paint [pejnt] **målare** painter [pej'ntə] **målarfärg** paint [pejnt] **målbrott** *han är i målbrottet* his voice is just breaking [hizz våj's izz dsjass't brej'king] **måleri** painting [pej'nting] **mållös** (*stum*) speechless [spi:'tsjliss] **målmedveten** purposeful [pə:'pəsfoll] **målning** painting [pej'nting]; picture [pikk'tsjə] **målsman** parent [pä:'ərənt] **måltavla** target [ta:'gitt] **måltid** meal [mi:l] **målvakt** goalkeeper [gåo'lki:pə] **mån 1** *subst.*, *i viss mån* to some extent [to: samm' ikkstenn't]; *i görligaste mån* as far as possible [äzz fa:' äzz påss'əbl] **2** *adj.* (*aktsam*) careful [kä:'əfoll] **månad** month [mannθ] **måndag** Monday [mann'di] **måne** moon [mo:n] **många** many [menn'i] **mångsidig** many-sided [menn'isaj'didd] **mångårig** ... of many years [əvv menn'i jə:'z] **månlandning** moon landing [mo:'n lännding] **månsken** moonlight [mo:'nlajt] **mård** marten [ma:'tinn] **mås** gull [gall] **måste** must [masst] **mått** measure [mesj'ə] **måtta** moderation [måddərej'sjən] **måttband** tape-measure [tej'pmesjə] **måtte** *det måtte väl inte ha hänt henne något* I hope nothing has happened to her [aj håo'p naθ'ing häzz häpp'ənd to: hə] **måttlig** moderate [mådd'əritt] **mäklare** broker [bråo'kə] **mäktig** powerful [pao'əfoll] **mängd** quantity [kwänn'titti]; *en hel mängd* a good deal of [ə godd' di:'l əvv] **människa** man [männ]; human being [hjo:'mən bi:'ing]; *människor* (*folk*) people [pi:'pl] **människosläktet** mankind [männkaj'nd] **mänsklig** human [hjo:'mən] **mänskligheten** mankind [männkaj'nd]

märg marrow [märr'åo] **märka** notice [nåo'tiss]; (*sätta märke på*) mark [ma:k] **märke** mark [ma:k]; (*klubb- o.d.*) badge [bäddsj] **märklig, märkvärdig** remarkable [rima:'kəbl] **mässa** (*gudstjänst*) mass [mäss]; (*utställning*) fair [fä:'ə] **mässing** brass [bra:s] **mässling** (the) measles [(ð)e mi:'zlz] **mästare** master [ma:'stə] **mästerverk** masterpiece [ma:'stəpi:s] **mäta** measure [mesj'ə] **mätare** (*gas- etc.*) meter [mi:'tə]; (*instrument*) gauge [gejdsj] **mätt** satisfied [sätt'issfajd] **möbel** piece of furniture [pi:'s əvv fə:'nittsjə]; *möbler* furniture [fə:'nittsjə] **möblera** furnish [fə:'nisj] **möda** labour [lej'bə]; (*besvär*) trouble [trabb'l] **mödosam** laborious [ləbå:'riəs] **mödravårdscentral** maternity clinic [mətə:'nitti klinn'ikk] **mögel** mould [måold] **mögla** get mouldy [gett måo'ldi] **möjlig** possible [påss'əbl]; *allt möjligt* all kinds of things [å:'l kaj'ndz əvv θing'z] **möjlighet** possibility [påssəbill'itti] **mönster** pattern [pätt'ən]; design [dizaj'n] **mönstergill** model [mådd'l]; ideal [ajdi:'əl] **mönstra** (*granska*) examine [iggzämm'inn]; (*som värnpliktig*) enlist [innliss't] **mör** crisp [krissp]; (*om kött*) tender [tenn'də] **mörda** murder [mə:'də] **mördare** murderer [mə:'dərə] **mörk** dark [da:k] **mörkblå** dark blue [da:'k blo:'] **mörker** darkness [da:'kniss] **mörkrum** dark room [da:'kromm'] **mörkrädd** afraid of the dark [əfrej'd əvv ðə da:'k] **mört** roach [råotsj] **mössa** cap [käpp] **möta, mötas** meet [mi:t] **möte** meeting [mi:'ting]; (*träff*) appointment [əpåj'ntmənt] **nackdel** disadvantage [dissədva:'ntiddsj] **nacke** back of the head [bäkk' əvv ðə hedd'] **nagel** nail [nejl] **nagellack** nail-varnish [nejl'va:nisj] **naiv** naive [na:i:'v] **naken** naked [nej'kidd] **nakendans** nude dancing [njo:'d da:nsing] **namn** name [nejm] **namnsdag** name-day [nejm'dej] **napp 1** teat [ti:t]; (*tröstnapp*) dummy [damm'i] **2** (*vid fiske*) bite [bajt] **narkoman** drug addict [dragg' ädd'ikkt] **narkos** narcosis [na:kåo'siss] **narkotika** narcotics [na:kått'ikks] **nation** nation [nej'sjən] **nationalekonomi** economics [i:kənåmm'ikks] **nationalinkomst** national income [näsj'ənl inn'kəm] **nationalitet** nationality [näsjənäll'itti] **nationalpark** national park [näsj'ənl pa:k] **nationalsång** national anthem [näsj'ənl änn'θəm] **nativitet** birth-rate [bə:'θrejt] **natrium** sodium [såo'djəm] **natt** night [najt]; *god natt!* good night! [godd' naj't] **nattklubb** night club [naj't klabb] **nattvakt** night-watchman [naj'twått'sjmən] **natur** nature [nej'tsjə] **naturlag** law of nature [lå:' əvv nej'tsjə] **naturlig** natural [nätt'sjrəl] **naturligtvis** of course [əvv kå:'s] **naturtillgångar** natural resources [nätt'sjrəl riså:'siz] **naturvetenskap** (natural) science [(nätt'sjrəl) saj'əns] **nav** hub [habb] **navel** navel [nej'vəl] **navigation** navigation [nävvigej'sjən] **navigera** navigate [nävv'i-gejt] **navkapsel** hub cap [habb' käpp] **nazist** Nazi(st) [na:'tsi(st)] **Neapel** Naples [nej'plz] **necessär** dressing-case [dress'ingkejs] **ned** down [daon] **nedanför** below [bilåo'] **nederlag** defeat [difi:'t]; *lida nederlag* be defeated [bi: difi:'tidd] **Nederländerna**

the Netherlands [ðə neð'ələndz] **nederst** at the bottom [ətt ðə bått'əm] **nedför** down [daon] **nedförsbacke** downhill slope [dao'nhill slåop] **nedifrån** from below [frâmm bilåo'] **nedlagd** (*om fabrik*) closed [klåozd] **nedlåtande** condescending [kånndisenn'ding] **nedre** lower [låo'ə] **nedrustning** disarmament [dissa:'məmənt] **nedsatt** reduced [ridjo:'st] **nedslagen** downhearted [dao'nha:'tidd] **nedslående** depressing [dipress'ing] **nedstämd** depressed [dipress't] **nedsättande** derogatory [dirågg'ətəri] **nedtill** at the bottom [ətt ðə bått'əm] **nedtrappning** de-escalation [di:'esskəlej'sjən] **nedväg** *på nedvägen* on the way down [ånn ðə wej' dao'n] **nedvärdera** depreciate [dipri:'sjejt] **nedåt** downward(s) [dao'nwəd(z)] **nedåtgående** (*om tendens*) falling [fâ:'ling] **nedärvd** hereditary [hiredd'itəri] **negativ** (*subst. o. adj.*) negative [negg'ətivv] **neger** Negro [ni:'gråo], black [blåkk] **negerkvinna, negress** Negress [ni:'griss] **nej** no [nåo]; *nej nu måste jag gå!* well, I must go now! [well aj' masst gåo' nao']; *nej, vad säger du?* you don't say so? [jo: dåont sej' såo']; *svara nej* answer in the negative [a:'nsə inn ðə negg'ətivv]; *rösta nej* vote against [våo't əgenn'st] **nejlika** carnation [ka:nej'sjən] **neka** (*vägra*) refuse [rifjo:'z]; (*förneka*) deny [dinaj'] **nekande** (*adj.*) negative [negg'ətivv]; (*subst.*) (*vägran*) refusal [rifjo:'zəl]; *svara nekande* answer in the negative [a:'nsə inn ðə negg'ətivv] **neonrör** neon tube [ni:'ən tjo:b] **ner, nere** down [daon] **nerts** mink [mingk] **nerv** nerve [nə:v] **nervlugnande medel** tranquillizer [träng'kwilajzə] **nervpåfrestande** nerve-racking [nə:'vräkking] **nervsjukdom** nervous disorder [nə:'vəs disså:'də] **nervös** nervous [nə:'vəs] **nestor** doyen [dåj'ən] **netto** net [nett] **nettovikt** net weight [nett' wejt] **neuros** neurosis [njoəråo'siss] **neutral** neutral [njo:'trəl] **neutralisera** neutralize [njo:'trəlajz] **neutralitet** neutrality [njo:träll'itti] **neutron** neutron [njo:'trånn] **ni** you [jo:]; *ni själv* (you) yourself [(jo:) jå:sell'f] **nicka** nod [nådd] **nickel** nickel [nikk'l] **nidingsdåd** act of vandalism [äkk't əvv vänn'dəlizzəm] **niga** curtsy [kə:'tsi] **nikotin** nicotine [nikk'əti:n] **Nilen** the Nile [ðə naj'l] **nio** nine [najn] **nionde** ninth [najnθ] **nit 1** (*iver*) zeal [zi:l] **2** (*tekn.*) rivet [rivv'itt] **nita** rivet [rivv'itt] **nitisk** zealous [zell'əs] **nitlott** blank [blängk] **nitrat** nitrate [naj'trejt] **nittio** ninety [naj'nti] **nittionde** nintieth [naj'ntiiθ] **nitton** nineteen [naj'nti:'n] **nittonde** nineteenth [naj'nti:'nθ] **nittonhundratal** *på nittonhundratalet* in the twentieth century [inn ðə twenn'tiiθ senn'tsjorri] **nivellering** levelling [levv'ling] **nivå** level [levv'l] **Nizza** Nice [ni:s] **njugg** parsimonious [pa:simåo'njəs] **njure** kidney [kidd'ni] **njursten** stone in the kidney(s) [ståo'n inn ðə kidd'ni(zz)] **njuta** enjoy [inndsjåj'] **njutning** enjoyment [inndsjåj'mənt] **nobel** noble [nåo'bl] **nobelpris** Nobel Prize [nåobell' prajz] **nog** (*tillräckligt*) enough [inaff']; (*sannolikt*) probably [pråbb'əbli] **noga** (*adj.*) (*noggrann*) careful [kä:'əfoll]; (*adv.*)

101   noggrann — nyfödd

(*exakt*) exactly [iggzäkk'tli] **noggrann** accurate [äkk'joritt] **noll** nought [nå:t]; zero [zi:'əråo]; *mitt telefonnummer är två noll nio noll åtta* my telephone number is two o(h) nine o(h) eight [maj tell'ifåon namm'bə izz to:' åo' naj'n åo' ej't] **nolla** nought [nå:t] **nomad** nomad [nåmm'əd] **nominell** nominal [nåmm'innl] **nonchalant** nonchalant [nånn'sjələnt] **nonchalera** neglect [niglekk't] **nonsens** nonsense [nånn'səns] **nord** north [nå:θ] **Nordafrika** North(ern) Africa [nå:'θ (nå:'ðənn) äff'rikkə] **Nordamerika** North America [nå:'θ əmerr'ikkə] **nordbo** northerner [nå:'-ðənə] **Norden** the Nordic (Scandinavian) countries [ðə nå:'dikk (skänndinej'vjən) kann'trizz] **Nordeuropa** Northern Europe [nå:'-ðən jo:'ərəp] **nordisk, nordlig** northern [nå:'ðən] **nordost** northeast [nå:'θi:'st] **nordpol** *nordpolen* the north pole [ðə nå:'θ påo'l] **Nordsjön** the North Sea [ðə nå:'θ si:'] **Norge** Norway [nå:'wej] **norm** standard [stänn'dəd] **normal** normal [nå:'məl] **normgivande** normative [nå:'mətivv] **norr** north [nå:θ]; *mot norr* to the north [to: ðə nå:'θ] **norra** the north(ern) [ðə nå:'θ (nå:'ðən)] **norrifrån** from the north [fråmm ðə nå:'θ] **norrman** Norwegian [nå:wi:'dsjən] **norrsken** aurora borealis [å:rå:'rə bå:riej'liss] **norrut** towards (the) north [təwå:'dz (ðə) nå:'θ] **norsk** Norwegian [nå:wi:'dsjən] **norska** (*språk*) Norwegian [nå:wi:'dsjən]; (*kvinna*) Norwegian woman [nå:wi:'dsjən womm'-ən] **nos** nose [nåoz] **nosa** smell [smell] **noshörning** rhinoceros [rajnåss'ərəs] **not** note [nåot] **nota** (*räkning*) bill [bill] **notarie** (recording) clerk [(rikå:'ding) kla:k] **notera** make a note of [mejk ə nåo't əvv] **nothäfte** sheets (*pl*) of music [sji:'ts əvv mjo:'zikk] **notis** (*tidnings-*) news-item [njo:'zajtemm] **notpapper** music-paper [mjo:'zikkpejpə] **novell** short story [sjå:'t stå:'ri] **november** November [nåovemm'bə] **nu** now [nao]; *tills nu* up till now [app' till nao']; *vad nu då?* what's up now? [wått's app' nao'] **nubba** tack [täkk] **nubbe** dram [drämm] **nuförtiden** nowadays [nao'ədejz] **numer(a)** now(adays) [nao'(ədejz)] **nummer** number [namm'bə]; (*tidnings- o.d.*) issue [iss'jo:]; (*storlek*) size [sajz] **nummerbyrå** directory enquiries [direkk'təri innkwaj'ərizz] **nummerordning** numerical order [njo:merr'ikəl å:'də] **numrera** number [namm'bə] **nunna** nun [nann] **nutida** present-day [prezz'ntdej'] **nuvarande** present [prezz'nt] **ny** new [njo:]; *nya tiden* the modern age [ðə mådd'ən ej'dsj] **nyans** shade [sjejd] **nyare** newer [njo:'ə] **nyast** newest [njo:'isst] **Nya Zeeland** New Zealand [njo:zi:'lənd] **nybildad** newly formed [njo:'li få:md] **nybyggare** settler [sett'lə] **nybyggd** newly (built) [njo:'li(billt)] **nybörjare** beginner [biginn'ə] **nyck** whim [wimm] **nyckel** key [ki:] **nyckelben** collar-bone [kåll'əbåon] **nyckelhål** keyhole [ki:'håol] **nyckelpiga** ladybird [lej'dibə:d] **nyckfull** capricious [kəprisj'əs] **nyexaminerad** newly qualified [njo:'li kwåll'ifajd] **nyfiken** curious [kjo:'əriəs] **nyfikenhet** curiosity [kjo:'əriåss'itti] **nyfödd** new-born [njo:'bå:n] **nygift** newly-married [njo:'li märr'idd] **nyhet** news [njo:z]; (*nymodighet*) novelty [nåvv'əlti]; *en nyhet* a piece of news [ə pi:' əvv njo:'z] **nyhetsbyrå** news agency [njo:'z ej'dsjənsi] **nyhetsutsändning** news broadcast [njo:'z brå:'dka:st] **nykomling** newcomer [njo:'kamm'ə] **nykter** sober [såo'bə] **nykterist** total abstainer [tåo'tl əbstej'nə], teetotaller [ti:tåo'tlə] **nyktra till** become sober [bikamm' såo'bə] **nyligen** recently [ri:'sntli] **nylon** nylon [naj'lən] **nylonskjorta** nylon shirt [naj'lənsjə:t] **nylonstrumpor** nylon stockings [naj'lən ståkk'ingz] (*herr-*: socks [såkks]) **nymålad** freshly painted [fresj'li pej'ntidd]; *nymålat!* wet paint! [wett' pej'nt] **nymåne** new moon [njo:' mo:'n] **nynna** hum [hamm] **nyordning** reorganization [ri:'å:gənaizej'sjən] **nypa** (*verb*) pinch [pinntsj] **nypon** rose-hip [råo'zhipp] **nypremiär** revival [rivaj'vəl] **nypressad** newly-pressed [njo:'lipresst] **nysa** sneeze [sni:z] **nysilver** silver-plated ware [sill'vəplej'tidd wä:'ə] **nyskapare** innovator [inn'åovejtə] **nyss** just [dsjasst] **nysta** wind [wajnd] **nystartad** (*om företag*) newly established [njo:'li isstäbb'lisjt] **nytt** *någonting nytt* something new [samm'θing njo:'] **nytta** use [jo:s] **nyttig** useful [jo:'sfoll]; (*hälsosam*) wholesome [håo'lsəm] **nyttja** use [jo:z] **nytvättad** just washed [dsjass't wåsj't] **nyår** new year [njo:' jə:'] **nyårsafton** New Year's Eve [njo:' jə:'z i:'v] **nyårsdag** New Year's Day [njo:' jə:'z dej'] **nå 1** (*interj.*) well! [well] **2** (*verb*) (*komma fram t.*) reach [ri:tsj] **nåd** grace [grejs] **någon** (*en viss*) some [samm], someone [samm'wann]; a(n) [ə(nn)]; (*någon alls, någon som helst*) any [enn'i], anyone [enn'iwann]; a(n) [ə(nn)]; *har du någon bror?* have you a brother? [hävv' jo:' ə brað'ə]; *har du några pengar (på dig)* have you any money? [hävv' jo:' enn'i mann'i], (*att låna mig*) have you got some money? [hävv' jo:' gått' samm mann'i] **någonsin** ever [evv'ə] **någonstans** somewhere [samm'wä:ə]; anywhere [enn'iwä:ə] **någonting** something [samm'θing]; anything [enn'iθing] **någorlunda** fairly [fä:'əlli] **något** something [samm'θing]; anything [enn'iθing]; some [samm], any [enn'i]; (*något litet*) a little [ə litt'l] **nåja** oh well! [åo well'] **nål** needle [ni:'dl]; (*hår-, knapp-*) pin [pinn] **nålsöga** eye of a needle [aj' əvv ə ni:'dl] **näbb** bill [bill] **näbbdjur** duck bill [dakk' bill] **näck** water-sprite [wå:'təsprajt] **näckros** water-lily [wå:'təlilli] **näktergal** nightingale [naj'tinggejl] **nämligen** (*framför uppräkning*) namely [nej'mli]; (*det vill säga*) that is [ðätt' izz]; (*emedan*) for [få:], because [bikåzz'] **nämna** mention [menn'sjən] **nämnare** (*mat.*) denominator [dinämm'inejtə] **nämnvärd** worth mentioning [wə:'θ menn'sjning] **näpen** engaging [inngej'dsjing] **när** when [wenn] **nära** near [ni:'ə] **närande** nourishing [narr'isjing] **närbild** close-up [klåo'zapp] **närgången** impertinent [immpə:'tinənt] **närhet** (*grannskap*) neighbourhood [nej'bəhodd]; *i närheten av* near [ni:'ə] **näring** (*föda*) nourishment [narr'isjmənt]; (*näringsfång*) industry [inn'dəstri] **näringsgren** (branch of) business [(bra:'ntsj əvv) bizz'niss] **näringsliv** (trade and) industry [(trej'd ənd) inn'dəstri] **näringsrik** nutritious [njo:trisj'əs] **närkamp** (*i sport*) in-fighting [inn'faj'ting] **närma** bring ... near [bring' ni:'ə]; *närma sig* approach [əpråo'tsj] **närmande** advance [ədva:'ns] **närmare** nearer [ni:'ərə] **närmast** nearest [ni:'ərisst] **närsynt** short-sighted [sjå:'tsaj'tidd] **närvarande** present [prezz'nt] **närvaro** presence [prezz'ns] **näs** point [påjnt] **näsa** nose [nåoz] **näsblod** nose-bleeding [nåo'zbli:ding] **näsborre** nostril [nåss'-trill] **näsduk** handkerchief [häng'kətsjiff] **näst** next [nekkst]; *den näst bästa* the second best [ðə sekk'ənd bess't] **nästa** next [nekkst] **nästan** almost [å:'lmåost]; nearly [ni:'əli]; *nästan aldrig* hardly ever [ha:'dli evv'ə] **näsvis** impertinent [immpə:'tinənt] **nät** net [nett] **nätansluten** connected to the main system [kənekk'tidd tə ðə mej'n siss'timm] **näthinna** retina [rett'innə] **nätt** pretty [pritt'i] **näve** fist [fisst] **nöd** distress [disstress']; *lida nöd* be in need [bi: inn ni:'d] **nödfall** *i nödfall* in case of need [inn kej's əvv ni:'d], in an emergency [inn ənn imə:'dsjənsi] **nödlandning** emergency landing [imə:'dsjənsi länn'ding] **nödlögn** white lie [wajt laj'] **nödlösning** temporary solution [temm'pərəri səlo:'sjən] **nödsakad** *bli nödsakad att* be obliged to [bi: əblaj'dsjd to:] **nödtorftig** scanty [skänn'ti] **nödvändig** necessary [ness'isəri] **nödvändighet** necessity [nisess'itti] **nöja sig med** be satisfied with [bi: sätt'issfajd wið] **nöjd** satisfied [sätt'issfajd] **nöje** pleasure [plesj'ə]; (*förströelse*) amusement [əmjo:'zmənt]; *det skall bli mig ett sant nöje att* I shall be delighted to [aj själl bi: dilaj'tidd to:]; *mycket nöje!* have a good time! [hävv' ə godd' tajm] **nöjesfält** fair-ground [fä:'əgraond] **nöt** nut [natt] **nöta** wear [wä:'ə] **nötkreatur** cattle [kätt'l] **nötkött** beef [bi:f] **nötning** wear [wä:'ə] **nötskal** nutshell [natt'sjell] (*äv. bildl.*) **nött** worn [wå:n] **oansenlig** insignificant [innsiggniff'ikənt] **oanständig** indecent [inndi:'snt] **oansvarig** irresponsible [irrispånn'səbl] **oantagbar** unacceptable [ann'əksepp'təbl] **oantastlig** unassailable [annəsej'ləbl] **oanträffbar** unavailable [ann'əvej'ləbl] **oanvändbar** unusable [annjo:'zəbl] **oaptitlig** unappetizing [ann'äpp'itajzing] **oartig** impolite [immpəlaj't] **oas** oasis [åoej'siss] **oavbruten** (*oupphörlig*) incessant [innsess'nt] **oavgjord** undecided [ann'disaj'didd]; (*i spel*) drawn [drå:n] **oavsiktlig** unintentional [ann'inntenn'sjənl] **oavvislig** unrejectable [annridsjekk'təbl] **obalanserad** unbalanced [ann'-bäll'ənst] **obarmhärtig** unmerciful [annmə:'sifoll] **obduktion** post-mortem [påo'stmå:'temm] **obeaktad** unnoticed [ann'nåo'-tisst] **obearbetad** raw [rå:]; (*i maskin*) unmachined [ann'-məsji:'nd] **obebodd** uninhabited [ann'innhäbb'itidd]; (*om hus*) untenanted [ann'tenn'əntidd] **obefintlig** non-existent [nånn'-iggziss'tənt] **obefogad** unjustified [anndsjass'tifajd] **obegriplig** incomprehensible [innkåmmprihenn'səbl] **obegränsad** unlimited [annlimm'itidd] **obegåvad** untalented [anntäll'əntidd] **obehag** discomfort [disskamm'fat] **obehaglig** disagreeable [dissəgri:'əbl] **obehärskad** uncontrolled [ann'kəntråo'ld] **obehövlig** unnecessary [anness'isəri] **obekant** unknown [ann'nåo'n] **obekräftad** unconfirmed [ann'kənfə:'md] **obekväm** uncomfortable [annkamm'fətəbl] **obekymrad** unconcerned [ann'kənsə:'nd] **obemannad** unmanned [ann'männ'd] **obemärkt** unobserved [ann'əbzə:'vd] **obenägen** disinclined [diss'innklaj'nd] **oberoende** (*subst.*) independence [inndipenn'dəns] **oberäknelig** unpredictable [ann'pridikk'təbl]; (*nyckfull*) capricious [kəprisj'əs] **oberättigad** unjustified [anndsjass'tifajd] **oberörd** unaffected [ann'əfekk'tidd] **obesegrad** unconquered [ann'kång'kəd] **obeskrivlig** indescribable [inndisskraj'bəbl] **obeslutsam** irresolute [irrezz'əlo:t] **obestridd** uncontested [ann'kəntess'tidd] **obestridlig** indisputable [inndisspjo:'təbl] **obestyrkt** unverified [ann'verr'ifajd] **obeställbar** undeliverable [ann'dilivv'ərəbl] **obestämd** indefinite [inndeff'initt]; (*vag*) vague [vejg] **obetald** unpaid [ann'pej'd] **obetingat** unconditionally [ann'kəndisj'nəli] **obetonad** unstressed [ann'stress't] **obetydlig** insignificant [innsiggniff'ikənt] **obetydligt** (*adv.*) slightly [slaj'tli] **obetänksam** thoughtless [θå:'tliss] **obeveklig** implacable [immpläkk'əbl] **obeväpnad** unarmed [ann'a:'md] **objekt** object [åbb'dsjikkt] **objektiv** objective [åbbdsjekk'tivv]; (*i kamera*) lens [lenns] **obligation** bond [bånnd] **obligatorisk** compulsory [kəmpall'səri] **oblyg** unblushing [annblasj'ing]; (*fräck*) barefaced [bä:'əfejst] **oboe** oboe [åo'båo] **obotlig** incurable [innkjo:'ərəbl] **obruten** unbroken [ann'bråo'kən] **observation** observation [åbbzə:vej'sjən] **observatorium** observatory [əbbzə:'vətri] **observera** observe [əbzə:'v] **obunden** unbound [ann'bao'nd] **o-bygd** wilderness [will'dəniss] **obönhörlig** implacable [immpläkk'əbl] **ocean** ocean [åo'sjən] **Oceanien** Oceania [åosjiej'njə] **och** and [ännd] **ocker** usury [jo:'sjorri] **ockra** practise usury [pråkk'tiss jo:'sjorri] **ockrare** usurer [jo:'sjərə] **också** also [å:'lsåo]; too [to:] **ockupation** occupation [åkkjopej'sjən] **ockupera** occupy [åkk'jopaj] **odds** odds [åddz] **odjur** monster [månn'stə] **odla** cultivate [kall'tivejt] **odling** cultivation [kalltivej'sjən] **odräglig** unbearable [annbä:'ərəbl] **oduglig** incompetent [innkåmm'pitənt] **odåga** good-for-nothing [godd'fənaθing] **ödödlig** immortal [immå:'tl] **oeftergivlig** irremissible [irrimiss'əbl] **oefterhärmlig** inimitable [inimm'itəbl] **oegennyttig** altruistic [älltroiss'tikk] **oegentligheter** irregularities [irregjolärr'itizz] **oekonomisk** uneconomic [ann'i:kənəmm'ikk] **oemotståndlig** irresistible [irriziss'təbl] **oerfaren** inexperienced [innikkspi:'əriənst] **oerhörd** tremendous [trimenn'dəs] **oersättlig** irreplaceable [irriplej'səbl] **ofantlig** enormous [inå:'məs] **ofarlig** harmless [ha:'mliss] **ofelbar** infallible [innfäll'əbl] **offensiv** offensive [əfenn'sivv] **offentlig** public [pabb'likk] **offer** sacrifice [säkk'-

rifajs] **offert** offer [åff'ə] **officer** officer [åff'issə] **officiell** official [əfisj'əl] **offra** sacrifice [såkk'rifajs] **offsettryck** offset print [å:ff'sett print] **ofin** indelicate [inndell'ikitt] **oframkomlig** impassable [immpa:'səbl] **ofrivillig** unintentional [ann'inntenn'-sjənl] **ofruktbar** barren [bärr'ən] **ofrånkomlig** inevitable [inn-evv'itəbl] **ofta** often [å:'fn] **ofullbordad** unfinished [ann'-finn'isjt] **ofullkomlig** imperfect [immpə:'fikkt] **ofullständig** incomplete [innkəmpli:'t] **ofärd** calamity [kəlämm'itti] **ofarglig** harmless [ha:'mliss] **oförbehållsam** unreserved [ann'rizə:'vd] **oförberedd** unprepared [ann'pripå:'əd] **ofördelaktig** disadvantageous [dissåddva:ntej'dsjəs] **oфördröjligen** without delay [wiðao't dilej'] **oförenlig** incompatible [innkəmpätt'əbl] **oföretagsam** unenterprising [ann'enn'təprajzing] **oförfalskad** genuine [dsjenn'joinn] **oförglömlig** unforgettable [ann'fəgett'əbl] **oförhindrad** at liberty [ätt libb'əti] **oförklarlig** inexplicable [innekk'splikəbl] **oförliknelig** incomparable [ínnkåmm'pərəbl] **oförmodad** unexpected [ann'ikkspekk'tidd] **oförmåga** inability [innəbill'itti] **oförmögen** incapable [innkej'pəbl] **oförrätt** wrong [rång] **oförrättat** med oförrättat ärende (tomhänt) emptyhanded [emm'ptihänn'didd] **oförsiktig** imprudent [immpro:'-dənt] **oförskämd** insolent [inn'sələnt] **oförskämdhet** impertinence [immpə:'tinəns] **oförsonlig** implacable [immpläkk'əbl] **oförstående** unsympathetic [ann'simmpəθett'ikk] **oförstånd** lack of judgment [läkk' əvv dsjadd'sjmənt] **oförståndig** (oklok) imprudent [immpro:'dənt] **oförtjänt** undeserved [ann'dizə:'vd] **oförtullad** duty unpaid [djo:'ti ann'pej'd] **oförutsedd** unforeseen [ann'få:si:'n] **oförvägen** daring [dä:'əring] **oförändrad** unchanged [ann'tsjej'ndsjd] **ogenomförbar** infeasible [innfi:'-zəbl] **ogenomskinlig** not transparent [nått' trännspä:'ərənt] **ogenomtränglig** impenetrable [immpenn'itrəbl] **ogift** unmarried [ann'märr'idd] **ogilla** disapprove of [diss'əpro:'v əvv] **ogiltig** invalid [innväll'idd] **ogin** disobliging [diss'əblaj'dsjing] **ogjord** undone [anndann'] **ogrundad** unfounded [ann'fao'ndidd] **ogräs** weed [wi:d] **ogräsbekämpning** weed control [wi:'d kəntrəo'l] **ogynnsam** unfavourable [ann'fej'vərəbl] **ogärna** unwillingly [annwill'ingli]; det gör jag högst ogärna I am very much against doing it [aj əmm verr'i matt'sj əgenn'st do:'ing itt] **ohanterlig** unwieldy [annwi:'ldi] **ohederlig** dishonest [dissånn'isst] **ohm** ohm [åom] **ohyfsad** ill-mannered [ill'männ'əd] **ohygglig** horrible [hårr'əbl] **ohygienisk** unhygienic [annhajdsji:'nikk] **ohyra** vermin [və:'minn] **ohållbar** (åsikt) untenable [ann'tenn'əbl]; (situation) precarious [prikä:'əriəs] **ohälsosam** unhealthy [ann-hell'θi] **ohämmad** unchecked [ann'tsjekk't] **ohövlig** impolite [immpəlaj't] **oigenkännlig** unrecognizable [ann'rekk'əgnazəbl] **ointressant** uninteresting [ann'inn'trissting] **ointresserad** uninterested [ann'inn'trisstidd] (av in [inn]) **ojust** unfair [ann'fä:'ə] **ojämförligt** incomparably [innkåmm'pərəbli] **ojämn** uneven [ann'iˈvən]; *(skrovlig)* rough [raff] **ojämnhet** unevenness [annˈiːˈvənniss] **ok** yoke [jåok] **oklanderlig** irreproachable [irripråoˈtsjəbl] **oklar** obscure [əbskjoˈə] **oklarhet** obscurity [əbskjoˈəritt] **oklok** unwise [annˈwajˈz] **okonstlad** unaffected [annəfekkˈtidd] **okryddad** unseasoned [annˈsiːˈznd] **oktanvärde** octane value [åkkˈtejn vällˈjoː] **oktav** octave [åkkˈtivv] **oktober** October [åkktåoˈbə] **okultiverad** uncultivated [annˈkallˈtivejtidd] **okunnig** ignorant [iggˈnərənt] **okvalificerad** unqualified [annˈkwållˈifajd] **okväda** abuse [əbjoːz] **okänd** unknown [annˈnåoˈn] **okänslig** insensible [innsennˈsəbl] **olag** *i olag* out of order [aoˈt əvv åːˈdə] **olaglig** illegal [illiˈgəl] **olidlig** insufferable [innsaffˈərəbl] **olik** unlike [annˈlajˈk] **olika** different [diffˈrənt] **olikhet** difference [diffˈrəns] **oliv** olive [ållˈivv] **olja** oil [åjl] **oljeblandad** ... mixed with oil [mikksˈt wiδ åjˈl] **oljefärg** oil-paint [åjˈlpejˈnt] **oljemålning** oil-painting [åjˈlpejˈnting] **oljud** noise [nåjz] **ollon** acorn [ejˈkåːn] **ollonborre** cockchafer [kåkkˈtsjejfə] **ologisk** illogical [illåddˈsjikəl] **olovlig** forbidden [fəbiddˈn] **olust** discomfort [disskammˈfət] **olustig** unpleasant [annplezzˈnt] **olycka** misfortune [missfåːˈtsjən]; *(olyckshändelse)* accident [äkkˈsidənt]; *till råga på olyckan* to make matters worse [tə mejˈk mättˈəz wəːˈs]; *det är ingen olycka skedd* there's no harm done [δäːˈəz nåoˈ haːˈm dann'] **olycklig** unhappy [annhäppˈi] **olyckligtvis** unfortunately [annfåːˈtsjnittli] **olycksbådande** ominous [åmmˈinəs] **olycksfall** accident [äkkˈsidənt] **olycksfallsförsäkring** accident insurance [äkkˈsidənt innsjoːˈərəns] **olyckshändelse** accident [äkkˈsidənt] **olydig** disobedient [dissəbiːˈdjənt] **olympiad** Olympic Games [åolimmˈpikk gejˈmz] **olåst** unlocked [annˈlåkkˈt] **olägenhet** inconvenience [innkənviːˈnjəns] **olämplig** unsuitable [annˈsjoːˈtəbl] **oländig** rough [raff] **oläslig** illegible [illeddˈsjəbl] **olöslig** insoluble [innsällˈjəbl] **olöst** *(problem)* unsolved [annˈsållˈvd] **om** *(konj.)* *(frågande)* if [iff]; *som om* as if [äzzˈ iffˈ]; *(prep.)* *(omkring)* (a)round [(ə)raoˈnd]; about [əbaoˈt]; *(angående)* about [əbaoˈt], of [åvvˈ]; *(vid begäran, tävlan)* for [fåːˈ]; *vara kall om fötterna* have cold feet [hävv kåoˈld fiːˈt]; *söder om* to the south of [to: δə saoˈθ əvv]; *om dagen* in the daytime [inn δə dejˈtajm]; *(adv.)* *om igen* over again [åoˈvə əgennˈ] **omarbeta** revise [rivajˈz] **omarbetning** revision [rivisjˈən] **ombedd** requested [rikwessˈtidd] **ombilda** transform [trännsfåːˈm] *(till* into [innˈtoː]) **ombord** on board [ånn båːˈd] **ombud** representative [reppriznˈtətivv] **ombudsman** representative [reppriznnˈtətivv]; *(för organisation äv.)* ombudsman [åmmˈboddzmən] **ombyggnad** rebuilding [riːˈbillˈding] **ombyte** change [tsjejndsj] **omdebatterad** much discussed [mattˈsj disskassˈt] **omdöme** judg(e)ment [dsjaddˈsjmənt] **omedelbart** immediately [immiːˈdjətli] **omedveten** unconscious [annkånnˈsjəs] **omelett** omelet(te) [åmmˈlitt] **omfamna** embrace [emmˈbrejˈs] **omfatta** comprise [kəmprajˈz] **omfattande** extensive [ikkstenn'sivv] **omfattning, omfång** extent [ikkstenn't] **omfångsrik** extensive [ikkstenn'sivv] **omgift** remarried [ri:'märr'idd] **omgiva** surround [sərao'nd] **omgivning** surroundings [sərao:n-dingz] **omgående** immediately [immi:'djətli] **omgång** (varv) round [raond]; (uppsättning) set [sett] **omhänderta** take charge of [tejk tsja:'dsj əvv] **omild** harsh [ha:sj] **omintetgöra** frustrate [frasstrej't] **omisskännlig** unmistakable [ann'misstej'kəbl] **omistlig** indispensable [inndispenn'səbl] **omklädningsrum** changing-room [tsjej'ndsjingromm] **omkomma** die [daj] **omkostnader** costs [kåssts] **omkrets** circumference [səkamm'fərəns] **omkring** round [raond]; (ungefär) about [əbao't] **omkull** down [daon] **omkörning** overtaking [åovətej'king] **omlastning** reloading [ri:'låo'ding] **omlopp** circulation [sə:kjolej'sjən] **omläggning** rearrangement [ri:'ərej'ndsjmənt] **omnämna** mention [menn'-sjən] **omodern** old-fashioned [åo'ldfäsj'ənd] **omogen** unripe [ann'raj'p] **omoralisk** immoral [immárr'əl] **omorganisera** reorganize [ri:'å:'gənajz] **omotiverad** uncalled-for [annkå:'ldfå:] **omplacera** rearrange [ri:'ərej'ndsj]; (ämbetsman) transfer [tränns-fə:'] **ompröva** reconsider [ri:'kənsidd'ə] **omringa** surround [sərao'nd] **område** (trakt) district [diss'trikkt]; (gebit) field [fi:ld] **omröstning** voting [våo'ting] **omsider** at last [ätt la:'st] **omskola** re-educate [ri:'edd'jo:kejt] **omskära** circumcise [sə:'kəm-sajz] **omslag** (emballage) wrapping [räpp'ing]; (förändring) change [tsjejndsj] **omslagspapper** wrapping-paper [räpp'ing-pejpə] **omsorg** care [kä:'ə] **omsorgsfull** careful [kä:'əfoll] **omstridd** contested [kəntess'tidd] **omställning** adjustment [ədjass'tmennt] **omständighet** circumstance [sə:'kəmstəns] **omständlig** circumstantial [sə:kəmstänn'sjəl] **omstörtande** subversive [sabbvə:'sivv] **omsvep** circumlocution [sə:kəmləkjo:'-sjən]; utan omsvep straight out [strej't ao't] **omsvängning** sudden change [sadd'n tsjej'ndsj] **omsätta** (växel) renew [rinjo:']; omsätta ... i praktiken put ... into practice [pott' inn'to präkk'tiss] **omsättning** (av växel) renewal [rinjo:'əl]; (försäljning) turnover [tə:'nåovə] **omsättningsskatt** purchase tax [pə:'tsjəs täkks] **omtala** mention [menn'sjən] **omtanke** consideration [kənsiddərej'sjən] **omtvistad** disputed [disspjo:'tidd] **omtyckt** liked [lajkt], popular [påpp'jolə] **omtänksam** considerate [kənsidd'ə-ritt] **omtocknad** darkened [da:'kənd]; dazed [dejzd] **omusikalisk** unmusical [ann'mjo:'zikəl] **omutlig** incorruptible [innkə-rapp'təbl] **omval** re-election [ri:'ilekk'sjən] **omvandla** transform [trännsfå:'m] **omvårdnad** care [kä:'ə] **omväg** roundabout way [rao'ndəbaot wej] **omvälvning** revolution [revvəlo:'sjən] **omvänd** reverse(d) [rivə:'s(t)] **omvända** convert [kənvə:'t] **omvärdera** revalue [ri:'väll'jo:] **omväxlande** varying [vä:'əriing] **omväxling** variation [vä:əriej'sjən] **omyndig** under age [ann'də ej'dsj] **omåttlig** immoderate [immådd'əritt] **omänsklig** inhuman [innhjo:'mən] **omärklig** imperceptible [immpəsepp'təbl] **omätlig** immeasurable [immesj'ərəbl] **omöblerad** unfurnished [ann'fə:'-nisjt] **omöjlig** impossible [immpåss'əbl] **onani** masturbation [mässtəbej'sjən] **onaturlig** unnatural [annätt'sjrəl] **ond** evil [i:'vl]; (*arg*) angry [äng'gri]; *ond aning* misgiving [missgivv'ing] **ondske-full** malignant [məligg'nənt] **onekligen** undeniably [anndinaj'-əbli] **onkel** uncle [ang'kl] **onormal** abnormal [äbbnå:'məl] **onsdag** Wednesday [wenn'zdi] **ont** evil [i:'vl]; (*smärtor*) pain [pejn]; *ett nödvändigt ont* a necessary evil [ə ness'isəri i:'vl]; *det är inte ngt ont i honom* there's no harm in him [ðä:'əz nåo' ha:'m inn himm]; *göra ont* give pain [givv' pej'n]; *jag har ont i ryggen* I have a pain in my back [aj' hävv' ə pej'n inn maj bäkk']; *ha ont om* be short of [bi: sjå:'t əvv]; *ha ont om pengar* be hard up [bi: ha:'d app']; *ha ont om tid* be pressed for time [bi: press't få: taj'm] **onyanserad** without nuances [wiðao't njo:'ə:nsizz] **onykter** drunk [drangk] **onyttig** useless [jo:'sliss] **onåd** disgrace [dissgrej's] **onödan** *i onödan* unnecessarily [anness'isərilli] **onödig** unnecessary [anness'isəri] **oordentlig** (*om pers.*) careless [kä:'əliss]; (*om sak*) disorderly [disså:'dəli] **oordnad** disordered [disså:'dəd] **oordning** disorder [disså:'də] **oorganisk** inorganic [innå:gänn'ikk] **opartisk** impartial [immpa:'sjəl] **opassande** improper [immpråpp'ə] **opera** [åpp'ərə]; (*-hus*) opera-house [åpp'ərəhaos] **operasångare** opera-singer [åpp'ə-rəsingə] **operation** operation [åppərej'sjən] **operera** operate [åpp'ərejt] (*ngn* on s.b. [ånn samm'bədi]); *bli opererad* be operated on [bi: åpp'ərejtidd ånn]; *operera bort* remove [rimo:'v] **operett** musical comedy [mjo:'zikəl kåmm'iddi] **opersonlig** impersonal [immpə:'snl] **opinion** opinion [əpinn'jən]; *den allmänna opi-nionen* public opinion [pabb'likk əpinn'jən] **opinionsbildning** moulding of public opinion [måo'lding əvv pabb'likk əpinn'jən] **opium** opium [åo'pjəm] **opolitisk** unpolitical [ann'pəlitt'ikəl] **opponera sig mot** object to [əbbsjekk't to:] **opportunist** opportunist [åpp'ətjo:nisst] **opposition** opposition [åppəzisj'ən] **opraktisk** unpractical [ann'präkk'tikəl] **opretentiös** unpretentious [ann'pritenn'sjəs] **optimist** optimist [åpp'timisst] **optimistisk** optimistic [åpptimiss'tikk] **optisk** optical [åpp'tikəl] **oputsad** unpolished [ann'påll'isjt] **opålitlig** unreliable [ann'-rilaj'əbl] **opåverkad** unaffected [ann'əfekk'tidd] **orange** orange [årr'inndsj] **orangutang** orang-outang [å:'rəngo:'täng] **ord** word [wə:d]; *ord och inga visor* plain speaking [plej'n spi:'king]; *begära ordet* request permission to speak [rikwess't pəmisj'ən tə spi:'k]; *ta ngn på orden* take s.b. at his word [tej'k samm'bədi ətt hizz wə:'d] **ordagrann** literal [litt'ərəl] **ordalag** terms [tə:mz] **ordbok** dictionary [dikk'sjənri] **orden** order [å:'də] **ordentlig** careful [kä:'əfoll]; (*ordningsam*) orderly [å:'dəli] **ordentligt** properly [pråpp'əli] **order** order [å:'də] (*om, på* for [få:]) **ord-följd** word order [wə:'d å:də] **ordförande** (*i förening*) president [prezz'idənt]; (*vid möte*) chairman [tsjä:'əmən] **ordförråd** vo-

109   ordinarie — osammanhängande

cabulary [vəkäbb'joləri] **ordinarie** ordinary [å:'dnri]; (om tjänst) permanent [pə:'mənənt] **ordinera** prescribe [priskraj'b] **ordinär** ordinary [å:'dnri] **ordna** arrange [ərej'ndsj]; (reda ut) get ... into order [gett' inn'to å:'də]; ordna upp settle [sett'l] **ordning** order [å:'də]; göra i ordning get ... ready [gett' redd'i] **ordspråk** proverb [prå vv'əb] **ordstäv** saying [sej'ing] **orealistisk** unrealistic [ann'ri:əliss'tikk] **oreda** disorder [disså:'də] **oredig** confused [kənfjo:'zd] **oregelbunden** irregular [irregg'jollə] **oren** unclean [ann'kli:'n] **oreserverad** unreserved [ann'rizə:'vd] **oresonlig** unreasonable [annri:'znəbl] **organ** organ [å:'gən] **organisation** organization [å:gənajzej'sjən] **organisationsförmåga** organizing ability [å:'gənajzing əbill'itti] **organisera** organize [å:'gənajz] **organisk** organic [å:gänn'ikk] **organism** organism [å:'gənizzəm] **orgasm** orgasm [å:'gäzzəm] **orgel** organ [å:'gən] **orgie** orgy [å:'dsji] **orientalisk** oriental [å:rienn'tl] **Orienten** the Orient [ði å:'riənt] **orientera** orient [å:'riennt]; (underrätta) inform [innfå:'m]; (sport.) run cross-country [rann' kråss'kann'tri] **original** original [əridd'sjənl]; (person) eccentric [ikksenn'trikk] **originell** original [əridd'sjənl]; (säregen) eccentric [ikksenn'trikk] **oriktig** incorrect [innkərekk't] **orimlig** absurd [əbsə:'d] **orka** have the strength for (to do) [hävv' ðə streng'θ få: (tə do:)]; arbeta allt vad man orkar work one's hardest [wə:k wannz ha:'disst] **orkan** hurricane [harr'ikən] **orkeslös** infirm [innfə:'m] **orkester** orchestra [å:'kisstrə] **orkidé** orchid [å:'kidd] **orm** snake [snejk] **ormbett** snake bite [snej'k bajt] **ormbunke** fern [fə:n] **ormserum** anti-venom [änn'tivenn'əm] **ormtjusare** snakecharmer [snej'ktsja:mə] **ormvråk** buzzard [bazz'əd] **ornament** ornament [å:'nəmənt] **oro** agitation [äddsjitej'sjən]; (farhåga) anxiety [ängzaj'əti] **oroa** make ... anxious [mej'k äng'ksjəs]; oroa sig för be anxious about [bi: äng'ksjəs əbao't] **oroande** disturbing [disstə:'bing] **orolig** anxious [äng'ksjəs]; (bekymrad) concerned [kənsə:'nd]; du behöver inte vara orolig! you needn't worry! [jo: ni:'dnt warr'i] **oroväckande** alarming [əla:'ming] **orre** black grouse [bläkk' graos] **orsak** cause [kå:z]; orsak och verkan cause and effect [kå:'z ənn ifekk't]; av den orsaken for that reason [fä: ðätt' ri:'zn] **orsaka** cause [kå:z] **ort** place [plejs] **ortnamn** place-name [plej'snejm] **orts-** local [låo'kəl] **orubblig** immovable [immo:'vəbl] **oråd** ana oråd take alarm [tej'k əla:'m] **orädd** fearless [fi:'əliss] **oräknelig** innumerable [innjo:'mərəbl] **orätt** wrong [rång]; med rätt eller orätt rightly or wrongly [raj'tli å: rång'li]; göra ngn orätt wrong s.b. [rång' samm'bədi]; ha orätt be in the wrong [bi: inn ðə rång'] **orättfärdig** unjust [ann'dsjass't] **orättmätig** unlawful [ann'lå:'foll] **orättvis** unjust [ann'dsjass't] **orättvisa** injustice [inndsjass'tiss] **orörlig** immovable [immo:'vəbl] **os, osa** smell [smell] **o.s.a.** R.S.V.P. [a:'ess'vi:'pi:'] **osagd** unsaid [ann'sedd'] **osaklig** irrelevant [irrell'ivənt] **osammanhängande** disconnected [diss'kənekk'tidd]

osams *bli osams med* quarrel with [kwårr'əl wið] **osann** untrue [ann'tro:'] **osanning** untruth [ann'tro:'θ] **osannolik** unlikely [annlaj'kli] **osjälvisk** unselfish [ann'sell'fisj] **osjälvständig** dependent on others [dipenn'dənt ånn að'əzz] **oskadad** unhurt [ann'hə:'t] **oskadlig** harmless [ha:'mliss] **oskadliggöra** render ... harmless [renn'də ha:'mliss] **oskiljaktig** inseparable [innsepp'ərəbl] **oskuld** innocence [inn'əsns]; (*ororörd flicka*) virgin [və:'dsjinn]; *oskuld från landet* country cousin [kann'tri kazz'n] **oskuldsfull** innocent [inn'əsnt] **oskyddad** unprotected [ann'prətekk'tidd] **oskyldig** innocent [inn'əsnt] **oskälig** unreasonable [annri:'znəbl] **oskön** ugly [agg'li] **oslagbar** undefeatable [anndifi:'təbl] **oslipad** (*verktyg*) unground [ann'grao'nd]; (*ädelsten*) rough [raff] **osmaklig** distasteful [disstej'stfoll] **osminkad** unpainted [ann'pej'ntidd]; *osminkad sanning* plain truth [plej'n tro:'θ] **osolidarisk** disloyal [diss'låj'əl] **oss** us [ass]; *oss själva* ourselves [aoəsell'vz] **ost** cheese [tsji:z]; *få betalt för gammal ost* get paid out [gett pej'd ao't]; *en lyckans ost* a lucky beggar [ə lakk'i begg'ə] **ostadig** unsteady [ann'stedd'i] **osthyvel** cheese slicer [tsji:'z slaj'sə] **ostindisk** East Indian [i:'st inn'djən] **ostkaka** curd cake [kə:'d kejk] **ostron** oyster [åj'stə] **ostädad** untidy [anntaj'di] **ostörd** undisturbed [ann'dısstə:'bd] **osund** unhealthy [annhell'θi] **osviklig** unerring [ann'ə:'ring] **osymmetrisk** asymmetrical [ässimett'rikəl] **osympatisk** disagreeable [dissəgri:'əbl] **osynlig** invisible [innvizz'əbl] **osäker** uncertain [annsə:'tn] **otack** ingratitude [inngrätt'itjo:d] **otacksam** ungrateful [anngrej'tfoll] **otakt** *i otakt* out of time [ao't əvv taj'm] **otaliga** innumerable [innjo:'mərəbl] **otalt** *ha ngt otalt med ngn* have a bone to pick with s.b. [hävv' ə båo'n tə pikk' wið samm'bədi] **otid** *i otid* at the wrong moment [ätt ðə rång' måo'mənt]; *i tid och otid* all the time [å:'l ðə taj'm] **otillbörlig** undue [ann'djo:'] **otillfredsställande** unsatisfactory [ann'sättisfäkk'təri] **otillfredsställd** unsatisfied [ann'sätt'isfajd] **otillförlitlig** unreliable [ann'rilaj'əbl] **otillgänglig** inaccessible [innäkksess'əbl] **otillräcklig** insufficient [innsəfisj'ənt] **otillräknelig** ... not responsible for one's actions [nått risspånn'səbl få: wannz äkk'sjənz] **otillåten** forbidden [fəbidd'n] **otjänlig** unfit [ann'fitt'] **otrevlig** disagreeable [dissəgri:'əbl] **otrivsam** cheerless [tsji:'əliss] **otrogen** unfaithful [ann'fej'θfoll] **otrohet** infidelity [innfidell'itti] **otrolig** incredible [innkredd'əbl]; *otroligt men sant* strange but true [strej'ndsj batt tro:'] **otrygg** insecure [innsikjo:'ə] **otränad** untrained [ann'trej'nd] **otröstlig** inconsolable [innkənsåo'ləbl] **otukt** fornication [få:nikej'sjən] **otur** bad luck [bädd' lakk'] **otvetydig** unmistakable [ann'misstej'kəbl] **otvivelaktigt** undoubtedly [anndåo'tiddli] **otvungen** free and easy [fri:' ənn i:'zi] **otydlig** indistinct [inndissting'kt] **otyglad** unbridled [ann'braj'dld] **otymplig** ungainly [anngej'nli] **otålig** impatient [immpej'sjənt] **otäck** nasty [na:'sti] **otänkbar** inconceivable [innkənsi:'vəbl] **oumbärlig** indispensable [inndisspenn'səbl] **ound-viklig** inevitable [innevv'itəbl] **ouppfostrad** ill-bred [ill'bredd'] **oupphörligen** incessantly [innsess'ntli] **ouppmärksam** inattentive [innətenn'tivv] **ouppnåelig** unattainable [ann'ətej'nəbl] **oupptäckt** undiscovered [ann'diskavv'əd] **oursäktlig** inexcusable [innikkskjo:'zəbl] **outforskad** unexplored [ann'ikksplå:'d] **outförbar** impracticable [immpräkk'tikəbl] **outhyrd** unlet [ann'-lett'] **outhärdlig** unbearable [annbä:'ərəbl] **outnyttjad** unused [ann'jo:'zd] **outplånlig** ineffaceable [innifej'səbl] **outrotlig** ineradicable [inniràdd'ikəbl] **outsinlig** inexhaustible [inniggzå:'-stəbl] **outspädd** undiluted [ann'dajlo:'tidd] **outsäglig** unspeakable [annspi:'kəbl] **outtröttlig** indefatigable [inndifätt'igəbl] **oval** oval [åo'vəll] **ovan 1** (*adv. o. prep.*) above [əbavv'] **2** (*adj.*) unaccustomed [ann'əkass'təmd] **ovandel** upper part [app'ə pa:t] **ovanför** above [əbavv'] **ovanlig** unusual [annjo:'sjoəl] **ovan-stående** the above [ði əbavv'] **ovarsam** heedless [hi:'dliss] **ovederhäftig** unreliable [ann'rilaj'əbl] **overall** overalls [åo'-vərå:lz] **overklig** unreal [ann'ri:'əl] **overksam** inactive [innäkk'-tivv] **ovetande** unknowing [ann'nåo'ing] **ovetenskaplig** unscientific [ann'sajəntiff'ikk] **ovidkommande** irrelevant [irrell'i-vənt] **ovig** cumbersome [kamm'bəsəm] **ovilja** aversion [əvə:'-sjən] **ovillig** unwilling [ann'will'ing] **ovillkorligen** absolutely [äbb'səlo:tli] **oviss** uncertain [annsə:'tn] **ovårdad** neglected [niglekk'tidd] **oväder** storm [stå:m] **ovän** enemy [enn'immi] **ovänlig** unkind [annkaj'nd] **oväntad** unexpected [ann'ikkspekk'-tidd] **ovärderlig** invaluable [innväll'joəbl] **ovärdig** unworthy [annwə:'ði] **oxfilé** fillet of beef [fill'itt əvv bi:'f] **oxid** oxide [åkk'-sajd] **oxidera** oxidize [åkk'sidajz] **oxkött** beef [bi:'f] **oåter-kallelig** irrevocable [irrevv'əkəbl] **oåtkomlig** inaccessible [innäkksess'əbl] **oäkta** false [få:ls] **oändlig** endless [enn'dliss]; infinite [inn'finitt] **oärlig** dishonest [dissånn'isst] **oätbar** uneatable [ann'i:'təbl] **oöm** robust [rəbass't] **oöverkomlig** insurmountable [innsə:mao'ntəbl] **oöverskådlig** incalculable [innkäll'kjoləbl] **oöverstiglig** insurmountable [inn'sə:mao'ntəbl] **oöverträffad** unsurpassed [ann'sə:pa:'st] **oövervinn(e)lig** invincible [innvinn'səbl] **packa** pack [päkk]; *packa in* pack up [päkk' app']; *packa upp* unpack [ann'päkk'] **packe** package [päkk'iddsj] **padda** toad [tåod] **paddel, paddla** paddle [pädd'l] **paj** pie [paj] **pajas** clown [klaon] **paket** parcel [pa:'sl]; *ett paket cigarretter* a packet of cigarettes [ə päkk'itt əvv siggərett's]; *skicka som paket* send by parcel-post [senn'd baj pa:'sl påo'st] **paketutlämning** delivery-office [dilivv'əriäffiss] **palats** palace [päll'iss] **Palestina** Palestine [päll'istajn] **palett** palette [päll'itt] **pall** stool [sto:l] **palm** palm [pa:m] **palsternacka** parsnip [pa:'snipp] **pamp** (*person*) bigwig [bigg'wigg] **panel** panelling [pänn'ling]; (*grupp personer*) panel [pänn'l] **panik** panic [pänn'-ikk] **pank** broke [bråok] **panna** pan [pänn]; (*värme-*) furnace [fə:'niss]; *(på huvudet)* forehead [fårr'idd] **pannbiff** *ungefär* hamburger [hämm'bɑ:gə] **pannkaka** pancake [pänn'kejk] **pansar** armour [ɑ:'mə] **pansartrupper** armoured troops [ɑ:'məd tro:ps] **pant** pledge [pleddsj] **pantbank** pawnshop [på:'nsjåpp] **panter** panther [pänn'θə] **papegoja** parrot [pärr'ət] **papiljott** curler [kə:'lə] **papp** board [bå:d] **pappa** dad(dy) [dädd'(i)] **papper** paper [pej'pə]; *ett papper* a piece of paper [ə pi:'s əvv pej'pə] **pappersbruk** paper mill [pej'pə mill] **papperskorg** waste-paper basket [wej'stpejpə bɑ:'skitt]; *Am.* wastebasket [wej'stbɑ:skitt] **paprika** paprika [päppri:'kə] **par** *(sammanhängande)* pair [pä:'ə]; *(äkta m.m.)* couple [kapp'l]; *ett par skor* a pair of shoes [ə pä:'ə əvv sjo:'z]; *ett par (några)* a couple of [ə kapp'l əvv] **para sig** mate [mejt] **parad** parade [pərej'd] **paradis** paradise [pärr'ədajs] **paradox** paradox [pärr'ədåkks] **paraffin** (solid) paraffin [(såll'-idd) pärr'əfinn] **paragraf** paragraph [pärr'əgrɑ:f] **parallell** parallel [pärr'ələl] **parallellkoppling** parallel connection [pärr'ələl kənekk'sjən] **paranöt** Brazil nut [brəzill' natt] **paraply** umbrella [ambrell'ə] **parasit** parasite [pärr'əsajt] **parasoll** parasol [pärrəsåll'] **parentes** parentheses [pərenn'θisiss] **parfym** perfume [pə:'fjo:m] **parfymera** scent [sennt] **park** park [pɑ:k] **parkera** park [pɑ:k] **parkering** parking [pɑ:'king] **parkeringsautomat** parking meter [pɑ:'king mi:tə] **parkeringsförbud** parking prohibited [pɑ:'king prəhibb'itidd] **parkeringshus** multistorey garage [mall'tistɑ:'ri gärr'ɑ:sj] **parkeringsplats** parking place [pɑ:'king plejs] **parkett** *(på teater)* stalls [stå:lz]; *(golvbeläggning)* parquet [pɑ:'kej] **parlament** parliament [pɑ:'ləmənt] **parlör** phrase-book [frej'zbokk] **parodi** parody [pärr'ədi] **part** party [pɑ:'ti] **parti** *(del)* part [pɑ:t]; *(politiskt)* party [pɑ:'ti]; *ta parti för* take sides for [tejk saj'dz få:]; *ett parti schack* a game of chess [ə gejm əvv tsjess'] **partikel** particle [pɑ:'tikkl] **partipris** wholesale price [hɑo'lsejl prajs] **partisk** partial [pɑ:'sjəl] **partitur** score [skå:] **partner** partner [pɑ:'tnə] **pass** *(bergs-)* pass [pɑ:s]; *(legitimationshandling)* passport [pɑ:'spå:t] **passa** *(sköta)* attend to [ətenn'd to:]; *(sport.)* pass [pɑ:s]; *(i storlek)* fit [fitt]; *(i färg, utseende)* suit [sjo:t]; *passa på tillfället* take the opportunity [tej'k ðī åppətjo:'nitti]; *det passar sig inte* it is not proper [itt izz nått' pråpp'ə] **passad(vind)** trade-wind [trej'dwinnd] **passage** passage [päss'iddsj] **passagerare** passenger [päss'inndsjə] **passande** suitable [sjo:'təbl] **passare** compasses [kamm'pəsizz] **passera** pass [pɑ:s] **passfoto** passport photograph [pɑ:'spå:t fåo'təgrɑ:f] **passion** passion [päsj'ən] **passiv** passive [päss'ivv] **pastej** pie [paj] **pastellfärg** pastel colour [päss'tl kall'ə] **pastor** vicar [vikk'ə]; *(frikyrklig)* minister [minn'isstə] **pastörisera** pasteurize [päss'tərajz] **patent, patentera** patent [pej'tənt] **patentmedicin** patent medicine [pej'tənt medd'sinn] **patiens** patience [pej'sjəns]; *lägga patiens* play (at) patience [plej' (ətt) pej'sjəns] **patient** patient [pej'sjənt] **patina** patina [pätt'innə]

patron cartridge [ka:'triddsj] **patrull** patrol [pətråo'l] **paus** pause [på:z] **paviljong** pavilion [pəvill'jən] **pedagogisk** pedagogic(al) [peddəgådd'sjikk(əl)] **pedal** pedal [pedd'l] **pedant** pedant [pedd'ənt] **peka** point [påjnt] (*på* at [ätt]); *peka ut* point out [påjnt ao't] **pekfinger** forefinger [få:'fiŋgə] **pekpinne** pointer [påj'ntə] **pelare** pillar [pill'ə] **pelargon(ia)** geranium [dsjirej'njəm] **pelikan** pelican [pell'ikən] **pendel** pendulum [penn'djoləm] **pendla** oscillate [åss'ilejt]; (*om förortsbo*) commute [kəmjo:'t] **pendlare** commuter [kəmjo:'tə] **pengar** money [mann'i]; *ha gott om pengar* have plenty of money [hävv plenn'ti əvv mann'i]; *ha ont om pengar* be short of money [bi: sjå:'t əvv mann'i]; *jämna pengar* even money [i:'vən mann'i] **penicillin** penicillin [pennisill'inn] **penis** penis [pi:'niss] **penna** pen [penn]; (*blyerts-*) pencil [penn'sl] **penningvärde** value of money [väll'jo: əvv mann'i] **pennkniv** penknife [penn'najf] **pensel** (paint-) brush [(pej'nt)brasj] **pension** pension [penn'sjən] **pensionat** boarding-house [bå:'diŋhaos] **pensionera** grant a pension to [gra:'nt ə penn'sjən to:]; *pensionerad* retired [ritaj'əd] **pensionär** pensioner [penn'sjənə] **pensla** paint [pejnt] **peppar** pepper [pepp'ə] **pepparkaka** gingerbread biscuit (cake) [dsjinn'dsjəbredd biss'kitt (kejk)] **pepparrot** horse-radish [hå:'sräddisj] **peppra** pepper [pepp'ə] **per** per [pə:]; *per person* per person [pə:' pə:'sn], each [i:tsj]; *per år* a year [ə ja:'] **perfekt** perfect [pə:'fikkt] **perforera** perforate [pə:'fərejt] **pergament** parchment [pa:'tsjmənt] **period** period [pi:'əriəd] **permanent** permanent [pə:'mənənt] **permanenta** (*hår*) perm(anent-wave) [pə:'m(ə-nəntwejv)] **permission** leave [li:v] **perrong** platform [plätt'få:m] **perrongbiljett** platform ticket [plätt'få:m tikk'itt] **persianpäls** Persian lamb coat [pə:'sjən lämm' kåot] **persienn** Venetian blind [vini:'sjən blajnd] **persika** peach [pi:tsj] **persilja** parsley [pa:'sli] **persisk** Persian [pə:'sjən] **person** person [pə:'sn] **personal** staff [sta:f] **personbil** (passenger) car [(päss'inndsjə) ka:] **personlig** personal [pə:'snl] **personlighet** personality [pə:-sənäll'itti] **persontåg** (*motsats godståg*) passenger train [päss'-inndsjə trejn]; (*motsats snälltåg*) ordinary train [å:'dnri trejn] **perspektiv** perspective [pəspekk'tivv] **peruan, peruansk** Peruvian [pəro:'viən] **peruk** wig [wigg] **pervers** perverted [pəvə:'-tidd] **pessar** diaphragm [daj'əfrämm] **pessimist** pessimist [pess'imisst] **pessimistisk** pessimistic [pessimiss'tikk] **pest** plague [plejg] **peta** poke [påok] (*på* at [ätt]); *peta naglarna* clean one's nails [kli:'n wannz nej'lz]; *peta tänderna* pick one's teeth [pikk' wannz ti:'θ] **petroleum** petroleum [pitråo'ljəm] **pH-värde** pH-value [pi:'ej'tsjväll'jo:] **pianist** pianist [pjänn'ist] **piano** piano [pjänn'åo]; *spela piano* play the piano [plej' ðə pjänn'åo] **pickolo** page boy [pej'dsj båj], *Am.* bellboy [bell'båj] **pietet** reverence [revv'rəns] **piff** *sätta piff på* (*mat*) give relish to [givv rell'isj to:], (*bildl.*) smarten up [sma:'tn app'] **piffa upp**

smarten up [sma:'tn app'] **piga** maid [mejd] **pigg 1** (*subst.*) spike [spajk] **2** (*adj.*) fit [fitt] (*som en mört* as a fiddle [äzz ə fidd'l]); *pigg på* keen on [ki:'n ånn] **pigga upp** cheer up [tsji:'ə app'] **piggsvin** porcupine [på:'kjopajn] **piggvar** turbot [tə:'bət] **pik** (*stickord*) gibe [dsjajb] **pil 1** (*träd*) willow [will'åo] **2** (*vapen*) arrow [ärr'åo] (*att kasta*) dart [da:t] **pilbåge** bow [båo] **pilfink** tree sparrow [tri:' spärr'åo] **pilgrim** pilgrim [pill'-grimm] **piller** pill [pill] **pilot** pilot [pajb'lət] **pina** (*verb*) torment [tå:menn't] **pincett** ((a) pair of) tweezers [((ə) pä:'ə əvv) twi:'zəz] **pingst** Whitsun(tide) [witt'sn(tajd)]; *annandag pingst* Whit Monday [witt' mann'di] **pingstafton** Whitsun Eve [witt'sn i:'v] **pingvin** penguin [peng'gwinn] **pinje** stone pine [ståo'n paj'n] **pinsam** painful [pej'nfoll] **pion** peony [pi:'əni] **pionjär** pioneer [pajəni:'ə] **pipa 1** (*verb*) squeak [skwi:k]; (*jämra sig*) whine [wajn] **2** *subst.* (*rök-*) pipe [pajp] **piprensare** pipe-cleaner [paj'pkli:nə] **piptobak** pipe tobacco [paj'p təbäkk'åo] **pirat** pirate [paj'əritt] **pirog** Russian pasty [rasj'ən päss'ti] **piska** (*subst. o. verb*) whip [wipp] **pissa** piss [piss] **pissoar** urinal [jo:'ərinnl] **pistill** pistil [piss'till] **pistol** pistol [piss'tl] **pitt** cock [kåkk] **pittoresk** picturesque [pikktsjəress'k] **pjoska med** coddle [kådd'l] **pjäs** (*föremål*) piece [pi:s]; (*teater-*) play [plej] **pjäxa** ski-boot [ski:'bo:t] **placera** place [plejs]; (*pengar*) invest [innvess't] **placering** placing [plej'sing] **pladdra** babble [bäbb'l] **plage** beach [bi:tsj] **plagg** garment [ga:'mənt] **plagiera** plagiarize [plej'dsjjərajz] **plakat** placard [pläkk'a:d] **plan** (*subst.*) plane [plejn]; (*projekt, förslag*) plan [plänn]; (*adj.*) plane [plejn] **planera** plan [plänn] **planet** planet [plänn'itt] **planhushållning** planned economy [plänn'd i:kånn'əmi] **plank** (*virke*) deals [di:lz]; (*stängsel*) wood(en) paling [wood'(n) pej'ling] **planka** deal [di:l] **planlägga** plan [plänn] **planläggning** planning [plänn'ing] **plansch** plate [plejt]; (*vägg-*) chart [tsja:t] **planta, plantera** plant [pla:nt] **plaska** splash [spläsj] **plaskdamm** paddling-pool [pädd'lingpo:l] **plast** plastic [pläss'tikk] **plastpåse** plastic bag [pläss'tikk bägg] **platina** platinum [plätt'inəm] **plats** (*ställe, anställning*) place [plejs]; (*sitt-*) seat [si:t]; (*utrymme*) room [romm] **platsansökan** application for a situation [äpplikej'sjən få: ə sittjoej'sjən] **platsbiljett** seat reservation [si:'t rezzəvej'sjən] **platt** flat [flätt] **platta** plate [plejt] **plattform** platform [plätt'-få:m] **plattformsbiljett** platform ticket [plätt'få:m tikk'itt] **platt-fotad** flat-footed [flätt'fottidd] **plektron** plectrum [plekk'trəm] **plikt** duty [djo:'ti] **plikttrogen** faithful [fej'θfoll] **plissera** pleat [pli:t] **plocka** pick [pikk] **plog** plough [plao] **plomb** (*i tand*) filling [fill'ing] **plombera** seal [si:l]; fill [fill] **plommon** plum [plamm] **plugg** plug [plagg] **plugga** plug [plagg]; (*läsa*) swot [swått] **plundra** rob [råbb] **pluralis** plural [plo:'ərəl] **plus** plus [plass]; *2 plus 2 är 4* two plus two make four [to:' plass to:' mejk få:']; *det är 1 grad plus* it is one degree above zero [itt izz wann' digri:' əbavv' zi:'əråo] **plåga** pain [pejn] **plågsam** painful [pej'nfoll] **plånbok** wallet [wåll'itt] **plåster** plaster [pla:'stə] **plåt** sheet-metal [sji:'tmettl]; *(skiva)* plate [plejt] **plåtslagare** plater [plej'tə] **pläd** rug [ragg] **plädera** plead [pli:d] **plöja** plough [plaʊ] **plös** tongue [tang] **plötslig** sudden [sadd'n] **plötsligt** *(adv.)* suddenly [sadd'nli] **PM** memo [mi:'måo] **pocketbok** paperback [pej'pəbäkk] **poesi** poetry [påo'ittri] **poet** poet [påo'itt] **poetisk** poetical [påoett'ikəl] **pojkbok** book for boys [bokk' fə båj'z] **pojke** boy [båj] **pojkstreck** boyish prank [båj'isj prängk] **pokal** goblet [gåbb'litt] **poker** poker [påo'kə] **pol** pole [påol] **polack** Pole [påol] **polcirkel** polar circle påo'lə sə:'kl] **polemik** polemics *(pl)* [pållemm'ikks] **Polen** Poland [påo'lənd] **polera** polish [påll'isj] **poliklinik** out-patient department [aо'tpejsjənt dipa:'tmənt] **polio** polio [påo'liåo] **polis** police [pəli:'s]; *(-man)* policeman [pəli:'smən] **polisonger** side whiskers [saj'd wiss'kəz] **polisstation** police station [pəli:'s stej'sjən] **politik** politics [påll'itikks]; *(handlingssätt)* policy [påll'issi] **politiker** politician [pållitisj'ən] **politisk** political [pəlitt'ikəl] **polityr** polish [påll'isj] **polka** polka [påll'kə] **pollettera** label [lej'bl]; *pollettera sitt bagage* have one's luggage labelled [hävv wannz lagg'iddsj lej'bld] **polletteringskvitto** luggage ticket [lagg'iddsj tikk'itt] **polsk** Polish [påo'lisj] **polygami** polygamy [påligg'əmi] **pommes frites** chips [tsjipps] **pondus** authority [å:·θårr'itti] **ponny** pony [påo'ni] **ponton** pontoon [pånnto:'n] **popartist** pop musician [påpp' mjo:zisj'ən] **poppel** poplar [påpp'lə] **popularitet** popularity [påppjolärr'itti] **populär** popular [påpp'jolə] **por** pore [på:] **pormask** blackhead [bläkk'-hedd] **pornografi** pornography [på:någg'rəfi] **porslin** china [tsjaj'nə] **port** *(-gång)* gateway [gej'twej]; *(dörr)* door [då:] **porter** stout [staot] **portfölj** brief-case [bri:'fkejs] **portier** hall-porter [hå:'lpå:tə] **portion** portion [på:'sjən] **portmonnä** purse [pə:s] **portnyckel** latch-key [lätt'sjki:] **porto** postage [påo'stiddsj] **porträtt** portrait [på:'tritt] **Portugal** Portugal [på:'tjogəl] **portugis** Portuguese [på:tjogi:'z] **portvakt** porter [på:'tə] **portvin** port [på:t] **porös** porous [på:'rəs] **posera** pose [påoz] **position** position [pəzisj'ən] **positiv 1** *(adj.)* positive [pázz'ətivv] **2** *(subst.)* *(instrument)* barrel-organ [bärr'əlå:gən] **post** *(brev o.d.)* post [påost], *Am.* mail [mejl]; *(bokförings-)* item [aj'temm] **postanvisning** money order [mann'i å:də] **postbox** post-office box [påo'ståffiss båkks] **poste restante** poste restante [påo'stress'ta:nt] **postförskott** cash on delivery [käsj' ånn dilivv'əri] **postgirokonto** postal giro account [påo'-stəl dsjaj'råo əkao'nt] **postkontor** post office [påo'st åff'iss] **postnummer** postcode [påo'stkåod] **postorder** mail-order [mej'lå:də] **postpaket** postal parcel [påo'stəl pa:sl] **postväxel** money order [mann'i å:də] **potatis** potato [pətej'tåo] **potatis-mjöl** potato flour [pətej'tåo flao'ə] **potatismos** mashed (creamed) potatoes [mäsj't [kri:'md] pətej'tåoz] **potatissallad** potato salad [pətej'tåo säll'əd] **potens** potency [påo'tənsi] **pott** pool [po:l] **potta** chamber-pot [tsjej'mbəpått] **poäng** point [påjnt] **poängtera** emphasize [emm'fəsajz] **p-piller** contraceptive pill [kånntrəsepp'tivv pill]; *vard.* the Pill [ðə pill] **pracka på ngn ngt** foist s.th. on to s.b. [fåj'st samm'θing ånn'tə samm'bədi] **Prag** Prague [pra:g] **prakt** magnificence [mäggniff'isns] **praktfull** magnificent [mäggniff'issnt] **praktik** practice [präkk'tiss] **praktikant** trainee [trejni:'] **praktisera** *(tillämpa)* put ... into practice [pott' inn'to präkk'tiss]; *(lära sig ett yrke)* get experience [gett' ikkspi:'əriəns]; *(som läkare etc.)* practise [präkk'tiss] **praktisk** practical [präkk'tikəl]; *praktiskt taget* practically [präkk'tikkli] **pralin** chocolate [tsjåkk'litt] **prat, prata** talk [tå:k] **pratmakare** chatterbox [tsjätt'əbåkks] **pratsam** talkative [tå:'kətivv] **praxis** *det är praxis* it is the practice [itt izz ðə präkk'tiss] **precis** precisely [prisaj'sli]; *inte precis* not exactly [nått iggzäkk'tli]; *precis kl. 9* at 9 o'clock sharp [ətt naj'n əkläkk' sja:p] **precision** precision [prisissj'ən] **predika** preach [pri:tsj] **predikan** sermon [sə:'mən] **prejudikat** precedent [press'idənt] **preliminär** preliminary [prilimm'inəri] **premie** premium [pri:'mjəm] **premieobligation** premium bond [pri:'mjəm bånd] **premiär** first night [fə:'st naj't] **premiärminister** prime minister [praj'm minn'istə] **prenumerera** subscribe [səbskraj'b] *(på* for [få:]) **preparera** prepare [pripä:'ə] **presenning** tarpaulin [ta:på:'linn] **present** present [prezz'nt] **presentation** presentation [prezzentej'sjən]; *(föreställande)* introduction [inntrədakk'sjən] **presentera** present [prizenn't]; *(föreställa)* introduce [inntrədjo:'s]; *får jag presentera ...?* may I introduce ...? [mej aj inntrədjo:'s] **presentkort** gift voucher [gift't vao'tsjə] **president** president [prezz'idənt] **preskriberad** statute-barred [stätt'jo:tba:d] **press** *(tidningar o. tekn.)* press [press]; *(tryck)* pressure [presj'ə] **pressa** press [press] **presskonferens** press conference [press' kånn'fərəns] **prestation** achievement [ətsji:'vmənt] **prestera** achieve [ətsji:'v] **prestige** prestige [pressti:'sj] **preussisk** Prussian [prasj'ən] **preventivmedel** contraceptive [kånntrəsepp'tivv] **prick** dot [dått], spot [spått] **pricka** *(föra med prickar)* dot [dått] **prickig** spotted [spått'idd] **primitiv** primitive [primm'itivv] **primär** primary [praj'məri] **primör** early vegetable [ə:'li vedd'sjitəbl] **princip** principle [prinn'səpl]; *av (i) princip* on (in) principle [ånn (inn) prinn'səpl] **principiell** (based) on principle [(bej'st) ånn prinn'səpl]; *av principiella skäl* on grounds of principle [ånn grao'ndz əvv prinn'səpl] **prins** prince [prinns] **prinsessa** princess [prinnsess'] **prinskorv** chipolata sausage [tsjippəla:'tə såss'iddsj] **pris** price [prajz]; *(belöning)* prize [prajz]; *(beröm)* praise [prejz]; *till ett pris av* at the (a) price of [ätt ðə (ə) praj's əvv]; *till varje pris* at any cost [ätt enn'i kåss't] **prisgiva** abandon [əbänn'dən] *(åt* to [to:]) **prishöjning** rise in price(s) *pl)* [raj'z inn praj's(izz)]

prislista price-list [praj'slisst] **prisläge** price range [praj's rejndsj]; *i vilket prisläge?* at about what price? [ätt əbao't wått' praj's] **prisma** prism [prizz'əm] **prisnedsättning** price reduction [praj's ridakk'sjən] **prisstopp** price freeze [praj's fri:z] **prissänkning** price reduction [praj's ridakk'sjən] **pristagare** prize-winner [praj'zwinnə] **pristävlan** prize competition [praj'z kåmmpitisj'ən] **privat** private [praj'vitt] **privatangelägenhet** personal matter [pə:'snl mätt'ə] **privatperson** private person [praj'vitt pə:'sn] **privilegiera, privilegium** privilege [privv'iliddsj] **problem** problem [råbb'ləm] **procedur** procedure [prəsi:'dsjə] **procent** per cent [pəsenn't]; *10 procents rabatt* 10 per cent discount [tenn' pəsenn't diss'kaont] **process** (*rättstvist*) lawsuit [lå:'sjo:t]; (*förlopp*) process [pråo'sess] **producera** produce [prədjo:'s] **produkt** product [prådd'əkt] **produktion** production [prədakk'sjən] **produktiv** productive [prədakk'tivv] **professionell** (*subst. o. adj.*) professional [prəfesj'ənl] **professor** professor [prəfess'ə] **profet** prophet [pråff'itt] **profil** profile [pråo'fajl] **prognos** (*medicinsk*) prognosis [pråggnåo'siss]; (*väder-, ekonomisk o.d.*) forecast [få:'ka:st] **programmera** (*databeh.*) programme [pråo'grämm] **projekt** project [prådd'sjekkt] **proklamera** proclaim [prəklej'm] **proletär** (*subst. o. adj.*) proletarian [pråoletä:'əriən] **promenad, promenera** walk [wå:k] **promille** per mill(e) [pə mill'] **pronomen** pronoun [pråo'naon] **propaganda** propaganda [pråppəgänn'də] **propeller** propeller [prəpell'ə] **proportion** proportion [prəpå:'sjən] **proportionell** proportional [prəpå:'sjənl] **proposition** (*lagförslag*) government bill [gavv'n-mənt bill'] **propp** stopper [ståpp'ə]; (*elektrisk*) fuse [fjo:z] **prosa** prose [pråoz] **prosit** (God) bless you! [(gådd) bless' jo:] **prospekt** prospectus [prəspekk'təs] **prost** dean [di:n] **prostata** prostate [pråss'tejt] **prostituerad** prostitute [pråss'titjo:t] **protein** protein [pråo'ti:n] **protes** artificial limb [a:tifisj'əl limm] **protest** protest [pråo'tesst] **protestant** Protestant [prått'istənt] **protestera** protest [prətess't] **protokoll** minutes [minn'itts] **prov** (*försök*) trial [traj'əl]; (*examens-*) examination [iggzämmi-nej'sjən]; (*varu-*) sample [sa:'mpl] **prova** test [tesst]; (*kläder*) try on [traj' ånn'] **proviant** provisions [prəvisj'ənz] **provins** province [pråvv'inns] **provision** commission [kəmisj'ən] **provisorisk** provisional [prəvisj'ənl] **provrör** test-tube [tess'ttjo:b] **pruta** bargain [ba:'ginn] **pryd** prim [primm] **pryda** adorn [ədå:'n] **prydlig** neat [ni:t] **prydnad** adornment [ədå:'nmənt] **prålig** gaudy [gå:'di] **pråm** barge [ba:dsj] **prångla ut** utter [att'ə] **prägel, prägla** stamp [stämmp] **prärie** prairie [prä:'əri] **präst** clergyman [klə:'dsjimən]; (*katolsk*) priest [pri:st] **pröva** try [traj]; (*testa*) test [tesst]; (*undersöka*) examine [iggzämm'inn] **prövning** examination [iggzämminej'sjən] **psalm** hymn [himm] **psykiatrisk** psychiatric [sajkiätt'rikk] **psykisk** psychic [saj'kikk] **psykolog** psychologist [sajkåll'ədsjisst] **psykologi** psychology [sajkåll'ədsji] **psykologisk** psychologic(al) [sajkəlådd'sjikk(əl)] **ptro** whoa! [wåo] **pubertet** puberty [pjo:'bəti] **publicera** publish [pabb'lisj] **publicitet** publicity [pabbliss'itti] **publik** (*åhörare*) audience [å:'djəns]; (*åskådare*) spectators [spekktej'-təz] **publikation** publication [pabblikej'sjən] **publikfrieri** showmanship [sjåo'mənsjipp] **puck** (*ishockey-*) puck [pakk] **puckel** hump [hammp] **puckelryggig** hunchbacked [hann'tsjbäkkt] **pudding** pudding [podd'ing] **pudel** poodle [po:'dl] **puder, pudra** powder [pao'də] **puka** kettledrum [kett'ldramm] **pulka** reindeer sleigh [rej'ndi:ə slej] **puls** pulse [palls] **pulsera** pulsate [pallsej't] **pulver** powder [pao'də] **pump, pumpa** pump [pammp] **pund** pound [paond] (*förk. £*); *engelska pund* pound sterling [pao'nd stə:'ling] **pung** (*börs*) purse [pə:s]; (*anat.*) scrotum [skråo'təm] **pungdjur** marsupial [ma:sjo:'pjel] **punkt** point [påjnt]; (*skiljetecken*) (full) stop [(foll') ståpp']; (*på dagordn. e.d.*) item [aj'temm] **punktering** puncture [pang'ktsjə] **punktlig** punctual [pang'ktjoəl] **punktstrejk** selective strike [silekk'tivv straj'k] **punsch** Swedish punch [swi:'disj pann'tsj] **pupill** pupil [pjo:'pl] **puppa** chrysalis [kriss'əliss] **puré** purée [pjo:'ərej] **purjolök** leek [li:k] **purpur** purple [pə:'pl] **pussel** puzzle [pazz'l] **pusta ut** take a breather [tej'k ə bri:'ðə] **putsa** clean [kli:n]; polish [påll'isj] **putsmedel** polish [påll'isj] **putt** (*golf.*) put [patt] **puttra** (*koka*) simmer [simm'ə] **pyjamas** pyjamas [pədsja:'məz] **pyramid** pyramid [pirr'əmidd] **Pyrenéerna** the Pyrenees [ðə pirrəni:'z] **pyts** bucket [bakk'itt] **pyssla med** busy o.s. with [bizz'i wannsell'f wið] **på** (*ovanpå; tidpunkt*) on [ånn]; (*gata m.m.*) in [inn]; (*byggnader, möten m.m.*) at [ätt]; (*under, om tid*) on [ånn], during [djo:'əring]; (*tidsrymd*) for [få:]; (*inom*) in [inn]; *på bordet* on the table [ånn ðə tej'bl]; *på min födelsedag* on my birthday [ånn maj bə:'θdej]; *på landet* in the country [inn ðə kann'tri]; *på bio* at the cinema [ätt ðə sinn'immə]; *på jullovet* during the Christmas holiday [djo:'əring ðə kriss'məs håll'ədi]; *jag har inte varit hemma på tio år* I haven't been home for ten years [aj hävv'nt bi:n håo'm få: tenn' jə:'z] **påbjuda** order [å:'də] **påbrå** inheritance [innherr'itəns] **påbud** decree [dikri:'] **påbörja** begin [biginn'] **påfallande** striking [straj'king] **påflugen** obtrusive [əbtro:'sivv] **påfrestande** trying [traj'ing] **påfrestning** strain [strejn] **påfyllning** filling-up [fill'ingapp'] **påfågel** peacock [pi:'kåkk] **pågå** be going on [bi: gåo'ing ånn'] **påhitt** idea [ajdi:'ə] **påkalla uppmärksamhet** attract attention [əträkk't ətenn'sjən] **påklädd** dressed [dresst] **påkostad** expensive [ikk-spenn'sivv] **påle** pole [påol] **pålitlig** reliable [rilaj'əbl] **pålägg** (*på smörgås*) meat (cheese *etc.*) for sandwiches [mi:'t (tsji:'z) få: sänn'widdsjizz] **påminna** remind [rimaj'nd] (*om of* [ävv]) **påminnelse** reminder [rimaj'ndə] **påpasslig** alert [ələ:'t] **påpeka** point out [påj'nt ao't] **påse** bag [bägg] **påseende** till påseende on approval [ånn əpro:'vəl] **påsk** Easter [i:'stə]; *annandag påsk*

Easter Monday [i:'stə mann'di]; *glad påsk!* Happy Easter! [häpp'i i:'stə] **påskafton** Easter Eve [i:'stə i:'v] **påskdag** Easter Sunday [i:'stə sann'di] **påskina** *låta påskina* intimate [inn'timejt] **påsklov** Easter holidays [i:'stə håll'ədizz] **påskynda** speed up [spi:'d app'] **påssjuka** (the) mumps [(ðə) mamm'ps] **påstå** declare [dikla:'ə]; *jag vågar påstå att* I venture to say that [aj venn'tsjə tə sej' ðätt']; *det kan jag inte påstå* I can't say that [aj ka:'nt sej' ðätt'] **påstående** statement [stej'tmənt] **påstötning** reminder [rimaj'ndə] **påtaga sig** take on [tej'k ånn'] **påtaglig** obvious [åbb'viəs] **påtryckning** pressure [presj'ə] **påträngande** (*påflugen*) obtrusive [əbtro:'sivv] **påtvinga ngn ngt** force s.th. (up)on s.b. [få:'s samm'θing (əp)ånn' samm'bədi] **påve** pope [påop] **påverka, påverkan** influence [inn'floəns] **påvisa** demonstrate [demm'ənstrejt] **päls** (*på djur*) fur [fə:]; (*plagg*) fur coat [fə:'kåot] **pärla** pearl [pə:l]; *pärlor för svin* pearls before swine [pə:'lz] *bifå:'* swaj'n] **pärlemor** mother-of-pearl [mað'ərəvpə:'l] **pärlhalsband** pearl necklace [pə:'l nekk'liss] **pärm** (*bok*) cover [kavv'ə]; (*samlings-*) file [fajl] **päron** pear [pä:'ə] **pöbel** mob [måbb] **pöl** (*vatten-*) puddle [padd'l] **pösa** swell [swell] fuss [fass] **rabarber** rhubarb [ro:'ba:b] **rabatt 1** (*blomster-*) flower-bed [flao'əbedd]; **2** (*avdrag*) discount [diss'kaont]; *10% rabatt* 10% discount [tenn' pəsenn't diss'kaont] **rabbla upp** rattle off [rätt'l å:'f] **racerbil** racer [rej'sə] **racerbåt** speedboat [spi:'dbåot] **racerförare** racing driver [rej'sing draj'və] **rackare** (*skurk*) scoundrel [skao'ndrəl] **racket** racket [räkk'itt]; (*bordtennis-*) bat [bätt] **rad** row [råo]; (*teat. o.d.*) circle [sə:'kl] (*skriven, tryckt*) line [lajn] **radar** radar [rej'də] **radarantenn** radar aerial [rej'də ä:'əriəl] **radera** erase [irej'z] **radhus** terrace-house [terr'əshaos] **radikal** radical [rädd'ikəl] **radio** radio [rej'diåo] **radioaktiv** radioactive [rej'diåoäkk'tivv] **radioprogram** radio programme [rej'diåo přåo'grämm] **radiosändare** radio transmitter [rej'diåo trännzmitt'ə] **radium** radium [rej'djəm] **raffinerad** (*utsökt*) exquisite [ekk'skwizitt] **rafräschissör** scent spray [senn't sprej] **rafsa ihop** rake ... together [rej'k təgəð'ə] **ragata** vixen [vikk'sn] **raggare** hot-rod teenager [hått'rådd' ti:'nejdsjə] **ragla** stagger [stägg'ə] **raid** raid [rejd] **rak** straight [strejt] **raka** shave [sjejv] (*äv. raka sig*); (*låta*) *raka sig* get shaved [gett' sjej'vd] **rakapparat** razor [rej'zə] **rakblad** razor blade [rej'zə blejd] **raket** rocket [råkk'itt] **rakhyvel** safety razor [sej'fti rej'zə] **rakning** *en rakning* a shave [ə sjej'v] **rakt** straight [strejt] **ram** frame [frejm] **ramavtal** general agreement [dsjenn'ərəl əgri:'mənt] **ramla** fall down [få:'l dao'n] **ramp** (*teater-*) footlights (*pl*) [fott'lajts] **rampfeber** stage-fright [stej'dsjfrajt] **rand** (*kant*) edge [eddsj]; (*bildl.*) verge [və:dsj] **rang** rank [rängk] **rannsaka** try [traj]; ransack [ränn'säkk] **ransonera** ration [räsj'ən] **ransonering** rationing [räsj'ning] **rapp** (*adj.*) quick [kwikk] **rappa** (*vägg*) plaster [pla:'stə] **rapphöna** partridge [pa:'triddsj] **rapport, rapportera** report [ripå:'t] **raps** rape [rejp] **rar** nice [najs] **raritet** rarity [rä:'əritti] **ras 1** race [rejs] **2** (*skred*) landslide [länn'dslajd] **rasa** give way [givv' wej']; collapse [kəläpp's] **rasande** furious [fjo:'əriəs] **rasera** demolish [dimåll'isj] **raseri** rage [rejdsj] **rasfördom** racial prejudice [rej'sjəl predd'sjodiss] **rask** quick [kwikk] **raska på** hurry up [harr'i app'] **raskt** (*adv.*) quickly [kwikk'li] **rasp, raspa** rasp [ra:sp] **rassla** clatter [klätt'ə] **rast** (*vila*) rest [resst]; (*i skolan*) break [brejk] **rasta** rest [resst] **raster** screen [skri:n] **rastlös** restless [ress'tliss] **rata** despise [disspaj'z] **rationalisera** rationalize [räsj'nəlajz] **rationell** rational [räsj'ənl] **ratt** (*bil-*) (steering-) wheel [(sti:'əring)wi:l]; (*tekn.*) hand wheel [hänn'd wi:l] **rattfylleri** drunken driving [drang'kən draj'ving] **ravin** ravine [rəvi:'n] **razzia** raid [rejd] **reagera** react [ri:äkk't] (*för* to [to:]) **reaktion** reaction [riäkk'sjən] **reaktionär** (*subst. o. adj.*) reactionary [ri:äkk'sjnəri] **reaktor** reactor [ri:äkk'tə] **realinkomst** real income [ri:'əl inn'kəm] **realisation** sale [sejl] **realisera** sell off [sell' å:'f] **realistisk** realistic [ri:əliss'tikk] **realitet** reality [riäll'itti] **rebell** rebel [rebb'l] **recensent** reviewer [rivjo:'ə] **recensera, recension** review [rivjo:'] **recept** (*läkar-*) prescription [priskripp'sjən]; (*mat- m.m.*) recipe [ress'ippi] **receptbelagd** sold on prescription [såo'ld ånn priskripp'sjən] **reception** reception [risepp'sjən] **reda 1** (*subst.*) (*ordning*) order [å:'də]; *få reda på* find out [faj'nd ao't]; *hålla reda på* keep count of [ki:'p kao'nt əvv] **2** *verb* (*soppa*) thicken [θikk'ən]; *reda upp* settle [sett'l] **redaktion** (*personal*) editorial staff [edditå:'riəl sta:'f]; (*lokal*) editorial office [edditå:'riəl åff'iss] **redaktör** editor [edd'ittə] **redan** already [å:lredd'i]; *redan då* even then [i:'vən ðenn']; *redan i dag* this very day [ðiss' verr'i dej'] **rederi** shipping company [sjipp'ing kamm'pəni] **redig** orderly [å:'dəli] **redlös** *sjö.* disabled [dissej'bld]; (*drucken*) blind drunk [blaj'nd drang'k] **redo** ready [redd'i] **redogöra** account (for) [əkao'nt (få:)] **redogörelse** account [əkao'nt] **redovisa** show [sjåo]; *redovisa för* account for [əkao'nt få:] **redovisning** account [əkao'nt] **redskap** instrument [inn'strəmənt]; tool [to:l] **reducera** reduce [ridjo:'s] **reell** real [ri:'əl] **referat** account [əkao'nt] **referera** report [ripå:'t] **reflektera på** consider [kənsidd'ə] **reflex** reflex [ri:'flekks] **reflexion** reflection [riflekk'sjən] **reform** reform [rifå:'m] **reformation** reformation [reffəmej'sjən] **reformera** reform [rifå:'m] **refräng** chorus [kå:'rəs] **regel** rule [ro:l] **regelbunden** regular [regg'jolə] **regemente** regiment [redd'sjimənt] **regera** rule [ro:l] **regering** government [gavv'nmənt] **regi** (*film-*) direction [direkk'sjən]; (*teater-*) stage management [stej'dsj männ'iddsjmənt] **region** region [ri:'dsjən] **regissera** produce [prədjo:'s]; (*film*) direct [direkk't] **regissör** producer [prədjo:'sə]; (*film- m.m.*) director [direkk'tə] **register, registrera** register [redd'sjisstə] **reglemente** regulations [reggjolej'sjənz] **reglera** regulate [regg'jolejt] **regn, regna** rain [rejn] **regnbåge** rainbow [rej'nbåo] **regnig** rainy [rej'ni] **regnskur** shower [sjao'ə] **reguljär** regular [regg'jollə] **rehabilitering** rehabilitation [ri:'ə-billitej'sjən] **reklam** advertising [ädd'vətajzing] **reklamation** complaint [kəmplej'nt] **reklambyrå** advertising agency [ädd'-vətajzing ej'dsjənsi] **reklamera 1** complain [kəmplej'n] **2** (göra reklam) advertise [ädd'vətajz] **rekognosera** reconnoitre [rek-kənəj'tə] **rekommendera** recommend [rekkəmenn'd]; (brev) register [redd'sjisstə]; rekommenderas registered [redd'sjisstəd] (förk. reg(d).) **rekonstruera** reconstruct [ri:'kənstrakk't] **rekord** record [rekk'å:d] **rekreation** recreation [rekkriej'sjən] **rekryt, rekrytera** recruit [rikro:'t] **rektor** headmaster [hedd'ma:'stə] **rekvirera, rekvisition** order [å:'də] **rekyl** recoil [rikäj'l] **relation** (förbindelse) relation [rilej'sjən] **relativ** relative [rell'ətivv] **relief** relief [rili:'f] **religion** religion [rilidd'sjən] **religiös** religious [rilidd'sjəs] **reling** gunwale [gann'l] **rem** strap [sträpp] **remiss** (läkar-) doctor's letter of introduction [dåkk'təz lett'ə əvv inn-trədakk'sjən]; sända ut på remiss circulate for comment [sə:'-kjolejt få: kåmm'ennt] **ren 1** (dikes-) ditch-bank [ditt'sjbängk] **2** reindeer [rej'ndi:ə] **3** (ej smutsig) clean [kli:n]; (oblandad, äkta) pure [pjo:'ə]; rent samvete a clear conscience [ə kli:'ə kånn'sjəns]; av en ren händelse by pure accident [baj pjo:'ə äkk'sidənt]; rent spel fair play [fä:'ə plej] **rengöra** clean [kli:n] **rengörings-medel** detergent [ditə:'dsjənt] **renhållning** cleaning [kli:'ning] **reningsverk** purifying plant [pjo:'ərifajing pla:nt] **renlevnads-man** continent man [kånn'tinənt männ] **renlig** cleanly [klenn'li] **renodlad** (bildl.) absolute [äbb'səlo:t] **renommé** reputation [reppjotej'sjən] **renons** void [våjd] **renovera** renovate [renn'åo-vejt] **renrasig** pure-bred [pjo:'əbredd] **rensa** clean [kli:n] **ren-skriva** (på maskin) type out [tajp ao't] **renskrivning** (på maskin) copy-typing [kåpp'itajping] **rent** (adv.) cleanly [kli:'nli]; tala rent talk properly [tå:'k präpp'əli]; rent av downright [dao'n-rajt]; rent ut plainly [plej'nli] **rentvå** clear [kli:'ə] **renässansen** the Renaissance [ðə rənej'səns] **rep** rope [råop] **repa** (subst.) (rispa) scratch [skrätts] **reparation** repair [ripä:'ə] **reparatör** repair man [ripä:'ə männ] **reparera** repair [ripä:'ə] **repertoar** repertory [repp'ətəri] **repetera** repeat [ripi:'t]; (pjäs o.d.) re-hearse [rihə:'s]; (i skolan) revise [rivaj'z] **repetition** repetition [reppitisj'ən]; (av pjäs o.d.) rehearsal [rihə:'səl]; (i skolan) revision [rivisj'ən] **replik** (genmäle) rejoinder [ridsjåj'ndə]; (teater- o.d.) line [lajn] **replikera** reply [riplaj'] **reportage** report [ripä:'t] **reporter** reporter [ripä:'tə]; (radio-) commentator [kåmm'enn-tejtə] **representant** representative [repprizenn'tətivv]; (resande) traveller [trävv'lə] **representation** representation [repprizenn-tej'sjən] **representativ** representative [repprizenn'tətivv] **representera** represent [repprizenn't] **repressalier** reprisals [ripraj'-zəlz] **reprimand** reprimand [repp'rima:nd] **repris** (i musik) repeat

[ripiː't]; (teater-) revival [rivaj'vəl]; (film-) re-run [riː'rann']
reproducera reproduce [riːprədjoː's] **reproduktion** reproduction
[riːprədakk'sjən] (äv. tavla) **repstege** rope-ladder [råo'pläddə]
reptil reptile [repp'tajl] **republik** republic [ripabb'likk] **republikan** republican [ripabb'likən] **resa 1** (verb) set up [sett' app'];
resa sig rise [rajz] **2** (subst.) journey [dsjəː'ni]; (sjö-) voyage
[våj'dsj]; (kortare) trip [tripp]; **lycklig resa!** pleasant journey!
[plezz'nt dsjəː'ni]; **vara** (ute) **på resa** be (out) travelling [biː (ao't)
trävv'ling]; (verb) travel [trävv'l], go [gåo]; **resa bort** go away
[gåo' əwej'] **resebyrå** travel agency [trävv'l ej'dsjənsi] **resecheck** traveller's cheque [trävv'ləz tsjekk'] **reseledare** (tour)
conductor [(toː'ə) kəndakk'tə], guide [gajd] **resenär** traveller
[trävv'lə] **reserv** reserve [rizəː'v] **reservat** (natur-) national
park [näsj'ənl paːk]; (infödings-) reservation [rezzəvej'sjən] **reservation** reservation [rezzəvej'sjən] **reservdel** spare part [späː'ə
paːt] **reservera** reserve [rizəː'v]; **reservera sig** make a reservation
[mej'k ə rezzəvej'sjən] **reserverad** reserved [rizəː'vd] **reservhjul**
spare wheel [späː'ə wiːl] **reservutgång** emergency exit [iməː'-
dsjənsi ekk'sitt] **reseräkning** travelling-expenses account [trävv'-
lingikkspennsizz əkao'nt] **reseskrivmaskin** portable typewriter
[påː'təbl taj'prajtə] **reseskildring** travel book [trävv'l bokk] **resgods** luggage [lagg'iddsj] **resgodsförvaring, resgodsinlämning** cloak-room [klåo'kromm] **residens** residence [rezz'idəns]
residera reside [rizaj'd] **resignera** resign o.s. [rizaj'n wannsell'f];
resistent resistant [riziss'tənt] **resning** (uppror) rising [raj'zing];
jur. review [rivjoː']; **en man av andlig resning** a man of great moral
stature [ə männ' əvv grej't mårr'əl stätt'sjə] **resolution** resolution
[rezzəloː'sjən] **reson ta reson** be reasonable [biː riː'znəbl] **resonemang** discussion [disskasj'ən]; reasoning [riː'zning] **resonera** discuss [disskass'] **respekt** respect [rispekk't]; (högaktning) esteem [isti'm] **respektabel** respectable [rispekk'təbl]
respektera respect [rispekk't] **respektive** (adj.) respective
[rispekk'tivv]; (adv.) respectively [rispekk'tivvli] **respektlös** disrespectful [dissrispekk'tfoll] **respengar** money for a journey [mann'i fə ə dsjəː'ni] **respit** respite [ress'pajt] **resplan** itinerary
[ajtinn'ərəri] **resrutt** route [roːt] **rest** rest [resst] **restaurang**
restaurant [ress'tərånnt] **restaurangvagn** dining-car [daj'ningkaː] **restaurera** restore [risståː'] **restera** remain [rimej'n]
resterande remaining [rimej'ning] **restituera** repay [riːpej']
restriktion restriction [ristrikk'sjən] **restskatt** back tax [bäkk'
täkks] **resultat** result [rizall't] **resultatlös** fruitless [froː'tliss]
resultera result [rizall't] (i in [inn]) **resurs** resource [risåː's]
resväska suitcase [s-joː'tkejs] **resår** spring [spring] **resårband**
elastic [iläss'tikk] **reta** irritate [irr'itejt]; (retas med) tease [tiːz];
reta sig get angry [gett' äng'gri] (på at [ätt]) **retas** tease [tiːz]
retirera retire [ritaj'ə] **retlig** irritable [irr'itəbl] **retroaktiv**
retroactive [rettråoäkk'tivv] **reträtt** retreat [ritriː't] **retsam** irri-

tating [irr'itejting] **retur** return [ritə:'n] **returbiljett** return ticket [ritə:'n tikk'itt] **returnera** return [ritə:'n] **retuschera** retouch [ri:'tatt'sj] **reumatiker** rheumatic [ro:mätt'ikk] **reumatism** rheumatism [ro:'mətizzəm] **rev 1** (*met-*) fishing-line [fisj'inglajn] **2** (*sand-*) sandbank [sänn'dbängk]; (*skär-*) reef [ri:f] **reva 1** (*verb*) (*segel*) reef [ri:f] **2** (*subst.*) tear [tä:'ə] **revansch** revenge [rivenn'dsj]; *ta revansch* take one's revenge [tej'k wannz rivenn'dsj] **revben** rib [ribb] **revbensspjäll** spare rib [spä:'ə ribb] **revers** (*skuldebrev*) note of hand [nåo't ǝvv hänn'd] **revidera** revise [rivaj'z] **revisor** auditor [å:'dittə] **revolt** revolt [rivåo'lt] **revolution** revolution [revvəlo:'sjən] **revolver** revolver [rivåll'və] **revorm** ringworm [ring'wə:m] **revy** revue [rivjo:'], show [sjåo] **Rhen** the Rhine [ðə raj'n] **ribba** lath [la:θ] **ribbstol** wall-bars [wå:'lba:z] **ricinolja** castor oil [ka:'stəråj'l] **rida** ride [rajd] **riddare** knight [najt] **riddräkt** riding-dress [raj'dingdress] **ridhäst** saddle-horse [sädd'lhå:s] **ridå** curtain [kə:'tn] **rigg** rig [rigg] **rik** rich [rittsj] (*på in* [inn]) **rimma** rhyme [rajm] (*på* with [wið]) **ring** ring [ring]; (*däck*) tyre [taj'ə] **ringa 1** (*verb*) ring [ring]; *ringa till ngn* call s.b. up [kå:'l samm'bədi app'] **2** (*adj.*) (*obetydlig*) insignificant [innsigniff'ikənt]; small [små:l]; *av ringa börd* of humble origin [əvv hamm'bl årr'idsjinn] **ringakta** look down upon [lokk' dao'n əpånn'] **ringaktning** disregard [diss'riga:'d] **ringfinger** ring-finger [ring'finggə] **ringla** curl [kə:'l] **rinna** run [rann]; flow [flåo] **ris 1** (*sädesslag*) rice [rajs] **2** (*kvistar*) twigs [twiggz]; (*buskar*) brushwood [brasj'wodd] **risgryn** rice [rajs] **risk** risk [rissk] (*för* of [åvv]) **riskabel** risky [riss'ki] **riskera** risk [rissk] **riskfri** safe [sejf] **rispa** scratch [skrättsj]; (*i tyg*) rip [ripp] **rista** (*inskära*) cut [katt] **rita** draw [drå:]; (*göra ritning*) design [dizaj'n] **ritning** drawing [drå:'ing] **ritt** ride [rajd] **riva** (*klösa*) scratch [skrättsj]; (*hus*) pull down [poll' dao'n] **rival** rival [raj'vəl] **ro 1** (*subst.*) peace [pi:s]; *för ro skull* for fun [få: fann'] **2** (*verb*) row [råo] **roa** amuse [əmjo:'z] **robot** robot [råo'bått] **robotvapen** (guided) missile weapon [(gaj'didd) miss'ajl wepp'ən] **rock** coat [kåot]; (*kavaj*) jacket [dsjäkk'itt] **rocka** ray [rej] **rodd** rowing [råo'ing] **roddbåt** rowing-boat [råo'ingbåot] **roder** rudder [radd'ə]; *lyda roder* obey the helm [əbej' ðə hell'm] **rodna** blush [blasj] **roffa åt sig** grab [gräbb] **rokoko** rococo [rəkåo'kåo] **rolig** amusing [əmjo:'zing]; funny [fann'i]; *så roligt!* what fun! [wått' fann'] **roll** part [pa:t] **Rom** Rome [råom] **rom 1** (*fisk-*) roe [råo] **2** (*dryck*) rum [ramm] **roman** novel [nåvv'əl] **romantik** romance [råomann's]; *Romantiken* Romanticism [råomänn'tisizzəm] **romantisk** romantic [rəmänn'tikk] **romersk** Roman [råo'mən] **rond** round [raond] **rop, ropa** call [kå:l] **ros** rose [råoz] **rosa** rose-coloured [råo'zkallǝd] **rosett** bow [båo] **rosmarin** rosemary [råo'zmǝri] **rossla** rattle [rätt'l] **rost 1** (*på järn*) rust [rasst] **2** (*galler*) grate [grejt] **rosta 1** (*bli rostig*) rust [rasst] **2** (*bröd*) toast [tåost];

(*kaffe*) roast [råost] **rostbiff** roast beef [råo'st bi:f] **rostfri** stainless [stej'nliss] **rostig** rusty [rass'ti] **rot** root [ro:t] **rota** (*böka*) poke about [påo'k əbao't]; *rota fram* dig up [digg' app'] **rotation** rotation [råotej'sjən] **rotborste** scrubbing brush [skrab-b'ing brasj] **rotera** rotate [råotej't] **rotfyllning** root-filling [ro:'t-filling] **rotting** cane [kejn] **rotvälska** double Dutch [dabb'l datt'sj] **rov** (*byte*) prey [prej] **rova** turnip [tə:'nipp] **rovdjur** beast of prey [bi:'st əvv prej'] **rubba** move [mo:v] **rubin** ruby [ro:'bi] **rubricera** headline [hedd'lajn] **rubrik** heading [hedd'ing] **ruckel** (*kyffe*) ramshackle house [rämm'sjäkkl haos] **ruff** (*i sport*) rough play [raff' plej'] **rugby** Rugby football [ragg'bi fott'bå:l] **ruin, ruinera** ruin [ro:'inn] **rulett** roulette [rolett'] **rulla** roll [råol]; *rulla av* unroll [ann'råo'l]; *rulla ihop* roll up [råo'l app'] **rulle** roll [råol]; (*film-, pappers-*) reel [ri:l] **rullgardin** blind [blajnd] **rullstol** wheel chair [wi:'l tsjä:ə] **rulltrappa** escalator [ess'kəlejtə] **rum** room [romm] **rumba** rumba [ramm'bə] **rumsbeställning** booking of rooms (a room) [bokk'-ing əvv romm'z (ə romm')] **Rumänien** R(o)umania [ro:mej'njə] **rumänier, rumän(i)sk** R(o)umanian [ro:mej'njən] **runa** rune [ro:'n] **rund** round [raond] **rundtur** sightseeing tour [saj'tsi:ing to:ə] **runt** round [raond] **rus** intoxication [inntåkksikej'sjən] **rusa** (*störta fram*) rush [rasj]); (*om motor*) race [rejs] **ruska** (*skaka*) shake [sjejk] **ruskig** (*om väder*) nasty [na:'sti]; (*om person*) shady [sjej'di] **rusning** rush [rasj] (*efter* for [få:]) **rusningstid** rush-hour [rasj'aoə] **russin** raisin [rej'zn] **rusta** (*iordningställa*) get ready [gett' redd'i]; (*beväpna*) arm [a:m] **rustning** armour [a:'mə]; (*krigsförberedelse*) armament [a:'məmənt] **ruta 1** square [skwä:'ə]; *rutat papper* cross-ruled paper [kråss'ro:ld pej'pə] **2** (*TV-*) screen [skri:n]; (*fönster-*) pane [pejn] **ruter** diamonds [daj'əməndz] **rutig** check(ed) [tsjekk(t)] **rutin** routine [ro:ti:'n] **rutinerad** experienced [ikkspi:'əriənst] **rutschbana** slide [slajd] **rutt** route [ro:t] **rutten** rotten [rått'n] **ruttna** rot [rått] **ruva** sit (on eggs) [sitt' ånn egg'z)]; *ruva på* (*bildl.*) brood on [bro:'d ånn] **ryamatta** hooked rug [hokk't ragg] **ryck** (*knyck*) jerk [dsjə:k]; (*sprittning*) start [sta:t] **rycka** (*dra*) pull [poll]; (*hastigt*) snatch [snätts] **ryckig** jerky [dsjə:'ki] **rygg** back [bäkk]; *bakom ryggen på ngn* behind a p.'s back [bihaj'nd ə pə:'snz bäkk'] **rygga tillbaka för** shrink at [sjring'k ätt] **ryggmärg** spinal cord [spaj'nl kå:'d] **ryggrad** spine [spajn] **ryggradsdjur** vertebrate [və:'tibritt] **ryggradslös** invertebrate [innvə:'tibritt] **ryggskott** lumbago [lammbej'gåo] **ryka** smoke [småok] **rykta** groom [gromm] **ryktas** *det ryktas* it is rumoured [itt izz ro:'məd] **ryktbar** famous [fej'məs] **rykte** rumour [ro:'mə]; (*ryktbarhet*) fame [fejm] **rymd** (*världs-*) space [spejs] **rymddräkt** space suit [spejs' sjo:t] **rymdfarkost** spacecraft [spejs'skra:ft] **rymdforskning** space research [spejs' risə:'tsj] **rymddraket** space rocket [spejs' råkk'itt] **rymlig** spacious [spej'sjəs] **rymling** fugitive [fjo:'dsjitivv] **rymma** run away [rann' əwej']; (*innehålla*) contain [kəntej'n] **rymmas** *det ryms mycket i den här lådan* this box holds a great deal [ðiss' båkk's håo'ldz ə grej:t di:'l]; *det ryms mycket på en sida* there is room for a great deal on one page [ðəzz romm' få ə grej:t di:'l ånn wann' pej'dsj] **rynka** (*subst.*) (*i huden*) wrinkle [ring'kl]; (*på kläder*) crease [kri:s]; (*verb*) (*tyg*) fold [fåold]; *rynka pannan* knit one's brows [nitt' wannz brao'z]; *rynka ögonbrynen* frown [fraon]; *rynka sig* wrinkle [ring'kl] **rysa** shiver [sjivv'ə] (*av köld* with cold [wið kåo'ld]); shudder [sjadd'ə] (*av fasa* with terror [wið terr'ə] **rysk** Russian [rasj'ən] **ryska** (*språk*) Russian [rasj'ən]; (*kvinna*) Russian woman [rasj'ən womm'ən] **ryslig** terrible [terr'əbl] **ryss** Russian [rasj'ən] **ryssja** fyke [fajk] **Ryssland** Russia [rasj'ə] **ryta** roar [rå:] (*åt* at [ätt]) **rytm** rhythm [rið'əm] **ryttare** rider [raj'də] **rå 1** (*okokt*) raw [rå:]; (*obearbetad*) crude [kro:d]; (*simpel*) vulgar [vall'gə] **2** (*orka*) manage [männ'iddsj]; *jag rår inte för det* I cannot help it [aj känn'ått hell'p itt] **råbalans** proof sheet [pro:'f sji:t] **råbandsknop** reef-knot [ri:'fnått] **råd** advice [ədvaj's]; (*församling*) council [kao'nsl]; *ett* (*gott*) *råd* a piece of (good) advice [ə pi:'s əvv (godd') ədvaj's]; *finna på råd* find a way out [faj'nd ə wej' ao't]; *jag har inte råd att* I cannot afford to [aj känn'ått əfå:'d to:] **råda** (*ge råd*) advise [ədvaj'z]; *det råder inget tvivel* there is no doubt [ðəzz nåo' dao't] **rådande** prevailing [privej'ling]; *under rådande förhållanden* under present conditions [ann'də prezz'nt kəndisj'ənz] **rådfråga** consult [kənsall't] **rådgivande** advisory [ədvaj'zəri] **rådgivare** adviser [ədvaj'zə] **rådgöra med** counter with [kənfə:' wið] **rådhus** town hall [tao'n hå:l] **rådhusrätt** municipal court [mjo:niss'ipəl kå:'t] **rådig** resolute [rezz'əlo:t] **rådjur** roe(-deer) [råo'(di:ə)] **rådlig** advisable [ədvaj'zəbl] **rådlös** perplexed [pəplekk'st] **rådman** magistrate [mädd'sjistritt] **rådpläga** deliberate [dilibb'ərejt] **rådvill** irresolute [irrezz'əlo:t] **råg** rye [raj] **rågad** heaped [hi:pt] **rågbröd** rye-bread [raj'bredd] **rågmjöl** rye-flour [raj'flao:ə] **rågsikt** sifted rye-flour [siff'tidd raj'flao:ə] **råka 1** (*fågel*) rook [rokk] **2** (*möte*) meet [mi:t]; (*handelsevis komma att*) happen to [häpp'ən to:]; *råka i händerna på* fall into the hands of [få:'l inn'to ðə hänn'dz əvv]; *råka i olycka* come to grief [kamm' to gri:'f] **råma** moo [mo:] **råmaterial** raw material [rå:' məti:'əriəl] **rån 1** (*bakverk*) wafer [wej'fə] **2** (*brott*) robbery [råbb'əri] **rånare** robber [råbb'ə] **råolja** crude oil [kro:'d åjl] **råtta** rat [rätt] **råttgift** rat-poison [rätt'påj'zn] **råvara** raw material [rå:' məti:'əriəl] **räcka** (*över-*) hand [hännd]; (*nå*) reach [ri:tsj]; (*förslå*) be enough [bi: inaff'] **räcke** rail [rejl] **räckhåll, räckvidd** reach [ri:tsj] **räd** raid [rejd] **rädd** afraid [əfrej'd] **rädda** save [sejv] **räddning** rescue [ress'kjo:] **rädisa** radish [rädd'isj] **rädsla** fear [fi:'ə] **räffla** (*subst. o. verb*) groove [gro:v] **räfsa** (*subst. o. verb*) rake [rejk] **räka** shrimp [sjrimmp] **räkenskaper** accounts [əkao'nts] **räkenskapsår**

räkna — röja 126

financial year [fajnänn·sjəl jəː'] **räkna** (*upp*) count [kaont]; (*beräkna*) calculate [käll'kjolejt]; *det räknas inte* that doesn't count [öätt' dazz·nt kao·nt]; *räkna med* count on [kao·nt ånn]; *räkna ihop* add up [ädd' app']; *räkna ut* (*ett tal*) work out [wəˈkao·t] **räknebok** arithmetic book [əriθ'mətikk bokk] **räknemaskin** calculating machine [käll'kjolejting məsjiːn] **räknesticka** slide-rule [slaj'droːl] **räkning** (*att betala*) bill [bill]; (*hop-*) counting [kao·nting]; (*skolämne*) arithmetic [əriθ'mətikk]; *för ngns räkning* on a p.'s account [ånn ə pəːˈsnz əkao·nt] **räls** rail [rejl] **rälsbuss** railbus [rej'lbass] **ränna 1** (*subst.*) groove [groːv] **2** (*verb*) (*springa*) run [rann] **rännsten** gutter [gatt'ə] **ränsel** knapsack [näpp'säkk] **ränta** interest [inn'trisst] **räntefot** rate of interest [rejt' əvv inn'trisst] **rät** (*linje*) straight [strejt]; (*vinkel*) right [rajt] **räta** straighten [strej'tn] **rätt 1** (*maträtt*) dish [disj]; *en middag med tre rätter* a three-course dinner [ə θriːˈkåːʼs dinn'ə] **2** (*rättighet*) right [rajt]; (*rättsvetenskap*) law [låː]; (*domstol*) court [kåːt] (*riktig*) right [rajt]; (*ganska*) pretty [pritt'i] **rätta** (*subst.*) *inför rätta* before the court [bifåːʼ ðə kåːt']; *finna sig till rätta* accommodate (*adapt*) o.s. [əkåmmʼədejt (ədäppʼt) wannsellʼf]; (*verb*) (*korrigera*) correct [kərekkʼt]; *rätta sig efter* comply with [kəmplajʼ wið], go by [gåoʼ baj] **rättegång** legal proceedings [liːʼgəl prəsiːʼdingz] **rättelse** correction [kərekkʼsjən] **rättfram** straightforward [strejtfåːʼwəd] **rättfärdig** righteous [rajʼtsjəs], just [dsjasst] **rättfärdiga** (*urskulda*) excuse [ikkskjoːʼz]; (*berättiga*) justify [dsjassʼtifaj] **rättighet** right [rajt] **rättmätig** legitimate [lidsjittʼimitt] **rättrogen** orthodox [åːʼθədåkks] **rättshjälp** legal aid [liːʼgəl ejʼd] **rättsinnehavare** assignee [ässiniːʼ] **rättskaffens** honest [ånnʼisst] **rättskipning** administration of justice [ədminnistrejʼsjən əvv dsjassʼtiss] **rättskrivning** spelling [spellʼing] **rättskänsla** sense of justice [sennʼs əvv dsjassʼtiss] **rättslig** legal [liːʼgəl] **rättstavning** spelling [spellʼing] **rättsvetenskap** legal science [liːʼgəl sajʼəns] **rättsväsen** judicial system [dsjoːdisjʼəl sissʼtimm] **rättvis** just [dsjasst] **rättvisa** justice [dsjassʼtiss] **räv** fox [fåkks]; *surt sa räven om rönnbären* sour grapes said the fox [saoʼə grejʼps seddʼ ðə fåkkʼs]; *svälta räv* beggar-my-neighbour [beggʼəminejʼbə] **rävsax** fox-trap [fåkkʼsträpp] **rö** reed [riːd] **röd** red [redd]; *röda hund* German measles [dsjəːʼmən miːʼzlz]; *Röda havet* the Red Sea [ðə reddʼ siːʼ]; *Röda korset* the Red Cross [ðə reddʼ kråssʼ] **rödbeta** beetroot [biːʼtroːt], *Am.* (red) beet [(reddʼ) biːt] **rödglödga** make red-hot [mejk reddʼhåttʼ] **rödhake** robin [råbbʼinn] **rödhårig** redhaired [reddʼhäːʼəd]; (*om pers.*) red-headed [reddʼheddʼidd] **röding** alpine char [ällʼpajn tsjaːʼ] **rödkål** red cabbage [reddʼ käbbʼiddsj] **rödlök** red onion [reddʼ annʼjən] **rödspotta** plaice [plejs] **rödsprit** methylated spirit [meθʼilejtidd spirrʼitt] **rödvin** red wine [reddʼ wajʼn]; (*Bordeaux*) claret [klärrʼət] **röja 1** (*förråda*) betray [bitrejʼ]; (*yppa*) reveal [riviːʼl] **2** *röja väg för* clear a path for [kli:'ə ə pa:'θ få:]; *röja undan* clear away [kli:'ə əwej'] **röjning** clearance [kli:'ərəns] **rök, röka** smoke [småok] **rökare** smoker [småo'kə] **rökelse** incense [inn'senns] **rökig** smoky [småo'ki] **rökning** smoking [småo'king]; *rökning förbjuden* no smoking [nåo' småo'king] *rökning tillåten* smoking [småo'king] **rökridå** smoke-screen [småo'kskri:n] **rön** observation [åbbzə:vej'sjən] **röna** meet with [mi:'t wið] **rönn** mountain ash [mao'ntinn äsj] **rönnbär** rowanberry [rao'ənberri] **röntga** X-ray [ekk'srej'] **röntgenfotografering** X-ray photography [ekk'srej' fətågg'rəfi] **röntgenundersökning** X-ray examination [ekk'srej' iggzäm-minej'sjən] **rör** tube [tjo:b]; *(lednings-)* pipe [pajp]; *(radio-)* valve [vällv] **röra** *(subst.)* mess [mess]; *(verb) (sätta i rörelse)* move [mo:v]; *(be-)* touch [tatt'sj]; *(angå)* concern [kənsə:'n]; *röra sig* move [mo:v] **rörande** touching [tatt'sjing] **rörd** moved [mo:vd] **rörelse** movement [mo:'vmənt]; *(affärs-)* business [bizz'niss] **rörelsekapital** working capital [wə:'king käpp'ittl] **rörledning** piping [paj'ping] **rörlig** movable [mo:'vəbl]; *rörliga kostnader* variable costs [vä:'əriəbl kåss'ts]; *rörligt intellekt* versatile intellect [və:'sətajl inn'tilekkt]; *föra ett rörligt liv* lead an active life [li:'d ənn äkk'tivv lajf] **rörlighet** mobility [måobill'itti] **rörmokare** plumber [plamm'ə] **rörsocker** cane sugar [kej'n sjogg'ə] **rörtång** pipe wrench [paj'p renntsj] **röst** *(stämma)* voice [våjs]; *(vid röstning)* vote [våot]; *med hög (låg) röst* in a loud (low) voice [inn ə lao'd (låo') våj's] **rösta** vote [våot] *(för, på* for [få:]); *rösta ja (nej)* vote for (against) [våo't få: (əgenn'st)] **röstberättigad** entitled to vote [inntaj'tld tə våo't] **röstlängd** electoral register [ilekk'tərəl redd'sjistə] **röstning** voting [våo'ting] **rösträtt** right to vote [raj't tə våo't]; *allmän rösträtt* universal suffrage [jo:nivə:'səl saff'riddsj] **röstsedel** voting-paper [våo'tingpejpə] **röta** rot [rått] **rötmånaden** the dog days [ðə dågg' dej'z] **rötsvamp** mould fungus [måo'ld fang'gəs] **rötägg** bad egg [bädd' egg'] **röva** rob [råbb] **rövare** robber [råbb'ə] **rövarhistoria** cock-and-bull story [kåkk'ən-boll' stå:'ri] **sabbat** Sabbath [säbb'əθ] **sabel** sabre [sej'bə] **sabotage, sabotera** sabotage [säbb'əta:sj] **sacka efter** lag behind [lägg' bihaj'nd] **sadel, sadla** saddle [sädd'l] **saffran** saffron [säff'rən] **saft** juice [dsjo:s]; *(sockrad)* syrup [sirr'əp] **saftig** juicy [dsjo:'si] **saga** fairy-tale [fä:'əritejl] **sagesman** informant [innfå:'mənt] **sagolik** fabulous [fäbb'joləs] **Sahara** the Sahara [ðə səha:'rə] **sak** thing [θing]; *saken är den att* the fact is that [ðə fäkk't izz ðätt]; *det är en annan sak* that is quite a different matter [ðätt izz kwaj't ə diff'rənt mätt'ə]; *till saken!* to the point! [to: ðə påj'nt] **sakfel** factual error [fäkk'tjoəl err'ə] **sakfråga** point at issue [påj'nt ətt iss'jo:] **sakkunnig** competent [kåmm'pitənt]; *en sakkunnig* an expert [ənn ekk'spə:t] **sakkunskap** expert knowledge [ekk'-spə:t nåll'iddsj] **saklig** pertinent [pə:'tinənt] **saklighet** pertinence [pə:'tinəns] **sakna** (*inte äga*) lack [läkk]; (*känna saknad*) miss [miss] **saknad** (*brist*) lack [läkk]; (*sorg*) regret [rigrett'] **saknas** (*fattas*) be lacking [bi: läkk'ing]; (*vara borta*) be missing [bi: miss'ing] **sakristia** sacristy [säkk'rissti] **sakskäl** practical reason [präkk'tikəl ri:'zn] **sakta** slowly [slåo'li]; *sakta men säkert* slow but sure [slåo' batt sjo:'ə] **sal** hall [hå:l]; (*på sjukhus*) ward [wå:d] **saldo** balance [bäll'əns] **salig** blessed [blesst] **saliv** saliva [səlaj'və] **sallad** (*salladshuvud*) lettuce [lett'iss]; (*maträtt*) salad [säll'əd] **salong** (*i hem*) drawing-room [drå:'ingromm]; (*teater-*) auditorium [å:ditå:'riəm] **salpeter** saltpetre [så:'ltpi:tə] **salpetersyra** nitric acid [naj'trikk äss'idd] **salt, salta** salt [så:lt] **saltkar** salt-cellar [så:'ltsellə] **saltsyra** hydrochloric acid [haj'-drəklårr'ikk äss'idd] **saltvatten** salt water [så:'lt wå:tə] **salu** *till salu* for sale [fə seJl] **salut, salutera** salute [səlo:'t] **salva** ointment [åj'ntmənt] **samarbeta** co-operate [kåoåpp'əreJt] **samarbete** co-operation [kåoåpp ərej'sjən] **samarbetsvillig** co-operative [kåoåpp'ərətivv] **samband** connection [kənekk'sjən] **sambeskattning** joint taxation [dsjåj'nt takksej'sjən] **same** Laplander [läpp'ländə] **samfund** society [səsaj'əti] **samfärdsel** communication(s) [kəmjo:nikej'sjən(z)] **samförstånd** understanding [anndəstänn'ding] **samhälle** society [səsaj'ətti]; (*tätort*) municipality [mjo:nissipäll'itti] **samhällsförhållanden** social conditions [såo'sjəl kəndisj'ənz] **samhällsklass** class (of society) [kla:s (əvv səsaj'əti)] **samhällskritik** social criticism [såo'sjəl kritt'isizzəm] **samhällsliv** life in society [laj'f inn səsaj'əti] **samhällsplanering** national planning [näsj'ənl plänn'ing] **samhällsskick** social order [såo'sjəl å:'də] **samhörighet** solidarity [sål'lidärr'itti] **samklang** harmony [ha:'məni] **samla** collect [kəlekk't]; gather [gäð'ə]; *samla frimärken* collect stamps [kəlekk't stämm'ps]; *samla på hög* accumulate [əkjo:'mjoleJt] **samlag** (*sexual*) intercourse [(sekk'sjoəl) inn'təkå:s] **samlare** collector [kəlekk'tə] **samlas** gather (together) [gäð'ə (təgeð'ə)] **samlevnad** co-existence [kåoiggziss'təns] **samling** collection [kəlekk'sjən] **samlingslokal** assembly-hall [əsemm'blihå:l] **samlingsregering** coalition government [kåoəlisj'ən gavv'nmənt] **samma** (the) same [(ðə) sej'm (*som* as [äzz])]; *på samma gång* at the same time [ätt ðə sej'm taj'm] **samman** together [təgeð'ə] **sammanbinda** join [dsjåjn], connect [kənekk't] **sammanbiten** dogged [dågg'-idd] **sammanblandning** confusion [kənfjo:'sjən] **sammanbrott** collapse [kəläpp's] **sammandrag** summary [samm'əri] **sammanfalla** coincide [kåoinnsaj'd] (*med* with [wið]) **sammanfatta** sum up [samm' app'] **sammanfattning** summary [samm'əri] **sammanfoga** join (together) [dsjåj'n (təgeð'ə)] **sammanföra** bring ... together [bring' təgeð'ə] **sammanhang** connection [kənekk'sjən]; (*i text*) context [kånn'tekkst] **sammanhållning** unity [jo:'nitti] **sammanhänga med** be connected with [bi: kənekk'tidd wið] **sammanhängande** (*utan avbrott*) continuous [kəntinn'joəs] **sammankalla** call ... together [kå:l təgeð'ə] **sammankomst** gathering [gəð'əriŋ] **sammanlagd** total [tåo'tl] **sammansatt** composite [kåmm'pəzitt] **sammanslagning** unification [jo:nifikej'sjən]; *(fusion)* merger [mə:'dsjə] **sammansluta** join [dsjåjn] **sammanslutning** association [əsåosiej'sjən] **sammansmälta** fuse [fjo:z] **sammanställa** put ... together [pott' təgeð'ə] **sammanställning** *(förteckning)* specification [spessifikej'sjən] **sammanstötning** collision [kəlisj'ən] **sammanvärjning** conspiracy [kənspirr'əsi] **sammansättning** composition [kåmmpəzisj'ən] **sammanträda** meet [mi:t] **sammanträde** meeting [mi:'tiŋ] **sammanträffa** meet [mi:t] **sammanträffande** meeting [mi:'tiŋ]; *ett egendomligt sammanträffande* a curious coincidence [ə kjo:'əriəs kåoinn'sidəns] **sammelsurium** conglomeration [kənglåmərej'sjən] **sammet** velvet [vell'vitt] **samordna** co-ordinate [kåoå:'dinejt] **samordning** co-ordination [kåoå:dinej'sjən] **samråd** consultation [kånnsəltej'sjən] **samröre** collaboration [kəlabərej'sjən] **sams** *vara sams* be friends [bi: frenn'dz]; *bli sams* be reconciled [bi: rekk'ənsajld] **samsas** get on well together [gett ånn' well' təgeð'ə] **samspel** teamwork [ti:'mwə:k]; *(bildl.)* interplay [inn'təplej'] **samspråk** conversation [kånnvəsej'sjən] **samt** and (also) [ännd (å:'lsåo)] **samtal** conversation [kånnvəsej'sjən] **samtala** talk [tå:k] **samtalsämne** topic of conversation [tåpp'ikk əv kånnvəsej'sjən] **samtida** contemporary [kəntemm'pərəri] **samtiden** our age [ao'ə ej'dsj] **samtidigt** at the same time [ätt ðə sej'm taj'm] **samtliga** all [å:l] **samtycka** agree [əgri:'] **samtycke** consent [kənsenn't] **samvaro** being together [bi:'iŋ təgeð'ə] **samverka** co-operate [kåoåpp'ərejt] **samverkan** co-operation [kåoåppərej'sjən] **samvete** conscience [kånn'sjəns]; *dåligt (gott) samvete* a bad (clear) conscience [ə bädd' (kli:'ə) kånn'sjəns] **samvetsbetänkligheter** scruples [skro:'plz] **samvetsgrann** conscientious [kånnsjienn'sjəs] **samvetskval** pangs of conscience [päŋg'z əv kånn'sjəns] **samvetslös** unscrupulous [ənnskro:'pjoləs] **samvälde** commonwealth [kåmm'ənwellθ] **sanatorium** sanatorium [sännətå:'riəm] **sand, sanda** sand [sännd] **sandal** sandal [sänn'dl] **sandlåda** sand-pit [sänn'dpitt] **sandpapper** sandpaper [sänn'dpejpə] **sandsten** sandstone [sänn'dståon] **sandstrand** sandy beach [sänn'di bi:tsj] **sanera** clear [kli:'ə]; *(företag)* reorganize [ri:'å:'gənajz] **sang** no trumps [nåo' tramm'ps] **sanitetsbinda** sanitary towel [sänn'itəri tao'əl] **sank** swampy [swåmm'pi] **sanktbernhardshund** St. Bernard [sntbə:'nəd] **sanktion, sanktionera** sanction [säŋg'ksjən] **sann** true [tro:] **sanna mina ord!** mark my words! [ma:'k maj wə:'dz] **sannerligen** indeed [inndi:'d] **sanning** truth [tro:θ] **sanningsenlig** truthful [tro:'θfoll] **sannolik** probable [pråbb'əbl] **sannolikhet** probability [pråbbəbill'itti] **sannolikhetslära** theory of probabilities [θi:'əri əv pråbbəbill'itizz] **sansad** sober [såo'bə] **sanslös** senseless [senn'sliss]

Sardinien — segsliten

Sardinien Sardinia [sa:dinn'jə] **sarg** border [bå:'də]; (på far-kost) coaming [kåo'ming] **sarkastisk** sarcastic [sa:käss'tikk] **satan** Satan [sej'tən] **sate** devil [devv'l]; stackars sate poor devil [po:'ə devv'l] **satellit** satellite [sätt'əlajt] **satir** satire [sätt'ajə] **satirisk** satiric [sətirr'ikk] **sats 1** (matematisk) theorem [θi:'ə-rəm]; (mening) clause [klå:z]; (i musik) movement [mo:'vmənt] **2** (dos) dose [dåos]; (uppsättning) set [sett] **3** ta sats take a run [tej'k ə rann'] **satsa** (i spel) stake [stejk]; (investera) invest [innvess't] **satsning** (i spel) staking [stej'king]; (inriktning) concentration [kånnsəntrej'sjən] **satäng** satin [sätt'inn] **Saudi-Arabien** Saudi Arabia [sao:'di: ərej'bjə] **sav** sap [säpp] **savann** savanna [səvänn'ə] **sax** en sax a pair of scissors [ə pä:'ə əvv sizz'əz] **saxofon** saxophone [säkk'səfåon] **scen** scene [si:n] **schablon** pattern [pätt'ən] (bildl.) cliché [kli:'sjei] **schablon-mässig** stereotyped [sti:'əriətajpt] **schack** chess [tjess]; schack! check! [tjekk] **schackbräde** chessboard [tjess'bå:d] **schack-drag** move [mo:v] **schackpjäs** chessman [tjess'männ] **schack-ra** haggle [hägg'l] **schakal** se sjakal **schakt** shaft [sja:ft] **schakta bort** cut away [katt' əwej'] **schamponera, schampo-nering, schamponeringsmedel** shampoo [sjämmpo:'] **schar-lakansfeber** scarlet fever [ska:'litt fi:'və] **schattering** shading [sjej'ding] **schellack** shellac [sjəläkk'] **schema** timetable [taj'm-tejbl]; (plan) schedule [sjedd'jo:l] **schimpans** chimpanzee [tsjimmpənzi:'] **schizofreni** schizophrenia [skittsåofri:'njə] **schla-ger** hit song [hitt' sång] **Schweiz** Switzerland [switt'sələnd] **schweizare** Swiss [swiss] **schweizerfranc** Swiss franc [swiss' frängk] **schweizisk** Swiss [swiss] **schweiziska** Swiss woman [swiss' womm'ən] **schäferhund** Alsatian [ällsej'sjən] **se** see [si:]; se på look at [lokk' ätt]; se efter (ta reda på) (look and) see [(lokk' ənn) si:'], (passa) look after [lokk' a:'ftə]; se igenom look through [lokk' θro:']; se till att see (to it) that [si:' (to itt) åätt']; se upp för look out for [lokk' ao't få:]; se dig för! be careful! [bi: kä:'əfoll] **seans** seance [sej'a:ns] **sebra** zebra [zi:'brə] **sed** custom [kass'təm]; seder (moral) morals [mårr'əlz] **sedan** (därpå) then [ðenn]; (efter det att) after [a:'ftə]; för tio år sedan ten years ago [tenn' jə:'z əgåo']; sedan dess since then [sinn's ðenn'] **sedel** bank-note [bäng'knåot], Am. bill [bill] **sedlighetssårande** indecent [inndi:'snt] **sedvänja** custom [kass'təm] **seende** (mots. blind) sighted [saj'tidd] **seg** tough [taff] **segel** sail [sejl] **segelbåt** sailing-boat [sej'lingbåot] **segelduk** sailcloth [sej'lklåθ] **segel-flygning** gliding [glaj'ding] **segelflygplan** sailplane [sej'lplejn] **seger** victory [vikk'təri] **över** over [åo'və] **segla** sail [sejl] **seglare** sailor [sej'lə] **segling** sailing [sej'ling] **seglivad** tough [taff]; en seglivad fördom a deep-rooted prejudice [ə di:'pro:'tidd predd'sjodiss] **segna (ner)** sink down [sing'k dao'n] **segra** win [winn] **segrare** victor [vikk'tə]; (i tävling) winner [winn'ə] **segsliten** en segsliten tvist a lengthy dispute [ə leng'θi disspjo:'t]

sekel century [senn'tsjorri] **sekelskifte** *vid sekelskiftet* at the turn of the century [ätt ðə tə:'n əvv ðə senn'tsjorri] **sekretariat** secretariat [sekkrətå:'əriət] **sekreterare** secretary [sekk'rətri] **sekretär** writing-desk [raj'tingdessk] **sekt** sect [sekkt] **sektion** section [sekk'sjən] **sektor** sector [sekk'tə] **sekund** second [sekk'ənd] **sekunda** second-rate [sekk'əndrej't] **sekundvisare** second-hand [sekk'əndhännd] **sekundär** secondary [sekk'əndəri] **sele** harness [ha:'niss] **selleri** celery [sell'əri] **semester** holiday(s *pl*) [håll'ədi(zz)]; *Am.* vacation [vəkej'sjən]; *ha semester* be on holiday [bi: ånn håll'ədi] **semesterersättning** holiday compensation [håll'ədi kåmmpensej'sjən] **semesterresa** holiday-trip [håll'əditripp] **semifinal** semi-final [semm'ifaj'nl] **seminarium** training college [trej'ning kåll'iddsj]; (*univ.*) seminar [semm'ina:] **semitisk** Semitic [simitt'ikk] **sen 1** *se nedan* **2** late [lejt] **sena** sinew [sinn'jo:] **senap** mustard [mass'təd] **senare** later [lej'tə] **senast** latest [lej'tisst]; *på senaste tid(en)* lately [lej'tli]; *jag såg honom senast i går* I saw him only yesterday [aj så:' himm åo'nli jess'tədi]; *tack för senast!* I enjoyed my stay (the evening I spent) with you very much! [aj inndsjåj'd maj stej' (ði i:'vning aj spenn't) wið jo:' verr'i matt'sj]; *senast på lördag* by Saturday at the latest [baj sätt'ədi ätt ðə lej'tisst] **senat** senate [senn'itt] **senator** senator [senn'ətə] **senil** senile [si:'najl] **sensation** sensation [sennsej'sjən] **sensibel** sensitive [senn'sitivv] **sensommar** late summer [lej't samm'ə] **sent** late [lejt]; *komma för sent* be late [bi: lej't] **sentimental** sentimental [senntimenn'tl] **separat** separate [sepp'ritt] **separera** separate [sepp'ərejt] **september** September [səptemm'bə] **serbokroatisk** Serbo-Croatian [sə:'båokråoej'sjən] **serenad** serenade [serrinej'd] **sergeant** sergeant [sa:'dsjənt] **serie** series [si:'əri:z]; (*tecknad*) comic strip [kåmm'ikk stripp'] **seriemagasin** comic (paper) [kåmm'ikk (pej'pə)] **seriös** serious [si:'əriəs]; *seriös musik* classical music [kläss'ikəl mjo:'zikk] **servera** serve [sə:v] **servering** service [sə:'viss]; (*matställe*) eating-house [i:'tinghaos] **servett** napkin [näpp'kinn] **service** service [sə:'viss] **servis** (*mat-*) service [sə:'viss] **servitris** waitress [wej'triss] **servitut** easement [i:'zmənt] **servitör** waiter [wej'tə] **ses** meet [mi:t]; *vi ses!* I'll be seeing you! [aj'l bi: si:'ing jo:] **sevärdhet** sight [sajt] **sex 1** (*siffra*) six [sikks] **2** *se* [sikks] **2 sex** [sekks] **sextio** sixty [sikk'sti] **sexton** sixteen [sikk'sti:'n] **sexualdrift** sexual instinct [sekk'sjoəl inn'stingkt] **sexualliv** sex(ual) life [sekk's(joəl) lajf] **sexualundervisning** sex instruction [sekk's innstrakk'sjən] **sexuell** sexual [sekk'sjoəl] **sfinx** sphinx [sfingks] **sfär** sphere [sfi:'ə] **sherry** sherry [sjerr'i] **shoppingväska** shopping-bag [sjåpp'ingbägg] **si och så** only so-so [åo'nli såo'såo'] **Sibirien** Siberia [sajbi:'əriə] **siciliansk** Sicilian [sisill'jən] **Sicilien** Sicily [siss'illi] **sickling** (*skrapa*) scraper [skrej'pə] **sicksack** zigzag [zigg'zägg] **sida** side [sajd]; (*bok-*) page [pejdsj]; *å ena* (*andra*) *sidan* on one (the other) hand [ånn wann' (ði aðˈə) hännˈd]; *är inte hans starka sida* is not his strong point [izz nått' hizz strångˈ påjˈnt] **siden** silk [sillk] **sidfläsk** bacon [bejˈkən] **sidvagn** (*på motorcykel*) side-car [sajˈdkaː] **siffra** figure [figgˈə] **sifon** siphon [sajˈfən] **sig** oneself [wannsellˈf]; himself [himmsellˈf], herself [həːsellˈf], itself [ittsellˈf], themselves [ðəmsellˈvz] **sigill** seal [siːl] **signal** signal [siggˈnl] **signalement** description [disskrippˈsjən] **signalera** signal [siggˈnl] **signatur** signature [siggˈnittsjə] **signera** sign [sajn] **sik** whitefish [wajˈtfisj] **sikt** visibility [vizzibillˈitti]; *på sikt* in the long run [inn ðə långˈ rannˈ] **sikta 1** (*sålla*) sift [sifft] **2** (*med vapen*) take aim [tejk ejˈm]; (*sjö.*) sight [sajt] **sikte** sight [sajt] **sil** strainer [strejˈnə] **sila** strain [strejn] **silhuett** silhouette [silloettˈ] **silke** silk [sillk] **silkesmask** silkworm [sillˈkwəːm] **silkespapper** tissue-paper [tissˈjoːpejpə] **sill** herring [herrˈing] **silo** silo [sajˈlåo] **silver** silver [sillˈvə] **silverbröllop** silver wedding [sillˈvə weddˈing] **simbassäng** swimming-pool [swimmˈingpoːl] **simhall** indoor swimming-bath [innˈdåː swimmˈingbaːθ] **simma** swim [swimm] **simmare** swimmer [swimmˈə] **simpel** common [kåmmˈən] **simulera** simulate [simmˈjolejt] **sin** (*förenat*) one's [wannz]; his [hizz], her [həː], its [itts], their [ðäːˈə]; (*självst.*) his [hizz], hers [həːz], its [itts], theirs [ðäːˈəzz] **sina** go dry [gåoˈ drajˈ] **singel** (*sport.*) single [singˈgl] **singla** (*dala*) float [flåot]; *singla slant om* toss for [tåssˈ fåː] **singularis** singular [singˈgjollə] **sinka** (*fördröja*) delay [dilejˈ] **sinnad** minded [majˈndidd] **sinne** sense [senns]; (-*lag*) mind [majnd]; *ha sinne för humor* have a sense of humour [hävv ə senn's əvv hjoːˈmə]; *ha sinne för språk* have a talent for languages [hävv ə tällˈənt fåː längˈgwiddsjizz] **sinnesnärvaro** presence of mind [prezzˈns əvv majˈnd] **sinnesrörelse** emotion [imåoˈsjən] **sinnesjuk** mentally ill [mennˈtəli illˈ] **sinnesjukdom** mental desease [mennˈtl diziːˈz] **sinnlig** sensual [sennˈsjoəl] **sinom** *i sinom tid* in due course [inn djoːˈ kåːˈs] **sinsemellan** between themselves [bitwiːˈn ðəmsellˈvz] **sinus** (*mat.*) sine [sajn] **sippra** trickle [trikkˈl]; *sippra ut* (*bildl.*) transpire [trännspajˈə] **sirap** treacle [triːˈkl] **sist** last [laːst]; *till sist* at last [ätt laːˈst]; *näst sist* the last but one [ðə laːˈst batt wannˈ]; *den sista juni* (on) the last of June [(ånn) ðə laːˈst əvv dsjoːˈn]; *på sista tiden* lately [lejˈtli] **sitta** sit [sitt]; *kjolen sitter bra* the skirt is a good fit [ðə skəːˈt izz ə goddˈ fittˈ] **sittplats** seat [siːt] **situation** situation [sittjoejˈsjən] **sjabbig** shabby [sjäbbˈi] **sjakal** jackal [dsjäkkˈåːl] **sjal** shawl [sjåːl] **sjaskig** slovenly [slavvˈnli] **sju** seven [sevvˈn] **sjuk** ill [ill]; sick [sikk]; *den sjuke* the sick person [ðə sikkˈ pəːˈsn]; *bli sjuk* be taken ill [biː tejˈkn illˈ] **sjukdom** disease [diziːˈz] **sjukförsäkring** health insurance [hellˈθ innsjoːˈərəns] **sjukgymnast** physiotherapist [fizzˈiåoθerrˈəpist] **sjukgymnastik** physiotherapy [fizzˈiåoθerrˈəpi] **sjukhus** hospital [håssˈpittl] **sjuklig** weak in

health [wi:'k inn hell'θ] **sjukskriva** *sjukskriva sig* report sick [ripå:'t sikk']; *sjukskriven* sick-listed [sikk'lisstidd] **sjuksköterska** nurse [nə:s] **sjukvård** medical care [medd'ikəl kä:'ə] **sjunde** seventh [sevv'nθ] **sjunga** sing [sing] **sjunka** sink [singk] **sjunkbomb** depth charge [depp'θ tsja:dsj] **sjuttio** seventy [sevv'nti] **sjutton** seventeen [sevv'nti:'n] **sjuttonhundratalet** the eighteenth century [ði ej'ti:'nθ senn'tsjorri] **sjöare** docker [dåkk'ə] **själ** soul [såol] **själavandring** transmigration [trännz-majgrej'sjən] **Själland** Zealand [zi:'lənd] **själsfrände** kindred spirit [kinn'dridd spirr'itt] **själslig** mental [menn'tl] **själv** myself [majsell'f], yourself [jå:sell'f], himself [himmsell'f], herself [hə:-sell'f], itself [ittsell'f], oneself [wannsell'f]; ourselves [aoəsell'vz], yourselves [jå:sell'vz], themselves [ðəmsell'vz] **självbedrägeri** self-deception [sell'fdisepp'sjən] **självbehärskning** self-control [sell'fkəntråo'l] **självbelåten** self-satisfied [sell'fsätt'isfajd] **själv-betjäning** self-service [sell'fsə:'viss] **självbevarelsedrift** instinct of self-preservation [inn'stingkt əvv sell'fprezzəvej'sjən] **självbindare** (reaper-)binder [(ri:'pə)baj'ndə] **självbiografi** autobiography [å:tåobajågg'rəfi] **självfallet** evidently [evv'idənt-li] **självförebråelse** self-reproach [sell'fripråo'tsj] **självförsvar** self-defence [sell'fdifenn's] **självförsörjande** self-supporting [sell'fsəpå:'ting] **självförtroende** self-confidence [sell'fkånn'-fidəns] **självhushåll** *ha självhushåll* do one's own housekeeping [do: wannz åo'n hao'ski:ping] **självhäftande** (self-)adhesive [(sell'f)əddhi:'sivv] **självisk** selfish [sell'fisj] **självklar** obvious [åbb'viəs]; *det är självklart* it is a matter of course [itt izz ə mätt'ə əvv kå:'s] **självkostnadspris** cost price [kåss't prajs] **själv-kritik** self-criticism [sell'fkritt'isizzəm] **självkännedom** self-knowledge [sell'fnåll'iddsj] **självlysande** luminous [lo:'minəs] **självmant** of one's own accord [əvv wannz åo'n əkå:'d] **själv-medveten** self-assured [sell'fəsjo:'əd] **självmord** suicide [s-jo:'i-sajd] **självporträtt** self-portrait [sell'fpå:'tritt] **självrisk** excess [ikksess'] **självservering** self-service [sell'fsə:'viss] **självständig** independent [inndipenn'dənt] **självständighet** independence [inndipenn'dəns] **självsvåldig** self-willed [sell'fwill'd] **själv-säker** self-confident [sell'fkånn'fidənt] **självuppoffrande** self-sacrificing [sell'fsäkk'rifajsing] **självupptagen** self-centred [sell'f-senn'təd] **självändamål** end in itself [enn'd inn ittsell'f] **själv-övervinnelse** self-mastery [sell'fma:'stəri] **sjätte** sixth [sikksθ] **sjö** (*in*-) lake [lejk]; (*hav*) sea [si:]; *till sjöss* at sea [ətt si:']; *tåla sjön* be a good sailor [bi: ə godd' sej'lə] **sjöfart** shipping [sjipp'ing] **sjöfågel** sea-bird [si:'bə:d] **sjögräs** seaweed [si:'-wi:d] **sjöhäst** sea horse [si:' hå:s] **sjöjungfru** mermaid [mə:'-mejd] **sjökapten** (sea-)captain [(si:')käpp'tinn] **sjökort** chart [tsja:t] **sjömil** nautical mile [nå:'tikəl majl] **sjönöd** distress [disstress'] **sjörövare** pirate [paj'əritt] **sjösjuk** seasick [si:'sikk] **sjöstjärna** starfish [sta:'fisj] **sjösäker** seaworthy [siː'wəːði] **sjötunga** sole [såol] **ska** *se skola 1* **skabb** (the) itch [(ði) itt'sj] **skada** (*subst.*) injury [inn'dsjəri]; *det är skada att* it is a pity that [itt izz ə pitt'i ðätt']; *ta skadan igen* make up for it [mejk app' fåː itt]; (*verb*) (*person*) hurt [həːt]; (*sak*) damage [dämm'iddsj]; *skada sig* get hurt [gett həː't] **skadeglad** spiteful [spaj'tfoll] **skadestånd** damages [dämm'-iddsjizz] **skadlig** injurious [inndsjoː'əriəs] **skaffa** procure [prə-kjoː'ə] **skaft** handle [hänn'dl]; (*på stövel etc.*) leg [legg]; (*på växt*) stalk [ståːk] **skaka** shake [sjejk] **skakel** shaft [sjaːft] **skal** shell [sjell]; (*apelsin-, äppel- etc.*) peel [piːl] **skala 1** (*verb*) peel [piːl]; *skala av* peel off [piːl åː'f] **2** *subst.* scale [skejl]; *i stor* (*liten*) *skala* on a large (small) scale [ånn ə laː'dsj (småː'l) skej'l] **skalbagge** beetle [biː'tl] **skald** poet [påo'itt] **skaldjur** shellfish [sjell'fisj] **skall 1** (*verb*) *se skola 1* **2** (*subst.*) (*hund-*) bark [baːk] **skalla** (*genljuda*) clang [kläng] **skalle** skull [skall] **skallerorm** rattlesnake [rätt'lsnejk] **skallig** bald [båːld] **skallra** (*subst. o. verb*) rattle [rätt'l] **skalp** scalp [skällp] **skalv** quake [kwejk] **skam** shame [sjejm] **skamlig** shameful [sjej'mfoll] **skamsen** ashamed [əsjej'md] (*över* of [åvv]) **skandal** scandal [skänn'dl] **skandalös** scandalous [skänn'dələs] **skandinav** Scandinavian [skänndinej'vjən] **Skandinavien** Scandinavia [skänndinej'vjə] **skandinavisk** Scandinavian [skänndinej'-vjən] **skans** (*sjö.*) forecastle [fåo'ksl] **skapa** create [kriːej't]; (*alstra*) produce [prədjoː's] **skapande** creative [kriːej'tivv] **skapare** creator [kriːej'tə] **skapelse** creation [kriːej'sjən] **skaplig** not too bad [nått' toː bädd'] **skara** crowd [kraod] **skare** crust [krasst] **skarp** sharp [sjaːp] **skarpsill** sprat [sprätt] **skarpsinnig** keen [kiːn] **skarv** joint [dsjåjnt] **skarva** join [dsjåjn] **skarvsladd** extension flex [ikkstenn'sjən flekk's] **skata** magpie [mägg'paj] **skatt** (*klenod*) treasure [tresj'ə]; (*t. staten*) tax [täkks] **skatta** (*betala skatt*) pay taxes [pej' täkk'sizz]; (*upp-*) estimate [ess'ti-mejt] **skattebetalare** taxpayer [täkk'spejə] **skattefri** tax-free [täkk'sfriː'] **skattefusk** tax evasion [täkk's ivej'sjən] **skatt-kammare** treasury [tresj'əri] **skattsedel** income-tax demand note [inn'kəmtäkks dimaː'nd nåo't] **skava** chafe [tsjejf] **skavank** flaw [flåː] **skavsår** sore [såː] **ske** happen [häpp'ən] **sked** spoon [spoːn] **skede** phase [fejz] **skeende** course of events [kåː's əvv ivenn'ts] **skela** squint [skwinnt] **skelett** skeleton [skell'ittn] **sken** (*ljus*) light [lajt]; (*falskt*) appearance [əpiː'ərəns]; *skenet bedrar* appearances are deceptive [əpiː'ərənsizz aː disepp'-tivv] **skena 1** (*verb*) (*om häst*) bolt [båolt] **2** (*subst.*) bar [baː]; (*järnvägs-*) rail [rejl] **skenbar** apparent [əpärr'ənt] **skenben** shin(-bone) [sjinn'(båon)] **skendöd** apparently dead [əpärr'əntli dedd'] **skenhelig** hypocritical [hippəkritt'ikəl] **skenmanöver** diversion [dajvəː'sjən] **skepnad** figure [figg'ə] **skepp** ship [sjipp] **skeppsbrott** shipwreck [sjipp'rekk] **skeppsmäklare** shipbroker [sjipp'bråokə] **skeppsredare** shipowner [sjipp'åonə]

skeppsvarv shipyard [sjipp'ja:d] **skepsis** scepticism [skepp'ti-sizm] **skeptiker** sceptic [skepp'tikk] **skeptisk** sceptic [skepp'-tikk] **sketch** sketch [skett'sj] **skev** warped [wå:pt] **skick** (*tillstånd*) condition [kəndisj'ən]; *i befintligt skick* in condition as presented [inn kəndisj'ən äzz prizenn'tidd]; *i färdigt skick* in a finished state [inn ə finn'isjt stejt] **skicka** send [sennd] **skicklig** skilful [skill'foll] **skicklighet** skill [skill] **skida** ski [ski:]; *åka skidor* ski [ski:] **skidbyxor** ski(ing) trousers [ski:'(ing) trao'zəz] **skidföre** *bra skidföre* good skiing surface [godd' ski:'ing sə:'fiss] **skidstav** ski stick [ski:' stikk] **skidåkare** skier [ski:'ə] **skiffer** slate [slejt] **skift** shift [sjifft] **skifta** divide [divaj'd]; *skifta i grönt* be shot (tinged) with green [bi: sjått' (tinn'dsjd) wið gri:'n] **skiftarbete** shift work [sjifft' wə:k] **skiftning** change [tsjejndsj]; (*nyans*) tinge [tinndsj] **skiftnyckel** (adjustable) spanner [(ə-dsjass'təbl) spänn'ə] **skikt** layer [lej'ə]; (*tunt*) film [fillm] **skild** separate [sepp'ritt]; *gå skilda vägar* go separate ways [gåo sepp'-ritt wej'z] **skildra** describe [disskraj'b] **skildring** description [diskripp'sjən] **skilja** separate [sepp'ərejt]; *skilja mellan* distinguish between [dissting'gwisj bitwi:'n]; *jag kan inte skilja dem från varandra* I cannot tell them apart [aj känn'ått tell' ðemm əpa:'t]; *skilja sig* divorce [divå:'s] **skiljas** part [pa:t]; (*om äkta makar*) divorce [divå:'s] **skiljedom** arbitration [a:bitrej'sjən] **skiljetecken** punctuation mark [pangktjoej'sjən ma:k] **skillingtryck** chapbook [tsjäpp'bokk] **skillnad** difference [diff'rəns] **skilsmässa** divorce [divå:'s] **skimmer, skimra** shimmer [sjimm'ə] **skina** shine [sjajn] **skingra** disperse [disspə:'s]; *skingra tankarna* divert one's mind [dajvə:'t wannz maj'nd] **skinka** ham [hämm]; (*kroppsdel*) buttock [batt'ək] **skinn** skin [skinn]; (*päls*) fur [fə:]; (*läder*) leather [leð'ə] **skinnjacka** leather-jacket [leð'ədsjäkkitt] **skipa** rättvisa do justice [do: dsjass'tiss] **skiss, skissera** sketch [skettsj] **skiva** plate [plejt]; (*rund*) disc [dissk]; (*grammofon*) record [rekk'å:d] **skivbroms** disc brake [diss'k brejk] **skivspelare** record player [rekk'å:d plej'ə] **skivstång** disc bar [diss'k ba:] **skjorta** shirt [sjə:t] **skjul** shed [sjedd] **skjuta** shoot [sjo:t]; (*förflytta*) push [posj] **skjutsa** drive [drajv] **sko** shoe [sjo:] **skoblock** shoe-tree [sjo:'tri:] **skoborste** shoe-brush [sjo:'brasj] **skock** crowd [kraod] **skog** wood [wodd]; (*större*) forest [fårr'isst] **skogbevuxen** wooded [wodd'idd] **skogsarbetare** wood(s)man [wodd'(z)mən] **skogsbrand** forest fire [fårr'isst faj'ə] **skogsbruk** forestry [fårr'isstri] **skogsdunge** grove [gråov] **skogsväg** forest road [fårr'isst råo'd] **skogvaktare** forester [fårr'isstə] **skohorn** shoehorn [sjo:'hå:n] **skoj** joke [dsjåok]; *på skoj* for fun [få: fann'] **skoja** joke [dsjåok]; (*bedraga*) swindle [swinn'dl] **skojare** (*skämtare*) joker [dsjåo'kə]; (*bedragare*) swindler [swinn'dlə] **skokräm** shoe polish [sjo:' påll'isj] **skola 1** (*verb*) **skall** (I [aj], we [wi:]) shall [själl], (you [jo·], he [hi:], they [ðej]) will [will]; *skulle*

(I [aj], we [wi:]) should [sjodd], (you [jo:], he [hi:], they [ðej] would [wodd] **2** (subst.) school [sko:l] **skolad** trained [trejnd] **skolbarn** schoolchild [sko:'ltsjajld] **skolbok** school-book [sko:'l-bokk] **skolbänk** desk [dessk] **skolexempel** object lesson [åbb'-dsjikkt less'n] **skolflicka** schoolgirl [sko:'lga:l] **skolgång** schooling [sko:'ling] **skolgård** playground [plej'graond] **skolka** play truant [plej' tro:'ənt] **skolkamrat** schoolfellow [sko:'lfellåo] **skolkök** (ämne) domestic science [dəmess'tikk saj'əns] **skollärare, skollärarinna** school-teacher [sko:'lti:tsjə] **skolning** schooling [sko:'ling] **skolpojke** schoolboy [sko:'lbåj] **skolungdom** school children [sko:'l tsjill'drən] **skolväsen** educational system [eddjokej'sjənl siss'timm] **skolväska** schoolbag [sko:'l-bägg] **skomakare** shoemaker [sjo:'mejkə] **skona** spare [spä:'ə] **skonare** schooner [sko:'nə] **skonsam** lenient [li:'njənt] **skonummer** size in shoes [saj'z inn sjo:'z] **skopa** scoop [sko:'p] **skoputsare** shoeblack [sjo:'bläkk] **skorpa** (hårdnad yta) crust [krasst]; (bakverk) rusk [rassk] **skorpion** scorpion [skå:'pjən] **skorsten** chimney [tsjimm'ni] **skoskav** chafed feet [tsjej'ft fi:t] **skosnöre** shoe-lace [sjo:'lejs] **skot, skota** sheet [sji:t] **skoter** scooter [sko:'tə] **skotsk** Scotch [skåttsj] **skotska** (kvinna) Scotchwoman [skått'sjwommən] **skott** shot [sjått] **skotta** shovel [sjavv'l] **skottavla** target [ta:'gitt] **skottdag** leap-day [li:'pdej] **skotte** Scotchman [skått'sjmən] **skotthåll** range [rejndsj] **skottkärra** wheel-barrow [wi:'lbärråo] **Skottland** Scotland [skått'lənd] **skottpengar** bounty [bao'nti] **skottår** leap-year [li:'pjə:] **skovel** shovel [sjavv'l]; (på vattenhjul etc.) bucket [bakk'itt] **skramla** rattle [rätt'l] **skranglig** rickety [rikk'itti] **skrapa** (subst.) (redskap) scraper [skrej'pə]; (skråma) scratch [skrättsj]; (tillrättavisning) scolding [skåo'lding]; (verb) scrape [skrejp] **skratt** laughter [la:'ftə] **skratta** laugh [la:f] **skrattgrop** dimple [dimm'pl] **skrattsalva** burst of laughter [bə:'st əvv la:'ftə] **skrev** crutch [krattsj] **skreva** crevice [krevv'iss] **skri** scream [skri:m] **skriande** crying [kraj'ing] **skribent** writer [raj'tə] **skrida** advance (slowly) [ədva:'ns (slåo'li)] **skridsko** skate [skejt], åka skridskor skate [skejt] **skrift** writing [raj'ting]; (tryckalster) publication [pabblikej'sjən] **skriftlig** written [ritt'n] **skriftspråk** written language [ritt'n läng'gwiddsj] **skrik** cry [kraj] **skrika** cry out [kraj' ao't] **skrikhals** screamer [skri:'mə] **skrin** box [båkks] **skriva** write [rajt]; skriva av copy [kåpp'i]; skriva in sig (på hotell) register [redd'sjisstə]; skriva under sign [sajn]; skriva upp write down [rajt' dao'n] **skrivbord** desk [dessk] **skrivelse** letter [lett'ə] **skrivmaskin** typewriter [taj'p-rajtə]; skriva på skrivmaskin type [tajp] **skrivmaskinspapper** typing paper [taj'ping pej'pə] **skrivning** writing [raj'ting]; (skol-) written examination [ritt'n iggzämminej'sjən] **skrivpapper** writing-paper [raj'tingpejpə] **skrot, skrota** scrap [skräpp] **skrothandlare** scrap merchant [skräpp' mə:tsjənt] **skrov** (fartyg) hull [hall] **skrovlig** rough [raff] **skrubb** closet [klåzz'itt] **skrubba** scrub [skrabb] **skrupler** scruples [skro:'plz] **skruv, skruva** screw [skro:] **skruvmejsel** screw-driver [skro:'drajvə] **skruvnyckel** spanner [spänn'ə] **skruvstäd** vice [vajs] **skruvtving** screw clamp [skro:' klämmp] **skrymmande** bulky [ball'ki] **skrynkelfri** creaseproof [kri:'spro:f] **skrynkla** (*subst. o. verb*) crease [kri:s] **skrynklig** creased [kri:st] **skryt** boast [båost] **skryta** boast [båost] (*över* of [åvv]) **skrå** guild [gilld] **skrål, skråla** bawl [bå:l] **skråma** scratch [skrättsj] **skräck** terror [terr'ə] (*för* of [åvv]) **skräckfilm** horror film [hårr'ə film] **skräckinjagande** horrifying [hårr'ifajing] **skräckslagen** panic-stricken [pänn'ikkstrikkən] **skräckvälde** terrorism [terr'ərizzəm] **skräcködla** dinosaur [daj'nəsa:] **skräda** *inte skräda orden* not mince matters [nått minn's mätt'əz] **skräddare** tailor [tej'lə] **skrädderi** tailor's shop [tej'ləz sjåpp] **skräll** crash [kräsj] **skrämma** frighten [fraj'tn] **skrämsel** fright [frajt] **skrämskott** warning shot [wå:'ning sjått] **skräna** yell [jell] **skräp** rubbish [rabb'isj] **skräpig** untidy [anntaj'di] **skrävla** brag [brägg] **skröplig** frail [frejl] **skugga** (*subst.*) (*mots. ljus*) shade [sjejd]; (*av rygg*) shadow [sjädd'åo]; (*verb*) (*följa*) shadow [sjädd'åo], tail [tejl] **skuggig** shady [sjej'di] **skuld** debt [dett]; *vems är skulden?* whose fault is it? [ho:'z få:'lt izz itt] **skulderblad** shoulder-blade [sjåo'ldəblejd] **skuldkänsla** sense of guilt [senn's əvv gill't] **skuldmedveten** guilty [gill'ti] **skuldra** shoulder [sjåo'ldə] **skuldsedel** promissory note [pråmm'issəri nåot] **skull** *för din skull* for your sake [få: jå:' sej'k]; *för säkerhets skull* for safety('s sake) [få: sej'fti(zz sej'k)] **skulle** (*hö-*) hay-loft [hej'låfft] **skulptur** sculpture [skall'ptsjə] **skulptör** sculptor [skall'ptə] **skum 1** (*adj.*) dusky [dass'ki]; (*ljusskygg*) shady [sjej'di] **2** (*subst.*) foam [fåom] **skumgummi** foam rubber [fåo'm rabb'ə] **skumma** foam [fåom]; *skumma grädden av mjölken* skim the cream off the milk [skimm' ðə kri:'m å:'f ðə mill'k] **skummjölk** skim(med) milk [skimm'(d) mill'k] **skumplast** foam plastic [fåo'm pläss'tikk] **skur** shower [sjao'ə] **skura** scour [skao'ə] **skurk** scoundrel [skao'ndrəl] **skurkaktig** villainous [vill'ənəs] **skurtrasa** scouring-cloth [skao'əring klåθ] **skuta** boat [båot] **skvaller** gossip [gåss'ipp] **skvallerbytta** tell-tale [tell'tejl] **skvallra** gossip [gåss'ipp]; *skvallra på ngn* report s.b. [ripå:'t samm'bədi] **skvalpa** (*om vågor*) lap [läpp] **skvätt** drop [dråpp] **sky 1** (*subst.*) (*moln*) cloud [klaod]; sky [skaj] **2** (*subst.*) (*köttsaft*) gravy [grej'vi] **3** (*verb*) shun [shann] **skydd** protection [prətekk'sjən] **skydda** protect [prətekk't] **skyddsanordning** safety device [sej'fti divaj's] **skyddshjälm** crash-helmet [kräsj'-hellmitt] **skyddsling** ward [wå:d] **skyddsrum** (air-raid) shelter [(ä:'ərejd) sjell'tə] **skyffel, skyffla** shovel [sjavv'l] **skygg** shy [sjaj] **skygglappar** blinkers [bling'kəz] **skyhög** sky-high [skaj'-haj'] **skyldig** (*som bär skulden*) guilty [gill'ti]; (*pliktig*) obliged [əblaj'dsjd] *vara skyldig ngn ngt* owe s.b. s.th. [åo˙ samm'bədi samm'θing]; *vad är jag skyldig?* how much am I to pay? [hao˙ matt'sj ämm aj tə pej'] **skyldighet** duty [djo:'ti] **skylla** *skylla ngt på ngn* blame s.b. for s.th. [blej'm samm'bədi få: samm'θing]; *du får skylla dig själv* you only have yourself to blame [jo: åo'nli hävv jå:sell'f tə blej'm] **skylt** sign [sajn] **skylta** display [dissplej'] **skyltdocka** dummy [damm'i] **skyltfönster** shop-window [sjåpp'winndåo] **skymf** insult [inn'sallt] **skymma** *du skymmer mig* you are (standing) in my light [jo: a: (stänn'ding) inn maj laj't]; *det skymmer* it is getting dark [itt izz gett'ing da:'k] **skymning** twilight [twaj'lajt] **skymt** glimpse [glimmps] **skymta** (*se en skymt av*) catch a glimpse of [katt'sj ə glimm'ps əvv]; (*skönjas*) be dimly seen [bi: dimm'li si:'n] **skymundan** *i skymundan* in the background [inn ðə bäkk'graond] **skynda** hurry [harr'i]; *skynda på* hurry up [harr'i app']; *skynda på med* hurry on with [harr'i ånn' wið] **skynke** cloth [klåθ] **skyskrapa** skyscraper [skaj'-skrejpə] **skytt** shot [sjått] **skytte** shooting [sjo:'ting] **skåda** behold [bihåo'ld] **skådespel** spectacle [spekk'təkl] **skådespela- re** actor [äkk'tə] **skådespelerska** actress [äkk'triss] **skål** (*kärl*) bowl [båol]; *utbringa en skål för ngn* propose a toast to s.b. [prəpåo'z ə tåo'st to: samm'bədi]; *skål!* cheers! [tsji:'əz] **skåla med** drink to [dring'k to:] **skållhet** scalding hot [skå:'lding hått] **skåp** cupboard [kabb'əd] **skåpbil** van [vänn] **skåra** score [skå:] **skägg** beard [bi:'əd] **skäggig** bearded [bi:'ədidd] **skäl** reason [ri:'zn] (*till* for [få:]) **skälig** reasonable [ri:'znəbl] **skälla** bark [ba:k]; *skälla på* scold [skåold]; *skälla ut* blow ... up [blåo' app'] **skälm** rogue [råog] **skälva** shake [sjejk] **skämd** (*om kött*) tainted [tej'ntidd]; (*om frukt*) rotten [rått'n]; (*om luft, ägg*) bad [bädd] **skämmas** be ashamed [bi: əsjej'md] **skämt, skämta** joke [dsjåok] **skämtare** joker [dsjåo'kə] **skämtartikel** party novelty [pa:'ti nåvv'əlti] **skämtsam** jocular [dsjåkk'jolə] **skämtteckning** cartoon [ka:to:'n] **skända** defile [difaj'l] **skänka** give [givv] (*verb*) sharpen [sja:'pən] **skär 1** (*ljusröd*) pink [pingk] **2** (*ö*) skerry [skerr'i] **skära** cut [katt]; (*kött*) carve [ka:v] **skärbräde** cutting-board [katt'ingbå:d] **skärbönor** French beans [frenn'tsj bi:'nz] **skär- gård** archipelago [a:kipell'igåo] **skärm** screen [skri:n] **skärmyts- ling** skirmish [skə:'misj] **skärp** belt [bellt] **skärpa** (*subst.*) sharpness [sja:'pniss]; (*verb*) sharpen [sja:'pən]; *skärpa kontrollen* increase the control [innkri:'s ðə kəntråo'l] **skärseld** purgatory [pə:'gətəri] **skärskåda** scrutinize [skro:'tinajz] **skärtorsdag** Maundy Thursday [ma:'ndi θə:'zdi] **sköka** harlot [ha:'lət] **sköld** shield [sji:ld] **sköldkörtel** thyroid gland [θaj'rájd glänn:d] **sköldpadda** (*land-*) tortoise [tå:'təs]; (*vatten-*) turtle [tə:'tl] **skölja** rinse [rinns] **skön** beautiful [bjo:'təfoll]; (*angenäm*) nice [najs]; (*behaglig*) comfortable [kamm'fətəbl] **skönhets- behandling** beauty treatment [bjo:'ti tri:'tmənt] **skönhetsmedel** cosmetic [kåzzmett'ikk] **skönhetssalong** beauty parlour [bjo:'ti

pa:'lə] **skönja** discern [disə:'n] **skönlitteratur** fiction [fikk'sjən]
skör brittle [britt'l] **skörbjugg** scurvy [skə:'vi] **skörd, skörda**
harvest [ha:'visst] **skört** tail [tejl] **sköta** take care of [tejk kä:'ə
əvv], tend [tennd]; (*förstå*) run [rann]; *sköta sitt arbete* do one's
work [do: wann3 wə:'k] **sköterska** nurse [nə:s] **skötsel** care
[kä:'ə] **sladd 1** flex(ible cord) [flekk's(əbl kå:d)] 2 (*med fordon*)
skid [skidd] **sladda** skid [skidd] **slag 1** (*sort*) kind [kajnd],
sort [så:t] **2** (*smäll*) blow ◥[blåo]; (*rytmiskt slag*) beat [bi:t];
(*klockslag, slaganfall*) stroke [stråok]; (*på plagg*) facing [fej's-
ing] **slaganfall** apoplectic stroke [äppəplekk'tikk stråok] **slag-
fält** battle-field [bätt'lfi:ld] **slagfärdig** quick-witted [kwikk'-
witt'idd] **slagg** slag [slägg] **slaginstrument** percussion instru-
ment [pə:kasj'ən inn'strəmənt] **slagkraftig** effective [ifekk'tivv]
slagord slogan [slåo'gən] **slagruta** divining-rod [divaj'ningrådd]
slagsida list [lisst]; (*bildl.*) preponderance [pripånn'dərəns];
få slagsida heel over [hi:'l åo'və] **slagskepp** battleship [bätt'lsjipp]
slagskämpe fighter [faj'tə] **slagsmål** fight [fajt] **slagträ** bat
[bätt] **slak** slack [släkk] **slakt, slakta** slaughter [slå:'tə]
slaktare butcher [bott'sjə] **slakteri** slaughter-house [slå:'tə-
haos] **slalom** slalom [slej'ləm]; *åka slalom* do slalom-skiing [do:
slej'ləmski:'ing] **slalombacke** slalom slope [slej'ləm slåop] **slam**
mud [madd] **slampa** slut [slatt] **slamra** rattle [rätt'l] **slang
1** tube [tjo:b] **2** (*språk*) slang [släng] **slangklämma** hose clip
[håo'z klipp] **slanglösa däck** tubeless tyres [tjo:'bliss taj'əz]
slanguttryck slang expression [släng' ikkspresj'ən] **slank**
slender [slenn'də] **slant** coin [kåjn]; *slagen till slant* fit for nothing
[fitt' fə naθ'ing] **slapp** slack [släkk] **slarv** carelessness [kä:'ə-
lissniss] **slarva** be careless [bi: kä:'əliss] **slarvig** careless [kä:'ə-
liss] **slask** (*-ande*) splashing [spläsj'ing]; (*väglag*) slush [slasj]
slaskhink slop-pail [slåpp'pejl] **slasktratt** sink [singk] **slav
1** (*folk*) Slav [sla:v] **2** (*träl*) slave [slejv] **slavdrivare** slave-driver
[slej'vdrajvə] **slaveri** slavery [slej'vəri] **slavhandel** slave trade
[slej'v trejd] **slavisk 1** Slav(ic) [sla:v (slävv'ikk)] **2** slavish [slej'-
visj] **slavmarknad** slave market [slej'v ma:kitt] **slejf** strap
[sträpp] **slem** slime [slajm] **slemhinna** mucous membrane
[mjo:'kəs memm'brejn] **slentrian, slentrianmässig** routine
[ro:ti:'n] **slev** ladle [lej'dl] **slicka** lick [likk] **slida** sheath [sji:θ];
(*anat.*) vagina [vədsjaj'nə] **slidkniv** sheath-knife [sji:'θnajf]
slinga coil [kåjl] **slingerväxt** creeper [kri:'pə] **slingra sig**
(*bildl.*) wriggle [rigg'l] (*ifrån* out of [ao't əvv]) **slinka** slink
[slingk] (*i väg away* [əwej']); *slinka igenom* slip through [slipp'
θro:'] **slint** *slå slint* fail [fejl] **slinta** slip [slipp] **slip** (*fartygs-*)
slipway [slipp'wej] **slipa** grind [grajnd] **slipad** (*bildl.*) smart
[sma:t] **slippa** escape [isskej'p]; *du slipper* you needn't [jo:
ni:'dnt] **slipprig** slippery [slipp'əri]; (*oanständig*) obscene
[åbbsi:'n] **slips** tie [taj] **slipskiva** grinding wheel [graj'nding
wi:l] **slipsten** grindstone [graj'ndståon] **slira** (*om fordon*) skid

[skidd] **slit** toil [tåjl] **slita** (*nöta*) wear [wä:'ə]; (*knoga*) toil [tåjl]; (*rycka*) pull [poll] (*i* at [ätt]); *slita sig* get loose [gett lo:'s] **slitage** wear [wä:'ə] **sliten** worn [wå:n] **slitning** wear [wä:'ə]; (*bildl.*) discord [diss'kå:d] **slitsam** hard [ha:d] **slitstark** durable [djo:'ərəbl] **slockna** go out [gåo ao't] **slokörad** lop-eared [låpp'i:əd]; (*bildl.*) crestfallen [kress'tfå:ln] **slopa** abolish [əbåll'- isj] **slott** palace [päll'iss]; (*befäst*) castle [ka:'sl] **sluddra** slur one's words [slə:' wannz wə:'dz] **slug** shrewd [sjro:d] **sluka** devour [divao'ə] **slum** slum [slamm] **slump** chance [tsja:ns] **slumpa** *slumpa* (*bort*) sell off [sell' å:'f]; *det slumpade sig så att* it so happened that [itt såo' häpp'ənd öätt'] **slumpvis** at random [ätt ränn'dəm] **slumra** slumber [slamm'bə] **slunga** sling [sling], fling [fling] **sluss** lock [låkk] **slussa** pass (take) through a lock [pa:'s (tej'k) θro:' ə låkk'] **slut** (*subst.*) end [ennd]; *få slut på* get to the end of [gett' to ði enn'd əvv]; *till slut* at last [ätt la:'st]; (*adj.*) finished [finn'isjt]; *bensinen håller på att ta slut* we are running short of petrol [wi:' ə rann'ing sjå:'t əvv pett'rəl] **sluta** (*göra färdig*) finish [finn'isj]; (*ta slut*) end [ennd]; *sluta sig samman* unite [jo:najˈt]; *sluta sig till* conclude [kənklo:'d] **slutgiltig** final [faj'nl] **slutkläm** closing remark [klå'ozing rima:'k] **slutledning** conclusion [kənklo:'sjən] **slutleverans** final delivery [faj'nl dilivv'əri] **slutlig** final [faj'nl] **slutligen** finally [faj'nəli] **slutresultat** final result [faj'nl rizall't] **slutsats** conclusion [kənklo:'sjən]; *dra sina slutsatser* draw one's conclusions [drå:' wannz kənklo:'sjənz] **slutsignal** (*sport.*) final whistle [faj'nl wiss'l] **slutstation** terminus [tə:'minəs], *Am.* terminal [tə:'minnl] **slutsumma** total [tåo'tl] **slutsåld** sold out [såo'ld ao't] **slutta, sluttning** slope [slåop] **slyna** hussy [hass'i] **slyngel** young rascal [jang' ra:'skəl] **slå 1** (*subst.*) cross-bar [kråss'ba:] **2** (*verb*) *slå till* strike [strajk]; (*om hjärta*) beat [bi:t]; (*hö*) cut [katt]; (*hälla*) pour [på:] (*i*, *upp* out [aot]); *slå sig* (*göra sig illa*) hurt o.s. [hə:'t wannsell'f]; *slå sig fram* make one's way [mej'k wannz wej'] **slånbär** sloe [slåo] **slåss** fight [fajt] **slåttermaskin** mower [måo'ə] **släcka 1** (*eld, elljus*) put out [pott' ao't]; (*törst*) slake [slejk] **2** *släcka på* (*skot o.d.*) slacken [släkk'ən] **släde** sleigh [slej]; *åka släde* sleigh [slej] **slägga** sledge(-hammer) [sledd'sj(hämmə)]; (*sport.*) hammer [hämm'ə]; *kasta slägga* throw the hammer [θråo' ðə hämm'ə] **släkt** family [fämm'illi]; (*släktingar*) relations [rilej'sjənz]; *det ligger i släkten* it runs in the family [itt rann'z inn ðə fämm'illi]; *jag är släkt med honom* I am a relative of his [aj ämm ə rell'ətivv əvv hizz'] **släktdrag** family trait [fämm'illi trej] **släkte** generation [dsjennərej'sjən] **släkting** relative [rell'ətivv] **slända** dragon-fly [drägg'- ənflaj] **släng** toss [tåss]; *en släng* (*lindrigt anfall*) touch [tattsj] **slänga** toss [tåss] **släp** (*på plagg*) train [trejn]; (*-vagn*) trailer [trej'lə]; *ta på släp* take ... in tow [tej'k inn tåo']; *slit och släp* toil and moil [tåj'l ənn måj'l] **släpa** drag [drägg]; (*slita*) toil

[tåjl] **släppa** (*låta falla*) let go [lett gåo']; (*tappa*) drop [dråpp]; (*frige*) let loose [lett lo:'s]; *släppa ut* let out [lett ao't] **släpphänt** indulgent [inndall'dsjənt] **slät** smooth [smo:ð] **släta (till)** smooth [smo:ð] **slätlöpning** flat-race [flätt'rejs] **slätrakad** clean-shaven [kli:'nsjej'vn] **slätstruken** mediocre [mi:'diåoka] **slätt** plain [plejn] **slätvar** brill [brill] **slö** blunt [blannt]; (*loj*) indolent [inn'dələnt] **slöa** idle [aj'dl] **slödder** mob [måbb] **slöfock** dullard [dall'əd] **slöja** veil [vejl] **slöjd** handicraft [hänn'dikra:ft] **slöra** sail large [sej'l la:dsj] **slösa** waste [wejst] **slösaktig** wasteful [wej'stfoll] **slöseri** waste [wejst] **smacka** smack [smäkk] **smak, smaka** taste [tejst] **smakfull** tasteful [tej'stfoll] **smaklös** tasteless [tej'stliss] **smaksak** matter of taste [mätt'ə əvv tej'st] **smaksätta** flavour [flej'və] **smal** (*ej bred*) narrow [närr'åo]; (*ej tjock*) thin [θinn] **smalfilm** substandard film [sabb'stänn'dəd fillm] **smalfilmskamera** cine camera [sinn'ikämm'ərə] **smaragd** emerald [emm'ərəld] **smart** smart [sma:t] **smattra** clatter [klätt'ə] **smed** (black)smith [(bläkk')smiθ] **smeka** caress [kəress'] **smekmånad** honeymoon [hann'imo:n] **smekning** caress [kəress'] **smeksam** caressing [kəress'ing] **smet** mixture [mikk'stsjə] **smeta** smear [smi:'ə]; *smeta av sig* make smears [mejk smi:'əz] **smickra** flatter [flätt'ə] **smickrande** flattering [flätt'əring] **smida** forge [få:dsj] **smidig** flexible [flekk'səbl]; (*vig*) lithe [lajð] **smila** grin [grinn] **smink** make-up [mej'kapp] **sminka** make up [mej'k app'] **smita 1** run away [rann' əwej'] **2** *smita åt* (*om plagg*) be tight [bi: taj't] **smitta** (*subst.*) infection [innfekk'sjən]; (*verb*) *smitta* (*ner*) infect [innfekk't]; *bli smittad* catch the infection [kätt'sj ði innfekk'sjən] **smittkoppor** smallpox [små:'lpåkks] **smittsam** catching [kätt'sjing] **smoking** dinner-jacket [dinn'ədsjäkkitt], *Am.* tuxedo [takksi:'dåo] **smuggla** smuggle [smagg'l] **smula** (*subst.*) crumb [kramm]; *en smula* a bit [ə bitt']; (*verb*) *smula* (*sönder*) crumble [kramm'bl] **smultron** wild strawberry [waj'ld strå:'bəri] **smuts** dirt [də:t] **smutsa (ner)** make ... dirty [mejk də:'ti] **smutsig** dirty [də:'ti] **smutskasta** defame [difej'm] **smutskläder** dirty linen [də:'ti linn'inn] **smycka** decorate [dekk'ərejt] **smycke** piece of jewellery [pi:'s əvv dsjo:'əlri]; *smycken* jewellery [dsjo:'əlri] **smyg** *i smyg* stealthily [stell'θilli] **smyga** sneak [sni:k] **små** little [litt'l]; small [må:l] **småaktig** petty [pett'i] **småbarn** little children [litt'l tsjill'drən] **småbildskamera** miniature camera [minn'jətsjə kämm'ərə] **småborgerlig** bourgeois [bo:'əsjwa:] **småbrukare** smallholder [små:'lhåo'ldə] **småflickor** little girls [litt'l gə:'lz] **småfranska** French roll [frenn'tsj råo'l] **småfågel** small bird [små:'l bə:'d] **småföretagare** (*pl*) owners of small firms [åo'nəz əvv små:'l fə:'mz] **småkakor** biscuits [biss'kitts] **småle, småleende** smile [smajl] **småningom** (*så*) *småningom* little by little [litt'l baj litt'l] **småpengar** small change [små:'l tsjej'ndsj] (*sg*) **småpojkar** little boys [litt'l båj'z] **småprata** chat [tsjätt] **småsak** trifle [traj'fl] **småskola** infant school [inn'fənt sko:l] **småskol(e)lärare** infant teacher [inn'fənt ti:'tsjə] **småskratta** chuckle [tsjakk'l] **småspringa** half run [ha:'f rann'] **småstad** small town [små:'l tao'n] **småsten** pebbles (pl) [pebb'lz] **småtimmarna** the small hours [ðə små:'l ao'əz] **småtrevlig** cosy [kåo'zi] **smått och gott** a little of everything [ə litt'l əvv evv'riθing] **småvarmt** hot snack [hått' snäkk'] **smäda** abuse [əbjo:'z] **smädelse** abuse [əbjo:'s] **smäll** bang [bäng] **smälla** slap [släpp] **smälta** melt [mellt] **smältpunkt** melting-point [mell'tingpåjnt] **smärre** minor [maj'nə] **smärt** slender [slenn'də] **smärta** pain [pejn]; (sorg) grief [gri:f] **smärtfri** painless [pej'nliss]; (smidig) smooth [smo:ð] **smärtsam** painful [pej'nfoll] **smärtstillande** pain-relieving [pej'nrili:'ving]; smärtstillande medel analgesic [ännälldsjess'ikk] **smör** butter [batt'ə] **smörgås** (piece of) bread and butter [(pi:'s əvv) bredd' ənn batt'ə]; (med pålägg) open sandwich [åo'pən sänn'widdsj] **smörgåsbord** smorgasbord [små:'rgəs-bo:rd], hors d'œuvres (pl) [å:də:'vrz] **smörja** (subst.) (skräp) rubbish [rabb'isj]; (verb) grease [gri:z]; (med olja) oil [åjl] **smörjmedel** lubricant [lo:'brikənt] **smörjning** greasing [gri:'-zing] **snabb** swift [swifft] **snabbköp** self-service shop [sell'f-sə:'viss sjåpp'] **snabel** trunk [trangk] **snappa** snappa bort snatch away [snätt'sj əwej']; snappa upp pick up [pikk' app'] **snaps** snaps [snäpps] **snara** snare [snä:'ə] **snarare** rather [ra:'ðə] **snarast** as soon as possible [äzz so:'n äzz påss'əbl] **snarfager** pretty-pretty [pritt'ipritt'i] **snarka** snore [snå:] **snarlik** similar [simm'illə] **snarstucken** touchy [tatt'sji] **snart** soon [so:n]; (inom kort) shortly [sjå:'tli]; så snart (som) as soon as [äzz so:'n äzz]; så snart som möjligt as soon as possible [äzz so:'n äzz påss'əbl] **snask** sweets [swi:ts] **snatta** pilfer [pill'fə] **snatteri** petty theft [pett'i θeff't] **snattra** (om fågel) quack [kwäkk]; (bildl.) jabber [dsjäbb'ə] **snava** stumble [stamm'bl] **sned** oblique [əbli:'k]; (lutande) slanting [sla:'nting]; (skev) askew [əskjo:'] **snedda** (snedda (över)) edge [eddsj]; snedda över gatan slant across the street [sla:'nt əkråss' ðə stri:'t] **snedden** på snedden obliquely [əbli:'kli] **snedsprång** slip [slipp] **snegla** ogle [åo'gl] **snett** obliquely [əbli:'kli]; se snett på ngn look askance at s.b. [lokk' əskänn's ätt samm'-bədi] **snickare** carpenter [ka:'pinntə]; (möbel-) joiner [dsjåj'nə] **snickeri** joinery [dsjåj'nəri] **snickra** do woodwork [do: wodd'-wə:k] **snida** carve [ka:v] **snigel** slug [slagg]; (med hus) snail [snejl] **sniken** greedy [gri:'di] **snille** genius [dsji:'njəs] **snilleblixt** flash of genius [fläsj' əvv dsji:'njəs] **snillrik** brilliant [brill'jənt] **snitt** cut [katt]; (tvär-) section [sekk'sjən] **sno** twist [twisst] **snobb** snob [snåbb] **snok** grass snake [gra:'s snejk] **snoka** pry [praj] **snopen** disconcerted [disskənsə:'tidd] **snor** snot [snått] **snorgärs** ruff [raff] **snorkel** snorkel [snå:kl] **snubb-**

143   snudda — soja

la stumble [stamm'bl] **snudda** graze [grejz] **snurra** (*subst.*) (*leksak*) top [tåpp]; (*verb*) (*rotera*) spin [spinn] **snus** snuff [snaff] **snusa** take snuff [tej'k sna'ff] **snusdosa** snuff-box [snaff'bäkks] **snusförnuftig** would-be-wise [wodd'bi:waj'z] **snuskig** dirty [də:'ti] **snuva** head cold [hedd' kåold]; *få snuva* catch a cold [kätt'sj ə kåo'ld] **snuvig** *vara snuvig* have a cold in the head [hävv' ə kåo'ld inn ðə hedd'] **snyfta** sob [såbb] **snygg** tidy [taj'di]; (*ironiskt*) pretty [pritt'i] **snygga upp** tidy up [taj'di app'] **snyltgäst** parasite [pärr'əsajt] **snyta sig** blow one's nose [blåo' wannz nåo'z] **snål** stingy [stinn'dsji] **snåljåp** miser [maj'zə] **snår** brush [brasj] **snäcka** mollusc [måll'əsk]; (*snäckskal*) shell [sjell] **snäll** kind [kajnd], nice [najs] (*mot* to [to:]); *var snäll och ... please ...* [pli:z] **snälltåg** express (train) [ikkspress' (trejn)] **snälltågsbiljett** supplementary express ticket [sapplimenn'təri ikkspress' tikk'itt] **snärja** entangle [inntäng'gl]; *snärja in sig i* get entangled in [gett' inntäng'gld inn] **snäv** narrow [närr'åo]; (*om plagg*) tight [tajt] **snö, snöa** snow [snåo] **snöboll** snowball [snåo'bå:l] **snödriva** snow-drift [snåo'drifft] **snögrotta** igloo [igg'lo:] **snögubbe** snowman [snåo'männ] **snöpa** geld [gelld] **snöplig** ignominious [iggnəminn'iəs] **snöplog** snow-plough [snåo'plao'] **snöra** lace [lejs]; *snöra upp* unlace [ann'lej's] **snöre** string [string] **snörpa** purse [pə:s] (*ihop up* [app']) **snörvla** snuffle [snaff'l] **snöskata** field fare [fi:'ld fä:ə] **snöskoter** snow scooter [snåo' sko:tə] **snöskottning** clearing away the snow [kli:'əring əwej' ðə snåo'] **snöskred** avalanche [ävv'əla:nsj] **snöstorm** snowstorm [snåo'stå:m] **soaré** soirée [swa:'rej] **sobel** sable [sej'bl] **sober** sober [såo'bə] **socialdemokrat** social democrat [såo'sjəl demm'əkrätt] **socialdemokrati** social democracy [såo'sjəl dimåkk'rəsi] **socialdepartementet** the Ministry for Social Affairs [ðə minn'isstri få: såo'sjəl əfä:'əz] **socialförsäkring** national insurance [näsj'ənl innsjo:'ərəns] **socialgrupp** social group [såo'sjəl gro:p] **socialhjälp** *få socialhjälp* receive public assistance [risi:'v pabb'likk əsiss'təns] **socialisering** socialization [såosjəlajzej'sjən] **socialism** socialism [såo'sjəlizzəm] **socialist** socialist [såo'sjəlisst] **socialistisk** socialist(ic) [såo'sjəlisst, såosjəliss'tikk] **socialnämnd** social welfare committee [såo'sjəl well'fä:ə kəmitt'i] **socialpolitik** social (wellfare) policy [såo'sjəl (well'fä:ə) påll'issi] **socialvetenskap** social science [såo'sjəl saj'əns] **socialvård** social welfare [såo'sjəl well'fä:ə] **sociologi** sociology [såosiåll'ədsji] **socka** sock [såkk] **sockel** base [bejs]; (*lamp-*) socket [såkk'itt] **socken** parish [pärr'is] **socker** sugar [sjogg'ə] **sockerbeta** sugar-beet [sjogg'ə bi:t] **sockerbit** lump of sugar [lamm'p əvv sjogg'ə] **sockerkaka** sponge-cake [spann'dsjkej'k] **sockerrör** sugar-cane [sjogg'əkejn] **sockersjuka** diabetes [dajəbi:'ti:z] **sockerskål** sugar basin [sjogg'ə bejsn] **sockra** sweeten [swi:'tn] **soda** soda [såo'də] **sodavatten** soda water [såo'də wå:tə] **soffa** sofa [såo'fə] **soja** soya [såj'ə] **sol** sun [sann] **solbad** sun-bath [sann'ba:θ] **solbada** sun-bathe [sann'bejð] **solbränd** sunburnt [sann'bə:nt] **solbränna** sunburn [sann'bə:n] **soldat** soldier [såo'ldsjə] **soldräkt** sun suit [sann' sjo:t] **soleksem** sun-rash [sann'räsj] **solenergi** solar energy [såo'lə enn'ədsji] **solfläck** sun-spot [sann'spått] **solförmörkelse** solar eclipse [såo'lə iklipp's] **solglasögon** sun-glasses [sann'gla:sizz] **solid** solid [såll'idd]; *solida kunskaper* thorough knowledge [θärr'ə nåll'iddsj] **solidarisk** loyal [låj'əl] **solidaritet** solidarity [sållidärr'itti] **solig** sunny [sann'i] **solist** soloist [såo'låoisst] **solkig** soiled [såjld] **solnedgång** sunset [sann'sett] **solo** solo [såo'låo] **solochvårad** cheated by false promise of marriage [tsji:'tidd baj få:'ls pråmm'iss əvv märr'iddsj] **sololja** suntan oil [sann'tänn' åjl] **solostämma** solo part [såo'låo pa:t] **solros** sunflower [sann'flaoə] **solsken** sunshine [sann'sjajn] **solsting** sunstroke [sann'stråok] **solstråle** sun-beam [sann'bi:m] **solsystem** solar system [såo'lə siss'timm] **soluppgång** sunrise [sann'rajz] **solur** sundial [sann'dajəl] **som** who [ho:]; which [wittsj]; (*i egenskap av*) as [äzz]; (*i likhet med*) like [lajk] **somliga** some (people) [samm' (pi:pl)] **sommar** summer [samm'ə]; *i somras* last summer [la:'st samm'ə] **sommardag** summer('s) day [samm'ə(z) dej] **sommarställe** weekend cottage [wi:'kenn'd kått'iddsj] **sommartid** summer time [samm'ə taj'm] **somna** fall asleep [få:'l əsli:'p] **son** son [sann] **sonat** sonata [sənа:'tə] **sondera** probe [pråob] **sondotter** grand-daughter [gränn'då:tə] **sonhustru** daughter-in-law [då:'tərinnlå:] **sonson** grandson [gränn'sann] **sopa** sweep [swi:p] **sopborste** brush [brasj] **sopnedkast** refuse chute [reff'jo:s sjo:t] **sopor** (*avfall*) refuse [reff'jo:s], *Am.* garbage [ga:'biddsj] **soppa** soup [so:p] **sopran** soprano [səpra:'nåo] **sopskyffel** dustpan [dass't-pänn] **soptipp** refuse dump [reff'jo:s dammp] **soptunna** dustbin [dass'tbinn] **sordin** *lägga sordin på* put a damper on [pott' ə dämm'pə ånn] **sorg** (*bekymmer*) trouble [trabb'l]; (*efter avliden*) mourning [må:'ning] **sorgdräkt** mourning [må:'ning] **sorgfällig** careful [kä:'əfoll] **sorgklädd** in mourning [inn må:'ning] **sorglig** sad [sädd] **sorglös** happy-go-lucky [häpp'i-gåolakki] **sork** vole [våol] **sorl, sorla** murmur [mə:'mə] **sort** sort [så:t] **sortera** (*as*)sort [(ə)så:'t] **sortiment** assortment [əså:tmənt] **sot** soot [sott] **sota** sweep [swi:p] **sotare** chimney-sweep [tsjimm'niswi:p] **souvenir** souvenir [so:'vəniə] **sova** sleep [sli:p] **sovjetisk** Soviet [såo'viett] **Sovjetunionen** the Soviet Union [ðə såo'viett jo:'njən] **sovkupé** sleeping-compartment [sli:'pingkəmpa:'tmənt] **sovrum** bedroom [bedd'romm] **sovsäck** sleeping-bag [sli:'pingbägg] **sovvagn** sleeping-car [sli:'pingka:] **sovvagnsbiljett** sleeper ticket [sli:'pə tikk'itt] **spackel, spackla** putty [patt'i] **spad** broth [bråθ] **spade** spade [spejd] **spader** spades [spejdz] **spak** lever [li:'və] **spaljé** espalier [isspäll'jə] **spalt** column [kåll'əm] **spana** watch [wåttsj] (*efter* for [få:]) **Spanien** Spain [spejn] **spaning** search [sə:tsj] **spanjor** Spaniard [spänn'jəd] **spanjorska** Spanish woman [spänn'isj womm'ən] **spann** (*brospann etc.*) span [spänn] **spannmål** corn [kå:n] **spansk, spanska** Spanish [spänn'isj] **spant** frame [frejm] **spara** save [sejv] **sparande** saving [sej'ving] **sparbank** savings-bank [sej'vingzbängk] **spark, sparka** kick [kikk] **sparkassa** savings association [sej'vingz əsåosiej'sjən] **sparkcykel** scooter [sko:'tə] **sparlåga** low heat [låo'hi:'t] **sparris** asparagus [əspärr'əgəs] **sparsam** economical [i:kənämm'ikəl] **sparsamhet** economy [i:kånn'əmi] **spartansk** spartan [spa:'tən] **sparv** sparrow [spärr'åo] **sparvhök** sparrowhawk [spärr'åohå:k] **spasm** spasm [späzz'əm] **spastiker** spastic [späss'tikk] **speceriaffär** grocer's (shop) [gråo'səz (sjåpp)] **specialisera sig** specialize [spesj'əlajz] (*på* in [inn]) **specialist** specialist [spesj'əlisst] (*på* in [inn]) **specialitet** speciality [spesjiall'itti] **speciell** special [spesj'əl] **specificera** specify [spess'ifaj] **specifikation** specification [spessifikej'sjən] **speditör** forwarding agent [få:'wəding ej'dsjənt] **spefull** mocking [måkk'ing] **spegel** mirror [mirr'ə], looking-glass [lokk'inggla:s] **spegelbild** reflection [riflekk'sjən] **spegelreflexkamera** reflex camera [ri:'flekks kämm'ərə] **spegla** reflect [riflekk't] **speja, spejare** spy [spaj] **spektrum** spectrum [spekk'trəm] **spekulant** prospective buyer [prəspekk'tivv baj'ə] **spekulera** speculate [spekk'jolejt] (*på* on [ånn]) **spel** game [gejm] **spela** play [plej]; *spela piano* play the piano [plej' ðə pjänn'åo]; *spela fotboll* play football [plej' fott'bå:l] **speldosa** musical box [mjo:'zikəl båkk's] **spelkort** playing-card [plej'ingka:d] **spelrum** scope [skåop] **spenat** spinach [spinn'iddsj] **spendera** spend [spennd] **spene** teat [ti:t] **spenslig** slender [slenn'də] **sperma** sperm [spə:m] **spets 1** (*udd*) point [påjnt]; (*finger-, tung- o.d.*) tip [tipp] **2** *trådarbete* lace [lejs] **3** (*hund*) spitz [spitts] **spetsa** (*göra spetsig*) point [påjnt]; (*genomborra*) pierce [pi:'əs] **spetsig** pointed [påj'ntidd] **spett** spit [spitt] **spetälska** leprosy [lepp'rəsi] **spex** farce [fa:s] **spigg** stickleback [stikk'lbäkk] **spik** nail [nejl] **spiksko** spiked shoe [spaj'kt sjo:'] **spill** wastage [wej'stiddsj] **spilla** (*hälla ut*) spill [spill]; (*för-*) waste [wejst] **spillra** splinter [splinn'tə]; *spillror* fragments [frägg'mənts] **spindel** spider [spaj'də] **spindelväv** cobweb [kåbb'webb] **spinna** spin [spinn] **spinnfiske** spinning [spinn'ing] **spion** spy [spaj] **spionage** espionage [esspiəna:'sj] **spionera** spy [spaj] **spiral** spiral [spaj'ərəl] **spirituell** witty [witt'i] **spis** (*eldstad*) fireplace [faj'əplejs]; (*köks-*) stove [ståov] **spjut** spear [spi:'ə]; (*sport.*) javelin [dsjävv'linn] **spjäla** lath [la:θ] **spjäll** damper [dämm'pə] **spjärn** *ta spjärn* brace one's feet (against) [brej's wannz fi:'t (əgenn'st)] **splittra** splinter [splinn'tə]; (*bildl.*) divide [divaj'd] **spola** rinse [rinns]; *spola bort* wash away [wåsj' əwej'] **spole** bobbin [båbb'inn]; (*elektrisk*) coil [kåjl] **spoliera** spoil [spåjl]

spont tongue [təng] **spontan** spontaneous [spånntej'njəs] **spor** spore [spå:] **sporadisk** sporadic [spərädd'ikk] **sporra, sporre** spur [spə:] **sport** sport(s) [spå:t(s)] **sportbil** sports car [spå:ts ka:] **sportfiske** angling [äng'gling] **sportig** sporty [spå:'ti] **sportslig** sporting [spå:'ting] **sportstuga** weekend cottage [wi:'kenn'd kått'iddsj] **spotta** spit [spitt] **spottstyver** *för en spottstyver* for a song [få: ə sång'] **spraka** sparkle [spa:'kl] **spratt** trick [trikk] **sprattla** flounder [flao'ndə] **spricka** crack [kräkk] **sprida** spread [spredd] **spridning** spreading [spredd'ing] **springa 1** (*subst.*) chink [tsjingk] **2** (*verb*) run [rann] **springare** (*i schack*) knight [najt] **springbrunn** fountain [fao'ntinn] **springpojke** errand boy [err'ənd båj] **sprit, spritdrycker** spirits [spirr'itts] **spritmissbruk** abuse of alcohol [əbjo:s əvv äll'kəhåll] **spriträttigheter** *ha spriträttigheter* be fully licensed [bi: foll'i laj'sənst] **spritt naken** stark naked [sta:'k nej'kidd] **spritta (till)** start [sta:t] **spruta** spray [sprej]; (*spola*) flush [flasj] **sprutlackera** spray(-paint) [sprej'(pejnt)] **språk** language [läng'gwiddsj] **språklig** linguistic [ling'gwisstikk] **språng** leap [li:p] **spräcka** crack [kräkk] **spräcklig** speckled [spekk'ld] **spränga** burst [bə:st]; blast [bla:st]; *spränga banken* break the bank [brej'k ðə bäng'k] **sprängämne** explosive [ikksplåo'sivv] **sprätta** rip [ripp] **spröd** brittle [britt'l] **spröt** rib [ribb] **spy** vomit [våmm'itt] **spydig** sarcastic [sa:käss'tikk] **spyfluga** bluebottle [blo:'båttl] **spå** tell fortunes [tell' få:'tsjənz] **spådom** prophesy [pråff'issi] **spår** (*märke*) mark [ma:k]; (*fot-*) step [stepp]; (*djur-*) track [träkk]; (*skenor*) rails [rejlz] **spåra upp** track down [träkk' dao'n]; (*bildl.*) hunt out [hann't ao't] **spårvagn** tram [trämm] **späck** lard [la:d] **späd** tender [tenn'də] **späda (ut)** dilute [dajljo:'t] **spädbarn** infant [inn'fənt]; baby [bej'bi] **spänd** taut [tå:t] **spänna** stretch [strettsj]; *spänna på sig* put on [pott' ånn'] **spännande** exciting [ikksaj'ting] **spänne** buckle [bakk'l] **spänning** tension [tenn'sjən]; (*elektrisk*) voltage [våo'ltiddsj] **spänstig** vigorous [vigg'ərəs] **spärr** (*tekn.*) catch [kätt'sj]; (*vid ingång*) gate [gejt] **spärra** bar [ba:]; *spärra en check* stop a cheque [ståpp' ə tsjekk'] **spö** (*kapp*) switch [swittsj]; (*piska*) whip [wipp]; (*met-*) rod [rådd] **spöke** ghost [gåost] **spöregna** pour [på:] **stab** staff [sta:f] **stabil** stable [stej'bl] **stabilisera** stabilize [stej'bilajz] **stabilitet** stability [stəbill'itti] **stack** stack [stäkk] **stackare** wretch [rettsj] **stackars du!** poor you! [po:'ə jo:'] **stad** town [taon]; (*större*) city [sitt'i] **stadfästa** confirm [kənfə:'m] **stadga** (*stadighet*) firmness [fə:'mniss]; (*förordning*) regulation [reggjolej'sjən]; *föreningens stadgar* the rules of the association [ðə ro:'lz əvv ði əsåosiej'sjən] **stadig** steady [stedd'i] **stadigvarande** permanent [pə:'mənənt] **stadion** stadium [stej'djəm] **stadium** stage [stejdsj] **stadsbibliotek** public library [pabb'likk laj'brəri] **stadsbo** town-dweller [tao'ndwellə] **stadsbud** porter [på:'tə] **stadsdel** district [diss'-

trikkt] **stadsfullmäktige** town (city) council [tao'n (sitt'i) kao'nsl] **stadshus** town hall [tao'n hå:'l] **stadsplan** town plan [tao'n plänn'] **stadsplanering** town (city) planning [tao'n (sitt'i) plänn'ing] **stafettlöpning** relay race [ri:'lej rejs] **staffli** easel [i:'zl] **stag** stay [stej]; *gå over stag* go about [gåo' əbao't] **stagnation** stagnation [stäggnej'sjən] **stagnera** stagnate [stägg'-nejt] **staka** punt [pannt]; *staka ut* stake out [stej'k ao't] **staket** fence [fenns] **stall 1** stable [stej'bl] **2** (*på fiol*) bridge [briddsj] **stam** stem [stemm]; (*folk-*) tribe [trajb] **stamaktie** ordinary share [å:'dnri sjä:'ə] **stamanställd** regular [regg'jollə] **stambana** main line [mej'n lajn] **stamfader** ancestor [änn'sisstə] **stamgäst** regular [regg'jollə] **stamma** stammer [stämm'ə] **stamning** stammering [stämm'əring] **stampa** stamp [stämmp] **stamtavla** pedigree [pedd'igri:] **standard** standard [stänn'dəd] **standardisera** standardize [stänn'dədajz] **stank** stench [stenntsj] **stanna** stop [ståpp]; *stanna kvar* stay [stej] **stanniol** tinfoil [tinn'fåj'l] **stansa** punch [panntsj] **stapel, stapla** pile [pajl] **stappla** totter [tått'ə]; *stappla sig fram* stumble along [stamm'bl əlång'] **stare** starling [sta:'ling] **stark** strong [strång] **start, starta** start [sta:t] **startkapital** initial capital [inisj'əl käpp'ittl] **start-nyckel** ignition key [iggnisj'ən ki:] **stat** state [stejt] **statare** farm labourer [fa:'m lej'bərə] **station** station [stej'sjən] **statisk** static [stätt'ikk] **statistik** statistics (*pl*) [stətiss'tikks] **statistisk** statistic [stətiss'tikk] **stativ** stand [stännd] **statlig** government [gavv'nmənt]; public [pabb'likk]; state [stejt] **statsbidrag** government subsidy [gavv'nmənt sabb'siddi] **statsegendom** state property [stej't pråpp'əti] **statsinkomster** public revenue [pabb'likk revv'innjo:] **statskunskap** political science [pəlitt'ikəl saj'əns] **statskyrka** established church [isstäbb'lisjt tsjə:tsj] **statsmakt** state authority [stej't å:θårr'itti] **statsman** statesman [stej'tsmən] **statsminister** prime minister [praj'm minn'isstə] **statsråd** (cabinet) minister [käbb'initt minn'isstə] **statsrätt** constitutional law [kånnstitjo:'sjənl lå:'] **statsskick** constitution [kånnstitjo:'sjən] **statstjänsteman** civil servant [sivv'l sə:'vənt] **statsunderstödd** state-subsidized [stej'tsabb'sidajzd] **statsutgifter** state expenditure [stej't ikkspenn'dittsjə] **statsverksproposition** budget bill [badd'sjitt bill'] **statsvetenskap** political science [pəlitt'ikəl saj'əns] **status** status [stej'təs] **statussymbol** status symbol [stej'təs simm'bəl] **staty** statue [stätt'jo:] **stava** spell [spell]; *hur stavas ...?* how do you spell ...? [hao' do: jo: spell'] **stavelse** syllable [sill'əbl] **stavhopp** pole-vault [påo'lvå:'lt] **stearinljus** candle [känn'dl] **steg** step [stepp] **stege** ladder [lädd'ə] **stegra** raise [rejz]; *stegra sig* rear [ri:'ə] **stek** joint [dsjåjnt] **steka** roast [råo'st]; (*i stekpanna*) fry [fraj] **stekpanna** frying-pan [fraj'ingpann] **stel** stiff [stiff] **stelkramp** tetanus [tett'ənəs] **stelna** get stiff [gett' stiff'] **sten** stone [ståon] **stendöd** stone-dead [ståo'ndedd'] **stenhuggeri** stonemasonry [ståo'nmejsnri] **stenografi** shorthand [sjå:'thännd] **stenogramblock** shorthand pad [sjä:'thännd pädd] **stenrik** rolling in money [råo'ling inn mann'i] **stenåldern** the Stone Age [ðə ståo'n ej'dsj] **steppa** tap-dance [täpp'da:ns] **stereoanläggning** stereo equipment [sti:'əriäo ikwipp'mənt] **stereotyp** stereotyped [sti:'əriətajpt] **steril** sterile [sterr'ajl] **sterilisera** sterilize [sterr'ilajz] **stia** sty [staj] **stick** (*nål*) prick [prikk]; (*insekt-*) sting [sting]; (*i kortspel*) trick [trikk] **sticka** (*subst.*) splinter [splinn'tə]; (*verb*) stick [stikk]; (*om insekt*) sting [sting]; (*stoppa*) put [pott]; (*med stickor*) knit [nitt]; *jag stack mig i fingret* I pricked my finger [aj prikk't maj fing'gə] **stickning** knitting [nitt'ing] **stickprov** spot test [spått' tesst] **stift** pin [pinn] **stifta** found [faond] **stiftelse** foundation [faondej'sjən] **stifttand** pivot tooth [pivv'ət to:θ] **stig** path [pa:θ] **stiga** step [stepp]; (*höja sig*) rise [rajz]; *stiga av* get off [gett' å:'f]; *stig in!* (*som svar på knackning*) come in! [kamm inn']; *stiga upp* get up [gett' app'] **stigbygel** stirrup [stirr'əp] **stil** hand(writing) [hänn'd(rajting)]; (*konst., bildl.*) style [stajl]; (*trycktyp*) type [tajp] **stilett** stiletto [stilett'åo] **stilig** stylish [staj'lisj] **stilisera** stylize [staj'lajz] **stilistisk** stylistic [stajlss'tikk] **stilkänsla** feeling for style [fi:'ling fə staj'l] **still** *se stilla* **stilla** (*adj.*) still [still]; (*lugn*) calm [ka:m]; (*svag*) soft [såfft]; (*tyst*) quiet [kwaj'ət]; *Stilla havet* the Pacific [ðə pəsiff'ikk]; (*verb*) quiet [kwaj'ət]; *stilla sin hunger* appease one's hunger [əpi:'z wannz hang'gə] **stillasittande** sedentary [sedd'ntəri] **stillastående** stationary [stej'sjnəri] **stillbild** still [still] **stilleben** still life [still' laj'f] **stillestånd** standstill [stänn'dstill] **stilleståndsavtal** truce [tro:s] **stillfilm** film strip [fill'm stripp] **stillhet** calm [ka:m] **stillsam** quiet [kwaj'ət] **stiltje** calm [ka:m] **stim** (*fisk-*) shoal [sjåol]; (*stoj*) noise [nåjz] **stimma** make a noise [mej'k ə nåj'z] **stimulans** stimulation [stimmjolej'sjən] **stimulera** stimulate [stimm'jolejt] **sting** sting [sting] **stinka** stink [stingk] **stipendium** scholarship [skåll'əsjipp] **stipulera** stipulate [stipp'jolejt] **stirra** stare [stä:'ə] (*på* at [ätt]) **stjäla** steal [sti:l] **stjälk** stalk [stå:k] **stjälpa** upset [appsett'] **stjärna** star [sta:] **stjärnklar** starlit [sta:'litt] **stjärt** tail [tejl]; (*på pers.*) behind [bihaj'nd] **sto** mare [mä:'ə] **stockholmare** Stockholmer [ståkk'håomə] **stockning** stoppage [ståpp'iddsj]; (*trafik-*) traffic-jam [träff'ikkdsjämm] **stoff** stuff [staff] **stofil** odd fish [ådd' fisj'] **stoft** dust [dasst] **stoisk** stoic(al) [ståo'ikk(əl)] **stoj** noise [nåjz] **stoja** make a noise [mej'k ə nåj'z] **stol** chair [tsjä:'ə] **stolpe** post [påost] **stolt** proud [praod] (*över* of [åvv]) **stolthet** pride [prajd] **stomme** frame [frejm] **stopp** stop [ståpp] **stoppa 1** (*stanna*) stop [ståpp] **2** (*laga hål*) darn [da:n]; (*fylla*) fill [fill]; (*sticka in*) put [pott] (*i* into [inn'to]) **stoppnål** darning-needle [da:'ningni:dl] **stoppsignal** halt signal [hå:'lt sigg'nl] **stor** (*konkret*) large [la:dsj] big [bigg]; (*abstrakt*) great (*skillnad* difference [diff'rəns]); (*fullvuxen*) grown-up [grao'napp]; *dubbelt så stor som* twice as large as [twaj's äzz la:'dsj äzz]; *stor bokstav* capital [käpp'ittl]; *till stor del* largely [la:'dsjli] **storartad** grand [grännd] **Storbritannien** Great Britain [grej't britt'n] **stordrift** large-scale production [la:'dsjskej'l prədakk'sjən] **storfinans** high finance [haj' fajnänn's] **storföretag** large enterprise [la:'dsj enn'təprajz] **storhet** greatness [grej'tniss] **storhetsvansinne** megalomania [megg'ələomej'njə] **storindustri** big industry [bigg' inn'dəstri] **stork** stork [stå:k] **storlek** size [sajz] **storm, storma** storm [stå:m] **stormakt** great power [grej't pao'ə] **stormarknad** super market [sju:'pər ma:'kitt] **stormast** mainmast [mej'nma:st] **stormig** stormy [stå:'mi] **stormsteg** *med stormsteg* by leaps and bounds [baj li:'ps ənn bao'ndz] **stormvarning** gale warning [gej'l wå:'ning] **storpolitik** top-level politics [tåpp'levvl påll'itikks] **storsint** generous [dsjenn'ərəs] **storslagen** magnificent [mägg-niff'issnt] **storslam** grand slam [gränn'd slämm'] **storstad** big town [bigg' tao'n] **storstrejk** general strike [dsjenn'ərəl straj'k] **storstädning** spring-cleaning [spring'kli:ning] **stort** *det hjälper inte stort* it won't help much [itt wåo'nt hell'p matt'sj] **stortvätt** big wash [bigg' wåsj'] **stortå** big toe [bigg' tåo] **straff** punishment [pann'isjmənt] **straffa** punish [pann'isj] **straffarbete** penal servitude [pi:'nl sə:'vitjo:d] **strafflag** criminal code [krimm'innl kåod] **straffpredikan** hell-fire sermon [hell'faj'ə sə:'mən] **straffspark** penalty [penn'lti] **stram** stiff [stiff] **strama** [*åt*] tighten [taj'tn] **strand** shore [sjå:] **stranda** run ashore [rann' əsjå:'] **strandsatt** stranded [stränn'didd] **strandskata** oyster-catcher [åj'-stəkättsjə] **strapats** hardship [ha:'dsjipp] **strategi** strategy [strätt'idsji] **strategisk** strategic [strəti:'dsjikk] **stratosfär** stratosphere [strätt'åosfi:ə] **strax** (*om ett ögonblick*) in a moment [inn ə måo'mənt]; *strax utanför* just outside [dsjass't ao'tsaj'd] **streber** pusher [posj'ə] **streck** line [lajn]; (*spratt*) trick [trikk] **strecka** hold good [håo'ld godd'] **strejk** strike [straj'k]; *vild strejk* wildcat strike [waj'ldkätt straj'k] **strejka** strike [straj'k] **strejkbrytare** strike-breaker [straj'k-brejkə] **strejkvarsel** strike notice [straj'k nåo'tiss] **stress** stress [stress] **stressad** under stress [ann'də stress'] **streta, strid** struggle [stragg'l] **strida** fight [fajt]; *det strider mot lagen* it is contrary to the law [itt izz kånn'trəri to ðə lå:'] **stridshumör** fighting mood [faj'ting mo:'d] **stridskrafter** military forces [mill'itəri få:'sizz] **stridsvagn** tank [tängk] **strikt** strict [strikkt] **strimla** strip [stripp] **strimma** streak [stri:k] **strimmig** streaked [stri:kt] **strof** stanza [stänn'zə] **strop** strap [sträpp]; (*person*) snooty devil [sno:'ti devv'l] **struken** *en struken tesked* a level teaspoonful [ə levv'l ti:'spo:nfoll] **struktur** structure [strakk'tsjə] **struma** struma [stro:'mə] **strumpa** stocking [ståkk'ing]; (*kort*)

strumpbyxor — studielån 150

sock [såkk] **strumpbyxor** (stretch) tights [(strett'sj) taj'ts] **strunt** rubbish [rabb'isj] **strunta i** not care a bit about [nått kä:'ə ə bitt' əbao't] **struntprat** nonsense [nånn'səns] **strunt-summa** trifle [traj'fl] **strupe** throat [θråot] **struphuvud** larynx [lärr'ingks] **strut** cornet [kå:'nitt] **struts** ostrich [åss'trittsj] **stryk** ge ngn stryk give s.b. a thrashing [givv' samm'bədi ə θräsj'ing] **stryka** (med handen) stroke [stråok]; (med strykjärn) iron [aj'ən]; (med färg) paint [pejnt]; (utesluta i text) cut out [katt' ao't]; (på lista) strike s.b. (off the list) [straj'k samm'bədi (å:f ðə liss't)]; stryka under underline [anndəlaj'n] **strykfri** non-iron [nånn'aj'ən] **strykjärn** (flat-)iron [(flätt')aj'ən] **stryk-ning** (med strykjärn) ironing [aj'əning]; (med färg e.d.) painting [pej'nting]; (uteslutning) deletion [dili:'sjən] **stryktips** results pool [rizall'ts po:l] **strypa** strangle [sträng'gl] **strå** straw [strå:]; (hår-) hair [hä:'ə]; (gräs-) blade [blejd] **tråke** bow [båo] **tråkorkester** string orchestra [string' å:'kisstrə] **tråla** beam [bi:m]; (skina) shine [sjajn] **strålande** brilliant [brill'jənt] **tråle** ray [rej]; (vätske-) jet [dsjett] **strålkastare** searchlight [sə:'tsj-lajt]; (på bil) headlight [hedd'lajt] **strålning** radiation [rejdiej'sjən] **sträck** i (ett) sträck at a stretch [att ə strett'sj] **sträcka** (subst. o. verb) stretch [strettsj]; sträcka fram handen hold out one's hand [håo'ld ao't wannz hänn'd] **sträng 1** (adj.) severe [sivi:'ə] **2** (subst.) string [string] **strängt** strictly [strikk'tli]; strängt taget strictly speaking [strikk'tli spi:'king] **sträv** rough [raff] **sträva** strive [strajv] **strävan** ambition [ämmbisj'ən] **strävsam** hard-working [ha:'dwə:'king] **strö** strew [stro:]; strö ... omkring sig scatter (... about) [skätt'ə ə bao't) **ström** (flod) stream [stri:m]; (i luft, vatten; elektr.) current [karr'ənt] **strömavbrott** power failure [pao'ə fej'ljə] **strömbrytare** switch [swittsj] **strömkrets** circuit [sə:'kitt] **strömlinjeformad** streamlined [stri:'mlajnd] **strömma** stream [stri:m]; (om regn, tårar) pour [på:] **strömming** Baltic herring [bå:'ltikk herr'ing] **ströppla** stipple [stipp'l] **strösocker** granulated sugar [gränn'jolejtidd sjogg'ə] **ströva** stroll [ströol] **strövtåg** excursion [ikkskə:'sjən] **stubbe** stump [stammp] **stubintråd** fuse [fjo:z] **student** student [stjo:'dənt] **studentexamen** higher school examination [haj'ə sko:'l iggzämminej'sjən] **studenthem** students' hostel [stjo:'dənts håss'təl] **studentikos** student-like [stjo:'dəntlajk] **studentkamrat** fellow-student [fell'åostjo:dənt] **studentkår** students' union [stjo:'dənts jo:'njən] **studera** study [stadd'i] **studerande** student [stjo:'dənt]; (vid univ. o. högskola) under-graduate [anndəgrädd'joitt]; ekonomie studerande student of economics [stjo:'dənt əvv i:kənåmm'ikks]; juris studerande law student [lå:' stjo:'dənt), student of law [stjo:'dənt əvv lå:']; medicine studerande medical student [medd'ikəl stjo:'dənt] **studie** study [stadd'i] (över of (åvv)) **studiebesök** study tour [stadd'i to:'ə] **studiecirkel** study circle [stadd'i sə:'kl] **studielån**

151 **studieresa — ställa**

study loan [stadd'i låon] **studieresa** study trip [stadd'i tripp] **studiesyfte** *i studiesyfte* for purposes of study [få: pə:'pəsizz əvv stadd'i] **studio** studio [stjo:'diåo] **studium** study [stadd'i] **studsa** bounce [baons] **stuga** cottage [kått'iddsj] **stuka** (*kroppsdel*) sprain [sprejn] **stum** dumb [damm] **stumfilm** silent film [saj'lənt fillm] **stump** stump [stammp] **stund** while [wajl]; *en liten stund* a short while [ə sjå:'t wajl] **stundtals** now and then [nao' ənn ðenn'] **stup** precipice [press'ipiss] **stupa** (*falla omkull*) fall [få:l]; (*brant sänka sig*) descend abruptly [disenn'd əbrapp'tli] **stuprör** drain pipe [drej'n pajp] **stuteri** stud(-farm) [stadd'(fa:m)] **stuva 1** cook in white sauce [kokk' inn waj:t så:s] **2** (*lasta in*) stow [ståo] **stuvare** stevedore [sti:'vidå:] **stuvning** (*kott-*) stew [stjo:]; (*vit sås*) white sauce [waj:t så:s] **styck** *per styck* each [i:tsj] **stycka** cut up [katt' app']; (*dela upp*) divide up [divaj'd app'] **stycke** piece [pi:s]; (*i skrift*) paragraph [pärr'əgra:f] **stygg** (*om barn*) naughty [nå:'ti] **stygn** stitch [stittsj] **stylta** stilt [stillt] **stympa** maim [mejm] **styra** steer [sti:'ə]; (*bestämma över*) govern [gavv'ən] **styrbord** starboard [sta:'bəd] **styrelse** government [gavv'nment]; (*bolags-*) board [bå:d]; (*förenings-*) committee [kəmitt'i]; *sitta i styrelsen* be on the board [bi: ånn ðə bå:'d] **styrka** (*subst.*) strength [strengθ]; (*krigs-, arbetar-*) force [få:s]; (*verb*) (*stärka*) strengthen [streng'θən]; (*bevisa*) prove [pro:v] **styrman** mate [mejt] **styrstång** handle-bar [hänn'dlba:] **styv** stiff [stiff] **styvdotter** stepdaughter [stepp'då:tə] **styvfar** stepfather [stepp'-fa:ðə] **styvmor** stepmother [stepp'maðə] **styvna** stiffen [stiff'n] **styvson** stepson [stepp'sann] **stå** stand [stännd]; *det står i Bibeln* (*tidningen*) it says in the Bible (the paper) [itt sezz' inn ðə baj'bl (ðə pej'pə)]; *stå sig* (*hålla sig*) keep [ki:p], (*klara sig*) manage [männ'iddsj]; *stå for* (*skota*) be in charge of [bi: inn tsja:'dsj əvv] **stående** standing [stänn'ding] **stål** steel [sti:l] **stålsätta sig** brace o.s. [brej's wannsell'f] **ståltråd** wire [waj'ə] **stånd** (*skick*) state [stejt]; (*salubod*) stall [stå:l]; *få till stånd* bring about [bring' əbao't]; *vara i stånd att arbeta* be able to work [bi: ej'bl tə wə:k] **ståndaktig** steadfast [stedd'fəst] **ståndare** (*på blomma*) stamen [stej'menn] **ståndpunkt** point of view [påj'nt əvv vjo:']; *ändra ståndpunkt* revise one's opinion [rivaj'z wannz əpinn'jən] **stång** (*tjock*) pole [påol]; (*tunnare*) bar [ba:] **stånga** butt [batt] **stånka** puff and blow [paff' ənn blåo'] **ståplats** standing-room [stänn'dingromm] **ståt** splendour [splenn'də] **ståthållare** governor [gavv'ənə] **ståtlig** magnificent [mäggniff'issnt] **städ** anvil [änn'vill] **städa** clean [kli:n] **städerska** charwoman [tsja:'wommən] **städning** cleaning [kli:'-ning] **städrock** overall [åo'vərå:l] **ställ** rack [räkk] **ställa** put [pott]; *ställa in radion* tune in [tjo:'n inn']; *ställa till en scen* make a scene [mej'k ə si:'n]; *ställa sig* place o.s. [plej's wannsell'f]; *ställa sig in hos ngn* curry favour with s.b. [karr'i fej'və wið samm'bədi] **ställbar** adjustable [ədsjass'təbl] **ställe** place [plejs]; *i stället för* instead of [innstedd' əvv] **ställföreträdare** deputy [depp'jotti] **ställning** position [pəzisj'ən]; *(byggnads-)* scaffold [skäff'əld] **ställverk** signal-box [sigg'nlbåkks] **stämband** vocal cord [våo'kal kå:d] **stämgaffel** tuning-fork [tjo:'ningfå:k] **stämjärn** chisel [tsjizz'l] **stämma 1** *(subst.)* *(röst)* voice [våjs]; *(i musik)* part [pa:t]; *(sammankomst.)* meeting [mi:'ting] **2** *(verb)* *(musikinstr.)* tune [tjo:n]; *räkningen stämmer* the account is correct [ði əkao'nt izz kərekk't]; *det stämmer!* quite right! [kwaj't raj't] **stämning** *(instruments)* pitch [pittsj]; *(sinnestillstånd)* mood [mo:d]; *(till rättegång)* summons [samm'ənz]; *en festlig stämning* a festive atmosphere [ə fess'tivv ätt'məssfi:ə] **stämningsfull** full of feeling [foll' əvv fi:'ling] **stämpel** stamp [stämmp] **stämpelavgift** stamp duty [stämm'p djo:'ti] **stämpla** stamp [stämmp] **ständig** constant [kånn'stənt] **stänga** shut [sjatt]; *stänga en fabrik* shut down a factory [sjatt' dao'n ə fäkk'təri]; *stänga in sig* shut o.s. up [sjatt' wannsell'f app'] **stängsel** fence [fenns] **stänk, stänka** sprinkle [spring'kl] **stänkskärm** mudguard [madd'ga:d] **stäpp** steppe [stepp] **stärka** strengthen [streng'θən]; *(skjorta)* starch [sta:tsj] **stärkelse** starch [sta:tsj] **stävja** check [tsjekk] **stöd, stödja** support [səpə:'t] **stöka till** make a mess [mejk' ə mess'] **stöld** theft [θefft] **stöldgods** stolen goods [ståo'lən godd'z] **stöna** groan [gråon] **stöpa** cast [ka:st] **stör 1** *(fisk)* sturgeon [stə:'dsjən] **2** pole [påol] **störa** disturb [dissta:'b] **störning** disturbance [dissta:'bəns] **större** larger [la:'dsjə], bigger [bigg'ə]; *(ganska stor)* large [la:dsj] **störst** largest [la:'dsjisst], biggest [bigg'isst] **störta** *(stjälpa)* tip [tipp]; *(avsätta)* overthrow [åovəθråo']; *(falla)* fall [få:l]; *(rusa)* rush [rasj]; *störta fram* rush forward [rasj' få:'wəd] **störtdykning** nose dive [nåo'z daj'v] **störthjälm** crash helmet [kräsj' hell'mitt] **störtlopp** downhill race [dao'nhill' rejs] **störtregn** downpour [dao'npå:] **störtregna** pour down [på:' dao'n] **stöt** thrust [θrasst]; *(knuff)* push [posj]; *(elektr.)* shock [sjåkk] **stöta** thrust [θrasst]; *(krossa i mortel m.m.)* pound [paond]; *(förarga)* offend [əfenn'd]; *stöta ifrån sig* push … back [posj' bäkk'] **stötdämpare** shock absorber [sjåkk' əbbså:'bə] **stötfångare** bumper [bamm'pə] **stötsäker** shockproof [sjåkk'pro:f] **stötta** prop [pråpp] **stövare** harrier [härr'iə] **stövel** (high)boot [(haj')bo:'t] **subjekt** subject [sabb'-dsjikkt] **subjektiv** subjective [sabbdsjekk'tivv] **substans** substance [sabb'stəns] **substantiv** noun [naon] **subtrahera** subtract [səbträkk't] **subvention** subvention [səbvenn'sjən] **subventionera** subsidize [sabb'sidajz] **succé** success [səksess']; *göra succé* be a success [bi: ə səksess'] **successivt** gradually [grädd'joəli] **suck, sucka** sigh [saj] **Sudan** the Sudan [ðə so:da:'n] **sudd** *(tuss)* wad [wådd] **sudda ut** rub out [rabb'ao't] **suddgummi** rubber [rabb'ə]; *Am.* eraser [irej'zə] **suddig** blurred [blə:d] **sufflé** soufflé [so:'flej] **sufflett** hood [hodd] **sufflör** prompter [prámm'ptə] **suga** suck [sakk] **sugga** sow [sao] **suggerera** suggest [sədsjess't] **sugrör** (för dryck) straw [strå:] **sula** sole [såol] **summa** sum [samm], (slut-) total [tåo'tl] **summer** buzzer [bazz'ə] **summera** sum (add) up [samm' (ädd') app'] **sumpmark** fen(land) [fenn'(länn'd)] **sund 1** (subst.) sound [saond] **2** (adj.) sound [saond]; sunt förnuft common sense [kámm'ən senn's] **sup** dram [drämm] **supa** drink [dringk]; supa sig full get drunk [gett' drang'k] **superlativ** superlative [s-jo:pə:'lətivv] **suppleant** deputy [depp'jotti] **sur** sour [sao'ə] **surdeg** leaven [levv'n] **surfing** surf-riding [sə:'f-rajding] **surra** hum [hamm] **surströmming** fermented Baltic herring [fə:menn'tidd bå:'ltikk herr'ing] **sus, susa** (om vind) sough [sao] **suspendera** suspend [səspenn'd] **suverän** (stat) sovereign [såvv'rinn]; (överlägsen) supreme [s-jo:pri:'m] **svag** weak [wi:k]; en svag _uris_ a soft breeze [ə såff't bri:'z]; ha en svag aning om have a faint idea of [hävv ə fejnt ajdi:'ə əvv]; vara svag för have a weakness for [hävv ə wi:'kniss få:] **svagdricka** small beer [små:'l bi:'ə] **svaghet** weakness [wi:'kniss] **svagström** low(power) current [låo'(pao'ə) karr'ənt] **sval** cool [ko:l] **svala** swallow [swåll'åo] **svalg** throat [θråot] **svalka** (subst.) coolness [ko:'lniss]; (verb) cool [ko:l] **svallvåg** surge [sə:dsj] **svalna** get cool [gett' ko:'l] **svamla** ramble (on) [rämm'bl (ånn')] **svamp** mushroom [masj'romm]; (tvätt-) sponge [spanndsj] **svan** swan [swånn] **svankryggig** sway-backed [swej'bäkkt] **svans** tail [tejl] **svansmotor** rear engine [ri:'ə enn'dsjinn] **svar** answer [a:'nsə] (på to [to:]); som svar på Ert brev in reply to your letter [inn riplaj' to: jå:' lett'ə] **svara** answer [a:'nsə]; svara för (ansvara för) answer for [a:'nsə få:]; svara i telefonen answer the telephone [a:'nsə ðə tell'ifåon] **svarande** defendant [difenn'dənt] **svarslös** ... at a loss for a reply [ätt ə låss' få: ə riplaj'] **svart** black [bläkk]; Svarta havet the Black Sea [ðə bläkk' si:]; svarta börsen the black market [ðə bläkk' ma:'kitt]; familjens svarta får the black sheep of the family [ðə bläkk' sji:'p əvv ðə fämm'illi] **svartlista** blacklist [bläkk'lisst] **svartmålning** blackening [bläkk'ning] **svartpeppar** black pepper [bläkk' pepp'ə] **svartsjuk** jealous [dsjell'əs] **svartsjuka** jealousy [dsjell'əsi] **svartvit** black and white [bläkk' ənn wajt]; (om film) monochrome [månn'əkråom] **svarv** (turning-)lathe [(tə:'ning)lejð] **svarva** turn (in a lathe) [tə:'n (inn ə lej'ð)] **svarvare** turner [tə:'nə] **svavel** sulphur [sall'fə] **svavelsyra** sulphuric acid [sallfjo:'ərikk äss'idd] **sveda** smart(ing pain) [sma:'t(ing pej'n)]; sveda och värk physical suffering [fizz'ikəl saff'əring] **svek** treachery [trett'sjəri] **svekfull** treacherous [trett'sjərəs] **svensexa** stag party [stägg' pa:ti] **svensk** (adj.) Swedish [swi:'disj]; svenska kronor Swedish kronor [swi:'disj kro:'norr]; en svensk mil 10 kilometres [tenn' kill'əmi:təzz]; *(subst.)* Swede [swi:d] **svenska** *(språk)* Swedish [swi:'disj]; *(kvinna)* Swedish woman [swi:'disj womm'ən] **svensk-amerikan(sk)** Swedish-American [swi:'disjəmerr'ikən] **svensk-född** Swedish born [swi:'disj bå:n] **svenskspråkig** *(svensk-talande)* Swedish-speaking [swi:'disjspi:'king]; *(på svenska)* ... in Swedish [inn swi:'disj] **svep** sweep [swi:p] **svepa** wrap [räpp] **svepning** *(lik-)* shroud [sjraod] **svepskäl** pretext [pri:'tekkst] **Sverige** Sweden [swi:'dn] **svetsa** weld [welld] **svetsaggregat** welding set [well'ding sett] **svetsning** welding [well'ding] **svett, svettas** sweat [swett] **svida** smart [sma:t] **svika** fail [fejl] **svikt** *(spänst)* springiness [spring'iniss]; *(trampolin)* spring-board [spring'bå:d] **svikta** bend [bennd] **svikthopp** spring-board diving [spring'bå:d daj'ving]; *(i gymnastik)* jumping on the spot [dsjamm'ping ånn ðə spått'] **svimma** faint [fejnt] **svin** pig [pigg] **svinaktig** swinish [swaj'nisj]; *(oanständig)* filthy [fill'θi] **svindel** giddiness [gidd'iniss]; *(svindleri)* swindle [swinn'dl] **svindla** *det svindlar för ögonen* my head is swimming [maj hedd' izz swimm'ing] **svindlande** dizzy [dizz'i]; *svindlande summor* prodigious sums [prədidd'sjəs samm'z] **svindlare** swind-ler [swinn'dlə] **sving** *(i boxning)* swing [swing] **svinga** swing [swing] **svinn** waste [wejst] **svinstia** pigsty [pigg'staj] **svit** suite [swi:t]; *(påföljd)* after-effect [a:'ftəifekk't] **svordom** oath [åoθ] **svullen** swollen [swåo'lən] **svullna** become swollen [bikamm' swåo'lən] **svulst** tumour [tjo:'mə] **svulstig** bombastic [båmmbäss'tikk] **svulten** famished [fämm'isjt] **svåger** brother-in-law [brað'ərinlå:] **svångrem** belt [bellt] **svår** difficult [diff'i-kəlt]; *(sjukdom)* severe [sivi:'ə]; *(allvarlig)* serious [si:'əriəs]; *ett svårt slag* a hard blow [ə ha:'d blåo'] **svårartad** malignant [məligg'nənt] **svårbegriplig** hard to understand [ha:'d tə ann-dəstänn'd] **svårframkomlig väg** difficult road [diff'ikəlt råod] **svårhanterlig** difficult to manage [diff'ikəlt tə männ'iddsj] **svårighet** difficulty [diff'ikəlti] **svårläst** difficult to read [diff'ikəlt tə ri:'d] **svårmod** melancholy [mell'ənkəli] **svårtillgänglig** difficult of access [diff'ikəlt əvv äkk'sess] **svåröverskådlig** difficult to survey [diff'ikəlt tə sə:vej'] **svägerska** sister-in-law [siss'tərinnlå:] **svälja** swallow [swåll'åo] **svälla** swell [swell] **svält** starvation [sta:vej'sjən] **svälta** starve [sta:v] **svältgräns** *leva på svältgränsen* live on the hunger line [livv' ånn ðə hang'gə laj'n] **svämma över** overflow [åovəflåo'] **sväng** round [raond]; *(krök)* turn [tə:n] **svänga** swing [swing]; *(rotera, göra sväng)* turn [tə:n] **svänghjul** flywheel [flaj'wi:l] **svängning** swing [swing]; *(fram o. tillbaka)* vibration [vajbrej'sjən]; *(rotation)* rotation [råotej'sjən] **svängrum** elbow-room [ell'båoromm] **svängtapp** pivot [pivv'ət] **svära** swear [swä:'ə] **svärd** sword [så:d] **svärdfisk** sword-fish [så:'dfisj] **svärdotter** daughter-in-law [då:'tərinnlå:] **svärfar** father-in-law [fa:'ðərinnlå:] **svärm, svärma** swarm [swå:m] **svärmeri** *(förälskelse)* infatuation [innfättjoej'sjən] **svärmor** mother-in-law [mað'ərinnlå:] **svärson** son-in-law [sann'innlå:] **svärta** (subst.) blacking [bläkk'ing]; (verb) blacken [bläkk'ən] **sväva** float [flåot]; sväva i fara be in danger [bi: inn dej'ndsjə] **sy** sew [såo]; sy fast (i') sew on [såo' ånn']; sy ihop sew up [såo' app] **sybehör** sewing materials [såo'ing məti:'əriəlɔ] **sybehörsaffär** haberdasher's [häbb'ədäsjəɔ] **Sydafrika** South Africa [sao'θ äff'rikkə] **Sydamerika** South America [sao'θ əmerr'ikkə] **Sydeuropa** Southern Europe [sað'ən jo:'ərəp] **sydkust** south coast [sao'θ kåo'st] **sydlig, sydländsk** southern [sað'ən] **sydostlig** south-east [sao'θi:'st] **sydpolen** the South Pole [ðə sao'θ påo'l] **sydväst** (subst. o. adv.) south-west [sao'θ wess't]; (hatt) south-wester [saoθ wess'tə] **sydvästlig** south-westerly [saoθ wess'təli] **syfilis** syphilis [siff'iliss] **syfta** aim [ejm] (på at [ätt]) **syfte** aim [ejm] **syl** awl [å:l] **syll** sleeper [sli:'pə] **sylt** jam [dsjämm] **sylta** (subst.) brawn [brå:n]; (verb) make jam (of) [mej'k dsjämm' (åvv)] **syltlök** pearl onion [pə:'l ann'jən] **symbol** symbol [simm'bəl] **symbolisera** symbolize [simm'bəlajz] **symbolisk** symbolic [simmbåll'ikk] **symfoni** symphony [simm'fəni] **symmetrisk** symmetric [simett'rikk] **sympati** sympathy [simm'pəθi] **sympatisera** sympathize [simm'pəθajz] **sympatisk** nice [najs] **symtom** symptom [simm'ptəm] **syn** sight [sajt]; (åsikt) view [vjo:]; (dröm-) vision [visj'ən]; få syn på catch sight of [kätt'sj sajt' əvv] **syna** inspect [innspekk't] **synagoga** synagogue [sinn'əgågg] **synas** be seen [bi: si:'n]; (tyckas) appear [əpi:'ə] **synd** sin [sinn]; (skada) pity [pitt'i]; så synd! what a pity! [wått' ə pitt'i]; tycka synd om feel sorry for [fi:'l sårr'i få:] **synda** sin [sinn] **syndabock** scapegoat [skej'pgåot] **syndafallet** the Fall (of man) [ðə få:'l (əvv männ')] **syndaflod** flood [fladd] **syndare** sinner [sinn'ə] **syndig** sinful [sinn'foll] **synhåll** sight [sajt] **synkop** syncope [sing'kəpi] **synkronisera** synchronize [sing'krənajz]; synkroniserad växellåda synchromesh gearbox [sing'kråomesj' gi:'əbåkks] **synlig** visible [vizz'əbl] **synnerhet** i synnerhet particularly [pətikk'joləli] **synnerligen** extremely [ikkstri:'mli] **synonym** synonymous [sinänn'iməs] **synpunkt** point of view [påj'nt əvv vjo:'] **synskadad** with defective vision [wið difekk'tivv visj'ən] **syntes** synthesis [sinn'θisiss] **syntetisk** synthetic [sinnθett'ikk] **synvilla** optical illusion [åpp'-tikəl illo:'sjən] **synvinkel** (bildl.) angle of approach [äng'gl əvv əpråo'tsj] **synål** (sewing-)needle [(såo'ing)ni:dl] **syra** acid [äss'idd] **syre** oxygen [åkk'sidsjən] **syren** lilac [laj'lək] **Syrien** Syria [sirr'iə] **syrsa** cricket [krikk'itt] **syskon** brother(s) and sister(s) [brað'ə(z) ənn siss'tə(z)] **sysselsatt** occupied [åkk'-jopajd] **sysselsätta** occupy [åkk'jopaj] **sysselsättning** occupation [åkkjopej'sjən] **sysselsättningsterapi** occupational therapy [åkkjo:pej'sjənl θerr'əpi] **syssla** (sysselsättning) occupation [åkkjopej'sjən]; (sysselsätta sig) busy o.s. [bizz'i wannsell'f]

syssling second cousin [sekk'ənd kazz'n] **sysslolös** idle [aj'dl] **system** system [siss'timm] **systematik** systematics [sisstimätt'-ikks] **systematisera** systematize [siss'timətajz] **systematisk** systematic [sisstimätt'ikk] **systembolag** (state-controlled) company for the sale of wines and spirits [(stej'tkəntrào'ld) kamm'-pəni få: ðə sej'l əvv waj'nz ənn spirr'itts] **syster** sister [siss'tə] **systerdotter** niece [ni:s] **systerson** nephew [nevv'jo:] **sy-tråd** sewing cotton [såo'ing kått'n] **så 1** (adv.) so [såo]; (sedan) then [ðenn]; så att säga so to speak [såo' tə spi:'k]; hur så? how then? [hэo' ðenn']; så här like this [lajk ðiss'] **2** (pron.) i så fall in that case [inn ðätt' kej's] **3** (verb) sow [såo] **sådan** such [sattsj]; sådan där like that [lajk ðätt']; ngt sådant such a thing [satt'sj ə θing']; en sådan vacker hatt! what a beautiful hat! [wått' ə bjo:'təfoll hätt'] **sådd** sowing [såo'ing] **såg, såga** saw [så:] **sågblad** saw-blade [så:'blejd] **sågspån** sawdust [så:'dasst] **sågverk** sawmill [så:'mill] **såld** sold [såold] **således** consequently [kånn'sikwəntli] **såll, sålla** sieve [sivv] **sålunda** thus [ðass] **sång** song [sång] **sångare, sångerska** singer [sing'ə] **sångfågel** song-bird [sång'bə:d] **sångkör** choir [kwaj'ə] **såpa** soft soap [såff't såo'p] **såpbubbla** soap-bubble [såo'p-babbl] **sår, såra** wound [wo:nd] **sårande** insulting [innsall'ting] **sårbar** vulnerable [vall'nərəbl] **sås** sauce [så:s]; (kött-) gravy [grej'vi] **såsom** as [äzz] **såvida** provided ... [prəvaj'didd] **såvitt** as far as [äzz fa:' äzz] **såväl** såväl stora som små big as well as small [bigg' äzz well' äzz små:'l] **säck** sack [säkk]; (mindre) bag [bägg]; köpa grisen i säcken buy a pig in a poke [baj' ə pigg' inn ə påo'k]; bädda säck make an apple-pie bed [mej'k ənn äpp'lpaj' bedd'] **säckig** baggy [bägg'i] **säd** corn [kå:n] **sädesärla** wagtail [wägg'tejl] **sädesvätska** seminal fluid [si:'minnl flo:'idd] **säga** say [sej]; säger du det? you don't say? [jo: dåo'nt sej']; så att säga so to speak [såo' tə spi:'k]; han sägs vara rik he is said to be rich [hi: izz sedd' tə bi: ritt's] **sägen** legend [ledd'sjənd] **säker** sure [sjo:'ə]; (pålitlig) safe [sejf] **säkerhet** safety [sej'fti]; (borgen) security [sikjo:'əritti] **säkerhetsanordning** safety device [sej'fti divaj's] **säkerhets-bälte** safety belt [sej'fti bellt], seat belt [si:'t bellt] **säkerhets-marginal** safety margin [sej'fti ma:'dsjinn] **säkerhetsventil** safety-valve [sej'ftivällv] **säkerligen, säkert** certainly [sə:'tnli] **säkra** secure [sikjo:'ə] **säl** seal [si:l] **sälg** sallow [säll'åo] **sälja** sell [sell] **säljare** seller [sell'ə] **sälla sig till** join [dsjåjn] **sällan** seldom [sell'dəm] **sällsam** strange [strejndsj] **sällskap** company [kamm'pəni]; (samfund) society [səsaj'əti] **sällskaplig** social [såo'sjəl] **sällskapsliv** social life [såo'sjəl laj'f] **sällskaps-människa** sociable person [såo'sjəbl pə:'sn] **sällskapsresa** conducted tour [kəndakk'tidd to:'ə] **sällskapsspel** party game [pa:'ti gejm] **sällsynt** rare [rä:'ə] **sällsynthet** rarity [rä:'əritti] **sämja** concord [kång'kå:d] **sämre** worse [wə:s] **sämskskinn**

chamois [sjämm'wa:] **sämst** worst [wəːst] **sända** send [sennd]; (radio) transmit [trännzmitt'] **sändare** transmitter [trännzmitt'ə] **sändebud** messenger [mess'inndsjə] **sänder** i sänder at a time [ätt ə taj'm] **sändning** consignment [kənsajn'mənt]; radio. transmission [trännzmisj'ən] **säng** bed [bedd]; ligga till sängs be in bed [biː inn bedd'] **sängkammare** bedroom [bedd'romm] **sängkläder** bedclothes [bedd'klåoðz] **sänka** subst. (fördjupning) hollow [håll'åo]; verb (få att sjunka) sink [singk]; (göra lägre) lower [låo'ə]; sänka sig descend [disenn'd] **sänke** (på metrev) sinker [sing'kə] **sänkning** sinking [sing'king]; (av pris) reduction [ridakk'sjən] **särart** specific nature [spisiff'ikk nej'tsjə] **särbeskattning** individual taxation [inndividd'joəl täkksej'sjən] **särdeles** extraordinarily [ikkstråˈdnrilli] **säregen** peculiar [pikjoːˈljə] **särklass** i särklass a class of its own [ə klaːs əvv itts åoˈn] **särprägel** characteristic [kärrikktəriss'tikk] **särskild** special [spesj'əl] **särskilt** (e)specially [(i)spesj'əli] **särtryck** off-print [åːff'prinnt] **säsong** season [siːzn] **säte** seat [siːt] **sätt** way [wej]; på det sättet in this way [inn ðiss' wej'] **sätta** (placera) place [plejs], put [pott]; (plantera) plant [plaːnt]; (boktr.) compose [kəmpåoˈz]; sätta fast (fästa) fix [fikks]; sätta fram put out [pott' aoˈt]; sätta in pengar i (bank) deposit money in [dipåzz'itt mann'i inn]; sätta på sig put on [pott' ånn']; sätta sig sit down [sitt' daoˈn] **sättare** type-setter [taj'psettə] **sättmaskin** type-setting machine [taj'psetting məsjiːˈn] **sättning** setting [sett'ing] **säv** rush [rasj] **söder** south [saoθ] **Söderhavet** the South Pacific [ðə saoˈθ pəsiffˈikk] **Söderhavsöarna** the South Sea Islands [ðə saoˈθ siːˈ aj'ləndz] **södra** southern [saðˈən] **söka** search [səːtsj]; (efter for [fåː]); (ansöka) apply for [əplaj' fåː] **sökande** search [səːtsj]; (platssökande) applicant [äpp'likənt] **sökare** (i kamera) (view-)finder [(vjoːˈ)faj'ndə] **söla 1** tarry [tärr'i] **2** (smutsa) soil [såjl] **söm** seam [siːm] **sömmerska** dressmaker [dress'mejkə] **sömn** sleep [sliːp]; gå (tala) i sömnen walk (talk) in one's sleep [wåːk (tåːk) inn wannz sliː'p]; ha god sömn be a sound sleeper [biː ə saoˈnd sliːˈpə] **sömngångare** sleepwalker [sliːˈpwåːkə] **sömnig** sleepy [sliːˈpi] **sömnlös** sleepless [sliːˈpliss] **sömnmedel** sleeping-drug [sliːˈpingdragg] **sömnsjuka** sleeping-sickness [sliːˈpingsikkniss] **sömntablett** sliping-tablet [sliːˈpingtabblitt] **söndag** Sunday [sann'di] **söndagsskola** Sunday-school [sann'diskoːl] **sönder** broken [bråoˈkən]; gå sönder get broken [gett' bråoˈkən]; slå sönder break [brejk] **söndra** divide [divaj'd] **sörja** (känna sorg) grieve [griːv]; (en avliden) mourn [måːn]; (ombesörja) attend to [ətenn'd toː] **söt** sweet [swiːt]; (vacker) pretty [pritt'i] **söta** sweeten [swiːˈtn] **sötningsmedel** sweetener [swiːˈtnə] **sötsaker** sweets [swiːts] **sötvatten** fresh water [fresj' wåːˈtə] **söva** put ... to sleep [pott' tə sliːˈp]; (vid operation) an(a)esthetize [äniːˈsθitajz] **ta** take [tejk]; (ta med sig) bring [bring]; ta en cigarr have a cigar [hävv' ə siga:']; *ta av sig* take off [tej'k å:'f]; *ta fram* take out [tej'k ao't]; *ta in på hotell* put up at a hotel [pott' app' ätt ə håotell'] **tabell** table [tej'bl] (*över of* [åvv]) **tablett** tablet [täbb'litt] **tabu** taboo [təbo:'] **tack** thanks [θäŋks]; *ja tack!* yes, please! [jess' pli:'z]; *nej tack!* no, thank you [nåo' θäŋ'kjo]; *tack så mycket!* many thanks! [menn'i θäŋ'ks]; *tack vare* thanks to [θäŋ'ks to:] **tacka 1** (*verb*) thank [θäŋk] **2** (*fårhona*) ewe [jo:] **3** (*järn-*) pig [pigg]; (*guld-*) ingot [iŋ'gət] **tackjärn** pig-iron [pigg'ajən] **tackla** *sport.* tackle [täkk'l] **tacksam** grateful [grej'tfoll] **tacksamhet** gratitude [grätt'itjo:d] **tafatt** awkward [å:'kwəd] **tag** (*grepp*) grip [gripp]; (*simtag, årtag*) stroke [ströok]; *en i taget* one at a time [wann' ätt ə taj'm] **taga** *se* **ta tagel** horsehair [hå:'shä:ə] **tagg** prickle [prikk'l] **taggtråd** barbed wire [ba:'bd waj'ə] **tak** (*ytter-*) roof [ro:f]; (*inner-*) ceiling [si:'liŋ] **takräcke** (*på bil*) roof rack [ro:'f räkk] **takränna** gutter [gatt'ə] **takt** (*finkänslighet*) tact [täkkt]; (*musik*) time [tajm] **taktfull** tactful [täkk'tfoll] **taktik** tactics (*pl*) [täkk'tikks] **taktlös** tactless [täkk'tliss] **tal 1** (*siffertal*) number [namm'bə]; (*räkneuppgift*) sum [samm] **2** (*sätt att tala, anförande*) speech [spi:tsj] **tala** speak [spi:k] (*med to* [to:]); (*prata*) talk [tå:k] **talang** talent [täll'ənt] **talangfull** talented [spi:'kə] **talarstol** platform [plätt'få:m] **talas** *höra talas om* hear of [hi:'ə əvv] **talg** tallow [täll'åo] **talk** talc(um) [täll'k(əm)] **tall** pine [pajn] **tallrik** plate [plejt]; *djup tallrik* soup-plate [so:'pplejt]; *flat tallrik* ordinary plate [å:'dnri plejt] **talman** speaker [spi:'kə] **talrik** numerous [njo:'mərəs] **talspråk** spoken language [spåo'kən läŋ'gwiddsj] **taltrast** song-thrush [såŋ'θrasj] **tam** tame [tejm]; (*om djur*) domestic [dəmess'tikk] **tand** tooth [to:θ] (*pl* teeth [ti:θ]) **tandborste** toothbrush [to:'θbrasj] **tandkräm** toothpaste [to:'θpejst] **tandläkare** dentist [denn'tisst] **tandpetare** toothpick [to:'θpikk] **tandröta** caries [kä:'ərii:z] **tandsköterska** dental nurse [denn'tl nə:s] **tandvärk** toothache [to:'θejk] **tangent** key [ki:] **tangera** touch upon [tatt'sj əpånn'] **tango** tango [täŋ'gåo] **tank** tank [täŋk] **tanka** fill up [fill' app'] **tanke** thought [θå:t] (*på of* [åvv]); *få ngn på andra tankar* make s.b. change his mind [mej'k samm'bədi tsjej'ndsj hizz maj'nd] **tankeläsare** thought-reader [θå:'tri:də] **tankfartyg** tanker [täŋ'kə] **tankfull** thoughtful [θå:'tfoll] **tanklös** thoughtless [θå:'tliss] **tankspridd** absent-minded [äbb'səntmaj'ndidd] **tant** aunt [a:nt] **tapet** wallpaper [wå:'lpejpə] **tapetsera** hang paper [häŋ' pej'pə] **tapp** tap [täpp]; (*i badkar, båt*) plug [plagg] **tappa 1** (*vätska*) tap [täpp] **2** (*släppa*) drop [dråpp]; *tappa bort* lose [lo:z] **tapper** brave [brejv] **tariff** tariff [tärr'iff] **tarm** intestine [inntess'tinn] **tarvlig** vulgar [vall'gə]; (*lumpen*) shabby [sjäbb'i] **tass** paw [på:] **tatuera** tattoo [tato:'] **tavelgalleri** picture-gallery [pikk'tsjəgälləri] **tavla** picture [pikk'tsjə]; (*anslags-*)

board [bå:d] **tax** dachshund [däkk'shonnd] **taxa** rate [rejt]
taxera assess [əsess'] **taxeringsvärde** rat(e)able value [rejt-əbl vall'jo:] **taxi** taxi [täkk'si], cab [käbb] **taxichaufför** taxi-driver [täkk'sidrajvə] **te** tea [ti:]; *koka te* make tea [mejk ti:']
teater theatre [θi:'ətə]; *spela teater* act [äkkt]; *gå på teatern*
go to the theatre [gåo' tə ðə θi:'ətə] **tecken** sign [sajn]
teckna (*rita*) draw [drå:] **tecknare** drawer [drå:'ə] **teckning**
drawing [drå:'ing] **tefat** saucer [så:'sə]; *flygande tefat* flying
saucer [flaj'ing så:'sə] **tegel** brick [brikk] **tejp** Scotch tape
[skått'sj tej'p] **tekanna** tea-pot [ti:'pått] **teknik** technology
[tekknåll'ədsji] **tekniker** technician [tekknisj'ən] **teknisk** tech-
nical [tekk'nikəl]; *teknisk högskola* college of technology [kåll'-iddsj əvv tekknåll'ədsji] **teknologi** technology [tekknåll'ədsji]
tekopp teacup [ti:'kapp] **telefon** telephone [tell'ifəon]; *det är
telefon till dig* you are wanted on the telephone [jo: a: wånn'tidd
ånn ðə tell'ifəon]; *tala i telefon* talk on the telephone [tå:k ånn
ðə tell'ifəon] **telefonhytt** call-box [kå:'lbäkks] **telefonkatalog**
telephone directory [tell'ifəon direkk'təri] **telefonnummer** tele-
phone number [tell'ifəon namm'bə] **telefonsamtal** telephone
conversation [tell'ifəon kånnvəsej'sjən] **telegrafera** wire [waj'ə]
telegrafisk telegraphic [telligräff'ikk] **telegram** telegram [tell'i-
grämm] **teleobjektiv** telephoto lens [tell'ifəo'tåo lenn's] **tele-
patisk** telepathic [tellipäθ'ikk] **television** television [tell'ivi-
sjən]; *se på television* watch television (TV) [wått'sj tell'ivisjən
(ti:'vi:')] **televisionsapparat** TV set [ti:'vi:' sett] **tema** theme
[θi:m]; *tema på ett verb* the principal parts of a verb [ðə
prinn'səpəl pa:'ts əvv ə və:'b] **tempel** temple [temm'pl] **tempera-
ment** temperament [temm'pərəmənt] **temperatur** temperature
[temm'prittsjə] **temperera** temper [temm'pə] **tempo** pace [pejs],
(*i musik*) tempo [temm'påo] **tempoarbete** serial production
[si:'əriəl prədakk'sjən] **Temsen** the Thames [ðə temm'z] **tendens**
tendency [tenn'dənsi] **Teneriffa** Teneriff(e) [tennəri:'f] **tenn** tin
[tinn] **tennisbana** tennis court [tenn'iss kå:t] **tennisracket**
tennis racket [tenn'iss räkkitt] **tenor** tenor [tenn'ə] **tentamen**
examination [iggzämminej'sjən] **teologi** theology [θiåll'ədsji]
teoretisk theoretic(al) [θiərett'ikk(əl)] **teori** theory [θi:'əri]
terapi therapy [θerr'əpi] **term** term [tə:m] **termin** term [tə:m],
Am. semester [simess'tə] **terminal** terminal [tə:'minl] **termome-
ter** thermometer [θəmåmm'ittə] **termosflaska** thermos [θə:'-
måss] **terrass** terrace [terr'əs] **terrier** terrier [terr'iə] **territo-
rium** territory [terr'itəri] **terror** terror [terr'ə] **terrorisera** terro-
rize [terr'ərajz] **terräng** terrain [terr'ejn]; country [kann'tri];
förlora terräng lose ground [lo:'z grao'nd] **terränglöpning**
cross-country running [kråss'kann'tri rann'ing] **terylene** terylene
[terr'ili:n] **tes** thesis [θi:'siss] **tesked** teaspoon [ti:'spo:n] **test**,
testa test [tesst] **testamente** will [will]; *upprätta sitt testamente*
make one's will [mej'k wannz will']; *Gamla (Nya) testamentet*

the Old (New) Testament [ði åo'ld (njo:') tess'təmənt] **testamentera** bequeath [bikwi:'ð] **testikel** testicle [tess'tikkl] **text** text [tekkst] **texta** use block letters [jo:'z blåkk' lett'əz] **textilfabrik** textile mill [tekk'stajl mill] **textilier** textiles [tekk'stajlz] **tia** ten [tenn] **Tibet** T(h)ibet [tibett'] **tibetansk** T(h)ibetan [tibett'ən] **ticka** tick [tikk] **tid** time [tajm]; *beställa tid* make an appointment [mej'k ənn əpåj'ntmənt]; *bestämma (en) tid* set a day [sett' ə dej']; *på senare tid* in recent times [inn ri:'snt taj'mz]; *det är på tiden att vi* it is about time we [itt izz əbao't taj'm wi:]; *under tiden* in the meantime [inn ðə mi:'ntaj'm] **tidig** early [ə:'li] **tidigare** earlier [ə:'liə] **tidning** newspaper [njo:'spejpə] **tidpunkt** time [tajm] **tidsbegränsning** time limit [taj'm limm'itt] **tidsenlig** up-to-date [app'tədej't] **tidsfördriv** pastime [pa:'stajm] **tidsinställning** (*foto.*) shutter-setting [sjatt'əsetting] **tidskrift** periodical [piəriådd'ikəl] **tidsskildring** picture of the time [pikk'tsjə əvv ðə taj'm] **tidsödande** time-consuming [taj'mkənsjo:'ming] **tidtabell** time-table [taj'mtejbl] **tidtagarur** stop-watch [ståpp'wåttsj] **tidvatten** tide [tajd] **tidvis** at times [ätt taj'mz] **tiga** be silent [bi: saj'lənt] **tiger** tiger [taj'gə] **tigga** beg [begg] (*om for* [få:]) **tiggare** beggar [begg'ə] **till** to [to:]; (*tid: hur länge?*) till [till]; *en gång till* once more [wann's må:'] **tillaga** make [mejk] **tillbaka** back [bäkk] **tillbakadragen** reserved [rizə:'vd] **tillbakagång** decline [diklaj'n] **tillbe** worship [wə:'sjipp] **tillbehör** accessories [äksess'ərizz] **tillbringa** spend [spennd] **tilldela** award [əwå:'d] **tilldraga** attract [ətrakk't] **tilldragande** attractive [ətrakk'tivv] **tillerkänna** grant [gra:nt] **tillfalla** go to [gåo' to:] **tillflykt** refuge [reff'jo:dsj] **tillflyktsort** place of refuge [plej's əvv reff'jo:dsj] **tillfoga** (*tillägga*) add [ädd]; (*förorsaka*) inflict [innflikk't] **tillfreds** satisfied [sätt'issfajd] **tillfredsställa** satisfy [sätt'issfaj] **tillfredsställande** satisfactory [sättissfäkk'təri] **tillfriskna** recover [rikavv'ə] **tillfråga** ask [a:sk] **tillfångataga** capture [käpp'tsjə] **tillfälle** (*tidpunkt*) occasion [əkej'sjən]; (*chans*) opportunity [åppətjo:'nitti], chance [tsja:ns]; *för tillfället* at present [ätt prezz'nt] **tillfällig** temporary [temm'pərəri] **tillföra** bring [bring] **tillförlitlig** reliable [rilaj'əbl] **tillförordnad** acting [äkk'ting]; appointed [əpåj'ntidd] **tillförsikt** confidence [kånn'fidəns] **tillförsäkra** secure [sikjo:'ə] **tillgiven** devoted [divåo'tidd] **tillgivenhet** devotion [divåo'sjən] **tillgjord** affected [əfekk'tidd] **tillgodohavande** balance [bäll'əns] **tillgodoräkna sig** put s.th. to one's credit [pott' samm'θing to: wannz kredd'itt] **tillgodose** meet [mi:t], satisfy [sätt'isfaj] **tillgripa** (*stjäla*) thieve [θi:v]; (*åtgärder m.m.*) resort to [rizå:'t to:] **tillgå** *det brukar tillgå så att* what usually happens is that [wått jo:'sjoəli häpp'ənz izz ðätt']; *finnas att tillgå* be obtainable [bi: əbbtej'nəbl] **tillgång** (*förfogande*) access [äkk'sess]; *tillgångar och skulder* assets and liabilities [äss'etts ənn lajəbill'itizz]; *tillgång och efterfrågan* supply and demand [səplaj' ənn dima:'nd]

161   tillgänglig — tillverkningskostnad

tillgänglig available [əvej'ləbl] **tillhandahålla** supply (s.b. with s.th.) [səplaj' samm'bədi wið samm'θiŋ] **tillhygge** weapon [wepp'ən] **tillhåll** haunt [hå:nt] **tillhöra** belong to [bilång' to:] **tillhörande** *en maskin med tillhörande delar* a machine complete with fittings [ə məsji:'n kəmmpli:'t wið fitt'iŋgz] **tillhörigheter** belongings [bilång'iŋgz] **tillintetgöra** annihilate [ənaj'əlejt] **tillit** confidence [kånn'fidəns] **tillkalla** summon [samm'ən]; send for [senn'd få:] **tillknäppt** (*om person*) reserved [rizə:'vd] **tillkomst** origin [årr'idsjinn] **tillkrånglad** complicated [kåmm'-plikejtidd] **tillkännage** announce [ənao'ns] **tillmäle** word of abuse [wə:'d əvv əbjo:'s] **tillmäta** *tillmäta ngt betydelse* attach importance to s.th. [ətätt'sj imppå:'təns to: samm'θiŋ] **tillmötesgå** (*ngn*) oblige [əblaj'dsj]; (*begäran*) comply with [kəmplaj' wið] **tillmötesgående** (*adj.*) obliging [əblaj'dsjiŋ]; (*subst.*) obligingness [əblaj'dsjiŋginss] **tillnärmelsevis** *inte tillnärmelsevis* nothing like [naθ'iŋ laj'k] **tillplattad** crushed [krasjt] **tillreda** prepare [pripä'ə] **tillrådlig** advisable [ədvaj'zəbl] **tillräcklig** sufficient [səfisj'ənt], enough [inaff'] **tillräknelig** accountable [əkao'ntəbl] **tillrättavisa** reprove [ripro:'v] **tillrättavisning** reproof [ripro:'f] **tills** till [till], until [əntill'] **tillsagd** told [tåold] **tillsammans** together [təgeð'ə] **tillsats** addition [ədisj'ən] **tillskjuta** contribute [kəntribb'jo:t] **tillskott** contribution [kånn-tribjo:'sjən] **tillskynda** *på ngns tillskyndan* at the instigation of s.b. [ätt ði innstigej'sjən əvv samm'bədi] **tillskärare** cutter [katt'ə] **tillsluta** close [klåoz] **tillspillogiven** wasted [wej'stidd] **tillströmning** influx [inn'flakks] **tillstymmelse** *inte en till-stymmelse till* not a trace of [nått ə trej's əvv] **tillstyrka** support [səpå:'t] **tillstå** admit [ədmitt'] **tillstånd** (*tillåtelse*) permission [pəmisj'ən]; (*beskaffenhet*) state [stejt] **tillställning** entertainment [enntətej'nmənt] **tillstöta** set in [sett' inn'] **tillsyn** *ha tillsyn över* supervise [sjo:'pəvajz] **tillsägelse** order [å:'də]; (*tillrättavisning*) admonition [äddmənisj'ən] **tillsätta** (*utnämna*) appoint [əpåj'nt]; (*blanda i*) add [ädd] **tillta** increase [innkri:'s] **tilltag** venture [venn'tsjə]; (*påhitt*) trick [trikk] **tilltagande** (*subst.*) increase [inn'kri:s] **tilltagsen** enterprising [enn'təpraj-ziŋ] **tilltal, tilltala** address [ədress'] **tilltalande** attractive [əträkk'tivv] **tilltro** confidence [kånn'fidəns] **tillträda** enter upon [enn'tə əpånn']; (*ta i besittning*) take over [tej'k åo'və] **tillträde** entrance [enn'-trəns]; *fritt tillträde* admission free [ədmisj'ən fri:']; *tillträde for-bjudet* no admittance [nåo' ədmitt'əns] **tilltvinga sig** obtain ... by force [əbtej'n baj få:'s] **tilltyga** manhandle [männ'hänndl] **tilltänkt** proposed [prəpåo'zd] **tillvarata[ga]** look after [lokk' a:'ftə] **tillvaro** existence [iggziss'təns]; *kampen för tillvaron* struggle for existence [stragg'l få: iggziss'təns] **tillverka** manufacture [männjofäkk'tsjə] **tillverkare** manufacturer [männjo-fäkk'tsjərə] **tillverkning** manufacture [männjofäkk'tsjə] **tillverk-**

ningskostnad cost of production [kåss·t əvv prədakk·sjən] **tillvinna sig** gain [gejn] **tillvita ngn ngt** charge s.b. with s.th. [tsja·dsj samm·bədi wið samm·θing] **tillvägagångssätt** procedure [prəsi·dsjə] **tillväxt** growth [gråoθ] **tillväxttakt** rate of growth [rej·t əvv gråo·θ] **tillåta** allow [əlao·] **tillåtelse** permission [pəmisj·ən] **tillägg** addition [ədisj·ən] **tillägga** add [ädd] **tilläggspension** supplementary pension [sapplimenn·təri penn·sjən] **tillägna** dedicate [dedd·ikejt]; *tillägna sig* (*tillskansa sig*) lay hands on [lej· hänn·dz ånn], (*skaffa sig*) acquire [əkwaj·ə] **tillämpa** apply [əplaj·] (*på* to [to:]) **tillämplig** applicable [äpp·likəbl]; *i tillämpliga delar* wherever applicable [wa·ərevv·ə äpp·likəbl] **tillämpning** application [äpplikej·sjən] **timglas** hourglass [ao·əgla:s] **timjan** thyme [tajm] **timlig** temporal [temm·pə-rəl] **timme** hour [ao·ə] **timmer** timber [timm·bə] **timmerstock** log [lågg] **timotej** timothy [timm·əθi] **timpenning** hourly wage [ao·əli wej·dsj] **timvisare** hour hand [ao·ə hänn·d] **tina** thaw [θå:] **tindra** twinkle [twing·kl] **ting** thing [θing] **tinga** order [å·də] **tingeltangel** noisy funfare [nåj·zi fann·fäə] **tingshus** court-house [kå·thao·s] **tingstjänstgöring** court practice [kå·t präkk·tiss] **tinktur** tincture [ting·ktsjə] **tinne** pinnacle [pinn·əkl] **tinning** temple [temm·pl] **tio** ten [tenn] **tiodubbel** tenfold [tenn·fåold] **tiokamp** decathlon [dekaθ·lånn] **tionde** tenth, tiondel tenth [tennθ] **tiopundssedel** ten-pound note [tenn·paond nåo·t] **tiotal** ten [tenn] **tipp** tip [tipp] **tippa 1** (*stjälpa ur*) tip [tipp] **2** (*sport.*) do the pools [do: ðə po:·lz] **tips** (*vink*) tip [tipp], (*fotbolls-*) football-pools [fott·bå:lpo:lz]; *vinna på tips* win on the pools [winn· ånn ðə po:·lz] **tipskupong** pools coupon [po:·lz ko:pånn] **tisdag** Tuesday [tjo:·zdi] **tissel och tassel** tittle-tattle [titt·ltättl] **tistel** thistle [θiss·l] **titel** title [taj·tl]; *lägga bort titlarna* drop the Mr. (*etc.*) [dråpp· ðə miss·tə] **titt 1** (*blick*) look [lokk] **2** *titt och tatt* frequently [fri:·kwəntli] **titta** look [lokk] (*på* at [att]); *titta på TV* watch TV [wått·sj ti:·vi:·]; *titta efter* (look and) see [(lokk· ənn) si:·] **tittare** (*TV-*) viewer [vjo:·ə] **titulera** style [stajl] **tivoli** amusement park [əmjo:·zmənt pa:k] **tja!** well! [well] **tjata** nag [nägg] **tjeck, tjeckisk** Czech [tsjekk] **Tjeckoslovakien** Czechoslovakia [tsjekk·åoslåovakk·iə] **tjock** thick [θikk]; (*om pers.*) stout [staot] **tjog** score [skå·] **tjudra** tether [te-ð·ə] **tjugo** twenty [twenn·ti] **tjugonde, tjugondel** twentieth [twenn·tiiθ] **tjugotal** ett tjugotal about twenty [əbao·t twenn·ti]; *på tjugotalet* in the twenties [inn ðə twenn·tizz] **tjur** bull [boll] **tjura** sulk [sallk] **tjurfäktning** bull-fighting [boll·fajting]; *en tjurfäktning* a bullfight [ə boll·fajt] **tjurig** sulky [sall·ki] **tjurskallig** stubborn [stabb·ən] **tjusa** enchant [inntsja:·nt] **tjusning** charm [tsja:m] **tjut** howling [hao·ling]; (*ett tjut*) howl [haol] **tjuta** howl [haol] **tjuv** thief [θi:f] **tjuvaktig** thievish [θi:·visj] **tjuvgods** stolen property [ståo·lən pråpp·əti] **tjuvlarm** burglar alarm [bə:'glə əla:'m] **tjuvlyssna** eavesdrop [i:'vzdråpp] **tjuvstart** (*sport.*) false start [få:'ls sta:t] **tjuvtitta i** take a look into ... on the sly [tej'k ə lokk' inn'to ånn ðə slaj'] **tjäder** capercaillie [käppəkej'lji] **tjäle** ground frost [grao'nd fråsst] **tjäna** serve [sə:v]; (*fortjäna*) earn [ə:n]; (*på affär*) gain [gejn] **tjänare** servant [sə:'vənt] **tjänst** service [sə:'viss]; *be ngn om en tjänst* ask a favour of s.b. [a:'sk ə fej'və əvv samm'bədi]; *göra ngn en tjänst* do s.b. a service [do:' samm'bədi ə sə:'viss]; *varmed kan jag stå till tjänst?* what can I do for you? [wått' känn aj do:' fə jo:'] **tjänstefel** breach of duty [bri:'tsj əvv djo:'ti] **tjänstefolk** servants [sə:'vənts] **tjänsteförrättande** acting [äkk'ting] **tjänsteman** employee [emmpláji:']; (*högre*) official [əfisj'əl]; (*vard.*) white-collar worker [waj'tkåll'ə wə:'kə] **tjänsteresa** official journey [əfisj'əl dsjə:'ni]; (*i privat tjänst*) business trip [bizz'niss tripp] **tjänstevikt** (*bils*) kerb weight plus driver's weight [kə:'b wej't plass dráj'vəz wej't] **tjänstgöra** service [sə:v] **tjänstgöring** service [sə:'viss] **tjänstgöringsbetyg** testimonial [tesstimåo'njəl] **tjänstledig** *vara tjänstledig* be on leave [bi: ånn li:'v] **tjänstledighet** leave [li:v] **tjänstvillig** obliging [əbláj'dsjing] **tjära** tar [ta:] **tjärn** tarn [ta:n] **toalett** toilet [tåj'litt]; (*WC även*) lavatory [lävv'ətəri]; (*på restaurang o.d.*) cloakroom [klåo'kromm], men's (ladies') room [menn'z (lej'dizz) romm] **toalettartiklar** toilet requisites [tåj'litt rekk'wizitts] **toalettpapper** toilet-paper [tåj'littpejpə] **tobak** tobacco [tə-bäkk'åo] **tobaksaffär** tobacconist's [təbakk'ənissts] **toffel** slipper [slipp'ə] **toffelhjälte** hen-pecked husband [henn'pekkt hazz'-bənd] **tofs** tuft [tafft] **tok** (*pers.*) fool [fo:l]; *gå på tok* go wrong [gåo' rång'] **tokig** mad [mädd] (*av* with [wið]); *efter* after [a:'ftə]; *i, på* on [ånn]); (*mycket fortjust*) crazy [krej'zi] (*i about* [əbao't]) **tolerans** tolerance [tåll'ərəns] **tolerant** tolerant [tåll'ərənt] **tolerera** tolerate [tåll'ərejt] **tolftedel** twelfth [twellfθ] **tolk** interpreter [inntə:'prittə] **tolka** interpret [inntə:'-pritt] **tolkning** interpretation [inntə:pritej'sjən] **tolv** twelve [twellv]; *klockan tolv på dagen (natten)* at noon (midnight) [ätt no:'n (midd'najt)] **tom** empty [emm'pti] **tomat** tomato [təma:'tåo] **tomatketchup** tomato ketchup [təma:'tåo kett'sjəp] **tomglas** empty bottle [emm'pti bått'l] **tomgång** idling [aj'dling] **tomhänt** empty-handed [emm'ptihänn'didd] **tomrum** empty space [emm'pti spej's] **tomt** (*obebyggd*) (building-)site [(bill'-ding)sajt]; (*kring hus*) garden [ga:'dn] **tomte** brownie [brao'ni] **tomträtt** site-leasehold right [saj'tli:shåold raj't] **ton 1** ton [tann], (*1000 kg*) metric ton [mett'rikk tann'], (*1016 kg, eng. ton*) long ton [lång' tann'] **2** (*mus.; färg- etc.*) tone [tåon]; *ange tonen* (*i musik*) give the note [givv' ðə nåo't], (*bildl.*) give the tone [straj'k ðə raj't nåo't]; *takt och ton* good manners [godd' männ'əz] **tonande** (*om språkljud*) voiced [våjst] **tonart** key [ki:] **tonfall** intonation [inntåonej'sjən] **tonfisk** tunny(-fish) [tann'i(fisj)]; tuna-fish [tjo:'nəfisj] **tongivande** (*bildl.*) leading [li:'ding] **tonhöjd** pitch [pittsj] **tonnage** tonnage [tann'iddsj] **tonsill** tonsil [tånn'sl] **tonsteg** interval [inn'təvəl] **tonsätta** set ... to music [sett' to: mjo:'zikk] **tonsättare** composer [kəmpåo'zə] **tonvikt** stress [stress] **tonåring** teen-ager [ti:'n-ejdsjə] **topografisk** topographical [tåppəgräff'ikəl] **topp** top [tåpp] **topphastighet** maximum speed [mäkk'siməm spi:d] **topprestation** top performance [tåpp' pəfå:'məns] **toppventil** overhead valve [åo'vəhedd vällv] **torde** *ni torde observera* you will please observe [jo: will pli:'z əbze:'v]; *man torde kunna påstå att* it may probably be asserted that [itt mej pråbb'əbli bi: əsə:'tidd ðätt'] **tordyvel** dor-beetle [då:'bi:tl] **torftig** scanty [skänn'ti] **torg** (*plats*) square [skwä:'ə]; (*salu-*) market [ma:'kitt] **torgdag** market-day [ma:'kittdej] **torgskräck** agoraphobia [äg-gərəfåo'biə] **torgstånd** market-stall [ma:'kittstå:l] **tork** drier [draj'ə]; *hänga på tork* hang ... to dry [häng' tə draj'] **torka** (*subst.*) drought [draot]; (*verb*) dry [draj], get ... dry [gett' draj']; (*torka av*) wipe [wajp]; *torka bort* wipe off [wajp å:'f] **torkställ** drying rack [draj'ing räkk]; (*för disk*) plate rack [plej't räkk] **torn** tower [tao'ə]; (*schackpjäs*) rook [rokk] **torp** crofter's holding [kråff'təz håo'lding] **torpare** crofter [kråff'tə] **torped, torpedera** torpedo [tå:pi:'dåo] **torr** dry [draj]; *ha sitt på det torra* be comfortably off [bi: kamm'fətəbli å:'f] **torrklosett** earth closet [ə:'θ klåzz'itt] **torsdag** Thursday [θə:'zdi] **torsk** cod [kådd] **torskleverolja** cod-liver oil [kådd'livvəråj'l] **tortera, tortyr** torture [tå:'tsjə] **torv** peat [pi:t] **torva** (*gräs-*) turf [tə:f] **torvmosse** peat bog [pi:'t bågg] **total** total [tåo'tl] **totalhaveri** total loss [tåo'tl låss'] **totalisator** totalizator [tåo-təlajzejtə] **totalitär** totalitarian [tåotällitä:'əriən] **tradition** tradition [trədisj'ən] **traditionell** traditional [trədisj'ənl] **trafik** traffic [träff'ikk] **trafikant** (*landsvägs-*) road-user [råo'djo:zə] **trafikera** use [jo:z]; *livligt trafikerad* heavily trafficked [hevv'illi träff'ikkt] **trafikflyg** air service [ä:'ə sə:'viss] **trafikflygplan** passenger plane [päss'inndsjə plej'n] **trafikljus** traffic light(s) [träff'ikk lajt(s)] **trafikolycka** traffic accident [träff'ikk äkk'sidənt] **trafikstockning** traffic jam [träff'ikk dsjämm] **trafiksäkerhet** road safety [råo'd sej'fti] **tragedi** tragedy [trädd'sjiddi] **traggla** (*knoga*) plod on [plådd' ånn'] **tragik** tragedy [trädd'-sjiddi] **tragisk** tragic(al) [trädd'sjikk(əl)] **trakassera** pester [pess'tə] **trakt** district [diss'trikkt]; *här i trakten* in this neighbourhood [inn ðiss' nej'bəhodd] **traktamente** allowance (for expenses) [əlao'əns (få: ikkspenn'sizz)] **traktat** treaty [tri:'ti] **traktera** treat [tri:t]; (*spela*) play [plej]; *inte vara vidare trakterad av* not be flattered by [nått bi: flätt'əd baj] **traktor** tractor [träkk'tə] **tralla** troll [tråol] **trampa** tramp [trämmp]; (*cykel, symaskin*) pedal [pedd'l]; **trampbil** pedal car [pedd'l ka:]

trampfartyg tramp [trämmp] **trampolin** spring-board [spring'-bå:d] **tran** train-oil [trej'nåjl] **trana** crane [krejn] **tranbär** cranberry [kränn'bæri] **transaktion** transaction [trännsäkk'sjøn] **transformator** transformer [trännsfå:'mə] **transistorradio** transistor radio [trännziss'tə rej'diåo] **transpirationsmedel** deodorant [di:åo'dərənt] **transplantera** transplant [trännspla:'nt] **transport** transport [tränn'spå:t] **transportera** transport [trännspå:'t] **trapets** trapeze [trəpi:'z] **trappa** (utomhus) stairs [stä:'əz], (farstu-) doorstep(s) [då:'stepp(s)]; (inomhus-) stairs [stä:'əz]; en trappa upp to the first (Am. second) floor [ånn ðə fə:'st (sekk'ənd) flå:'] **trappsteg** step [stepp], stair [stä:'ə] **trappstege** step-ladder [stepp'läddə] **trappuppgång** staircase [stä:'ə-kejs] **trasa** rag [rägg]; (skur-) scouring-cloth [skao'əringklåθ] **trasig** ragged [rägged]; (sönderbruten) broken [bråo'kən]; (i olag) out of order [ao't əvv å:'də] **traska** trudge [traddsj] **trasmatta** rag-rug [rägg'ragg] **trassel** (oreda) tangle [täng'gl]; (besvärligheter) trouble [trabb'l] **trasselsudd** piece of cotton waste [pi:'s əvv kått'n wejst] **trassent** drawer [drå:'ə] **trassera** draw [drå:'] **trassla** (krångla) make a fuss [mej'k ə fass']; trassla in sig get itself (o.s.) entangled [gett ittsell'f (wannsell'f) inntäng'gld] **trasslig** tangled [täng'gld]; confused [kənfjo:'zd] trassliga affärer shaky finances [sjej'ki fajnänn'sizz] **trast** thrush [θrasj] **tratt** funnel [fann'l] **trav** trot [trått]; hjälpa upp på traven give s.b. a start [givv' samm'bədi ə sta:'t] **trava 1** trot [trått] **2** (lägga i trave) pile [pajl] **trave** pile [pajl] **travhäst** trotter [trått'ə] **travtävling** trotting race [trått'ing rejs] **tre** three [θri:] **tredje** third [θə:d]; tredje graden third degree [θə:'d digri:'] **tredjedel** third [θə:d] **tredubbel** treble [trebb'l] **treenighet** trinity [trinn'itti] **trehjuling** three-wheeler [θri:'wi:'lə] **trekantig** triangular [trajang'gjolə] **treklang** triad [traj'əd] **tresiffrig** three-figure [θri:'figg'ə] **tresteg** hop-step-and-jump [håpp'-stepp'əndsjamm'p] **trestjärnig** three-star [θri:'sta:'] **trettio** thirty [θə:'ti] **trettionde** thirtieth [θə:'tieθ] **trettiotal** ett trettiotal some thirty [samm' θə:'ti]; på trettiotalet in the thirties [inn ðə θə:'tizz] **tretton** thirteen [θə:'ti:'n] **trettondagen** Twelfth Day [twell'fθ dej'] **trettondagsafton** Twelfth Night [twell'fθ najt'] **trettonde** thirteenth [θə:'ti:'nθ] **treva** grope [gråop] (efter for [få:]) **trevare** feeler [fi:'lə] **trevlig** pleasant [plezz'nt]; vi hade mycket trevligt we had a very nice time [wi: hädd ə verr'i naj's taj'm]; det var trevligt att höra I am glad to hear that [aj ämm glädd' tə hi:'ə ðätt'] **trevnad** comfort [kamm'fət] **trevåningshus** three-storeyed house [θri:'stå:'ridd haos] **triangel** triangle [traj'änggl] **triangeldrama** (eternal-)triangle drama [(i:tə:'nl)traj'änggl dra:'mə] **tribun** platform [plätt'få:m] **trick** trick [trikk] **trigonometri** trigonometry [triggənåmm'ittri] **trikin** trichina [trikaj'nə] **trikå** tricot [trikk'åo] **trilling** triplet [tripp'litt] **trimma** trim [trimm] **trind** round(-shaped) [rao'nd(sjejpt)] **trio**

trio [tri:'åo] **tripp** trip [tripp]; *göra en tripp* go for a trip [gåo få: ə tripp'] **trissa** (*subst.*) wheel [wi:l]; (*verb*) *trissa upp priserna* push up the prices [posj' app' ðə praj'sizz] **trist** (*långtråkig*) tedious [ti:'djəs]; (*dyster*) gloomy [glo:'mi] **triumf, triumfera** triumph [traj'əmf] **trivas** get on well [gett ånn' well']; *han trivs i England* he likes being in England [hi: laj'ks bi:'ing inn ing'glənd]; *trivas med* get on with [gett ånn' wið] **trivsam** pleasant [plezz'nt] **trivsel** well-being [well'bi:'ing] **tro** (*subst.*) belief [bili:'f] (*på* in [inn]); *i god tro* in good faith [inn godd' fej'θ]; (*verb*) believe [bili:'v] (*på* in [inn]); (*förmoda*) think [θingk]; *ja, jag tror det* yes, I believe so [jess' aj bili:'v såo']; *må du tro!* I can tell you! [aj känn tell' jo:] **trofast** true [tro:] **trogen** faithful [fej'θfoll] **trohet** faithfulness [fej'θfollniss] **trolig** probable [pråbb'əbl]; *det är föga troligt* it is hardly likely [itt izz ha:'dli laj'kli] **troligen** probably [pråbb'əbli] **troll** troll [tråol]; (*elakt*) hobgoblin [håbb'gåbblinn]; *när man talar om trollen* … talk of the devil and he'll appear [tå:'k əvv ðə devv'l ənd hi:'l əpi:'ə] **trolla bort (fram)** conjure away (forth) [kann'dsjə əwej' (få:'θ)] **trolldom** witchcraft [witt'sjkra:ft] **trolleri** magic [mädd'sjikk] **trollformel** magic formula [mädd'sjikk få:'mjolə] **trollkonstnär** conjurer [kann'dsjərə] **trollslända** dragonfly [drägg'ənflaj] **trolös** faithless [fej'θliss] **tromb** tornado [tå:nej'dåo] **trombon** trombone [tråmmbåo'n] **tron** throne [θråon] **tronföljare** successor to the throne [səksess'ə to: ðə θråo'n] **tropikerna** the Tropics [ðə tråpp'ikks] **tropikhjälm** sun-helmet [sann'hell'mitt] **tropisk** tropical [tråpp'ikəl] **trosbekännelse** confession of faith [kənfesj'ən avv fej'θ] **troskyldig** true-hearted [tro:'ha:'tidd] **trosor** briefs [bri:fs] **tross** hawser [hå:'zə] **trossamfund** religious community [rilidd'sjəs kəmjo:'nitti] **trossbotten** double floor [dabb'l flå:'] **trots** (*subst.*) defiance [difaj'əns] (*mot* of [åvv]); (*prep.*) in spite of [inn spaj't əvv] **trotsa** defy [difaj'] **trotsåldern** the obstinate age [ðí åbb'stinitt ej'dsj] **trottoar** pavement [pej'vmənt], *Am.* sidewalk [saj'dwå:k] **trovärdig** credible [kredd'əbl] **trubadur** troubadour [tro:'bado:ə] **trubba (av), trubbig** blunt [blannt] **truck** truck [trakk] **truga** press [press] **trumf, trumfkort** trump [trammp] **trumhinna** ear-drum [i:'ədramm] **trumma** drum [dramm] **trumpinne** drumstick [dramm'stikk] **trumslagare** drummer [dramm'ə] **trupp** troop [tro:p] **truppförband** (military) unit [(mill'itəri) jo:'nitt] **trust** trust [trasst] **trut 1** (*fågel*) gull [gall] **2** (*mun*) kisser [kiss'ə]; *hålla truten* shut up [sjatt' app'] **tryck** pressure [presj'ə]; *komma ut i tryck* appear in print [əpi:'ə inn prinn't] **trycka** press [press]; (*bok o.d.*) print [prinnt] **tryckeri** printing-works [prinn'tingwə:ks] **tryckfel** misprint [miss'prinn't] **tryckfrihet** freedom of the press [fri:'dəm əvv ðə press'] **tryckknapp** push-button [posj'battn]; (*för knäppning*) press-stud [press'stadd] **tryckluft** compressed air [kəmpress't ä:'ə] **tryckluftsborr** pneumatic drill [njo:mätt'ikk drill'] **tryckning** (*av böcker o.d.*) printing [prinn'ting] **tryck-press** printing press [prinn'ting press'] **tryckstil** type [tajp] **trycksvärta** printing ink [prinn'ting ing'k] **tryffel** truffle [traff'l] **trygg** secure [sikjo:'ə], safe [sejf] **trygga** secure [sikjo:'ə] **trygghet** security [sikjo:'əritti] **tryta** (*fattas*) be lacking [bi: läkk'ing]; (*ta slut*) run short [rann' sjå:'t] **tråd** thread [θredd]; (*metall-*) wire [waj'ə]; *den röda tråden* the main theme [ðə mej'n θi:'m]; *tappa tråden* lose the thread [lo:'z ðə θredd'] **trådrulle** reel of cotton [ri:'l əvv kått'n]; (*tom*) cotton reel [kått'n ri:l] **tråg** trough [tråff] **tråka ihjäl (ut)** bore ... to death [bå:'tə deθ'] **tråkig** boring [bå:'ring]; *så tråkigt!* what a pity! [wått' ə pitt'i] **tråkmåns** bore [bå:'] **trålare** trawler [trå:'lə] **trång** narrow [närr'åo] **trångboddhet** overcrowding [åovəkrao'-ding] **trångmål** straits (*pl*) [strejts] **trångsynt** narrow [närr'åo] **trånsjuk** pining [paj'ning] **trä** wood [wodd] **träblåsinstrument** woodwind instrument [wood'winnd inn'strəmənt] **träd** tree [tri:] **träda 1** (*verb*) step [stepp]; (*träda på*) thread (on) [θredd' (ånn')]; *träda i förbindelse med* enter into communication with [enn'tə inn'to kəmjo:nikej'sjən wið]; *träda i kraft* come into force [kamm' inn'to få:'s]; *träda tillbaka* retire [ritaj'ə] (*för* in favour of [inn fej'vər əvv]) **2** (*subst.*) *ligga i träda* lie fallow [laj' fäll'åo] **träd-gren** branch [bra:ntsj] **trädgård** garden [ga:'dn] **trädgårds-arbete** gardening [ga:'dning] **trädgårdsmästare** gardener [ga:'-dnə] **trädgårdsskötsel** horticulture [hå:'tikalltsjə] **trädstam** tree trunk [tri:' trangk] **träff** (*skott*) hit [hitt]; (*möte*) rendezvous [rånn'divo:]; (*för fler än två*) meeting [mi:'ting] **träffa** (*om skott*) hit [hitt]; (*möta*) meet [mi:t]; *jag skall träffa dem i morgon* I shall see them tomorrow [aj själl si:' ðemm təmårr'åo]; *träffas herr A.?* is Mr. A. in? [izz miss'tə ej' inn'], (*i telefon*) can I speak to Mr. A.? [känn aj spi:'k to: miss'tə ej'] **träffande** (*välfunnen*) appropriate [əpråo'priejt] **träffas** meet [mi:t] **träfi-berplatta** fibreboard [faj'bəbå:d] **trähälsig** woody [wodd'i] **trähus** wooden house [wodd'n haos] **träindustri** timber indu-stry [timm'bə inn'dəstri] **träkarl** (*i kortspel*) dummy [damm'i] **träkol** charcoal [tsja:'kåol] **träl** thrall [θrå:l], slave [slejv] **träla** toil [tåjl] **trämassa** wood-pulp [wodd'pallp] **träna** train [trejn]; (*öva sig*) practise [präkk'tiss] **tränare** trainer [trej'nə] **träng** army service corps [a:'mi sə:'viss kå:] **tränga** (*driva*) drive [drajv], (*pressa*) press [press]; *tränga fram* force one's way [få:'s wannz wej'] (*till* to [to:]); *tränga igenom* penetrate [penn'itrejt]; *tränga sig på* force o.s. upon [få:'s wannsell'f əpånn'] **trängande** (*angelägen*) urgent [ə:'dsjənt] **trängsel** crowding [krao'ding], crush (*of people*) [krasj' (əvv pi:'pl)] **träning** training [trej'ning] **träningsoverall** track suit [träkk' s-jo:t] **träsk** marsh [ma:sj] **träskalle** blockhead [blåkk'hedd] **träsko** wooden shoe [wodd'n sjo:] **träslöjd** woodwork [wodd'wə:k] **träsnitt** woodcut [wodd'katt] **träta** (*subst. o. verb*) quarrel [kwárr'əl] **trög** slow [slåo]; (*slo*) dull [dall]; *affärerna går trögt* business is dull [bizz'niss izz dall']; *motorn går trögt* the engine is sluggish [ði enn'dsjinn izz slagg'isj] **tröja** sweater [swett'ə], jersey [dsjə:'zi] **tröska** thresh [θresj] **tröskel** threshold [θresj'håold] **tröskverk** thresher [θresj'ə] **tröst** consolation [kånnsəlej'sjən] **trösta** console [kənsåo'l] **trött** tired [taj'əd] **trötta** tire [taj'ə] **tröthet** tiredness [taj'ədniss] **tröttna** get tired [gett' taj'əd] **tröttsam** tiring [taj'əring] **tsar** tsar [za:] **tub** tube [tjo:b] **tuba** tuba [tjo:'bə] **tubba** induce [inndjo:'s] **tuberkulos** tuberculosis [tjo:bə:kjolåo'siss] **tugga** (*subst.*) bite [bajt]; (*verb*) chew [tsjo:] **tuggummi** chewing-gum [tsjo:'inggamm] **tukta** chastise [tsjässtaj'z] **tull** (*avgift*) (customs) duty [(kass'təmz) djo:'ti]; (*tullverk*) customs [kass'təmz] **tullbehandla** clear [kli:'ə] **tulldeklaration** customs declaration [kass'təmz dekklərej'sjən] **tulldeklarera** declare ... at Customs [dikla:'ə ätt kass'təmz] **tullfri** duty-free [djo:'tifri:'] **tullpliktig** dutiable [djo:'tjəbl] **tulpan** tulip [tjo:'lipp] **tum** inch [inntsj] **tumlare** (*delfin*) porpoise [på:'pəs]; *hålla tummarna för ngn* keep one's fingers crossed for s.b. [ki:'p wannz fing'gəzz kråss't fə samm'bədi]; *rulla tummarna* twiddle one's thumbs [twidd'l wannz θamm'z] **tumregel** rule of thumb [ro:'l əvv θamm'] **tumskruv** thumbscrew [θamm'skro:] **tumstock** folding rule [fåo'lding ro:'l] **tumult** tumult [tjo:'mallt] **tumör** tumour [tjo:'mə] **tundra** tundra [tann'drə] **tung** heavy [hevv'i] **tunga** tongue [tang]; *hålla tungan rätt i mun* mind one's P's and Q's [maj'nd wannz pi:z ənn kjo:'z] **tungomål** tongue [tang] **tungt** heavily [hevv'illi]; *tungt vägande skäl* weighty reasons [wej'ti ri:'znz] **tungvikt** heavyweight [hevv'iwejt] **tunika** tunic [tjo:'nikk] **Tunisien** Tunisia [tjo:nizz'iə] **tunn** thin [θinn] **tunna** barrel [bärr'əl] **tunnel** tunnel [tann'l] **tunnelbana** underground [ann'dəgraond]; *Am. äv.* subway [sabb'wej] **tunnland** (*ungefär*) acre [ej'kə] **tupp** cock [kåkk] **tur 1** luck [lakk] **2** (*resa*) tour [to:'ə]; (*följd*) turn [tə:n]; *i tur och ordning* in turn [inn tə:'n] **turban** turban [tə:'bən] **turbin** turbine [tə:'binn] **turism** tourism [to:'ərizzm] **turist** tourist [to:'ərisst] **turistattraktion** tourist attraction [to:'ərisst əträkk'sjən] **turistbroschyr** travel folder [trävv'l fåo'ldə] **turistbyrå** travel agency [trävv'l ej'dsjənsi] **turk** Turk [tə:k] **Turkiet** Turkey [tə:'ki] **turkisk** Turkish [tə:'kisj] **turlista** timetable [taj'mtejbl] **turné, turnera** tour [to:'ə] **tur- och returbiljett** return ticket [ritə:'n tikk'itt] **tusen** thousand [θaο'zənd] **tusende, tusen(de)del** thousandth [θaο'zəntθ] **tusenkonstnär** handyman [hänn'dimänn] **tusensköna** daisy [dej'zi] **tusentals** thousands (of) [θaο'səndz (əvv)] **tuta** toot(le) [to:'t(l)] **tuva** tuft [tafft] **tveka** hesitate [hezz'itejt] **tvekamp** duel [djo:'əl] **tvekan** hesitation [hezzitej'sjən] **tveksam** uncertain [annsə:'tn] **tveksamhet** hesitation [hezzitej'sjən] **tvestjärt** earwig [i:'əwigg] **tvetydig** ambiguous [ämmbigg'joəs]

tvilling twin [twinn] **tving** clamp [klämmp] **tvinga** force [få:s] **tvinna** twine [twajn] **tvist** strife [strajf] **tvista** dispute [disspjo:'t] **tvistefrö** seed of dissension [si:'d əvv disenn'sjən] **tvivel** doubt [daot] **tvivelaktig** doubtful [dao'tfull] **tvivelsmål, tvivla på** doubt [daot] **TV-tittare** (tele)viewer [(tell'i)vjo:'ər] **tvungen** forced [få:st] **två** two [to:] **tvål** soap [såop] **tvålflingor** soap-flakes [såo'pflejks] **tvång** compulsion [kəmpall'sjən] **tvångs-arbete** forced labour [få:'st lej'bə] **tvångsföreställning** obsession [əbsesj'ən] **tvångsläge** vara i tvångsläge be in an emergency situation [bi: inn ənn imə:'dsjənsi sittjoej'sjən] **tvångssparande** compulsory saving [kəmpall'səri sej'ving] **tvångströja** straitjacket [strej'tdsjäkk'itt] **tvåtaktsmotor** two-stroke engine [to:'-strå̊o'k enn'dsjinn] **tvåvåningshus** two-storey(ed) house [to:'-stå̊:'ri(d) haos] **tvåårig** two-year-old [to:'jə:å̊o'ld] **tvär** (subst.) på tvären across [əkrå̊ss']; (adj.) (plötslig) sudden [sadd'n]; (brant) steep [sti:p] **tvärgata** cross-street [krå̊ss'stri:t] **tvär-randig** cross-striped [krå̊ss'strajpt] **tvärs** across [əkrå̊ss']; tvärs igenom right through [rajt θro:']; tvärs över straight across [strej' əkrå̊ss'] **tvärslå** cross-bar [krå̊ss'ba:] **tvärstanna** stop dead [stå̊pp' dedd'] **tvärtemot** quite contrary to [kwaj't kånn'trəri to] **tvärtom** on the contrary [ånn ðe kånn'trəri] **tvätt** wash[ing] [wå̊sj'(ing)]; (kläder) laundry [lå:'ndri] **tvätta** wash [wå̊sj] **tvättbräde** washboard [wå̊sj'bå̊:d] **tvättinrättning** laundry [lå:'ndri] **tvättkläder** laundry (sg) [lå:'ndri] **tvätt-maskin** washing-machine [wå̊sj'ing-məsji:n] **tvättmedel** washing detergent [wå̊sj'ing ditə:'dsjənt] **tvättning** washing [wå̊sj'ing] **tvättstuga** laundry [lå:'ndri] **tvättställ** washstand [wå̊sj'-stännd] **tvättäkta** wash-proof [wå̊sj'pro:f] **ty** for [få:] **tycka** think [θingk]; tycka om like [lajk] **tyckas** seem [si:m] **tycke** i mitt tycke in my opinion [in maj' əpinn'jən]; fatta tycke för take a liking to [tej'k ə laj'king to] **tyda** (tolka) interpret [inntə:'pritt]; tyda på indicate [inn'dikejt] **tydlig** clear [kli:'ə]; (påtaglig) obvious [åbb'viəs] **tydligen** evidently [evv'idəntli], obviously [åbb'viəsli] **tyfon** typhoon [tajfo:'n] **tyfus** typhus [taj'fəs] **tyg** material [məti:'əriəl]; cloth [klå̊θ] **tygel, tygla** rein [rejn] **tynga** weigh [wej] **tyngd** weight [wejt] **tyngdlagen** the law of gravitation [ðə lå:' əvv grävvitej'sjən] **tyngdlyftare** weight-lifter [wej'tliftə] **tyngdpunkt** centre of gravity [senn'tə əvv grävv'itti]; (bildl.) main point [mej'n på̊jnt] **typ** type [tajp] **typisk** typical [tipp'ikəl] **typograf** typographer [tajpågg'rəfə] **typsnitt** type face [taj'p fejs] **tyrann** tyrant [taj'ərənt] **tysk** German [dsjə:'mən] **tyska** (språk) German [dsjə:'mən]; (kvinna) German woman [dsjə:'mən womm'ən] **Tyskland** Germany [dsjə:'məni] **tyst** silent [saj'lənt] **tysta, tysthet** silence [saj'lənt] **tystna** become silent [bikamm' saj'lənt] **tystnad** silence [saj'-ləns] **tyvärr** unfortunately [annfå:'tsjnittli]; jag kan tyvärr inte komma I am sorry I can't come [aj ämm sårr'i aj ka:'nt kamm'];

tå — ubåt

tyvärr inte I am afraid not [aj ämm əfrej'd nått'] **tå** toe [tåo] **tåg** train [trejn]; *(marsch)* march [ma:tsj] **tåga** march [ma:tsj] **tågtidtabell** railway timetable [rej'lwej taj'mtejbl] **tågvirke** cordage [kå:'diddsj] **tåla** bear [bä:'ə]; *(stå ut med)* stand [stännd] **tålamod** patience [pej'sjəns] **tålamodsprövande** trying [traj'-ing] **tålig** patient [pej'sjənt] **tång 1** *(växt)* seaweed [si:'wi:d] **2** *(verktyg)* tongs *(pl)* [tångz] **tår** tear [ti:'ə] **tårta** cake [kejk] **täcka** cover [kavv'ə] **täckdikning** underdrainage [ann'dədrej'-niddsj] **täcke, täckning** cover [kavv'ə] **tälja** carve [ka:v] **täljare** numerator [njo:'mərejtə] **täljkniv** sheath-knife [sji:'θnajf] **tält** tent [tennt] **tälta** *(slå upp tält)* pitch one's tent [pitt'sj wannz tenn't]; *(bo i tält)* tent [tennt], camp [kämmp] **tämja** tame [tejm] **tämligen** pretty [pritt'i]; *(vanl. ogillande)* rather [ra:'ðə] **tända** light [lajt] **tändare** lighter [laj'tə] **tändning** *(på bil)* ignition [iggnisj'ən] **tändsticka** match [mätt'sj] **tändsticksask** *(tom)* match-box [mätt'sjbåkks]; *(med tändstickor i)* box of matches [båkk's avv mätt'sjizz] **tändstift** spark plug [spa:'k plagg] **tänja** stretch [strettsj] **tänjbar** stretchable [strett'sjəbl]; *(elastisk)* elastic [iläss'tikk] **tänka** think [θingk] *(på of* [åvv]); *(ämna)* intend (be going) to [inntenn'd (bi: gåo'ing) to:] **tänkbar** conceivable [kənsi:'vəbl]; *bästa tänkbara* the best possible [ðə bess't påss'əbl] **tänkt** *(ej verklig)* imagined [imädd'sjinnd] **tänk-värd** worth considering [wə:'θ kənsidd'əring] **täppa** *(land)* garden-plot [ga:'dnplått]; *(täppa för, till)* stop up [ståpp' app'] **tära** consume [kənsjo:'m]; *tära på reserverna* draw on the reserves [drå:' ånn ðə rizə:'vz]; *sorgen tär på henne* sorrow is preying (up)on her [sårr'åo izz prej'ing (əp)ånn hə:] **tärd** worn [wå:n] **tärna 1** *(brud-)* bridesmaid [braj'dzmejd] **2** *(fågel)* tern [tə:n] **tärning** die [daj] *(pl* dice [dajs]) **tät 1** *(subst.)* head [hedd] **2** *(adj.)* *(svårgenomtränglig o.d.)* thick [θikk], dense [denns]; *(utan springor e.d.)* tight [tajt]; *täta besök* frequent visits [fri:'kwənt vizz'itts] **täta** stop up [ståpp' app'] **tätbefolkad** densely populated [denn'sli påpp'jolejtidd] **tätna** become dense [bikamm' denn's]; *(om rök)* thicken [θikk'ən] **tätningslist** draught excluder [dra:'ft ikksklo:'də] **tätort** built-up area [bill't-app ä:'əriə] **tätortsbebyggelse** city (town) buildings [sitt'i (tao'n) bill'dingz] **tävla** compete [kəmpi:'t] **tävlan, tävling** competition [kåmmpitisj'ən]; *contest* [kånn'tesst] **tö, töa** thaw [θå:] **töcken** haze [hejz] **töja** stretch [strettsj] **tölp** boor [bo:'ə] **tölpaktig** boorish [bo:'ərisj] **töm** rein [rejn] **tömma** empty [emm'pti] **tömning** emptying [emm'ptiing] **töras** dare [dä:'ə]; *hon törs inte för sin mor* she doesn't dare because of her mother [sji: dazz'nt dä:'ə bikåzz' əvv hə: mað'ə] **törn** bump [bammp] **törna emot** bump into [bammp'ə inn'to] **törnbuske** thorn-bush [θå:'nbosj] **törne** *(tagg)* thorn [θå:n] **Törnrosa** the Sleeping Beauty [ðə sli:'ping bjo:'ti] **törst, törsta** thirst [θə:st] **törstig** thirsty [θə:'sti] **töväder** thaw [θå:] **ubåt** submarine [sabb'məri:n]

udd point [påjnt]; *bryta udden av* (*bildl.*) take the sting out of [tej'k ðə sting' ao't əvv] **udda** odd [ådd]; *låta udda vara jämnt* let s.th. pass [lett' samm'θing pa:'s] **udde** cape [kejp] **uddlös** pointless [påj'ntliss] **uggla** owl [aol]; *det är ugglor i mossen* there is mischief brewing [ðäə izz miss'tsjiff bro:'ing] **ugn** furnace [fə:'niss]; (*bak-*) oven [avv'n] **ugnsbakad** baked [bejkt] **ugnseldfast** ovenproof [avv'npro:f] **ugnslackera** stove-enamel [ståo'vinämm'əl] **ugnssteka** roäst [råost] **u-hjälp** aid to developing countries [ej'd to: divell'əping kann'trizz] **Ukraina** Ukraine [jo:'krej'n] **u-land** developing country [divell'əping kann'tri] **ull** wool [woll] **ullgarn** wool [woll] **ulster** ulster [all'stə] **ultimatum** ultimatum [alltimej'təm]; *ställa ultimatum* present an ultimatum [prizenn't ənn alltimej'təm] **ultrakortvåg** ultra-short wave [all'trəsjä:'t wej'v] **ultraljud** ultrasonic sound [all'trə-sånn'ik saond] **ultramarin** (*adj. o. subst.*) ultramarine [alltrə-məri:'n] **ultrarapid** slow-motion [slåo'måo'sjən] **ultraviolett** ultra-violet [all'trəvaj'əlitt] **ulv** wolf [wollf]; *en ulv i fårakläder* a wolf in sheep's clothing [ə woll'f in sji:'ps klåo'ðing] **umbära** do without [do:' wiðao't] **umbärande** privation [prajvej'sjən] **umbärlig** dispensable [disspenn'səbl] **umgås** associate [əsåo-sjiejt]; *ha lätt att umgås med folk* be a good mixer [bi: ə godd' mikk'sə]; *umgås med planer på att* have plans to [hävv plänn's to:] **umgälla** pay for [pej' få:] **umgänge** intercourse [inn'tə:kå:s]; (*personer man umgås med*) company [kamm'pəni]; *sexuellt umgänge* sexual intercourse [sekks'joəl inn'tə:kå:s] **umgängessätt** (*pl*) manners [männ'əz] **undan** away [əwej']; *det går undan med arbetet* work is getting on fine [wə:'k izz gett'ing ånn' faj'n]; *undan för undan* little by little [litt'l baj litt'l] **undanbe sig** decline [diklaj'n]; *jag undanber mig* kindly spare me [kaj'ndli spä:'ə mi:] **undandraga** (*beröva*) deprive [dipraj'v]; *undandraga sig ansvar* shirk responsiblity [sjə:'k risspånnsəbill'itti] **undanflykt** excuse [ikskjo:'s] **undanhålla** withhold [wiðhåo'ld] (*ngn ngt* s.th. from s.b. [samm'θing fråmm samm'bədi]) **undanmanöver** evasive action [ivej'sivv äkk'sjən] **undanröja** remove [rimo:'v] **undanstökad** finished and done [finn'isjt ənn dann'] **undanta** make an exception for [mej'k ənn ikksepp'sjən få:] **undantag** exception [ikksepp'sjən]; *ingen regel utan undantag* no rule without an exception [nåo' ro:'l wiðao't ənn ikksepp'sjən] **un-dantagandes** except (for) [ikksepp't (få:)] **undantagsfall** exception [ikksepp'sjən] **undantagslös** without exception [wiðao't ikksepp'sjən] **undantagstillstånd** state of emergency [stej't əvv imə:'dsjənsi] **undantagsvis** in exceptional cases [inn ikksepp'sjənl kej'sizz] **undantränga** force ... aside [få:'s əsaj'd] **under 1** (*subst.*) wonder [wann'də]; *under över alla under!* wonder of wonders! [wann'də əvv wann'dəz]; *göra under* work wonders [wə:'k wann'dəz] **2** (*prep.*) under [ann'də]; (*på lägre nivå*) below [bilåo']; (*om tid*) during [djo:'əring] **underavdelning**

subdivision [sabb'divisjən] **underbalanserad budget** budget with a deficit [badd'sjitt wið ə deff'isitt] **underbar** wonderful [wann'dəfoll] **underbarn** infant prodigy [inn'fənt prådd'iddsji] **underbefäl** non-commissioned officer(s) [nånn'kəmisj'ənd åff'-issə(z)] **underbetala** underpay [ann'dəpej'] **underbett** under-bite [ann'dəbajt'] **underbetyg** få underbetyg fail [fejl] (i in [inn]) **underblåsa** (bildl.) fan [fänn] **underbygga** support [səpå:t'] **underbyxor** pants [pännts]; (dam-) panties [pänn'tizz] **under-dimensionera** make … too small [mej'k to: smål'] **underdånig** humble [hamm'bl] **underexponera** under-expose [ann'dərikks-påo'z] **underfund** komma underfund med find out [faj'nd ao't] **underfundig** cunning [kann'ing] **underförstådd** implied [imm-plaj'd] **undergiven** submissive [səbmiss'ivv] **undergräva** un-dermine [anndəmaj'n] **undergå** undergo [anndəgåo'] **under-gång** ruin [ro:'inn] **underhaltig** inferior [innfi:'əriə] **under-hand** privately [praj'vittli] **underhandla** negotiate [nigåo'sjiejt] **underhandling** negotiation [nigåosjiej'sjən] **underhud** dermis [də:'miss] **underhuggare** underling [ann'dəling] **underhuset** the House of Commons [ðə hao's əvv kåmm'ənz] **underhåll** maintenance [mej'ntinəns]; (understöd) allowance [əlao'əns] **underhålla** maintain [mejntej'n]; (byggnad e.d.) keep … in repair [ki:'p inn ripä:ə]; (kunskaper) keep up [ki:'p app']; (roa) entertain [enntətej'n] **underhållande** entertaining [enntətej'ning] **underhållning** entertainment [enntətej'nmənt] **underhållnings-musik** light music [laj't mjo:'zikk] **underifrån** from below [fråmm bilåo'] **underjordisk** underground [ann'dəgraond] **underkasta** subject … to [səbbsjekk't to:]; underkasta sig (ka-pitulera) surrender [sərenn'də] **underkjol** underskirt [ann'dəskə:t] **underklass** lower class [låo'ə kla:'s] **underkläder** underwear [ann'dəwä:ə] **underklänning** slip [slipp] **underkropp** lower part of the body [låo'ə pa:'t əvv ðə bådd'i] **underkurs** till underkurs at a discount [ätt ə diss'kaont] **underkuva** subdue [səbdjo:'] **underkyla** supercool [s-jo:pəko:'l] **underkäke** lower jaw [låo'ə dsjå:'] **underkänna** reject [ridsjekk't]; bli underkänd fail [fejl] **underlag** basis [bej'siss] **underlakan** bottom sheet [bått'əm sji:t] **underleverantör** sub-contractor [sabb'kəntrakk'-tə] **underlig** strange [strejndsj] **underlivssjukdomar** disorders of the female reproductive organs [disså:'dəz əvv ðə fi:'mejl ri:prədakk'tivv å:'gənz] **underlydande** (adj.) dependent [di-penn'dənt] **underlåta** neglect [niglekk't]; han underlät att he failed to [hi: fej'ld to:] **underlåtenhet** omission [åomisj'ən] **underlåtenhetssynd** sin of omission [sinn' əvv åomisj'ən] **underläge** weak position [wi:'k pəzisj'ən] **underlägsen** in-ferior [innfi:'əriə] (ngn to s.b. [to: samm'bədi]) **underlägsenhet** inferiority [innfiəriår'itti] **underläkare** assistant physician (ki-rurg: surgeon) [əsiss'tənt fizisj'ən (sə:'dsjən)] **underläpp** lower lip [låo'ə lipp] **underlätta** facilitate [fəsill'itejt] **undermedveten** subconscious [sabb'kånn'sjəs] **undermening** hidden meaning [hidd'n mi:'ning] **underminera** undermine [anndəmaj'n] **undernärd** underfed [ann'dəfedd'] **underordnad** subordinate [səbå:'dnitt] **underrede** (*på bil*) chassis [sjäss'i] **underredsbehandling** underseal [ann'dəsi:'l] **underrätta** inform [innfå:'m] (*ngn om s.b. of* [samm'bədi əvv]) **underrättelse** information [innfəmej'sjən]; *en underrättelse* a piece of information [ə pi:'s əvv innfəmej'sjən]; *närmare underrättelser* further information [fə:'ðə innfəmej'sjən] **underrättelsetjänst** secret service [si:'kritt sə:'viss] **undersida** underside [ann'dəsajd] **underskatta** underrate [anndərej't] **underskott** deficit [deff'isitt] **underskrida** be below [bi: bilåo'] **underskrift** signature [sigg'nittsjə] **underskriva** sign [sajn] **underst** at the bottom [ätt ðə bått'əm] (*i* of [åvv]) **understryka** underline [anndəlaj'n]; (*betona*) emphasize [emm'fəsajz] **understå sig** dare [dä:'ə] **underställa** submit ... to [səbmitt' to:] **understöd, understödja** support [səpå:'t] **undersåte** subject [sabb'dsjikkt] **undersöka** examine [iggzämm'inn]; *vi skall undersöka saken* we shall look into the matter [wi: själl lokk' inn'to ðə mätt'ə] **undersökning** examination [iggzämminej'sjən] **underteckna** sign [sajn]; *undertecknad* l, the undersigned [aj' ði ann'dəsajnd] **undertecknande** signing [saj'ning]; *vid undertecknandet* on signing [ånn sajn'ing] **undertrycka** suppress [səpress'] **undertröja** vest [vesst] **underutvecklad** underdeveloped [ann'dədivell'əpt]; *underutvecklade länder* underdeveloped countries [ann'dədivell'əpt kann'trizz] **undervattensbåt** submarine [sabb'məri:n] **undervegetation** undergrowth [ann'dəgråoθ] **underverk** miracle [mirr'əkl]; *världens sju underverk* the seven wonders of the world [ðə sevv'n wann'dəz əvv ðə wə:'ld]; *utråta underverk* do wonders [do: wann'dəz] **undervisa** teach [ti:tsj] **undervisning** teaching [ti:'tsjing]; *högre undervisning* higher education [haj'ə eddjo:kej'sjən]; *programmerad undervisning* programmed instruction [pråo'grämmd innstrakk'sjən] **undervisningsdepartement** Ministry of Education [minn'isstri əvv eddjo:kej'sjən] **undervisningsmetod** teaching method [ti:'tsjing meθ'əd] **undervisningsväsen** educational system [eddjo:kej'sjənl siss'timm] **undervärdera** underestimate [ann'dəress'timejt] **undfalla** escape [isskej'p]; *låta undfalla sig ngt* let s.th. slip out [lett' samm'θing slipp' ao't] **undfallande** compliant [kəmmplaj'ənt] **undfly** flee from [fli:' fråmm] **undgå** escape [isskej'p]; *jag kunde inte undgå att höra* I couldn't help hearing [aj kodd'nt hell'p hi:'əring] **undkomma** escape (from) [isskej'p (fråmm)] **undra** wonder [wann'də (*över* at [ätt]); *det undrar jag inte på* I don't wonder [aj dåo'nt wann'də] **undran** wonder [wann'də] **undre** (the) lower [(ðə) låo'ə] **undsätta** relieve [rili:'v] **undsättning** relief [rili:'f] **undulat** budgerigar [badd'sjəriga:] **undvara** do without [do: wiðao't] **undvika** avoid [əvåj'd] **undvikande** (*subst.*) avoidance [əvåj'dəns]; (*adj.*)

evasive [ivej'sivv] **ung** young [jang]; *de unga* the young [ðə jang']; *vid unga år* early in life [ə:'li inn laj'f] **ungdom** youth [jo:θ]; *ungdomar* young people [jang' pi:'pl] **ungdomlig** youthful [jo:'θfoll] **ungdomsbrottslighet** juvenile delinquency [dsjo:'vinajl diling'kwənsi] **ungdomsböcker** juvenile books [dsjo:'vinajl bokks] **ungdomsgård** youth centre [jo:'θ senn'tə] **unge** young [jang]; *(barn-)* kid [kidd] **ungefär** about [əbao't]; *på ett ungefär* approximately [əprəkk'simittli] **ungefärlig** approximate [əprəkk'simitt] **Ungern** Hungary [hang'gəri] **ungersk** Hungarian [hanggä:'əriən] **unghäst** colt [kåolt] **ungkarl** bachelor [bätt sjələ] **ungmö** maid [mejd] **ungrare** Hungarian [hanggä:'ə-riən] **uniform** uniform [jo:'nifå:m] **uniformera** make ... uniform [mej'k jo:'nifå:m] **unik** unique [jo:ni:'k] **union** union [jo:'njən] **unison** unison [jo:'nizzn] **universalmedel** cure-all [kjo:'ərå:'l] **universell** universal [jo:nivə:'səl] **universitet** university [jo:-nivə:'sitti] **universitetsexamen** university degree [jo:nivə:'sitti digri:'] **universitetsstuderande** university student [jo:nivə:'-sitti stjo:'dənt], undergraduate [anndəgrädd'joitt] **universum** universe [jo:'nivə:s] **unken** musty [mass'ti] **unna** *unna ngn ngt* not grudge s.b. s.th. [nått gradd'sj samm'bədi samm'θing]; *det är honom väl unt* he is very welcome to it [hi: izz verr'i well'kəm to: itt] **uns** ounce [aons] **upp** up [app]; *låsa upp* unlock [ann'låkk']; *packa upp* unpack [ann'päkk']; *upp ur* out of [ao't əvv] **uppackning** unpacking [ann'päkk'ing] **uppassare** waiter [wej'tə] **uppassning** attendance [ətenn'dəns] **uppbjuda** muster [mass'tə] **uppbjudande** *med uppbjudande av alla sina krafter* exerting all one's strength [iggzə:'ting å:'l wannz streng'θ] **uppblåsbar** inflatable [innflej'təbl] **uppblåst** inflated [innflej'tidd]; *(bildl. vard.)* stuck-up [stakk'app'] **uppbragt** indignant [inn-digg'nənt] **uppbringa** *(skaffa)* procure [prəkjo:'ə] **uppbrott** breaking-up [brej'kingapp'] **uppbrottsstämning** breaking-up mood [brej'kingapp' mo:'d] **uppbyggelse** edification [eddifikej'-sjən] **uppbygglig** edifying [edd'ifajing] **uppbyggnadsarbete** reconstruction [ri:'kənstrakk'sjən] **uppbåd** *(skara)* troop [tro:p] *(mil.)* levy [levv'i] **uppbåda** call out [kå:'l ao't] **uppbära** *(erhålla)* receive [risi:'v]; *uppbära kritik* come in for criticism [kamm' inn' få: kritt'isizzəm] **uppbörd** collection [kəlekk'sjən] **uppbördsverk** inland revenue office [inn'lənd revv'innjo: åff'iss] **uppdaga** discover [disskavv'ə] **uppdela** divide (up) [divaj'd (app')] **uppdelning** division [divisj'ən] **uppdiktad** invented [innvenn'tidd] **uppdrag** commission [kəmisj'ən]; *på uppdrag av* at the request of [ätt ðə rikwess't əvv]; *få i uppdrag att göra ngt* be instructed to do s.th. [bi: innstrakk'tidd tə do:' samm'θing] **uppdragsgivare** principal [prinn'səpəl] **uppe** up [app] **uppehåll** interruption [inntərapp'sjən]; *(tågs)* stop [ståpp]; *(vistelse)* stay [stej] **uppehålla** *(hindra)* keep [ki:p]; *(hålla uppe)* keep up [ki:'p app']; *uppehålla sig* stay [stej] **uppehållstillstånd** residence permit [rezz´idəns pə:´mitt] **uppehållsväder** dry weather [draj´ weð´ə] **uppehälle** subsistence [səbsiss´təns]; *fritt uppehälle* free board and lodging [fri:´ bå:´d ənn lådd´ɡiŋ]; *fortjäna sitt uppehälle* earn one's living [ə:´n wannz livv´iŋ] **uppenbar** obvious [åbb´viəs] **uppenbara** reveal [rivi:´l] **uppenbarelse-boken** Revelation [revvilej´sjən] **uppenbarligen** obviously [åbb-viəsli] **uppfart** (*väg*) approach [əpråo´tsj] **uppfatta** comprehend [kåmmprihenn´d] **uppfattning** apprehension [äpprihenn´sjən]; *bilda sig en uppfattning om* form an opinion of [få:´m ənn əpinn´jən əvv] **uppfinna** invent [innvenn´t] **uppfinnare** inventor [innvenn´tə] **uppfinning** invention [innvenn´sjən] **uppfinningsrik** inventive [inn-venn´tivv] **uppfostra** bring up [briŋ´ app´]; *illa uppfostrad* badly brought up [bädd´li brå:´t app´] **uppfostran** education [eddjo:kej´sjən] **uppfostringsanstalt** reformatory [rifå:´mətəri] **uppfriska** freshen up [fresj´n app´] **uppfylla** fulfil [follfill´] **uppfyllelse** *gå i uppfyllelse* come true [kamm´ tro:´] **uppföda** bring up [briŋ´ app´] **uppfödare** breeder [bri:´də] **uppför** uphill [app´hill´]; *uppför backen* up the hill [app´ ðə hill´] **uppföra** (*bygga*) build [billd], (*teater, musik*) perform [pəfå:´m]; *uppföra sig* behave [bihej´v] **uppförande** (*beteende*) behaviour [bihej´v-jə] **uppförsbacke** ascent [əsenn´t] **uppge** (*meddela*) state [stejt], (*avstå från*) give up [givv´ app´] **uppgift** (*meddelande*) statement [stej´tmənt]; (*upplysning*) information [innfəmej´sjən]; (*åliggande*) task [ta:sk]; (*i examen*) question [kwess´tsjən], problem [pråbb´ləm], exercise [ekk´səsajz] **uppgå** amount [ə-mao´nt] (*till* to [to:]) **uppgång** (*väg*) way up [wej´ app´]; (*trapp-*) stairs [stä:´əz], (*ökning*) rise [rajz] **uppgörelse** agreement [əgri:´mənt]; *uppgörelse i godo* amicable settlement [ämm´ikəbl sett´lmənt] **upphandling** purchase [pə:´tsjəs] **upphetsa** excite [ikksaj´t] **upphetsande** exciting [ikksaj´tiŋ] **upphetta** heat [hi:t] **upphittare** finder [faj´ndə] **upphov** origin [årr´idsjinn] **upphovsman** originator [əridd´sjinejtə] **upphällning** *vara på upphällningen* be on the decline [bi: ånn ðə diklaj´n] **upphäva** cancel [känn´səl] **upphöja** raise [rejz] **upphöra** cease [si:s]; *firman har upphört* the firm has closed down [ðə fə:´m häzz klåo´zd dao´n] **uppifrån** from above [fråmm əbavv´] **uppiggande** stimulating [stimm´jolejtiŋ] **uppjagad** (over)excited [(åo´vər)-ikksaj´tidd] **uppknäppt** unbuttoned [ann´batt´nd] **uppkomling** upstart [app´sta:t] **uppkomma** arise [əraj´z] **uppkomst** origin [årr´idsjinn] **uppkäftig** cheeky [tsji:´ki] **uppköp** purchase [pə:´tsjəs] **uppladdning** charge [tsja:dsj] **upplag** store [stå:] **upplaga** edition [idisj´ən] **upplagd** (*om t.ex. fartyg*) laid up [lej´d app´]; (*hågad*) inclined [innklaj´nd] **uppleva** experience [ikkspi:´əriəns]; (*bevittna*) witness [witt´niss] **upplevelse** experience [ikkspi:´ə-riəns] **uppliva** renew [rinjo:´]; *uppliva gamla minnen* revive old memories [rivaj´v åo´ld memm´əriz] **upplopp** riot [raj´ət]; (*sport.*)

finish [finn'isj] **upplupen ränta** accrued interest [əkro:'d inn'-trisst] **upplysa** enlighten [innlaj'tn] **upplysande** informative [innfå:'mətivv] **upplysning** information [innfəmej'sjən]; *en upplysning* a piece of information [ə pi:'s əvv infəmej'sjən]; *upplysningar* information [innfəmej'sjən] **upplysningstiden** the Age of Enlightenment [ði ej'dsj əvv innlaj'tnmənt] **upplysningsvis** by way of information [baj wej' əvv innfəmej'sjən] **upplyst** illuminated [illjo:'minejtidd]; (*bildl.*) enlightened [innlaj'tnd] **upplåta** make available [mej'k əvej'ləbl] **upplåtelse** grant [gra:nt] **uppläggning** (*planering*) planning [plänn'ing]; (*anordning*) disposition [disspəzisj'ən] **upplösa** dissolve [dizåll'v] **uppmana, uppmaning** request [rikwess't] **uppmjuka** make ... soft [mej'k såff't] **uppmjukning** (*sport.*) limbering-up [limm'bəringapp'] **uppmuntra** encourage [innkarr'iddsj] **uppmuntrande** encouraging [innkarr'iddsjing] **uppmärksam** attentive [ətenn'tivv] **uppmärksamhet** attention [ətenn'sjən]; *rikta ngns uppmärksamhet på* call a p.'s attention to [kå:'l ə pə:'snz ətenn'sjən to:]; *ägna uppmärksamhet åt* give attention to [givv' ətenn'sjən to:] **uppmärksamma** notice [nåo'tiss] **uppnå** reach [ri:tsj] **uppnäsa** snub nose [snabb' nåoz] **uppochnedvänd** upside down [app'-sajd dao'n] **uppoffra, uppoffring** sacrifice [säkk'rifajs] **upprepa** repeat [ripi:'t]; *upprepade gånger* repeatedly [ripi:'tiddli] **upprepning** repetition [reppitisj'ən] **uppretad** irritated [irr'itejtidd] **uppriktig** sincere [sinnsi:'ə] **uppriktighet** sincerity [sinnserr'itti] **uppriktigt** sincerely [sinnsi:'əli]; *uppriktigt sagt* candidly [känn'diddli] **upprinnelse** origin [årr'idsjinn] **uppriven** worked up [wə:'kt app'] **upprop** (*vädjan*) appeal [əpi:'l] **uppror** revolt [rivåo'lt] **upprustning** rearmament [ri:'a:'məmənt] **uppryckning** shaking-up [sjej'kingapp'] **upprymd** exhilarated [iggzill'ərejtidd] **uppräkning** enumeration [injo:mərej'sjən] **upprätt** upright [app'raj't] **upprätta** (*grunda*) found [faond]; (*skrivelse*) draw up [drå:' app']; (*rehabilitera*) rehabilitate [ri:əbill'itejt] **upprättelse** redress [ridress'] **upprätthålla** maintain [mejntej'n] **upprörande** shocking [sjåkk'ing] **upprörd** upset [appsett'] **uppsagd** (*om hyresgäst, personal*) under notice [ann'də nåo'tiss] **uppsats** essay [ess'ej]; (*skol-*) composition [kåmmpəzisj'ən] **uppsatt** *en högt uppsatt person* a person of high station [ə pə:'sn əvv haj' stej'sjən] **uppseende** attention [ətenn'sjən] **uppseendeväckande** sensational [sennsej'sjənl] **uppsikt** supervision [s-jo:pəvisj'ən] **uppskatta** (*beräkna*) estimate [ess'timejt]; (*sätta värde på*) appreciate [əpri:'sjiejt] **uppskattning** estimation [esstimej'sjən] **uppskattningsvis** approximately [əprăkk'simittli] **uppskjuta** put off [pott å:'f] **uppskov** postponement [påsstpåo'nmənt]; *begära uppskov* apply for a term of respite [əplaj' få:' ə tə:'m əvv ress'pajt]; *bevilja uppskov* grant a respite [gra:'nt ə ress'pajt] **uppskrämd** startled [sta:'tld] **uppskörtning** swindle [swinn'dl] **uppslag** idea [ajdi:'ə]; (*på*

177

uppslagsbok — urlakad

kläder) facing [fej'sing]; (*i bok*) opening [åo'pning] **uppslagsbok** reference book [reff'rəns bokk] **uppslagsord** entry [enn'tri] **uppslitande** heart-rending [ha:'trennding] **uppsluka** devour [divao'ə]; *ett allt uppslukande intresse* an all-absorbing interest [ənn å:'ləbbså:'bing inn'trisst] **uppsluppen** in high spirits [inn haj' spirr'itts] **uppsnappa** snatch up [snätt'sj app'] **uppspärrad** wide open [waj'd åo'pən] **uppstoppad** stuffed [stafft] **uppstudsig** refractory [rifräkk'təri] **uppstyltad** stilted [still'tidd] **uppstå** arise [əraj'z] **uppståndelse** excitement [ikksaj'tmənt]; (*från de döda*) resurrection [rezzərekk'sjən] **uppställa** *uppställa regler* lay down rules [lej' dao'n ro:'lz]; *uppställa ... som villkor* state ... as a condition [stej't äzz ə kəndisj'ən] **uppställning** arrangement [ərej'ndsjmənt]; (*lista*) list [lisst] **uppsving** upswing [app'swing] **uppsvälld** swollen [swåo'lən] **uppsyn** look [lokk] **uppsyningsman** overseer [åo'vəsi:ə] **uppsåt** intention [inntenn'sjən] **uppsåtlig** intentional [inntenn'sjənl]; wilful [will'foll] **uppsåtligen** purposely [pə:'pəsli] **uppsägning, uppsägningstid** notice [nåo'tiss] **uppsättning** (*sats*) set [sett]; (*teater- o. film-*) production [prədakk'sjən] **uppsöka** (*leta reda på*) seek out [si:'k ao't]; (*besöka*) go to see [gåo' tə si:'] **uppta** take up [tej'k app'] **upptagen** (*sysselsatt*) occupied [åkk'jopajd]; *jag är upptagen på eftermiddagen i morgon* I am engaged tomorrow afternoon [aj ämm inngej'dsjd təmärr'åo a:'ftəno:'n]; (*om telefonnummer*) engaged [inngej'dsjd] **upptakt** (*bildl.*) prelude [prell'jo:d] **upptill** at the top [ätt ðə tåpp'] **uppträda** appear [əpi:'ə]; (*uppföra sig*) behave [bihej'v] **uppträdande** (*framträdande*) appearance [əpi:'ərəns]; (*beteende*) behaviour [bihej'vjə] **uppträde** scene [si:n] **upptåg** prank [prängk] **upptäcka** discover [disskavv'ə] **upptäckt** discovery [disskavv'əri] **upptäcktsresa** expedition [ekkspidisj'ən] **upptäcktsresande** explorer [ikksplå:'rə] **upptänklig** conceivable [kənsi:'vəbl] **uppvaknande** awakening [əwej'kning] **uppvakta** (*hylla*) congratulate [kəngrätt'jolejt] **uppvaktning** (*visit*) call [kå:l] **uppvigla** stir ... up [stə:' app'] **uppviglare** agitator [ädd'sjitejtə] **uppvisa, uppvisning** show [sjåo] **uppvuxen** grown up [gråo'n app'] **uppväcka** raise [rejz] **uppväga** (counter)balance [(kaontə)bäll'əns] **uppväxttid** adolescence [äddåoless'ns] **uppåt** upward(s) [app'wəd(z)]; *uppåt floden* up the river [app' ðə rivv'ə] **uppöva** train [trejn] **ur 1** (*prep.*) out of [ao't əvv] **2** (*subst.*) watch [wåttsj]; (*större*) clock [klåkk]; *fröken Ur* speaking clock [spi:'king klåkk'] **uran** uranium [joərej'njəm] **urarta** degenerate [didsjenn'ərejt] **urblekt** faded [fej'didd] **urgammal** extremely old [ikkstri:'mli åo'ld] **urholka** hollow [håll'åo] **urin** urine [jo:'ərinn] **urinblåsa** bladder [blädd'ə] **urin(ne)vånare** original inhabitant [əridd'sjənl innhäbb'itənt] **urinprov** specimen of urine [spess'iminn əvv jo:'ərinn] **urklipp** cutting [katt'ing] **urkund** document [dåkk'jomənt] **urladda** discharge [disstsja:'dsj] **urlakad** ex-

hausted [iggzå:'stidd] **urmakare** watchmaker [wått'sjmejkə]
urminnes immemorial [immimå:'riəl] **urna** urn [ə:n] **urpremiär**
first performance [fə:'st pəfå:'məns] **urringad** low-necked [låo'-
nekk't] **urringning** low neck [låo' nekk'] **ursinnig** furious
[fjo:'əriəs] **urskilja** discern [disə:'n] **urskillning** discrimination
[disskrimminej'sjən] **urskog** primeval forest [prajmi:'vəl fårr'isst]
urskulda excuse [ikkskjo:'z] **ursprung** origin [årr'idsjinn] **ur-**
sprunglig original [əridd'sjənl] **ursprungligen** originally [ə-
ridd'sjnəli] **urspåring** derailment [direj'lmənt] **ursäkt** excuse
[ikkskjo:'s]; *be* (*ngn*) *om ursäkt* apologize (to s.b.) [əpåll'-
ədsjajz (to: samm'bədi)] **ursäkta** excuse [ikkskjo:'s]; *ursäkta!*
excuse me! [ikkskjo:'s mi:]; *ursäkta att jag säger det* excuse my
saying so [ikkskjo:'s maj' sej'ing såo] **urtag** (*elektr.*) socket
[såkk'itt] **urtavla** dial [daj'əl] **uruppförande** first performance
[fə:'st pəfå:'məns] **urusel** extremely bad [ikkstri:'mli bädd']
urval choice [tsjåjs]; *naturligt urval* natural selection [nätt'sjrəl
silekk'sjən] **urverk** works of a clock [wə:'ks əvv ə klåkk']; *som
ett urverk* like clockwork [laj'k klåkk'wa:k] **urvuxen** outgrown
[aotgråo'n] **USA** the U.S.(A) [ðə jo:'ess' (ej')] **usel** wretched
[rett'sjidd] **ut** out [aot]; *år ut och år in* year in year out
[jə:' inn' jə:' ao't]; *vända ut och in på* turn ... inside out [tə:'n
inn'sajd ao't] **utan** (*prep.*) without [wiðao't]; *utan arbete* out of
work [ao't əvv wə:'k]; *utan vidare* just like that [dsjass't lajk ðätt'];
(*konj.*) but [batt]; *icke blott utan även* not only ... but (also)
[nått åo'nli batt (å:'lsåo)] **utandning** expiration [ekkspajərej'-
sjən] **utanför, utanpå** outside [ao'tsaj'd] **utantill** by heart
[baj ha:'t] **utarbeta** work out [wə:'k ao't] **utarbetande** prepara-
tion [preppərej'sjən] **utarmad** destitute [dess'titjo:t] **utbetal-**
ning payment [pej'mənt] **utbilda** train [trejn]; (*undervisa*) in-
struct [innstrakk't]; (*uppfostra*) educate [edd'jo:kejt]; *utbilda sig
till läkare* study to become a doctor [stadd'i tə bikamm' ə dåkk'tə];
study medicine [stadd'i medd'sinn] *utbilda sig till sångare* train
o.s. to become a singer [trej'n wannsell'f tə bikamm' ə sing'ə]
utbildad trained [trejnd] **utbildning** training [trej'ning]; (*under-
visning*) instruction [innstrakk'sjən]; (*uppfostran*) education [edd-
jo:kej'sjən] **utblick** view [vjo:] **utblottad** destitute [dess'titjo:t]
utbreda sig spread [spredd] **utbredning** extension [ikkstenn'-
sjən] **utbringa** propose [prəpåo'z] (*en skål* a toast [ə tåo'st]);
utbringa ett leve för cheer for [tsji:'ə få:] **utbrista** (*utropa*)
exclaim [ikksklej'm] **utbrott** (*av ilska*) outburst [ao'tbə:st];
(*krigs-*) outbreak [ao'tbrejk] **utbryta** break out [brej'k ao't]
utbud offer (for sale) [åff'ə fə sej'l] **utbuktning** bulge [balldsj]
utbyggnad addition [ədisj'ən] **utbyta** change [tsjejndsj] **ut-**
byte exchange [ikkstsjej'ndsj]; (*behållning*) gain [gejn] **utdela**
distribute [disstribb'jo:t] **utdelning** distribution [disstribjo:'sjən];
(*på aktie*) dividend [divv'idennd] **utdrag** extract [ekk'sträkt]
utdragen drawn out [drå:'n ao't] **utdragssoffa** sofa bed [såo'fə

bedd] **utdriva** drive out [draj'v ao't] **utdöd** extinct [ikksting'kt] **utdöma** (*kassera*) reject [ridsjekk't] **ute** out [aot]; *där ute* out there [ao't ðä:'ə]; *äta ute* dine out [daj'n ao't] **utebli** not turn up [nått tə:'n app'] **utefter** along [əlång'] **utegångsförbud** curfew [kə:'fjo:] **utelämna** leave out [li:'v ao't] **uteservering** open-air restaurant [åo'pnä:'ə ress'tərånnt] **utesluta** exclude [ikksklo:'d]; *det är absolut uteslutet* it is absolutely out of the question [itt izz äbb'səlo:tli ao't əvv ðə kwess'tsjən] **uteslutande** (*adv.*) exclusive(ly) [ikkslo:'sivv(li)] (*subst.*) exclusion [ikksklo:'sjən] **utestängd** shut out [sjatt' ao't] **utexaminerad** graduate [grädd'joitt] **utexperimentera** discover ... by means of experiment [disskavv'ə baj mi:'nz əvv ikksperr'imənt] **utfall** (*resultat*) result [rizall't] **utfalla till belåtenhet** give satisfaction [givv' sättis-fäkk'sjən] **utfart** (*väg ut*) way out [wej' ao't]; (*från stad*) main road [mej'n råo'd] **utfattig** miserably poor [mizz'ərəbli po:'ə] **utflykt** excursion [ikkskə:'sjən] **utfordra** feed [fi:d] **utforma** work out [wə:'k ao't]; (*text e.d.*) draw up [drå:' app'] **utforska** investigate [innvess'tigejt]; (*geografiskt*) explore [ikksplå:'] **ut-fråga** question [kwess'tsjən] **utfärd** excursion [ikkskə:'sjən] **utfärda** issue [iss'jo:] **utfästa** (*belöning*) offer [åff'ə]; *utfästa sig* promise [pråmm'iss] **utfästelse** promise [pråmm'iss] **utför** down [daon] **utföra** carry out [kärr'i ao't] **utförande** carrying out [kärr'iing ao't] **utförbar** practicable [präkk'tikəbl] **utförlig** detailed [di:'teljd] **utförligt** in detail [inn di:'tejl] **utförsbacke** downhill [dao'nhill'] **utförsel** export [ikk'spå:t] **utförsåkning** downhill run [dao'nhill' rann'] **utge** (*bok etc.*) publish [pabb'lisj]; *utge sig för att vara* pretend to be [pritenn'd tə bi:] **utgift** expense [ikkspenn's]; *inkomster och utgifter* income and expenditure [inn'kəm ənnd ikkspenn'dittsjə] **utgivning** (*av bok*) publication [pabblikej'sjən] **utgjutning** extravasation [ekksträvvasej'sjən] **utgrävning** excavation [ekkskəvej'sjən] **utgå** utgå från (*förut-sätta*) suppose [səpåo'z], (*ta som utgångspunkt*) start out from [sta:'t ao't frånm']; *utgå som segrare* come off (a) victor [kamm' å:'f (ə) vikk'tə] **utgående balans** balance carried forward [bäll'əns kärr'idd få:'wəd] **utgång** exit [ekk'sitt]; (*slut*) end [ennd]; (*resultat*) result [rizall't]; (*i kortspel*) game [gejm] **utgångsläge, utgångspunkt** starting-point [sta:'tingpåjnt] **utgåva** edition [idisj'ən] **utgöra** constitute [kånn'stitjo:t]; (*tillsammans*) make up [mej'k app']; (*belöpa sig till*) amount to [əmao'nt to:] **uthus** outhouse [ao'thaos] **uthyrning** letting (out) [lett'ing (aot)] **uthållig** persistent [pəsiss'tənt] **uthållighet** staying power [stej'-ing pao'ə] **uthärda** endure [inndjo:'ə] **utifrån** from outside [frånm ao'tsaj'd] **utjämna** level [levv'l] **utkant** border [bå:'də] **utkast** draft [dra:ft] **utkastare** (*ordningsvakt*) chucker-out [tsjakk'əraot] **utkik** look-out [lokk'ao't] **utklassa** outclass [aotkla:'s] **utklädd** dressed up [dress't app'] (*till* as [äzz ə]) **utkristallisera** crystallize [kriss'təlajz] **utkvittera** receipt (and

receive) [risi:'t (ənn risi:'v)] **utkämpa** fight (out) [faj't (ao't)]
utlandet abroad [əbrå:'d]; *från utlandet* from abroad [fråmm
əbrå:'d] **utlandsvistelse** stay abroad [stej' əbrå:'d] **utlopp**
(*utflöde*) outflow [ao'tflåo]; *ge utlopp åt* give vent to [givv'
venn't to:] **utlova** promise [pråmm'iss] **utlysa** give notice of
[givv' nåo'tiss əvv]; *utlysa strejk* call a strike [kå:'l ə strajk]
utlåning lending [lenn'ding] **utlåningsränta** lending rate
[lenn'ding rejt] **utlåtande** statement [stej'tmənt] **utlägg** expense
[ikkspenn's] **utläggning** (*förklaring*) comments (*pl*) [kåmm'ents]
utlämna give out [givv' ao't]; *känna sig utlämnad* feel deserted
[fi:'l dizə:'tidd] **utlämning** (*av brottsling*) extradition [ekkstrə-
disj'ən] **utländsk** foreign [fårr'inn] **utlänning** foreigner [fårr'-
innə] **utlösa** (*frigöra*) release [rili:'s]; (*framkalla*) bring about
[bring' əbao't] **utmana** challenge [tsjäll'inndsj] **utmanande**
provocative [prəvåkk'ətivv] **utmaning** challenge [tsjäll'inndsj]
utmanövrera outman(o)euvre [aotməno:'və] **utmattad** exhaust-
ed [iggzå:'stidd] **utmed** along [əlång'] **utmejsla** chisel [tsjizz'l]
utmynna (*om flod*) discarge [disstsjə:'dsj]; (*om gata o.d.*)
open out [åo'pən ao't]; *utmynna i* (*bildl.*) result in [rizall't inn]
utmärglad emaciate [d [imej'sjiejt(idd)] **utmärka** (*sätta märke*
vid) mark (out) [ma:'k (ao't)]; *utmärka sig* distinguish o.s.
[dissting'gwisj wənnsell'f] **utmärkande** characteristic [kärrikk-
riss'tikk] **utmärkelse** distinction [dissting'ksjən] **utmärkt** ex-
cellent [ekk'sələnt] **utmätning** distraint [disstrej'nt] **utmönstra**
(*kassera*) reject [ridsjekk't] **utnyttja** utilize [jo:'tilajz]; (*t. egen*
fördel) take advantage of [tej'k əddva:'ntiddsj əvv] **utnämna**
appoint [əpåj'nt] **utnött** worn out [wå:'n ao't] **utom** (*med*
undantag av) except [ikksepp't]; (*utanför*) outside [ao'tsajd];
alla utom jag all except me [å:'l ikksepp't mi:']; *ingen utom jag*
no one but me [nåo' wann batt' mi:'] **utombordsmotor** out-
board motor [ao'tbå:d måo'tə] **utomhus** outdoors [ao'tdå:'z]
utomlands abroad [əbrå:'d] **utomlandsvistelse** stay abroad
[stej' əbrå:'d] **utomordentlig** extraordinary [ikkstrå:'dnri] **utom-**
ordentligt extraordinarily [ikkstrå:'dnrili] **utomstående** *en utom-*
stående an outsider [ənn ao'tsajdə] **utomäktenskaplig** extra-
marital [ekk'strəmərəj'tl] **utopi** utopia [jo:tåo'pjə] **utopisk** uto-
pian [jo:tåo'pjən] **utorgan** output device [ao'tpott divaj's] **ut-**
peka point out [påj'nt ao't] **utplåna** obliterate [əblitt'ərejt] **ut-**
post outpost [ao'tpåost] **utpostera** station [stej'sjən] **utpress-**
ning blackmail [bläkk'mejl] **utprickning** beaconage [bi:'kəniddsj]
utprova test [tesst] **utpräglad** pronounced [prənao'nst] **utran-**
gera discard [disska:'d] **utreda** investigate [innvess'tigejt] **ut-**
redning investigation [innvesstigej'sjən]; *offentliga utredningar*
official reports [əfisj'əl ripå:'ts] **utrensning** purge [pə:dsj]
utresetillstånd exit permit [ekk'sitt pə:'mitt] **utrikesdeparte-**
mentet the Ministry for Foreign Affairs [ðə minn'isstri få: fårr'inn
əfä:'əz], (*i England*) Foreign Office [fårr'inn åff'iss], (*i USA*) the

State Department [ðə stejˈt dipaːˈtmənt] **utrikeshandel** foreign trade [fårrˈinn trejd] **utrikesminister** Foreign Minister [fårrˈinn minnˈisstə], (*i England*) Foreign Secretary [fårrˈinn sekkˈrətri], (*i USA*) Secretary of State [sekkˈrətri əvv stejˈt] **utrikespolitik** foreign politics [fårrˈinn pållˈitikks] **utrop** exclamation [ekksklə-mejˈsjən] **utropa** exclaim [ikksklejˈm] **utropstecken** exclamation mark [ekkskləmejˈsjən maːˈk] **utrusta** equip [ikwippˈ] **utrustning** equipment [ikwippˈmənt] **utrymma** vacate [vəˈkejt] **utrymme** space [spejs] **uträkning** calculation [källkjolejˈsjən] **uträtta** do [doːˈ]; *uträtta ett uppdrag* carry out a commission [kärrˈi aoˈt ə kəmisjˈən]; *uträtta ett ärende* go on an errand [gåoˈ ånn ənn errˈənd] **utröna** find out [fajˈnd aoˈt] **utsaga** statement [stejˈtmənt] **utsatt** (*fastställd*) appointed [əpåjˈntidd] (*blottställd*) exposed [ikkspåoˈzd]; *utsatt för kritik* subjected to criticism [sabbˈdsjikktid toː krittˈisizzəm] **utse** select [silekkˈt] **utseende** appearance [əpiˈərəns]; (*persons*) looks [lokks] **utsida** outside [aoˈtsajˈd] **utsikt** view [vjoː]; (*bildl.*) chance [tsjaːns]; *ha alla utsikter* have every chance of [hävvˈ evvˈri tsjaːˈns əvv] **utsikts-torn** outlook tower [aoˈtlokk taoˈə] **utskeppa** ship [sjipp] **utskjutande** projecting [prədsjekkˈting] **utskott 1** (*dålig vara*) throw-outs [θråoˈaots] **2** (*kommitté*) committee [kəmittˈi] **utskrattad** laughed to scorn [laːˈft tə skåːˈn] **utskrift** clean copy [kliːˈn kåppˈi] **utslag** (*beslut*) decision [disisjˈən]; (*jurys*) verdict [vəˈdikkt]; (*på huden*) rash [räsj]; (*på våg*) turn of the scales [təˈn əvv ðə skejˈlz]; (*resultat*) result [rizallˈt]; *ett utslag av dåligt humör* a manifestation of bad temper [ə mannˈifesstejˈsjən əvv bäddˈ temmˈpə] **utslagen** (*om blomma*) in blossom [inn blåssˈəm]; (*om träd*) in leaf [inn liːˈf]; (*om hår*) brushed out [brasjˈt aoˈt]; (*utspilld*) spilt [spillt]; (*sport.*) eliminated [ilimmˈinejtidd] **ut-slagsgivande** decisive [disajˈsivv] **utsliten** worn out [wåːˈn aoˈt] **utslunga** hurl out [həːˈl aoˈt] **utsläpp** discharge [dissˈtsjaːˈdsj] **utsmyckning** adornment [ədåːˈnmənt] **utspark** goal kick [gåoˈl kikkˈ] **utspekulerad** studied [staddˈidd] **utspelas** take place [tejˈk plejˈs] **utspisa** cater [kejˈtə] **utspädning** dilution [dajloːˈsjən] **utstaka** stake out [stejˈk aoˈt] **utstråla** radiate [rejˈdiejt] **utsträcka sig** extend [ikkstennˈd] **utsträck-ning** extent [ikkstennˈt]; *i stor utsträckning* to a great extent [toː ə grejˈt ikkstennˈt] **utstuderad** studied [staddˈidd] **utstyrsel** outfit [aoˈtfitt] **utstå** suffer [saffˈə] **utstående** protruding [prətroːˈding] **utställa** show [sjåo]; (*utfärda*) draw [dråː] **ut-ställning** exhibition [ekksibisjˈən] **utstöta** (*utesluta*) expel [ikkspellˈ]; (*ljud*) utter [attˈə] **utsugning** extortion [ikkståːˈsjən] **utsvulten** starved [staːvd] **utsvävningar** excesses [ikksessˈizz] **utså** sow [såo] **utsåld** sold out [såoˈld aoˈt] **utsäde** (*planting-*)seed [(plaːˈnting)siːd] **utsända** send out [sennˈd aoˈt] **utsänd-ning** (*radio-*) transmission [trännzmisjˈən] **utsätta** expose [ikkspåoˈz] (*för to* [toː]) **utsökt** exquisite [ikkskwizitt] **utsöndra** secrete [sikri:'t] **uttag** (*elektr.*) socket [såkk'itt]; (*av pengar*) withdrawal [wiðdrå:'əl] **uttaga** take out [tej'k ao't] **uttagning** selection [silekk'sjən] **utta!** pronunciation [prənannsiej'sjən]; *ha ett bra engelskt uttal* have a good English accent [hävv' ə godd' ing'glisj äkk'sənt] **uttala** pronounce [prənao'ns]; *uttala en önskan* express a wish [ikkspress' ə wisj'] **uttalande** statement [stej'tmənt] **uttalsbeteckning** phonetic notation [fåonett'ikk nåotej'sjən] **uttaxering** levy [levv'i] **utter** otter [ått'ə] **uttryck** expression [ikkspresj'ən] **uttrycka, uttrycklig** express [ikks-press'] **uttrycksfull** expressive [ikkspress'ivv] **uttryckssätt** manner of speaking [männ'ə əvv spi:'king] **uttråkad** bored [bå:d] **utträda** withdraw [wiðdrå:'] (*ur* from [fråmm]) **uttränga** force aside [få:'s əsaj'd] **uttömma** exhaust [iggzå:'st] **uttömmande** exhaustive [iggzå:'stivv] **utvald** chosen [tsjåo'zn] **utvandrare** emigrant [emm'igrənt] **utvandring** emigration [emmigrej'sjən] **utveckla (sig)** develop [divell'əp] **utveckling** development [divell'əpmənt]; (*vetenskaplig term*) evolution [i:vəlo:'sjən] **ut-vecklingsarbete** development work [divell'əpmənt we:k] **ut-vecklingsland** developing country [divell'əping kann'tri] **ut-vecklingslära** theory of evolution [θi:'əri əvv i:vəlo:'sjən] **ut-vecklingsstadium** stage of development [stej'dsj əvv divell'-əpmənt] **utvecklingsstörd** (*mentally*) retarded [(menn'təli) rita:'didd] **utverka** obtain [əbtej'n] **utvidga** expand [ikkspänn'd] **utvidgning** expansion [ikkspänn'sjən] **utvikning** deviation [di:viej'sjən] **utvilad** thoroughly rested [θarr'əli ress'tidd] **ut-vinna** extract [ikksträkk't] **utvisa** (*sport.*) order off [å:'də å:'f]; (*visa*) indicate [inn'dikejt]; (*visa bort*) send out [senn'd ao't] **utvisning** sending out [senn'ding ao't]; (*ishockey*) penalty [penn'lti] **utväg** way out [wej' ao't] **utvälja** select [silekk't] **utvändig** outward [ao'twəd] **utvärtes** *för utvärtes bruk* for external use [få: ekkstə:'nl jo:'s] **utväxt** outgrowth [ao'tgråoθ] **utåt** outward(s) [ao'twəd(z)] **utåtriktad** (*bildl.*) extrovert [ekk'strååvə:t] **utöva** practise [präkk'-tiss]; *utöva kontroll* (*inflytande*) exercise control (influence) [ekk'səsajz kəntråo'l (inn'floəns)] **utöver** beyond [bijånn'd] **uvertyr** overture [åo'vətjo:ə] **vaccin** vaccine [väkk'si:n] **vacci-nation** vaccination [väkksinej'sjən] **vaccinera** vaccinate [väkk'-sinejt] **vacker** beautiful [bjo:'təfoll]; (*om man*) handsome [hänn'səm]; (*söt*) pretty [pritt'i] **vackla** totter [tått'ə] **vad 1** (*pron.*) what [wått]; *jag vet inte vad jag skall göra* I don't know what to do [aj dåo'nt nåo' wått' tə do:']; *vad är det?* what is the matter? [wått' izz ðə mätt'ə]; *vad som helst* anything [enn'iθing]; *vad du är snäll!* how kind you are! [hao kaj'nd jo: a:'] **2** (*subst.*) (*på ben*) calf [ka:f] (*pl* calves [ka:vz]) **3** (*subst.*) (*vad-slagning*) bet [bett]; *slå vad* bet [bett]; *det kan jag slå vad om* I('ll) bet you [aj(ll) bett' jo:] **vada** wade [wejd] **vadare** wader [wej'də] **vadd** wad [wådd]; (*bomulls-*) cotton wool [kått'n woll] **vadmal** rough homespun [raff' håo'mspann] **vag** vague [vejg] **vagel** (*i ögat*) sty [staj] **vagga** (*subst.*) cradle [krej'dl]; (*verb*) rock [råkk] **vagn** carriage [kärr'iddsj]; (*last-*, *gods-*) wag(g)on [wägg'ən]; (*kärra*) cart [ka:t] **vaja** float [flåot] **vajer** cable [kej'bl] **vaka** watch [wåttsj]; (*hålla sig vaken*) stay up [stej' app'] **vaken** awake [əwej'k] **vakna** wake (up) [wej'k (app')] **vaksam** watchful [wått'sjfoll] **vakt** watch [wåttsj]; (*person*) guard [ga:d] **vakta** guard [ga:d] **vaktparad** changing of the guard [tsjej'ndsjing əvv ðə ga:d] **vakuumförpackad** vacuum-packed [väkk'joəmmpäkkt] **val 1** (*fisk*) whale [wejl] **2** (*väljande*) choice [tsjåjs]; (*offentligt*) election [ilekk'sjən]; *allmänna val* general election [dsjenn'ərəl ilekk'sjən] **valack** gelding [gell'ding] **valborgsmässoafton** Walpurgis night [väll-po:'əgiss najt] **walesare** Welshman [well'sjmən] **walesisk** Welsh [wellsj] **valfri** optional [åpp'sjənl] **valfrihet** option [åpp'sjən] **valfångare** whaler [wej'lə] **valhänt** numb [namm]; (*bildl.*) awkward [å:'kwəd] **valk** callus [käll'əs] **valkampanj** election campaign [ilekk'sjən kämmpej'n] **valkrets** constituency [kənstitt'joənsi] **vall 1** bank [bängk] **2** (*slåtter-*) ley [lej]; (*betes-*) pasture [pa:'stsjə] **valla 1** (*verb*) (*boskap*) tend [tennd] **2** (*subst.*) (*skid-*) ski-wax [ski:'wäkks]; (*verb*) wax [wäkks] **vallfart** pilgrimage [pill'grimiddsj] **vallfartsort** shrine [sjrajn] **vallgrav** moat [måot] **vallmo** poppy [påpp'i] **vallöfte** electoral promise [ilekk'tərəl pråmm'iss] **valmanskår** electorate [ilekk'təritt] **valnöt** walnut [wå:'lnət] **valp** pup(py) [papp'(i)] **valpsjuka** canine distemper [kej'najn disstemm'pə] **valresultat** election result [ilekk'sjən rizall't] **valross** walrus [wå:'lrəs] **valrörelse** election campaign [ilekk'sjən kämmpej'n] **vals 1** (*cylinder*) roll(er) [råo'l(ə)] **2** (*dans*) waltz [wå:ls] **valspråk** motto [mått'åo] **valsverk** rolling-mill [råo'lingmill] **valsätt** electoral system [ilekk'tərəl siss'timm] **valthorn** French horn [frenn'tsj hå:'n] **valuta** currency [karr'ənsi]; *utländsk valuta* foreign exchange (currency) [fårr'inn ikksttsjej'ndsj (karr'ənsi)]; *få valuta för* get good value for [gett' godd' väll'jo: få:] **valutabestämmelser** currency regulations [karr'ənsi reggjolej'sjənz] **valv** vault [vå:lt] **valör** value [väll'jo:]; (*på sedlar*) denomination [dinämminej'-sjən] **van** experienced [ikkspi:'əriənst]; *vara* (*bli*) *van vid* be (get) used to [bi: (gett) jo:'zd to:]; *med van hand* with a deft hand [wið ə deff't hänn'd] **vana** (*sed*) custom [kass'təm]; (*persons*) habit [häbb'itt]; (*erfarenhet*) experience [ikkspi:'əriəns] *av gammal vana* by force of habit [baj få:'s əvv häbb'itt] **vandra** wander [wånn'də] **vandrare** wanderer [wånn'dərə] **vandrarhem** youth hostel [jo:'θ håss'təl] **vandring** wandering [wånn'dəring] **vandringspris** challenge prize [tsjall'inndsj prajz] **vanebildande** habit-forming [häbb'ittfå:ming] **vanesak** matter of habit [mätt'ə əvv häbb'itt] **vanför** disabled [dissej'bld] **vanföreställning** wrong idea [rång' ajdi:'ə] **vanhedrande** disgraceful [dissgrej'sfoll]

vanilj vanilla [vənill'ə] **vaniljglass** vanilla ice [vənill'ə aj's]
vankelmod irresolution [irr'ezzəlo:'sjən] **vanlig** ordinary [å:'dnri],
usual [jo:'sjoəl] (*hos* with [wið]), (*ofta förekommande*) common
[kåmm'ən]; *vanligt folk* ordinary people [å:'dnri pi:'pl]; *på vanlig
tid* at the usual time [ätt ðə jo:'sjoəl taj'm]; *ett vanligt fel* a
common mistake [ə kåmm'ən misstej'k] **vanligen, vanligtvis**
usually [jo:'sjoəli] **vanmäktig** vain [vejn] **vanpryda** disfigure
[dissfigg'ə] **vanrykte** disrepute [diss'ripjo:'t] **vansinne** insanity
[innsänn'itti] **vansinnig** insane [innsej'n] **vanskapt** deformed
[difä:'md] **vansklig** hazardous [häzz'ədəs] **vansköta** neglect
[niglekk't] **vante** glove [glavv] **vantolka** misinterpret [miss'inn-
tə:'pritt] **vantrivas** feel ill at ease [fi:'l ill' ätt i:'z], be unhappy
[bi: annhäpp'i] **vantrivsel** discomfort [disskamm'fət] **vanära**
(*subst.*) dishonour [dissånn'ə] **vapen** weapon [wepp'ən]; (*i pl
vanl.*) arms [a:mz]; *bära vapen* carry arms [kärr'i a:'mz] **vapen-
makt** *med vapenmakt* by force of arms [baj få:'s əvv a:'mz]
vapenstillestånd, vapenvila armistice [a:'misstiss] **vapen-
vägrare** conscientious objector [kånnsjienn'sjəs əbdsjekk'tə] **var**
1 (*adv.*) where [wä:ə]; *var som helst* anywhere [enn'iwä:ə]
2 (*pron.*) (*varenda*) every [evv'ri], (*varje särskild*) each [i:tsj];
var fjärde every fourth [evv'ri få:'θ]; *var och en* everybody [evv'-
ribåddi]; *var för sig* each individually [i:'tsj inndividd'joəli]; *de
gick åt var sitt håll* they went their separate ways [ðej' wenn't
ðä:'ə sepp'ritt wej'z] **3** (*subst.*) (*i sår*) pus [pass] **vara 1** (*artikel*)
article [a:'tikkl] *varor* goods [goddz] **2** *ta vara på* take care of
[tej'k kä:'ə əvv] **3** (*verb*) be [bi:]; *att vara eller icke vara* to be or
not to be [tə bi:' å: nått' tə bi:']; *jag är från Sverige* I am from
Sweden [aj ämm fråmm swi:'dn]; *hur är det att bo i London?*
what's it like living in London? [wått's itt laj'k livv'ing inn lann'dən];
var inte dum nu don't be silly now [dåo'nt bi: sill'i nao'] **4** (*räcka*)
last [la:st] **varaktig** lasting [la:'sting] **varandra** each other
[i:'tsj að'ə]; *efter varandra* one after the other [wann' a:'ftə
ði að'ə] **varannan** every other [evv'ri að'ə], every second
[evv'ri sekk'ənd] **varav** from which [främm witt'sj] **vardag**
weekday [wi:'kdej] **vardaglig** everyday [evv'ridej], (*alldaglig*)
commonplace [kåmm'ənplejs] **vardagskläder** everyday clothes
[evv'ridej klåo'ðz] **vardagslag** *i vardagslag* in everyday life [inn
evv'ridej laj'f] **vardagsrum** living-room [livv'ingromm] **vardera**
each [i:tsj]; *på vardera sidan om* on either side of [ånn aj'ðə
sajd əvv] **varefter** after which [a:'ftə witt'sj] **varelse** being
[bi:'ing] **varenda** every [evv'ri] **vare sig** *vare sig du vill eller inte*
whether you want to or not [weð'ə jo: wånn't to: å: nått'] **varför**
why [waj]; (*och därför*) and therefore [ənn ðä:'əfå:] *varför det?*
why? [waj]; *varför inte?* why not? [waj' nått'] **varg** wolf [wollf];
hungrig som en varg ravenous [rävv'inəs] **variant** variant [vä:'ə-
riənt] **variation** variation [vä:əriej'sjən] **variera** vary [vä:'əri]
varieté variety (show) [vərajʹəti (sjåo)]; (*lokal*) music-hall

[mjo:'zikkhå:l] **varifrån** where ... from [wä:'ə fråmm'], from where [fråmm wä:'ə]; *varifrån kommer han?* where does he come from? [wä:'ə dazz hi: kamm' fråmm'] **varje** every [evv'ri]; (*varje särskild*) each [i:tsj]; (*vilken som helst*) any [enn'i]; *i varje fall* in any case [inn enn'i kej's] **varken** neither [naj'ðə] ... *eller* ... nor [nå:]); *han varken ville eller kunde* he neither could nor would [hi: naj'ðə kodd' nå: wodd'] **varlig** gentle [dsjenn'tl] **varm** warm [wä:m]; (*het*) hot [hått]; *varm korv* hot dog [hått' dågg'] **varmbad** hot bath [hått' ba:ð] **varmrätt** hot dish [hått' disj] **varmvatten** hot water [hått' wå:'tə] **varm-vattenkran** hot(-water) tap [hått'(wå:'tə) täpp'] **varna** warn [wå:n] (*för* of [åvv]) *jag varnade henne för att göra det* I warned her not to do it [aj wå:'nd hə: nått' tə do:' itt] **varning** warning [wå:'ning] **varp** (*i väv*) warp [wå:p]; *varp och inslag* warp and weft [wå:'p ənn weff't] **varpå** (*om tid*) whereupon [wä:ərəpånn']; *varpå beror misstaget?* what is the reason for the mistake? [wått' izz ðə ri:'zn få: ðə misstej'k] **vars 1** whose [ho:z] **2** *ja vars* not too bad [nått to:' bädd'] **varsam** cautious [kå:'sjəs] **varse** *bli varse* perceive [pəsi:'v] **varsel** foreboding [få:båo'ding]; (*vid strejk o.d.*) notice [nåo'tiss] **varsko** warn [wå:n] **varsla** (*varsko*) give notice [givv nåo'tiss] **Warszawa** Warsaw [wå:'så:] **vart** where [wa:'ə] **vartill** to (for) which [to: (få:) witt'sj] **vartåt** where [wä:'ə] **varudeklaration** merchandise description [mə:'tsjəndajz disskripp'sjən] **varuhus** department store [di-pa:'tmənt stå:] **varulager** stock [ståkk] **varulv** werewolf [wə:'-wollf] **varumärke** trade mark [trej'd ma:k] **varv 1** (*skepps-*) shipyard [sjipp'ja:d] **2** (*omgång*) turn [tə:n]; (*hjul-*) revolution [revvəlo:'sjən]; (*sport.*) round [raond]; (*vid stickning*) row [råo]; (*lager*) layer [lejj'ə] **varva** put in layers [pott' inn lejj'əz]; (*sport.*) lap [läpp] **varvid** at which [ätt witt'sj] **vas** vase [va:z] **vask** (*avlopp*) sink [singk] **vaska** wash [wåsj] **vass 1** (*subst.*) reed [ri:d]; *i vassen* among the reeds [əmang' ðə ri:'dz] **2** (*adj.*) (*om kniv o. bildl.*) sharp [sja:p], (*egg*) keen [ki:n] **Vatikanen** the Vatican [ðə vätt'ikən] **vatten** water [wå:'tə] **vattendrag** watercourse [wå:'təkå:s] **vattenfall** water-fall [wå:'təfå:l] **vattenfast** water-proof [wå:'təpro:f] **vattenfärg** water-colour [wå:'təkallə] **vattenförorening** water pollution [wå:'tə pəlo:'sjən] **vatten-klosett** water-closet [wå:'təklåzzitt] **vattenkraft** water power [wå:'tə pao'ə] **vattenkraftverk** hydro-electric water power station [haj'dråoilekk'trikk pao'ə stej'sjən] **vattenkran** water-tap [wå:'-tətäpp] **vattenledning** water main [wå:'tə mejn] **vattenpass** spirit level [spirr'itt levvl] **vattenskida** water ski [wå:'tə ski]; *åka vattenskidor* water ski [wå:'tə ski] **vattenturbin** water turbine [wå:'tə tə:'binn] **vattentät** waterproof [wå:'təpro:f] **vattenyta** surface of water [sə:'fiss əvv wå:'tə] **vattenånga** steam [sti:m] **vattkoppor** chicken-pox [tsjikk'innpåkks] **vattna** water [wå:'tə] **vax** wax [wakks] **vaxduk** oilcloth [åj'lklåθ] **ve** *ve dig!* woe betide you! [wåo' bitaj'd jo:']; *ve och fasa!* alack-a-day! [əläkk'ədej] **veck** fold [fåold] **vecka 1** (*verb*) pleat [pli:t] **2** (*subst.*) week [wi:k]; *förra veckan* last week [la:'st wi:'k]; *en gång i veckan* once a week [wann's ə wi:'k]; *om en vecka* in a week [inn ə wi:'k] **veckla** wrap [räpp] (*in i* up in [app' inn]) **veckodag** day of the week [dej' əvv ðə wi:'k] **veckohelg** week-end [wi:'kenn'd] **veckopress** weekly press [wi:'kli press'] **veckoslut** week-end [wi:'kenn'd] **veckotidning** weekly [wi:'k- li] **ved** wood [wodd] **vedbod** woodshed [wodd'sjedd] **vederbörande** the ... in question [ðə inn kwess'tsjən,] *vederbörande myndighet* the proper authority [ðə präpp'ə å:θårr'itti] **vederbörlig** due [djo:]; *i vederbörlig ordning* in due course [inn djo:' kå:'s] **vedergälla** repay [ri:pej'] **vedergällning** retribution [rett- ribjo:'sjən] **vederhäftig** reliable [rilaj'əbl] **vederlag** compensation [kåmmpennsej'sjən] **vederlägga** refute [rifjo:'t] **vedermöda** hardship [ha:'dsjipp] **vedertagen** established [isstäbb'lisjt] **vedervärdig** repulsive [ripall'sivv] **vedträ** log [lågg] **vegetabilisk** vegetable [vedd'sjitəbl] **vegetarian, vegetarisk** vegetarian [veddsjitä:'ariən] **vegetation** vegetation [veddsjitej'sjən] **vek** (*svag*) weak [wi:k]; (*mjuk*) soft [såfft]; (*kanslig*) gentle [dsjenn'tl] **veke** wick [wikk] **vekling** weakling [wi:'kling] **wellpapp** corrugated cardboard [kårr'ogejtidd ka:'dbå:d] **vem** who [ho:]; (*efter prep.*) whom [ho:m]; *vem av dem ...?* which of them ...? [witt'sj əvv ðemm']; *vem som helst* anybody [enn'ibåddi] **vemodig** melancholy [mell'ənkəli] **ven** (*blodkärl*) vein [vejn] **Venedig** Venice [venn'iss] **venerisk sjukdom** venereal disease [vini:'əriəl dizi:'z] **ventil** valve [vällv]; (*för luftväxling*) ventilator [venn'tilejtə] **ventilation** ventilation [venntilej'sjən] **ventilera** ventilate [venn'tilejt] **ventilgummi** valve rubber [vällv rabb'ə] **veranda** veranda [vəränn'də] **verb** verb [və:b] **verifikation** verification [verrifikej'sjən] **verk** (*arbete*) work [wə:k]; (*ämbets-*) office [åff'iss] **verka** work [wə:k]; (*förefalla*) seem [si:m] **verkan** effect [ifekk't]; *orsak och verkan* cause and effect [kå:'z ənd ifekk't]; *göra verkan* take effect [tej'k ifekk't] **verklig** real [ri:'əl] **verkligen** really [ri:'əli]; *jag hoppas verkligen att* I do hope that [aj do:' håo'p ðatt] **verklighet** reality [ri:all'itti] **verklighetsfrämmande** out of touch with realities [ao't əvv tatt'sj wið ri:äll'itizz] **verklighetsskildring** realistic description [riəliss'tikk diskripp'sjən] **verkmästare** supervisor [s-jo:'pəvajzə] **verkningsfull** effective [ifekk'tivv] **verksam** effective [ifekk'tivv]; *ta verksam del i* take an active part in [tej'k ən äkk'tivv pa:'t inn] **verksamhet** activity [äkktivv'itti] **verksamhetsberättelse** annual report [änn'joəl ripå:'t] **verkstad** workshop [wə:'ksjåpp] **verkstadsarbetare** engineering worker [enndsjini:'əring wə:'kə] **verkstadsklubb** trade union branch [trej'd jo:'njən bra:ntsj] **verkställa** carry out [kärr'i ao't] **verkställande** executive [iggzekk'jotivv]; *verkställande direktör* managing director [männ'-

iddsjing direkk'tə], *Am.* president [prezz'idənt]; *vice verkställande direktör* deputy managing director [depp'jotti männ'iddsjing direkk'tə], *Am.* vice president [vaj's prezz'idənt] **verktyg** tool [to:l] **verktygslåda** tool-box [to:'lbåkks] **vernissage** opening of an exhibition [åo'pning əvv ənn ekksibisj'ən] **vers** verse [və:s] **version** version [və:'sjən] **vertikal** vertical [və:'tikəl] **vessla** weasel [wi:'zl] **veta** know [nåo] **vetande** (*kunskap*) knowledge [nåll'iddsj] **vete** wheat [wi:t] **vetebröd** white bread [waj't bredd'] **vetemjöl** wheat-flour [wi:'tflaoə] **vetenskap** science [saj'əns]; *det är en hel vetenskap* it's an art in itself [itt's ənn a:'t inn ittsell'f] **vetenskaplig** scientific [sajəntiff'ikk] **vetenskapsman** scientist [saj'əntisst] **veteran** veteran [vett'ərən] **veterinär** veterinarian [vettrinä:'əriən] **vetgirig** eager to learn [i:'gə to: lə:'n] **veto** veto [vi:'tåo]; *inlägga si:t veto mot* put one's veto on [pott' wannz vi:'tåo ånn] **vetskap** knowledge [nåll'iddsj] **vett** sense [senns]; *med vett och vilja* knowingly [nåo'ingli]; *vara från vettet* be out of one's senses [bi: ao't əvv wannz senn'sizz] **vetta mot** face [fejs] **vettig** sensible [senn'səbl] **vev** crank [krängk] **veva** turn [tə:n] **vevaxel** crankshaft [kräng'ksjə:ft] **vevstake** connecting rod [kənekk'ting rådd'] **whisky** whisky [wiss'ki] **vi** we [vi:]; *vi själva* we ourselves [vi:' aoəsell'vz] **via** via [vaj'ə] **vibration** vibration [vajbrej'sjən] **vibrera** vibrate [vajbrej't] **vice** vice [vajs]; *vice versa* vice versa [vaj'si və:'sə] **vichyvatten** soda water [såo'də wå:tə] **vicka** rock [råkk] **vid 1** (*prep.*) at [ätt]; (*i närheten av*) near [ni:'ə]; *vid behov* when necessary [wenn' ness'isərri] **2** (*adj.*) wide [wajd]; (*om klädesplagg*) loose [lo:s] **vidare** further [fə:'ðə]; *och så vidare* and so on [ənn såo' ånn']; *inget vidare* (*bra etc.*) not very (*good etc.*) [nått verr'i (godd')]; *tills vidare* for the present [få: ðə prezz'nt]; *utan vidare* just like that [dsjass't lajk ðätt'] **vidarebefordra** forward [få:'wəd] **vidarebefordran** *för vidarebefordran till* to be forwarded to [tə bi: få:'wədidd to:] **vidareutbildning** further training [fə:'ðə trej'ning] **vidbränd** burnt [bə:nt] **vidd** (*omfång*) width [widdθ]; *bildl.* extent [ikkstenn't]; (*landskap*) plain [plejn] **vide** willow [will'åo] **vidga** widen [waj'dn]; *vidga sina vyer* broaden one's mind [brå:'dn wannz maj'nd] **vidhålla** insist on [innsiss't ånn] **vidimera** attest [ətess't] **vidkommande** *för mitt vidkommande* as far as I am concerned [äzz fa:' äzz aj' ämm kənsə:'nd] **vidkännas** (*erkänna*) own [åon]; (*lida*) suffer [saff'ə]; *vidkännas kostnaderna* bear the costs [bä:'ə ðə kåss'ts] **vidlyftig** extensive [ikkstenn'sivv] **vidmakthålla** maintain [mejntej'n] **vidrig** (*motbjudande*) repulsive [ripall'sivv]; (*ogynnsam*) adverse [ädd'və:s] **vidräkning** *en skarp vidräkning med* a sharp attack on [ə sja:'p ətäkk' ånn] **vidskepelse** superstition [s-jo:pəstisj'ən] **vidskeplig** superstitious [s-jo:pəstisj'əs] **vidsträckt** extensive [ikkstenn'sivv] **vidsynt** broad-minded [brå:'dmaj'ndidd] **vidtaga** take [tejk] (*åtgärder*) steps [stepps]); make [mejk] (*anstalter* arrangements [ərej'ndsjmənts]); *efter lunchen vidtog* after the lunch followed [a:'ftə ðə lann'tsj fåll'åod] **vidtala** arrange with [ərej'ndsj wið] **vidunder** monster [månn'stə] **vidvinkelobjektiv** wide-angle lens [waj'däng'gl lenn's] **Wien** Vienna [vienn'ə] **wienerbröd** Danish pastry [dej'nisj pej'stri] **wienerschnitzel** Vienna schnitzel [vienn'ə sjnitt'səl] **vifta** wave [wejv] **vig** agile [ädd'sjajl] **viga** (*inviga*) consecrate [kånn'sikrejt]; (*ägna*) dedicate [dedd'ikejt] (*genom vigsel*) marry [märr'i] **vigsel** marriage [märr'iddsj]; *borgerlig* (*kyrklig*) *vigsel* civil (church) marriage [sivv'l (tsjə:'tsj) märr'iddsj] **vigselring** wedding ring [wedd'ing ring] **vigör** vigour [vigg'ə] **vik** bay [bej] **vika** fold [fåold]; (*gå undan*) yield [ji:ld]; *ge vika* give way [givv' wej']; *vika sig* double up [dabb'l app'] **vikarie** deputy [depp'jotti]; (*för lärare*) substitute [sabb'stitjo:t] **vikariera** deputize [depp'jotajz] **viking** Viking [vaj'king] **vikingatiden** the Viking Age [ðə vaj'king ej'dsj] **vikingatåg** Viking raid [vaj'king rejd] **vikt** weight [wejt] **viktig** important [immpå:'tənt] **vila** rest [resst] **vild** wild [wajld] **vilddjur** wild beast [waj'ld bi:'st] **vilde** savage [sävv'iddsj] **vildmark** wilderness [will'dənis] **vildsvin** (wild) boar [(waj'ld) bå:] **vildvin** Virginia creeper [və:dsjinn'iə kri:'pə] **vilja** (*subst.*) will [will]; *av egen fri vilja* of one's own accord [əvv wannz åo'n əkå:'d]; *driva sin vilja igenom* work one's will [wə:'k wannz will']; *få sin vilja igenom* get one's own way [gett' wannz åo'n wej']; *göra ngt med vilja* do s.th. on purpose [do: samm'θing ånn pə:'pəs]; (*verb*) be willing to [bi: will'ing to:]; (*önska*) want to [wånn't to:], wish [wisj]; (*ämna*) be going to [bi: gåo'ing to:]; *vilja ngn väl* wish s.b. well [wisj' samm'bədi well']; *vad vill du att jag skall göra?* what do you want me to do? [wått' do: jo: wånn't mi: tə do:']; *om det vill sig väl* if all goes well [iff å:'l gåoz well'] **viljeansträning** effort of will [eff'ət əvv will'] **viljes** *göra ngn till viljes* do as s.b. wants [do:' äzz samm'bədi wånn'ts] **viljestark** strong-willed [strång'will'd] **viljestyrka** will-power [will'-paoə] **vilken** who [ho:], (*om sak*) which [witt'sj]: *vilken som helst* anyone [enn'iwann], anybody [enn'ibåddi] **villa 1** house [haos] **2** (*villfarelse*) illusion [ilo:'sjən]; **3** (*verb*) *villa bort sig* lose one's way [lo:'z wannz wej'] **villebråd** game [gejm] **villvervalla** confusion [kənfjo:'sjən] **villfara** comply with [kəmplaj' wið] **villfarelse** delusion [dilo:'sjən] **villig** willing [will'ing] **villkor** condition [kəndisj'ən]; *på villkor att* on (the) condition that [ånn (ðə) kəndisj'ən ðätt']; *uppställa ... som villkor* state ... as a condition [stejt' äzz ə kəndisj'ən] **villkorligt** conditionally [kəndisj'nəli]; *villkorligt dömd* (*person*) probationer [prəbej'sjnə] **villospår** *på villospår* on the wrong track [ånn ðə rång' träkk'] **villrådig** irresolute [irezz'əlo:t] **vilsam** restful [ress'tfoll] **vilse** astray [əstrej'] **vilseledande** misleading [missli:'ding] **vilstol** easy chair [i:'zi tjsä:'ə]; (*fällstol*) folding chair [fåo'lding tjsä:'ə]

vilt game [gejm] **vimla** swarm [swå:m] **vimmel** crowd [kraod] **vimmelkantig** giddy [gidd'i] **vimpel** streamer [stri:'mə] **vin, vina** wine [wajn] **vinbär** currant [karr'ənt] **vind 1** (*bläst*) wind [winnd] **2** (*i hus*) attic [ätt'ikk] **3** (*skev*) warped [wå:pt] **vind-flöjel** weathercock [weð'əkåkk] **vindruta** windscreen [winn'd-skri:n] **vindrutespolare** windscreen washer [winn'dskri:n wåsj'ə] **vindrutetorkare** windscreen wiper [winn'dskri:n waj'pə] **vin-druva** grape [grejp] **vindögd** squint-eyed [skwinn'tajd] **vinge** wing [wing] **vingla** stagger [stägg'ə] **vinglig** staggering [stägg'ə-ring] **vingmutter** wing nut [wing' natt] **vingård** vineyard [vinn'jəd] **vinka** wave [wejv] **vinkel** angle [äng'gl]; *spetsig* (*trubbig*) **vinkel** acute (obtuse) angle [əkjo:'t (əbbtjo:'s)' äng'gl] **vinkelhake** set-square [sett'skwä:'ə] **vinkeljärn** angle iron [äng'gl aj'ən] **vinkelrät** at right angles [ätt råj't äng'glz] (*mot* to [to:]) **vinlista** wine-list [waj'nlisst] **vinna** win [winn]; (*skaffa sig*) gain [gejn]; *vinna avsättning för* find a market for [faj'nd ə ma:'kitt få:]; *vinna erkännande* gain recognition [gej'n rekkəgnisj'ən]; *hon vinner i längden* she improves on closer acquaintance [sji: immpro:'vz ånn klåo'sə əkwej'ntəns]; *vinna på bytet* profit by the bargain [pråff'itt baj ðə ba:'ginn] **vinnare** winner [winn'ə] **vinning** snöd vinning sordid gain [så:'didd gejn] **vinningslystnad** greed [gri:d] **vinnlägga sig om att** take pains to [tej'k pej'nz to:] **vinranka** vine [vajn] **vinsch** winch [winntsj] **vinst** gain [gejn]; (*firmas*) profit [pråff'itt]; (*i lotteri*) prize [prajz]; *vinst och förlust* profit and loss [pråff'itt ənn låss']; *ge vinst* yield a profit [ji:'ld ə pråff'itt]; *sälja med vinst* sell at a profit [sell' ätt ə pråff'itt] **vinst- och förlustkonto** profit and loss account [pråff'itt ənn låss' əkao'nt] **vinter** winter [winn'tə]; *i vinter* this winter [ðiss' winn'tə]; *i vintras* last winter [la:'st winn'tə] **vinterdag** winter('s) day [winn'tə(z) dej] **vintergatan** the Milky Way [ðə mill'ki wej'] **vinterkappa, vinterrock** winter coat [winn'tə kåot] **vintersport** winter sports (*pl*) [winn'tə spå:ts] **vinthund** greyhound [grej'haond] **vinäger** wine-vinegar [waj'nvinn'iggə] **viol** violet [vaj'əlitt] **viola** viola [viåo'lə] **violett** violet [vaj'əlitt] **violin** violin [vajəlinn'] **violinist** violinist [vaj'əli-nisst] **violoncell** (violon)cello [(vajələn)tsjell'åo] **vippa** (*på stjärten*) wag(gle) one's tail [wägg'(l) wannz tej'l] **vira** wind [wajnd]; *vira in* wrap up [räpp' app'] **virka** crochet [kråo'sjej] **virke** wood [wodd]; *hyvlat virke* planed wood [plej'nd wodd] **virkning** crochet [kråo'sjej] **virrig** scatter-brained [skätt'əbrejnd]; (*osammanhängande*) disconnected [diss'kənekk'tidd] **virrvarr** muddle [madd'l] **virtuos** (*subst.*) virtuoso [və:tjoåo'zåo]; (*adj.*) masterly [ma:'stəli] **virus** virus [vaj'ərəs] **virussjukdom** virus disease [vaj'ərəs dizi:'z] **virvel, virvla** whirl [wə:l] **vis 1** (*sätt*) way [wej] **2** (*klok*) wise [wajz] **visa 1** (*subst.*) song [sång]; ballad [bäll'əd]; *ord och inga visor* plain words [plej'n wə:'dz] **2** (*verb*) show [sjåo]; *erfarenheten visar* experience proves [ikkspi:'əriəns pro:'vz]; *visa sig vara* turn out (to be) [tə:'n ao't (tə bi:)] **visare** (*på ur*) hand [hännd]; (*på instrument*) pointer [påj'ntə] **visbok** song-book [sång'bokk] **visdom** wisdom [wizz'dəm] **visdomstand** wisdom-tooth [wizz'dəmto:θ] **visent** European bison [joərəpi:'ən baj'sn] **visera** visa [vi:'zə] **vision** vision [visj'ən] **visit** call [kå:l] **visitera** inspect [innspekk't]; (*kropps-*) search [sə:tsj] **viska, viskning** whisper [wiss'pə] **vismut** bismuth [bizz'məθ] **visning** show [sjåo] **vispa** whip [wipp] **vispgrädde** whipped cream [wipp't kri:m] **viss** (*säker*) sure [sjo:'ə], certain [sə:'tn]; *en viss herr A.* a certain Mr. A. [ə sə:'tn miss'tə ej'] **visselpipa** whistle [wiss'l] **vissen** faded [fej'didd] **visserligen ... men** it is true (that) ... but [itt izz tro:' (ðått') batt'] **visshet** certainty [sə:'tnti] **vissla, vissling** whistle [wiss'l] **vissna** fade [fejd] **visst** certainly [sə:'tnli]; *det kan jag visst* of course I can [əvv kå:'s aj känn']; *visst inte* not at all [nått ätt å:'l]; *han har visst rest* he has left, I think [hi: häzz leff't aj θing'k]; *vi har visst träffats förr* I'm sure we must have met before [aj'm sjo:'ə wi: mass't hävv mett' bifå:'] **vissångare** ballad-singer [bäll'əd-singə] **vistas, vistelse** stay [stej] **visum** visa [vi:'zə] **vit** white [wajt] *white (of an egg)* [wajt' (əvv ənn egg')] **vital** vital [vaj'tl] **vitamin** vitamin [vitt'əminn] **vitaminbrist** vitamin deficiency [vitt'əminn difisj'ənsi] **vitaminrik** rich in vitamins [ritt'sj inn vitt'əminnz] **vite** penalty [penn'lti]; *vid vite av 10 pund under (a) penalty of a £10 fine* [ann'də (ə) penn'lti əvv ə tenn' pao'nd faj'n] **vitling** whiting [waj'ting] **vitlök** garlic [ga:'likk] **vitpeppar** white pepper [wajt' pepp'ə] **vits** (*ordlek*) pun [pann]; (*kvickhet*) joke [dsjåok] **vitsa** pun [pann], crack jokes [kräkk' dsjåo'ks] **vitsippa** wood anemone [wodd' ənemm'əni] **vitsord** (*vittnesbörd*) testimonial [tesstimåo'njəl]; (*i betyg*) mark [ma:k]; *Am.* grade [grejd] **vitt 1** white [wajt]; *göra svart till vitt* swear black is white [swä:'ə bläkk' izz wajt'] **2** *vitt och brett* far and wide [fa:' ənn waj'd]; *så vitt jag vet* as far as I know [äzz fa:' äzz aj nåo'] **vittgående** far-reaching [fa:'ri:'tsjing] **vittja** examine [iggzämm'inn] (*nät* nets [netts]) **vittna** (*inför domstol*) witness [witt'niss]; (*intyga*) testify [tess'tifaj] **vittne** witness [witt'niss]; *vara vittne till* witness [witt'niss] **vittnesbörd** testimony [tess'timəni]; *bära falskt vittnesbörd* bear false witness [bä:'ə få:'ls witt'niss] **vittnesmål** evidence [evv'idəns] **vittomfattande** far-reaching [fa:'ri:'tsjing] **vittring** scent [sennt] **vittvätt** white wash(ing) [waj't wåsj'(ing)] **vitöga** *se döden i vitögat* face death [fej's deθ] **vivre** *fritt vivre* free board and lodging [fri:' bå:'d ənn lådd'sjing] **vodka** vodka [vådd'kə] **vokabulär** vocabulary [vəkäbb'joləri] **vokal** vowel [vao'əl] **volang** flounce [flaons] **volt 1** (*luftsprång*) somersault [samm'əså:lt]; *slå en volt* turn a somersault [tə:'n ə samm'əså:lt] **2** (*elektr.*) volt [våolt] **volym** volume [våll'jomm] **vore** were [wə:]; *om jag vore* if I were [iff aj wə:']; *det vore trevligt* it would be nice [itt wodd bi:

naj's] **votera** vote [våot] **votering** vote [våot]; *begära votering* demand a division [dima:'nd ə divisj'ən] (*om* on [ånn]) **vrak** wreck [rekk] **vrakpris** bargain-price [ba:'ginnprajs] **vred 1** (*handtag*) handle [hänn'dl] **2** (*adj.*) wrathful [rå:'θfoll] **vrede** wrath [rå:θ] **vresig** cross [kråss] **vricka** (*stuka*) sprain [sprejn]; *vricka foten* sprain one's ankle [sprej'n wannz äng'kl] **vrida** (*vända, vrida om*) turn [tə:n]; (*hårt*) wring [ring]; (*sno*) twist [twisst] **vrist** ankle [äng'kl] **vrå** corner [kå:'nə] **vråk** buzzard [bazz'əd] **vrål, vråla** roar [rå:] **vrång** disobliging [diss'əblajd'dsjing] **vräka** heave [hi:v]; (*avhysa*) evict [i:vikk't]; *vräka sig i lyx* roll in luxury [råo'l inn lakk'sjəri] **vräkig** ostentatious [åsstenntej'sjəs] **vräkning** eviction [i:vikk'sjən] **vulgär** vulgar [vall'gə] **vulkan** volcano [vållkej'nåo] **vulkanisera** vulcanize [vall'kənajz] **vuxen** grown-up [gråo'napp]; *vara situationen vuxen* be equal to the occasion [bi: i:'kwəl tə ði əkej'sjən] **vuxenundervisning** adult education [ädd'allt eddjo:kej'sjən] **vy** view [vjo:] **vykort** picture postcard [pikk'tsjə påo'stka:d] **våda** *av våda* by misadventure [baj miss'ədvenn'tsjə] **våg 1** balance [bäll'əns]; (*hushålls-*) scales [skejlz] **2** (*vatten-, ljud-*) wave [wejv] **våga** (*tordas*) dare [dä:'ə]; *friskt vågat är hälften vunnet* boldly ventured is half won [båo'ldi venn'tsjəd izz ha:'f wann]; *du skulle bara våga!* you dare! [jo:' dä:'ə]; *våga sitt liv* risk one's life [riss'k wannz laj'f] **vågad** (*riskabel*) risky [riss'ki]; (*frivol*) risqué [ri:'skej] **vågbrytare** breakwater [brej'kwå:tə] **våghalsig** foolhardy [fo:'l-ha:di] **vågig** wavy [wej'vi] **vågrät** horizontal [hårrizonn'tl] **vågskål** scale [skejl] **våld** violence [vaj'ələns]; (*makt*) power [pao'ə]; (*tvång*) force [få:s]; *med våld* by force [baj få:'s]; *göra våld på* violate [vaj'əlejt] **våldsam** violent [vaj'ələnt] **våldsdåd** act of violence [äkk't əvv vaj'ələns] **våldta, våldtäkt** rape [rejp] **vålla** cause [kå:s] **vålnad** ghost [gåost] **vånda** agony [ägg'əni] **våning** (*lägenhet*) flat [flätt], *Am.* apartment [əpa:'tmənt]; *en våning på tre rum och kök* a three-room flat with a kitchen [ə θri:'romm flätt' wið ə kitt'sjinn]; (*1:a, 2:a etc.*) stor(e)y [stå:'ri], floor [flå:]; *på forsta våningen* (*botten-*) on the ground (*Am.* first [fə:st]) floor [ånn ðə grao'nd flå:]; *på andra våningen* (*en trappa upp*) on the first (*Am.* second [sekk'ənd]) floor [ånn ðə fə:st flå:] **våningsbyte** exchange of flats [ikkstsjej'ndsj əvv flätt's] **vår 1** (*pron.*) (*förenat*) our [ao'ə]; (*självst.*) ours [ao'əz] **2** spring [spring]; *i vår* this spring [ðiss' spring']; *i våras* last spring [la:'st spring'] **vård** care [kä:'ə] **vårda** take care of [tej'k kä:'ə əvv] **vårdad** careful [kä:'əfoll]; (*om klädsel*) well-groomed [well'gromm'd]; (*om handstil*) neat [ni:t]; *vårdat språk* correct language [kərekk't läng'gwiddsj] **vårdag** spring day [spring' dej] **vårdagjämning** vernal equinox [və:'nl i:'kwinåkks] **vårdare** (*sjuk-*) (male) nurse [(mej'l) nə:s], attendant [ətenn'dənt] **vårdpersonal** medical staff [medd'ikəl sta:f] **vårdslös** careless [kä:'əliss] **vårdslöshet** carelessness [kä:'əlissniss]

vårkänsla *ha vårkänslor* have the spring feeling [hävv'·ðə spring' fi:'ling] **vårlik** springlike [spring'lajk] **vårta** wart [wå:t] **vårtermin** spring term [spring' tə:m] **våt** wet [wett] **väcka** wake (up) [wej'k (app')]; (*bildl.*) awaken [əwej'kən] **väckarklocka** alarm clock [əla:'m kläkk] **väckning** awakening [əwej'kning]; (*per telefon*) alarm call [əla:'m kå:l]; *får jag be om väckning kl. 6* I should like to be called at 6 [aj sjodd lajk tə bi: kå:'ld ätt sikk's] **väder** weather [weð'ə]; *vad är det för väder?* what is the weather like? [wått izz ðə weð'ə lajk] **väderkvarn** windmill [winn'mill] **väderleksrapport** weather report (forecast) [weð'ə ripå:'t (få:'ka:st)] **väderstreck** point of the compass [påj'nt əvv ðə kamm'pəs] **vädja, vädjan** appeal [əpi:'l] **vädra** air [ä:'ə]; (*få vittring av*) scent [sennt] **väg** road [råod]; (*mer abstr. o. bildl.*) way [wej]; *gå sin väg* go away [gåo' əwej']; *i väg* off [åff']; *ge sig iväg* be off [bi: åff']; *gå till väga* proceed [prəsi:'d] **väga** weigh [wej] **vägarbete** road work [råo'd wə:k] **vägbeläggning** road surface [råo'd sə:'fiss] **vägförbindelse** road communication [råo'd kəmjo:nikej'sjən] **vägg** wall [wå:l] **väggfast** fixed to the wall [fikk'st tə ðə wå:'l] **vägkant** roadside [råo'dsajd] **vägkorsning** crossing [kråss'ing] **vägleda** guide [gajd] **vägledning** guidance [gaj'dəns] **vägmärke** road sign [råo'd sajn] **vägmätare** mileometer [majl'åmm'itə] **vägnar** (*p*)*å ngns vägnar* on behalf of s.b. [ånn biha:'f əvv samm'bədi] **vägning** weighing [wej'ing] **vägra** refuse [rifjo:'z] **vägran** refusal [rifjo:'zəl] **vägskylt** road sign [råo'd sajn] **vägspärr** road block [råo'd blåkk] **vägsträcka** stretch (of a road) [strett'sj (əvv ə råo'd)] **vägvisare** (*person*) guide [gajd]; (*skylt*) sign post [saj'n påost] **väja** make way [mej'k wej] **väl** (*bra*) well [well]; (*alltför*) rather [ra:'ðə]; *det går aldrig väl!* it can't turn out well! [itt ka:'nt tə:n ao't well']; *länge och väl* for ages [få: ej'dsjizz]; *du kommer väl?* I hope you will come! [aj håo'p jo: will kamm']; *det kan väl hända* that's possible [ðätt's påss'əbl]; *så väl som* as well as [äzz well' äzz] **välbefinnande** well-being [well'bi:'ing] **välbehag** complacency [kəmplej'snsi] **välbehållen** safe [sejf] **välbehövlig** badly (much) needed [bädd'li (matt'sj) ni:'didd] **välbärgad** well-to-do [well'-tədo:'] **välde** (*rike*) empire [emm'pajə] (*makt*) domination [dåmminej'sjən] **väldig** huge [hjo:dsj] **välfärdssamhälle** welfare state [well'fä:ə stej't] **välförsedd** well-stocked [well'ståkk't] **välförtjänt** well-deserved [well'dizə:'vd] **välgjord** well-made [well'mej'd] **välgång** prosperity [pråssperr'itti] **välgärning** kind deed [kaj'nd di:'d] **välgörande** (*nyttig*) beneficial [bennifisj'əl]; (*hälsosam*) salutary [säl'jotəri]; *välgörande ändamål* charitable purposes [tsjärr'itəbl pə:'pəsizz] **välgörenhet** charity [tsjärr'itti] **välja** (*ut-*) choose [tsjo:z] (*bland* from [främm]); (*genom röstning*) elect [ilekk't] **väljare** elector [ilekk'tə] **välklädd** well-dressed [well'dress't] **välkommen** welcome [well'kəm] **välkänd**

well-known [well'nåo'n] **välla** gush [gasj] (*fram* forth [få:θ]) **vällevnad** good living [godd' livv'ing] **välling** gruel [gro:'əl] **vällukt** sweet smell [swi:'t smell'] **vällust** voluptuousness [vəlapp'tjəəsniss] **välmenande** well-meaning [well'mi:'ning] **välordnad** well-arranged [well'ərej'ndsjd] **välsedd** acceptable [əksepp'təbl] **välsigna** bless [bless] **välsignelse** blessing [bless'ing] **välsittande** well-fitting [well'fitt'ing] **välskött** well-managed [well'männ'iddsjd] **välstånd** prosperity [pråssperr'itti] **välta** (*stjälpa*) upset [appsett']; (*ramla omkull*) fall over [få:'l åo'və] **vältalig** eloquent [ell'əkwənt] **vältra** roll [råol] **vältränad** well-trained [well'trej'nd] **väluppfostrad** well-bred [well'bredd'] **välva sig** vault [vå:lt] **välvilja** benevolence [binevv'ələns] **välvillig** benevolent [binevv'ələnt] **välväxt** shapely [sjej'pli] **vämjas vid** be disgusted at [bi: dissgass'tidd ätt] **vämjelse** loathing [låo'ðing] **vän** friend [frennd]; *en vän till mig* a friend of mine [ə frenn'd əvv maj'n]; *goda vänner* close friends [klåo's frenn'dz] **vända** turn [tə:n]; *vända på* turn [tə:n]; *vända sig* turn [tə:n]; *vända sig till ngn* (*med fråga e.d.*) address s.b. [ədress' samm'bədi], (*för att få ngt*) apply to s.b. [əplaj' tə samm'bədi] (*för att* for [få:]) **vändkors** turnstile [tə:'nstajl] **vändning** ((*in*)*riktning*) turn [tə:n]; (*förändring*) change [tsjejndsj] **vändpunkt** turning-point [tə:'ningpåjnt] **väninna** girl-friend [gə:'lfrennd] **vänja** accustom [əkass'təm] (*vid* to [to:]); *vänja sig av med att* get out of the habit of [gett ao't əvv ðə häbb'itt əvv] **vänlig** kind [kajnd] (*mot* to [to:]) **vänlighet** kindness [kaj'ndniss] **vänskap** friendship [frenn'dsjipp] **vänskapsmatch** friendly match [frenn'dli mättsj] **vänster** left [lefft]; *till vänster* to the left [tə ðə lefft'] (*om* of [åvv]); *vänstern* the Left [ðə lefft'] **vänsterhänt** left-handed [lefft'hänn'didd] **vänstersida** left-hand page [lefft'thännd pej'dsj] **vänstertrafik** left-hand traffic [lefft'thännd träff'ikk] **vänta** (*förvänta*) expect [ikkspekk't]; (*avvakta*) wait [wejt] (*på* for [få:]); *få vänta* have to wait [hävv' tə wej't]; *låta ngn vänta* keep s.b. waiting [ki:'p samm'bədi wej'ting]; *vänta sig* expect [ikkspekk't] **väntan** wait [wejt]; *i väntan på* while waiting [waj'l wej'ting] **väntelista** waiting list [wej'ting lisst] **väntetid** wait [wej't]; *under väntetiden kan vi* while we are waiting we can [waj'l wi: a: wej'ting wi: känn] **vänthall, väntrum, väntsal** waiting-room [wej'tingromm] **värd 1** (*subst.*) host [håost] **2** (*adj.*) worth [wə:θ]; *det är inte värt att du gör det* you had better not do it [jo: hädd bett'ə nått' do: itt] **värde** value [väll'jo:]; *sätta värde på* (*uppskatta*) appreciate [əpri:'sjiejt] **värdefull** valuable [väll'joəbl] (*för* to [to:]) **värdeföremål** article of value [a:'tikkl əvv väll'jo:] **värdelös** worthless [wə:'θliss] **värdepapper** valuable document [väll'joəbl dåkk'jomənt] **värdera** valuate [väll'jo:] **värdering** valuation [välljoej'sjən] **värdestegring** rise in value [raj'z inn väll'jo:] **värdfolk** *vårt värdfolk* our host and hostess [ao'ə håo'st ənn håo'stiss] **värdig** worthy [wə:'ði];

(*aktningsvärd*) dignified [digg'nifajd] **värdigas** deign to [dej'n to:] **värdighet** dignity [digg'nitti] **värdinna** hostess [håo'stiss] **värdshus** inn [inn] **värdshusvärd** innkeeper [inn'ki:pə] **värja** sword [så:d] **värk, värka** ache [ejk] **värld** world [wə:ld]; *hur i all världen?* how on earth? [hao' ånn ə:'θ]; *förr i världen* formerly [få:'məli] **världsberömd** world-famous [wə:'ldfej'məs] **världsdel** part of the world [pa:'t əvv ðə wə:'ld] **världshav** ocean [åo'sjən] **världshistoria** world history [wə:'ld hiss'təri] **världskarta** map of the world [mäpp' əvv ðə wə:'ld] **världskrig** world war [wə:'ld wå:] **världslig** wordly [wə:'ldli] **världsmästerskap** world championship [wə:'ld tsjämm'pjənsjipp] **världsrekord** world record [wə:'ld rekk'å:d] **världsrymden** outer space [ao'tə spej's] **världsåskådning** ideology [ajdiåll'ədsji] **värma** warm [wå:m]; (*hetta*) heat [hi:t] **värme** warmth [wå:mθ]; (*hetta*) heat [hi:t] **värmebölja** heat wave [hi:t wejv] **värmeelement** (*radiator*) radiator [rej'diejtə]; (*elektriskt*) electric heater [ilekk'trikk hi:'tə] **värmeledning** central heating [senn'trəl hi:'ting] **värmeplatta** hot-plate [hått'plejt] **värnlös** defenceless [difenn'sliss] **värnplikt** *allmän värnplikt* compulsory military service [kəmpall'səri mill'itəri sə:'viss] **värpa** lay eggs [lej' egg'z] **värre** worse [wə:s]; *så mycket värre* so much the worse [såo matt'sj ðə wə:'s] **värst** worst [wə:st]; *i värsta fall* at worst [ätt wə:'st] **värva** secure [sikjo:'ə], *mil.* enlist [innliss't] **väsa** hiss [hiss] **väsen** (*varelse*) being [bi:'ing]; (*buller*) noise [nåjz]; (*ståhej*) fuss [fass] **väsentlig** essential [isenn'sjəl] **väska** bag [bägg]; (*hand-*) handbag [hänn'dbägg]; (*res-*) suitcase [sjo:'tkejs] **väsnas** be noisy [bi: nåj'zi] **vässa** sharpen [sja:'pən] **väst 1** (*plagg*) waistcoat [wej'skåot] **2** (*subst. o. adv.*) (*väderstreck*) west [wesst] **väster** (*väderstreck*) the west [ðə wess't]; *Vilda Västern* the Wild West [ðə waj'ld wess't] **västerlandet** the West [ðə wess't] **västerländsk** western [wess'tən] **Västeuropa** Western Europe [wess'tən jo:'ərəp] **Västindien** the West Indies [ðə wess't inn'dizz] **västkust** west coast [wess't kåost] **västlig** west [wesst]; western [wess'tən]; *västlig vind* westerly wind [wess'təli winnd] **Västtyskland** West(ern) Germany [wess't(ən) dsjə:'məni] **väta** (*subst. o. verb*) wet [wett] **väte** hydrogen [haj'dridsjən] **vätebomb** hydrogen bomb [haj'dridsjən båmm] **vätska** liquid [likk'widd], fluid [flo:'idd] **väv** (*tyg*) fabric [fäbb'rikk]; (*varp*) web [webb] **väva** weave [wi:v] **väved** woven [wåo'vən] **väveri** weaving mill [wi:'ving mill] **vävplast** coated fabric [kåo'tidd fäbb'rikk] **vävstol** loom [lo:m] **växa** grow [gråo]; (*öka*) increase [innkri:'s]; *växa ur* outgrow [aotgråo'] **växel 1** (*bank-*) bill [bill] **2** (*-pengar*) change [tsjejndsj]; (*tekn.*) gear [gi:'ə]; (*telefon-*) exchange [ikkstsjej'ndsj] **växelkurs** rate of exchange [rej't əvv ikkstsjej'ndsj] **växellåda** gearbox [gi:'əbåkks] **växelpengar** change [tsjejndsj] **växelspak** gear lever [gi:'ə li:və] **växelström** alternating current [å:'ltə:nejting karr'ənt]

växelverkan interaction [inntəräkk'sjən] **växla** (pengar) change [tsjejndsj]; (utbyta) exchange [ikkstsjej'ndsj]; (i bil) change gear [tsjej'ndsj gi:ə] **växt** (tillväxt) growth [gråoθ]; (planta) plant [pla:nt] **växthus** greenhouse [gri:'nhaos] **växtlighet** vegetation [veddsjitej'sjən] **vördnad** reverence [revv'ərəns] **vört** wort [wə:t] **xylofon** xylophone [zaj'ləfåon] **yla** howl [haol] **ylle** wool [woll] **yllestrumpa** woollen stocking [woll'inn ståkk'ing] **ylletröja** sweater [swett'ə] **ymnig** abundant [əbann'dənt] **ympa** (gren o.d.) graft [gra:ft] **yngel** brood [bro:d] **yngla** breed [bri:d] **yngling** young man [jang' männ'] **yngre** younger [jang'gə]; (ganska ung) young [jang] **yngst** youngest [jang'gisst] **ynklig** pitiable [pitt'iəbl] **yppa** reveal [rivi:'l]; yppa sig arise [əraj'z] **ypperlig** excellent [ekk'sələnt] **yppig** (om växtlighet) luxuriant [laggzjo:'əriənt]; (om figur) full [foll] **yr** dizzy [dizz'i] **yra** (verb) be delirious [bi: dilirr'iəs]; (virvla) whirl [wə:l] **yrka, yrkande** (begära) demand [dima:'nd] **yrke, yrkesarbete** profession [prəfesj'ən] **yrkeskvinna** professional woman [prəfesj'ənl womm'ən] **yrkesman** craftsman [kra:'ftsmən] **yrkesorientering** vocational guidance [våokej'sjənl gaj'dəns] **yrkesregister** trade register, classified telephone directory [trej'd redd'sjisstə kläss'ifajd tell'ifåon direkk'təri] **yrkessjukdom** occupational disease [åkkjo:pej'sjər.! di:zi:'z] **yrkesskada** industrial injury [inndass'triəl inn'dsjəri] **yrsel** dizziness [dizz'iniss] **yrvaken** drowsy [drao'zi] **yster** frisky [friss'ki] **yta** surface [sə:'fiss] **ytbehandling** finish [finn'isj] **ytlig** superficial [s-jo:pəfisj'əl] **ytmått** square measure [skwä:'ə mesj'ə] **ytter** outside forward [ao'tsaj'd få:'wəd] **ytterdörr** outer door [ao'tə då:] **ytterkläder** outdoor clothes [ao'tdå:klåo'ðz] **ytterlig** extreme [ikkstri:'m]; (fullständig) utter [att'ə] **ytterligare** further [fə:'ðə] **ytterlighet** extreme [ikkstri:'m] **yttermått** outer dimension [ao'tə dimenn'sjən] **ytterrock** overcoat [åo'vəkåot] **ytterst** (längst ut) farthest [fa:'ðisst]; (synnerligen) extremely [ikkstri:'mli] **yttersta** outermost [ao'təmåost]; göra sitt yttersta do one's utmost [do: wannz att'måost] **yttertrappa** steps [stepps] **yttra** utter [att'ə]; yttra sig speak [spi:k] **yttrande** utterance [att'ərəns] **yttrandefrihet** freedom of speech [fri:'dəm əvv spi:'tsj] **yttre** (adj.) (längre ut belägen) outer [ao'tə]; (utvändig) external [ekkstə:'nl]; (subst.) exterior [ekksti:'əriə]; till det yttre externally [ekkstə:'nəli] **yttring** manifestation [männifesstej'sjən] **yvas över** be proud of [bi: prao'd əvv] **yvig** bushy [bosj'i] **yxa** axe [äkks] **yxhugg** blow of an axe [blåo' əvv ənn äkk's] **zenit** zenith [zenn'iθ] **zigenare** gipsy [dsjipp'si] **zigenerska** gipsy woman [dsjipp'si womm'ən] **zink** zinc [zingk] **zon** zone [zåon] **zoologi** zoology [zåoåll'ədsji] **zoologisk trädgård** zoological gardens [zåoålådd'sjikəl ga:'dnz] **å** (small) river [(små:'l) rivv'ə] **åberopa** adduce [ədjo:'s] **åbäka sig** make ridiculous gestures [mej'k ridikk'joləs dsjess'tsjəz]

åbäkig unwieldy [annwi:'ldi] **ådagalägga** show [sjåo] **åder** vein [vejn] **åderbråck** varicose vejn [värr'ikåos vejn] **åderförkalkning** arteriosclerosis [a:ti:'əriåoskliəråo'siss] **ådraga sig** contract [kənträkk't]; catch [kättsj] **åhöra** listen to [liss'n to:] **åhörare** *koll.* audience [å:'djəns] **åjo** (*jo då*) oh yes [åo' jess']; (*tämligen*) fairly [fä:'əlli] **åka** ride [rajd]; (*färdas*) go [gåo]; *åka bort* go away [gåo' əwej]; *åka med* get a lift [gett' ə liff't]; *åka om* overtake [åovətej'k] **åkdon** vehicle [vi:'ikkl] **åker** field [fi:ld] **åklagare** prosecutor [pråss'ikjo:tə] **åkomma** complaint [kəmplej'nt] **åktur** ride [rajd], drive [drajv] **ål** eel [i:l] **åla** crawl [krå:l] **ålder** age [ejdsj]; *hon är i min ålder* she is (about) my age [sji:' izz əbao't] maj' ej'dsj] **ålderdom** old age [åo'ld ejdsj] **ålderdomlig** ancient [ej'nsjənt]; (*gammaldags*) old-fashioned [åo'ldfäsj'ənd] **ålderdomshem** home for the aged [håo'm fə ði ej'dsjd] **ålderdomssvag** decrepit [dikrepp'itt] **åldersskillnad** difference of age [diff'rəns əvv ej'dsj] **åldras** grow old [gråo' åo'ld] **åldrig** old [åold] **åldring** old man (woman) [åo'ld männ'- (womm'ən)] **åligga** be incumbent on [bi: innkamm'bənt ånn] **åliggande** duty [djo:'ti] **ålägga** enjoin [inndsjåj'n] **ånga** (*subst. o. verb*) steam [sti:m] **ångare** steamer [sti:'mə] **ånger** repentance [ripenn'təns] **ångerfull** repentant [ripenn'tənt] **ångest** agony [ägg'əni] **ångpanna** steam boiler [sti:'m båj'lə] **ångra** regret [rigrett']; *ångra sig* be sorry [bi: sårr'i] **ånyo** anew [ənjo:'] **år** year [jə:]; *Gott Nytt År!* Happy New Year [häpp'i njo:' jə:']; *ett halvt år* six months [sikk's mann'θs] **åra** oar [å:] **åratal** *i åratal* for years [få: jə:'z] **årgång** (*av tidskrifter e.d.*) volume [våll'jomm]; (*av vin*) vintage [vinn'-tiddsj] **århundrade** century [senn'tsjorri] **årlig** annual [änn'jəol] **årsinkomst** annual income [änn'jəol inn'kəm] **årslång** yearlong [jə:'låŋg] **årsskifte** turn of the year [tə:'n əvv ðə jə:'] **årstid** season [si:'zn] **årtal** date [dejt] **årtionde** decade [dekk'ejd] **årtull** rowlock [rål'ək] **årtusende** millennium [milenn'iəm] **ås** ridge [riddsj] **åsidosätta** (*ej bry sig om*) disregard [diss'riga:'d]; (*försumma*) neglect [niglekk't] **åsikt** opinion [əpinn'jən]; *enligt min åsikt* in my opinion [inn maj' əpinn'jən] **åsiktsförtryck** suppression of free opinion [səpresj'ən əvv fri:' əpinn'jən] **åska** (*subst. o. verb*) thunder [θann'də]; *det åskar* it is thundering [itt izz θann'dəriŋ] **åskknall** thunderclap [θann'dəkläpp] **åskledare** lightning-conductor [laj'tningkəndakktə] **åskmoln** thundercloud [θann'dəklaod] **åsknedslag** stroke of lightning [stråo'k əvv laj'tniŋ] **åskådare** spectator [spekktej'tə] **åskådlig** (*klar*) clear [kli:'ə]; (*tydlig*) perspicuous [pəspikk'joəs] **åskådliggöra** make … clear [mej'k kli:'ə] **åskådning** opinions [əpinn'jənz] **åsna** donkey [dåŋ'ki] **åstad** off [åff] **åstadkomma** (*få t. stånd*) bring about [briŋ' əbao't]; (*förorsaka*) cause [kå:z]; (*frambringa*) produce [prədjo:'s] **åsyfta** aim at [ej'm ätt] **åsyn** sight [sajt] **åt** to [to:]; *gå åt sidan* step aside [stepp' əsaj'd]; *glad* **åt** happy about [häpp'i əbao't]; *skratta* **åt** laugh at [la:'f ätt] **åtagande** undertaking [anndətej'king] **åtaga sig** undertake [anndətej'k] **åtal** prosecution [pråssikjo:'-sjən] **åtala** prosecute [pråss'ikjo:t] **åter** (*ånyo*) again [əgenn']; (*tillbaka*) back [bäkk] **återbud** excuse [ikkskjo:'s]; *ge* **återbud** send word that one cannot come [senn'd wə:'d ðått wann känn'ått kamm'] **återbäring** dividend [divv'idennd] **återfall** relapse [rilapp's] **återfinna** find ... again [faj'nd əgenn'] **återfå** get ... back [gett' bäkk'] **återförena** reunite [ri:'jo:naj't] **återförening** reunion [ri:jo:'njən] **återförsäljare** retail dealer [ri:'-tejl di:'lə] **återge** (*ge tillbaka*) give back [givv' bäkk']; (*framställa*) reproduce [ri:prədjo:'s] **återgå** go back [gåo' bäkk'] **återgång** return [ritə:'n] **återhållsam** moderate [mådd'əritt] **återkalla** (*ta tillbaka*) cancel [känn'səl] **återkomma, återkomst, återlämna** return [ritə:'n] **återse** ... again [si:' əgenn'] **återseende** meeting again [mi:'ting əgenn']; *på återseende!* see you again! [si:' jo: əgenn'] **återspegla** reflect [riflekk't] **återstod** rest [resst] **återstå** remain [rimej'n]; (*vara kvar*) be left [bi: left't]; *det återstår att se* it remains to be seen [itt rimej'ns tə bi: si:'n] **återställa** restore [ristå:'] **återställare** *en återställare* a hair of the dog [ə hä:'ə əvv ðə dågg] **återta[ga]** take back [tej'k bäkk'] **återtåg** retreat [ritri't] **återuppbyggnad** rebuilding [ri:'bill'ding] **återuppliva** revive [rivaj'v] **återupprätta** re-establish [ri:'is-stäbb'lisj] **återuppta[ga]** resume [rizjo:'m] **återverka** react [ri:-äkk't] **återvinna** win back [winn' bäkk'] **återvända** return [ritə:'n] **återvändsgata** blind alley [blaj'nd äll'i] **åtfölja** accompany [əkamm'pəni] **åtgärd** measure [mesj'ə] **åtkomlig** within reach [wiðinn' ri:'tsj] **åtlöje** ridicule [ridd'ikjo:l] **åtminstone** at least [ätt li:'st] **åtnjuta** enjoy [inndsjåj'] **åtnjutande** enjoyment [inndsjåj'mənt]; *komma i åtnjutande av* come into possession of [kamm' inn'to pəzesj'ən əvv] **åtrå** desire [dizaj'ə] **åtskilliga** several [sevv'rəl] **åtskilligt** a good deal [ə godd' di:'l] **åtskillnad** *göra åtskillnad* make a distinction [mej'k ə dissting'ksjən] **åtta** eight [ejt] **åttio** eighty [ej'ti] **åttonde** eightieth [ej'tiiθ] **åttonde** eighth [ejtθ] **åverkan** damage [dämm'iddsj] **äckel** nausea [nå:'-siə] **äckla** nauseate [nå:'siejt] **äcklig** nauseating [nå:'siejting] **ädel** noble [nåo'bl] **ädelsten** gem [dsjemm] **äga** (*rå om*) own [åon]; (*besitta*) possess [pəzess']; *äga rum* take place [tej'k plej's] **ägare** owner [åo'nə] **ägg** egg [egg]; *ett stekt ägg* a fried egg [ə fraj'd egg]; *ett kokt ägg* a boiled egg [ə båj'ld egg] **äggkopp** egg-cup [egg'kapp] **äggröra** scrambled eggs [skrämm'bld eggz] **äggsked** egg-spoon [egg'spo:n] **äggstan-ning** baked egg [bej'kt egg] **äggtoddy** egg-nog [egg'någg] **äggula** yolk [jåok] **äggvita** (*i ägg*) egg white [egg' wajt]; (*ämne*) albumin [äll'bjominn] **äggviteämne** protein [pråo'ti:n] **ägna** devote [divåo't] **ägnad** suited [sjo:'tidd] **ägo** *ha i sin ägo* possess [pəzess'] **ägodelar** property [pråpp'əti] **ägor** grounds [graondz] **äkta** genuine [dsjenn'joinn]; *äkta maka* (wedded) wife [(wedd'idd) wajf]; *äkta par* married couple [märr'idd kapp'l] **äktenskap** marriage [märr'iddsj] **äktenskapsbrott** adultery [adall'təri] **äkthet** genuineness [dsjenn'joinniss] **äldre** older [åo'ldə]; (*om släktskapsförh.*) elder [ell'də]; (*ganska gammal*) elderly [ell'dəli] **äldst** oldest [åo'ldisst]; (*om släktskapsförh.*, eldest [ell'disst] **älg** elk [ellk]; *Am.* moose [mo:s] **älska** love [lavv] **älskad** beloved [bilavv'd] **älskare** lover [lavv'ə] **älskarinna** mistress [miss'triss] **älskling** darling [da:'ling] **älsklingsrätt** favourite dish [fej'vəritt disj] **älskvärd** amiable [ej'mjəbl] **älv** river [rivv'ə] **älva** fairy [fä:'əri] **ämbete** office [åff'iss] **ämbetsman** official [əfisj'əl] **ämbetsverk** government office [gavv'nmənt åff'iss] **ämna** intend [inntenn'd] **ämne** (*material*) material [məti:'əriəl]; (*materia*) matter [mätt'ə]; (*tema*) subject [sabb'dsjikkt]; *fasta ämnen* solids [såll'iddz] *flytande ämnen* liquids [likk'widdz] **ämnesomsättning** metabolism [metäbb'əlizzəm] **än** (*adv.*) se *ännu; när ... än* whenever [wennevv'ə]; *var ... än* wherever [wäərevv'ə]; *vad ... än* whatever [wåttevv'ə]; *vem ... än* whoever [ho:evv'ə]; *än ... än* now ... [nao]; (*konj.*) (*i jämförelse*) than [ðänn]; *mindre än* smaller than [små:'lə ðänn]; *inget annat än* nothing else but [naθ'ing ell's batt] **ända 1** (*subst. o. verb*) end [ennd]; *gå till ända* come to an end [kamm' tə ənn enn'd] **2** (*adv.*) right [rajt]; *ända fram till* right up to [rajt app' to:]; *ända till* as far as [äzz fa:' äzz] **ändamål** purpose [pə:'pəs] **ändamålsenlig** adapted to its purpose [ədäpp'tidd to: itts pə:'pəs] **ändelse** ending [enn'ding] **ändhållplats** terminus [tə:'minəs] **ändlös** endless [enn'dliss] **ändra** alter [å:'ltə]; (*byta*) change [tsjejndsj]; *ändra sig* change one's mind [tsjej'ndsj wannz maj'nd] **ändring** alteration [å:ltərej'sjən]; change [tsjejndsj] **ändå** (*likväl*) yet [jett]; (*icke desto mindre*) nevertheless [nevvəðəless'] **äng** meadow [medd'åo] **ängel** angel [ej'ndsjəl] **ängalik** angelic [änndsjell'ikk] **ängslan** anxiety [ängzaj'əti] **ängslas** be anxious [bi: äng'ksjəs] (*för* about [əbao't]) **ängslig** anxious [äng'ksjəs] **änka** widow [widd'åo] **änkling** widower [widd'åoə] **ännu** (*fortfarande*) still [still]; (*om ngt som ej inträffat*) yet [jett]; (*ytterligare*) more [må:]; (*vid komp.*) still [still] **äntligen** at last [ätt la:'st] **äppelmos** mashed apples [mäsj't äpp'lz] **äppelpaj** apple-pie [äpp'lpaj'] **äppelträd** apple-tree [äpp'ltri:] **äpple** apple [äpp'l] **ära** honour [ånn'ə]; *har den äran att gratulera!* many happy returns! [menn'i häpp'i ritə:'nz] **ärekränkning** defamation [deffəmej'sjən] **ärelysten** ambitious [ämmbisj'əs] **ärelystnad** ambition [ämmbisj'ən] **ärende** (*uträttning*) errand [err'ənd]; (*angelägenhet*) matter [mätt'ə] **ärftlig** hereditary [hiredd'itəri] **ärg** verdigris [və:'digriss] **ärkebiskop** archbishop [a:'tsjbisj'əp] **ärlig** honest [ånn'isst] **ärlighet** honesty [ånn'issti] **ärm** sleeve [sli:v] **ärofull** glorious [glå:'riəs] **ärr** scar

[ska:] **ärta** pea [pi:] **ärtsoppa** pea soup [pi:' so:'p] **ärva** inherit [innherr'itt] (av from [fråmm]) **äss** ace [ejs] **äta** eat [i:t]; *äta frukost* have breakfast [hävv' brekk'fəst] **ätbar** eatable [i:'təbl] **ätt** family [fämm'illi]; (*furstlig*) dynasty [dinn'əsti] **ättika** vinegar [vinn'iggə] **ättiksgurka** pickled cucumber [pikk'ld kjo:'kəmbə] **ättling** descendant [disenn'dənt] **även** also [å:'lsåo], too [to:] **äventyr** adventure [ədvenn'tsjə]; *till äventyrs* perchance [pətsja:'ns] **äventyra** risk [rissk] **äventyrare** adventurer [ədvenn'tsjərə] **äventyrlig** adventurous [ədvenn'tsjərəs] **ö** island [aj'lənd] **öda** waste [wejst] **öde 1** (*subst.*) fate [fejt]; (*bestämmelse*) destiny [dess'tinni] **2** (*adj.*) desert [dezz'ət] **ödelägga** lay ... waste [lej' wej'st] **ödeläggelse** devastation [devvəsstej'sjən] **ödemark** waste [wejst] **ödesdiger** fatal [fej'tl] **ödla** lizard [lizz'əd] **ödmjuk** humble [hamm'bl] **ödmjukhet** humility [hjo:mill'itti] **ödsla** be wasteful with [bi: wej'stfoll wið]; *ödsla bort* waste [wejst] **ödslig** desolate [dess'əlitt] **öga** eye [aj]; *få upp ögonen för* have one's eyes opened to [hävv wannz aj'z åo'pənd to:]; *hålla ett öga på* keep an eye on [ki:'p ənn aj' ånn]; *mellan fyra ögon* in private [inn praj'vitt] **ögla** loop [lo:p] **ögna igenom** glance through [gla:'ns θro:'] **ögonblick** moment [måo'mənt]; *ett ogonblick!* one moment, please! [wann' måo'mənt pli:'z]; *för ögonblicket* at the moment [ätt ðə måo'mənt] **ögonblicklig** instantaneous [innstəntej'njəs] **ögonbryn** eyebrow [aj'brao] **ögonfrans** eyelash [aj'läsj] **ögonlock** eyelid [aj'lidd] **ögonläkare** eye-specialist [aj'spesj'əlisst] **ögonmått** *ha gott ögonmått* have a sure eye [hävv' ə sjo:'ə aj'] **ögontjänare** time-server [taj'msə:və] **ögonvittne** eye-witness [aj'witt'niss] **ögonvrå** corner of the eye [kå:'nə əvv ði aj'] **ögrupp** group of islands [gro:'p əvv aj'ləndz] **öka** increase [innkri:'s] (*med* by [baj]) **öken** desert [dezz'ət] **öknamn** nickname [nikk'nejm] **ökning** increase [inn'kri:s] **ökänd** notorious [nåotå:'riəs] **öl** beer [bi:'ə] **öm** tender [tenn'də] **ömhet** tenderness [tenn'dəniss] **ömma** (*vara öm*) be tender [bi: tenn'də] **ömse** *på ömse håll* on both sides [ånn båo'θ saj'dz] **ömsesidig** mutual [mjo:'tjoəl] **ömsom ... ömsom** ... sometimes ..., sometimes ... [samm'tajmz samm'tajmz] **ömtålig** easily damaged [i:'zilli dämm'iddsjd]; (*känslig*) sensitive [senn'sitivv]; (*lättsårad*) touchy [tatt'sji] **önska** wish [wisj]; *önska sig* wish for [wisj' få:] **önskan** wish [wisj]; *enligt önskan* as desired [äzz dizaj'əd] **önskemål** wish [wisj] **önskvärd** desirable [dizaj'ərəbl] **öppen** open [åo'pən]; *öppen spis* fireplace [faj'əplejs] **öppenhet** openness [åo'pənniss] **öppenhjärtig** open-hearted [åo'pənha:tidd] **öppna** open [åo'pən] **öppning** opening [åo'pning] **öra** ear [i:'ə]; (*handtag*) handle [hänn'dl]; *höra dåligt på ena örat* hear badly with one ear [hi:'ə bädd'li wið wann' i:'ə] **örfil** box on the ear [båkk's ånn ði i:'ə] **örhänge** ear-ring [i:'əring] **öring** salmon trout [sämm'ən traot] **örlogsfartyg** warship [wå:'sjipp] örlogsflotta — överkant 200

örlogsflotta navy [nej'vi] **örn** eagle [i:'gl] **örngott** pillow-case [pill'åokejs] **örnnäsa** aquiline nose [äkk'wilajn nåo'z] **öronin- flammation** inflammation of the ear(s) [innfləmej'sjən əvv ði i:'ə(z)] **öronläkare** ear specialist [i:'ə spesj'əlisst] **öronskydd** ear-flap [i:'əflæpp] **örsnibb** ear lobe [i:'ə låob] **örsprång** ear-ache [i:'ərejk] **ört** herb [hə:b] **ösa** scoop [sko:p]; (hälla) pour [på:]; ösa en båt bale a boat [bej'l ə båo't]; ösa en stek baste a joint [bej'st ə dsjåj'nt]; det öser ner it is pouring down [itt izz på:'ring daon] **öskar** bailer [bej'lə] **ösregn** pouring rain [på:'ring rejn] **ösregna** pour [på:] **öst** east [i:st] **Östafrika** East Africa [i:'st äff'rikkə] **Östasien** Eastern Asia [i:'stən ej'sjə] **öster** the east [ði i:'st] **Österrike** Austria [åss'triə] **österrikisk** Austrian [åss'triən] **Östersjön** the Baltic [ðə bå:'ltikk] **Östeuropa** Eastern Europe [i:'stən jo:'ərəp] **östlig** easterly [i:'stəli] **Östtyskland** East Germany [i:'st dsjə:'məni] **öva** train [trejn]; öva sig practise [präkk'tiss] **över** over [åo'və]; (tvärs-) across [əkråss']; gå över gatan walk across the street [wå:'k əkråss' ðə stri:'t]; över hälften over half [åo'və ha:'f]; karta över map of [mäpp' əvv]; glad, över glad at [glädd' ätt]; lycklig över happy about [häpp'i əbao't] **överallt** everywhere [evv'riwä:ə] **överanstränga sig** overstrain o.s. [åo'vəstrejn wannsell'f] **överansträngd** overworked [åo'vəwə:'kt] **överansträngning** overwork [åo'vəwə:'k] **överbalans** ta överbalansen lose one's balance [lo:'z wannz bäll'əns] **över- befolkning** overpopulation [åo'vəpåppolej'sjən] **överbefäl- havare** commander-in-chief [kəma:'ndərinntsji:'f] **överbelasta** overload [åo'vəlåo'd] **överbevisa** convict [kənvikk't] **överblick** survey [sə:'vej] **överblicka** survey [sə:'vej'] **överbliven** remaining [rimej'ning] **överdel** top [tåpp] **överdrag** cover [kavv'ə] **över- drift** exaggeration [iggzäddsjərej'sjən]; gå till överdrift go to extremes [gåo' tə ikkstri:'mz] **överdriva** exaggerate [iggzädd'- sjərejt] **överens** vara överens be agreed [bi: əgri:'d] (om on [ånn]); komma överens om agree on [əgri:' ånn] **överenskommelse** agreement [əgri:'mənt] **överensstämma** agree [əgri:'] **överens- stämmelse** agreement [əgri:'mənt] **överfalla** assault [əså:'lt] **överflöd** abundance [əbann'dəns] **överflödig** superfluous [s-jo:- pə:'floəs] **överföra** transfer [trännsfə:'] **överge** abandon [əbänn'- dən] **övergrepp** outrage [ao'trejdsj] **övergå** (överträffa) sur- pass [sə:pa:'s]; (överstiga) exceed [ikksi:'d] **övergående** passing [pa:'sing] **övergång** change-over [tsjej'ndsjåo'və] **övergångs- biljett** transfer ticket [tränn'sfə: tikk'itt] **övergångsställe** (för fotgängare) pedestrian crossing [pidess'triən kråss'ing] **över- gångsålder** change of life [tsjej'ndsj əvv laj'f] **överhand** få överhand get the upper hand [gett' ði app'ə hänn'd] (över of [åvv]) **över huvud taget** on the whole [ånn ðə håo'l] **överhängande** impending [imppenn'ding] **överilad** rash [räsj] **överinseende** supervision [s-jo:pəvisj'ən] **överkant** i överkant (bildl.) rather on the large side [ra:'ðə ånn ðə la:'dsj saj'd]

överkast bedspread [bedd'spredd] **överklaga** appeal against [əpi:'l əgenn'st] **överklassen** the upper classes [ði app'ə kla:'sizz] **överkomlig** till överkomligt pris at a reasonable price [ätt ə ri:'znəbl praj's] **överkropp** upper part of the body [app'ə pa:'t əvv ðə bådd'i] **överkvalificerad** over-qualified [åo'vəkwåll'ifajd] **överkäke** upper jaw [app'ə dsjå:'] **överkänslig** hypersensitive [haj'pə:senn'sitivv] **överlakan** top sheet [tåpp' sji:t] **överleva** survive [səvaj'v] **överlista** outwit [aotwitt'] **överljudsplan** supersonic aircraft [s-jo:pəsånn'ikk ä:'əkra:ft] **överlåta** transfer [trännsfə:']; jag överlåter åt dig att I leave it to you to [aj li:'v itt tə jo:' tə] **överlägga** deliberate [dilibb'ərejt] **överläggning** deliberation [dilibbərej'sjən] **överlägsen** superior [s-jo:pi'əriə] **överläkare** chief physician [tsji:'f fizisj'ən] **överlämna** deliver [dilivv'ə]; (skänka) present [prizenn't] **överläpp** upper lip [app'ə lipp] **övermakt** superior force [s-jo:pi'əriə få:'s] **överman** superior [s-jo:pi:'riə] **övermod** presumption [prizamm'psjən] **övermogen** overripe [åo'vəraj'p] **övermorgon** i övermorgon the day after tomorrow [ðə dej' a:'ftə təmårr'åo] **övermänsklig** superhuman [s-jo:pəhjo:'mən] **övernatta** stay the night [stej' ðə najt] **övernaturlig** supernatural [s-jo:pənätt'sjrəl] **överordnad** superior [s-jo:pi:'əriə] **överpris** excessive price [ikksess'ivv prajs] **överraska** surprise [səpraj'z]; (obehagligt) startle [sta:'tl] **överraskning** surprise [səpraj'z] **överresa** crossing [kråss'ing] **överrock** overcoat [åo'vəkåot] **överrumpla** surprise [səpraj'z] **överräcka** hand over [hänn'd åo'və]; (skänka) present [prizenn't] **överrösta** shout louder [sjao't lao'də] **overse med ngt** overlook s.th. [åovəlokk' samm'θing] **överseende** (adj.) indulgent [inndall'dsjənt]; (subst.) indulgence [inndall'dsjəns]; ha överseende med be indulgent towards [bi: inndall'dsjənt təwå:dz] **översikt** survey [sə:'vej] **översiktskarta** key map [ki:' mäpp] **översittare** bully [boll'i] **överskatta** overrate [åo'vərejt'] **överskott** surplus [sə:'pləs] **överskrida** cross [kråss]; (bildl.) exceed [ikksi:'d] **överskrift** heading [hedd'ing] **överskådlig** clear [kli:'ə] **överslag** (förhandsberäkning) estimate [ess'timitt]; (volt) somersault [samm'əså:lt]; (elektr.) flash-over [fläsj'åovə] **överspänd** overstrung [åo'vəstrang] **överst** uppermost [app'əmåost] **översta** the top [ðə tåpp'], (av två) the upper [ði app'ə] **överste** colonel [kə:'nl] **överstiga** (bildl.) exceed [ikksi:'d] **överståndenn** vara överståndenn be over [bi: åo'və] **översvallande** overflowing [åovəflåo'ing] **översvämma, översvämning** flood [fladd] **översyn** overhaul [åo'vəhå:l] **översålla** strew [stro:] **översända** send [sennd] **översätta** translate [trännslej't] **översättare** translator [trännslej'tə] **översättning** translation [trännslej'sjən] (till into [inn'to]) **övertag** advantage [ədva:'ntiddsj] **överta(ga)** take over [tej'k åo'və] **övertala** persuade [pəswej'd] **övertalning** persuasion [pəswej'sjən] **övertalningsförmåga** persuasive powers [pəswej'sivv pao'əz] **övertid** overtime [åo'vətajm] **övertro**

superstition [s-jo:pəstisj'ən] **överträda** transgress [trännsgress'] **överträdelse** transgression [trännsgresj'ən] **överträffa** surpass [sə:pa:'s] **övertyga** convince [kənvinn's] **övertygande** convincing [kənvinn'sing] **övertygelse** conviction [kənvikk'sjən] **övervaka** superintend [s-jo:prinntenn'd] **övervakare** supervisor [s-jo:'pəvajzə]; (*av villkorligt dömd*) probation officer [prəbej'sjən åff'issə] **övervakning** supervision [s-jo:pəvisj'ən]; *stå under övervakning* be on probation [bi: ånn prəbej'sjən] **övervikt** overweight [åo'vəwejt]; (*bildl.*) predominance [pridámm'inəns] **övervinna** overcome [åovəkamm'] **övervintra** pass the winter [pa:'s ðə winn'tə] **övervåning** upper floor [app'ə flå:'] **överväga** (*noga genomtänka*) reflect [riflekk't] **övervägande 1** (*subst.*) consideration [kənsiddərej'sjən] **2** (*adj.*) predominant [pridámm'inənt]; *den övervägande delen* the greater part [ðə grej'tə pa:'t] **överväldiga** overpower [åovəpao'ə] **övning** (*övande*) practice [präkk'tiss]; (*träning*) training [trej'ning] **övningsbil** learner's car [lə:'nəz ka:'] **övre** upper [app'ə] **övrig** remaining [rimej'ning]; (*annan*) other [að'ə]; *det övriga* the rest [ðə ress't]; *de övriga* the others [ði að'əz]; *för övrigt* (*annars*) otherwise [að'əwajz], (*dessutom*) besides [bisaj'dz], (*i förbigående sagt*) by the way [baj ðə wej'] **övärld** archipelago [a:kipell'igåo]

Engelsk-svenska delen

a [ə] en, ett; *twice a day* två gånger om dagen **aback** [əbäkk'] *be taken aback* häpna **abandon** [əbänn'dən] överge, prisge **abate** [əbej't] minska, lindra **abbey** [äbb'i] kloster (kyrka) **abbreviate** [əbri:'viejt] förkorta **abdomen** [äbb'dəmən] buk **abduct** [äbbdakk't] bortföra, enlevera **abet** [əbett'] underblåsa **abhor** [əbhå:'] avsky **abide** [əbaj'd] dröja, förbli; *abide by* stå fast vid **ability** [əbill'itti] förmåga, duglighet **abject** [äbb'dsjekkt] föraktlig **abjure** [əbdsjo'ə] avsvärja [sig] **ablaze** [əblej'z] i brand **able** [ej'bl] duglig, skicklig; *be able to* kunna **aboard** [əbå:'d] ombord **abnormal** [äbbnå:'məl] onormal, abnorm **abolish** [əbåll'isj] avskaffa, slopa **abolition** [äbbəlisj'ən] avskaffande, slopande **abominable** [əbåmm'inəbl] avskyvärd **aboriginal** [äbbərid'sjinəl] urinvånare **abortion** [əbå:'sjən] abort, missfall **abortive** [əbå:'tivv] misslyckad **abound** [əbao'nd] finnas i överflöd; *abound with* vimla av **about** [əbao't] om, omkring; ungefär **above** [əbavv'] ovanför; *it is one degree above zero* det är 1 grad plus; *above all* framför allt **abreast** [əbress't] jämsides, i höjd med **abridge** [əbridd'sj] förkorta **abroad** [əbrå:'d] utomlands, *from abroad* från utlandet **abrupt** [əbrapp't] abrupt, brådstörtad, burdus **abscess** [äbb'sess] böld **abscond** [əbskånn'd] avvika, rymma **absence** [äbb'səns] frånvaro **absent** [äbb'sənt] (*adj.*) frånvarande **absentee** [äbbsnti:'] (*subst.*) frånvarande **absent-minded** [äbb'səntmaj'ndidd] tankspridd **absolute** [äbb'səlo:t] absolut, renodlad **absolutely** [äbb'səlo:tli] absolut, ovillkorligen **absolve** [əbzåll'v] frikänna **absorb** [əbså:'b] absorbera **absolve** [əbzåll'v] frikänna **abstain** [əbstej'n] avstå, avhålla sig **abstainer** [əbstej'nə] absolutist; *total abstainer* helnykterist **abstinence** [äbb'stinəns] avhållsamhet; fastande **abstract** [äbb'sträkkt] abstrakt **absurd** [əbsə:'d] orimlig, befängd, absurd **abundance** [əbann'dəns] överflöd **abundant** [əbann'dənt] riklig, ymnig **abuse** [əbjo:'s] missbruk; smädelse; [əbjo:'z] missbruka; smäda **abyss** [əbiss'] avgrund **Abyssinian** [äbbisi:'njən] abessinsk **academic[al]** [äkkədemm'ikk(əl)] akademisk **academy** [əkädd'əmi] akademi **accede to** [äkksi:'d to] tillträda; ansluta sig till **accelerate** [äksell'ərejt] accelerera **acceleration** [äkselərej'sjən] acceleration **accelerator** [əkksell'ərejtə] gaspedal; accelerator **accent** [äkk'sənt] accent, uttal, brytning **accept** [əkksepp't] acceptera, godta **acceptable** [əksepp'təbl] acceptabel **access** [äkk'sess] tillgång, tillträde, förfogande **accessible** [äkksess'əbl] tillgänglig; åtkomlig **accessories** [äkksess'ə-rizz] accessoarer, tillbehör **accessory** [äkksess'əri] åtföljande; medbrottslig **accident** [äkk'sidənt] olycksfall; tillfällighet; *by* *pure accident* av en ren händelse **accidental** [äkksiden'tl] tillfällig; oavsiktlig **accomodate** [əkåmm'ədejt] inkvartera; anpassa; utrusta; *accommodate o.s.* finna sig till rätta **accommodating** [əkåmm'ədejting] medgörlig, tillmötesgående **accomodation** [əkåmmədej'sjən] logi **accompany** [əkamm'pəni] [åt]följa; ackompanjera **accomplice** [əkåmm'pliss] medbrottsling **accomplish** [əkåmm'plisj] slutföra, utföra **accomplished** [əkåmm'plisjt] fulländad; fint bildad **accomplishment** [əkåmm'plisjmənt] prestation **accord** [əkå:'d] *of one's own accord* självmant **accordance** [əkå:'dəns] *in accordance with* i enlighet med **according to** [əkå:'ding to:] enligt **accordingly** [əkå:'dingli] alltså, följaktligen **accordion** [əkå:'djən] dragspel **accost** [əkåss't] gå fram till och tilltala, antasta **account** [əkao'nt] redovisning, redogörelse, konto; redovisa, redogöra, motivera; *on account* a conto; *on account of* på grund av **accountable** [əkao'ntəbl] tillräknelig **accountant** [əkao'ntənt] kamrer, bokhållare **accrued** [əkro:'d] upplupen **accumulate** [əkjo:'mjolejt] ackumulera, samla på hög; hopa sig **accuracy** [äkk'jorəsi] noggrannhet; riktighet **accurate** [äkk'joritt] noggrann **accusation** [äkkjozej'sjən] anklagelse **accuse** [əkjo:'z] anklaga **accustom** [əkass'təm] vänja (*vid to*) **ace** [ejs] äss **acetone** [äss'itåon] aceton **ache** [ejk] värk; värka **achieve** [ətsji:'v] prestera, utföra, åstadkomma **achievement** [ətsji:'vmənt] prestation, insats **acid** [äss'idd] syra; sur **acknowledge** [əknåll'iddsj] erkänna, kännas vid; kvittera **acknowledgement** [əknåll'iddsjmənt] erkännande **acme** [äkk'mi] höjdpunkt **acorn** [ej'kå:n] ollon **acoustics** [əko:'stikks] akustik **acquaint** [əkwej'nt] *acquaint o.s. with* ta del av; *become acquainted with* göra bekantskap med **acquaintance** [əkwej'ntəns] bekantskap **acquiesce** [äkkwiess'] samtycka **acquire** [əkwaj'ə] förvärva, skaffa sig **acquisition** [äkkwizisj'ən] förvärvande; förvärv **acquit** [əkwitt'] frikänna **acre** [ej'kə] (*ungefär*) tunnland **acrid** [äkk'rid] bitter **acrimonious** [äkkrimåo'njəs] bitter, skarp **acrobat** [äkk'rəbätt] akrobat **across** [əkråss'] [tvärs]över, på tvären **act** [äkkt] handla, bete sig, spela teater; handling, akt **acting** [äkk'ting] tillförordnad **action** [äkk'sjən] handling, aktion **activate** [äkk'tivejt] aktivera **active** [äkk'tivv] aktiv **activity** [äkk'tivv'itti] verksamhet, aktivitet **actor** [äkk'tə] skådespelare **actress** [äkk'triss] skådespelerska **acumen** [əkjo:'men] skarpsinne **acute** [əkjo:'t] akut **A.D.** [ej'di:'] e.Kr. (*efter Kristus*) **adage** [ädd'idsj] tänkespråk **adamant** [ädd'əmənt] orubblig **adapt** [ədäpp't] anpassa **add** [ädd] tillägga, tillfoga; *add up* addera, räkna ihop, summera **addict** [ädd'ikt] slav (*under narkotika*) **addition** [ədisj'ən] addition, tillägg, tillsats, utbyggnad; *in addition* till på köpet **address** [ədress'] adressera, tilltala; adress, tilltal; *permanent address* fast bostad **addressee** [ädresi:'] adressat **address label** [ədress' lej'bl] adresslapp **adduce** [ədjo:'s] åberopa **adenoids** [ädd'inåjdz] polyper bakom näsan **adhesive** [ədhi:'sivv] självhäftande; *adhesive plaster* häftplåster **adjacent** [ədsjej'sənt] angränsande **adjourn** [ədsjə:'n] ajournera, uppskjuta **adjust** [ədsjass't] rätta till, justera **adjustable** [ədsjass'təbl] ställbar **adjustment** [ədsjass'tmənt] justering, inställning, omställning **ad-lib** [ädd'libb] improvisera **administer** [ədminn'istə] förvalta **administrate** [ədminn'istrejt] administrera **administration** [ədminnistrej'sjən] administration, förvaltning; *administration of justice* rättskipning **administrator** [ədminn'istrejtə] förvaltare **admirable** [ädd'mərəbl] beundransvärd **admiral** [ädd'mərəl] amiral **admiration** [äddmərej'sjən] beundran **admire** [ədmaj'ə] beundra **admirer** [ədmaj'rə] beundrare **admission** [ədmisj'ə] medgivande; tillträde **admission-ticket** [ədmisj'ən tikk'itt] inträdesbiljett **admit** [əddmitt'] tillstå, medge; släppa in **admittance** [ədmitt'əns] tillträde **admonish** [ədmånn'isj] förmana, tillrättavisa **admonition** [äddmənisj'ən] tillsägelse **adolescence** [äddåoless'ns] uppväxttid **adopt** [ədåpp't] adoptera; *adopted child* adoptivbarn **adorn** [ədå:'n] pryda **adornment** [ədå:'nmənt] prydnad, utsmyckning **adroit** [ədråj't] skicklig **adult** [ädd'allt] vuxen; *adult education* vuxenundervisning; *for adults only* barnförbjuden **adultery** [ədall'təri] äktenskapsbrott **advance** [ədva:'ns] rycka fram, föra fram; förhand, förskott, närmande; *in advance* i förväg **advantage** [ədva:'ntiddsj] förmån, fördel, övertag; *take advantage of* utnyttja **advantageous** [äddvantej'dsjəs] förmånlig **Advent** [ädd'vənt] advent **adventure** [ədvenn'tsjə] äventyr **adventurer** [ədvenn'tsjərə] äventyrare **adventurous** [ədvenn'tsjərəs] äventyrlig **adversary** [ädd'vəsəri] motståndare **adverse** [ädd'və:s] ogynnsam; fientlig **advertise** [ädd'vətajz] annonsera, göra reklam **advertisement** [ədvə:'tismənt] annons **advertising** [ädd'vətajzing] annonsering, reklam; *advertising agency* annonsbyrå, reklambyrå **advice** [ədvaj's] råd; avi, meddelande; *on my advice* på min inrådan **advisable** [ədvaj'zəbl] tillrådlig **advise** [ədvaj'z] råda; underrätta **adviser** [ədvaj'zə] rådgivare **advisory** [ədvaj'zəri] rådgivande **advocate** [ädd'vəkejt] försvara; förorda **aerial** [ä:'əriəl] antenn **aerogram** [ä:'rəgrämm] aerogram **aesthetic** [i:sθett'ikk] estetisk **affable** [äff'əbl] älskvärd **affair** [əfä:'ə] angelägenhet; *it is my affair* det är min ensak **affect** [əfekk't] påverka **affected** [əfekk'tidd] tillgjord, affekterad **affectionate** [əfekk'sjənitt] tillgiven; *Yours affectionately* Din (Er) tillgivne **affidavit** [äffidej'vitt] edlig skriftlig försäkran **affinity** [əfinn'itti] släktskap **affirm** [əfə:'m] intyga, bekräfta **affirmative** [əfə:'mətivv] jakande; *reply in the a.* svara jakande **affix** [əfikk's] fästa; tillägga **afflict** [əflikk't] plåga, hemsöka **affliction** [əflikk'sjən] olycka, sorg **affluence** [äff'loəns] överflöd **affluent** [äff'loənt] överflödande; biflod **afford** [əfå:'d] ha råd; *I cannot afford to* jag har inte råd att **affront** [əfrann't] förolämpa; trotsa; förolämpning **afloat** [əflåo't] flytande **afraid** [əfrej'd] rädd; *I am afraid not* tyvärr inte **Africa** [äff'rikə] Afrika **African** [äff'rikən] afrikansk

Afro-Asian [äff'roej'sjøn] afro-asiatisk **aft** [a:ft] akter ut **after** [a:'ftø] efter; sedan, efter det att; *after all* när allt kommer omkring **after-effect** [a:'ftøifekk't] påföljd, svit **afternoon** [a:'ftøno:'n] eftermiddag **afterwards** [a:'ftøwødz] efteråt **again** [øgenn'] igen, åter **against** [øgenn'st] mot **age** [ejdsj] ålder; åldras; *the modern age* nya tiden; *for ages* [få: ej'dsjizz] länge och väl; *of age* myndig; *a boy aged five* en femårig pojke **agency** [ej'dsjønsi] agentur **agenda** [ødsjenn'dø] dagordning **agent** [ej'dsjønt] agent **aggravate** [ägg'røvejt] förvärra; reta **aggression** [øgresj'øn] aggression **aggressive** [øgress'ivv] aggressiv **aggressiveness** [øgress'ivv-niss] aggressivitet **aggrieve** [øgri:v'] plåga **aghast** [øga:st'] bestört **agile** [ädd'sjajl] vig; snabb **agitation** [äddsjitej'sjøn] oro; agitation **agitate** [ädd'sjitejt] agitera **agitator** [ädd'sjitejtø] agitator, uppviglare **ago** [øgåo'] för ... sedan; *long ago* för länge sedan; *ten years ago* för tio år sedan **agony** [ägg'øni] ångest, vånda **agree** [øgri:'] instämma, samtycka; avtala; *agree upon* bli ense om **agreeable** [øgri:'øbl] angenäm, behaglig **agreement** [øgri:'mønt] avtal, överensstämmelse **agriculture** [ägg'rikalltsjø] jordbruk **ague** [ej'gjo:] (*subst.*) frossa **ahead** [øhedd'] framåt **aid** [ejd] hjälpa, bidra till; hjälpmedel, hjälp **aide-de-camp** [ej'ddøka:ng] adjutant **aim** [ejm] mål, syfte; *aim at* sikta på, rikta mot, eftersträva, åsyfta; *take aim* sikta **ain't** [ejnt] =*am* (*are, is*) *not* **air** [ä:'ø] luft; vädra; *by air* med flyg **air-conditioning** [ä:'økønndisjøning] luftkonditionering **aircraft** [ä:'økra:ft] flygplan **air force** [ä:'ø få:s] flygvapen **air-gun** [ä:'øgønn] luftgevär **air hostess** [ä:'ø håo'stiss] flygvärdinna **airline** [ä:'ølajn] flygbolag **airmail** [ä:'ømejl] flygpost **air-pocket** [ä:'øpåkkitt] luftgrop **air pollution** [ä:'ø pølo:'sjøn] luftförorening **airport** [ä:'øpå:t] flygplats **air-raid shelter** [ä:'ø-rejd sjell'tø] skyddsrum **airy** [ä:'øri] luftig **aisle** [ajl] sidoskepp (*i kyrka*) **ajar** [ødsja:'] på glänt **akin** [økinn'] besläktad **alarm** [øla:'m] larm; larma, alarmera; *take alarm* [tej'k øla:'m] ana oråd **alarm call** [øla:'m kå:l] telefonväckning **alarm clock** [øla:'m kläkk] väckarklocka **alarming** [øla:'ming] oroväckande **alas** [øla:'s] ack; tyvärr **Albania** [älbej'njø] Albanien **album** [äll'bøm] album **albumin** [äll'bjominn] äggvita **alcohol** [äll'køhåll] alkohol **alcoholic** [älkøhåll'ikk] alkoholist; alkoholhaltig **alkoholism** [äll'køhållizøm] alkoholism **alder** [å:'ldø] al **alderman** [å:'ldømøn] ålderman; rådman **alert** [ølø:'t] påpasslig **alga** [äll'gø] alg **algebra** [äll'dsjibrø] algebra **Algeria** [äldsji:'øriø] Algeriet **alibi** [äll'ibaj] alibi **alien** [ej'ljøn] utländsk; utlänning **align** [ølaj'n] ställa upp i rät linje; ansluta sig **alight** [ølaj't] stiga av; landa **alike** [ølaj'k] lika; på samma sätt **alive** [ølaj'v] i livet, levande **all** [å:l] all, allt, alla, hela; *not at all* inte alls, för all del **allegiance** [øli:'dsjøns] trohet **allergic** [ølø:'dsjikk] allergisk **allergy** [äll'ødsji] allergi **alleviate** [øli:'viejt] mildra **alliance** [ølaj'øns] förbund, allians **allied** [ølaj'd] allierad **alligator**

[äll'igejtə] alligator **allot** [əlått'] tilldela **allow** [əlao'] tillåta **allowance** [əlao'əns] underhåll, avdrag **alloy** [äll'åjj] legering **allude** [əlo:'d] anspela **allure** [əljo:'ə] locka, tjusa **allusion** [əlo:'sjən] anspelning **ally** [äll'aj] bundsförvant; [əlaj'] liera, förena; *the allies* [ði all'ajz] de allierade **almanac** [å:'lmənäkk] almanacka **almighty** [å:lmaj'ti] allsmäktig **almond** [a:'mənd] mandel **almoner** [a:'mənə] kurator **almost** [å:'lmåost] nästan **alms** [a:mz] allmosa, allmosor **alone** [əlåo'n] ensam; *leave s.b. alone* lämna ngn i fred **along** [əlång'] längsefter, utmed, framåt **alongside** [əlång'sajd] långsides, längs **aloof** [əlo:'f] på avstånd **aloud** [əlao'd] med hög röst, högt **alphabet** [äll'fabitt] alfabet **alpine** [äll'pajn] alpin **Alps** [ällps] *the Alps* Alperna **already** [å:lredd'i] redan **Alsatian** [ällsej'sjən] schäferhund **also** [å:'lsåo] också, likaså **altar** [å:'ltə] altare **alter** [å:'ltə] [för]ändra[s], göra om **alteration** [å:ltərej'sjən] förändring **alternate** [å:'ltənejt] alternera, växla om; [å:lltə:'nitt] omväxlande, växel- **alternately** [å:'ltə:'nittli] växelvis **alternating current** [å:'ltə:nejting karr'ənt] växelström **alternative** [å:ltə:'nətivv] alternativ **although** [å:lðåo'] fastän **altitude** [äll'titjo:d] höjd **altogehter** [å:ltəgeð'ə] helt och hållet **altruistic** [älltroiss'tikk] oegennyttig **aluminium** [älljominn'jəm] aluminium **always** [å:'lwəz] alltid **a.m.** [ejj'emm'] (=*ante meridiem*) på förmiddagen **amalgam** [əmäll'gəm] amalgam **amass** [əmäss'] hopa amatör **amateur** [ämm'ətə] amatör **amateurish** [ämmətə:'risj] amatörmässig **amaze** [əmej:'z] göra häpen, förvåna **amazed** [əmej'zd] häpen **amazement** [əmej'zmənt] häpnad **amazing** [əmej'zing] förbluffande **ambassador** [ämm-bäss'ədə] ambassadör **amber** [ämm'bə] bärnsten **ambiguous** [ämmbigg'joəs] tvetydig **ambition** [ämmbisj'ən] ärelystnad; strävan, ambition **ambitious** [ämmbisj'əs] ärelysten; ambitiös **ambulance** [ämm'bjoləns] ambulans **ambush** [ämm'bosj] bakhåll **ameliorate** [əmi:'ljərejt] förbättra, bli bättre **amenable** [əmi:'nəbl] foglig **amend** [əmenn'd] rätta; förbättra **amendment** [əmenn'dmənt] förbättring; tillägg **amends** [əmenn'dz] gottgörelse **amenity** [əmi:'nitti] behaglighet **America** [əmerr'ikə] Amerika **American** [əmerr'ikən] amerikansk **amethyst** [ämm'i-θist] ametist **amiable** [ej'mjəbl] älskvärd **amicably** [ämm'ikəbli] i godo, vänskapligt **amid[st]** [əmidd'(st)] mitt ibland **amiss** [əmiss'] på tok, fel; *take it amiss* ta illa upp **ammonia** [əmåo'njə] ammoniak **ammunition** [ämmjonisj'ən] ammunition **amnesty** [ämm'nisti] amnesti **among[st]** [əmang'(st)] bland, mellan; *among others* bland andra; *among other things* bland annat **amount** [əmao'nt] belopp; belöpa sig **ample** [ämm'pl] riklig, stor **amplify** [ämm'plifaj] förstärka **ampoule** [ämm'po:l] ampull **amputate** [ämm'pjotejt] amputera **amputation** [ämmpjotej'-sjən] amputation **amuck** [əmakk'] *run amuck* bli vild **amulet** [ämm'jolitt] amulett **amuse** [əmjo:'z] roa **amusement** [əmjo:'z-mənt] nöje **amusement park** [əmjo:'zmənt pa:k] tivoli, nöjesfält **amusing** [əmjo:'zing] rolig **an** [änn,ən] en, ett **anaemia** [əni:'mjə]

anaesthetic — anybody 208

blodbrist **anaesthetic** [ännisθett'ikk] bedövningsmedel **anaesthetise** [änni:'sθitajz] bedöva, söva **analgesic** [ännälldsjess'ikk] smärtstillande [medel] **analogical** [ännəlådd'sjikəl] analogisk **analogy** [ənäll'ədsji] analogi **analyse** [änn'əlajs] analysera **analysis** [ənäll'əsiss] analys **anarchy** [änn'əki] anarki **anatomy** [ənätt'əmi] anatomi **ancestor** [änn'sisstə] stamfader, förfader **ancestry** [änn'sisstri] anor **anchor** [äng'kə] ankare; ankra **anchorage** [äng'kəriddsj] ankarplats **anchovy** [änn'tsjəvi] ansjovis **ancient** [ej'nsjənt] ålderdomlig; *ancient monument* fornminne **and** [ännd] och **anecdote** [änn'ikdåot] anekdot **anemone** [ənemm'əni] anemon **anew** [ənjo:'] ånyo **angel** [ej'ndsjəl] ängel **angelic** [änndsjell'ikk] änglalik **anger** [äng'gə] ilska **angle** [äng'gl] vinkel; meta **angling** [äng'gling] sportfiske, mete **Anglo-Swedish** [äng'glåoswi:'disj] engelsk-svensk **angry** [äng'gri] arg, ilsken, ond **anguish** [äng'gwisj] kval; ångest **aniline** [änn'ili:n] anilin **animal** [änn'iməl] djur **animosity** [ännimåss'itti] fientlighet **ankle** [äng'kl] vrist, ankel, fotknöl **annals** [änn'əlz] annaler; årsberättelse **annex** [änn'ekks] annex, tillbyggnad; tillägg **annihilate** [ənaj'əlejt] förinta, tillintetgöra **anniversary** [ənnivə:'səri] årsdag, årsfest **announce** [ənao'ns] förkunna, meddela, anmäla **announcement** [ənao'nsmənt] kungörelse, anmälan **announcer** [ənao'nsə] hallåman **annoy** [ənåj'] förarga; *be annoyed* bli förargad **annoying** [ənåj'ing] förarglig **annual** [änn'joəl] årlig; *annual report* verksamhetsberättelse **annuity** [ənjo:'itti] årligt underhåll, livränta **Annunciation Day** [ənann'siej'sjən dej] Marie Bebådelsedag **annul** [ənall'] upphäva, annullera; tillintetgöra **anonymity** [ännənimm'itti] anonymitet **anonymous** [ənånn'iməs] anonym **another** [ənaδ'ə] en annan, ännu en **answer** [a:'nsə] svar; svara (*to* på), besvara; *answer the bell* gå och öppna **ant** [ännt] myra **antagonist** [änntägg'ənist] antagonist **antecedent** [äntisi:'dənt] föregående **antelope** [änn'tiláop] antilop **antenna** [änntenn'ə] antenn **anterior** [änti:'əriə] föregående **anthem** [änn'θəm] hymn; *national anthem* nationalsång **ant-hill** [änn'thill] myrstack **anthrax** [änn'θräkks] mjältbrand **anti-aircraft** [änn'tiä:'əkra:ft] luftvärns- **antibiotics** [änntibajått'iks] antibiotika **anticipate** [änntiss'ipejt] förekomma, förutse, föregripa **anticipation** [änntissipej'sjən] förekommande, föregripande; förväntan **anti-clockwise** [änn'tiklåkk'wajz] moturs **antics** [änn'tikks] upptåg **antidote** [änn'tidåot] motgift **anti-freeze** [änn'tifri:'z] kylarvätska **antique** [änni:'k] antik **antique dealer** [änni:'k di:'lə] antikvitetshandlare **antiquity** [änntikk'witti] forntiden, antiken; antikvitet **antiseptic** [änntisepp'tikk] antiseptisk **anti-venom** [änn'tivenn'əm] ormserum **antler** [änn'tlə] hjorthorn **anus** [ej'nəs] analöppning **anvil** [änn'vill] städ **anxiety** [ängzaj'əti] oro, bekymmer **anxious** [äng'ksjəs] angelägen, ivrig, ängslig **any** [enn'i] någon, något, några; varje, vilken (vilket, vilka) som helst; *in any case* i varje fall; *any time* när som helst **anybody** [enn'ibåddi] någon, vem som helst **anyhow** [enn'ihao] hur som helst, i varje fall **anyone** [enn'iwann] någon; vem som helst **anything** [enn'iθing] något; vad som helst **anyway** [enn'iwej] i varje fall **anywhere** [enn'iwä:ə] var som helst, någonstans **apart** [əpa:'t] isär; *apart from* frånsett **apartment** [əpa:'tmənt] våning, lägenhet **apartment house** [əpa:'tmənt haos] hyreshus **apathetic** [äppəθett'ikk] apatisk **ape** [ejp] apa; härma **aperture** [äpp'ətsjo:ə] öppning **apex** [ej'pekks] topp, spets **apiece** [əpi:'s] per styck **apologize** [əpåll'ədsjajz] be om ursäkt **apology** [əpåll'ədsji] ursäkt **apoplectic stroke** [äppəplekk'tikk stråok] slaganfall **appalling** [əpå:'ling] förskräcklig **apparatus** [äppərej'təs] apparat, anordning **apparent** [əpärr'ənt] skenbar **apparently** [əpärr'ntli] synbarligen, tydligen **appeal** [əpi:'l] vädja; vädjan, upprop; *appeal against* överklaga **appear** [əpi:'ə] infinna sig, framträda; tyckas **appearance** [əpi:'ərəns] framträdande; anblick, utseende; *appearances are deceptive* skenet bedrar **appease** [əpi:'z] bildka, stilla **appendicitis** [əpenndisaj'tiss] blindtarmsinflammation **appendix** [əpenn'dikks] bilaga; blindtarm **appetite** [äpp'itajt] aptit **appetizing** [äpp'itajzing] aptitretande **applaud** [əplå:'d] applådera **applause** [əplå:'z] applåd **apple** [äpp'l] äpple **apple-pie** [äpp'lpaj'] äppelpaj **apple-tree** [äpp'ltri:] äppelträd **appliance** [əplaj'əns] anordning; apparat **applicable** [äpp'likəbl] tillämplig; *wherever applicable* i tilllämpliga delar **applicant** [äpp'likənt] platssökande **application** [äpplikej'sjən] ansökan; tillämpning **apply** [əplaj'] tillämpa[s] (*to* på); ansöka (*for* om); *apply to* anlita **appoint** [əpåj'nt] utnämna, tillsätta; bestämma, fastställa **appointment** [əpåj'ntmənt] befattning; möte, träff; *make an appointment with* beställa tid hos **appraise** [əprej'z] värdera, uppskatta värdet av **appreciate** [əpri:'sjiejt] uppskatta **appreciation** [əpri:sjiej'sjən] värdering, uppskattning **apprehend** [äpprihenn'd] begripa; befara **apprehension** [äpprihenn'sjən] uppfattning; farhåga **apprentice** [əprenn'tiss] lärling **approach** [əpråo'tsj] infart, uppfart; närma sig **approbation** [äpprəbej'sjən] gillande; bifall **appropriate** [əpråo'priit] lämplig, träffande **approval** [əpro:'vəl] godkännande, gillande; *on approval* till påseende **approve** [əpro:'v] godkänna, bifalla; *approve of* gilla **approximate** [əpråkk'simitt] ungefärlig **approximately** [əpråkk'simittli] uppskattningsvis, ungefär **apricot** [ej'prikått] aprikos **April** [ej'prəl] april **apron** [ej'prən] förkläde **apt** [äppt] lämplig; benägen; skicklig **aptitude** [äpp'titjo:d] anlag, fallenhet **aquarium** [əkwä:'əriəm] akvarium **aquatic** [əkwätt'ikk] vatten- **Arabia** [ərej'bjə] Arabien **Arabian** [ərej'bjən] arabisk **arable** [ärr'əbl] odlingsbar **arbitrary** [a:'bitrəri] godtycklig; egenmäktig **arbitration** [a:bitrej'sjən] skiljedom **arbour** [a:'bə] berså **arc** [a:k] båge **arcade** [a:kej'd] arkad **arch** [a:tsj] båge, valv **arch support** [a:'tsj səpå:'t] hålfotsinlägg **archaeology** [a:kiåll'ədsji] arkeologi **archbishop** [a:'tsjbisj'əp] ärkebiskop **archer** [a:'tsjə] bågskytt **archery** [a:'tsjəri] bågskytte **archipelago** [a:kipell'igåo] arkipelag, övärld, skärgård **architect** [a:'kitekkt] arkitekt **architecture** [a:'kitekktsjə] arkitektur **archives** [a:'kajvz] arkiv **Arctic** [a:'ktikk] arktisk **ardent** [a:'dnt] ivrig, het **ardour** [a:'də] iver **arduous** [a:'djoəs] brant; mödosam **area** [ä:'riə] yta; område; **Argentina** [a:dsjenti:'nə] Argentina **Argentine** [a:'dsjentajn] argentinsk; *the Argentine* Argentina **argue** [a:'gjo:] argumentera **argument** [a:'gjomənt] argument, skäl; diskussion **arid** [ärr'idd] torr, ofruktbar **arise** [ərajz'] uppstå, yppa sig **arisen** [ərizz'n] perf. part. av *arise* **arithmetic** [əriθ'mətikk] räkning **arm** [a:m] **1** arm; armstöd **2** rusta, beväpna; *arms* vapen **armament** [a:'məmənt] rustning; krigsmakt **armchair** [a:'mtjsä:'ə] fåtölj, länstol, karmstol **armful** [a:'mfoll] famn, fång **armistice** [a:'misstiss] vapenstillestånd, vapenvila **armour** [a:'mə] pansar, rustning **armoured troops** [a:'məd tro:'ps] pansartrupper **arms** [a:mz] vapen **army** [a:'mi] armé, här **army service corps** [a:'mi sə:'viss kå:] träng **arose** [əråo'z] imperf. av *arise* **around** [əraʊnd] omkring **arouse** [əraʊ'z] [upp]väcka **arrange** [ərej'ndsj] ordna, ombesörja; göra upp **arrangement** [ərej'ndsjmənt] arrangemang, anordning, uppställning; *make arrangements* vidtaga anstalter **array** [ərej'] ställa upp; styra ut; uppställning; stass **arrears** [əri:'əz] resterande skulder **arrest** [əress't] anhålla, häkta; arrestering, häktning **arrival** [əraj'vəl] ankomst **arrive** [ərajv'] anlända, komma fram (*at* till) **arrow** [ärr'åo] pil **arson** [a:'sn] mordbrand **art** [a:t] konst **art-dealer's** [a:'tdi:ləz] konsthandel **arteriosclerosis** [a:ti:'ə-riåoskliəråo'siss] åderförkalkning **artery** [a:'təri] artär, pulsåder **artful** [a:'tfoll] listig **article** [a:'tikkl] vara, artikel **artichoke** [a:'titsjåok] kronärtskocka; *Jerusalem artichoke* jordärtskocka **artifice** [a:'tifiss] knep artificial [a:'tifisj'əl] konstgjord; *artificial irrigation* konstbevattning; *artificial limb* protes; *artificial silk* konstsiden **artillery** [a:till'əri] artilleri **artisan** [a:tizänn'] hantverkare **artist** [a:'tisst] konstnär, artist **artistic** [a:tiss'tikk] konstnärlig **art wares** [a:'t wä:əz] konsthantverk **as** [äzz] som, eftersom, efter hand som, så; *as far as* såvitt; *as if* som om; *as soon as possible* så snart som möjligt; *as to, as for* vad beträffar **ascend** [əsenn'd] bestiga **Ascension Day** [əsenn'sjən dej'] Kristi himmelsfärdsdag **ascent** [əsenn't] uppförsbacke **ascertain** [ässə-tej'n] förvissa sig om **ascribe** [əskraj'b] tillskriva **ash** [äsj] ask (träd) **ashamed** [əsjej'md] skamsen **ashes** [äsj'izz] aska **ashore** [əsjå:'] i land, på land **ashtray** [äsj'trej] askfat **Asia** [ej'sjə] Asien; *Asia Minor* Mindre Asien **Asian** [ej'sjən] asiatisk; asiat **Asiatic** [ejsjiätt'ikk] asiatisk **aside** [əsaj'd] avsides; sidoreplik **ask** [a:sk] fråga, be, anhålla, begära (*for* om) **askance** [əskänn's] snett, misstänksamt **askew** [əskjo:'] sned, skev **asleep** [əsli:'p] sovande; *be asleep* sova; *fall asleep* somna **asp[en]** [äss'p(ən)] asp **asparagus** [əspärr'əgəs] sparris **aspect** [äss'pekkt] utseende,

211 **asphalt — attribute**

utsikt; synpunkt **asphalt** [äss'fällt] asfalt; asfaltera **aspic** [äss'-pikk] aladåb **aspire** [əspaj'ə] längta, sträva **aspirin** [äss'pərinn] aspirin **assail** [əsej'l] angripa, anfalla **assailant** [əsej'lənt] angripare **assassin** [əsäss'inn] [lönn]mördare **assassinate** [əsäss'inejt] [lönn]mörda **assault** [əsä:'lt] överfalla **assemble** [ə-semm'bl] montera, sätta ihop **assembly** [əsemm'bli] samling, för-samling **assembly-hall** [əsemm'blihå:l] samlingslokal **assembly-line** [əsemm'blilijən] löpande band **assent** [əsenn't] bifall, sam-tycke **assert** [əsə:'t] påstå, hävda, göra gällande **assess** [əsess'] taxera **asset** [äss'ett] tillgång; *assets and liabilities* tillgångar och skulder **assiduous** [əsidd'joəs] trägen, ihärdig **assign** [əsaj'n] hänföra, anvisa **assignee** [ässini:'] rättsinnehavare **assignment** [əsaj'nmənt] anvisning; överlåtelse **assimilate** [əsimm'ilejt] as-similera **assist** [əsiss't] bistå, assistera **assistance** [əsiss'təns] bistånd **assistant** [əsiss'tənt] medhjälpare, expedit **assizes** [əsaj'ziss] (slags) domstol **associate** [əsåo'sjiejt] förknippa, associera; umgås **association** [əsåosiej'sjən] sammanslutning, förening, förbund **association football** [əsåosiej'sjən fott'bå:l] fotboll **assort** [əsä:'t] sortera **assortment** [əsä:'tmənt] sortiment **assuage** [əswej'dsj] lindra **assume** [əs-jo:'m] förutsätta, för-moda **assumption** [əsamm'psjən] antagande, förmodan, förut-sättning **assurance** [əsjo:'ərəns] förvissning; försäkring **assure** [əsjo:'ə] försäkra **asthma** [äss'mə] astma **astir** [əstə:'] i rörelse **astonish** [əstänn'isj] förvåna **astonishment** [əstänn'isjmənt] förvåning **astray** [əstrej'] vilse **astride** [əstraj'd] grensle **astrol-ogy** [əstrå'll'ədsji] astrologi **astronomy** [əstrånn'əmi] astronomi **asymmetrical** [äsimett'rikəl] asymmetrisk, osymmetrisk **astray** [əstrej'] vilse, på avvägar **astute** [əstjo:'t] skarpsinnig **asylum** [əsaj'ləm] asyl; fristad **at** [ätt] vid, i, på, hos; å; *not at all* inte alls **ate** [ett] imperf. av *eat* **atheist** [ej'θiist] ateist **Athens** [äθ'innz] Aten **athlete** [äθ'li:t] idrottsman **athletics** [äθlett'ikks] friidrott **Atlantic** [əttlänn'tikk] *the Atlantic* Atlanten **atlas** [ätt'ləs] atlas **atmosphere** [ätt'məsfiə] atmosfär **atom** [ätt'əm] atom **atom bomb** [ätt'əm bämm'] atombomb **atrocious** [ətrǻo'sjəs] grym; avskyvärd **atrocity** [ətråss'itti] grymhet, fasansfullhet **attach** [ətätt'sj] knyta, fästa; anknyta **attack** [ətäkk'] anfall, angrepp; anfalla, angripa **attain** [ətej'n] uppnå; vinna **attempt** [ətemm'pt] försök, försöka **attend** [ətenn'd] betjäna, sköta, ombesörja; bevista **attendance** [ətenn'dəns] uppassning, betjäning; när-varo **attendant** [ətenn'dənt] vårdare **attention** [ətenn'sjən] uppmärksamhet, uppseende; *pay attention to* ge akt på **attentive** [ətenn'tivv] uppmärksam **attest** [ətess't] attestera, vidimera, bestyrka **attic** [ätt'ikk] vind (i hus) **attire** [ətaj'ə] klä, styra ut; klädsel **attitude** [ätt'itjo:d] attityd, hållning **attorney** [ətə:'ni] ombud; *(Am.)* advokat **attract** [əträkk't] attrahera, påkalla; verka tilldragande **attraction** [əträkk'sjən] dragningskraft **attractive** [əträkk'tivv] tilldragande **attribute** [ətribb'jo:t] tillskriva; [ätt'-

auburn — backwoods 212

ribjo:t] kännetecken **auburn** [å:'bən] rödbrun **auction** [å:'ksjən] auktion **auctioneer** [å:ksjəni:'ə] auktionsförrättare **audacious** [å:dej'sjəs] djärv **audible** [å:'dəbl] hörbar **audience** [å:'djəns] publik, audiens **audit** [å:'ditt] granska, revidera **auditor** [å:'dittə] revisor **auditorium** [å:ditå:'riəm] teatersalong, hörsal **august** [å:gass't] upphöjd **August** [å:'gəst] augusti **aunt** [a:nt] faster, moster, tant **aural** [å:'rəl] öron-, hör- **aurora borealis** [å:rå:'rə bå:'riej'liss] norrsken **auspices** [å:'spissizz] beskydd **auspicious** [å:spisj'əs] gynnsam **austere** [åsti:'ə] sträng, allvarlig **Austria** [åss'triə] Österrike **Austrian** [åss'triən] österrikisk **Australia** [åstrej'ljə] Australien **Australian** [åstrej'ljən] australisk **authentic** [å:θenn'tikk] autentisk **author** [å:'θə] författare **authority** [å:θårr'itti] myndighet, befogenhet, auktoritet **authorization** [å:θərajzej'sjən] fullmakt **authorize** [å:'θərajz] auktorisera **autobiography** [å:tåobajågg'rəfi] självbiografi **autograph** [å:'təgra:f] autograf **automat** [å:'təmətt] automat **automatic** [å:təmätt'ikk] automatisk; *automatic machine* automat **autumn** [å:'təm] höst; *last autumn* i höstas; *next autumn* i höst (nästkommande) **auxiliaries** [å:gzill'jəriz] hjälptrupper **auxiliary** [å:gzill'jəri] hjälp-; hjälpare **avail** [əvej'l] tjäna till, gagna; nytta, gagn; *avail o.s.* of begagna sig av **available** [əvej'ləbl] tillgänglig **avalanche** [ävv'əla:nsj] snöskred, lavin **avaricious** [ävvərisj'əs] girig **avenge** [əvenn'dsj] hämnas **avenue** [ävv'injo:] allé **average** [ävv'əriddsj]; genomsnitt, medeltal; genomsnittlig **aversion** [əvə:'sjən] ovilja **aviary** [ej'vjəri] fågelhus **aviation** [ejviej'sjən] flygning **aviator** [ej'viejtə] flygare **avid** [ävv'id] glupsk **avoid** [əvåj'd] undvika **avow** [əvao'] erkänna **await** [əwej't] avvakta **awake** [əwej'k] vaken, väcka, vakna **awaken** [əwej'kən] (*bildl.*) väcka **awakening** [əwej'kning] uppvaknande, väckning **award** [əwå:'d] tilldela **away** [əwej'] bort, borta, undan **awe** [å:] bävan, skräck **awful** [å:'foll] hemsk **awhile** [əwaj'l] en stund **awkward** [å:'kwəd] tafatt; pinsam **awl** [å:l] syl **awning** [å:'ning] markis, soltält **awoke** [əwåo'k] imperf. och perf. part. av *awake* **awry** [əraj'] på sned **axe** [äkks] yxa **axis** [äkk'siss] (*mat.*) axel **axle** [äkk'sl] [hjul]axel **axle load** [äkk'sl låo'd] axeltryck **ay[e]** [aj] jaröst **azure** [äsj'ə] himmelsblå **babble** [bäbb'l] jollra, pladdra **baboon** [bəbo:'n] babian **baby** [bej'bi] spädbarn **baby pants** [bej'bi pännts] blöjbyxor **baby-sitter** [bej'bisittə] barnvakt **bachelor** [bätt'sjələ] ungkarl; *Bachelor of Arts* filosofie kandidat; *Bachelor of Economic Science* civilekonom **bacillus** [bəsill'əs] bacill **back** [bäkk] rygg, baksida; back; bakre; tillbaka; *back of the head* nacke **backbone** [bäkk'båon] ryggrad **background** [bäkk'graond] bakgrund, fond **backing** [bäkk'ing] stöd **back number** [bäkk'nammbə] gammalt tidskriftsnummer **back tax** [bäkk' täkks] restskatt **backward** [bäkk'wəd] bakvänd; motsträvig **backwards** [bäkk'wədz] baklänges, bakåt **backwoods** [bäkk'woddz] obygd

backyard [bäkk'ja:d] [bak]gård **bacon** [bej'kən] sidfläsk, bacon **bacterium** [bäkkti:'əriəm] bakterie; *bacteria* bakterier **bad** [bädd] dålig; skämd; *bad egg* rötägg; *bad luck* otur; *go bad* ruttna **bade** [bejd] imperf. av *bid* **badge** [bäddsj] märke, klubbmärke **badger** [bädd'sjə] grävling **badly** [bädd'li] illa **baffle** [bäff'l] gäcka; trotsa **baffled** [bäff'ld] snopen **bag** [bägg] påse, väska, säck; *carrier bag* [bär]kasse **baggage** [bägg'idsj] bagage **baggy** [bägg'i] säckig **bail** [bejl] borgen; gå i borgen; *bail out* hoppa i fallskärm **bailer** [bej'lə] öskar **bailiff** [bej'liff] fogde, länsman **bait** [bejt] bete, agn; hetsa **bake** [bejk] grädda, baka; *baked egg* äggstanning **baker** [bej'kə] bagare **baking** [bej'king] bakning **balance** [bäll'əns] uppväga, avväga, balansera; balans, våg, tillgodohavande; *balance carried forward* utgående balans; *balance the books* göra bokslut **balcony** [bäll'kəni] balkong **bald** [bå:ld] flintskallig **bale** [bejl] bal, packe; ösa (båt) **baleful** [bejl'foll] ondskefull **balk** [bå:k] balk; hinder; hindra **ball** [bå:l] **1** klot, kula, boll **2** bal **ballad** [bäll'əd] visa **ballad-singer** [bäll'ədsingə] vissångare **ballast** [bäll'əst] barlast **ball bearing** [bå:'l bä:əring] kullager **ballet** [bäll'ej] balett **balloon** [bəlo:'n] ballong **ballot** [bäll'ət] valsedel; sluten omröstning **ballpoint pen** [bå:'lpåjnt penn] kulspetspenna **bally** [bäll'i] förbaskad **balm** [ba:m] balsam; lindring **balmy** [ba:'mi] lindrande; fnoskig **Baltic** [bå:'ltikk] *the Baltic* Östersjön **balustrade** [bälləstrej'd] balustrad **bamboo** [bämmbo:'] bambu **ban** [bänn] bannlysning; förbud; bannlysa; förbjuda **banal** [bəna:'l] banal **banana** [bəna:'nə] banan **band** [bännd] band; musikkapell **bandage** [bänn'diddsj] bandage, förbinda **bandit** [bänn'ditt] bandit **bandmaster** [bänn'dma:stə] kapellmästare **bandstand** [bänn'dständ] musikestrad **bane** [bejn] fördärv **baneful** [bej'nfoll] fördärvlig, ödesdiger **bang** [bäng] smäll; *sonic bang* ljudbang **bangle** [bäng'gl] armring, fotledsring **banish** [bänn'isj] förvisa **banisters** [bänn'istəz] trappräcke **bank** [bängk] **1** bank, vall, grund **2** bank; *deposit at the bank* sätta in på banken **bank account** [bäng'k əkao'nt] bankkonto **banker** [bäng'kə] bankir **bank-note** [bäng'knåot] sedel **bankrupt** [bäng'krəpt] i konkurs, bankrutt **bankruptcy** [bäng'krəpsi] konkurs, bankrutt **banner** [bänn'ə] fana **banns** [bännz] lysning **banquet** [bäng'kwitt] bankett **bantam** [bänn'təm] dvärghöns **banter** [bänn'tə] skämt; skämta **baptism** [bäpp'tizəm] dop **baptize** [bäpptaj'z] döpa **bar** [ba:] bom, stång, skena; bar; takt; avspärra **barb** [ba:b] hulling **barbarian** [ba:bä:'əriən] barbar **barbaric** [ba:bärr'ikk] barbarisk **barbecue** [ba:'bikjo:] stor utomhusfest, utomhusgrill **barbed wire** [ba:'bd waj'ə] taggtråd **barber** [ba:'bə] barberare **bare** [bä:'ə] kal, bar **barefaced** [bä:'əfejst] oblyg, fräck **bare-foot** [bä:'əfott] barfota **bare-headed** [bä:'əhedd'idd] barhuvad **barely** [bä:'əli] nätt och jämnt **bargain** [ba:'ginn] (god) affär; pruta; *that's a bargain* det är avgjort; *into the bargain* på köpet **bargain-price** [ba:'ginnprajs] vrakpris **barge** [ba:dsj] pråm **bark** [ba:k] **1** bark **2** skälla; skall **bark boat** [ba:'k båot] barkbåt **barley** [ba:'li] korn (*sädesslag*) **barn** [ba:n] loge, lada **baron** [bärr'ən] baron **barracks** [bärr'əks] barack, kasern **barrage** [bärr'a:sj] spärreld **barrel** [bärr'əl] tunna **barrel-organ** [bärr'əlå:gən] positiv (*instrument*) **barren** [bärr'ən] karg, ofruktbar **barrier** [bärr'iə] spärr, hinder **barring** ·[ba:'ring] utom **barrister** [bärr'istə] advokat **barrow** [bärr'åo] skottkärra **bartender** [ba:'tendə] uppassare, bartender **barter** [ba:'tə] schackra bort **base** [bejs] bas, sockel; grunda, stödja **baseless** [bej'sliss] ogrundad **basement** [bej'smənt] källarvåning **bashful** [bäsj'foll] blyg **basic** [bej'sikk] grund- **basin** [bej'sn] fat, skål; sänka **basis** [bej'siss] grundval **bask** [ba:sk] sola sig **basket** [ba:'skitt] korg **basketball** [ba:'skittbå:l] korgboll **bass** [bejs] **1** bas **2** lageröl **bass tuba** [bej's tjo:'bə] bastuba **bast** [bässt] bast **baste** [bej'st] ösa (stek) **bat** [bätt] **1** fladdermus **2** slagträ, bordtennisracket **bate** [bejt] hålla tillbaka **bath** [ba:θ] bad; badkar **bathe** [bejð] bad; bada (utomhus); badda **bathing-cap** [bej'ðingkäpp] badmössa **bathing suit** [bej'ðing sjo:t] baddräkt **bath-robe** [ba:'θråob] badkappa **bathroom** [ba:'θromm] badrum **bath towel** [ba:'θ taoəl] badhandduk **bath tub** [ba:'θ tabb] badkar **bath-water** [ba:'θwå:tə] badvatten **batik** [bätt'ikk] batik **baton** [bätt'n] batong; taktpinne **batman** [bätt'mən] slagman (i kricket) **batter** [bätt'ə] smet; slå, bulta **battery** [bätt'əri] batteri **battle** [bätt'l] strid, slag; strida, kämpa **battle-field** [bätt'lfi:ld] slagfält **battlement** [bätt'lmənt] bröstvärn **battle-ship** [bätt'lsjipp] slagskepp **batty** [bätt'i] tokig **bawl** [bå:l] skrål; skråla **bay** [bej] vik, bukt, fjärd **bay leaf** [bej' li:f] lagerblad **bazooka** [bəzo:'kə] raketgevär **B.C.** [bi:'si:'] f.Kr. (före Kristus) **be** [bi:] vara, bli; *that may be* [so] det kan nog hända; *be off* ge sig av, kila **beach** [bi:tsj] [bad]strand **beachcomber** [bi:'tsjkåo-mə] strandgodssökare **beach-head** [bi:'tsjhedd] brohuvud **beacon** [bi:'kən] fyrtorn; trafikljus **bead** [bi:d] pärla, kula **beadle** [bi:'dl] kyrkvaktmästare **beak** [bi:k] näbb; pip **beam** [bi:m] balk, bjälke; stråla **bean** [bi:n] böna **bean-feast** [bi:'nfi:st] hippa **bear** [bä:'ə] **1** björn **2** bära, tåla; *bear ... in mind* ta fasta på **beard** [bi:'əd] skägg **bearded** [bi:'ədidd] skäggig **bearer** [bä:'ərə] bärare **bearing** [bä:'əring] lager (*kul- etc.*); orientering; *I find my bearings* jag orienterar mig **beast** [bi:st] djur, best; *beast of prey* rovdjur **beat** [bi:t] slag; klappa, slå; kryssa; *it beats me how* jag begriper inte hur **beaten** [bi:'t'n] slagen, besegrad **beatitude** [biätt'itjo:d] salighet **beau** [båo] sprätt; beundrare **beautiful** [bjo:'təfoll] vacker **beauty** [bjo:'ti] skönhet **beauty parlour** [bjo:'ti pa:'lə] skönhetssalong **beaver** [bi:'və] bäver **became** [bikej'm] imperf. av *become* **because** [bikå:zz'] därför att, emedan **beckon** [bekk'n] vinka, göra tecken **become** [bikamm'] bli; passa, klä **becoming** [bikamm'ing] klädsam **bed** [bedd] bädd, säng; *make a bed* bädda **bedclothes** [bedd'klåoðz] **bedding** [bedd'ing] sängkläder **bed-**

lam [bedd'ləm] dårhus **bed-pan** [bedd'pänn'] bäcken **bedridden** [bedd'riddn] sängliggande **bedrock** [bedd'råkk'] berggrund **bedroom** [bedd'romm] sovrum **bedspread** [bedd'spredd] överkast **bedstead** [bedd'stedd] säng **bee** [bi:] bi **beech** [bi:tsj] bok (träd) **beef** [bi:f] nötkött; *ground beef* köttfärs **beefsteak** [bi:'fstejk] biff **beefeater** [bi:'fi:tə] livgardist, vaktare i Towern **beehive** [bi:'hajv] bikupa **beer** [bi:ə] öl; *small beer* svagdricka **bee-sting** [bi:'sting] bisting **beet** [bi:t] beta (*rotfrukt*) **beetle** [bi:'tl] skalbagge **beetroot** [bi:'tro:t] rödbeta **before** [bifå:'] före, framför, infor; förut, innan **beforehand** [bifå:'hännd] på förhand **beg** [begg] tigga **began** [bigänn'] imperf. av *begin* **beget** [bigett'] avla **beggar** [begg'ə] tiggare; *a lucky beggar* en lyckans ost **beggar-my-neighbour** [begg'əminej'bə] svälta räv **begin** [biginn'] börja **beginner** [biginn'ə] nybörjare **beginning** [biginn'ing] början **begrudge** [bigradd'sj] missunna **beguile** [bigaj'l] lura, locka **begun** [bigann'] perf. part. av *begin* **behalf** [biha:'f] *on behalf of s.b.* på ngns vägnar **behave** [bihej'v] bete sig, uppträda, uppföra sig **behaviour** [bihej'vjə] beteende, uppförande **beheld** [bihell'd] imperf. och perf. part. av *behold* **behind** [bihaj'nd] bakom, baktill, bakpå; kvar, efter; ända, »stjärt» **behold** [bihåo'ld] skåda **being** [bi:'ing] varelse; *human being* människa **belch** [belltsj] rapa; rapning **belfry** [bell'fri] klocktorn **Belgian** [bell'dsjən] belgisk **Belgium** [bell'dsjəm] Belgien **belie** [bilaj'] beljuga; motsäga **belief** [bili:'f] (*subst.*) tro **believe** [bili:'v] (*verb*) tro; *make s.b. believe s.th.* inbilla ngn ngt **belittle** [bilitt'l] förringa **bell** [bell] [ring]klocka, bjällra **bellboy** [bell'båj] hotellpojke, pickolo **belle** [bell] vacker kvinna **bellicose** [bell'ikåos] stridslysten **belligerent** [bilidd'-sjərənt] krigförande **bellow** [bell'åo] böla, vråla **bellows** [bell'-åoz] blåsbälg **belly** [bell'i] mage, buk **belly-ache** [bell'iejk] magvärk **belong** [bilång'] *belong to* tillhöra **belongings** [bilång'ingz] tillhörigheter **beloved** [bilavv'd] älskad **below** [bilåo'] nedanför, under **belt** [bellt] bälte, skärp **beneath** [bini:'θ] nedanför, under **bench** [benntsj] bänk; domstol **bend** [bennd] krök, bukt; böja, bukta sig, svikta **bending** [benn'ding] buktig **benediction** [benidikk'sjən] välsignelse **benefactor** [benn'i-fäktə] välgörare **beneficial** [bennifisj'əl] välgörande, nyttig **benefit** [benn'ifitt] fördel; ha (dra) nytta **benevolence** [bi-nevv'ələns] välvilja **benevolent** [binevv'ələnt] välvillig **benign** [binaj'n] välvillig; godartad **bent** [bennt] böjd, krokig **bequeath** [bikwi:'ð] testamentera **bereave** [biri:'v] beröva **bereavement** [biri:'vmənt] smärtsam förlust **bereft** [birefft'] imperf. och perf. part. av *bereave* **berry** [berr'i] bär **berth** [bə:θ] koj, hytt; sovplats **beside** [bisaj'd] bredvid; *beside o.s.* utom sig **besides** [bisaj'dz] dessutom; förutom, förresten, för övrigt **besiege** [bissi:'dsj] belägra **best** [besst] bäst; *at best* i bästa fall; *do one's best* göra sitt bästa **bestow** [biståo'] skänka, ägna **bet** [bett] vad[slagning];

betide — backleg 216

slå vad; *I*[*If*] *bet you* det kan jag slå vad om **betide** [bitaj'd] *woe betide you!* ve dig! **betray** [bitrej'] förråda, röja **betroth** [bitråo'ð] trolova **better** [bett'ə] bättre; *all the better* desto bättre; *we had better go* det är bäst vi går; *you had better not do it* det är inte värt att du gör det **between** [bitwi:'n] [e]mellan; *between ourselves* (*themselves*) sinsemellan; *midway between* mitt emellan **beverage** [bevv'əridsj] dryck **beware** [biwä:'ə] akta sig **bewilder** [biwill'də] förvirra, förbrylla **bewitch** [biwitt'sj] förtrolla **beyond** [bijänn'd] bortom, utöver; *it is beyond me* det övergår mitt förstånd **bias** [baj'əs] partiskhet; göra partisk, påverka **bib** [bibb] haklapp **bible** [baj'bl] bibel **bibliography** [bibbliågg'rəfi] bibliografi **bicker** [bikk'ə] gnabbas, träta **bicycle** [baj'sikkl] cykel **bid** [bidd] anbud, bud; bjuda (*på auktion*); befalla **bide** [bajd] *bide one's time* bida sin tid **bidet** [bi:'dej] bidé **bier** [bi:'ə] bår **big** [bigg] stor; *big industry* storindustri; *big toe* stortå; *big town* storstad; *big wash* stortvätt **bigger** [bigg'ə] större **biggest** [bigg'isst] störst **bigwig** [bigg'wigg] pamp **bike** [bajk] (*vard.*) cykel; *ride a bike* cykla **bilberry** [bill'bəri] blåbär **bile** [bajl] galla **biliary cholic** [bill'jəri kåll'ikk] gallstensanfall **bilingual** [biling'gwəl] tvåspråkig **bilious** [bill'jəs] gallsjuk; argsint **bill** [bill] räkning, nota; lagförslag; växel; (*Am.*) sedel **billet** [bill'itt] inkvartera **billiards** [bill'jədz] biljard **billion** [bill'jən] (*Am.*) miljard **billow** [bill'åo] (*subst.*) bölja **bin** [binn] lår, låda **bind** [bajnd] (*verb*) binda; *bind o.s.* förplikta sig **binder** [baj'ndə] självbindare **binding** [baj'nding] [bok]band **binoculars** [binåkk'joləz] kikare **biography** [bajågg'rəfi] biografi **biology** [bajåll'ədsji] biologi **birch** [bə:tsj] björk **bird** [bə:d] fågel; »brud» **bird-cage** [bə:'dkejdsj] fågelbur **bird-cherry** [bə:'dtsjerri] hägg **bird's-eye view** [bə:'dzaj vjo:'] fågelperspektiv **bird's nest** [bə:'dznesst] fågelbo **birth** [bə:θ] födelse; *give birth to* föda **birth control** [bə:'θkəntråo'l] födelsekontroll, barnbegränsning **birthday** [bə:'θdej] födelsedag **birth-rate** [bə:'θrejt] nativitet **biscuit** [biss'kitt] [små]kaka, kex **bishop** [bisj'əp] biskop **bismuth** [bizz'məθ] vismut **bit** [bitt] **1** bit; *a bit* en smula; *not a bit* inte ett dugg *bit by bit* bitvis **2** nyckelax **bitch** [bittsj] tik; slinka **bite** [bajt] bita, bitas, hugga; bett, napp; tugga **bitter** [bitt'ə] bitter, besk **bitterness** [bitt'əniss] bitterhet **bitumen** [bitt'jominn] asfalt **blab** [bläbb] babbla; *blab out a secret* försäga sig **black** [bläkk] svart; *black cock* orre; *black grouse* orre; *the black market* svarta börsen; *black pepper* svartpeppar; *the Black Sea* Svarta havet; *the black sheep of the family* familjens svarta får **blackberry** [bläkk'bəri] björnbär **blackbird** [bläkk'bə:d] koltrast **blackboard** [bläkk'bå:d] svart tavla **blacken** [bläkk'ən] (*verb*) svärta **blackening** [bläkk'ning] svartmålning **blackfly** [bläkk'flaj] knott **blackguard** [blägg'a:d] skurk **blackhead** [bläkk'hedd] pormask **blacking** [bläkk'ing] (*subst.*) svärta **blackleg** [bläkk'legg] strejkbrytare; falskspelare

217 blacklist—blunder

blacklist [bläkk'lisst] svartlista **blackmail** [bläkk'mejl] utpressning; bedriva utpressning mot **blackout** [bläkk'aot] mörkläggning; medvetslöshet **black-pudding** [bläkk'podd'ing] blodpudding **blacksmith** [bläkk'smiθ] smed **bladder** [blädd'ə] urinblåsa, blåsa **blade** [blejd] [kniv]blad; klinga; strå **blame** [blejm] klander; klandra; *blame s.b. for s.th.* skylla ngt på ngn; *you only have yourself to blame* du får skylla dig själv **bland** [blännd] blid, förbindlig **blandish** [blänn'disj] smickra **blank** [blängk] nitlott; [minnes]lucka **blanket** [bläng'kitt] filt **blare** [blä:'ə] smattra; trumpetsmatter **blasphemy** [bläss'fimi] hädelse **blast** [bla:st] spränga **blasted** [bla:'stidd] fördömd **blatant** [blej'tənt] skränig **blaze** [blejz] blossa **blazer** [blej'zə] klubbjacka **bleach** [bli:tsj] bleka **bleak** [bli:k] kal; kulen; dyster **bleat** [bli:t] bräka **bled** [bledd] imperf. och perf. part. av *bleed* **bleed** [bli:d] blöda; *bleed to death* förblöda **blemish** [blemm'isj] fläck; fel **blend** [blennd] blanda [sig]; blandning **bless** [bless] välsigna; *bless you!* prosit **blessed** [blesst] salig **blessing** [bless'ing] välsignelse **blew** [blo:] imperf. av *blow* **blight** [blajt] mjöldagg; fördärv **blighter** [blaj'tə] ynklig figur **blimey** [blaj'mi] kors! **blimp** [blimmp] chauvinist **blind** [blajnd] blind (*to* för); rullgardin; blända; *blind alley* återvändsgata; *blind drunk* redlös[t berusad] **blindfold** [blaj'ndfäold] binda för ögonen på **blindman's-buff** [blaj'ndmännzbaff'] blindbock **blink** [blingk] blinka **blinker** [bling'kə] blinker; *blinkers* skygglappar **bliss** [bliss] lycksalighet **blister** [bliss'tə] [hud]blåsa **blithe** [blajð] munter **blitz** [blitts] överraskande luftangrepp **blizzard** [blizz'əd] häftig snöstorm **bloat** [blåot] svälla **bloater** [blåo'tə] böckling **block** [blåk] block, kloss; kvarter; *block of flats* hyreshus **blockade** [blåkkej'd] blockera **blockhead** [blåkk'hedd] träskalle **block letter** [blåkk'lett'ə] tryckbokstav; *use block letters* texta **bloke** [blåok] karl **blond** [blånnd] blond **blonde** [blånnd] blondin **blood** [bladd] blod **blood-clot** [bladd'klått] blodpropp **blood pressure** [bladd'presj'ə] blodtryck **blood group** [bladd' gro:p] blodgrupp **blood-poisoning** [bladd'påjzning] blodförgiftning **bloodshed** [bladd'sjedd] blodsutgjutelse **bloodshot** [bladd'sjått] blodsprängd **blood test** [bladd' tesst] blodprov **bloody** [bladd'i] blodig; förbannad **bloom** [blo:m] blom, blomning **bloomer** [blo:'mə] blunder **bloomers** [blo:'məz] vida dambyxor **blossom** [blåss'əm] blom, blomma; blomstra; *in blossom* utslagen i blom **blot** [blått] läska (*med läskpapper*) **blotch** [blåttsj] blemma; klick **blotting-paper** [blått'ingpejpə] läskpapper **blouse** [blaoz] blus **blow** [blåo] **1** slag, smäll **2** (*verb*) blåsa; *blow one's nose* snyta sig, fräsa; *blow up* explodera; *blow ... up* skälla ut **blown** [blåon] perf. part. av *blow* **blue** [blo:] blå; *feel blue* känna sig svårmodig **bluebell** [blo:'bell] blåklocka **bluebird** [blo:'bə:d] blåhake **bluebottle** [blo:'båttl] spyfluga **blue-eyed** [blo:'aj'd] blåögd **bluff** [blaff] bluff; bluffa **blunder** [blann'də] misstag, blunder

blunt [blannt] trubbig, slö; trubba [av] **blurred** [blə:d] suddig **blurt out** [blə:'t ao't] låta undfalla sig, plötsligt utslunga **blush** [blasj] rodna **bluster** [blass'tə] storma, rasa **boar** [bå:] galt; *wild boar* vildsvin **board** [bå:d] bräde, [anslags]tavla; papp; (*sjö.*) bord; styrelse; *on board* ombord; *be on the board* sitta i styrelsen; *board and lodge* inackordera, vara inackorderad; *board and lodging* inackordering, mat och husrum; vivre; *free board and lodging* fritt vivre **boarder** [bå:'də] (*pers.*) inackordering **boarding-house** [bå:'dinghaos] pensionat **boarding-school** [bå:'-dingsko:l] internatskola **boast** [båost] skryt; skryta (*of* över) **boat** [båot] båt, skuta **boat-racing** [båo'trejsing] kapprodd **bob** [båbb] shilling; hoppa, guppa **bobbin** [båbb'inn] spole **bobby** [båbb'i] poliskonstapel **bodice** [bådd'iss] blusliv **bodily** [bådd'illi] kroppslig[en] **body** [bådd'i] kropp; kår; karosseri **bodyguard** [bådd'iga:d] livvakt **bog** [bågg] myr **bogus** [båo'gəs] fingerad; falsk **bogy** [båo'gi] spöke; buse **Bohemia** [båohi:'mjə] Böhmen **boil** [båjl] (*verb*) koka; böld **boiled** [båjld] kokt **boiler** [båj'lə] ångpanna **boiling hot** [båj'ling hått'] kokhet **boisterous** [båj'strəs] stormig; bullersam **bold** [båold] djärv, käck, oförfärad **boldness** [båo'ldniss] djärvhet **bolt** [båolt] rigel; bult; (*om häst*) skena **bomb** [båmm] bomb; bomba **bombastic** [båmmbäss'tikk] svulstig **bomber** [båmm'ə] bombplan **bonanza** [bonänn'zə] malmåder; (*bildl.*) guldgruva **bond** [bånnd] band; obligation **bondage** [bånn'didsj] träldom **bone** [båon] ben (*i kroppen*); bena (*fisk*); *bone of contention* tvistefrö; *have a bone to pick with s.b.* ha ngt otalt med ngn; *make no bones about* inte tveka att **bonfire** [bånn'fajə] bål, eld **bonnet** [bånn'itt] [motor]huv **bonny** [bånn'i] söt; bra, god **booby-trap** [bo:'biträpp] elakt skämt; försåt **book** [bokk] bok; beställa, boka; bokföra **bookcase** [bokk'kejs] bokhylla **booking** [bokk'ing] beställning, bokning; *advance booking* [ədva:'ns bokk'ing] förköp; *booking of rooms* (*a room*) rumsbeställning **booking-office** [bokk'ingåffiss] biljettlucka, -kontor **book-keeping** [bokk'ki:ping] bokföring **booklet** [bokk'litt] broschyr; häfte **bookmaker** [bokk'mejkə] vadhållningsagent **bookmark** [bokk'ma:k] bokmärke **bookseller** [bokk'sellə] bokhandlare **book-shop** [bokk'sjåpp] bokhandel **bookstall** [bokk'stå:l] bokstånd; tidningskiosk **boom** [bo:m] högkonjunktur **boon** [bo:n] välsignelse; välgärning **boor** [bo:'ə] tölp **boorish** [bo:'ərisj] tölpaktig **boost** [bo:st] hjälpa fram, uppreklamera; uppsving **boot** [bo:t] känga **booth** [bo:ð] stånd, bod; [telefon]hytt **bootlegger** [bo:'tleggə] langare **booty** [bo:'ti] byte, rov **border** [bå:'də] list, bård; sarg; gräns, utkant; *border on* gränsa till **border district** [bå:'də diss'trikkt] gränsområde **border-line** [bå:'dəlajn] gräns[linje] **bore** [bå:] **1** borra; tråka ut; tråkmåns; *bore ... to death* tråka ihjäl (ut) **2** imperf. av *bear* **2 bored** [bå:d] uttråkad **borer** [bå:'rə] borr **boric acid** [bå:'rikk äss'idd] borsyra **boring** [bå:'ring] ledsam, tråkig **born** [bå:n] född;

be born födas **borne** [bå:n] burit, buren; fött **borough** [barr'ə] stad; köping; stadsvalkrets **borrow** [bårr'åo] låna *(from* av) **Borstal institution** [bå:'stl institjo:'sjən] ungdomsvårdsskola **bosh** [båsj] strunt **bosom** [bozz'əm] bröst, barm, famn **boss** [båss] **1** chef, bas **2** buckla **botanical** [bətänn'ikəl] botanisk **botany** [bått'əni] botanik **both** [båoθ] båda, bägge; både **bother** [båð'ə] besvära, genera; göra sig besvär; besvär; *bother!* jäklar!; *make a bother* krångla **bottle** [bått'l] flaska, butelj; buteljera; *bottled gas* gasol **bottom** [bått'əm] botten; *bottom sheet* underlakan; *at the bottom* underst *(of* i); *get to the bottom of* gå till botten med; *reach the bottom* bottna **bough** [bao] stor trädgren **bought** [bå:t] imperf. och perf. part. av *buy* **boulder** [båo'ldə] stor sten **bounce** [baons] studsa **bound** [baond] **1** bunden, inbunden; förbunden, förpliktad **2** begränsa **boundary** [bao'ndəri] gräns **bounder** [bao'ndə] skrävlare, knöl, bracka **boundless** [bao'ndliss] gränslös **bountiful** [bao'ntifoll] frikostig, riklig **bounty** [bao'nti] skottpengar **bourgeois** [bo:'əsjwa:] småborgerlig **bouquet** [bokk'ej] bukett **bow 1** [bao] buga, buga sig, bocka *(sig)* (*to* för); böja **2** [bao] bog *(på båt)* **3** [båo] [pil]båge; stråke; bygel; rosett **bowels** [bao'əlz] inälvor **bowl** [båol] bunke, skål **bow-legged** [båo'leggd] hjulbent **bowler** [båo'lə] plommonstop; kastare **bowsprit** [båo'spritt] bogspröt **bow-window** [båo'windåo] burspråk **box** [båkks] **1** låda, skrin, dosa; [teater]loge; *cardboard box* kartong, pappask; *large box* lår **2** boxas; *box on the ear* örfil **boxer** [båkk'sə] boxare **boxing** [båkk'sing] boxning **Boxing-day** [båkk'singdej] annandag jul **box-office** [båkk'såffiss] biljettlucka **boy** [båj] pojke **boycott** [båj'kət] bojkott; bojkotta **boyhood** [båj'hodd] pojkår, barndom **boyish prank** [båj'isj prängk] pojkstreck **bra** [bra:] behå **brace** [brejs] spänna; *brace o.s.* stålsätta sig; *brace one's feet* ta spjärn **bracelet** [brej'slitt] armband **braces** [brej'sizz] hängslen **bracing** [brej'sing] stärkande **bracken** [bräkk'n] ormbunke **bracket** [bräkk'itt] klammer, parentes **brag** [brägg] skrävla **braid** [brejd] fläta **braille** [brejl] blindskrift **brain** [brejn] hjärna; *rack one's brains* bry sin hjärna **brain injury** [brej'n inn'dsjəri] hjärnskada **brake** [brejk] broms; bromsa **brake lining** [brej'k laj'ning] bromsband **bran** [bränn] kli **branch** [bra:ntsj] gren; filial; grena sig **brand** [brännd] varusort, märke; brännmärka **brandish** [bränn'disj] svinga, svänga **brandy** [bränn'di] konjak **brass** [bra:s] mässing **brassière** [bräss'iä:ə] bysthållare **brassy** [bra:'si] mässings-; fräck **brat** [brätt] [barn]unge **bravado** [brəva:'dåo] karskhet **brave** [brejv] modig, tapper **bravery** [brej'vəri] rapperhet **bravo** [bra:'våo'] bravo **brawn** [brå:n] *(subst.)* sylta, salt fläsk; muskelstyrka **Brazil** [brəzill'] Brasilien **Brazil nut** [brəzill'natt] paranöt **breach** [bri:tsj] brytning; brott; rämna; *breach of duty* tjänstefel **bread** [bredd] bröd; *a piece of bread and butter* en smörgås **breadth** [breddθ] bredd **bread-winner** [bredd'winnə] familjeförsörjare **break** [brejk] bryta [av], bräcka, ha sönder; brista, gå av, gå sönder; avbrott, uppehåll, rast; brytning; *break down (om maskin)* gå sönder; *break out* utbryta; *break the bank* spränga banken; *break into a p.'s house* göra inbrott hos ngn; *his voice is just breaking* han är i målbrottet **breaker** [brej'kə] bränning (*i sjön*) **breakfast** [brekk'fəst] frukost; *have breakfast* äta frukost **breaking-up** [brej'kingapp'] uppbrott; *breaking-up mood* uppbrottsstämning **break through** [brej'kθrо:'] genombrott **breakwater** [brej'kwå:tə] vågbrytare **breast** [bresst] bröst **breast-stroke** [bress'tstrå:o'k] bröstsim **breath** [breθ] andedräkt, anda, andetag; fläkt, vindpust; *out of breath* andfådd **breathe** [bri:ð] andas **breather** [bri:'ðə] *take a breather* pusta ut **breathing** [bri:'ðing] andning, andhämtning **breathing-space** [bri:'ðing-spejs] andrum, andningspaus **breathless** [breθ'liss] andlös **bred** [bredd] imperf. och perf. part. av *breed* **breeches** [britt'sjizz] knäbyxor, ridbyxor **breed** [bri:d] häcka; yngla; få ungar **breeder** [bri:'də] uppfödare; avelsdjur **breeding** [bri:'ding] avel **breeze** [bri:z] bris **brew** [bro:] (*verb*) brygga; *s.th. is brewing* ngt är i görningen; *there is mischief brewing* det är ugglor i mossen **brewery** [bro:'əri] bryggeri **bribe** [brajb] muta **brick** [brikk] tegel; *drop a brick* trampa i klaveret **bricklayer** [brikk'lejə] murare **bridal** [braj'dl] brud-; *bridal couple* brudpar; *bridla crown* brudkrona **bride** [brajd] brud **bridegroom** [braj'dgromm] brudgum **bridesmaid** [braj'dzmejd] [brud']tärna **bridge** [briddsj] bro, brygga; kommandobrygga; fiolstall **bridle** [brajdl] betsel **brief** [bri:f] kortfattad; *be brief* fatta sig kort **brief-case** [bri:'f-kejs] portfölj **briefly** [bri:'fli] kort och gott **briefs** [bri:fs] trosor **brier** [braj'ə] törnbuske, nyponbuske **bright** [brajt] ljus, lysande; klar (*om färg*); begåvad **brighten** [braj'tn] klarna, ljusna **brill** [brill] slätvar **brilliant** [brill'jənt] strålande, lysande, briljant; snillrik **brim** [brimm] brätte **bring** [bring] ha (ta) med sig, komma med, medföra, tillföra; *bring me the books* ta hit böckerna; *bring o.s. to* komma sig för med att; *bring about* utlösa, framkalla, få till stånd, åstadkomma; *bring forth* frambringa; *bring together* sammanföra; *bring up* fostra, uppföda, uppfostra **bringing up** [bring'ing app'] fostran **brink** [bringk] rand, kant **brisk** [brisk] livlig; uppiggande **brisket** [briss'kitt] bringa (*av kött*) **bristle** [briss'l] borst **Britain** [britt'n] *Great Britain* Storbritannien **Britany** [britt'əni] Bretagne **British** [britt'isj] brittisk; *the British* britterna **Briton** [britt'n] britt **brittle** [britt'l] skör, spröd **broach** [brå:otsj] föra på tal **broad** [brå:d] bred; *in broad daylight* mitt på ljusa dagen **broadcast** [brå:'dka:st] sända i radio; radioutsändning **broaden** [brå:'dn] bredda **broad-minded** [brå:'dmaj'ndidd] vidsynt **brogue** [brå:og] (irländsk) dialekt; sportsko **broil** [bråjl] halstra **broke** [brå:ok] pank; imperf. av *break* **broken** [brå:o'kən] bruten, sönder, trasig; *be broken* gå sönder **broker** [brå:o'kə] mäklare **brokerage** [brå:o'kəridsj] mäkleri; mäklararvode **bronchi-**

tis [brångkaj'tiss] luftrörskatarr **bronze** [brånnz] brons **brooch** [bråotsj] brosch **brood** [bro:d] grubbla; ruva (*on* på); kull; yngel **brook** [brokk] bäck **broom** [bromm] kvast **broth** [bråθ] spad; *meat broth* buljong **brother** [bra‌ð'ə] bror; *brother[s] and sister[s]* syskon **brotherhood** [bra‌ð'əhodd] broderskap, brödraskap **brother-in-law** [bra‌ð'ərinlå:] svåger **brought** [brå:t] imperf. och perf. part. av *bring* **brow** [brao] ögonbryn; panna; *knit one's brows* rynka pannan **browbeat** [brao'bi:t] skrämma, spela översittare mot **brown** [braon] brun; bryna **brownie** [brao'ni] tomte **browse** [braoz] beta; skumma (böcker) **bruise** [bro:z] blåmärke **brunt** [brannt] stöt, våldsamhet **brush** [brasj] borste, pensel; snår; borsta; *brushed out (om hår)* utslaget; *brush up* friska upp (*bildl.*) **brushwood** [brasj'wodd] ris, snår **Brussels sprouts** [brass'lsprao'ts] brysselkål **brutal** [bro:'tl] brutal **brute** [bro:t] djur; odjur; djurisk; rå **bubble** [babb'l] bubbla **buccaneer** [bakkəni:'ə] sjörövare **buck** [bakk] bock, hane **bucket** [bakk'itt] hink, pyts, skovel; grävskopa; *kick the bucket* dö **buckle** [bakk'l] spänne; spänna, buckla (till) **bud** [badd] knoppas; knopp; *nip in the bud* kväva i sin linda **budge** [badd'sj] röra sig ur fläcken **budgerigar** [badd'sjəriga:] undulat **budget** [badd'sjitt] budget; *budget with a deficit* underbalanserad budget **budget bill** [badd'sjitt bill] statsverksproposition **budgie** [badd'‌sji] undulat **buff** [baff] mattgul; sämskskinn **buffalo** [baff'əlåo] buffel **buffer** [baff'ə] buffert **buffet 1** [baff'itt] knuff, knuffa **2** [bo:'fej] buffé **bug** [bagg] vägglus **bugle** [bjo:'gl] signalhorn; jakthorn **build** [billd] bygga, uppföra, anlägga; *build on* bebygga **building** [bill'ding] byggnad; anläggning; bygge **buildings** [bill'dingz] bebyggelse, byggnader **built** [billt] imperf. och perf. part. av *build* **built-up area** [bill'tapp ä:'əriə] tätort **bulb** [ballb] lök; glödlampa **bulge** [balldsj] utbuktning; bukta ut **bulging** [ball'dsjing] buktig **bulk** [ballk] skeppslast; volym, massa **bulkhead** [ball'khedd] vattentätt skott **bulky** [ball'ki] skrymmande **bull** [boll] tjur **bulldozer** [boll'dåozə] schaktningsmaskin **bullet** [boll'itt] kula (*från gevär o.d.*) **bullfight** [boll'fajt] tjurfäktning **bullfinch** [boll'finntsj] domherre **bullion** [boll'jən] guldtacka **bullock** [boll'ək] ung tjur, oxe **bull's eye** [boll'zaj] (skottavlas) prick **bully** [boll'i] översittare **bulrush** [boll'rasj] säv **bum** [bamm] luffare **bumble-bee** [bamm'blbi:] humla **bump** [bammp] bula, knöl; duns, törn; stöta, dunsa; *bump into* törna emot **bumper** [bamm'pə] kofångare, stötfångare **bumpy** [bamm'pi] knagglig **bun** [bann] bulle **bunch** [banntsj] knippa, klase **bundle** [bann'dl] bunt, knyte **bungalow** [bang'gəlåo] enplanshus, bungalow **bungle** [bang'gl] (för)fuska **bunk** [bangk] brits, koj; humbug **bunny** [bann'i] kanin **buoy** [båj] boj **buoyant** [båj'ənt] flytande; sorglös **burbot** [bə:'bət] lake **burden** [bə:'dn] börda **burdensome** [bə:'dnsəm] betungande **bureau** [bjo:əråo'] kontor; *Am.* byrå (*möbel*) **bureaucracy** [bjoråkk'rəsi] byråkrati **burglar** [bə:'glə] inbrottstjuv **burglar**

alarm [bə:'glə ə|a:'m] tjuvlarm **burglary** [bə:'gləri] inbrott **burglary insurance** [bə:'gləri innsjo:'ərəns] inbrottsförsäkring **burgundy** [bə:'gəndi] bourgogne **burial [service]** [berr'iəl sə:'viss] jordfästning **burly** [bə:'li] bastant **burn** [bə:n] brinna, bränna[s]; brännas vid; brännsår **burning hot** [bə:'ning hått'] brännhet **burnish** [bə:'nisj] polera **burnt** [bə:nt] vidbränd **burrow** [barr'åo] håla; gräva ett hål **burst** [bə:st] brista, spränga[s]; *burst of laughter* skrattsalva **bury** [berr'i] begrava **bus** [bass] buss **bus driver** [bass' drajvə] busschaufför **bush** [bosj] buske; *beat about the bush* gå som katten kring het gröt **bushel** [bosj'l] skäppa; rymdmått=36,3 l **bushy** [bosj'i] yvig **business** [bizz'niss] affär[er], rörelse; angelägenhet; *business is dull* affärerna går trögt; *it's none of your business* det angår dig inte **business conditions** [bizz'niss kəndisj'ənz] konjunkturer **business economics** [bizz'niss i:kənəmm'ikks] företagsekonomi **business hours** [bizz'niss ao'əz] affärstid **businessman** [bizz'nissmən] affärsman **business trip** [bizz'niss tripp] tjänsteresa, affärsresa **bus stop** [bass' ståpp] busshållplats **bust** [basst] byst **bus terminus** [bass' tə:'minəs] ändhållplats **bustle** [bass'l] jäkta; jäkt, brådska **bustling** [bass'ling] hetsig, jäktig **busy** [bizz'i] sysselsatt; *busy o.s. with* pyssla med, syssla med; *be busy doing s.th.* vara i färd med att göra ngt; *be busy with* [bi: bizz'i wið] hålla på med **busy-body** [bizz'ibäddi] beskäftig människa **but** [batt] men; utan; aber; *all but* nästan; *nothing else but* inget annat än; *no one but me* ingen utom jag; *but for them* om inte de hade varit; *the last but one* den näst sista **butcher** [bott'sjə] slaktare **butcher's** [bott'sjəz] köttaffär, slakteributik **butler** [batt'lə] hovmästare, förste betjänt **butt** [batt] kolv; fimp; stöta, stånga **butter** [batt'ə] smör **butter-cup** [batt'əkapp] smörblomma **butterfly** [batt'əflaj] fjäril **butterfly-net** [batt'əflaj nett] fjärilshåv **butterfly stroke** [batt'əflaj stråok] fjärilsim **buttermilk** [batt'əmillk] kärnmjölk **buttock[s]** [batt'ək(s)] skinka; bakdel **button** [batt'n] (*subst.*) knapp; *button [up]* knäppa, knäppa igen **buttonhole** [batt'nhåol] knapphål **buttoning** [batt'ning] knäppning **buxom** [bakk'səm] mullig; fryntlig **buy** [baj] köpa **buyer** [baj'ə] köpare **buzz** [bazz] surr; surra **buzzard** [bazz'əd] ormvråk **buzzer** [bazz'ə] summer **by** [baj] hos, bredvid, invid; av; *by and by* snart, så småningom; *by and large* i stort sett; *close by here* här bredvid; *by now* vid det här laget; *one by one* en och en; *by that* därmed; *by train* med tåg; *by the way* i förbigående [sagt], för övrigt **by-election** [baj'ilekksjən] fyllnadsval **by-law** [baj'lå:] lokal förordning **by-pass** [baj'pa:s] sidoväg; gå (leda) förbi **by-stander** [baj'stänndə] åskådare **byword** [baj'wə:d] ordstäv; öknamn **cab** [käbb] droska, taxi **cabaret** [käbb'ərej] kabaré **cabbage** [käbb'iddsj] kål **cabin** [käbb'inn] koja; hytt, kajuta **cabinet** [käbb'initt] skåp; kabinett **cabinet minister** [käbb'initt minn'isstə] statsråd **cable** [kej'bl] kabel, vajer; telegram; telegrafera **cab-rank** [käbb'rängk], **cab-stand** [käbb'-ständn] droskstation **cacao** [kəka:'åo] kakao **cackle** [käkk'l] kackla, pladdra; kackel, pladder **cactus** [käkk'təs] kaktus **cad** [kädd] lymmel **caddie** [kädd'i] klubbpojke (i golf) **caddy** [kädd'i] teburk **cadet** [kədett'] yngre son; kadett **café** [käff'ej] kafé **cage** [kejdsj] bur **cagebird** [kej'dsjbə:d] burfågel **cagey** [kej'dsji] slug, försiktig **cake** [kejk] kaka, tårta **calamity** [kəlämm'itti] katastrof, olycka **calculate** [käll'kjolejt] kalkylera, [be]räkna **calculating machine** [käll'kjolejting məsji:n] räkne-maskin **calculation** [källkjolej'sjən] beräkning, uträkning; kalkyl **calendar** [käll'inndə] kalender, almanacka **calf** [ka:f] (pl calves [ka:vz]) kalv; vad (på ben) **calfskin** [ka:'fskinn] kalvskinn **call** [kå:l] kalla; [an]ropa; gala (om gök); rop; (djurs) läte; visit; alarm call telefonväckning; be called heta, kallas; I should like to be called at 6 får jag be om väckning kl. 6; call a strike utlysa strejk; call in inkalla; call on hälsa på; call out uppbåda; call together sammankalla; call up ringa till, (mil.) inkalla **call-box** [kå:'lbåkks] telefonhytt **calling** [kå:'ling] yrke **callous** [käll'əs] hård, okänslig **callus** [käll'əs] valk **calm** [ka:m] lugn, stillhet; stiltje; lugn, stilla; lugna; calm down lugna sig **calorie** [käll'əri] kalori **cambric** [kej'mbrikk] batist **came** [kejm] imperf. av come **camel** [kämm'əl] kamel **camera** [kämm'ərə] kamera **camomile** [kämm'əmajl] wild camomile kamomill **camouflage** [kämm'o-fla:sj] kamouflage; kamouflera **camp** [kämmp] läger; tälta, campa **campaign** [kämmpej'n] kampanj, fälttåg **camp-bed** [kämm'p-bedd] tältsäng **camp-fire** [kämm'pfajə] lägereld **camping** [kämm'ping] camping **camping ground** [kämm'ping graond] campingplats **campus** [kämm'pəs] (Am.) universitets-, skolom-råde **camshaft** [kämm'sja:ft] kamaxel **can** [känn] **1** kan; får **2** dunk; (Am.) konservburk; konservera **canal** [kənäll'] (grävd) kanal **canned fruit** fruktkonserver **Canada** [känn'ədə] Kanada **Canadian** [kənej'djən] kanadensare; kanadensisk **canary** [kənä:'əri] kanariefågel; the Canary Islands Kanarieöarna **cancel** [känn'səl] upphäva, annullera, återkalla, inställa, avbeställa **cancer** [känn'sə] cancer **candid** [känn'didd] uppriktig **candidate** [känn'ditt] kandidat **candidly** [känn'diddli] uppriktigt sagt **candle** [känn'dl] [stearin]ljus **candle-end** [känn'dlennd] ljus-stump **candlelight** [känn'dllajt] eldsljus **candlestick** [känn'dl-stikk] ljusstake **candour** [känn'də] uppriktighet **candy** [känn'di] kandisocker; (Am.) karameller, godis **cane** [kejn] rotting **cane sugar** [kej'n sjogg'ə] rörsocker **canine tooth** [kej'najn to:'θ] hörntand **cannery** [känn'əri] konservfabrik **cannibal** [känn'ibəl] kannibal **cannon** [känn'ən] kanon **cannot** [känn'ått] kan inte, får inte **canoe** [kəno:'] kanot **canopy** [känn'əpi] sänghimmel **cant** [känntt] slang, tjuvspråk; hyckleri **canteen** [känntti:'n] marketenteri **canter** [känn'tə] (rida i) kort galopp **canvas** [känn'vəs] segelduk, tältduk; duk, tavla **canyon** [känn'jən] kanjon

cap [käpp] mössa; kapsyl **capacity** [kəpäss'itti] kapacitet **ca-pable** [kej'pəbl] duglig; duktig **capacity** [kəpäss'itti] förmåga **cape** [kejp] udde **caper** [kej'pə] 1 kapris 2 glädjesprång; skutta **capercaillie** [käppəkej'lji] tjäder **capital** [käpp'ittl] kapital; huvudstad; stor bokstav; huvudsaklig **capitalism** [käpp'itəlizəm] kapitalism **capitulation** [kəpittjolej'sjən] kapitulation **capricious** [kəprisj'əs] nyckfull, oberäknelig, lynnig **Capricorn** [kej'prikå:n] *Tropic of Capricorn* Stenbockens vändkrets **capsize** [käppsaj'z] kapsejsa **capsule** [käpp'sjo:l] kapsel **captain** [käpp'tinn] kapten, sjökapten **caption** [käpp'sjən] rubrik; bild-, filmtext **captivate** [käpp'tivejt] fängsla, tjusa **captivity** [käpptivv'itti] fångenskap **capture** [käpp'tsjə] tillfångata, kapa **car** [ka:] bil **car body** [ka:' bådd'i] karosseri **caramel** [kärr'əmell] kola **caravan** [kärr-əvänn'] karavan; husvagn **caraway** [kärr'əwej] kummin **carbohydrate** [ka:'båohaj'drejt] kolhydrat **carbon** [ka:'bən] kol **carbonic acid** [ka:bånn'ikk äss'idd] kolsyra **carbon monoxide** [ka:'bən månåkk'sajd] koloxid **carbon paper** [ka:'bən pejpə] karbonpapper **carbon tetrachloride** [ka:'bən tett'räklå:'rajd] koltetraklorid **carburettor** [ka:'bjoretta] förgasare **carcass** [ka:'-kəs] as **card** [ka:d] (*subst.*) kort **cardamom** [ka:'dəməm] kardemumma **cardboard** [ka:'dbå:d] kartong, papp **cardigan** [ka:'-digən] kofta **cardinal** [ka:'dinl] kardinal; *cardinal number* grundtal; *cardinal points* väderstreck **card index** [ka:'d inndekks] kartotek **cardsharper** [ka:'dsja:pə] falskspelare **care** [kä:'ə] vård, omvårdnad, skötsel, försiktighet; bekymra sig; *I don't care* det bryr jag mig inte om; *care for* bry sig om; *take care* akta sig; *take care of* sköta, ta vara på; *not care a bit about* strunta i **career** [kəri:'ə] karriär, [levnads]bana **carefree** [kä:'əfri:] sorglös **careful** [kä:'əfoll] aktsam, ordentlig, noggrann, omsorgsfull, försiktig; *be careful!* se dig för!; *be careful with* akta **careless** [kä:'əliss] slarvig, vårdslös; *be careless* slarva **carelessness** [kä:'əlissniss] slarv, vårdslöshet **caress** [kəress'] smeka; smekning **caressing** [kəress'ing] smeksam **caretaker** [kä:'ətejkə] portvakt, vaktmästare, uppsyningsman **cargo** [ka:'gåo] last, frakt **cargo-ship** [ka:'gåosjipp] lastbåt **caribou** [kärr'ibo:] amerikansk ren **caricature** [kärrikkətjo:'ə] karikatyr; karikera **caries** [kä:'ərii:z] karies, tandröta **carnal** [ka:'nl] köttslig **carnation** [ka:nej'sjən] nejlika **carnival** [ka:'nivəl] karneval **carnivorous** [ka:nivv'ərəs] köttätande **carol** [kärr'l] julsång, lovsång **carpenter** [ka:'pinntə] snickare **carpet** [ka:'pitt] matta **carriage** [kärr'iddsj] vagn, ekipage; hållning **carrier** [kärr'iə] bärare; *aircraft carrier* hangarfartyg; *paper carrier* papperskasse **carrion** [kärr'iən] as **carrot** [kärr'ət] morot **carry** [kärr'i] bära; föra; *carry away* hänföra; *carry on* bedriva, fortsätta; *carry out* utföra, uträtta, verkställa; *carry through* genomföra **carrying out** [kärr'iing ao't] utförande **cart** [ka:t] kärra, vagn **carter** [ka:'tə] åkare **cartilage** [ka:'tiliddsj] brosk **carton** [ka:'tn] kartong, pappask **cartoon** [ka:to:'n] skämtteckning **cartridge**

[ka:'triddsj] patron **carve** [ka:v] skära, snida, tälja **carving-knife** [ka:'vingnajf] förskärare **case** [kejs] fall, händelse; [rätts]fall, mål; fodral, etui, hylsa; *in any case* i alla fall; *in that case* i så fall **case record** [kej's rekk'å:d] [sjukhus]journal **cash** [käsj] kassa; kontanter; kontant; lösa in (*check*); *cash on delivery* post-förskott **cash-box** [käsj'båkks] kassaskrin **cash desk** [käsj' dessk] kassa (*i butik*) **cash discount** [käsj' diss'kaont] kassa-rabatt **cashier** [käsji:'ə] kassör; kassa (*i bank*) **cash register** [käsj' redd'sjisstə] kassaapparat **casing** [kej'sing] fodral **casino** [kəsi:'nåo] kasino **cask** [ka:sk] fat, tunna **casket** [ka:'skitt] skrin, schatull **cassette tape-recorder** [käsett' tej'prikå:də] kassettbandspelare **cast** [ka:st] stöpa; gjuta **castanet** [kässtə-nett'] kastanjett **caste** [ka:st] kast[väsende] **casting-rod** [ka:'st-ingrådd] kastspö **cast iron** [ka:'st aj'ən] gjutjärn **castle** [ka:'sl] slott, borg **castor oil** [ka:'stəråj'l] ricinolja **casual** [käsj'joəl] tillfällig; planlös; nonchalant **casualty** [käsj'joəlti] olycksfall; *casualties* döda och sårade **cat** [kätt]; katt; *let the cat out of the bag* försäga sig **catalogue** [kätt'əlågg] katalog **catapult** [kätt'əpallt] katapult; slangbåge **cataract** [kätt'əräkkt] katarakt; grå starr **catarrh** [kəta:'] katarr; *catarrh of the stomach* magkatarr **catastrophe** [kətäss'trəfi] katastrof **catastrophic** [kättəstråff'ikk] katastrofal **catburglar** [kätt'bə:glə] fasadklättran-de tjuv **catch** [kättsj] fånga, gripa; ådraga sig; ertappa, hinna med (*tåg o.d.*); fångst; spärr; *catch a cold* få snuva, bli förkyld; *catch the infection* bli smittad; *catch s.b. up* hinna ikapp ngn; *catch up with* hinna fatt **catching** [kätt'sjing] smittsam; vinnande **catchword** [kätt'sjwə:d] lystringsord; slagord; uppslagsord **category** [kätt'igəri] kategori **cater** [kej'tə] skaffa, leverera mat; *cater for* tillgodose **caterer** [kej'tərə] mathållare; leverantör **caterpillar** [kätt'əpillə] larv; bandtraktor **cathedral** [kəθi:'drəl] domkyrka, katedral **Catholic** [kä'əlikk] katolik; katolsk **cattle** [kätt'l] boskap, nötkreatur **cattle-breeding** [kätt'lbri:ding] bo-skapsskötsel **caught** [kå:t] imperf. och perf. part. av *catch;* *get caught* fastna, bli fast **cauliflower** [kåll'iflaoə] blomkål **cause** [kå:z] orsak, grund; förorsaka, åstadkomma, förmå; *cause and effect* orsak och verkan **caution** [kå:'sjən] försiktighet **cautious** [kå:'sjəs] försiktig, varsam **cavalcade** [kävvəlkej'd] kavalkad **cavalier** [kävvəli:'ə] kavaljer **cavalry** [kävv'əlri] kavalleri **cave** [kejv] håla, grotta; *cave in* falla ihop, störta in **cavern** [kävv'ən] grotta **caviar[e]** [kävv'ia:] kaviar **cavity** [kävv'itti] hålighet **cease** [si:s] upphöra **cedar** [si:'də] ceder[trä] **ceiling** [si:'ling] [inner]tak **celebrate** [sell'ibrejt] fira; *celebrated* berömd **celebration** [sellibrej'sjən] firande **celebrity** [sillebb'ritti] berömdhet, celebritet **celery** [sell'əri] selleri **cell** [sell] cell **cellar** [sell'ə] källare **cello** [tsjell'åo] violoncell **cellulose** [sell'joläos] cellulosa **cellulose wadding** [sell'joläos wådd'ing] cellstoff **Celtic** [sell'-tikk] keltisk **cement** [simenn't] cement, kitt; cementera **cemetery** [semm'ittri] kyrkogård **cenotaph** [senn'əta:f] minnesgravvård **censorship** [senn'səjipp] censur **censure** [senn'sjə] klander; klandra, kritisera **census** [senn'səs] folkräkning **centenary** [senn-ti:'nəri] hundraårsdag **centilitre** [senn'tili:tə] centiliter **centimetre** [senn'timi:tə] centimeter **central** [senn'trəl] central; *central bank* riksbank **central heating** [senn'trəl hi:'ting] centralvärme, värmeledning **centralize** [senn'trəlajz] centralisera **central station** [senn'trəl stej'sjən] centralstation **centre** [senn'tə] centrum, center, medelpunkt **centrifuge** [senn'trifjo:dsj] centrifugera **century** [senn'tsjorri] århundrade, sekel; *in the twentieth century* på nittonhundratalet **ceramics** [sirämm'ikks] keramik **cerat** [si:'ə-ritt] cerat **cereal** [si:'əriəl] sädesslag; frukostflingor **ceremony** [serr'iməni] ceremoni **certain** [sə:'tn] viss, säker; *a certain M. A.* en viss herr A.; *for certain* förvisso, utan tvivel, med bestämdhet **certainly** [sə:'tnli] säkerligen, säkert, visst, förvisso **certainty** [sə:'tnti] visshet, säkerhet **certificate** [sətiff'ikitt] intyg, certifikat, betyg **certify** [sə:'tifaj] intyga *(skriftligt)* **cesspool** [sess'po:l] kloakbrunn; gödselstack **chafe** [tsjejf] skava; *chafed feet* skoskav **chaff** [tsja:f] agnar **chaffer** [tsjäff'ə] schackra **chaffinch** [tsjäff'intsj] bofink **chain** [tsjejn] kedja, kätting **chair** [tsjä:'ə] stol; *easy chair* vilstol; *folding chair* vilstol, fällstol **chairman** [tsjä:'əmən] ordförande **chalk** [tsjå:k] krita **challenge** [tsjäll'inndsj] utmana; utmaning **challenge prize** [tsjäll'inndsj prajz] vandringspris **chamber** [tsjej'mbə] kammare **chamberlain** [tsjej'mbəlinn] kammarherre **chamber-maid** [tsjej'mbəmejd] hotellstäderska; husa **chamber music** [tsjej'mbə mjo:'zikk] kammarmusik **chamber-pot** [tsjej'm-bəpått] potta **chamois** [sjämm'wa:] stenget; sämskskinn **champ** [tsjämmp] tugga [på], bita [i] **champion** [tsjämm'pjən] mästare, champion **championship** [tsjämm'pjənsjipp] mästerskap **chance** [tsja:ns] tillfälle, slump, chans; utsikt; *have every chance of* ha alla utsikter; *by chance* händelsevis; *quite by chance* av en ren händelse **chancel** [tsja:'nsl] kor **chancellor** [tsja:'nsələ] kansler **chandelier** [sjänndili:'ə] ljuskrona **change** [tsjejndsj] ändra, förändra[s], byta, förbytas; växla; klä om sig; ändring, förändring, vändning, skiftning; växel[pengar]; ombyte; *change one's mind* ändra sig; *change hands* byta ägare; *change of address* adressförändring; *change of air* luftombyte; *change of life* övergångsålder **changeable** [tsjej'ndsjəbl] föränderlig, ombytlig **change-over** [tsjej'n-dsjåo'və] övergång **changing of the guard** [tsjej'ndsjing əvv ðə ga:'d] vaktparad **changing-room** [tsjej'ndsjingromm] omklädningsrum **channel** [tsjänn'l] *(naturlig)* kanal, farled; *the Channel* Engelska kanalen **chanterelle** [tsjänntərell'] kantarell **chaos** [kej'åss] kaos **chap** [tsjäpp] spricka; karl, grabb **chapbook** [tsjäpp'bokk] skillingtryck **chapel** [tsjäpp'əl] kapell, gudstjänstlokal **chaperon** [sjäpp'əråon] *(bildl.)* förkläde **chaplain** [tsjäpp'-linn] kaplan **chapter** [tsjäpp'tə] kapitel **charabanc** [sjärr'əbäng] turistbuss **character** [kärr'ikktə] karaktär; bokstav; *principal*

character huvudperson **characteristic** [kärriktəriss'tikk] karak-
teristisk, utmärkande (*of* för); kännetecken, utmärkande drag
characterize [kärr'ikktərajz] karakterisera, känneteckna **char-
coal** [tsja:'kåol] träkol **charcoal tablet** [tsja:'kåol täbb'litt]
koltablett **charge** [tsja:dsj] anklaga (*with* för); ta betalt; ålägga;
anklagelse; kostnad; *at my charge* på min bekostnad; *in charge*
tjänstgörande; *be in* (*have*) *charge of* ha hand om, sköta; *take
charge of* ta hand om; *charge s.b. with s.th.* tillvita ngn ngt
charitable [tsjärr'itəbl] barmhärtig, välgörenhets-; *charitable
purposes* välgörande ändamål **charity** [tsjärr'itti] välgörenhet
charm [tsja:m] tjusning, behag, charm; berlock; tjusa **charmed**
[tsja:md] förtjust, intagen (*with* i) **charming** [tsja:'ming] för-
tjusande, bedårande **chart** [tsja:t] sjökort; [väg]plansch **charter**
[tsja:'tə] urkund, kontrakt; privilegium; hyra, abonnera; befrakta
charwoman [tsja:'wommən] städerska **chase** [tsjejs] jaga, för-
följa **chasm** [käzz'm] svalg, klyfta **chassis** [sjäss'i] bilunderrede,
chassi **chaste** [tsjejst] kysk, ren **chasten** [tsjej'sn] tukta; luttra
chastise [tsjässtaj'z] tukta **chat** [tsjätt] småprata **chatter** [tjätt'ə]
snattra, pladdra **chatterbox** [tsjätt'əbåkks] pratmakare **chatty
article** [tsjätt'i a:'tikkl] kåseri **cheap** [tsji:p] billig **cheat** [tsji:t]
fuska; lura; skojare, bedragare **check** [tsjekk] hämma, hejda,
stävja; kontrollera; kontroll; (*Am.*) nota, check; *check!* schack!
checkers [tsjekk'əz] (*Am.*) damspel **checkmate** [tsjekk'mejt]
schack och matt; besegra **cheek** [tsji:k] kind; fräckhet **cheeky**
[tsji:'ki] fräck, uppkäftig **cheer** [tsji:'ə] hurrarop, leve; munterhet;
hurra; *cheers!* skål!; *cheer up* pigga upp, muntra upp, gaska upp
[sig] **cheerful** [tsji:'əfoll] glad; gladlynt **cheerio** [tsji:'əriðo']
hej då! **cheerless** [tsji:'əliss] otrivsam **cheese** [tsji:z] ost
cheese slicer [tsji:'z slaj'sə] osthyvel **chef** [sjeff] köksmästare
chemical [kemm'ikəl] kemisk **chemicals** [kemm'ikəlz] kemikalier
chemise [sjimi:'z] damlinne **chemist** [kemm'isst] kemist; apo-
tekare **chemistry** [kemm'isstri] kemi **chemist's** [kemm'issts]
apotek **cheque** [tsjekk] check (*for* på) **cheque book** [tsjekk'-
bokk] checkhäfte **chequered** [tsjekk'əd] brokig; rutig **cherish**
[tsjerr'isj] hysa; vårda **cherry** [tsjerr'i] körsbär **chess** [tsjess]
schack; *a game of chess* ett parti schack **chessboard** [tsjess'bå:d]
schackbräde **chessman** [tsjess'männ] schackpjäs **chest** [tsjesst]
bröstkorg; kista; *chest of drawers* byrå **chestnut** [tsjess'natt]
kastanje **chew** [tsjo:] (*verb*) tugga; *chew the cud* idissla
chewing-gum [tsjo:'inggamm] tuggummi **chick[en]** [tsjikk'-
(inn)] kyckling **chiecken-pox** [tsjikk'innpåkks] vattkoppor **chic-
ory** [tsjikk'əri] endiv[sallad] **chief** [tsji:f] ledare, chef, hövding;
huvudsaklig **chiefly** [tsji:'fli] huvudsakligen **chief physician** [tsji:'f
fizisj'ən] överläkare **chieftain** [tsji:'ftən] hövding **child** [tsjajld]
(*pl children* [tsjill'drən]) barn **child allowance** [tsjaj'ld əlao'əns]
barnbidrag **childhood** [tsjaj'ldhodd] barndom **childish** [tsjaj'l-
disj] barnslig **child-proof** [tsjaj'ldpro:f] barnsäker **children's**

disease [tsjill'drənz dizi:'z] barnsjukdom **children's specialist** [tsjill'drənz spesj'əlist] barnläkare **child welfare** [tsjaj'ld well'fä:ə] barnavård **child welfare committee** [tsjaj'ld well'fä:ə kəmitt'i] barnavårdsnämnd **chill** [tsjill] kyla **chilly** [tsjill'i] kylig **chime** [tsjajm] klockspel; harmoni; klinga **chimney** [tsjimm'ni] skorsten **chimneypot** [tsjimm'nipått] skorstenspipa **chimney-sweep** [tsjimm'niswi:p] sotare **chimpanzee** [tsjimmpənzi:'] schimpans **chin** [tsjinn] haka **China** [tsjaj'nə] Kina **china** [tsjaj'nə] porslin **Chinese** [tsjaj'ni:'z] kines; kinesisk **chink** [tsjingk] (*subst.*) springa **chip** [tsjipp] spån; skärva **chipolata sausage** [tsjippələ:'tə såss'iddsj] prinskorv **chipped** [tsjippt] kantstött **chips** [tsjipps] pommes frites; chips **chirp** [tsjə:p] kvittra; kvitter **chisel** [tsjizz'l] mejsel, stämjärn; [ut]mejsla **chit** [tsjitt] barnunge; kort skriftligt meddelande **chivalrous** [sjivv'ələrəs] ridderlig **chivalry** [sjivv'əlri] ridderlighet **chive** [tsjajv] gräslök **chock** [tsjåkk] kil, kloss **chockful** [tsjåkk'foll] proppfull **chocolate** [tsjåkk'əlitt] choklad, pralin **chocolate bar** [tsjåkk'əlitt ba:] chokladkaka **choice** [tsjåjs] val, urval; *Hobson's choice* inget val **choir** [kwaj'ə] kör; kor **choke** [tsjåok] kväva[s]; choke **choking** [tsjåo'king] kvävning **choose** [tsjo:z] välja, utvälja (*from* bland) **choosy** [tsjo:'zi] kinkig, kräsen **chop** [tsjåpp] hugga, hacka; hugg; kotlett **chopper** [tsjåpp'ə] köttyxa, köttkniv **choppy** [tsjåpp'i] krabb (om sjö); ombytlig (om vind) **chord** [kå:d] ackord **chore** [tsjå:] husliga småsysslor **choreography** [kårriägg'rəfi] koreografi **chorus** [kå:'rəs] kör; refräng **chose** [tsjåoz] imperf. av *choose* **chosen** [tsjåo'zn] [ut]vald **Christ** [krajst] Kristus **christen** [kriss'n] döpa **Christendom** [kriss'ndəm] kristenheten **christening** [kriss'ning] dop **Christian** [kriss'tjən] kristen, kristlig; *Christian name* förnamn **Christianity** [krisstiänn'itti] kristendom[en] **Christmas** [kriss'məs] jul; *Father Christmas* jultomten; *A Merry Christmas!* god jul! **Christmas carol** [kriss'məs kärr'əl] julsång **Christmas Eve** [kriss'məs i:v] julafton **Christmas holidays** [kriss'məs håll'ədizz] jullov **Christmas present** [kriss'məs prezz'nt] julklapp **Christmas tree** [kriss'məs tri:] julgran **chromosome** [kråo'məsåom] kromosom **chronic** [krånn'ikk] kronisk **chronicle** [krånn'ikkl] krönika **chronologic** [krånnəlådd'sjikk] kronologisk **chrysalis** [kriss'əliss] puppa **chubby** [tsjabb'i] knubbig **chuck** [tsjakk] slänga, kasta **chucker-out** [tsjakk'əraoʹt] utkastare, ordningsvakt **chuckle** [tsjakk'l] småskratta **chum** [tsjamm] god vän, kamrat **chunk** [tsjəngk] tjockt stycke **church** [tsjə:tsj] kyrka; *go to church* gå i kyrkan **church bell** [tsjə:'tsjbell] kyrkklocka **church tower** [tsjə:'tsj taoə] kyrktorn **churchyard** [tsjə:'tsjja:'d] kyrkogård **churn** [tsjə:n] kärna (smör); röra om **chute** [sjo:t] ränna; rutschbana, kälkbacke; sopnedkast **cigar** [siga:'] cigarr **cigarette** [siggərett'] cigarrett **cinder** [sinn'də] slagg **Cinderella** [sinndərell'ə] Askungen **cine camera** [sinn'ikämm'ərə] smalfilmskamera

cinema [sinn'imə] biograf; *at the cinema* på bio; *go to the cinema* gå på bio **cinnamon** [sinn'əmən] kanel **cipher** [saj'fə] nolla; siffra; chiffer **circle** [sə:'kl] cirkel, krets; rad (*på teater*); kretsa **circuit** [sə:'kitt] strömkrets; *short circuit* kortslutning **circular** [sə:'kjolə] cirkelrund, rund-; cirkulär **circulate** [sə:'kjolejt] cirkulera; *circulate for comment* sända ut på remiss **circulation** [sə:kjolej'sjən] omlopp, cirkulation, spridning **circumcise** [sə:'-kəmsajz] omskära **circumference** [səkamm'fərəns] omkrets **circumlocution** [sə:kəmləkjo:'sjən] omsvep **circumscribe** [sə:-kəmskraj'b] omskriva **circumstance** [sə:'kəmstəns] omständighet **circumstantial evidence** indicium **circumvent** [sə:kəmvenn't] kringgå, överlista **circus** [sə:'kəs] cirkus **cissy** [siss'i] förvekligad pojke **cite** [sajt] citera **citizen** [sitt'izzn] medborgare, borgare **citizenship** [sitt'izznsjipp] medborgarskap **city** [sitt'i] (*större*) stad; *the City* (Londons) City **city buildings** [sitt'i bill'dingz] tätortsbebyggelse **city centre** [sitt'i senn'tə] innerstad **city council** [sitt'i kao'nsl] stadsfullmäktige **city planning** [sitt'i plänn'ing] stadsplanering **civic** [sivv'ikk] medborgar-, medborgerlig **civics** [sivv'ikks] samhällslära **civil** [sivv'l] medborgerlig, borgerlig; civil; hövlig; *civil marriage* borgerlig vigsel; *civil servant* statstjänsteman; *civil status* civilstånd; *civil war* inbördeskrig **civilian** [sivill'jən] civilperson **civilization** [sivvilajzej'sjən] civilisation, kultur **civilized** [sivv'ilajzd] civiliserad **clad** [klädd] kladd **claim** [klejm] anspråk, krav, fordran; klagomål; göra anspråk på, påstå; *lay claim to* göra anspråk på **claimant** [klej'mənt] fordringsägare **clam** [klämm] mussla **clammy** [klämm'i] fuktig, klibbig och kall **clamour** [klämm'ə] larm **clamp** [klämmp] tving, krampa **clan** [klänn] klan, stam **clandestine** [klänndess'tinn] hemlig **clang** [kläng] skalla, genljuda **clap** [kläpp] klappa; applådera **claque** [kläkk] hejarklack **claret** [klärr'ət] rödvin (*Bordeaux*) **clarify** [klärr'ifaj] klargöra, göra klar; klarna **clarinet** [klärrinett'] klarinett **clarity** [klärr'itti] klarhet **clash** [kläsj] skrälla; braka samman; vara oförenlig **clasp** [kla:sp] spänne, lås; knäppa **clasp-knife** [kla:'spnaj'f] fällkniv **class** [kla:s] klass; *class of society* samhällsklass; *a class of its own* i särklass **classic** [kläss'ikk] klassiker **classical** [kläss'ikəl] klassisk; *classical music* seriös musik **classics** [kläss'ikks] klassiska språk, klassisk litteratur **classify** [kläss'ifaj] indela i klasser, klassificera **class-mate** [kla:'smejt] klasskamrat **classroom** [kla'sromm] klassrum **clatter** [klätt'ə] rassla, smattra **clause** [klå:z] sats, mening **claw** [klå:] klo **clay** [klej] lera **clayey** [klej'i] lerig **clean** [kli:n] ren; rengöra, städa, putsa, rensa; *clean one's nails* peta naglarna; *clean up* städa; *clean copy* utskrift **cleaning** [kli:'ning] rengöring, städning, renhållning **cleanly** [klenn'li] renlig; [kli:'nli] rent **cleanse** [klenns] rengöra; rentvå **clean-shaven** [kli:'nsjej'vn] slätrakad **clear** [kli:'ə] klar, tydlig, överskådlig; avgjord; klara; *be clear* framgå; *become clear*[er] (*bildl.*) klarna; *that is clear!* det förstås!; *make clear* åskådliggöra; *a clear conscience* rent samvete; *get a clear idea of s.th.* få ngt klart för sig; *clear away* röja undan; *clear off* klara av; *clear out* ge sig i väg; *clear a path for* röja väg för; *clear up* (*om vädret*) klarna **clearance** [kli:'ərəns] röjning **clearing** [kli:'əring] röjning, uthuggning; avräkning **clearness** [kli:'əniss] klarhet **cleave** [kli:v] klyva **cleft** [klefft] imperf. och perf. part av *cleave* **clemency** [klemm'ənsi] mildhet, barmhärtighet **clement** [klemm'ənt] mild, barmhärtig **clench** [klenn'tsj] nita; gripa hårt om; *clench one's fist* knyta näven **clergy** [klə:'dsji] prästerskap **clergyman** [klə:'dsjimən] präst **clerk** [kla:k] kontorist; *recording clerk* notarie **clever** [klevv'ə] begåvad; skicklig, duktig **cliché** [kli:'sjei] kliché; (*bildl.*) schablon **click** [klikk] knäpp; knäppa **client** [klaj'ənt] klient **climate** [klaj'mitt] klimat **climax** [klaj'-mäkks] klimax, höjdpunkt **climb** [klajm] klättra; bestiga **climber** [klaj'mə] bergsbestigare **climbing plant** [klaj'ming pla:nt] klängväxt **clinch** [klinntsj] blockera; avgöra; närkamp **cling** [kling] klamra sig fast (*to* vid) **clinic** [klinn'ikk] klinik **clip** [klipp] klämma, hållare **clipper** [klipp'ə] klipperskepp; baddare **cloak** [klåok] kappa, mantel **cloak-room** [klåo'kromm] kapprum; resgodsinlämning; toalett (*på restaurang o.d.*) **clock** [klåkk] klocka, ur; *speaking clock* fröken Ur **clockwise** [klåkk'wajz] medurs **clockwork** [klåkk'wə:k] urverk **clog** [klågg] träsko; hindra **cloister** [klåj'stə] kloster; pelargång **close** [klåoz] stänga, tillsluta; [klåos] kvav, nära; *close to* nära intill; *close down* upphöra; *a close shave* nära ögat; *it was a close thing* det satt hårt åt **closet** [klåzz'itt] skrubb; klosett **close-up** [klåo'zapp] närbild **closing remark** [klåo'zing rima:'k] slutkläm **clot** [klått] klimp, klump **cloth** [klåθ] duk, skynke, trasa, tyg **clothe** [klåoð] kläda **clothes** [klåoðz] kläder **clothes-hanger** [klåo'özhängə] klädhängare **clothes-line** [klåo'özlajn] klädstreck **clothes-peg** [klåo'özpegg] klädnypa **clothing** [klåo'ðing] kläder, beklädnad **cloud** [klaod] moln, sky **cloudberry** [klåo'dberri] hjortron **cloudy** [klao'di] molnig **clove** [klåov] **1** kryddnejlika **2** imperf. av *cleave* **clover** [klåo'və] klöver **clown** [klaon] pajas, clown **club** [klabb] klubba; klubb; *clubs* klöver [kort] **cluck** [klakk] klucka; skrocka **clue** [klo:] ledtråd **clump** [klammp] klunga, buskage; klump; klampa **clumsy** [klamm'zi] klumpig **clung** [klang] imperf. och perf. part. av *cling* **cluster** [klass'tə] klunga **clutch** [klattsj] (*i bil*) koppling; gripa tag i **coach** [kåotsj] diligens, [turist]buss; privatlärare, tränare; träna, ge lektioner **coagulate** [kåoägg'joleit] koagulera, levra sig **coal** [kåol] kol **coal-black** [kåo'lbläkk'] kolsvart **coalition government** [kåoəlisj'ən gavv'n-mənt] samlings-, koalitionsregering **coal-mine** [kåo'lmajn] kolgruva **coarse** [kå:s] grov **coast** [kåost] kust **coat** [kåot] rock, kappa; lager; beläggning; *coat of arms* vapensköld; *fur coat* päls[kappa] **coated fabric** [kåo'tidd fäbb'rikk] vävplast **coating** [kåo'ting] beläggning **coax** [kåoks] smickra; lirka med **cob** [kåbb] ridhäst; majskolv **cobble [stone]** [kåbb'lståon] kullersten **cobbler** [kåbb'lə] skomakare **cobweb** [kåbb'webb] spindelväv **cock** [kåkk] tupp; pitt; *cock one's ears* spetsa öronen **cock-and-bull story** [kåkk'ənboll' stå:'ri] rövarhistoria **cockchafer** [kåkk'tsjejfə] ollonborre **cockle** [kåkk'l] [hjärt]mussla; liten båt **cockney** [kåkk'ni] infödd londonbo; londondialekt **cockpit** [kåkk'pitt] förarkabin **cockroach** [kåkk'råotsj] kackerlacka **cocksure** [kåkk'sjo:ə] tvärsäker **cocky** [kåkk'i] mallig **cocoa** [kåo'-kåo] [drick]choklad **coconut** [kåo'kənatt] kokosnöt **cocoon** [kəko:'n] kokong **cod** [kådd] torsk **coddle** [kådd'l] pjoska med **code** [kåod] kod; lagsamling **cod-liver oil** [kådd'livvərəj'l] torskleverolja **co-driver** [kåo'drajvə] avbytare (i motortävling) **co-education** [kåo'eddjokej'sjən] samundervisning **coerce** [koə:'s] tvinga till lydnad **coercion** [koə:'sjən] tvång **co-existence** [kåoiggziss'təns] samlevnad **coffee** [kåff'i] kaffe **coffee-cup** [kåff'ikapp] kaffekopp **coffin** [kåff'inn] likkista **cog** [kågg] kugge **cogent** [kåo'dsjənt] bindande, övertygande **cog-wheel** [kågg'wi:l] kugghjul **coherent** [kåohi:'ərənt] sammanhängande **coil** [kåjl] slinga; spole; rulla ihop **coin** [kåjn] mynt, slant **coincide** [kåoinnsaj'd] sammanfalla **coincidence** [kåoinn'sidəns] händelse, tillfällighet, sammanträffande **coke** [kåok] koks; cocacola **cold** [kåold] kall, frusen; köld, kyla; förkylning; *be cold* frysa; *catch a cold* bli förkyld, få snuva; *get cold* kallna; *have a cold in the head* vara snuvig; *head cold* snuva **colic** [kåll'ikk] kolik **collaborate** [kəlabb'ərejt] samarbeta **collaboration** [kəlabbərej'sjən] samröre **collaborator** [kəlabb'ərejtə] medarbetare **collapse** [kəlapp's] rasa, falla ihop; sammanbrott **collapsible** [kəlapp'səbl] hopfällbar **collar** [kåll'ə] krage **collarbone** [kåll'əbåon] nyckelben **collate** [kåll'ejt] kollationera, jämföra **colleague** [kåll'i:g] kollega **collect** [kəlekk't] samla; inkassera **collection** [kəlekk'sjən] samling; insamling, avhämtning; uppbörd **collective** [kəlekk'tivv] kollektiv **collector** [kəlekk'tə] samlare **college** [kåll'iddsj] högskola; *college of technology* teknisk högskola; *training college* seminarium **collide** [kəlaj'd] kollidera, krocka **collier** [kåll'iə] kolgruvearbetare **colliery** [kåll'iəri] kolgruva **collision** [kəllisj'ən] krock, kollision; *head-on collision* frontalkrock **colloquial** [kəlåo'kwiəl] samtals-, talspråks-, vardaglig **collusion** [kəlo:'sjən] maskopi **Cologne** [kəlåo'n] Köln **colonel** [kə:'nl] överste **colonize** [kåll'ənajz] kolonisera **colony** [kåll'əni] koloni **colossal** [kəlåss'l] kolossal **colour** [kall'ə] färg; färga; *lose its colour* färga av sig **colour-blind** [kall'əblajnd] färgblind **colour film** [kall'ə film] färgfilm **colt** [kåolt] unghäst **columbine** [kåll'əmbajn] akleja **column** [kåll'əm] spalt, kolumn; kolonn **columnist** [kåll'əmnist] kåsör **comb** [kåom] kam; kamma **combat** [kåmm'bət] strid, kamp **combatant** [kåmm'bətənt] kämpe, stridande **combination**

combine — companionship   232

[kåmmbinej'sjən] kombination; *in combination with* i förening med **combine** [kəmbaj'n] kombinera **combing** [kåo'ming] kamning **combustible** [kəmbass'təbl] brännbar **combustion** [kəmbass'tsjən] förbränning **come** [kamm] komma; *come about* hända; *come along* följa med; *come from* härröra från; *come in for criticism* uppbära kritik; *come off* lossna, lyckas; *come off a victor* utgå som segrare; *come out* komma fram; *come round* kvickna till; *when it comes to it* när det kommer till kritan; *come true* gå i uppfyllelse; *come up to* gå upp mot; *come up to a p.'s expectations* motsvara ngns förväntningar **comedian** [kəmi:'djən] komiker **comedy** [kåmm'iddi] komedi, lustspel **comely** [kamm'li] vacker, behaglig **comet** [kåmm'itt] komet **comfort** [kamm'fət] trevnad **comfortable** [kamm'fəttəbl] bekväm, komfortabel, behaglig; *be comfortably off* ha sitt på det torra **comic** [kåmm'ikk] komisk; seriemagasin; *comic strip* tecknad serie **comma** [kåmm'ə] komma[tecken]; *inverted commas* citationstecken **command** [kəma:'nd] befalla, befallning; befallning, kommando; befal **commandeer** [kåmmdi:'ə] tvångsuttaga, rekvirera **commander** [kəma:'ndə] befälhavare; anförare; kommendörkapten **commander-in-chief** [kəma:'ndərinntsji:'f] överbefälhavare **commandment** [kəma:'ndmənt] bud **commemorate** [kəmemm'ə-rejt] fira minnet av **commence** [kəmenn's] börja **commend** [kəmenn'd] anbefalla; prisa **comment** [kåmm'ənt] kommentar[er]; kommentera; *comment on* kommentera **commentary** [kåmm'əntəri] kommentar **commentator** [kåmm'enntejtə] radioreporter, kommentator **commerce** [kåmm'ə:s] handel **commercial** [kəmə:'sjəl] kommersiell; *commercial correspondence* handelskorrespondens **commission** [kəmisj'ən] uppdrag; kommission; provision; [officers']fullmakt **commissionaire** [kəmisjənä:'ə] dörrvaktmästare **commit** [kəmitt'] begå, föröva **committee** [kəmitt'i] kommitté, utskott, styrelse **commodity** [kəmådd'itti] [handels]vara **commodore** [kåmm'ədå:] kommendör **common** [kåmm'ən] vanlig, allmän; gemensam (*to* för); simpel; *in common* gemensamt; *common sense* sunt förnuft; *House of Commons* underhuset **commonplace** [kåmm'ənplejs] vardaglig, alldaglig **commonwealth** [kåmm'ənwellθ] samvälde **commotion** [kəmåo'sjən] liv, oväsen **communicate** [kəmjo:'nikejt] meddela sig **communication** [kəmjo:nikej'sjən] förbindelse, kommunikation; meddelande; *enter into communication with* träda i förbindelse med **communion** [kəmjo:'njən] gemenskap; *Holy Communion* nattvardsgång **communiqué** [kəmjo:'nikej] kommuniké **Communist** [kåmm'jonisst] kommunist **community** [kəmjo:'nitti] gemenskap; samhälle **community singing** [kəmjo:'nitti sing'ing] allsång **commute** [kəmjo:'t] förvandla; (*om förortsbo*) pendla **commuter** [kəmjo:'tə] pendlare **compact** [kəmpäkk't] kompakt; dryg; [kåmm'päkkt] fördrag; puderdosa **companion** [kəmpänn'-jən] följeslagare, kamrat **companionship** [kəmpänn'jənsjipp] kamratskap **company** [kamm'pəni] sällskap; bolag, [affärs]företag; umgänge; kompani; *part company* skiljas; *subsidiary company* dotterbolag **comparable** [kåmm'pərəbl] jämförlig, jämförbar **comparatively** [kəmparr'ətivvli] jämförelsevis **compare** [kəmpä:'ə] jämföra **comparison** [kəmparr'issn] jämförelse **compartment** [kəmpa:'tmənt] kupé; avdelning **compass** [kamm'pəs] kompass **compasses** [kamm'pəsizz] passare **compassion** [kəmpäsj'ən] medlidande **compassionate** [kəmpäsj'ənitt] medlidsam, deltagande **compatible** [kəmpätt'əbl] förenlig **compatriot** [kəmpätt'riət] landsman **compel** [kəmpell'] tvinga **compensate** [kåmm'pennseit] kompensera, ersätta, gottgöra **compensation** [kåmmpennsej'sjən] kompensation, ersättning, gottgörelse **compère** [kåmm'pä:ə] konferencié **compete** [kəmpi:'t] tävla, konkurrera **competent** [kåmm'pitənt] kompetent, sakkunnig **competition** [kåmmpitisj'ən] tävlan, tävling, konkurrens (*for* om) **competitive** [kəmpett'itivv] konkurrenskraftig **competitor** [kəmpett'itə] medtävlare, konkurrent; **complacency** [kəmplej'snsi] välbehag; självbelåtenhet **complain** [kəmplej'n] klaga; beklaga sig (*of* över; *to* för); reklamera **complaint** [kəmplej'nt] klagan, klagomål; reklamation; åkomma **complaisant** [kəmplej'sənt] älskvärd, foglig **complement** [kåmm'pliment] komplement; komplettera **complementary** [kåmmplimenn'təri] fyllnads-, kompletterande **complete** [kəmpli:'t] fullständig, komplett; fullfölja, fullborda, komplettera **completely** [kəmpli:'tli] helt och hållet **complex** [kåmm'plekks] komplex **complexion** [kəmplekk'sjən] hy **compliance** [kəmplaj'əns] tillmötesgående, samtycke; *in compliance with* i enlighet med **compliant** [kəmplaj'ənt] undfallande **complicate** [kåmm'plikejt] komplicera **complicated** [kåmm'plikejtidd] invecklad, tillkrånglad, svårlöst **complication** [kåmmplikej'sjən] komplikation; följdsjukdom **complicity** [kəmpliss'itti] medbrottslighet **compliment** [kåmm'plimənt] komplimang; komplimentera; *compliments* hälsningar [kåmm'pliment] komplimang; komplimentera; *compliments* hälsningar **comply** [kəmplaj'] *comply with* tillmötesgå, villfara; rätta sig efter **component** [kəmpåo'nənt] beståndsdel, komponent **compose** [kəmpåo'z] komponera; sätta (*text*); utgöra **composer** [kəmpåo'zə] kompositör, tonsättare **composite** [kåmm'pəzitt] sammansatt **composition** [kåmmpəzisj'ən] komposition, sammansättning; [skol]uppsats **compositor** [kəmpåzz'itə] sättare (på tryckeri) **composure** [kəmpåo'sjə] fattning, lugn **compound** [kåmm'paond] sammansatt; sammansättning; *compound interest* ränta på ränta **comprehend** [kåmmprihenn'd] uppfatta, begripa **comprehension** [kåmmprihenn'sjən] fattningsförmåga; sammanfattning **comprehensive school** [kåmmprihenn'sivv sko:'l] grundskola **compress** [kəmmpress'] komprimera; [kåmm'press] kompress **compressed air** tryckluft **comprise** [kəmpraj'z] inbegripa, omfatta **compromise** [kåmm'prəmajz] kompromettera; kompromissa, kompromiss **compulsion** [kəmpall'sjən] tvång **compulsory** [kəmpall'səri] obligatorisk; *compulsory military service* allmän värnplikt; *compulsory saving* tvångssparande **computer** [kəmpjo:'tə] datamaskin **comrade** [kåmm'ridd] kamrat **conceal** [kənsi:'l] dölja, gömma **concede** [kənsi:'d] medge, ge efter **conceited** [kənsi:'tidd] egenkär, inbilsk, högfärdig **conceivable** [kənsi:'vəbl] tänkbar, upptänklig **conceive** [kənsi:'v] fatta, börja hysa; uttänka **concentrate** [kånn'senntrejt] koncentrera [sig] **concentration** [kånnsenntrej'sjən] koncentration; satsning, inriktning **concept** [kånn'sept] begrepp **conception** [kənsepp'sjən] uppfattning [störmåga,] tanke, idé; *form a conception of* göra sig en föreställning om **concern** [kənsə:'n] röra, angå; angelägenhet; bekymmer; koncern; *concern o.s.* befatta sig; *as far as I am concerned* vad mig beträffar **concerned** [kənsə:'nd] orolig, bekymrad **concerning** [kənsə:'ning] beträffande, angående **concert** [kånn'sət] samförstånd; konsert **concerted** [kənsə:'tidd] gemensam **concert hall** [kånn'sət hå:l] konserthus **concession** [kənsesj'ən] medgivande, eftergift **conciliate** [kənsill'iejt] försona **conciliation** [kənsilliej'sjən] försoning **concise** [kənsaj's] kortfattad, koncis **conclude** [kənklo:'d] sluta sig till **conclusion** [kənklo:'sjən] slutledning, slutsats **conclusive** [kənklo:'sivv] slutlig; avgörande **concoction** [kənkåkk'sjən] hopkok **concord** [kång'kå:d] sämja **concrete** [kånn'kri:t] betong; konkret **concussion** [kənkasj'ən] hjärnskakning **condemn** [kəndemm'] fördöma **condenser** [kandenn'sə] kondensator **condescending** [kånndisenn'ding] nedlåtande **condition** [kəndisj'ən] villkor, betingelse; tillstånd, förhållande, skick; *in condition as presented* i befintligt skick; *on* [*the*] *condition that* på villkor att, under förutsättning att **conditionally** [kəndisj'nəli] villkorligt **conditioned** [kəndisj'ənd] beskaffad **condom** [kånn'dəm] kondom **condone** [kəndåo'n] förlåta; gottgöra **conduct** [kəndakk't] leda, anföra, dirigera; [kånn'dəkt] uppförande; *conducted tour* sällskapsresa **conductor** [kəndakk'tə] dirigent; ledare **cone** [kåon] kägla; kotte **confectioner's** [kənfekk'sjənəz] konditori **confederate** [kənfedd'əritt] förbunden **confederation** [kənfeddərej'sjən] statsförbund **confer** [kənfə:'] konferera, rådgöra; tilldela **conference** [kånn'fərəns] konferens **confess** [kənfess'] bekänna **confession** [kənfesj'ən] bekännelse; *confession of faith* trosbekännelse **confide** [kənfaj'd] lita, tro (*in* på); anförtro **confidence** [kånn'fidəns] förtroende, tilltro, tillförsikt (*in* för) **confidential** [kånnfidenn'sjəl] förtrolig, konfidentiell **confine** [kənfaj'n] begränsa; stänga in; *confined to one's bed* sängliggande **confinement** [kənfaj'nmənt] fångenskap; förlossning **confirm** [kənfə:'m] bekräfta, bestyrka, stadfästa **confirmation** [kånnfəmej'sjən] bekräftelse; konfirmation **confirmed** [kənfə:'md] inbiten; obotlig **confiscate** [kånn'fisskejt] beslagta **conflagration** [kånnflagrej'sjən] stor brand **conflict** [kånn'flikkt] konflikt **confluence** [kånn'fluəns] sammanflöde; tillopp **conform** [kənfå:'m] överensstämma; rätta sig (*to* efter) **conformity** [kənfå:'mitti] likhet, överensstämmelse **confounded** [kənfao'ndidd] förbaskad **confront** [kənfrann't] konfrontera; möta **confuse** [kənfjo:'z] förvirra, förbrylla; förväxla **confused** [kənfjo:'zd] oredig, omtöcknad, förvirrad; trasslig **confusion** [kənfjo:'sjən] förvirring, villervalla; sammanblandning, förväxling **confute** [kənfjo:'t] vederlägga **congeal** [kəndsji:'l] frysa till is; bli stel **congenial** [kəndsji:'njəl] besläktad; kongenial **congestion** [kəndsjess'tsjən] stockning **conglomeration** [kənglåmərej'sjən] sammelsurium, hopgyttring **congratulate** [kəngrätt'jolejt] gratulera, lyckönska, uppvakta **congratulation** [kəngrättjolej'sjən] gratulation, lyckönskan; *sincere congratulations* hjärtliga lyckönskningar **congregation** [kånggrigej'sjən] församling, menighet **congress** [kång'gress] kongress **conifer** [kåo'niffə] barrträd **coniferous forest** [kåoniff'ərəs fårr'ist] barrskog **conjecture** [kəndsjekk'tsjə] gissning, gissa **conjugal** [kånn'dsjoggl] äktenskaplig **conjunction** [kəndsjang'ksjən] förening **conjure** [kann'dsjə] trolla **conjurer** [kann'dsjərə] trollkonstnär **connect** [kənekk't] ansluta; sammanbinda; koppla; *be connected with* sammanhänga med; *connect up* koppla (*telefon*) **connected** [kənekk'tidd] förbunden, förenad **connecting rod** [kənekk'ting rådd] vevstake **connection** [kənekk'sjən] förbindelse, sammanhang, samband; anslutning; *in this connection* i samband därmed **connive** [kənaj'v] *connive at* överse med **connoisseur** [kånnisə:'] kännare **conquer** [kång'kə] erövra, besegra **conquest** [kång'kwesst] erövring **conscience** [kånn'sjəns] samvete **conscientious** [kånnsjienn'-sjəs] samvetsgrann; *conscientious objector* vapenvägrare **conscious** [kånn'sjəs] medveten; vid medvetande **consciousness** [kånn'sjəsniss] medvetande **conscript** [kånn'skrippt] värnpliktig **conscription** [kənskripp'sjən] värnplikt **consecrate** [kånn'-sikrejt] inviga, helga **consecration** [kånnsikrej'sjən] invigning **consecutive** [kənsekk'jotivv] på varandra följande **consensus** [kənsenn'səs] samstämmighet **consent** [kənsenn't] samtycke; *by common consent* enhälligt **consequence** [kånn'sikwəns] följd, konsekvens; betydelse; *in consequence* följaktligen **consequently** [kånn'sikwəntli] således **conservation** [kånnsəvej'sjən] bevarande **conservative** [kənsə:'vətivv] konservativ **conservatory** [kənsə:'vətri] växthus; konservatorium **consider** [kənsidd'ə] anse, betrakta; betänka, tänka på, reflektera på **considerable** [kənsidd'ərəbl] betydande, ansenlig, avsevärd **considerate** [kənsidd'əritt] hänsynsfull, omtänksam, försynt **consideration** [kənsiddərej'sjən] hänsyn, omtanke, övervägande; *time for consideration* betänketid; *take ... into consideration* ta med i beräkningen, ta hänsyn till **considering** [kənsidd'əring] i betraktande av **consign** [kənsaj'n] överlämna; sända **consignment** [kənsaj'nmənt] sändning **consist** [kənsiss't] bestå, utgöras (*of* av) **consistency** [kənsiss'tənsi] konsistens; konsekvens **consistent** [kənsiss'tənt] konsekvent **consolation** [kånnsəlej'sjən] tröst **console** [kənsåo'l] trösta **consolidate** [kənsåll'idejt] (*bildl.*) befästa **consonant** [kånn'sənənt] överensstämmande; konsonant **consort** [kånn'så:t] gemål **conspicuous** [kənspikk'joəs] iögonenfallande; framstående **conspiracy** [kənspirr'əsi] sammansvärjning, konspiration **conspire** [kənspaj'ə] sammansvärja sig **constable** [kann'stəbl] konstapel **constant** [kånn'stənt] konstant, ständig **consternation** [kånnstənej'sjən] bestörtning **constipated** [kånn'stipejtidd] hård i magen **constituency** [kənstitt'joənsi] valkrets **constituent** [kənstitt'joənt] beståndsdel; väljare **constitute** [kånn'stitjo:t] utgöra **constituted** [kånn'stitjo:tidd] beskaffad **constitution** [kånnstitjo:'sjən] grundlag; statsskick, författning **constitutional law** [kånnstitjo:'sjənl lå:] statsrätt **constrain** [kənstrej'n] tvinga; lägga band på; begränsa **constrict** [kənstrikk't] dra samman **construct** [kənstrakk't] konstruera **construction** [kənstrakk'sjən] konstruktion; byggnad **construe** [kənstro:'] konstruera; tolka **consul** [kånn'səl] konsul **consulate** [kånn'sjolitt] konsulat **consult** [kənsall't] konsultera, rådfråga **consultation** [kånnsəltej'sjən] samråd, överläggning; konsultation **consume** [kəns-jo:'m] förtära, förbruka, konsumera **consumer** [kəns-jo:'mə] konsument **consummate** [kånn'səmejt] fullborda; [kənsamm'itt] fulländad **consumption** [kənsamm'p-sjən] förbrukning, förtäring, konsumtion; lungsot **contact** [kånn'täkkt] beröring; [kəntäkk't] sätta sig i förbindelse med **contact-breaker point** [kånn'täkktbrejkə påjnt] brytarspets **contact lens** [kånn'täkkt lennz] kontaktlins **contagion** [kəntej'dsjən] smitta; smittosam sjukdom **contagious** [kəntej'dsjəs] smittosam **contain** [kəntej'n] rymma, innehålla **container** [kəntej'nə] behållare **contaminate** [kəntämm'inejt] förorena **contemplate** [kånn'templejt] begrunda; planera **contemporary** [kəntemm'pərəri] samtida **contempt** [kəntemm'pt] förakt **contemptuous** [kəntemm'ptjoəs] föraktfull **contend** [kəntenn'd] kivas **content** [kəntenn't] belåten, nöjd; [kånn'tennt] halt, proportion; *be content with* finna sig i **contentment** [kəntenn'tmənt] belåtenhet **contents** [kånn'tennts] innehåll **contest** [kånn'tesst] tävlan, tävling; [kəntess't] bestrida **contested** [kəntess'tidd] omstridd **context** [kånn'tekkst] sammanhang (*i text*) **contiguous** [kəntigg'joəs] angränsande **continent** [kånn'tinənt] kontinent; återhållsam; *continent man* renlevnadsman **continental** [kånntinenn'tl] kontinental **contingency** [kəntinn'dsjənsi] eventualitet; tillfällighet **continual** [kəntinn'joəl] ständig[t återkommande] **continuation** [kəntinnjoej'sjən] fortsättning **continue** [kəntinn'jo] fortsätta; fullfölja **continuous** [kəntinn'joəs] jämn, oavbruten, sammanhängande **contortion** [kåntå:'sjən] förvridning; grimas **contour** [kånn'to:ə] kontur **contraceptive** [kånntrəsepp'tivv] preventivmedel; *contraceptive tablet* p-piller **contract** [kånn'träkkt] kontrakt; [kənträkk't] ådraga sig **contraction** [kənträkk'sjən] sammandragning **contractor** [kənträkk'tə] entreprenör; *building contractor* byggmästare **contradict** [kånntrədikk't] motsäga **contraption** [kənträpp'sjən] apparat, manick **contrary** [kånn'trəri] vidrig, ogynnsam; [kəntrā:'əri] enveten, omöjlig; *on the contrary* däremot, tvärtom; *contrary to* i motsats till; *it is contrary to the law* det strider mot lagen **contrast** [kånn'trässt] kontrast, motsats; [kənträss't] kontrastera (*with* mot) **contribute** [kəntribb'jo:t] medverka, bidraga **contribution** [kånntribbju:'sjən] bidrag, tillskott, medverkan, inlägg (i diskussion) **contributor** [kəntribb'jotə] bidragsgivare, medarbetare **contributory** [kəntribb'jotəri] bidragande **contrite** [kånn'trajt] ångerfull **contrive** [kəntraj'v] uttänka; lyckas **control** [kəntråo'l] kontroll, behärskning; kontrollera, behärska **controller** [kəntråo'lə] kontrollant **controversial** [kånntrəvə:'sjəl] kontroversiell, brännbar **controversy** [kånn'trəvə:si] kontrovers, tvist **convalescent** [kånnvəless'nt] konvalescent **convene** [kənvi:'n] komma tillsammans; sammankalla **convenience** [kənvi:'njəns] bekvämlighet; *at your earliest convenience* så snart det passar dig **convenient** [kənvi:'njənt] bekväm; lämplig **convent** [kånn'vənt] [nunne]kloster **convention** [kənvenn'sjən] sammankomst; överenskommelse, konvention **conventional** [kənvenn'sjənl] konventionell **converge** [kənvə:'dsj] sammanlöpa, sammanstråla **conversation** [kånnvəsej'sjən] konversation, samspråk, samtal **converse** [kənvə:'s] konversera; [kånn'və:s] motsatt **conversion** [kənvə:'sjən] förvandling; omvändelse **convert** [kənvə:'t] omvända; [kånn'və:t] konvertit **convey** [kənvej'] framföra, överbringa **conveyance** [kənvej'əns] befordran; fortskaffningsmedel **convict** [kənvikk't] överbevisa, förklara skyldig; [kånn'vikkt] straffånge **conviction** [kənvikk'sjən] övertygelse; fällande **convince** [kənvinn's] övertyga **convincing** [kənvinn'sing] övertygande **convocation** [kånnvəkej'sjən] sammankallande; församling **convoy** [kånn'våj] konvoj **convulsion** [kånvall'sjən] krampryckning, konvulsion **coo** [ko:] kuttra **cook** [kokk] koka, laga mat; kock, kokerska **cookery-book** [kokk'əribokk] kokbok **cookie** [kokk'i] (*Am.*) [små]kaka **cooking** [kokk'ing] matlagning **cooking fat** [kokk'ing fätt] matfett **cool** [ko:l] sval; lugn; svalka; kallna **cooler** [ko:'lə] kylare **cooling** [ko:'ling] avkylning **coolness** [ko:'lniss] (*subst.*) svalka **coop** [ko:p] höns-, kaninbur; stänga in **co-operate** [kåoåpp'ərejt] medverka, samverka, samarbeta **co-operation** [kåoåppərej'sjən] medverkan, samverkan, samarbete; kooperation **co-operative** [kåoåpp'ərətivv] samarbetsvillig; kooperativ; *co-operative shop* konsumbutik **co-opt** [kåoåpp't] invälja ny ledamot **co-ordinate** [kåoå:'dinejt] samordna **co-ordination** [kåoå:dinej'sjən] samordning **cop** [kåpp] (*sl.*) polis **Copenhagen** [kåopnhej'gən] Köpenhamn **cope with** [kåo'p wið] gå i land med; mäta sig med **copper** [kåpp'ə] koppar **copperplate** [kåpp'əplejt] kopparstick **coppice**

copse — counsel 238

[kåpp'iss], **copse** [kåpps] skogsdunge **copy** [kåpp'i] kopia, avskrift; exemplar; kopiera, skriva av **copy-typing** [kåpp'itajping] renskrivning (*på maskin*) **copyright** [kåpp'irajt] litterär äganderätt, upphovsrätt **copywriter** [kåpp'irajtə] reklamtextförfattare **coral** [kårr'əl] korall **cord** [kå:d] lina, rep, snöre; *spinal cord* ryggmärg; *vocal cord* stämband **cordage** [kå:'diddsj] tågvirke **cordial** [kå:'djəl] hjärtlig; hjärtstyrkande **core** [kå:] kärnhus; kärna **cork** [kå:k] kork; *cork up* korka igen **cork-screw** [kå:'kskro:] korkskruv **cormorant** [kå:'mrənt] skarv (fågel) **corn** [kå:n] spannmål, säd; liktorn; (*Am.*) majs **corn-cob** [kå:'nkåbb] majskolv **cornea** [kå:'ni:ə] hornhinna **corner** [kå:'nə] hörn, vrå; *corner of the eye* ögonvrå **cornet** [kå:'nitt] strut **cornflower** [kå:'nflaoə] blåklint **Cornish** [kå:'nisj] från Cornwall, kornisk **corny** [kå:'ni] (*sl.*) banal **coronary artery** [kårr'ənəri a:'təri] kransartär **coronation** [kårrənej'sjən] kröning **coroner** [kårr'ənə] undersökningsdomare **coronet** [kårr'ənitt] adelskrona **corporal** [kå:'prl] korpral; kroppslig **corporation** [kå:pərej'sjən] (*Am.*) bolag **corps** [kå:] kår **corpse** [kå:ps] (*subst.*) lik **corpuscle** [kå:'passl] blodkropp **corral** [kårra:'l] inhägnad **correct** [kərekk't] korrekt, riktig; korrigera, rätta; *correct language* vårdat språk; *the account is correct* räkningen stämmer **correction** [kərekk'sjən] rättelse **correlation** [kårrilej'sjən] korrelation, ömsesidigt förhållande **correspond** [kårrisspånn'd] korrespondera, brevväxla; *correspond to* motsvara **correspondence** [kårrisspånn'dəns] motsvarighet; korrespondens **correspondent** [kårrisspånn'dənt] korrespondent **corresponding** [kårrisspånn'ding] motsvarande **corridor** [kårr'idå:] korridor **corroborate** [kəråbb'ərejt] bekräfta **corrode** [kəråo'd] fräta **corrosion** [kəråo'sjən] korrosion, frätning **corrugated cardboard** [kårr'ogejtidd ka:'dbå:d] wellpapp **corrupt** [kərapp't] fördärvad; korrumperad **corruption** [kərapp'sjən] korruption **corset** [kå:'sitt] korsett **cortège** [kå:tej'sj] kortege **cosmetic** [kåzzmett'ikk] kosmetik, skönhetsmedel **cost** [kåsst] kosta; kostnad; *costs* [om]kostnader; *cost of living* levnadskostnader; *cost of production* tillverkningskostnad **costly** [kåss'tli] dyrbar **cost price** [kåss't prajs] självkostnadspris, inköpspris **costume** [kåss'tjo:m] dräkt; kostym; *suit costume* [dam]dräkt **cosy** [kåo'zi] småtrevlig, hemtrevlig; tehuv **cot** [kått] barnsäng **cottage** [kått'iddsj] stuga **cotton** [kått'n] bomull **cotton dress** [kått'n dress] bomullsklänning **cotton fabric** [kått'n fäbb'rikk] bomullstyg **cotton reel** [kått'n ri:l] (*tom*) trådrulle **cotton waste** [kått'n wejst] trassel **cotton wool** [kått'n woll] vadd, bomull; *unrefined cotton wool* fetvadd **couch** [kaotsj] schäslong; avfatta **cough** [kåff] hosta **cough-medicine** [kåff'meddˈsinn] hostmedicin **coulisse** [ko:li:'s] kuliss **council** [kao'nsl] råd, församling; *city (town) council* stadsfullmäktige; *county council (ung.)* landsting **councillor** [kao'nsillə] rådsmedlem, stadsfullmäktig **counsel** [kao'nsəl] råd[plägning];

advokat[er]; *counsel for the defence* försvarsadvokat **counsellor** [kao'nslə] rådgivare; (*Am.*) advokat **count** [kaont] **1** räkna; räkning; *that doesn't count* det räknas inte; *keep count of* hålla reda på; *count on* räkna med **2** greve **counter** [kao'ntə] [butiks]-disk; spelmark; *counter to* tvärt emot **counteract** [kaontəräkk't] motverka **counter-attack** [kao'ntərättäkk] motanfall **counterbalance** [kaontəball'əns] uppväga; [kao'ntəbälləns] motvikt **counter-claim** [kao'ntəklejm] motfordran **counterfeit** [kao'ntəfitt] för-falska; förfalskad; förfalskning **counterpane** [kao'ntəpejn] säng-överkast **counterpart** [kao'ntəpa:t] motstycke **countess** [kao'n-tiss] grevinna **counting** [kao'nting] räkning, hopräkning **count-less** [kao'ntliss] otalig **country** [kann'tri] land; terräng; *in the country* på landet; *country cousin* oskuld från landet; *country people* allmoge **countryman** [kann'trimən] landsman; lantman **countryside** [kann'trisäj'd] landsbygd **county** [kao'nti] grev-skap; län **coup** [ko:] kupp **couple** [kapp'l] par; [hop]koppla; *a couple of* ett par (några); *married couple* äkta par **coupon** [ko:'pånn] kupong **courage** [karr'iddsj] mod **courageous** [kərej'dsjəs] modig **courier** [kori:'ə] kurir **course** [kå:s] kurs; bana, lopp; maträtt; förlopp; *course of events* skeende; *in due course* i sinom tid; *of course* naturligtvis, visst, förstås; *a matter of course* en självklar sak **court** [kå:t] hov; domstol, rätt; [tennis]-bana; gård; uppvakta, göra sin kur; *at court* vid hovet; *in court, before the court* inför rätta, i rätten; *court of appeal* hovrätt **courteous** [kə:'tjəs] artig; hövisk **courtesy** [kə:'tissi] artighet; tillmötesgående; nigning **court-house** [kå:'thao's] tingshus **court-martial** [kå:'tma:'sjəl] krigsrätt **court practice** [kå:'t präkk'tiss] tingstjänstgöring **courtship** [kå:'tsjipp] uppvaktning, frieri **courtyard** [kå:'tja:'d] gårdsplan **cousin** [kazz'n] kusin **cove** [kåov] bukt, liten vik **covenant** [kavv'inənt] avtal; förbund **Coventry** [kåvv'ntri] *send s.b. to Coventry* frysa ut ngn **cover** [kavv'ə] täckning; huv, överdrag, pärm, kapell; [bords]kuvert; täcke **covert** [kavv'ət] hemlig; [kavv'ə] gömställe; snår **covet** [kavv'itt] eftertrakta **cow** [kao] ko **coward** [kao'əd] mes, ynkrygg **cowardice** [kao'ədiss] feghet **cowardly** [kao'ədli] feg **cowberry** [kaå'bəri] lingon **cower** [kao'ə] krypa ihop **cow-house** [kao'haos] ladugård **cowslip** [kao'slipp] gullviva **coy** [kåj] blyg **coyote** [kåj'åot] prärievarg **crab** [kräbb] krabba **crack** [kräkk] knaka; spräcka; spricka; rämna; skräll; *crack jokes* vitsa **cracked** [kräkkt] förryckt, tokig **cracker** [kräkk'ə] smäll-karamell; kex **crackle** [kräkk'l] knastra **cradle** [krej'dl] (*subst.*) vagga **craft** [kra:ft] hantverk; fartyg **craftsman** [kra:'ftsmən] yrkesman, hantverkare **crafty** [kra:'fti] listig **crag** [krägg] brant klippa; klippspets **craggy** [krägg'i] skrovlig **cram** [krämm] proppa full; plugga med **cramp** [krämmp] kramp **cranberry** [känn'bəri] tranbär **crane** [krejn] trana; lyftkran **crank** [krängk] vev; fantast, monoman **crankshaft** [kräng'ksja:ft] vevaxel **crash** [kräsj] skräll, krasch, brak; skrälla, braka; störta **crash-helmet** [kräsj'hellmitt] skyddshjälm, störthjälm **crate** [krejt] [ol]back; spjällåda **crater** [krej'tə] krater **crave** [krejv] be om; längta efter **craven** [krej'vn] feg; feg stackare **craw** [krå:] (*subst.*) kräva **crawfish** [krå:'fisj] (*Am.*) kräfta **crawl** [krå:l] krypa, kräla, åla **crayfish** [krej'fisj] kräfta **crayon** [krej'ən] färgkrita **craze** [krejz] mani **crazy** [krej'zi] tokig, galen, mycket förtjust (*about* i) **creak** [kri:k] knarra, gnissla; gnissel, knarr **cream** [kri:m] grädde, kräm **crease** [kri:s] skrynkla **creased** [kri:st] skrynklig **crease-proof** [kri:'spro:f] skrynkelfri **create** [kri:ej't] skapa **creation** [kri:ej'sjən] skapelse **creative** [kri:ej'tivv] skapande **creator** [kri:ej'tə] skapare **creature** [kri:'tsjə] varelse **crèche** [krejsj] barndaghem **credentials** [kridenn'sjəlz] rekommendationsbrev; kreditiv **credible** [kredd'əbl] trovärdig, trolig **credit** [kredd'itt] kredit; kreditera; *put s.th. to one's credit* tillgodoräkna sig ngt **credit card** [kredd'itt ka:d] köpkort, kreditkort **creditor** [kredd'ittə] fordringsägare, borgenär **credulous** [kredd'joləs] godtrogen **creed** [kri:d] troslära, trosbekännelse **creek** [kri:k] (*Am.*) bäck **creep** [kri:p] krypa **creeper** [kri:'pə] slingerväxt **cremate** [krimej't] bränna, kremera **crept** [kreppt] imperf. och perf. part. av *creep* **crescent** [kress'nt] halvmåne; tillväxande **cresset** [kress'itt] marschall **crest** [kresst] krön **crestfallen** [kress'tfå:ln] slokörad **crevice** [krevv'iss] [berg]skreva **crew** [kro:] besättning; arbetslag; *one of the crew* besättningsman **crew-cut** [kro:'katt] snaggad **crib** [kribb] barnsäng; krubba; fuska, skriva av **cricket** [krikk'itt] **1** syrsa **2** kricket **crime** [krajm] brott, förbrytelse **criminal** [krimm'innl] kriminell, brottslig; förbrytare, brottsling; *criminal code* strafflag **criminality** [krimminäll'itti] brottslighet, kriminalitet **crimson** [krimm'sn] högröd, karmosinröd **crinkle** [kring'kl] veck; vecka, rynka **cripple** [kripp'l] krympling; lamslå **crisis** [kraj'siss] kris **crisp** [krissp] krusa; knaprig, frasig, mör **crispbread** [kriss'pbredd] knäckebröd **criss-cross** [kriss'kråss] kors och tvärs; genomkorsa **criterion** [krajti:'əriən] kriterium, kännetecken **critic** [kritt'ikk] kritiker **critical** [kritt'ikəl] kritisk **criticism** [kritt'isizzəm] kritik **criticize** [kritt'isajz] kritisera **croak** [kråok] kväka **crochet** [kråo'sjej] virka; virkning **crockery** [kråkk'əri] lergods; porslin **crocodile** [kråkk'ədajl] krokodil **crocus** [kråo'kəs] krokus **crofter** [kråff'tə] torpare **crofter's holding** [kråff'təz håo'lding] torp **croissant** [kroassa:ng] giffel **crook** [krokk] krok, krök; bov **crooked** [krokk'idd] krokig; ohederlig **crooner** [kro:'nə] schlagersångare **croony** [kråo'ni] gammal god vän **crop** [kråpp] skörd, gröda; *crop up* dyka upp (*bildl.*) **croquet** [kråo'kej] krocket **cross** [kråss] kors, korsa, köra över, överskrida; vresig **cross-bar** [kråss'ba:] tvärsla **cross-country race** [kråss'-kann'tri rej's] terränglöpning **cross-examine** [kråss'iggzämm'inn] korsförhöra **cross-eyed** [kråss'ajd] skelögd **crossing** [kråss'ing] korsning; övergång; överresa **cross-road** [kråss'råod] korsväg

cross-roads [kråss'råodz] vägkorsning **cross section** [kråss'sekk'sjən] genomskärning, tvärsnitt **cross-street** [kråss'stri:t] tvärgata **cross-stitch** [kråss'stittsj] korsstygn **cross-striped** [kråss'strajpt] tvärrandig **cross-word [puzzle]** [kråss'wə:d pazz'l] korsord **crow** [kråo] kråka; gala; *as the crow flies* fågelvägen **crowbar** [kråo'ba:] spett **crowd** [kraod] skara, hop, skock, vimmel; *crowd of people* folkmassa **crowded** [krao'didd] alldeles full, full med folk **crowding** [krao'-ding] trängsel **crown** [kraon] krona; hjässa; kröna **crown prince** [krao'n prinn's] kronprins **crucial** [kro:'sjəl] avgörande, kritisk **crucifix** [kro:'sifikks] krucifix **crude** [kro:d] rå, obearbetad; *crude oil* råolja **cruel** [kro:'əl] grym **cruelty** [kro:'əlti] grymhet **cruise** [kro:z] kryssa; kryssning **cruiser** [kro:'zə] kryssare **crumb** [kramm] (*subst.*) smula **crumble** [kramm'bl] smula (*sönder*) **crunch** [kranntsj] krossa, knapra på **crusade** [kro:sej'd] korståg **crush** [krasj] krossa; övertrumfa; trängsel **crushed** [krasjt] tillplattad, tillintetgjord **crust** [krasst] skorpa (*hårdnad yta*); skare **crutch** [krattsj] krycka; skrev **cry** [kraj] gråta, skrika; gråt, skrik; *a far cry* en lång väg **cryptic** [kripp'tikk] hemlig **crystal** [kriss'tl] [berg]kristall **crystallize** [kriss'təlajz] utkristallisera **cub** [kabb] [djur]unge; pojkvalp **cube** [kjo:b] kub **cubicle** [kjo:'bikkl] sovhytt **cubic metre** [kjo:'bikk mi:'tə] kubikmeter **cuckoo** [kokk'o:] gök **cucumber** [kjo:'kəmbə] gurka **cuddle** [kadd'l] krama, kela med **cue** [kjo:] vink; biljardkö **cuff** [kaff] manschett **cuff-link** [kaff'lingk] manschettknapp **culminate** [kall'minejt] kulminera **culmination** [kallminej'sjən] kulmen **culprit** [kall'pritt] gärningsman **cult** [kallt] kult, dyrkan **cultivate** [kall'tivejt] odla, bearbeta (jord) **cultivated** [kall'tivejtidd] kultiverad, bildad **cultivation** [kalltivej'sjən] odling **cultural** [kall'tsjərəl] kulturell **culture** [kall'tsjə] kultur, bildning **cumbersome** [kamm'bəsəm] besvärlig, ohanterlig **cumulative** [kjo:'mjolətivv] växande, ökad **cunning** [kann'ing] list[ighet]; listig, underfundig **cunt** [kannt] fitta **cup** [kapp] kopp, bägare **cupboard** [kabb'əd] skåp **cupidity** [kjopidd'itti] snikenhet; lystnad **cupola** [kjo:'pələ] kupol **curate** [kjo'əritt] pastorsadjunkt **curb** [kə:b] trottoarkant; tygla **curd cake** [kə:'d kej'k] ostkaka **cure** [kjo:'ə] bota, kurera; kur, botemedel **cure-all** [kjo:'ərå:'l] universalmedel **curfew** [kə:'fjo:] utegångsförbud **curiosity** [kjo:ə-riåss'itti] nyfikenhet; kuriositet **curious** [kjo:'əriəs] nyfiken; egendomlig; *a curious coincidence* ett egendomligt sammanträffande **curl** [kə:l] ringla; locka; [hår]lock **curler** [kə:'lə] papiljott **curly** [kə:'li] lockig **currant** [karr'ənt] vinbär; korint **currency** [karr'ənsi] valuta **currency regulations** [karr'ənsi reggjolej'-sjənz] valutabestämmelser **current** [karr'ənt] allmän, gängse, aktuell; ström **curriculum** [kərikk'joləm] lärokurs, undervisningsplan **curry** [karr'i] **1** currystuvning **2** bereda (*hudar*); rykta; *curry favour with s.b.* ställa sig in hos ngn **curry-powder** [karr'ipaodə] curry **curse** [kə:s] förbanna; förbannelse **cursed** [kə:'sidd] förbannad **cursory** [kə:'səri] flyktig **curt** [kə:t] kort; tvär **curtail** [kə:'tej'l] avkorta, beskära **curtain** [kə:'tn] gardin; ridå **curtsy** [kə:'tsi] niga **curve** [kə:v] kurva **cushion** [kosj'ən] kudde, dyna **cuspidor** [kass'pidå:] (*Am.*) spottkopp **custard** [kass'təd] gul efterrättssås **custodian** [kasståo'djən] väktare; vårdare, förmyndare **custody** [kass'tədi] förvar; arrest, häkte **custom** [kass'təm] vana, sed[vänja], bruk **customary** [kass'təməri] bruklig **customer** [kass'təmə] kund **customs** [kass'təmz] tull[verk]; *declare ... at customs* tulldeklarera **customs declaration** [kass'təmz dekklərej'sjən] tulldeklaration **customs duty** [kass'təmz djo:'ti] tull[avgift] **cut** [katt] klippa, skära, hugga, rista, slå (*hö*); snitt, skärsår, hugg, rispa; *cut away* schakta bort; *cut out* stryka (*i text*) **cute** [kjo:t] söt, näpen **cuticle** [kjo:'tikkl] överhud, nagelband **cutlass** [katt'ləs] kort svärd **cutler** [katt'lə] knivsmed **cutlery** [katt'ləri] eggverktyg; matbestick **cutlet** [katt'litt] kotlett **cutter** [katt'ə] kniv; tillskärare; kutter **cut-throat** [katt'θråot] mördare **cutting** [katt'ing] urklipp **cutting-board** [katt'ingbå:d] skärbräde **cuttle-fish** [katt'lfisj] bläckfisk **cycle** [saj'kl] cykel; cykla **cyclist** [saj'klist] cyklist **cylinder** [sill'ində] cylinder **cymbal** [simm'bəl] bäcken, symbal **cynical** [sinn'ikəl] cynisk **Czech** [tsjekk] tjeck; tjeckisk **Czecho-Slovakia** [tsjekk'åoslåovàkk'iə] Tjeckoslovakien **dachshund** [dàkk'shonnd] tax **dad[dy]** [dädd'-(i)] pappa **daffodil** [däff'ədill] påsklilja **dagger** [dägg'ə] dolk **dago** [dej'gåo] (nedsättande om) sydeuropé **daily** [dej'li] daglig[en]; *daily allowance* dagtraktamente; *daily* [*paper*] dagstidning **daintiness** [dej'ntiniss] läckerhet **dainty** [dej'nti] läcker **dairy** [dä:'əri] mejeri **dais** [dej'iss] estrad **daisy** [dej'zi] tusensköna **dally** [däll'i] leka; söla **dam** [dämm] damm, fördämning; damma **damage** [dämm'iddsj] skada, åverkan; (*verb*) skada; *easily damaged* ömtålig **damages** [dämm'iddsjizz] skadestånd **dame** [dejm] titel för adlad kvinna **damn** [dämm] förbanna; *damn!* jäklar! **damp** [dämmp] fukt; fuktig **damper** [dämm'pə] spjäll; sordin **dance** [da:ns] dans; dansa **dance-music** [da:'nsmjo:zikk] dansmusik **dancer** [da:'nsə] dansör, dansös **dandelion** [dänn'dilajən] maskros **dandruff** [dänn'dröf] mjäll **Dane** [dejn] (*subst.*) dansk **danger** [dej'ndsjə] (*subst.*) fara; *danger of fire* eldfara **dangerous** [dej'ndsjrəs] farlig **dangle** [däng'gl] dingla [med] **Danish** [dej'nisj] (*adj.*) dansk; *Danish pastry* wienerbröd **dapper** [däpp'ə] prydlig, nätt **dare** [dä:'ə] våga, tordas, understå sig; *I dare say* nog, kanske, förmodligen; *you dare!* du skulle bara våga! **daring** [dä:'əring] oförvägen, djärv **dark** [da:k] mörk; *dark blue* mörkblå; *dark room* mörkrum **darken** [da:'kən] fördunkla, förmörka **darkened** [da:'kənd] omtöcknad **darkness** [da:'kniss] mörker **darling** [da:'ling] älskling **darn** [da:n] stoppa, laga hål **darning-needle** [da:'ningni:dl] stoppnål **dart** [da:t] [kast]pil **dash** [däsj] rusa; kasta; stänka; slag; skvätt; tankstreck;

framstöt **dash-board** [däsj'bå:d] instrumentbräda **dashing** [däsj'-ing] elegant; livlig **dastardly** [däss'tədli] feg, usel **date** [dejt] **1** datera; datum; *out of date* föråldrad, omodern; *up to date* modern; *bring up to date* aktualisera, modernisera **2** dadel **daub** [då:b] kludda **daughter** [då:'tə] dotter **daughter-in-law** [då:'tərinnlå:] svärdotter, sonhustru **dauntless** [då:ntliss] oförfärad **dawn** [då:n] gry; gryning; *it dawned upon me* det gick upp för mig **day** [dej] dag; *day and night* dygn; *day by day* dag för dag; *the day before yesterday* [i] förrgår; *day of departure* avresedag; *day of the week* veckodag; *the next few days* de närmaste dagarna; *the other day* häromdagen; *one of these days* endera dagen **daylight** [dej'lajt] dager, dagsljus **day nursery** [dej' nə:'sri] daghem **daytime** [dej'tajm] *in the daytime* på dagarna, om dagen **dazed** [dejzd] omtöcknad **dazzle** [däzz'l] blända; förvirra **deacon** [di:'kn] diakon **dead** [dedd] död; *the dead man* den döde; *dead heat* dött lopp; *in dead earnest* på fullt allvar; *stop dead* tvärstanna **deaden** [dedd'n] förta[ga], dämpa **deadline** [dedd'-lajn] sista tidpunkt, gräns **deadlock** [dedd'låkk] baklås; dödläge **deadly** [dedd'li] dödlig **deaf** [deff] döv; *deaf and dumb* dövstum **deal** [di:l] **1** handla, göra affärer (*in* med); ge (*i kortspel*); utdela; överenskommelse; giv; *deal with* handla om, ha att göra med; *a good deal* åtskilligt, en hel del; *a great deal* ganska mycket, en hel del **2** planka; *deals* plank, virke **dealer** [di:'lə] handlare **dealings** [di:'lings] affärer **dealt** [dellt] imperf. och perf. part. av *deal* **dean** [di:n] prost **dear** [di:'ə] kär, avhållen; dyr; *oh dear!* kära nån!, kors!; *for dear life* för brinnande livet **dearth** [də:θ] brist **death** [deθ] (*subst.*) död, dödsfall; *to death* ihjäl **deathbed** [deθ'bedd] dödsbädd **death duty** [deθ' djo:ti] arvsskatt **death-rate** [deθ'rejt] dödlighet, dödstal **debase** [dibej's] förnedra **debate** [dibej't] debatt; debattera **debauch** [dibå:'tsj] fördärva; utsvävning **debit** [debb'itt] debet; debitera **debonair** [debə-nä:'ə] belevad, älskvärd **debris** [debb'ri:] spillror **debt** [dett] skuld **debtor** [dett'ə] gäldenär **début** [dej'bo:] debut **decade** [dekk'ejd] decennium, årtionde **decanter** [dikänn'tə] karaff **decathlon** [dekäθ'lånn] tiokamp **decay** [dikej'] förfalla; förfall **decayed** [dikej'd] murken **deceased** [disi:'st] avliden **deceit** [disi:'t] bedrägeri **deceitful** [disi:'tfoll] bedräglig **deceive** [disi:'v] bedra[ga] **decency** [di:'snsi] anständighet **decent** [di:'snt] hygglig; anständig **decentralize** [di:senn'trəlajz] decentralisera **December** [disemm'bə] december **decide** [disaj'd] avgöra, besluta; bestämma sig, besluta sig, fastna (*on* för) **decided** [disaj'didd] avgjord **deciduous tree** [disidd'jəəs tri:'] lövträd **decimal** [dess'iml] decimal-; *decimal fraction* decimalbråk; *decimal point* decimalkomma **decipher** [disaj'fə] dechiffrera **decision** [disisj'ən] beslut, avgörande; utslag; *make a decision* fatta ett beslut **decisive** [disaj'sivv] utslagsgivande **deck** [dekk] [fartygs]däck; pryda, smycka **deck-chair** [dekk'tsjä:'ə] fällstol, vilstol **deck-hand** [dekk'hännd] matros **declaration** [dekklørej'-sjøn] förklaring, tillkännagivande, deklaration **declare** [diklä:'ø] förklara, tillkännage, påstå; deklarera; förtulla; *declare … at customs* tulldeklarera **declension** [diklenn'sjøn] nedgång; deklination **decline** [diklaj'n] avböja, undanbe sig, frånsäga sig; tillbakagång; *be on the decline* vara på upphällningen **decoction** [dikåkk'sjøn] lag, avkok **decode** [di:'kåo'd] dechiffrera **decompose** [di:kømpåo'z] upplösa/s/ **decorate** [dekk'ørejt] dekorera, smycka **decoration** [dekk'ørej'sjøn] dekoration **decorative** [dekk'ørøtivv] dekorativ **decorous** [dekk'ørøs] värdig, anständig **decorum** [dikå:'røm] anständighet **decoy** [dikåj'] lockfågel; lockbete; locka **decrease** [di:kri:'s] avta[ga], minska; [di:'kri:s] avtagande, minskning **decree** [dikri:'] påbud **decrepit** [dikrepp'itt] ålderdomssvag **decry** [dikraj'] nedsätta, fördöma **dedicate** [dedd'ikejt] tillägna, viga, ägna **deduce** [didjo:'s] härleda, sluta sig till **deduction** [didakk'sjøn] avdrag, avräkning **deed** [di:d] handling; stordåd; dokument **deem** [di:m] anse, mena **deep** [di:p] (*adj.*) djup; djupsinnig; *deep dish* karott **deepen** [di:'pøn] fördjupa **deeply** [di:'pli] djupt; *enter deeply into* fördjupa sig i **deep-freeze** [di:'pfri:z] frysbox; djupfrysa **deep-rooted** [di:'pro:'tidd] seglivad, djupt rotad **deer** [di:'ø] rådjur; *red deer* [kron]hjort; *fallow deer* dovhjort **de-escalation** [di:'esskølej'sjøn] nedtrappning **deface** [difej's] vanställa **defamation** [deffømej'sjøn] ärekränkning **defame** [difej'm] smutskasta **default** [difå:'lt] brist; försummelse; uraktlåtelse att betala **defeat** [difi:'t] nederlag; besegra **defect** [difekk't] defekt, lyte, missbildning **defective** [difekk'tivv] bristfällig **defence** [difenn's] försvar **defenceless** [difenn'sliss] värnlös, försvarslös **defend** [difenn'd] försvara **defendant** [difenn'dønt] svarande **defensive** [difenn'sivv] defensiv, försvars- **defer** [difø:'] uppskjuta; ge vika för **deference** [deff'røns] underkastelse; hänsyn **defiance** [difaj'øns] (*subst.*) trots (*of* mot) **deficiency** [difisj'nsi] brist **deficient** [difisj'nt] bristande, otillräcklig **deficit** [deff'isitt] underskott **defile** [difaj'l] skända; defilera **define** [difaj'n] definiera **definite** [deff'initt] definitiv **definitely** [deff'inittli] bestämt **definition** [deffinisj'øn] definition **deflect** [diflekk't] böja [sig] åt sidan, avleda **deform** [difå:'m] deformera **deformed** [difå:'md] vanskapt **defray** [difrej'] bestrida, betala **defrost** [di:fråss't] avfrosta **deft** [deff't] van, skicklig **defunct** [difaŋ'kt] avliden **defy** [difaj'] trotsa **degenerate** [didsjenn'ørejt] urarta; [didsjenn'øritt] degenererad **degrade** [digrej'd] degradera **degree** [digri:'] grad; (*akademisk*) examen **deign** [dej'n] värdigas **deity** [di:'tti] gudom **deject** [didsjekk't] nedslå, göra nedslagen **delay** [dilej'] fördröja, försena, sinka; dröjsmål, anstånd **delegate** [dell'igitt] delegat **delete** [dili:'t] utplåna, stryka **deleterious** [delliti:'øriøs] skadlig, fördärvlig **deletion** [dili:'sjøn] strykning, uteslutning **deliberate** [dilibb'ørejt] överlägga, rådpläga; [dilibb'øritt] behärskad; avsiktlig **deliberation** [dilibbərej'sjən] överläggning **delicacy** [dell'ikəsi] finkänslighet; läckerhet, delikatess **delicate** [dell'ikitt] finkänslig; ömtålig; delikat **delicious** [dilisj'əs] läcker **delight** [dilaj't] glädje **delighted** [dilaj'tidd] förtjust, mycket glad (*with* över); *I shall be delighted to* det skall bli mig ett nöje att **delightful** [dilaj'tfoll] förtjusande, underbar **delineate** [dilinn'iejt] skissera **delinquency** [diling'kwənsi] brottslighet; *juvenile delinquency* ungdomsbrottslighet **delirious** [dilirr'iəs] yrande; *be delirious* yra **deliver** [dilivv'ə] leverera, avlämna, överlämna, dela ut **delivery** [dilivv'əri] leverans; framförande (*av föredrag o.d.*); förlossning **delivery-office** [dilivv'əriåffiss] paketutlämning **dell** [dell] dalgång **delude** [dilo:'d] lura, vilseleda **deluge** [dell'jo:dsj] syndaflod, översvämning **delusion** [dilo:'sjən] villfarelse **delve** [dellv] gräva **demand** [dima:'nd] kräva, fordra, begära, anmana; krav, fordran, efterfrågan, yrkande (*for* på); *in great demand* eftersökt; *on demand* vid anfordran **demarcate** [di:'ma:kejt] avgränsa **demean** [dimi:'n] förnedra sig; *demean o.s.* uppföra sig **demeanour** [dimi:'nə] uppförande **democracy** [dimåkk'rəsi] demokrati **democrat** [demm'əkrätt] demokrat **democratic** [demməkrätt'ikk] demokratisk **demolish** [dimåll'isj] rasera **demon** [di:'mən] demon, ond ande **demonstrate** [demm'ənstrejt] demonstrera; påvisa **demonstration** [dəmənstrej'sjən] demonstration **demonstrative** [dimänn'strətivv] demonstrativ; övertygande **demonstrator** [demm'ənstrejtə] demonstrant **demoralize** [dimärr'əlajz] demoralisera **demur** [dimə:'] göra invändningar **demure** [dimjo:'ə] sedesam; pryd; tillgjort blyg **den** [denn] (*djurs o. bildl.*) håla **denial** [dinaj'əl] förnekande; vägran **Denmark** [denn'ma:k] Danmark **denomination** [dinåmminej'sjən] benämning; valör (*på sedlar*); religiös sekt **denominator** [dinämm'inejtə] nämnare (*i matematik*) **denote** [dinåo't] beteckna, utmärka **denounce** [dinao'ns] utpeka; uppsäga; ange **dense** [denns] tät, svårgenomtränglig; dum, slö; *densely populated* tätbefolkad **density** [denn'sitti] täthet **dent** [dennt] buckla, inbuktning; buckla (*till*) **dental nurse** [denn'tl nə:s] tandsköterska **dentist** [denn'tisst] tandläkare **denunciation** [dinann'siejsjən] fördömande; angivelse **deny** [dinaj'] förneka, dementera; neka **deodorant** [di:åo'dərənt] transpirationsmedel, deodorant **depart** [dipa:'t] avresa, avgå **department** [dipa:'tmənt] departement; avdelning **departmental manager** [di:pa:tmenn'tl männ'iddsjə] avdelningschef **department store** [dipa:'tmənt stå:] varuhus **departure** [dipa:'tsjə] avfärd, avgång **depend** [dipenn'd] ankomma, bero (*on* på) **dependence** [dipenn'dəns] beroende **dependent** [dipenn'dənt] underlydande; beroende; *dependent on others* osjälvständig **depict** [dipikk't] avbilda, skildra **deplorable** [diplå:'rəbl] bedrövlig, beklaglig **deplore** [diplå:'] beklaga **depopulation** [di:påppjolej'sjən] avfolkning **deport** [dipå:'t] deportera, bortföra; *deport o.s.* uppföra sig **deposit** [dipåzz'itt] insätta (*i bank*), deponera; avlagring, bottensats **depot** [depp'åo] depå; [di:'påo] (*Am.*) järnvägsstation **deprave** [diprej'v] fördärva **depreciate** [dipri:'sjiejt] nedvärdera **depress** [dipress'] deprimera **depressed** [dipress't] nedstämd **depressing** [dipress'-ing] nedslående **depression** [dipresj'ən] depression; fördjupning; lågtryck **deprive** [dipraj'v] beröva, frånta[ga] **depth** [deppθ] (*subst.*) djup; *depth of field* djupskärpa **depth charge** [depp'θ tjsa:dsj] sjunkbomb **deputize** [depp'jotajz] vikariera **deputy** [depp'jotti] ställföreträdare, vikarie, suppleant; *deputy managing director* vice verkställande direktör **derail** [direj'l] (bringa att) spåra ur **derailment** [direj'lmənt] urspåring **derange** [direj'ndsj] rubba, bringa i oordning **derby** [da:'bi] plommonstop **Derby** [da:'bi] Derbytävlingar (hästkapplöpning) **deregister** [diredd'-sjistə] avregistrera **derelict** [derr'əlikkt] övergiven **derision** [dirisj'ən] åtlöje, hån **derive** [diraj'v] härleda **dermis** [də:'miss] underhud **derogatory** [dirågg'ətəri] nedsättande **descalation** [desskalej'sjən] nedtrappning **descend** [disenn'd] gå ner; slutta, sänka sig; *descend abruptly* stupa; *be descended from* härstamma från **descendant** [disenn'dənt] ättling **descent** [disenn't] nedstigning; sluttning; härstamning **describe** [disskraj'b] beskriva, skildra; framställa **description** [disskripp'sjən] beskrivning, skildring, framställning, signalement **descry** [diskraj'] upptäcka, varsna **desecrate** [dess'ikrejt] vanhelga **desert** [dezz'ət] (*adj.*) öde; öken; [dizə:'t] övergе; *feel deserted* känna sig utlämnad **deserve** [dizə:'v] förtjäna, vara värd **design** [dizaj'n] rita, teckna; anslag, komplott; ritning; mönster **designate** [dezz'ignejt] beteckna **designation** [dezignej'sjən] beteckning **designer** [dizaj'nə] formgivare **desirable** [dizaj'ərəbl] önskvärd **desire** [dizaj'ə] önskan, begär, åtrå; önska; *as desired* enligt önskan **desist** [dizîss't] .avstå; upphöra **desk** [dessk] skrivbord, skolbänk **desolate** [dess'əlitt] ödslig **desolation** [dessəlej'sjən] ödslighet, enslighet **despair** [disspä:'ə] misströsta; förtvivlan (*at* över); *in despair* förtvivlad **desperate** [dess'pəritt] desperat **despise** [disspaj'z] förakta, rata **despite** [disspaj't] trots **despondency** [dispånn'dnsi] förtvivlan **dessert** [dizə:'t] dessert, efterrätt **destination** [desstinej'sjən] mål, destination **destine** [dess'tinn] fastställa, bestämma **destiny** [dess'tinni] öde **destitute** [dess'-titjo:t] utarmad, utblottad **destroy** [disstråj'] förstöra, förgöra **destroyer** [disstråj'ə] jagare **destruction** [disstrakk'sjən] förstörelse **desultory** [dess'ltri] osammanhängande, virrig **detach** [ditätt'sj] lösgöra **detached** [ditätt'sjt] fristående; *detached bell-tower* klockstapel **detachment** [ditätt'sjmənt] avskiljande; avskildhet; objektivitet **detail** [di:'tejl] detalj; *further details* närmare detaljer; *in detail* utförligt, i detalj **detailed** [di:'tejld] utförlig, detaljerad **detain** [ditej'n] uppehålla, kvarhålla **detect** [ditekk't] upptäcka **detective** [ditekk'tivv] detektiv; *detective story* (*novel*) detektivroman **deter** [ditə:'] avskräcka **detergent** [ditə:'dsjənt] rengöringsmedel **deteriorate** [diti:'əriərejt] försämra[s] **determination** [ditə:minej´sjən] bestämdhet **deter-mine** [ditə:´minn] bestämma **detest** [ditess´t] (*verb*) avsky **detestable** [ditess´tabl] avskyvärd **detonating-powder** [dett´-åonejting pao´də] knallpulver **detour** [di:´to] omväg **detriment** [dett´rimənt] skada, förlust **detrimental** [dettrimenn´tl] skadlig **deuce** [djo:s] tvåa; 40 lika (i tennis); tusan, fan **devastation** [devvəstej´sjən] ödeläggelse **develop** [divell´əp] utveckla [sig]; framkalla (*film*) **developing** [divell´əping] framkallning (*av film*); *developing country* u-land **development** [divell´əpmənt] utveckling; *development work* utvecklingsarbete **deviation** [di:-viej´sjən] utvikning, avvikelse **device** [divaj´s] plan, påhitt; uppfinning, anordning; *leave s.b. to his own device* låta ngn sköta sig själv **devil** [devv´l] djävul, sate; *poor devil* stackars sate; *talk of the devil and he´ll appear* när man talar om trollen ... **devilish** [devv´lisj] djävlig **devious** [di:´vias] slingrande; irrande **devise** [divaj´z] hitta på, tänka ut **devoid** [divåj´d] *devoid of* blottad på, tom på **devote** [divåo´t] ägna **devoted** [divåo´tidd] hängiven, tillgiven **devotion** [divåo´sjən] tillgivenhet; andakt **devour** [divao´ə] [upp]sluka, förtära **devout** [divao´t] gudfruktig **dew** [djo:] dagg **dexterity** [dekksterr´itti] händighet **dexterous** [dekk´strəs] händig, fingerfärdig **diabetes** [dajəbi:´ti:z] sockersjuka, diabetes **diabetic** [dajəbett´ikk] diabetiker **diagnosis** [dajəgnåo´siss] diagnos **dial** [daj´əl] urtavla; fingerskiva; slå (*telefonnummer*) **dialect** [daj´əlekkt] dialekt **dialogue** [daj´əlågg] dialog **diameter** [dajämm´ittə] diameter **diamond** [daj´əmənd] diamant **diamonds** [daj´əməndz] ruter (*kort*) **diaper** [daj´əpə] haklapp; sanitetsbinda; (*Am.*) blöja **diaphragm** [daj´əfrämm] mellangärde; bländare (*i kamera*); pessar **diapositive** [dajə-påzz´itivv] diapositiv **diarrhoea** [dajəri:´ə] diarré **diary** [daj´əri] dagbok **dice** *se* **die 2 dictaphone** [dikk´təfåon] dikteringsmaskin **dictate** [dikktej´t] diktera, föreskriva **dictation** [dikktej´-sjən] diktamen **dictator** [dikktej´tə] diktator **dictatorship** [dikktej´təsjipp] diktatur **diction** [dikk´sjən] uttryckssätt, stil **dictionary** [dikk´sjənri] lexikon, ordbok **die** [daj] **1** dö; slockna; *I´m dying for a cup of tea* jag längtar hemskt efter en kopp te **2** (*pl* **dice** [dajs]) tärning **diesel engine** [di:´zəl enn´dsjinn] dieselmotor **diet** [daj´ət] diet; föda; *be on a diet* hålla diet **differ** [diff´ə] vara olika; vara av olika mening **difference** [diff´rəns] skillnad, olikhet, mellanskillnad; *difference of age* åldersskillnad **different** [diff´rənt] olika **differentiate** [diffərenn´sjiejt] differentiera **difficult** [diff´ikəlt] svår; *difficult of access* svårtillgänglig; *difficult road* svårframkomlig väg; *difficult to digest* hårdsmält; *difficult to manage* svårhanterlig; *difficult to read* svårläst; *difficult to survey* svåröverskådlig; *make ... difficult* försvåra **difficulty** [diff´ikəlti] svårighet; *make difficulties* bråka, krångla **diffident** [diff´idnt] blyg **diffuse** [diffjo:´s] diffus; spridd; svamlig; [diffjo:´z] sprida[s] **dig** [digg] gräva; gilla;

dig up rota fram **digest** [daj'dsjesst] sammandrag; [diddsjess't] smälta **digestion** [didsjess'tsjən] matsmältning **digit** [didd'sjitt] finger, tå; siffra **dignified** [digg'nifajd] värdig, aktningsvärd **dignity** [digg'nitti] värdighet **digress** [dajgress'] avvika *(från ämne)* **digs** [diggs] lya, bostad **dike** [dajk] fördämning **dilapidated** [diläpp'idejtidd] förfallen, fallfärdig **dilate** [dajlej't] utvidga; utbreda sig **diligence** [dill'idsjəns] flit **diligent** [dill'idsjənt] flitig **dill** [dill] dill **dilly-dally** [dill'idälli] vela, vackla **dilute** [dajljo:'t] späda [ut] **dilution** [dajlo:'sjən] utspädning **dim** [dimm] matt; vag; mattas; *be dimly seen* skymta, skönjas **dime** [dajm] *(Am.)* tiocentslant **dimension** [dimenn'sjən] dimension **diminish** [diminn'isj] förminska **diminutive** [diminn'jotivv] mycket liten **dimple** [dimm'pl] skrattgrop **din** [dinn] larm **dine** [daj'n] äta middag **dinghy** [ding'gi] jolle **dingy** [dinn'dsji] smutsig, grådaskig **dining-car** [daj'ningka:] restaurangvagn **dining-room** [daj'-ningromm] matsal **dinner** [dinn'ə] middag; *have dinner* äta middag; *a three-course dinner* en middag med tre rätter **dinnerjacket** [dinn'ədsjäkitt] smoking **dinner service** [dinn'ə sə:'-viss] matservis **dining-table** [daj'ningtejbl] matbord **dinosaur** [daj'nəså:] skräcködla **dint** [dinnt] *by dint of* med uppbjudande av, genom **diocese** [daj'əsiss] biskopsstift **dip** [dipp] dopp; doppa; *have a dip* doppa sig; *dip the lights* blända av **diploma** [diplåo'mə] diplom **diplomacy** [diplåmm'əsi] diplomati **diplomat** [dipp'ləmått] diplomat **diplomatic** [dippləmätt'ikk] diplomatisk **dire** [daj'ə] gräslig; *in dire need of* i trängande behov av **direct** [direkk't] direkt; rikta *(at* mot), inrikta *(bildl.);* dirigera; regissera *(film); direct current* likström; *direct hit* fullträff **direction** [direkk'sjən] riktning, håll; anvisning, föreskrift, regi, direktion; *sense of direction* lokalsinne; *directions for use* bruksanvisning **direction post** [direkk'sjən påost] vägvisare **directly** [direkk'tli] direkt; genast; så snart som **director** [direkk'ta] direktör; regissör; *[deputy] managing director* [vice] verkställande direktör; *board of directors* styrelse **directory** [direkk'tri] adresskalender; ledande **directory enquiries** [direkk'təri innkwaj'ərizz] nummerbyrå **dirt** [də:t] smuts **dirty** [də:'ti] smutsig; snuskig; *dirty linen* smutskläder; *make ... dirty* smutsa [ner] **disability** [dissəbill'itti] invaliditet, lyte **disabled** [dissej'bld] vanför; redlös *(om båt); disabled person* invalid **disadvantage** [dissədva:'ntiddsj] nackdel **disadvantageous** [dissäddva:ntej'dsjəs] ofördelaktig **disagree** [dissəgri:'] vara oense; *fish disagrees with me* jag tål det inte **disagreeable** [dissəgri:'əbl] obehaglig, otrevlig, osympatisk **disappear** [dissəpi:'ə] försvinna **disappoint** [dissəpåj'nt] göra besviken; svika **disappointed** [dissəpåj'ntidd] besviken *(in* på; *at* över) **disappointment** [dissəpåj'ntmənt] besvikelse **disapprove of** [diss'əpro:'v əvv] ogilla **disarm** [dissa:'m] avväpna **disarmament** [dissa:'məmənt] nedrustning **disaster** [diza:'stə] olycka, katastrof **disastrous** [diza:'strəs] olycksbringande, ödesdiger **disband** [disbänn'd] upplösa[s] (om trupp) **disbelief** [disbili:'f] tvivel, misstro **disc** [dissk] skiva **discard** [disska:'d] kassera, kasta bort, utrangera **disc bar** [diss'k ba:] skivstång **disc brake** [diss'k brejk] skivbroms **disc-clutch** [diss'kklattsj] lamellkoppling **discern** [disə:'n] urskilja, skönja **discharge** [disstsja:'dsj] avlasta; avlossa, avskjuta; utmynna; avlastning; avlossande; utsläpp **disciple** [dissaj'pl] lärjunge **discipline** [diss'iplinn] disciplin **disclaim** [dissklej'm] frånsäga sig, förneka **disclose** [dissklåo'z] avslöja, blotta, röja **disclosure** [dissklåo'sjə] avslöjande **disc memory** [diss'k memm'əri] skivminne **discolour** [disskall'ə] avfärga, bli urblekt **discomfort** [disskamm'fət] obehag, olust, vantrivsel **disconcerted** [disskənsə:'tidd] snopen, förvirrad **disconnected** [diss'kənekk'tidd] osammanhängande, virrig **discontent** [diss'kən-tenn't] missnöjd; missnöje; göra missnöjd **discontinue** [diss'-kəntinn'jo] avbryta, upphöra med **discord** [diss'kå:d] slitning, oenighet **discount** [diss'kaont] rabatt; diskonto; [disskao'nt] avdra, diskontera; *at a discount* till underkurs **discourage** [disskarr'iddsj] avskräcka; nedslå **discourse** [disskå:'s] föredrag **discourteous** [disskə:'tjəs] oartig **discover** [disskavv'ə] upptäcka **discovery** [disskavv'əri] upptäckt **discredit** [disskredd'itt] vanrykte, vanheder; misskreditera; betvivla **discreet** [disskri:'t] diskret **discrepancy** [disskrepp'nsi] skiljaktighet; avvikelse **discretion** [disskresj'ən] godtycke; urskillning, gottfinnande **discriminate** [disskrimm'inejt] diskriminera **discrimination** [disskrimminej'sjən] urskillning **discus** [diss'kəs] diskus **discuss** [disskass'] diskutera, resonera; *much discussed* omdebatterad **discussion** [disskasj'ən] diskussion, resonemang **disdain** [dissdej'n] förakta, försmå; förakt **disease** [dizi:'z] sjukdom **disembark** [diss'imba:'k] landsätta; landstiga **disfavour** [diss'fej'və] ogillande, onåd; ogilla, missgynna **disfigure** [dissfigg'ə] vanpryda **disgrace** [dissgrej's] onåd **disgraceful** [dissgrej'sfoll] vanhedrande **disgruntled** [dissgrann'tld] missbelåten **disguise** [dissgaj'z] förkläda (*as* till) **disgust** [dissgass't] äckla; (*subst.*) avsky, avsmak; *be disgusted at* vämjas vid **disgusting** [dissgass'ting] äcklig, motbjudande **dish** [disj] [mat]rätt, anrättning; fat; *dishes* disk **dish-cloth** [disj'klåθ] disktrasa **disheartening** [dissha:'tning] nedslående **dishevelled** [disjevv'ld] rufsig **dishonest** [dissånn'isst] ohederlig, oärlig **dishonour** [dissånn'ə] (*subst.*) vanära **disillusioned** [dissillo:'sjənd] desillusionerad **disinclined** [diss'innklaj'nd] obenägen **disinfect** [dissinfekk't] desinficera **disinfectant** [dissinfekk'tənt] desinfektionsmedel **disinherited** [diss'inherr'itidd] arvlös **disintegrate** [dissinn'tigrejt] upplösa **disintegration** [dissinntigrej'sjən] upplösning **disinterested** [dissinn'tristidd] oegennyttig **dislike** [disslaj'k] motvilja, avsmak; ogilla, tycka illa om **dislocate** [diss'ləkejt] rubba; *get dislocated* gå ur led **disloyal** [diss'låjəl] osolidarisk, illojal **dismal** [dizz'məl] kuslig

dismantle [dissmänn'tl] ta isär, nedmontera **dismay** [dissmej']
förskräckelse; förskräcka **dismember** [dissmemm'bə] sönder-
slita, stycka **dismiss** [dissmiss'] avfärda, avskeda **dismissal**
[dissmiss'əl] avsked **dismount** [diss'mao'nt] stiga av; demontera
disobedient [dissəbi:'djənt] olydig **disobey** [diss'əbej'] vara
olydig, inte lyda **disobliging** [diss'əblaj'dsjing] ogin, vrång
disorder [disså:'də] oreda, oordning **disordered** [disså:'dəd]
oordnad **disorderly** [disså:'dəli] oordentlig *(om sak)*; bråkig
disown [dissåo'n] inte kännas vid, förneka **disparity** [disspärr'it-
ti] olikhet, skillnad **dispassionate** [disspäsj'nitt] sansad **dispatch**
[disspätt'sj] expediera, sända; rapport, depesch **dispel** [disspell']
förjaga, skingra **dispensable** [disspenn'səbl] umbärlig **dispense**
[disspenn's] utdela; *dispense with* klara sig utan, avvara **dispenser**
[disspenn'sə] farmacevt **disperse** [disspə:'s] skingra **dispirited**
[disspirr'itidd] nedslagen **displace** [dissplej's] flytta, rubba, av-
sätta **display** [dissplej'] skylta med, visa **displeased** [disspli:'zd]
missbelåten **disposal** [disspåo'zəl] förfogande; *be at a p.'s
disposal* stå till ngns disposition **disposed** [disspåo'zd] dispo-
nerad; benägen **disposition** [disspəzisj'ən] disposition, upplägg-
ning; sinnelag **dispossess** [diss'pəzess'] fördriva; *dispossess of*
beröva **disprove** [disspro:'v] vederlägga **dispute** [disspjo:'t]
tvista; dispyt **disputed** [disspjo:'tidd] omtvistad **disqualify**
[disskwåll'ifaj] diskvalificera **disregard** [diss'riga:'d] bortse från,
åsidosätta, ej bry sig om; ringaktning **disrepute** [diss'ripjo:'t]
vanrykte **disrespectful** [dissrispekk'tfoll] respektlös **dissatis-
faction** [diss'sättisfäkk'sjən] missnöje, missbelåtenhet **dissatis-
fied** [diss'sätt'isfajd] missnöjd **dissect** [dissekk't] dissekera
dissenter [dissenn'tə] oliktänkande **dissimilar** [diss'imm'illə]
olika **dissipated** [dissipej'tidd] utsvävande **dissolve** [dizåll'v]
upplösa **distaff** [diss'ta:f] slända; *on the distaff side* på spinn-
sidan **distance** [diss'təns] distans, avstånd, håll; *at a distance*
på avstånd; *in the distance* i fjärran **distant** [diss'tənt] avlägsen,
fjärran **distaste** [diss'tej'st] avsmak, motvilja **distasteful** [diss-
tej'stfoll] osmaklig **distill** [disstill'] destillera **distinct** [dissting'kt]
tydlig; [åt]skild **distinction** [dissting'ksjən] utmärkelse; åtskill-
nad; *make a distinction* göra åtskillnad **distinctive** [dissting'k-
tivv] utmärkande; utpräglad **distinguish** [dissting'gwisj] ur-
skilja; göra skillnad; utmärka; *distinguish o.s.* utmärka sig; *dis-
tinguish between* skilja mellan **distinguished** [dissting'gwisjt]
förnämlig **distort** [disstå:'t] förvrida, förvränga **distortion**
[disstå:'sjən] förvridning; förvrängning **distract** [dissträkk't]
distrahera **distraint** [disstrej'nt] utmätning **distraught** [disstrå:'t]
distraherad **distress** [disstress'] bedröva; nöd; sjönöd **distribute**
[disstribb'jo:t] utdela, fördela, distribuera **distribution** [disstrib-
jo:'sjən] utdelning, fördelning, distribution **district** [diss'trikkt]
område, trakt, bygd, distrikt, kvarter **disturb** [disstə:'b] störa
disturbance [disstə:'bəns] störning **disturbing** [disstə:'bing]

oroande **distrust** [disstrass't] misstro **ditch** [dittsj] dike **ditchbank** [ditt'sjbängk] dikesren **ditto** [ditt'åo] detsamma, dito **ditty** [ditt'i] visa **dive** [dajv] dyka; dykning **diver** [daj've] dykare **diverge** [dajve:'dsj] gå isär; avvika **divers** [daj'vez] åtskilliga, varjehanda **diverse** [dajve:'s] olika; mångfaldig **diversion** [dajve:'sjen] skenmanöver; förströelse **divert** [dajve:'t] avleda; förströ **divide** [divaj'd] dela; dividera; indela, dela [sig]; skifta; söndra; *divide up* stycka, dela upp **dividend** [divv'idennd] återbäring; utdelning (*på aktie*) **divine** [divaj'n] gudomlig **diving** [daj'ving] dykning **divining-rod** [divaj'ningrådd] slagruta **divinity** [divinn'itti] gudomlighet; teologi **division** [divisj'en] [upp]delning; division; avdelning, avstavning; votering **divorce** [divå:'s] skilja[s]; skilsmässa **divulge** [dajvall'dsj] avslöja **dizziness** [dizz'iniss] yrsel **dizzy** [dizz'i] svindlande, yr **do** [do:] göra, uträtta; duga; *how do you do!* god dag!; *what can I do for you?* varmed kan jag stå till tjänst?; *I do hope that* jag hoppas verkligen att; *don't* låt bli!; *that will do* det duger; *what are you doing?* vad har du för dig?; *get ... done* få ... färdig; *do ... over again* göra om (*på nytt*); *do without* undvara, umbära **docile** [dåo'sajl] läraktig **dock** [dåkk] [skepps]docka **docker** [dåkk'e] sjåare, hamnarbetare **docks** [dåkks] varv; kaj, tilläggsplats **doctor** [dåkk'te] doktor, läkare; förfalska; *doctor on duty* jourhavande läkare **doctor's certificate** [dokk'tez sætiff'ikitt] läkarintyg **doctrine** [dåkk'trinn] lära, doktrin **document** [dåkk'joment] handling, dokument, urkund **documentary [film]** [dåkkjomenn'teri (film)] dokumentärfilm **dodge** [dåddsj] hoppa undan [för]; hopp åt sidan; knep **dog** [dågg] hund; *the dog days* rötmånaden; *hot dog* varm korv **dogged** [dågg'idd] sammanbiten **dole** [dåol] arbetslöshetsunderstöd; *be on the dole* vara arbetslös; *dole out* utdela **doleful** [dåo'lfoll] dyster, sorgsen **doll** [dåll] docka **doll's house** [dåll'z haos] dockskåp **dolphin** [dåll'finn] delfin **domain** [demej'n] domän, område **dome** [dåom] dom, kupol **domestic** [demess'tikk] tam (*om djur*); inrikes, inhemsk; *domestic animal* husdjur; *domestic aviation* inrikesflyg; *domestic policy* inrikespolitik; *domestic science* skolkök; *domestic servant* hembiträde **domesticated** [demess'tikejtidd] huslig **domicile** [dåmm'isajl] hemvist, boningsort; fast bostad **dominant** [dåmm'inent] förhärskande; dominerande **dominate** [dåmm'inejt] dominera **domination** [dåmminej'sjen] dominans; välde, makt **domineer** [dåmmini:'e] dominera, tyrannisera **dominion** [deminn'jen] herravälde; besittning; dominion **don** [dånn] lärare vid college; ta på sig **donate** [dåonej't] donera **donation** [dåonej'sjen] donation **done** [dann] gjord, gjort; kokt, stekt; färdig; slut **donkey** [dång'ki] åsna **doom** [do:m] dom; undergång; döma **door** [då:] dörr, port; lucka **door handle** [då:' hänndl] dörrhandtag **doorkeeper** [då:'ki:pe] portvakt **door-key** [då:'ki:] dörrnyckel **doorstep[s]** [då:'stepp(s)] [farstu]trappa **doorway** [då:'wej] dörröppning **dope** [dåop] knark; knarkare **dope-pedlar** [dåo'p peddlə] [narkotika]langare **dor-beetle** [då:'bi:tl] tordyvel **dormitory** [då:'mitri] sovsal; studenthem **dose** [dåos] dos, sats; dosera **dot** [dått] prick; förse med prickar **dotage** [dåo'tidsj] svaghet, senilitet **dote** on [dåo't ånn] vara svag för **double** [dabb'l] dubbel; fördubbla; *double up* vika sig; *double Dutch* rotvälska; *double floor* trossbotten **double-bass** [dabb'l-bej's] basfiol **double-cross** [dabb'lkråss'] bedra, lura **double-dealer** [dabb'ldi:'lə] bedragare **double-decker** [dabb'ldekk'ə] tvåvåningsbuss; biplan **doubt** [daot] betvivla, tvivla på; tvivel[s-mål]; *there is no doubt* det råder inget tvivel **doubtful** [dao'tfull] tvivelaktig **doubtless** [dao'tliss] utan tvivel, otvivelaktigt **dough** [dåo] deg **dove** [davv] duva **dovetail** [davv'tejl] hopsinka; sinka **dowager** [dao'idsjə] änkenåd **down** [daon] **1** ned, nedför, utför; nere; omkull **2** dun **downfall** [dao'nfå:l] fall, ruin; skyfall **downhearted** [dao'nha:'tidd] missmodig, nedslagen **downhill** [dao'nhill'] utförsbacke **downhill race** [dao'nhill' rejs] störtlopp **downhill run** [dao'nhill' rann'] utförsåkning **downhill slope** [dao'nhill slåop] nedförsbacke **down-payment** [dao'npejmənt] handpenning **downpour** [dao'npå:] störtregn **downright** [dao'nrajt] rent av **downstairs** [dao'nstä:'əz] nedför trappan, där nere; i nedre våningen **downtown** [dao'ntao'n] i centrum; ute på stan **downtrodden** [dao'ntråddn] förtrampad **downward[s]** [dao'n-wəd(z)] nedåt **dowry** [dao'ri] hemgift; gåva **doyen** [dåo'i] nestor **doze** [dåoz] dåsa, slumra **dozen** [dazz'n] dussin; *by the dozen* dussinvis **drab** [dräbb] gulbrun; enformig **draft** [dra:ft] utkast; (*Am.*) [luft]drag; uttagning; avfatta, formulera **drag** [drägg] släpa; dragga **dragon** [drägg'ən] drake **dragonfly** [drägg'ənflaj] trollslända **drain** [drejn] dränera; avlopp **drainage** [drej'nidsj] dränering; avloppsledningar **drain pipe** [drej'n pajp] stuprör **dram** [drämm] sup, snaps **drama** [dra:'mə] drama, dramatik **dramatic** [drəmätt'ikk] dramatisk **dramatist** [drämm'ətist] dramatiker **dramatize** [drämm'ətajz] dramatisera **drank** [drängk] imperf. av drink **drape** [drejp] drapera; kläda **draper's shop** [drej'pəz sjåpp] manufakturaffär **drapery** [drej'pəri] drapering; manufakturvaror **drastic** [dräss'tikk] drastisk **draught** [dra:ft] [luft]drag; klunk; (*fiskares*) fångst **draught beer** [dra:'ft bi:'ə] fatöl **draughts** [dra:fts] damspel **draw** [drå:] dra; rita, teckna; utställa, utfärda, trassera; tappa öl; dragning; oavgjord tävlan; *draw on the reserves* tära på reserverna; *draw up* avfatta (*avtal*), göra upp (*förslag*), utforma (*text*), upprätta (*skrivelse*) **draw-back** [drå:'bäkk] nackdel, olägenhet **draw-bridge** [drå:'bridsj] vindbrygga **drawer** [drå:] byrålåda; trassent; tecknare; *chest of drawers* byrå **drawing** [drå:'ing] teckning, ritning **drawing-board** [drå:'ingbå:d] ritbräde **drawing-pin** [drå:'ingpinn] häftstift **drawing-room** [drå:'ingromm] salong **drawl** [drå:l] släpigt uttal; tala släpande **drawn** [drå:n] oavgjord (*i spel*) **dread** [dredd]

253   **dreadful — dull**

frukta; fruktan **dreadful** [dredd'foll] förskräcklig **dream** [dri:m]
dröm; drömma **dreary** [dri:'əri] dyster, trist **dredge** [dreddsj]
mudderverk; muddra upp **dredger** [dredd'sjə] mudderverk **dregs**
[dreggz] drägg, bottensats **drench** [drenntsj] hällregn; genom-
blöta **dress** [dress] klä[da], klä [på] sig, ikläda; lägga upp (*hår*);
klänning, klädsel, dräkt; *formal dress* högtidsdräkt **dress circle**
[dress' sə:kl] 1:a raden **dressed** [dresst] påklädd; finklädd; ut-
klädd (*as* till) **dress rehearsal** [dress' rihə:'səl] generalrepetition
dressing-case [dress'ingkejs] necessär **dressing-gown** [dress'-
inggaon] morgonrock **dressmaker** [dress'mejkə] sömmerska
drew [dro:] imperf. av *draw* **dribble** [dribb'l] dribbla **drier**
[draj'ə] tork **drift** [drifft] (*verb*) driva; (*subst.*) driva; avdrift
drill [drill] borra; borr; exercis **drink** [dringk] dricka; supa; dryck;
drink to skåla med; *meat and drink* mat och dryck **drip** [dripp]
droppa, drypa **dripping** [dripp'ing] [stek]flott **drive** [drajv]
köra; skjutsa, driva, tränga; åktur; *drive away* fördriva **drivel**
[drivv'l] svammel; dregel; svamla, dregla **driven** [drivv'n] perf.
part. av *drive* **driver** [draj'və] bilförare, chaufför **driving licence**
[draj'ving laj'səns] körkort **driving mirror** [draj'ving mirr'ə]
backspegel **drizzle** [drizz'l] duggregn **droll** [dråol] lustig, rolig
dromedary [dramm'ədəri] dromedar **drone** [dråon] drönare;
slöa **droop** [dro:p] hänga ner **drop** [dråpp] tappa, släppa;
droppa, drypa; droppe, skvätt; *drop behind* bli efter; *drop in*
titta in; *drop the Mr.* (*etc.*) lägga bort titlarna; *drop a line!* skriv en
rad! **drought** [draot] (*subst.*) torka **drove** [dråov] hjord; imperf.
av *drive* **drown** [draon] dränka; *be drowned* drunkna **drowsy**
[drao'zi] dåsig, yrvaken **drudgery** [dradd'sjəri] slavgöra **drug**
[dragg] drog; förgifta; *drugs* narkotika **drug addict** [dragg'
ädd'ikkt] narkoman **druggist** [dragg'ist] (*Am.*) apotekare **drum**
[dramm] trumma **drummer** [dramm'ə] trumslagare **drumstick**
[dramm'stikk] trumpinne **drunk** [drangk] drucken, full, onykter;
get drunk supa sig full **drunkard** [drang'kəd] fyllerist **drunken**
driving [drang'kən draj'ving] rattfylleri **drunkenness** [drang'-
kənniss] fylleri **dry** [draj] torr; (*verb*) torka; *dry weather* uppe-
hållsväder; *get ... dry* torka; *go dry* sina; *hang ... to dry* hänga på
tork; *run dry* torka ut **dry cleaner's** [draj' kli:'nəz] kemtvätt
(*lokal*) **dry cleaning** [draj' kli:'ning] kemtvätt **drying rack**
[draj'ing räkk] torkställ **dual** [djo:'əl] tvåfaldig **dub** [dabb]
dubba (till); dubba (film) **dubious** [djo:'bjəs] tvivelaktig; tveksam
duchess [datt'sjiss] hertiginna **duck** [dakk] anka **duck bill**
[dakk' bill] näbbdjur **duct** [dakkt] rör, ledning **ductile** [dakk'tajl]
smidig **dud** [dadd] blindgångare; oduglig sak el. person **due**
[djo:] skyldig; vederbörlig; (*ngns*) rätt; *be due to* bero på;
in due course i sinom tid, i vederbörlig ordning **duel** [djo:'əl]
tvekamp, duell; duellera **dues** [djo:z] avgifter **duet** [djoett']
duett **dug** [dagg] imperf. och perf. part. av *dig* **dug-out** [dagg'aot]
skyddsrum **duke** [djo:k] hertig **dull** [dall] matt, glanslös; dov; trög;

business is dull affärerna går trögt **dullard** [dall'əd] slöfock **duly** [djo:'li] vederbörligen **dumb** [damm] stum **dumb-bell** [damm'-bell] hantel **dumbfound** [dammfao'nd] förstumma, göra mållös **dummy** [damm'i] skyltdocka; napp; träkarl (*i kortspel*) **dump** [dammp] duns; tipp; stjälpa av; tippa; dumpa (*varor*) **dumpling** [damm'pling] äppelmunk **dune** [djo:n] dyn **dung** [dang] gödsla; gödsel **dungeon** [dann'dsjən] fängelsehåla **dunghill** [dang'hill] gödselstack **dupe** [djo:p] lura, dupera **duplicate** [djo:'plikitt] dubblett, kopia **duplicity** [djo:pliss'itti] dubbelspel, falskhet **durable** [djo:'ərəbl] hållbar, varaktig, slitstark **duration** [djoərej'sjən] varaktighet; *for the duration of s.th.* så länge ngt varar **during** [djo:'əring] under, på (*om tid*) **dusk** [dassk] dunkel, skymning **dusky** [dass'ki] dunkel, skum **dust** [dasst] damm, stoft; damma **dust-bin** [dass'tbinn] soptunna **duster** [dass'tə] dammtrasa **dustpan** [dass'tpänn] sopskyffel **dusty** [dass'ti] dammig **Dutch** [dattsj] holländsk; *the Dutch* holländarna; *Dutch party (treat)* knytkalas **Dutchman** [datt'sjmən] holländare **dutiable** [djo:'tjəbl] tullpliktig **duty** [djo:'ti] plikt, skyldighet, förpliktelse; tull[avgift]; *duty unpaid* oförtullad; *on duty* i tjänst, vakthavande **duty-free** [djo:'tifri:'] tullfri **dwarf** [dwå:f] dvärg **dwell** [dwell] bo, vistas **dwelling** [dwell'ing] bostad **dwelt** [dwellt] imperf. och perf. part. av *dwell* **dwindle** [dwinn'dl] krympa ihop, förminskas **dye** [daj] färga (*textil o.d.*) **dying** [daj'ing] döende **dynamic** [dajnämm'ikk] dynamisk **dynamite** [daj'nəmajt] dynamit **dynasty** [dinn'əsti] ätt, dynasti **each** [i:tsj] var, vague, vardera; per person, per styck; *each individually* var för sig; *each other* varandra **eager** [i:'gə] ivrig; *eager to learn* vetgirig **eagerness** [i:'gəniss] iver **eagle** [i:'gl] örn **eagle owl** [i:'gl aol] berguv **ear** [i:'ə] öra; gehör; *by ear* efter gehör **ear-ache** [i:'ərejk] örsprång **ear-drum** [i:'ədramm] trumhinna **ear-flap** [i:'əfläpp] öronskydd **earl** [ə:l] (engelsk) greve **earlier** [ə:'liə] tidigare, förr **early** [ə:'li] tidig; *early in life* vid unga år **earmark** [i:'əma:k] kännetecken; märka **earn** [ə:n] förtjäna, tjäna; *earn one's living* förtjäna sitt uppehälle **earnest** [ə:'nisst] allvarlig; allvar; *be in earnest* mena allvar **earnings** [ə:'ningz] förtjänst, inkomst **ear-ring** [i:'əring] örhänge **ear-shot** [i:'əsjått] hörhåll **earth** [ə:θ] jord, mark; *earth closet* torrklosett; *how on earth?* hur i all världen? **earthenware** [ə:'θənwäə] lergods, keramik **earthly** [ə:'θli] jordisk **earthquake** [ə:'θkwejk] jordbävning **earthworm** [ə:'θwə:m] daggmask **earwig** [i:'əwigg] tvestjärt **ease** [i:z] välbehag; *at ease* nöjd och belåten; i lugn och ro; *feel ill at ease* vantrivas **easel** [i:'zl] staffli **easement** [i:'z-mənt] servitut **easily** [i:'zilli] lätt, med lätthet; *easily digested* lättsmält **easiness** [i:'ziniss] lätthet **east** [i:st] öst; *the east* öster; *the Far East* Fjärran östern **East Africa** [i:'st äff'rikkə] Östafrika **Easter** [i:'stə] påsk; *Happy Easter!* glad påsk!; *Easter Eve* påskafton; *Easter Sunday* påskdag[en]; *Easter Monday* annandag påsk;

Easter holidays påsklov **easterly** [i:'stəli] östlig **eastern** [i:'stən] östlig, österut, östra **East Germany** [i:'st dsjə:'məni] Östtyskland **East Indian** [i:'st inn'djən] ostindisk **eastward[s]** [i:'stwəd(z)] mot öster **easy** [i:'zi] lätt, [lätt och] ledig; *easy chair* vilstol; *easy does it!* sakta i backarna! **easy-going** [i:'zigåoing] sorglös, lättsinnig **eat** [i:t] äta; fräta **eatable** [i:'təbl] ätbar **eaten** [i:'tn] perf. part. av *eat* **eating-house** [i:'tinghaos] servering, matställe **eavesdrop** [i:'vzdråpp] tjuvlyssna **ebb** [ebb] ebb **ebony** [ebb'əni] ebenholts **eccentric** [ikksenn'trikk] originell, säregen; original (*person*) **echo** [ekk'åo] eka; eko **echo-sounder** [ekk'åosaondə] ekolod **eclipse** [iklipp's] mån-, solförmörkelse; förmörka **economic** [i:kənåmm'ikk] ekonomisk **economical** [i:kənåmm'ikəl] sparsam **economics** [i:kənåmm'ikks] nationalekonomi **economist** [ikånn'əmist] ekonom **economize** [i:kånn'əmajz] hushålla, vara sparsam **economy** [ikånn'əmi] ekonomi, sparsamhet **ecstasy** [ekk'stəsi] extas **eczema** [ekk'simmə] eksem **eddy** [edd'i] virvel; virvla **edge** [eddsj] egg; kant, rand; kanta; snedda [över]; *be on edge* vara spänd; *turn the edge of* bryta udden av (*bildl.*) **edible** [edd'ibl] ätbar **edict** [i:'dikkt] edikt, påbud **edification** [eddifikej'sjən] uppbyggelse **edifice** [edd'ifiss] byggnad **edifying** [edd'ifajing] uppbygglig **edit** [edd'itt] utge, redigera **edition** [idisj'ən] utgåva, upplaga **editor** [edd'ittə] redaktör; utgivare; *letter to the editor* insändare **editorial** [editå:'riəl] ledare, ledarartikel; *editorial office* redaktion (*lokal*); *editorial staff* redaktion[spersonal] **editor-in-chief** [edd'itə inn tsji:'f] chefredaktör **educate** [edd'jo:kejt] utbilda, uppfostra **educated** [edd'jokejtidd] bildad **education** [eddjokej'sjən] bildning, uppfostran, utbildning; *higher education* högre undervisning **educational system** [eddjokej'sjənl siss'timm] skolväsen, undervisningsväsen **eel** [i:l] ål **efface** [ifej's] utplåna **effect** [ifekk't] verkan, effekt; *in effect* i själva verket; *have an effect* inverka; *take effect* göra verkan **effective** [ifekk'tivv] effektiv, verksam, verkningsfull; slagkraftig **effects** [ifekk'ts] inventarier **effeminate** [iffemm'initt] förveklidad, omanlig **effervesce** [effəvess'] bubbla, fradga **efficacious** [effikej'sjəs] verksam, effektiv **efficiency** [ifisj'ənsi] effektivitet **efficient** [ifisj'ənt] effektiv (*om person*) **effort** [eff'ət] försök, ansträngning; *effort of will* viljeansträngning **effrontery** [effrann'təri] oförskämdhet **effusive** [effjo:'sivv] översvallande **e.g.** [i:'dji:'] t.ex. **egg** [egg] ägg; *egg on* driva på **egg-cup** [egg'kapp] äggkopp **egg-nog** [egg'någg] äggtoddy **egg white** [egg' wajt] äggvita **egoistical** [egåoiss'tikkəl] egoistisk **egotism** [egg'åotizzm] egoism **Egypt** [i:'dsjippt] Egypten **Egyptian** [i:dsjipp'sjən] egyptisk **eiderdown** [aj'dədaon] ejderdun eight [ejt] åtta **eighteen** [ej'ti:'n] arton **eighteenth** [ej'ti:'nθ] adertonde; *the eighteenth century* sjuttonhundratalet **eighth** [ejtθ] åttonde **eightieth** [ej'tiiθ] åttionde **eighty** [ej'ti] åttio **either** [aj'ðə]

ejaculation — emergency exit 256

vardera, endera, någondera; *either ... or* antingen ... eller; *on either side of* på vardera sidan om **ejaculation** [idsjäkkjolej'- sjən] utrop; utstötning **eject** [idsjekk't] kasta ut, utstöta **ejection seat** [i:dsjekk'sjən si:t] katapultstol **eke out** [i:'k ao't] dryga ut, komplettera **elaborate** [ilább'ərejt] utarbeta; [ilább'əritt] om- sorgsfullt utarbetad, välgenomtänkt **elapse** [iläpp's] förflyta **elastic** [iläss'tikk] tänjbar, elastisk; resår[band]; *elastic bandage* elastisk binda **elated** [ilej'tidd] upprymd **elbow** [ell'båo] armbåge **elbow-room** [ell'båoromm] svängrum **elder** [ell'də] äldre (*om släktskapsförh.*) **elderly** [ell'dəli] äldre, ganska gammal **eldest** [ell'disst] äldst (*om släktskapsförhållanden*) **elect** [ilekk't] välja (*genom röstning*) **election** [ilekk'sjən] val; inval; *general election* allmänna val **election campaign** [ilekk'sjən kämmpej'n] val- rörelse **elector** [ilekk'tə] väljare **electoral** [ilekk'tərəl] val-; *electoral promise* vallöfte; *electoral register* röstlängd; *electoral system* valsätt **electorate** [ilekk'təritt] valmanskår **electric** [ilekk'trikk] elektrisk; *electric heater* elektriskt element **electrician** [ilekktrisj'ən] elektriker **electricity** [ilekktriss'itti] elektricitet **electricity board** [ilekktriss'itti bå:d] elverk **electrocute** [ilekk'- trəkjo:t] avrätta i elektriska stolen **electronics** [ilekktrånn'ikks] elektronik **elegant** [ell'igənt] elegant **element** [ell'imənt] ele- ment; grundämne; inslag **elementary** [ellimenn'təri] elementär; *elementary school* folkskola **elephant** [ell'ifənt] elefant **elevate** [ell'ivejt] upphöja **elevation** [ellivej'sjən] upphöjelse; höjd **eleva- tor** [ell'ivejtə] (*Am.*) hiss **eleven** [ilevv'n] elva **eleventh** [ilevv'nθ] elfte **elf** [ellf] älva, alf; dvärg **elicit** [illiss'itt] framlocka **eligible** [ell'idsjəbl] valbar **eliminate** [ilimm'inejt] eliminera **eliminated** [ilimm'inejtidd] utslagen (*i sport*) **elite** [ejli:'t] elit **elk** [ellk] älg **elm** [ellm] alm **elope** [ilåo'p] rymma hemifrån för att gifta sig **eloquent** [ell'akwənt] vältalig **else** [ells] annars; annan; *nowhere else* ingen annanstans **elsewhere** [ell'swä:'ə] annanstans, på annat håll **elucidate** [illo:'sidejt] belysa, förklara **elusive** [illo:'- sivv] undvikande; gäckande **emaciate[d]** [imej'sjiejt(idd)] ut- märglad **emanate** [emm'ənejt] utflöda, emanera **emancipated** [imänn'sipejtidd] frigjord, emanciperad **embalm** [imba:'m] bal- samera **embankment** [imbäng'kmənt] banvall **embark** [im- ba:'k] gå (ta) ombord **embarrass** [imbärr'əs] göra förlägen, förvirra; besvära **embarrassed** [imbärr'əst] generad, förlägen **embarrassing** [imbärr'əsing] genant **embarrassment** [im- bärr'əsmənt] förlägenhet; besvär **embassy** [emm'bəsi] ambassad, beskickning **embellish** [imbell'isj] förskona **embers** [emm'bəz] glöd **embezzle** [imbezz'l] förskingra **emblem** [emm'bləm] emblem, symbol **emboss** [imbåss'] ciselera **embrace** [embrej's] omfamna, krama; omfatta; omfamning **embroider** [imbråj'də] brodera **emerald** [emm'ərəld] smaragd **emerge** [imə:'dsj] stiga upp, höja sig; uppstå **emergency** [imə:'dsjənsi] nödläge, nödfall; *in an emergency* i nödfall **emergency exit** [imə:'dsjənsi ekk'sitt] reservutgång **emergency landing** [imə:'dsjənsi länn'ding] nöd-landning **emery-wheel** [emm'əriwi:l] smärgelskiva **emigrant** [emm'igrənt] utvandrare, emigrant **emigrate** [emm'igrejt] emi-grera, utvandra **emigration** [emmigrej'sjən] utvandring, emigration **eminence** [emm'inəns] hög rang; eminens; höjd **eminent** [emm'inənt] framstående, eminent **emissary** [emm'issri] sände-bud, (hemlig) agent **emit** [imitt'] avge, ge ifrån sig **emolument** [imåll'joment] inkomst, arvode **emotion** [emåo'sjən] sinnesrö-relse **emotional** [imåo'sjnəl] känslo-; lättrörd **emperor** [emm'-pərə] kejsare **emphasis** [emm'fəsiss] betoning **emphasize** [emm'fəsajz] understryka, betona, poängtera **emphatic** [im-fätt'ikk] eftertrycklig **empire** [emm'pajə] välde, imperium, kej-sardöme **employ** [immplåj'] anställa **employee** [emmplåji:'] tjänsteman, arbetstagare, anställd **employer** [implåj'ə] arbets-givare **employment** [implåj'mənt] anställning **employment exchange** [implåj'mənt ikstsjej'ndsj] arbetsförmedling **empo-rium** [empå:'rjəm] handelscentrum; varuhus **empress** [emm'-priss] kejsarinna **empty** [emm'pti] tom; tömma; *empty bottle* tomflaska; *empty space* tomrum **empty-handed** [emm'ptihänn'-didd] tomhänt, med oförrättat ärende **emptying** [emm'ptiing] tömning **enable** [inej'bl] möjliggöra **enact** [inäkk't] stadga; uppföra, spela **enamel** [inämm'əl] emalj; emaljera **enamoured** [inämm'əd] förälskad **encamp** [innkämm'p] slå läger **encase** [inkej:'s] innesluta, inlägga **enchant** [inntsjɑ:'nt] tjusa, förtrolla **enchantment** [inntsjɑ:'ntmənt] förtjusning, förtrollning **enclose** [innklåo'z] innesluta, inhägna; bifoga **enclosure** [innklåo'sjə] inhägnad; bilaga (*i brev*) **encore** [ångkå:'] da capo **encounter** [inkao'ntə] möta; möte **encourage** [innkarr'iddsj] uppmuntra **encroach** [inkråo'tsj] inkräkta **encumber** [inkamm'bə] betunga; belamra **end** [ennd] slut, avslutning, ända; sluta; mynna; *end in it-self* självändamål; *in the end* i längden; *come to an end* gå till ända; *get to the end of* få slut på; *make both ends meet* få det att gå ihop **endanger** [indej'ndsjə] sätta i fara, riskera **endear** [indi:'ə] göra älskad **endeavour** [indevv'ə] bemöda sig; försök, strävan **ending** [enn'ding] ändelse **endless** [enn'dliss] ändlös, oändlig **endorse** [indå:'s] endossera, anteckna på baksidan av **endow** [indao'] donera; förläna **endurance** [indjo'ərəns] tålamod **en-dure** [inndjo:'ə] uthärda, lida **enema** [enn'immə] lavemang **ene-my** [enn'immi] fiende, ovän (*of* till) **energetic** [ennədsjett'ikk] energisk **energy** [enn'ədsji] energi, kraft, eftertryck **enforce** [infå:'s] framtvinga, upprätthålla **engage** [ingej'dsj] engagera **engaged** [inngej'dsjd] förlovad; upptagen; *become engaged* förlova sig (*to* med) **engagement** [inngej'dsjmənt] engagemang, förpliktelse; förlovning **engaging** [inngej'dsjing] intagande, näpen **engender** [indsjenn'də] skapa, alstra **engine** [enn'dsjinn] motor, maskin, lokomotiv **engine driver** [enn'dsjinn draj'və] lokförare **engineer** [enndsjini:'ə] ingenjör **engineering** [enndsjini:'əring]

ingenjörskonst; maskinteknik; *engineering industry* verkstads-
industri **engineering worker** [enndsjini:'əring wə:'kə] verk-
stadsarbetare **engine failure** [enn'dsjinn fej'ljə] motorstopp
English [ing'glisj] engelsk; engelska *(språk); the English* engels-
männen *(nationen)* **Englishman** [ing'glisjmən] engelsman **Eng-
lishwoman** [ing'glisjwommən] engelska *(kvinna)* **engrave**
[inngrej'v] gravera **enhance** [inha:'ns] förhöja; förstora **enigma**
[inigg'ma] gåta **enjoin** [inndsjåj'n] ålägga **enjoy** [inndsjåj']
åtnjuta; njuta av; *enjoy o.s.* ha roligt **enjoyment** [inndsjåj'mənt]
njutning; åtnjutande **enlarge** [innla:'dsj] förstora **enlighten** [inn-
laj'tn] upplysa **enlist** [innliss't] mönstra *(som värnpliktig);*
värva **enmity** [enn'mitti] fiendskap **enormous** [inå:'məs] enorm,
ofantlig **enough** [inaff'] nog, tillräcklig[t]; *be enough* räcka, förslå
enrage [inrej'dsj] reta **enrich** [innritt'sj] berika **enroll** [inråo'l]
inskriva; enrollera **ensign** [enn'sajn] flagga, vimpel; fänrik
enslave [inslej'v] förslava **ensure** [insjo:'ə] tillförsäkra, garantera
entail [intej'l] medföra; fideikommiss **entangle** [inntäng'gl]
snärja, trassla in (till); *get entangled in* snärja in sig i **enter**
[enn'tə] gå in, inträda; *enter into* inlåta sig i (på); *enter upon*
tillträda **enterprise** [enn'təprajz] företag; företagsamhet **enter-
prising** [enn'təprajzing] företagsam; tilltagsen **entertain** [enntə-
tej'n] underhålla, roa; hysa, förplåga **entertaining** [enntətej'-
ning] underhållande, roande **entertainment** [enntətej'nmənt]
underhållning; tillställning **enthusiasm** [inθjo:'ziазzam] entu-
siasm **enthusiastic** [inθjo:ziäss'tikk] entusiastisk, begeistrad
entice [inntaj's] locka, förleda *(into* till) **entire** [inntaj'ə] hel
entirely [inntaj'əli] helt **entirety** [inntaj'əti] helhet **entitle**
[intaj'tl] berättiga; *entitled to vote* röstberättigad **entrails** [enn'-
trejlz] inälvor **entrance** [enn'trəns] ingång, entré; inträde, till-
träde; inlopp; *entrance examination* inträdesprov **entreat** [intri:'t]
bönfalla, be **entrench** [intrenn'tsj] förskansa **entrust** [intrass't]
anförtro **entry** [enn'tri] inträde, ingång; anteckning, uppslagsord
entry permit [enn'tri pə:'mitt] inresetillstånd **enumeration**
[injo:mərej'sjən] uppräkning **envelop** [invell'əp] insvepa, inne-
sluta **envelope** [enn'vilåop] kuvert **envious** [enn'viəs] avund-
sjuk **environment** [innvaj'ərənmənt] miljö; omgivning[ar] **en-
visage** [invizz'idsj] möta; föreställa sig **envoy** [enn'våj] sändebud
envy [enn'vi] avund[sjuka]; avundas **epic** [epp'ikk] episk; epos
epidemic [epidemm'ikk] epidemi; epidemisk **epidermis** [eppi-
də:'miss] överhud **epileptic** [epilepp'tikk] epileptiker **episco-
palian** [ipiskəpej'ljən] medlem av episkopalkyrkan **episode**
[epp'isåod] episod **epitaph** [epp'ita:f] epitaf, gravskrift **epoch**
[i:'påkk] epok **equal** [i:'kwəl] lika, likställd *(to* med); like, jäm-
like; *be equal to the occasion* vara situationen vuxen **equality**
[i:kwåll'itti] jämlikhet, likställdhet **equally** [i:'kwəli] lika, i lika
hög grad **equanimity** [i:kwənimm'itti] jämnmod **equation**
[ikwej'sjən] ekvation **equator** [ikwej'tə] ekvator **equestrian**

[ikwess'triən] ryttar-; ryttare **equinox** [i:'kwinåkks] dagjämning **equip** [ikwipp'] utrusta, ekipera **equipment** [ikwipp'mənt] utrustning **equity** [ekk'witti] rimlighet; rättvisa; sedvanerätt **equivalent** [ikwivv'ələnt] lika, likvärdig **equivocal** [ikwivv'əkl] tvetydig; oviss **eradicate** [irädd'ikejt] utrota **erase** [irej'z] radera **eraser** [irej'zə] kautschuk, radergummi **erect** [irekk't] upprätt, rak; uppresa; uppföra **ermine** [ə:'minn] hermelin **erode** [iråo'd] erodera, fräta bort **erotic** [irått'ikk] erotisk **errand** [err'ənd] ärende, uträttning; *go on an errand* uträtta ett ärende **errand boy** [err'ənd båj] springpojke **erratic** [irätt'ikk] irrande, planlös; underlig; *erratic block* flyttblock **erroneous** [iråo'njəs] felaktig **error** [err'ə] fel, misstag **erudition** [errodisj'ən] lärdom **eruption** [irapp'sjən] utbrott **escalate** [ess'kəlejt] utvidga, trappa upp **escalator** [ess'kəlejtə] rulltrappa **escape** [isskej'p] fly, undkomma; undgå, undfalla; flykt, rymning **eschew** [istsjo:'] undvika **escort** [ess'kå:t] eskort; [iskå:'t] eskortera **Eskimo** [ess'kimåo] eskimå **espalier** [isspäll'jə] spaljé **especially** [ispesj'əli] särskilt **espionage** [esspiəna:'sj] spionage **espouse** [ispao'z] gifta sig med; ansluta sig till **Esq.** (förk. för *esquire* [iskwa'ə] väpnare) Herr (i adresser, står efter namnet) **essay** [ess'ej] essä, uppsats **essence** [ess'ns] väsen; huvudinnehåll; essens **essential** [isenn'sjəl] väsentlig **establish** [isstäbb'lisj] etablera, upprätta, inrätta, fastställa, grunda **established** [isstäbb'lisjt] vedertagen; *established church* statskyrka **establishment** [isstäbb'lisjmənt] etablissemang, inrättning; upprättande, införande; *the Establishment* det bestående samhället, etablissemanget **estate** [isstej't] [jorda]gods, egendom; *real (personal) estate* fast (lös) egendom; *estate of a deceased person* dödsbo **estate agent** [isstej't ej'dsjənt] fastighetsmäklare **estate owner** [isstej't åonə] godsägare **estates** [istej'ts] ständer **esteem** [issti:'m] respekt, högaktning; uppskatta **esteemed** [isti:'md] ansedd, aktad **estimate** [ess'timejt] uppskatta, beräkna; överslag, förhandsberäkning **estimation** [esstimej'sjən] uppskattning **estrange** [istrej'ndsj] göra främmande; stöta bort **estuary** [ess'tjoəri] flodmynning **etch** [ettsj] etsa **etching** [ett'sjing] etsning **eternal** [itə:'nl] evig **eternal triangle drama** triangeldrama **eternity** [itə:'nitti] evighet **ethical** [eθ'ikal] etisk **ethics** [eθ'ikks] etik **etiquette** [ettikett'] etikett, umgängesformer **Europe** [jo:'ərəp] Europa **European** [joərəpi:'ən] europeisk; europé **evacuate** [iväkk'joejt] evakuera, utrymma **evacuation** [iväkkjoej'sjən] utrymning, evakuering; avföring **evade** [ivej'd] undvika, undgå **evaporate** [iväpp'ərejt] avdunsta **evasion** [ivej'sjən] undvikande; undanflykt[er] **evasive** [ivej'sivv] undvikande; *evasive action* undanmanöver **eve** [i:v] afton, dag före helg **even** [i:'vən] jämn; [ut]jämna; redan *even then* redan då; *not even* inte ens; *even out* jämna **evening** [i:'vning] afton, kväll **event** [ivenn't] händelse, evenemang; *at all events* i alla händelser **eventful** [ivenn'tfoll] händelserik

eventually [ivenn'tjoəli] slutligen, till slut **ever** [evv'ə] någonsin; *ever since* alltifrån; *ever since then* alltsedan dess; *ever so* väldigt; *for ever* för alltid, i evighet; *hardly ever* nästan aldrig **evergreen** [evv'agri:n] ständigt grön [växt] **everlasting** [evvələ:'sting] ständig; evig **every** [evv'ri] var, varje, varenda; *every now and then* då och då; *every other* varannan; *every fourth* var fjärde **everybody** [evv'ribåddi] var [och en] alla; *everybody else* alla andra **everyday** [evv'ridej] vardaglig; *everyday clothes* vardagskläder; *in everyday life* i vardagslag; *everyday speech* dagligt tal **everyone** [evv'riwann] alla, varenda en **everything** [evv'riθing] allt, allting **everywhere** [evv'riwä:ə] överallt **evict** [i:vikk't] vräka, avhysa **eviction** vräkning **evidence** [evv'idəns] bevis; vittnesmål **evidently** [evv'idəntli] självfallet, tydligen **evil** [i:'vl] elak, ond; ont, ondska; *a necessary evil* ett nödvändigt ont **evoke** [ivåo'k] frammana, väcka **evolution** [i:vələo'sjən] utveckling **evolve** [ivåll'v] utveckla [sig]; härleda[s] **ewe** [jo:] tacka, fårhona **exact** [iggzäkk't] exakt **exacting** [iggzäkk'ting] fordrande **exactly** [iggzäkk'tli] noga, exakt, just; *not exactly* inte precis; *that's exactly it!* just det! **exactness** [iggzäkk'tniss] exakthet **exaggerate** [iggzädd'sjərejt] överdriva **exaggeration** [iggzäddsjərej'sjən] överdrift **exam[ination]** [iggzämm(inej'sjən)] granskning, undersökning; examen, tentamen, prövning; *written examination* [skol]skrivning **examine** [iggzämm'inn] granska, undersöka, mönstra; förhöra, pröva; vittja (*nät*) **example** [iggza:'mpl] exempel; föredöme; *set an example* föregå med gott exempel **exasperate** [iggza:'sprejt] reta, förbittra **excavation** [ekkskəvej'sjən] utgrävning **exceed** [ikksi:'d] övergå, överstiga, överskrida **exceedingly** [ikksi:'dingli] ytterst, i högsta grad **excell** [ikksell'] överträffa; vara bäst, excellera **excellent** [ekk'sələnt] utmärkt, förträfflig **except** [ikksepp't] utom, med undantag av; *all except me* alla utom jag **exception** [ikksepp'sjən] undantag; *take exception to* ogilla **exceptional** [ikksepp'sjənl] ovanlig, exceptionell; *in exceptional cases* undantagsvis **excess** [ikksess'] övermått; självrisk; *excesses* utsvävningar **excessive** [ikksess'ivv] omåttlig, överdriven; *excessive price* överpris **exchange** [ikkstsjej'ndsj] [ut]växla, utbyta; [ut]byte; börs; [telefon]växel; *exchange of flats* våningsbyte **exchequer** [ikkstsjekk'ə] skattkammare; *Chancellor of the Exchequer* finansminister **excise** [eksaj'z] accis **excite** [ikksaj't] upphetsa **excited** [ikksaj'tidd] uppjagad, upphetsad **excitement** [ikksaj'tmənt] uppståndelse, upphetsning; oro, spänning **exciting** [ikksaj'ting] upphetsande, spännande, medryckande **exclaim** [ikksklej'm] utropa, utbrista **exclamation** [ekkskləmej'sjən] utrop **exclamation mark** [ekkskləmej'sjən ma:k] utropstecken **exclude** [ikksklo:'d] utesluta **excluding** [ikksklo:'ding] exklusive **exclusion** [ikksklo:'sjən] (*subst.*) uteslutande **exclusive** [ikksklo:'sivv] exklusiv **exclusively** [ikksklo:'sivvli] uteslutande **excrete** [ekkskri:'t] avsöndra

excursion [ikkskə:ˈsjən] utflykt, utfärd; strövtåg **excuse** [ikks-kjo:ˈz] ursäkta, urskulda, rättfärdiga; [ikkskjo:ˈs] ursäkt; återbud; undanflykt; *excuse me!*; ursäkta!; *you are excused* du kan (får) gå **execute** [ekkˈsikjo:t] utföra; avrätta **execution** [ekksikjoˈsjən] utförande; avrättning, exekution **executive** [iggzekkˈjotivv] verkställande **exempt** [iggzemmˈt] befriad; befria **exemption** [iggzemmˈpsjən] befrielse, frikallande, dispens **exercise** [ekkˈsəsajz] motion, kroppsrörelse; skrivning; utova; *exercise control* utova kontroll **exert** [iggzə:ˈt] använda; *exert o.s.* anstränga sig; *exerting all one's strength* med uppbjudande av alla sina krafter **exertion** [iggzə:ˈsjən] [kraft]ansträngning **exhale** [ekkshejˈl] utandas **exhaust** [iggzå:ˈst] uttömma; avgas **exhaust pipe** [iggzå:ˈst pajp] avgasrör **exhausted** [iggzå:ˈstidd] utmattad, urlakad **exhaustive** [iggzå:ˈstivv] uttömmande, fullständig **exhibit** [iggzibbˈitt] exponera, utställa **exhibition** [ekksibisjˈən] utställning; *opening of an exhibition* vernissage **exhilarated** [iggzillˈərejtidd] upprymd **exhort** [iggzå:ˈt] uppmana **exigency** [ekkˈsidsjnsi] nödläge; nödvändighet **exile** [ekkˈsajl] exil, landsflykt; landsförvisa **exist** [iggzissˈt] existera, finnas till; föreligga **existence** [iggzissˈtəns] existens, tillvaro; *struggle for existence* kampen för tillvaron **existing** [iggzissˈting] befintlig, existerande **exit** [ekkˈsitt] utgång **exit permit** [ekkˈsitt pəːˈmitt] utresetillstånd **exorbitant** [iggzå:ˈbitənt] omåttlig, oerhörd **expand** [ikkspännˈd] expandera, utvidga **expanse** [ikkspännˈs] vidd, yta **expansion** [ikkspännˈsjən] expansion, utvidgning **expatriate** [ikkspättˈriejt] landsförvisa **expect** [ikkspekkˈt] vänta, förvänta, vänta sig; *better than expected* över förväntan bra; *expectant mother* blivande mor **expectation** [ekkspekktejˈsjən] förväntan, förhoppning **expedient** [ikkspi:ˈdjənt] fördelaktig, lämplig; utväg, medel **expedition** [ekkspidisjˈən] upptäcktsresa, expedition **expel** [ikkspellˈ] utstöta, utesluta **expendable package** [ikkspennˈdəbl pakkˈiddsj] engångsförpackning **expenditure** [ikkspennˈditsjə] förbrukning; utgifter **expense** [ikkspennˈs] utgift, utlägg, bekostnad; *at the expense of* på bekostnad av **expensive** [ikkspennˈsivv] dyr, dyrbar, påkostad **experience** [ikkspiːˈəriəns] erfarenhet, upplevelse, vana; erfara, uppleva; *get experience* praktisera, lära sig ett yrke **experienced** [ikkspiːˈəriənst] erfaren, van, rutinerad **experiment** [ikksperrˈimənt] experiment; experimentera **expert** [ekkˈspəːt] expert, sakkunnig, kännare **expert knowledge** [ekkˈspəːt nållˈiddsj] sakkunskap **expiration** [ekkspajərejˈsjən] utandning **expire** [ikkspajˈə] gå till ända; avlida **explain** [ikksplejˈn] förklara; *explain away* bortförklara **explanation** [ekksplənejˈsjən] förklaring **explicable** [ekkˈsplikkəbl] förklarlig **explicit** [ikksplissˈitt] uttrycklig **explode** [ikksplåoˈd] explodera **exploit** [ekkˈsplåjt] bragd, bedrift; [ikksplåjˈt] utnyttja **explore** [ikksplå:ˈ] utforska, undersöka **explorer** [ikksplå:ˈrə] forskningsresande, upptäcktsresande **explosion** [ikksplåoˈsjən] explosion, krevad **explosive**

[ikkspåo`sivv] sprängämne; explosiv **export** [ekk`spå:t] export, utförsel; [ekkspå:`t] exportera **expose** [ikkspåo`z] utsätta *(to* för); exponera *(film)* **exposed** [ikkspåo`zd] utsatt, blottställd **exposure** [ikkspåo`sjə] exponering **express** [ikkspress`] uttrycka; uttrycklig; *express a wish* uttala en önskan **express goods** [ikkspress` goddz] ilgods **expression** [ikkspresj`ən] min; uttryck **expressive** [ikkspress`ivv] uttrycksfull **expressly** [ikkspress`li] uttryckligen **express train** [ikkspress` trejn] snälltåg **exquisite** [ikk`skwizitt] utsökt, raffinerad **extend** [ikkstenn`d] utsträcka [sig] **extension** [ikkstenn`sjən] utbredning, utsträckning **extension flex** [ikkstenn`sjən flekks] skarvsladd **extensive** [ikkstenn`sivv] omfattande, omfångsrik, vidsträckt **extent** [ikkstenn`t] omfattning, omfång, utsträckning, vidd; *to a great extent* i hög grad, i stor utsträckning; *to some extent* i viss mån **extenuate** [ekkstenn`joejt] förringa; formildra **exterior** [ekksti:`əriə] exterior, yttre **exterminate** [ekkstə:`minejt] utrota **external** [ekkstə:`nl] yttre, utvändig; *for external use* för utvärtes bruk **externally** [ekkstə:`nəli] till det yttre **extinct** [ikksting`kt] utdöd **extinguish** [ikksting`gwisj] släcka; förinta **extort** [ikkstå:`t] utpressa, framtvinga, avtvinga **extortion** [ikkstå:`sjən] utpressning, utsugning **extra** [ekk`strä] extra **extract** [ekk`sträkkt] utdrag; extrakt; [ikksträkk`t] utvinna **extraction** [ikksträkk`sjən] utdragning; härkomst **extradition** [ekkstrədisj`ən] utlämning *(av brottsling)* **extra-marital** [ekk`strəmærəj`tl] utomäktenskaplig **extraordinarily** [ikkstrå:`dnrili] särdeles, utomordentligt **extraordinary** [ikkstrå:`dnri] utomordentlig **extravagant** [ikksträvv`i-gənt] extravagant, slösaktig; överdriven **extravasation** [ekksträv-vəsej`sjən] utgjutning **extreme** [ikkstri:`m] ytterlig, extrem; ytterlighet; *go to extremes* gå till överdrift **extremely** [ikkstri:`mli] synnerligen, ytterst; *extremely bad* urusel; *extremely old* urgammal **extricate** [ekk`strikejt] lösgöra, befria **extrovert** [ekk`strəo-və:t] *(bildl.)* utåtriktad **exuberance** [iggzjo:`brəns] överflöd; översvallande glädje **eye** [aj] öga; hyska; *have a sure eye* ha gott ögonmått; *keep an eye on* hålla ett öga på; *have one's eyes opened to* få upp ögonen för; *see eye to eye with* vara helt ense med **eyeball** [aj`bå:l] ögonglob **eyebrow** [aj`brao] ögonbryn **eyeglass** [aj`gla:s] monokel **eyeglasses** [aj`gla:siz] glasögon; pincené **eyelash** [aj`läsj] ögonfrans **eyelid** [aj`lidd] ögonlock **eyesight** [aj`sajt] syn **eye-witness** [aj`witt'niss] ögonvittne **fabric** [fäbb`rikk] väv, tyg **fabrication** [fäbbrikej`sjən] påhitt, lögn **fabulous** [fäbb`joləs] sagolik **façade** [fəsa:`d] fasad **face** [fejs] ansikte; fasad; vetta mot; oforskräckt möta; *on the face of it* ytligt sett; *face death* se döden i vitögat **face-cream** [fej`s-kri:m] hudkräm **facet** [fäss`itt] fasett **facetious** [fəsi:`sjəs] skämtsam **face value** [fej`sväljo] nominellt värde **facial** [fej`sjəl] ansikts- **facilitate** [fəsill`itejt] underlätta **facilities** [fəsill`ittizz] anordningar, hjälpmedel **facility** [fəsill`itti] lätthet **facing** [fej`-

sing) [upp]slag (på plagg) **fact** [fäkkt] faktum **factor** [fäkk·tə]
faktor **factory** [fäkk'təri] fabrik **factory owner** [fäkk'tərі åo'nə]
fabrikör **factual error** [fäkk'tjoəl err'ə] sakfel **faculty** [fäkk'əlti]
formåga, fallenhet; fakultet **fade** [fejd] vissna; blekna, mattas
faded [fej'didd] vissen; urblekt **fag** [fagg] slita, knoga; slit,
knog; cigarrett **fail** [fejl] misslyckas, slå slint; svika; underlåta;
få underbetyg, bli underkänd **failure** [fej'ljə] misslyckande;
engine failure motorstopp **faint** [fejnt] svimma; matt, svag; svim-
ning **fair** [fä:'ə] ljushårig, ljus; just, ärlig; mässa, marknad; *fair copy*
renskrift; *fair play* rent spel **fair-ground** [fä:'əgraond] nöjesfält
fairly [fä:'əli] någorlunda, tämligen, ganska **fairy** [fä:'əri] älva
fairy-tale [fä:'əritejl] saga **faith** [fejθ] förtroende; tro; *in good
faith* i god tro **faithful** [fej'θfoll] trogen, plikttrogen; *Yours faith-
fully* högaktningsfullt **faithfulness** [fej'θfollniss] trohet **faithless**
[fej'θliss] trolös **fake** [fejk] försköna, förfalska; förfalskning
falcon [få:'lkən] falk **fall** [få:l] falla, störta, stupa; mynna (*om
flod*); fall; (Am.) höst; *the Fall* [of man] syndafallet; *fall asleep*
somna; *fall in love* förälska sig (*with* i); *fall into the hands of*
råka i händerna på; *fall over* välta, ramla omkull **fallacy** [fäll'əsi]
bedräglighet **fallen** [få:'lən] perf. part. av *fall* **fallow** [fäll'åo]
lie fallow ligga i träda **fallow-deer** [fäll'åodi:ə] [dov]hjort
false [få:ls] falsk, oäkta; *false start* tjuvstart; *false step* felsteg;
false teeth löständer **falsehood** [få:'shodd] lögn[er] **falseness**
[få:'lsniss] falskhet **falsification** [få:'lsifikej'sjən] förfalskning
falsify [få:'lsifaj] förfalska **falter** [få:'ltə] stappla; stamma; tveka
fame [fejm] rykte, ryktbarhet **familiar** [fəmill'jə] förtrogen, känd
family [fämm'illi] familj, släkt, ätt **family trait** [fämm'illi trej]
släktdrag **famine** [fämm'inn] hungersnöd **famished** [fämm'isjt]
svulten **famous** [fej'məs] berömd, ryktbar **fan** [fänn] fläkt;
solfjäder; idoldyrkare; fläkta; underblåsa **fan belt** [fänn' bellt]
fläktrem **fanatic** [fənätt'ikk] fanatisk **fanciful** [fänn'sifoll] fanta-
sifull, fantasi-; **fancy** [fänn'si] fantasi; infall; förkärlek;
föreställa sig; tycka om; fantasi-, lyx- **fance dress** [fänn'sidress']
maskeraddräkt **fancy [dress] ball** [fänn'si(dress)bå:l] maskerad
fang [fäng] bete, huggtand **fantastic** [fänntäss'tikk] fantastisk
far [fa:] långt; fjärran, avlägsen; *the Far East* Fjärran östern;
by far ojämförligt; *far and wide* vitt och brett; *as far as* ända till;
vitt; *as far as I know* så vitt jag vet; *so far* hittills **farce** [fa:s] fars,
spex **fare** [fä:'ə] biljettpris, taxa; kost; *bill of fare* matsedel
farewell [fä:'əwell'] farväl **far-fetched** [fa:'fetsjt] långsökt
farm [fa:m] bondgård, lantgård **farmer** [fa:'mə] bonde, jord-
brukare, lantbrukare **farm labourer** [fa:'m lej'bərə] statare
farm worker [fa:'m wə:kə] lantarbetare **farm-yard** [fa:'mja:d]
kringbyggd gårdsplan **far-reaching** [fa:'ri:'tsjing] vittgående,
vittomfattande **farther** [fa:'ðə] längre **farthest** [fa:'ðisst] längst
fascinate [fäss'inejt] fascinera, fångsla **Fascism** [fäsj'izəm]
fascism **fashion** [fäsj'ən] mod **fashionable** [fäsj'nəbl] modern;

elegant **fashion model** [fäsj'ən mådd'l] mannekäng **fashion show** [fäsj'ən sjåo] mannekänguppvisning **fast** [fa:st] fast; snabb; före **fasten** [fa:'sn] fästa **fastidious** [fässtidd'iəs] kräsen **fastness** [fa:'stniss] fasthet; snabbhet; fästning **fat** [fätt] fett; fet **fatal** [fej'tl] ödesdiger, fatal; *fatal accident* dödsolycka **fate** [fejt] (*subst.*) öde **father** [fa:'ðə] far **father-in-law** [fa:'ðərinn-lå:] svärfar **fathom** [fäð'əm] famn (*mått*) **fatigue** [fati:'g] trötthet **fatness** [fätt'niss] fetma **fatten** [fätt'n] göda (*djur*) **fattening** [fätt'ning] fettbildande **fatty** [fätt'i] fet (*om kött*) **fatuous** [fätt'jos] enfaldig **faucet** [få:'sitt] kran **fault** [få:lt] (*subst.*) fel; *find fault with* anmärka på, klandra **faultless** [få:'ltliss] felfri **faulty** [få:'lti] felaktig **fauna** [få:'nə] fauna **favour** [fej'və] gynna; gunst; tjänst; *out of favour* i onåd; *ask a favour of s.b.* be ngn om en tjänst **favourable** [fej'vərəbl] gynnsam **favourite** [fej'vəritt] favorit, gunstling; favorit- **fear** [fi:'ə] frukta, befara; fruktan, rädsla **fearless** [fi:'əliss] orädd **feasible** [fi:'zəbl] utförbar, möjlig **feast** [fi:st] festa **feat** [fi:t] hjältedåd, prestation **feather** [feð'ə] [fågel]fjäder **feature** [fi:'tsjə] [anlets]drag **February** [febb'roəri] februari **fed** [fedd] imperf. och perf. part. av *feed; fed up with* trött på, utled på **federal** [fedd'ərəl] förbunds-, federal **Federal Chancellor** förbundskansler **federation** [feddərej'sjən] förbund, förening; *federation of trade unions* fackförbund **fee** [fi:] avgift; arvode, honorar **feeble** [fi:'bl] klen, svag **feed** [fi:d] mata, föda, fodra; foder **feeding stuff** [fi:'ding staff] [kreaturs]foder **feel** [fi:l] känna [sig], må, kännas; *feel like* ha lust att; *feel poorly* må illa; *feel sick* må illa, vilja kräkas **feeler** [fi:'lə] trevare **feeling** [fi:'ling] känsla, inlevelse; känsel; känslig, lättrörd; *have a feeling* känna på sig, ha på känn **feeling insight** [fi:'ling inn'sajt] inlevelse **feet** [fi:t] (*pl* av *foot* [fott]) fötter **feign** [fejn] låtsa **felicitate** [filliss'itejt] lyckönska **feline** [fi:'lajn] kattlik **fell** [fell] **1** fäll, skinn **2** fälla, hugga ner **3** imperf. av *fall* **fellow** [fell'åo] kamrat, make, like; medlem **fellow-actor** [fell'åoäkk'tə] medspelare **fellow-countryman** [fell'åokann'trimən] landsman **fellow-creature** [fell'åokri:'tsjə] medmänniska **fellow-passenger** [fell'åopäss'inndsjə] medpassagerare **fellowstudent** [fell'åostjo:dənt] studentkamrat **felon** [fell'ən] brottsling **felt** [fellt] **1** filt (*material*) **2** imperf. och perf. part. av *feel* **female** [fi:'mejl] hona; kvinna; kvinnlig, hon- **feminine** [femm'i-ninn] kvinnlig, feminin **fen** [fenn] kärr, sank mark **fence** [fenns] stängsel, staket, gärdsgård; fäkta **fend** [fennd] avvärja; *fend for o.s.* klara sig själv **fender** [fenn'də] skydd, stötfångare; (*Am.*) stänkskärm **fenland** [fenn'länn'd] sumpmark **ferment** [fə:menn't] jäsa; [fə:'ment] jäsämne, jäsning **fermentation** [fə:menntej'sjən] jäsning **fern** [fə:n] ormbunke **ferocious** [fəråo'sjəs] grym, vild **ferret** [ferr'itt] vessla; spåra upp, snoka **ferry** [ferr'i] färja **ferry service** [ferr'i sə:'viss] färjförbindelse **fertile** [fə:'tajl] bördig, fruktbar **fertility** [fə:till'itti] fruktbarhet **fertilization** [fə:tilajzej'sjən] befruktning **fertilize** [fə:'tilajz] göda (*jord, växter*); befrukta **fertilizer** [fə:'tilajzə] gödningsämne **fertilizing** [fə:'-tilajzing] gödning **fervent** [fə:'vnt] innerlig, het **fester** [fess'tə] vara sig (*om sår*) **festival** [fess'təvəl] fest; högtid, helg; festival **festive** [fess'tivv] festlig **festivity** [festivv'itti] högtidlighet; feststämning **festoon** [festo:'n] girland **fetch** [fettsj] hämta; *go and fetch* gå efter, hämta **fetching** [fett'sjing] tilltalande; näpen **fête** [fejt] fest; fira **fetter** [fett'ə] fängsla, fjättra **feud** [fjo:d] fejd **feudal** [fjo:'dl] feodal, läns- **fever** [fi:'və] feber **feverish** [fi:'vərisj] febrig **few** [fjo:] (*pron.*) få; *a few* ett fåtal, några få **fiancé** [fia:'nsej] fästman **fiancée** [fia:'nsej] fästmö **fiasco** [fiäss'kåo] fiasko; *be a fiasco* göra fiasko **fib** [fibb] nödlögn; narras **fibre** [faj'bə] fiber **fibreboard** [faj'bəbå:d] träfiberplatta **fiction** [fikk'sjən] skönlitteratur **fiddle** [fidd'l] fiol, fela; *as fit as a fiddle* pigg som en mört **fidelity** [fidell'itti] trofasthet **fidgety** [fidd'sjitti] bråkig (*om barn*); nervös **field** [fi:ld] fält, åker; område, gebit **field events** [fi:'ld ivenn'ts] hopp- och kasttävlingar **field fare** [fi:'ld fä:ə] snöskata **field-glass** [fi:'ldgla:s] kikare **fiend** [fi:nd] djävul; fantast **fierce** [fi:'əs] vild, grym **fiery** [faj'əri] eldig, hetsig **fife** [fajf] liten flöjt **fifth** [fiffθ] femte; femtedel **fifteen** [fiff'ti:n] femton **fifteenth** [fiff'ti:nθ] femtonde **fiftieth** [fiff'tiiθ] femtionde **fifty** [fiff'ti] femtio **fig** [figg] fikon; *not a fig* inte ett dugg **fight** [fajt] slagsmål, strid; strida, slåss, kämpa; *fight [out]* utkämpa **fighter** [faj'tə] [slags]kämpe; *fighter [aircraft]* jaktplan **fighting mood** [faj'ting mo:d] stridshumör **figure** [figg'ə] figur, gestalt, skepnad; siffra; figurera, förekomma; *figure out* räkna ut **figure-skating** [figg'əskejting] konståkning **file** [fajl] fila; arkivera; fil; mapp, [samlings]pärm; *single [Indian] file* gåsmarsch **filial** [fill'jəl] sonlig, dotterlig **filibuster** [fillibass'tə] fribytare; (*Am.*) långpratare i senaten **fill** [fill] fylla, plombera, stoppa; *fill up* fylla i, tanka; *fill her up!* full tank! **fillet** [fill'itt] filé; *fillet of beef* oxfilé **filling** [fill'ing] plomb; fyllning **filling station** [fill'ing stej'sjən] bensinstation **filling-up** [fill'ingapp] påfyllning **film** [fillm] (tunn) hinna, skikt; film; filma **film strip** [fill'm stripp] stillfilm **filter** [fill'tə] filter **filthy** [fill'θi] svinaktig, oanständig **fin** [finn] fena **final** [faj'nl] slutlig, slutgiltig; (*sport.*) final; *enter the finals* gå till finalen **finale** [fina:'li] final (*i musik*) **finally** [faj'nəli] slutligen **finance** [fajnänn's] finansiera finansverk **finances** [fajnänn'sizz] finanser **financial** [fajnänn'sjəl] ekonomisk, penning-; *financial position* ekonomi, affärsställning; *financial year* räkenskapsår **financier** [fajnänn'siə] finansman **finch** [finntsj] fink **find** [fajnd] finna, hitta, anträffa; fynd; *find ... again* återfinna; *find out* komma underfund med, få reda på; *find the way* hitta [vägen] **finder** [faj'ndə] upphittare; [kamera]sökare **fine** [fajn] fin; böter; bötfälla **fine-looking** [faj'nlokking] grann, ståtlig **finesse** [finess'] finess; fiffa **finger** [fing'gə] finger; fingra på; *keep one's fingers* *crossed for s.b.* hålla tummarna för ngn **fingerprint** [fing'gə-prinnt] fingeravtryck **finish** [finn'isj] avsluta, göra färdig, sluta; äta upp, dricka ur; ytbehandling; *(sport.)* upplopp **finished** [finn'-isjt] färdig; slut; *finished and done* undanstökad **finishing** [finn'isjing] appretur **Finland** [finn'lənd] Finland **Finn** [finn] finne **Finnish** [finn'isj] finsk **fir** [fə:] fura, barrträd **fire** [faj'ə] brand, eld[svåda], brasa; avfyra; antända; *in case of fire* vid eldsvåda; *catch fire* fatta eld **fire-arms** [faj'əra:mz] skjutvapen **fire-brigade** [faj'əbrigejd] brandkår **fire-engine** [faj'ərenndsjinn] brandspruta **fire-escape** [faj'əriskejp] brandstege **fire-extinguisher** [faj'ərikkstinggwisjə] eldsläckare **fire-ladder** [faj'ə-läddə] brandstege **fireman** [faj'əmən] brandsoldat **fireplace** [faj'əplejs] öppen spis, eldstad **fireproof** [faj'əpro:f] eldfast **fireside** [faj'əsajd] plats vid öppna spisen; *by the fireside* vid brasan **firewood** [faj'əwood] ved **fireworks** [faj'əwə:ks] fyrver-keri **firm** [fə:m] fast, hård; firma **firmness** [fə:'mniss] stadga, fasthet **first** [fə:st] först, främst; första, främsta; *at first* till att börja med, först; *first of all* först och främst; *the first that comes* första bästa; *first night* premiär; *in the first place* för det första **first-aid bandage** [fə:'stejd bänn'diddsj] första förband **first-class** [fə:'stklä:'s], **first-rate** [fə:'strej't] förstklassig **firth** [fə:θ] fjord **fish** [fisj] fisk; fiska **fisherman** [fisj'əmən] fiskare **fish-hook** [fisj'hokk] metkrok **fishing** [fisj'ing] fiske **fishing-boat** [fisj'ingbåot] fiskebåt **fishing-line** [fisj'inglajn] [met]rev **fishing-rod** [fisj'ing-rådd] metspö **fishmonger's** [fisj'manggəz] fiskaffär **fission** [fisj'ən] klyvning **fissure** [fisj'ə] klyfta, spricka; klyvning **fist** [fisst] [knyt]näve **fit** [fitt] passa, avpassa; lämplig, passande; pigg, i form; [sjukdoms]anfall; *the skirt is a good fit* kjolen sitter bra; *as fit as a fiddle* pigg som en mört; *fit for nothing* slagen till slant; *fit for work* arbetsför; *fit up* inreda; *fitted carpet* heltäckande matta **fitness** [fitt'niss] lämplighet **fitter** [fitt'ə] montör **fittings** [fitt'ingz] utrustning; maskindelar; armatur **five** [fajv] fem; femma **fiver** [faj'və] fempundssedel **fix** [fikks] bestämma, avtala *(tid)*, fastställa; fästa, fixera, sätta fast; *(subst.)* knipa **fixed** [fikkst] bestämd *(om tid)*; fastgjord, fastsatt *(to vid)*; *fixed to the wall* väggfast **fizz** [fizz] fräsa, mussera; champagne **flabbergast** [fläbb'aga:st] slå med häpnad, förbluffa **flabby** [fläbb'i] slapp, slak **flag** [flägg] *(subst.)* flagga; *fly the flag* flagga **flagging** [flägg'ing] avmattning **flag-pole** [flägg'påol] flaggstång **flagrant** [flej'grnt] uppenbar; skändlig **flair** [flä:'ə] väderkorn **flak** [fläkk] luftvärn **flake** [flejk] flaga, flinga; flagna; *shed flakes* flana **flamboyant** [flämm'båjnt] färggrann **flame** [flejm] flamma, låga; *(verb)* flamma **flank** [flängk] flankera; sida, flank; *thick flank* innanlår **flannel** [flänn'l] flanell **flannels** [flänn'lz] fla-nellkostym, flanellbyxor **flap** [fläpp] flik, klaff, [källar]lucka; slå, smälla **flare** [flä:'ə] fladdra; bloss; *flare up* brusa upp **flash** [fläsj] blixtra; prål; *flash of genius* snilleblixt; *a flash of lightning* en blixt;

in a flash i ett huj **flashlight** [fläsj'lajt] (*Am.*) ficklampa **flashover** [fläsj'åovə] (*elektriskt*) överslag **flask** [fla:sk] fickflaska, plunta **flat** [flätt] lägenhet, våning; flat, platt; fadd **flat-foot** [flätt'fott] plattfotad **flat-iron** [flätt'aj'ən] strykjärn **flat-race** [flätt'rejs] slätlöpning **flatter** [flätt'ə] smickra **flattering** [flätt'əring] smickrande **flavour** [flej'və] smaksätta, krydda; smak, arom; *extraneous flavour* bismak **flaw** [flå] skavank **flax** [fläkks] lin **flea** [fli:] loppa **fled** [fledd] imperf. och perf. part. av *flee* **flee** [fli:] fly; *flee from* undfly **fleece** [fli:s] skinn, ull; klippa (får); skinna **fleet** [fli:t] flotta **Flemish** [flemm'isj] flamländsk **flesh** [flesj] kött **flew** [flo:] imperf. av *fly* **flex** [flekks] sladd **flexible** [flekk'səbl] böjlig, flexibel, smidig; *flexible cord* sladd **flick** [flikk] knäpp; *the flicks* bio **flicker** [flikk'ə] fladdra (*om låga*) **flier** [flaj'ə] flygare **flight** [flajt] flykt; flygning, flygtur; *flight of stairs* trappa **flimsy** [flimm'zi] svag, bräcklig **flinch** [flinntsj] rygga tillbaka, rycka till **fling** [fling] slunga, kasta **flint** [flinnt] flinta **flip** [flipp] knäppa iväg; slå till; knäpp **flippant** [flipp'ənt] vanvördig **flirt** [flə:t] flörta; flört **flit** [flitt] fladdra (*om fågel*) **float** [flåot] flyta; sväva, vaja, dala; flöte **flock** [flåkk] flock, skara; flocka sig **floe** [flåo] isflak **flog** [flågg] slå, prygla **flood** [fladd] flod (*högvatten o. bildl.*); syndaflod; översvämning; översvämma **floodlighting** [fladd'lajting] fasadbelysning **floor** [flå:] golv; våning; *on the first floor* på andra våningen, en trappa upp, (*Am.*) på första (botten-)våningen; *on the ground floor* på nedre botten; *on the second floor* (*Am.*) på andra våningen, en trappa upp **flop** [flåpp] flaxa; göra fiasko; fiasko **flora** [flå:'rə] flora **florid** [flårr'idd] blommande, prunkande **florist's** [flårr'ists] blomsterhandel **flounce** [flaons] volang **flounder** [flao'ndə] flundra; sprattla **flour** [flao'ə] mjöl **flourish** [flarr'isj] blomstra; stoltsera; svänga; fanfar **flow** [flåo] flöda, flyta, rinna; flöde **flower** [flao'ə] blomma **flower-bed** [flao'əbedd] [blom]rabatt **flower-pot** [flao'əpått] blomkruka **flowery** [flao'əri] blommig **flown** [flåon] perf. part. av *fly* **flu** [flo:] influensa **fluctuate** [flakk'tjoejt] fluktuera, variera **flue** [flo:] rökkanal **fluent** [flo:'ənt] ledig, flytande; *speak English fluently* tala engelska flytande **fluff** [flaff] ludd **fluid** [flo:'idd] vätska; flytande **fluke** [flo:k] plattfisk; hulling; tur **flung** [flang] imperf. och perf. part. av *fling* **flourescent tube** [flo:əress'nt tjo:'b] lysrör **flurry** [flarr'i] förvirring, oro; förvirra **flush** [flasj] spruta, spola **fluster** [flass'tə] upphetsa; förvirra; förvirring **flute** [flo:t] flöjt **flutter** [flatt'ə] flaxa, fladdra **flux** [flakks] flöde; flytning **fly** [flaj] fly; flyga; fluga; gylf **flyer** [flaj'ə] flygare **flying** [flaj'ing] flygning; flyg **fly-over** [flaj'åovə] genomfartsled över gatunivå i stad **flywheel** [flaj'wi:l] svänghjul **foal** [fåol] föl **foam** [fåom] skum; skumma; *foam plastic* skumplast; *foam rubber* skumgummi **focal length** [fåo'kəl leng'θ] brännvidd **focus** [fåo'kəs] fokus **fodder** [fådd'ə] foder **foe** [fåo] fiende **fog** [fågg] dimma, tjocka **foil** [fåjl] folie; florett, besegra, gäcka **foist** [fåjst] *foist s.th. on to s.b.* pracka på ngn ngt **fold** [fåold] veck; vika, rynka; *fold up* falla ihop **folding** [fåo'lding] hopfällbar **folding chair** [fåo'lding tsjä:'ə] vilstol, fällstol **folding rule** [fåo'lding ro:l] tumstock **foliage** [fåo'liidsj] lövverk **folk-dance** [fåo'kda:ns] folkdans **folks** [fåoks] folk, människor **folk-song** [fåo'ksång] folkvisa **follow** [fåll'åo] följa; förstå **follower** [fåll'åoə] efterföljare; anhängare **following** [fåll'åoing] följande **folly** [fåll'i] dårskap **foment** [fəmenn't] badda; underblåsa **fond** [fånnd] *be fond of* hålla av, tycka om **fondle** [fånn'dl] smeka[s], kela **food** [fo:d] mat, föda, födoämne, foder **fool** [fo:l] dåre, tok; lura **foolhardy** [fo:'lha:di] våghalsig **foolish** [fo:'lisj] dåraktig **foolishness** [fo:'lisjnəss] dumhet **foolproof** [fo:'lpro:f] idiotsäker **foolscap** [fo:'lzkäpp] pappershatt; skrivpapper (i folioformat) **foot** [fott] *(pl feet* [fi:t]) fot; *go on foot* till fots **football** [fott'bå:l] fotboll **football player** [fott'bå:l plejə] fotbollsspelare **football-pools** [fott'bå:lpo:lz] [fotbolls]tips **footfall** [fott'få:l] ljud av steg **foothold** [fott'håold] fotfäste **footing** [fott'ing] *be on a friendly footing with* stå på god fot med; *gain a footing* vinna insteg **footlights** [fott'lajts] ramp[ljus] **footman** [fott'mən] betjänt **footnote** [fott'nåot] fotnot **footpath** [fott'pa:θ] gångstig **footprint** [fott'print] fotspår **footstep** [fott'stepp] fotsteg **footstool** [fott'sto:l] pall **for** [få:] *(prep.)* för; av; på, i *(om tid)*; om; *(adv.)* för, ty; *I for one* jag för min del; *for and against* för och emot; *what is the German for it?* vad heter det på tyska?; *I haven't been home for ten years* jag har inte varit hemma på tio år **forage** [fårr'idsj] foder; plundring; plundra **forbad[e]** [fəbej'd] imperf. av *forbid* **forbear** [få:bä:'ə] låta bli **forbearance** [få:bä:'ərns] uraktlåtenhet; tålamod **forbid** [fəbidd'] förbjuda **forbidden** [fəbidd'n] olovlig, otillåten **forbidding** [fəbidd'ing] avskräckande, frånstötande **force** [få:s] kraft, styrka; våld; tvinga; *by force* med våld; *by force of habit* av gammal vana; *come into force* träda i kraft; *force aside* undantränga; *force s.th. on s.b.* påtvinga ngn ngt; *force through* driva igenom; *force o.s. upon* tränga sig på; *force one's way* tränga fram **forced** [få:st] tvungen; tvångs-, nöd-; *forced labour* tvångsarbete **forcible** [få:'səbl] kraftig; tvångs- **forcibly** [få:'səbli] med våld **ford** [få:d] vadställe; vada över **fore** [få:] främre; *(sjö.)* för, förut; *bring to the fore* aktualisera, föra på tal **forearm** [få:'ra:m] underarm **foreboding** [få:båo'ding] varsel **forecast** [få:'ka:st] prognos **forecastle** [fåo'ksl] *(sjö.)* skans **forefinger** [få:'finggə] pekfinger **foregone conclusion** [få:'gånn kənklo:'sjən] förutfattad mening, given sak **foreground** [få:'graond] förgrund **forehead** [fårr'idd] panna **foreign** [fårr'inn] utländsk, främmande; *the Ministry for Foreign Affairs* utrikesdepartementet; *foreign exchange* utländsk valuta; *Foreign Minister* utrikesminister; *Foreign Office (engelska)* utrikesdepartementet; *Foreign Secretary (engelsk)* utrikesminister; *foreign politics* utrikespolitik; *foreign trade* utrikeshandel **foreigner** [fårr'innə] utlänning, främling **foreman** [få:'mən] arbetsledare, förman, bas **foremost** [få:'måost] främst, först **forenoon** [få:'no:n] förmiddag **forerunner** [få:'rannə] föregångare **foresee** [få:si:'] förutse **foresight** [få:'sajt] förutseende **forest** [fårr'isst] skog **forestall** [få:stå:'l] förekomma, föregripa **forester** [fårr'isstə] skogvaktare **forestry** [fårr'isstri] skogsbruk **foretaste** [få:'tejst] försmak **foretell** [få:tell'] förutsäga **forewarn** [få:wå:'n] varsko **forfeit** [få:'fitt] förverka; förverkad **forgave** [fəgej'v] imperf. av *forgive* **forge** [få:dsj] smida; förfalska; smedja; *forging of documents* urkundsförfalskning **forget** [fəgett'] glömma; *I forget* jag har glömt **forgetful** [fəgett'foll] glömsk **forgive** [fəgivv'] förlåta **forgiven** [fəgivv'n] perf. part. av *forgive* **forgiveness** [fəgivv'-niss] förlåtelse **forgo** [få:gåo'] avstå från, försaka **forgot** [fəgått'] imperf. av *forget* **forgotten** [fəgått'n] bortglömd **fork** [få:k] gaffel; grena sig **forlorn** [fəlå:'n] övergiven; hopplös **form** [få:m] form; skolklass; formulär, blankett; forma, bilda; *it is bad form* det passar sig inte; *matter of form* formsak **formal** [få:'məl] formell **formality** [få:mäll'itti] formalitet **formation** [få:mej'sjən] formering, bildning **former** [få:'mə] förutvarande, förra, före detta **formerly** [få:'məli] förr (i världen), förut *(fordom)* **formidable** [få:'midəbl] fruktansvärd, väldig **formula** [få:'mjollə] formel **formulate** [få:'mjolejt] formulera **formulation** [få:mjolej'sjən] formulering **fornication** [få:nikej'sjən] otukt **forsake** [fəsej'k] överge **forsaken** [fəsej'kn] perf. part. av *forsake* **forsook** [fəsokk'] imperf. av *forsake* **forsooth** [fəso:'θ] i sanning **fort** [få:t] fästning **forth** [få:θ] fram(åt); bort, ut; *and so forth* och så vidare **forthcoming** [få:'θkamming] förestående **forthwith** [få:'θwiθ] omedelbart **fortieth** [få:'tiθ] fyrtionde **fortify** [få:'tifaj] befästa **fortnight** [få:'tnajt] fjorton dagar; *every fortnight* var fjortonde dag **fortress** [få:'triss] fästning **fortunate** [få:'tsjnitt] lycklig **fortunately** [få:'tsjnitli] lyckligtvis **fortune** [få:'tsjən] förmögenhet; lycka **fortune-teller** [få:'tsjəntellə] spåman, spåkvinna **forty** [få:'ti] fyrtio **forward** [få:'wəd] eftersända, vidarebefordra, sända; *to be forwarded to* för vidarebefordran till; *look forward to* glädja sig åt, emotse **forwarding agent** [få:'-wəding ej'dsjənt] speditör **forwards** [få:'wədz] framlänges **foster** [fåss'tə] fostra; uppamma **fought** [få:t] imperf. och perf. part. av *fight* **foul** [faol] skämd; oren; ojust; *foul play* ojust spel **found** [faond] **1** grunda, grundlägga, stifta, upprätta **2** gjuta, stöpa **3** imperf. och perf. part. av *find* **foundation** [faondej'sjən] grundval, grund; stiftelse **founder** [fao'ndə] grundare; gjutare; sjunka **foundry** [fao'ndri] gjuteri **fountain** [fao'ntinn] källa, fontän, springbrunn **fountain-pen** [fao'ntinnpenn] reservoarpenna **four** [få:] fyra **fourfold** [få:'fåold] fyrdubbel **four-leaf clover** [få:'li:'f klåo'və] fyrklöver **four-stroke engine** [få:'-stråok' enn'dsjinn] fyrtaktsmotor **fourteen** [få:'ti:'n] fjorton

fourteenth [få:'ti:'nθ] fjortonde **fourth** [få:θ] fjärde; fjärdedel **fowl** [faol] höns[fågel] **fox** [fåkks] räv **fox-trap** [fåkk'sträpp] rävsax **fraction** [fräkk'sjən] bråkdel, bråk **fracture** [fräkk'tsjə] [ben]brott **fragile** [fräddʼsjajl] bräcklig **fragment** [frägg'mənt] fragment, spillra **fragrance** [frej'grns] väldoft **frail** [frejl] skör; svag, skröplig **frame** [frejm] ram, stomme; spant; [glasögon]- båge; inrama; *frame of mind* sinnesstämning **frame-up** [frej'mapp] komplott **frame-work** [frej'mwə:k] ram, infattning; grundstomme **franc** [frängk] franc **France** [fra:ns] Frankrike **franchise** [frännʼ- tsjajz] medborgarrätt, rösträtt **frank** [frängk] frimodig **frankly** [fräng'kli] uppriktigt [sagt] **frantic** [fränn'tikk] rasande, förtvivlad **fraternal** [frətə:'nl] broderlig **fraud** [frå:d] bedrägeri **fraught** [frå:t] försedd, fylld **frayed** [frejd] fransig **freak** [fri:k] nyck; kuriositet **freckle** [frekk'l] fräkne **freckled** [frekk'ld] fräknig **free** [fri:] fri; ledig; gratis; befria, göra fri; *free fight* allmänt slags- mål; *be free* ha ledigt; *free and easy* ogenerad; *you are free to* det står dig fritt att; *free o.s.* frigöra sig **freedom** [fri:'dəm] frihet; *freedom of the press* tryckfrihet; *freedom of speech* yttrandefrihet **free-for-all** [fri:'farå:l] allmänt gräl **freely** [fri:'li] fritt; frikostigt **freemason** [fri:'mejsn] frimurare **freeze** [fri:z] frysa [till is] **freight** [frejt] frakt; fraktgods **freight truck** [frej't trakk'] (*Am.*) långtradare **French** [frenntsj] fransk; franska (*språk*); *the French* fransmännen; *French bean* brytböna, skärböna; *French horn* valt- horn; *French roll* franskbröd, franska **Frenchman** [frenn'tsjmən] fransman **Frenchwoman** [frenn'tsjwommən] fransyska **frenzy** [frenn'zi] raseri, vanvett **frequency** [fri:'kwənsi] frekvens **fre- quent** [fri:'kwənt] ofta förekommande, vanlig; [frikwenn't] ofta besöka, frekventera **frequently** [fri:'kwəntli] titt och tätt, ofta **fresco** [fress'kåo] fresk **fresh** [fresj] färsk; fräsch; (*Am.*) fräck; *fresh water* sötvatten **freshen** [up] [fresj'n app'] friska upp; fräscha upp **freshman** [fresj'mən] recentior **fret** [frett] (*bildl.*) fräta; reta; oroa sig; *fret o.s.* gräma sig **friar** [fraj'ə] tiggarmunk **fricassee** [frikkəsi:'] frikassé **friction** [frikk'sjən] friktion **Friday** [fraj'di] fredag; *Good Friday* långfredagen **fried** [frajd] stekt **friend** [frennd] vän; bekant; *be friends* vara vänner, vara sams; *close friends* goda vänner; *a friend of mine* en vän till mig **friendly** [frenn'dli] vänlig; kamratlig **friendship** [frenn'dsjipp] vänskap **fright** [frajt] förskräckelse, skrämsel **frighten** [fraj'tn] skrämma, avskräcka **frightful** [fraj'tfoll] förskräcklig **frigid** [fridd'sjidd] kylig; kallsinnig **fringe** [frinndsj] frans; [pann]lugg **frisky** [friss'ki] yster **frivolous** [frivv'ələs] lättsinnig **frock** [fråkk] klänning **frog** [frågg] groda **frogman** [frågg'mən] grodman **frolic** [fråll'ikk] springa och leka; skoj, upptåg **from** [fråmm] från; *from below* nedifrån, underifrån; *from here* härifrån; *from home* hemifrån; *from now on* hädanefter; *from this* härav; *from the front* framifrån; *from the north* norrifrån; *from time to time* alltemellanåt; *from which* varav **front** [frannt] front, framsida;

främre; *in front* framtill; *in front of* framför **front door** [frann'tdå:]
huvudingång **frontier** [frann'tjə] gräns **front tooth** [frann't
to:θ] framtand **frost** [fråsst] frost **frost-bitten** [fråss'tbittn]
frostskadad; *get frost-bitten* förfrysa **frosting** [fråss'ting] glasyr
på tårta **frosty** [fråss'ti] frost-; grånad (om hår) **froth** [fråθ]
skum, fradga **frown** [fraon] rynka pannan, rynka ögonbrynen
froze [fråoz] imperf. av *freeze* **frozen** [fråo'zn] frusen **fruit**
[fro:t] frukt **fruitful** [fro:'tfoll] fruktbar **fruitless** [fro:'tliss]
fruktlös, resultatlös **fruit-shop** [fro:'tsjåpp] fruktaffär **frustrate**
[frasstrej't] omintetgöra, frustrera **fry** [fraj] steka, bräcka **frying-
pan** [fraj'ingpänn] stekpanna **fuck** [fakk] knulla **fuel** [fjo:'əl]
bränsle **fugitive** [fjo:'dsjitivv] flykting; flyktig **fulfil** [follfill']
uppfylla **fulfillment** [follfill'mənt] fullbordan **full** [foll] full;
fullsatt; yppig (*om figur*); *full board and lodging* helpension;
full moon fullmåne; *full stop* punkt (*skiljetecken*); *full up* mätt; *in
full* till fullo **full-fledged** [foll'fledd'sjd] fullfjädrad **full-grown**
[foll'gråo'n] fullvuxen **fully** [foll'i] fullständigt, till fullo; *fully
automatic* helautomatisk **fumble** [famm'bl] famla; fumla **fume**
[fjo:m] utdunstning; ilska; ånga **fun** [fann] skämt, nöje; *great fun*
mycket roligt; *for fun* på skoj, för ro skull; *poke fun at* driva med;
what fun! så roligt! **function** [fang'ksjən] funktion; fungera
functional [fang'ksjənl] funktionell **functionary** [fang'ksjənəri]
funktionär **fund** [fannd] fond, tillgång **fundamental** [fanndə-
menn'tl] grundläggande, fundamental **funeral** [fjo:'nərəl] be-
gravning; *funeral service* jordfästning **funk** [fangk] rädsla; *in a
blue funk* skraj **funnel** [fann'l] tratt; skorsten (på båt) **funny**
[fann'i] rolig, lustig, kul **fur** [fə:] päls **fur coat** [fə:'kåot] päls-
[kappa] **furious** [fjo:'əriəs] rasande, ursinnig; *get furious with s.b.*
bli förbannad på ngn **furnace** [fə:'niss] ugn, (värme)panna
furnish [fə:'nisj] förse; möblera **furniture** [fə:'nittsjə] möbler;
a piece of furniture en möbel **furrier** [farr'iə] körsnär **furrow**
[farr'åo] fåra **further** [fə:'ðə] bortre, ytterligare, vidare; längre;
bort, längre fram; [be]främja; *further training* vidareutbildning
furthest [fə:'ðisst] längst; mest avlägsen **furtive** [fə:'tivv] för-
stulen **fury** [fjo:'əri] raseri; *in a fury* rasande **fuse** [fjo:z] sam-
mansmälta; (*elektrisk*) propp, stubintråd **fuselage** [fjo:'zila:sj]
flygplanskropp **fusion** [fjo:'sjn] fusion, sammanslagning **fuss**
[fass] väsen, ståhej, rabalder; *make a fuss* trassla, krångla, fjaska;
make a fuss about göra affär av **futile** [fjo:'tajl] meningslös,
fåfäng **future** [fjo:'tsjə] framtid; framtida, blivande; *in future* i
fortsättningen **gab** [gäbb] prata; prat; *the gift of the gab* välsmort
munläder **gable** [gej'bl] gavel **gadfly** [gädd'flaj] broms **gadget**
[gädd'sjitt] manick **Gael** [gejl] gael **Gaelic** [gej'likk] gaelisk,
keltisk **gag** [gägg] munkavle; skämt; sätta munkavle på **gage**
[gejdsj] pant; utmaning **gaiety** [gej'əti] glädje **gain** [gejn]
vinna, tjäna, skaffa sig; vinst, utbyte; *gain recognition* vinna er-
kännande **gait** [gejt] gång **gal** [gäll] flicka **galaxy** [gäll'əksi]

lysande samling; *the Galaxy* Vintergatan **gale** [gejl] storm, blåst **gale warning** [gej'l wå:'ning] stormvarning **gall** [gå:l] galla **gallant** [gäll'ənt] tapper; artig **gallery** [gall'əri] galleri; läktare **galley** [gäll'i] galär; slup; skeppskök **gallon** [gäll'ən] mått=ca 4,5 l, *Am.* 3,8 l **gallop** [gäll'əp] galopp; galoppera **gallows** [gäll'åoz] galge **gall-stone** [gå:'lståon] gallsten **galore** [gəlå:'] i överflöd **galosh** [gəlåsj'] galosch **galvanize** [gäll'vənajz] galvanisera; egga **gamble** [gämm'bl] spela, sätta på spel **gambler** [gämm'blə] spelare **gambol** [gämm'bl] skutta; glädjesprång **game** [gejm] spel, lek; utgång (*i kortspel*); villebråd, vilt; *I'm game* jag är med på det **game-keeper** [gej'mki:pə] skogvaktare **gang** [gäng] liga, gäng **gangrene** [gäng'gri:n] kallbrand **gangway** [gäng'wej] landgång **gaol** [dsjejl] fängelse **gap** [gäpp] gap, hål **gape** [gejp] gapa; stirra **garage** [gärr'a:sj] garage, bilverkstad **garbage** [ga:'biddsj] [köks]avfall, sopor **garden** [ga:'dn] trädgård, tomt **gardener** [ga:'dnə] trädgårdsmästare **gardening** [ga:'dning] trädgårdsarbete **garden-plot** [ga:'dnplått] täppa, land **gargle** [ga:'gl] gurgla sig **garland** [ga:'lənd] girland **garlic** [ga:'likk] vitlök **garment** [ga:'mənt] plagg **garnet** [ga:'nitt] granat (*ädelsten*) **garnish** [ga:'nisj] garnera (*mat*) **garret** [gärr'itt] vindsrum **garrison** [gärr'issn] besättning, garnison **garrulous** [gärr'oləs] pratsjuk **garter** [ga:'tə] strumpeband **gas** [gäss] gas; prat; (*Am.*) bensin; gasa; *bottled gas* gasol **gas-cooker** [gäss'kokkə] gasspis **gaseous** [gej'zjəs] gas- **gasolene** [gäss'oli:n] (*Am.*) bensin **gasp** [ga:sp] flämta; flämtning **gastric** [gäss'trikk] mag- **gastritis** [gässtraj'-tiss] akut magkatarr **gasworks** [gäss'wə:ks] gasverk **gate** [gejt] grind; [ingångs]spärr **gate-crasher** [gejt'kräsjə] objuden gäst **gateway** [gej'twej] port[gång] **gather** [gäð'ə] samla, samlas **gathering** [gäð'əring] sammankomst **gaudy** [gå:'di] brokig, grann, prålig **gauge** [gejdsj] mätare, mätinstrument **Gaul** [gå:l] Gallien; gallier **gauntlet** [gå:'ntlitt] sporthandske; gatlopp **gauze bandage** [gå:'z bänn'diddsj] gasbinda **gave** [gejv] imperf. av *give* **gay** [gej] glad; färgglad **gear** [gi:ə] växel; *change gear* växla **gearbox** [gi:'əbåkks] växellåda **gear lever** [gi:'ə li:və] växelspak **geld** [gelld] snöpa **gelding** [gell'ding] valack **gem** [dsjemm] ädelsten **gender** [dsjenn'də] kön, genus **gene** [dsji:n] arvsanlag, gen **general** [dsjenn'ərəl] allmän, generell; general; *in general* i allmänhet; *general agreement* ramavtal; *general condition* allmäntillstånd; *general impression* helhetsintryck; *general strike* storstrejk **generalize** [dsjenn'ərəlajz] generalisera **generally** [dsjenn'ərəli] i allmänhet; *generally applicable* allmängiltig **generation** [dsjennərej'sjən] generation, släktled **generator** [dsjenn'ərejtə] generator **generosity** [dsjennəråss'itti] frikostighet, generositet **generous** [dsjenn'ərəs] generös, frikostig, storsint **genial** [dsji:'njəl] gynnsam; trevlig, vänlig **genital** [dsjenn'itl] fortplantnings- **genius** [dsji:'njəs] geni, snille **genre** [sjä:'ngrə] genre **gentle** [dsjenn'tl] varlig, mild, stilla **gentleman** [dsjenn'tlmən] herre **gentry** [dsjenn'tri] lågadel **genuine** [dsjenn'joinn] genuin, äkta, oförfalskad **genuineness** [dsjenn'joinnis] äkthet **geographical** [dsjiəgräff'ikəl] geografisk **geography** [dsjiågg'rəfi] geografi **geology** [dsjiåll'ədsji] geologi **geometry** [dsjiämm'ittri] geometri **geranium** [dsjirej'njəm] pelargon **germ** [dsjə:m] bakterie; embryo; gro **German** [dsjə:'mən] tysk; tyska *(språket)*; *the Germans* tyskarna; *German measles* röda hund **Germany** [dsjə:'məni] Tyskland **germinate** [dsjə:'minejt] gro **gesticulate** [dsjestikk'jolejt] gestikulera **gesture** [dsjess'tsjə] gest **get** [gett] få, erhålla; bli; låta, laga att; *get along* klara sig; *get ... back* återfå; *get the better of* få övertag över; *get broken* gå sönder; *get cool* svalna; *get ... going* få ... i gång; *get off* komma ifrån, bli ledig, stiga av, klara sig; *get on well* trivas; *get on well together* samsas; *get on with* trivas med; *work is getting on fine* det går undan med arbetet; *get out* gå av, stiga av; *get out of the habit of* vänja sig av med att; *get out of a p.'s way* gå ur vägen för ngn; *get round (bildl.)* kringgå; *get tired* tröttna, bli trött; *get started* komma i gång; *get s.b. to do s.th.* få ngn att göra ngt; *get up* stiga upp; *get one's own way* få sin vilja igenom **get-away** [gett'əwej] start; flykt **get-up** [gett'app] utstyrsel **ghastly** [ga:'stli] hemsk **ghost** [gåost] ande, vålnad, spöke **giant** [dsjaj'ənt] jätte **gibberish** [gibb'ərisj] rotväska **gibe** [dsjajb] pik, stickord **giddiness** [gidd'iniss] svindel **giddy** [gidd'i] vimmelkantig, yr **gift** [gifft] gåva, fallenhet, begåvning **gifted** [giff'tidd] begåvad **gift voucher** [gifft vao'tsjə] presentkort **gigantic** [dsjajgänn'tikk] jättelik **giggle** [gigg'l] fnittra **gild** [gilld] förgylla **gill** [gill] gäl **gilt** [gillt] förgylld; förgyllning **gilt-edged securities** [gill'teddsjd sikjo:'əritizz] guldkantade (prima) värdepapper **gimlet** [gimm'litt] handborr **gimmick** [gimm'ikk] trick, knep **gin** [dsjinn] gin **ginger** [dsjinn'dsjə] ingefära **ginger-ale, -beer** [dsjinn'dsjərej'l, dsjinn'dsjəbi:'ə] ingefärsläsk **gingerbread biscuit** [dsjinn'dsjəbredd biss'kitt] pepparkaka **gingerly** [dsjinn'dsjəli] försiktigt **gipsy** [dsjipp'si] zigenare **gipsy woman** [dsjipp'si womm'ən] zigenerska **giraffe** [dsjira:'f] giraff **gird** [gə:d] omgjorda, inneslute **girdle** [gə:'dl] gördel; omgjorda **girl** [gə:l] flicka **girl-friend** [gə:'lfrennd] väninna, flickvän **girlguide** [gə:'l-gajd] flickscout **girt** [gə:t] imperf. och perf. part. av *gird* **gist** [dsjisst] huvudsak, kärna **give** [givv] ge, skänka; *give away* ge bort; *give away in marriage* gifta bort; *give back* ge tillbaka; *give in* foga sig; *give o.s.* ge sig; *give out* utlämna; *give up* avstå (från), ge upp; *give away* ge vika, rasa **given** [givv'n] given **giver** [givv'ə] givare **glacier** [gläss'jə] jökel, glaciär **glad** [glädd] glad (*at* över); *be glad at* glädja sig åt; *I am glad to hear that* det var trevligt att höra; *I am so glad* det gläder mig **glade** [glejd] glänta **gladly** [glädd'li] gärna **glamour** [glämm'ə] förtrollning, tjusning **glance** [gla:ns] blick; *glance through* ögna igenom **gland** [glännd] körtel **glare** [glä:'ə] skarpt sken; lysa skarpt, glänsa **glaring** [glä:'əring] bländande, gräll **glass** [gla:s] glas **glasses** [gla:'sizz] glasögon **glassworks** [gla:'swæks] glasbruk **glaze** [glejz] sätta glas i; glasera; glasyr **glazing** [glej'zing] glasyr **gleam** [gli:m] glimma; glimt **glean** [gli:n] plocka, samla **glee** [gli:] glädje; flerstämmig sång **glen** [glenn] dalgång **glib** [glibb] talför, ledig **glide** [glajd] glida **glider** [glaj'də] segelflygplan **gliding** [glaj'ding] segelflygning **glimpse** [glimmps] skymt, glimt; *catch a glimpse of* skymta, se en skymt av **glint** [glinnt] glittra, blänka; glitter, blänk **glisten** [gliss'n] glittra, glimma **glitter** [glitt'ə] glittra **gloat** [glåot] stirra, glo **globe** [glåob] glob; *the globe* jordklotet **gloom** [glo:m] dysterhet; mörker **gloomy** [glo:'mi] trist, dyster **glorify** [glå:'rifaj] förhärliga **glorious** [glå:'riəs] ärofull; härlig **glory** [glå:'ri] ära; salighet **gloss** [glåss] glans; göra glänsande **glossary** [glåss'əri] ordlista **glove** [glavv] handske **glow** [glåo] glöda; glöd **glue** [glo:] lim; limma **glum** [glamm] dyster; vresig **glutton** [glatt'n] frossare, matvrak **gnash** [näsj] gnissla med tänder **gnat** [nätt] knott **gnaw** [nå:] gnaga **go** [gåo] gå, fara, resa, åka, bege sig; *let go* släppa, låta falla; *if all goes well* om det vill sig väl; *be going to* vilja, ämna; *go about* gå över stag; *go away* resa bort; *go away* åka bort, gå sin väg; *go back* återgå; *go by* rätta sig efter; *go for a walk* gå ut och gå; *go in for sport* idrotta; *go off* gå av (om skott); *go on* fortsätta; *be going on* pågå; *go out* gå bort, slockna; *go through* genomgå; *go to* tillfalla; *go to bed* lägga sig, gå till sängs; *go to seed* fröa sig; *go up* gå upp; *go without* försaka **goad** [gåod] sporre; sporra **goal** [gåol] mål **goalkeeper** [gåo'lki:pə] målvakt **goal kick** [gåo'l kikk] utspark **goat** [gåot] get **gobble** [gåbb'l] sluka **go-between** [gåo'bitwi:n] mellanhand **goblet** [gåbb'litt] pokal **god** [gådd] gud; *God bless you!* prosit! **goddess** [gådd'iss] gudinna **goggle** [gågg'l] rulla (med ögonen), blänga **goggles** [gågg'lz] stora glasögon; skygglappar **going through** [gåo'ing θro:'] genomgång **gold** [gåold] guld **gold-digger** [gåo'lddiggə] guldgrävare **golden** [gåo'ldən] gyllene, av guld **goldfish** [gåo'ldfisj] guldfisk **goldsmith** [gåo'ldsmiθ] guldsmed **golf** [gållf] golf **gondola** [gånn'dələ] gondol **gone** [gånn] borta, försvunnen **gong** [gång] gonggong **good** [gådd] bra, god; *a good deal* en hel del; *hold good* hålla streck; *Good Friday* långfredagen; *good heavens!* jösses!; *good living* vällevnad; *for good* för alltid **good-bye** [goddbaj'] adjö **good-for-nothing** [godd'fənaθing] odåga **good-looking** [godd'lokk'ing] snygg; *be good-looking* se bra ut **good-natured** [godd'nej'tsjəd] godmodig **goodness** [godd'niss] godhet; *for goodness' sake!* för Guds skull! **goods** [goddz] gods, varor, fraktgods **goods train** [godd'ztrejn] godståg **goodwill** [godd'will'] gott rykte; kundkrets **goody** [godd'i] karamell **goddy-goody** [godd'igodd'i] hycklare; gudsnådelig **goof** [go:f] dumbom **goofy** [go:'fi] dum, fjantig **goose** [go:s] (*pl geese* [gi:s]) gås **gooseberry** [gozz'bəri] krusbär **gorge** [gå:dsj] [bergs]klyfta; svalg; frossa **gorgeous** [gå:'dsjəs] härlig; praktfull **gorilla** [gərill'ə] gorilla **gospel** [gåss'pəl] evangelium **gossamer** [gåss'əmə] flor; fin spindelväv **gossip** [gåss'ipp] skvaller; skvallra **got** [gått] imperf. och perf. part. av *get* **gout** [gaot] gikt **govern** [gavv'ən] styra, regera **governess** [gavv'ə-niss] guvernant **government** [gavv'nmənt] regering, styrelse; statlig **government bill** [gavv'nmənt bill'] proposition, lagförslag **government office** [gavv'nmənt åff'iss] ämbetsverk **government subsidy** [gavv'nmənt sabb'siddi] statsbidrag **governor** [gavv'ənə] guvernör, ståthållare; pappa; herre **gown** [gaon] dräkt; klänning **grab** [gräbb] roffa åt sig, grabba tag i **grace** [grejs] nåd; grace **graceful** [grej'sfoll] graciös **gracious** [grej'-sjəs] nådig; älskvärd **grade** [grejd] vitsord (*i betyg*) **gradient** [grej'djənt] stigning **gradually** [grädd'joəli] gradvis, efter hand, successivt **graduate** [grädd'joejt] gradera; [grädd'joitt] utexaminerad; *university* graduate akademiker; *graduate of agricultural college* agronom; *graduate engineer* civilingenjör **graduation** [gräddjoej'sjən] gradering **graft** [gra:ft] ympa; ympkvist; (*Am.*) korruption **grain** [grejn] korn, frö, gryn; spannmål; *against the grain* mot naturen **graininess** [grej'niniss] kornighet (*i film*) **gram-[me]** [grämm] gram **grammar** [grämm'ə] grammatik **grammar-school** [grämm'əsko:l] högre läroverk **gramophone** [grämm'ə-fåon] grammofon **granary** [gränn'əri] kornbod **grand** [gränd] storartad **grandchild** [gränn'tsjajld] barnbarn **granddaughter** [gränn'då:tə] sondotter, dotterdotter **grandeur** [gränn'dsjə] prakt, stål **grandfather** [gränn'dfa:ðə] farfar, morfar **grandmother** [gränn'maðə] farmor, mormor **grand piano** [gränn'd pjänn'åo] flygel **grand slam** [gränn'd slämm'] storslam **grandson** [gränn'-sann] dotterson, sonson **grandstand** [gränn'dstännd] åskådarläktare **grange** [grej'ndsj] lantgård **granite** [gränn'itt] granit **grant** [gra:nt] bevilja, bifalla, tillerkänna; anslå (*pengar*); upplåtelse; *take it for granted* ta för givet; *grant a respite* bevilja uppskov **granular** [gränn'jollə] kornig **granulated sugar** [gränn'-jolejtidd sjogg'ə] strösocker **grape** [grejp] [vin]druva; *sour grapes said the fox* surt sa räven om rönnbären **grape-sugar** [grej'psjoggə] druvsocker **graph** [gräff] grafisk framställning **grapple** [gräpp'l] fatta tag i; ge sig i kast med **grasp** [gra:sp] fatta, ta tag i, gripa; grepp **grass** [gra:s] gräs **grass-grown** [gra:sgråo'n] gräsbevuxen **grasshopper** [gra:'shåppə] gräshoppa **grass snake** [gra:s snejk] snok **grassy** [gra:'si] gräs-, gräsbevuxen **grate** [grejt] rost, galler; riva; gnissla **grateful** [grej'tfoll] tacksam **gratify** [grätt'ifaj] tillfredsställa **gratin** [grätt'äng] gratäng **gratin-dish** [grätt'ängdisj] gratängfat; *bake in a gratin-dish* gratinera **grating** [grej'ting] galler **gratitude** [grätt'itjo:d] tacksamhet **gratuity** [grətjo:'itti] gåva; gratifikation **grave** [grejv] grav **gravel** [grävv'əl] grus **gravitation** [grävvitej'sjən] tyngdkraft, gravitation; *the law of gravitation* tyngdlagen **gravity** [grävv'itti] tyngdkraft; värdighet; *centre of gravity* tyngdpunkt; *force of gravity* dragningskraft, tyngdkraft **gravy** [grej'vi] sky, köttsaft, sås **gray** [grej] (*Am.*) grå **graze** [greiz] **1** (*om djur*) beta **2** snudda **grease** [gri:s] fett, flott; [gri:z] smörja; *grease spot* flottfläck **greasing** [gri:'zing] smörjning **greasy** [gri:'zi] flottig **great** [grejt] stor; *Great Britain* Storbritannien; *great grandfather* farfarsfar; *great grandmother* farmorsmor; *a great many* en hel del; *great power* stormakt; *the greater part* den övervägande delen **greatly** [grej'tli] i hög grad **greatness** [grej'tniss] storhet **grebe** [gri:b] dopping **Greece** [gri:s] Grekland **greed** [gri:d] vinningslystnad; glupskhet **greedy** [gri:'di] glupsk, sniken **Greek** [gri:k] grek; grekisk **green** [gri:n] grön; be green grönska; *green fruit* kart **greenback** [gri:'nbäkk] dollarsedel **greengrocer's** [gri:'ngråosəz] grönsaksaffär **greenhouse** [gri:'nhaos] växthus **Greenland** [gri:'nländ] Grönland **greens** [gri:nz] grönsaker **greet** [gri:t] (*verb*) hälsa **greeting** [gri:'ting] hälsning **gregarious** [gregä'əriəs] som lever i flock; sällskaplig **grew** [gro:] imperf. av *grow* **grey** [grej] grå; *grey seal* gråsäl **greyhaired** [grej'hä:'əd] gråhårig **greyhound** [grej'haond] vinthund **greyhound-racing** [grej'haondrejsing] hundkapplöpning **gridiron** [gridd'ajən] halster **grief** [gri:f] smärta, sorg; *come to grief* råka i olycka **grievance** [gri:'vns] anledning till missnöje, klagomål **grieve** [gri:v] sörja; gräma sig **griffin** [griff'inn] grip **grill** [grill] grill; grilla, halstra **grim** [grimm] bister **grimace** [grimej's] grimas **grime** [grajm] smuts, sot; smutsa ner **grin** [grinn] smila **grind** [grajnd] mala, finfördela, slipa **grinding wheel** [graj'nding wi:l] slipskiva **grindstone** [graj'ndståon] slipsten **grip** [gripp] tag, grepp, fattning **grisly** [grizz'li] gräslig **grit** [gritt] grus; mod, gott gry **grizzly** [grizz'li] gråaktig; grisslybjörn **groan** [gråon] stöna **grocer's** [gråo'saz (sjäpp)] speceriaffär **grocery** [gråo'səri] specerier, speceriaffar **groggy** [grågg'i] drucken; ostadig **groin** [gråjn] ljumske **groom** [gromm] rykta [gro:p] grupp; gruppera; *group of islands* ögrupp **grouse** [graos] vildhönsfågel **grove** [gråov] skogsdunge **grow** [gråo] växa; *grow old* åldras; *grow up* växa upp; *grow weak* försvagas, avmattas; *grow worse* förvärras **growl** [graol] morra; morrande **grown** [gråon] perf. part. av *grow* **grown-up** [gråo'napp] vuxen, fullvuxen **growth** [gråoθ] växt, tillväxt **grub** [grabb] gräva; knoga; larv; käk **grudge** [graddsj] agg, missunnsamhet; missunna; *not grudge s.b. s.th.* unna ngn ngt **gruel** [gro:'əl] välling **gruesome** [gro:'səm] kuslig, hemsk **grumble** [gramm'bl] knota (*at* över) **grunt** [grannt] grymta, knorra; grymtande **guarantee** [gärrənti:'] garanti; garantera; *personal guarantee* borgensförbindelse **guarantor** [gärrəntå:'] borgensman **guard** [ga:d] vakta, bevaka; vakt, bevakning, [tåg]konduktör; *be on one's guard* vara på sin vakt **guardian** [ga:'djən] förmyndare, beskyddare **guenon** [gənåo'n] markatta **guerrilla** [gərill'ə] gerilla **guess** [gess] gissning; gissa, gissa sig till **guest** [gesst] gäst; *guest of honour* hedersgäst **guffaw** [gaffå:'] gapskratta; gapskratt **guidance** [gaj'dəns] [väg]ledning **guide** [gajd] guide, reseledare, vägvisare; [väg]leda **guild** [gilld] skrå **guile** [gajl] svek, list **guilt** [gillt] skuld; *sense of guilt* skuldkänsla **guilty** [gill'ti] skyldig, skuldmedveten **guinea** [ginn'i] 21 shilling **guinea-pig** [ginn'ipigg] marsvin **guitar** [gita:'] gitarr **gulf** [gallf] vik, bukt **gull** [gall] mås, trut **gullet** [gall'itt] matstrupe **gullible** [gall'ibl] enfaldig, lättlurad **gully** [gall'i] ravin; rännsten, avlopp **gulp** [gallp] svälja, sluka **gum** [gamm] gummi; gummera **gums** [gammz] tandkött **gun** [gann] gevär, kanon, revolver **gunman** [gann'mən] gångster, pistolman **gunner** [gann'ə] artillerist **gun-powder** [gann'paodə] krut **gun-shot** [gann'sjått] kanonskott **gunwale** [gann'l] reling **gush** [gasj] välla (*forth* fram) **gust** [gasst] vindstöt **gusto** [gass'tåo] smak; förkärlek **gusty** [gass'ti] stormig **gut** [gatt] tarm **guts** [gatts] inälvor; *have no guts* vara feg **gutter** [gatt'ə] rännsten, takränna **guy** [gaj] (*Am.*) karl, grabb **gymnasium** [dsjimnej'zjəm] gymnastiksal **gymnastics** [dsjimnnäss'tikks] gymnastik; *do gymnastics* gymnastisera **gynaecologist** [gajnikåll'ədsjisst] gynekolog **haberdasher's** [häbb'ədäsjəz] sybehörsaffär **habit** [häbb'itt] vana; *be in the habit of* bruka, ha för vana **habit-forming** [häbb'ittfå:ming] vanebildande **habitual** [həbitt'joəl] vane- **hackneyed** [häkk'nidd] sliten, banal **haddock** [hädd'ək] kolja **haemo-** [hemm'ə] se *hemo-* **haggard** [hägg'əd] härjad, sliten **haggle** [hägg'l] schackra **hail** [hejl] hagla; hagel **hair** [hä:'ə] hår, hårstrå; *a hair of the dog* en återställare **hairbrush** [hä:'əbrasj] hårborste **hairdresser** [hä:'ədressə] frisör **hairpin** [hä:'əpinn] hårnål **hair-ribbon** [hä:'əribbən] hårband **hair-slide** [hä:'əslajd] hårspänne **hair style** [hä:'ə stajl] frisyr **hair tonic** [hä:'ə tånn'ikk] hårvatten **hairy** [hä:'əri] luden **hale** [hejl] frisk, kry; *hale and hearty* frisk och kry **half** [ha:f] halva, hälft; halv; *it is half past twelve* klockan är halv ett; *half an hour* en halvtimme; *over half* över hälften; *half run* småspringa; *half way* halvvägs **half-hour** [ha:'fao'ə] halvtimme **halibut** [häll'ibət] helgeflundra **hall** [hå:l] hall, sal **hallo** [hələo'] hallå; hej! **hallow** [häll'åo] helga; *Alla helgons dag* **Halloween** [häll'åoi:'n] Allhelgonaafton **hall-porter** [hå:'lpå:tə] portier **halo** [hej'låo] gloria; ljusring **halt** [hå:lt] halt, uppehåll, anhalt; göra halt **halt signal** [hå:'lt sigg'nl] stoppsignal **halve** [ha:v] halvera **ham** [hämm] skinka **hamburger** [hämm'bə:gə] hamburgare **hamlet** [hämm'litt] liten by **hammer** [hämm'ə] hamra; hammare, (*sport.*) slägga; *throw the hammer* kasta slägga **hammock** [hämm'ək] hängmatta, hammock **hand** [hännd] hand; visare (*på ur*); arbetare; [över]räcka; *get the upper hand of* få överhand över; *have a good hand with* ha gott handlag med; *lay hands on* tillgägna sig, tillskansa sig; *at hand* till hands; *close at hand* på nära håll; *by hand* för hand; *on one hand* å ena sidan; *on the other hand* däremot, å andra sidan; *hand in* lämna [in]; *hand over* överräcka, lämna ifrån sig **handbag** [hänn'dbägg] handväska **handbook** [hänn'd-bokk] handbok **handbrake** [hänn'dbrejk] handbroms **handcuffs** [hänn'dkaffs] handbojor **handicap** [hänn'dikäpp] handikapp **hand[i]craft** [hännd(i)kra:ft] hemslöjd, konsthantverk, hantverk, slöjd **handkerchief** [häng'kətsjiff] näsduk **handle** [hänn'dl] hantera, handskas med, handlägga, behandla; skaft, handtag, vred, öra **handle-bar** [hänn'dlba:] styrstång **hand-luggage** [hänn'dlaggidsj] handbagage **hand-made** [hänn'dmej'd] handgjord **handrail** [hänn'drejl] ledstång **handsome** [hänn'səm] vacker **hand wheel** [hänn'd wi:l] ratt (*på maskin o.d.*) **handwriting** [hänn'drajtjing] handstil **hand-written** [hänn'drittn] handskriven **handy** [hänn'di] händig, behändig, lätthanterlig **handyman** [hänn'dimänn] tusenkonstnär **hang** [häng] hänga **hangar** [häng'ə] hangar **hanger** [häng'ə] hängare, klädhängare, galge **hangover** [häng'åovə] baksmälla **hansom[cab]** [hänn'-səm(käbb')] tvåhjulig droska **haphazard** [häpp'häzz'əd] på måfå **hapless** [häpp'liss] olycklig **happen** [häpp'ən] hända, ske, gå till, inträffa; *it so happened that* det föll sig så att; *happen to* råka, händelsevis komma att; *happen to s.b.* hända ngn **happening** [häpp'ning] händelse **happiness** [häpp'iniss] lycka **happy** [häpp'i] lycklig, glad; *happy about* glad åt, lycklig över; *make ... happy* glädja; *many happy returns!* har den äran att gratulera! **happy-go-lucky** [häpp'igåolakki] sorglös **harass** [härr'əs] ansätta, plåga **harbour** [ha:'bə] hamn **hard** [ha:d] hård, svår, slitsam; *a hard blow* ett svårt slag; *be hard up* ha ont om pengar **harden** [ha:'dn] härdna, härda **hard-boiled** [ha:'dbåj'ld] hårdkokt **hardly** [ha:'dli] knappast; *hardly ever* nästan aldrig **hardship** [ha:'dsjipp] strapats, vedermöda **hardware store** [ha:'d-wä:ə stå:'] (*Am.*) järnaffär **hard-working** [ha:'dwə'king] strävsam, hårt arbetande **hare** [hä:'ə] hare **haricot beans** [härr'ikåo bi:nz] haricots verts **harlot** [ha:'lət] sköka **harm** [ha:m] skada, ont; skada, göra illa; *there's no harm done* det är ingen olycka skedd; *there's no harm in him* det är inte ngt ont i honom **harmful** [ha:'mfoll] skadlig, farlig **harmless** [ha:'mliss] oförarglig, ofarlig; *render ... harmless* oskadliggöra **harmonious** [ha:måo'njəs] harmonisk **harmony** [ha:'məni] harmoni, samklang **harness** [ha:'niss] sele **harp** [ha:p] harpa **harpoon** [ha:po:'n] harpun **harrier** [härr'iə] stövare **harrow** [härr'åo] harv; harva; plåga **harsh** [ha:sj] barsk, omild, hård (*om ljud*) **hart** [ha:t] hjort **harvest** [ha:'visst] skörd; skörda **hash** [häsj] finhacka; pytt i panna **haste** [hejst] hast; hasta, skynda [sig] **hasten** [hej'sn]

skynda [sig] **hasty** [hej'sti] hastig; förhastad **hat** [hätt] hatt
hatch [hättsj] kläcka; kull; lastlucka **hatchet** [hätt'sjitt] yxa
hate [hejt] hata; hat **hatred** [hej'tridd] hat **haughty** [hå:'ti]
högmodig **haul** [hå:l] hala **haunt** [hå:nt] tillhåll; spöka, hemsöka,
ofta besöka **have** [hävv] ha; äta, dricka; laga att, låta; *have got*
ha (*mera vard.*); *have a cigar* ta en cigarr; *have a feeling* ana;
now we have got to nu gäller det att; *have ... on* ha på sig; *have to
wait* få vänta; *we had better go* det är bäst att vi går **haven**
[hej'vn] hamn, tillflyktsort **haversack** [hävv'əsäkk] ryggsäck
havoc [hävv'ək] plundring, ödeläggelse **hawk** [hå:k] hök
hawser [hå:'zə] tross **hawthorn** [hå:'θå:n] hagtorn **hay** [hej]
hö **hay-loft** [hej'låfft] [hö]skulle **hazard** [häzz'əd] slump, risk;
riskera **hazardous** [häzz'ədəs] vansklig, riskfylld **haze** [hejz]
töcken **hazelnut** [hej'zlnatt] hasselnöt **hazy** [hej'zi] disig **he** [hi:]
han **head** [hedd] huvud; tät, ledare; *heads or tails?* krona eller
klave?; *head over heels* hals över huvud; *be head of* förestå;
lose one's head förlora fattningen **headache** [hedd'ejk] huvud-
värk **headdress** [hedd'dress] huvudbonad **headgear** [hedd'gi:ə]
huvudbonad **heading** [hedd'ing] överskrift, rubrik **headlight**
[hedd'lajt] strålkastare (*på bil*), framlykta, helljus **headline**
[hedd'lajn] rubricera; rubrik **headlong** [hedd'lång] med huvudet
före; besinningslöst **headmaster** [hedd'ma:'stə] rektor **head
office** [hedd' åff'iss] huvudkontor **head-quarters** [hedd'kwå:'-
təz] högkvarter **headstrong** [hedd'strång] envis **head waiter**
[hedd'wejtə] hovmästare **head-wind** [hedd'winnd] motvind
heal [hi:l] läka[s] **health** [hellθ] hälsa **health insurance**
[hell'θ innsjo:'ərəns] sjukförsäkring **healthy** [hell'θi] frisk; hälso-
sam **heap** [hi:p] hop, hög (*of* med); hopa; *heap up* hopa **heaped**
[hi:pt] rågad, dryg **hear** [hi:'ə] höra, få höra; *hear badly with one
ear* höra dåligt på ena örat; *hear of* höra talas om **heard** [hə:d]
imperf. och perf. part. av *hear* **hearing** [hi:'əring] hörsel **hearsay**
[hi:'əsej] hörsägen **heart** [ha:t] hjärta; *at heart* innerst inne, i
grund och botten; *by heart* utantill **heart attack** [ha:'t ətäkk']
hjärtattack **heart disease** [ha:'t dizi:'z] hjärtfel **hearth** [ha:θ]
härd **heartily** [ha:'tili] hjärtligt **heartless** [ha:'tliss] hjärtlös
heart-rending [ha:'trennding] uppslitande **hearts** [ha:ts] hjärter
hearty [ha:'ti] hjärtlig; kraftig **heat** [hi:t] hetta, glöd, värme;
upphetta, värma, elda; *be in heat* löpa (*om tik*) **heat wave**
[hi:'t wejv] värmebölja **heathen** [hi:'ðən] hedning; hednisk
heather [heð'ə] ljung **heave** [hi:v] häva, vräka **heaven** [hevv'n]
himmel **heavily** [hevv'illi] tungt **heavy** [hevv'i] tung **heavy-
weight** [hevv'iwejt] tungvikt **Hebrew** [hi:'bro:] hebré; hebreisk
heckle [hekk'l] häckla; utfråga **hectic** [hekk'tikk] jäktig **hecto-
gram** [hekk'tåogramm] hekto **hedge** [heddsj] häck **hedgehog**
[hedd'sjhågg] igelkott **heed** [hi:d] bekymra sig om; *take heed*
akta sig **heedless** [hi:'dliss] ovarsam **heel** [hi:l] häl, klack;
klacka; *head over heels* hals över huvud; *heel over* få slagsida

he-goat [hi:'gåo't] bock **heifer** [heff'ə] kviga **height** [hajt] höjd; (*persons*) längd **heinous** [hej'nəs] avskyvärd **heir** [ä:'ə] arvinge **held** [helld] imperf. och perf. part. av *hold* **helicopter** [hell'ikåpptə] helikopter **hell** [hell] helvete; *hell!* fy fan! **hell-fire sermon** [hell'faj:ə sə:'mən] straffpredikan **hello** [hell'åo'] hållå; hej! **helm** [hell'm] roder **helmet** [hell'mitt] hjälm **help** [hellp]; hjälp; hjälpa (till); *with the help of* med hjälp av; *help each other* hjälpas åt; *I cannot help it* jag rår inte för det; *it can't be helped* det kan inte hjälpas; *she could not help laughing* hon kunde inte annat än skratta, hon kunde inte hålla sig för skratt; *it won't help much* det hjälper inte stort; *help yourself, please!* var så god!, ta för er **helpful** [hell'pfoll] hjälpsam **helping** [hell'ping] portion **helpless** [hell'pliss] hjälplös **helter-skelter** [hell'təskell'tə] huller om buller **hem** [hemm] fåll; fålla **hemisphere** [hemm'sfiə] halvklot **hemorrhage** [hemm'əriddsj] blödning; *cerebral hemorrhage* hjärnblödning **hemorrhoids** [hemm'ə-råjdz] hemorrojder **hemp** [hemmp] hampa **hen** [henn] höna **hence** [henns] hädanefter; härav; följaktligen **hepatica** [hi-pätt'ikkə] blåsippa **her** [hə:] henne, hennes, sin **herald** [herr'əld] härold **herb** [hə:b] ört **herd** [hə:d] hjord **here** [hi:'ə] här, hit; *here you are!* var så god! **hereby** [hi:'baj'] härigenom **hereditary** [hiredd'itəri] ärftlig, nedärvd **heredity** [hiredd'itti] ärftlighet **heresy** [herr'əsi] kätteri **heretic** [herr'ətikk] kättare **herewith** [hi:'əwið'] härmed **heritage** [herr'itidsj] arv **hernia** [hə:'njə] brock **hero** [hi:'əråo] hjälte **heroic** [hiråo'ikk] hjälte-, heroisk **heroine** [herr'åoinn] hjältinna **heron** [herr'ən] häger **herring** [herr'ing] sill; *smoked Baltic herring* böckling **hers** [hə:z] hennes, sin **herself** [hə:sell'f] själv, sig [själv] **hesitate** [hezz'itejt] tveka, dröja **hesitation** [hezzitej'sjən] tvekan, tveksamhet **hew** [hjo:] hugga, hacka **hewn** [hjo:n] perf. part. av *hew* **hexagon** [hekk'səgən] sexhörning **heyday** [hej'dej] höjdpunkt; hoppsan **hi** [haj] hej!, hör hit! **hibernate** [haj'bənejt] övervintra, ligga i ide **hiccup** [hikk'app] hicka; *have the hiccups* ha hicka **hid** [hidd] imperf. och perf. part. av *hide* **hidden** [hidd'n] gömd, dold; *hidden meaning* undermening **hide** [hajd] **1** gömma [sig], dölja **2** [djur]-hud **hide-and-seek** [haj'dnsi:'k] kurragömma **hideous** [hidd'jəs] förskräcklig, avskyvärd **high** [haj] hög; *high boot* stövel; *high finance* storfinans; *high jump* höjdhopp; *in high spirits* uppslungen; *in the highest degree* i högsta grad; *highest point* höjdpunkt **highbrow** [haj'brao] intellektuell [person] **highly** [haj'li] högt **highness** [haj'niss] höghet; höjd **highschool** [haj'sko:l] högre skola **high-spirited** [haj'spirr'itidd] modig **highway** [haj'wej] landsväg **hijack** [haj'dsjäkk] kapa (*flygplan*) **hike** [hajk] fotvandra; fotvandring **hilarious** [hilä:'əriəs] lustig, uppsluppen **hilarity** [hilärr'itti] munterhet **hill** [hill] kulle, backe **him** [himm] honom **himself** [himmsell'f] själv, sig [själv] **hinder** [hinn'də] [för]hindra **hind leg** [haj'nd legg] bakben **hindrance**

[hinn'drəns] hinder **hinge** [hinndsj] gångjärn **hint** [hinnt] vink, antydan; antyda **hip** [hipp] **1** höft **2** nypon **hippopotamus** [hippəpått'əməs] flodhäst **hire** [haj'ə] hyra **his** [hizz] hans, sin **hiss** [hiss] väsa, fräsa; väsning **historical** [hisstårr'ikəl] historisk **history** [hiss'təri] historia; *history of art* konsthistoria; *history of literature* litteraturhistoria **hit** [hitt] träffa, drabba; [full]träff **hitch-hike** [hitt'sjhajk] lifta **hitch-hiker** [hitt'sjhajkə] liftare **hitherto** [hið'əto:'] hittills **hit song** [hitt' sång] schlager **hoarse** [hå:s] hes **hoax** [håoks] spratt; lura **hobby** [håbb'i] hobby **hobgoblin** [håbb'gåbblinn] troll **hobnob** [håbb'nåbb] pokulera, umgås som vänner **hoe** [håo] hacka **hog** [hågg] svin **hoist** [håjst] hissa **hold** [håold] hålla; rymma, innehålla; anse; grepp, fäste, fattning; lastrum; *hold one's own* hävda sig; *hold out one's hand* sträcka fram handen; *hold together* hålla ihop; *hold up* framhäva, uppehålla; *get hold of* få fatt i **holder** [håo'ldə] hållare **hold-up** [håo'ldapp] uppehåll; rån **hole** [håol] hål, lucka, glugg **holiday** [håll'ədi] lov, ferier, ledighet, semester; *holidays* [håll'ədi(zz)] semester, ferier; *be on holiday* ha semester **holiday compensation** [håll'ədi kåmmpennsej'sjən] semesterersättning **holiday-trip** [håll'əditripp] semesterresa **holiness** [håo'liniss] helighet **hollow** [håll'åo] sänka, fördjupning; ihålig; urholka **holly** [håll'i] järnek **hollyhock** [håll'ihåkk] stockros **holy** [håo'li] helig **holy-day** [håo'lidej'] helgdag **homage** [håmm'iddsj] hyllning; *pay homage to* hylla, uppvakta **homburg** [håmm'bə:g] slags filthatt **home** [håom] hem; *home for the aged* ålderdomshem; *at home* hemma **home ground** [håo'm graond] hemmaplan **home-made** [håo'mmej'd] hemgjord **homesickness** [håo'msikkniss] hemlängtan **homespun** [håo'mspann] hemvävd; enkel **homestead** [håo'mstedd] hemman, gård **homewards** [håo'mwədz] hemåt **homework** [håo'mwə:k] hemarbete, [hem]läxa **homing pigeon** [håo'ming pidd'sjinn] brevduva **homicide** [håmm'isajd] dråp; dråpare **homosexual** [håo'måosekk'sjoəl] homosexuell **honest** [ånn'isst] ärlig, rättskaffens **honesty** [ånn'issti] ärlighet **honey** [hann'i] honung **honeymoon** [hann'mo:n] smekmånad, bröllopsresa **honeysuckle** [hann'isakkl] kaprifol **honk** [hångk] tuta; snattra **honour** [ånn'ə] heder, ära; hedra; *word of honour* hedersord **honourable** [ånn'ərəbl] hederlig **hood** [hodd] huva, huv, kapuschong, sufflett **hoodoo** [ho:'do:'] trolldom; olycks- **hoodwink** [hodd'wingk] lura **hoof** [ho:f] hov, klöv **hook** [hokk] krok, hake, hängare; haka; *hook it* smita; *hooked rug* ryamatta **hooligan** [ho:'ligən] ligist **hoop** [ho:p] tunnband, rullband **hoot** [ho:t] skräna; tuta; skrän **hop** [håpp] **1** humle **2** hoppa; dans, "skutt" **hope** [håop] hoppas (*for* på); hopp, förhoppning (*of* om); *I hope so* jag hoppas det **hopeful** [håo'pfoll] hoppfull, förhoppningsfull **hopeless** [håo'pliss] hopplös **hop-step-and-jump** [håpp'stepp'əndsjamm'p] tresteg **horizon** [həraj'zn] horisont **horizontal** [hårrizånn'tl] vågrät, horisontell **hor-**

horn — hull 282

mone [hå:ˈmåon] hormon **horn** [hå:n] horn; lur (*instrument*) **hornet** [hå:ˈnitt] bålgeting **horrible** [hårrˈəbl] ohygglig **horrid** [hårrˈidd] gräslig **horrifying** [hårrˈifajing] skräckinjagande **horror** [hårrˈə] (*subst.*) fasa **horror film** [hårrˈəfilm] skräckfilm **hors d'œuvres** [å:dəːˈvrz] smörgåsbord **horse** [hå:s] häst **horseback** [hå:ˈsbäkk] *be on horseback* sitta till häst **horsehair** [hå:ˈshäːə] tagel **horseman** [hå:ˈsmən] ryttare, hästkarl **horse-power** [hå:ˈspaoə] hästkraft **horseracing** [hå:ˈsrejsing] hästkapplöpning **horseradish** [hå:ˈsräddisj] pepparrot **horticulture** [hå:ˈtikalltsjə] trädgårdsskötsel **horoscope** [hårrˈəskåop] horoskop **hose** [håoz] långstrumper; slang **hose clip** [håo:z klipp] slangklämma **hosiery** [håoˈsjəri] trikåvaror; strumper **hospitable** [håssˈpitəbl] gästfri **hospital** [håssˈpittl] sjukhus **hospitality** [håsspitällˈitti] gästfrihet **host** [håost] (*subst.*) värd; [här]skara; *our host and hostess* vårt värdfolk **hostage** [håssˈtiddsj] gisslan **hostel** [håssˈtl] härbärge; *youth hostel* vandrarhem **hostess** [håoˈstiss] värdinna **hostile** [håssˈtajl] fientlig **hostility** [håsstillˈitti] fiendskap **hot** [hått] het, varm; hetsig; starkt kryddad; *hot dish* varmrätt; *hot dog* varm korv; *hot snack* småvarmt; *hot water* varmvatten **hotel** [håotellˈ] hotell; *make a reservation at a hotel* beställa hotellrum **hotel room** [håotellˈ romm] hotellrum **hothouse** [håttˈhaos] drivhus **hot-plate** [håttˈplejt] kokplatta, värmeplatta **hot-rod teenager** [håttˈrådd tiːˈnejdsjə] raggare **hot-water tap** [håttˈwåːtə täpp] varmvattenkran **hound** [haond] jakthund; hetsa **hour** [aoˈə] timme; *for hours* i timtal **hour-glass** [aoˈəglaːs] timglas **hour hand** [aoˈə hännd] timvisare **hourly wage** [aoˈəli wejdsj] timpenning **house** [haos] hus, villa, fastighet; hysa; *the House of Commons* underhuset; *keep house* hushålla **housebreaking** [haoˈsbrejking] inbrott **household** [haoˈshåold] hushåll (*personer*) **household goods** [haoˈshåold goddz] bohag **household utensils** [haoˈshåold jo:tennˈslz] husgeråd **housekeeper** [haoˈski:pə] hushållerska **housekeeping** [haoˈski:ping] hushåll (*arbete*); *do one's own housekeeping* ha självhushåll **housemaid** [haoˈsmejd] husa **housewife** [haoˈswajf] husmor, hemmafru **housework** [haoˈswəːk] hushållsarbete **housing queue** [haoˈzing kjo:] bostadskö **housing shortage** [haoˈzing sjåːˈtiddsj] bostadsbrist **hove** [håov] imperf. och perf. part. av *heave* **hovel** [håvvˈl] skjul **hover** [håvvˈə] stryka omkring; sväva **hovercraft** [håvvˈəkraːft] svävarfarkost **how** [hao] hur; *how is it that* hur kommer det sig att; *how kind you are!* vad du är snäll!; *how much is it?* vad kostar det?; *how then?* hur så? **however** [haoevvˈə] emellertid; hur ... än **howl** [haol] tjuta, yla; tjut **howling** [haoˈling] tjut[ande] **H.P.** förk. för *horse-power* **hub** [habb] nav **hubbub** [habbˈabb] oväsen, bråk **hub cap** [habbˈ käpp] navkapsel **huckleberry** [hakkˈlberri] (*Am.*) blåbär **huddle** [haddˈl] krypa ihop; *huddle up* tota ihop **hue** [hjo:] färgton **hug** [hagg] krama; kram **huge** [hjo:dsj] väldig **hull** [hall] [fartygs]skrov; skida, skal

hulled oats [hall'd åo'ts] havregryn **hullo** [hall'åo'] hallå; hej!
hum [hamm] gnola, nynna; surra **human** [hjo:'mən] mänsklig
humane [hjo:mej'n] human **humanity** [hjo:männ'itti] humanitet;
mänskligheten **humble** [hamm'bl] underdånig, ödmjuk; *of humble
origin* av ringa börd **humdrum** [hamm'dramm] alldaglig; enformig
humid [hjo:'midd] fuktig **humidity** [hjomidd'itti] fuktighet **humil-
ate** [hjomill'iejt] förödmjuka **humiliation** [hjo:milliej'sjən] för-
nedring **humility** [hjo:mill'itti] ödmjukhet **humming-bird**
[hamm'ingbə:d] kolibri **humour** [hjo:'mə] humör; humor; *in a
bad humour* på dåligt humör **humorous** [hjo:'mərəs] humoristisk
hump [hammp] puckel **hunch** [hanntsj] puckel; föraning **hunch-
backed** [hann'tsjbäkkt] puckelryggig **hundred** [hann'drəd] hund-
ra; *about a hundred* ett hundratal **hundreds** [hann'drədz] hundra-
tals **hung** [hang] imperf. och perf. part. av *hang* **Hungary**
[hang'gəri] Ungern **Hungarian** [hanggä:'əriən] ungersk; ungrare
hunger [hang'gə] hunger; (*bildl.*) hungra (*for* efter); *live on the
hunger line* leva på svältgränsen **hungry** [hang'gri] hungrig;
be hungry hungra, vara hungrig **hunt** [hannt] jaga; jakt; *hunt out*
(*bildl.*) spåra upp **hunter** [hann'tə] jägare **hunting** [hann'ting]
jakt **hurdle** [hə:'dl] (*sport.*) häck, hinder **hurl** [hə:l] kasta, slunga;
hurl out utslunga **hurrah** [hora:'] hurra! **hurricane** [harr'ikən]
orkan **hurried** [harr'idd] jäktad; hastig **hurry** [harr'i] brådska,
jäkt; skynda [sig], jäkta; *in a hurry* i hast; *be in a hurry* ha
bråttom; *hurry on with* skynda på med; *hurry up* raska på, skynda på
hurt [hə:t] skada, såra; *hurt o.s.* slå sig, göra sig illa; *get hurt*
skada sig **hurtle** [hə:'tl] stöta; störta; rassla **husband** [hazz'bənd]
make, [äkta] man; *hen-pecked husband* toffelhjälte **husbandry**
[hazz'bəndri] lantbruk **hush** [hasj] tysta ner; tystna; tystnad, still-
het **husk** [hassk] (*på säd*) agn **husky** [hass'ki] **1** hes; stor och
stark **2** eskimåhund **hussy** [hass'i] slyna **hustle** [hass'l] trängas,
knuffa[s]; jäkta **hut** [hatt] hydda **hyacinth** [haj'əsinnθ] hyacint
hydrangea [hajdrej'ndsjə] hortensia **hydrochloric acid** [haj'drə-
klårr'ikk äss'idd] saltsyra **hydro-electric power station** [haj'-
dråoilekt'rikk pao'ə stej'sjən] vattenkraftverk **hydrogen** [haj'-
dridsjən] väte **hydrogen bomb** [haj'dridsjən båmm] vätebomb
hygiene [haj'dsji:n] hygien **hygienic** [hajdsji:'nikk] hygienisk
hymn [himm] hymn, psalm **hyper-market** [haj'pə ma:kitt] stor-
marknad **hypersensitive** [haj'pə:senn'sitivv] överkänslig **hyphen**
[haj'fən] bindestreck **hypnosis** [hippnåo'siss] hypnos **hypothe-
sis** [hajpåθ'isiss] hypotes **hypnotize** [hipp'nətajz] hypnotisera
hypocritical [hippəkritt'ikəl] skenhelig **hypocrisy** [hipåkk'rəsi]
hyckleri **hypocrite** [hipp'əkritt] hycklare **hypodermic syringe**
[hajpədə:'mikk sirr'inndsj] injektionsspruta **hysteric** [hissterr'ikk]
hysterisk **I** [aj] jag **ice** [ajs] is **ice-breaker** [aj'sbrejkə] isbrytare
ice-cold [aj'skåo'ld] iskall **ice-cream** [aj'skri:'m] glass **ice-
hockey** [aj'shåkk'i] ishockey **Iceland** [aj'slənd] Island **Icelandic**
[ajslänn'dikk] isländsk **icicle** [aj'sikkl] istapp **icing** [aj'sing] glasyr

icy [aj'si] isig **idea** [ajdi:'ə] idé, infall, påhitt, uppslag; begrepp; *get a clear idea of* få klart för sig; *have some idea of* ha litet hum om **ideal** [ajdi:'əl] idealisk, mönstergill; ideal **idealistic** [ajdiə-liss'tikk] ideell **idealize** [ajdi:'alajz] idealisera **identical** [ajdenn'-tikəl] identisk **identify** [ajdenn'tifaj] identifiera **identity** [ajdenn'titti] identitet; *prove one's identity* legitimera sig **identity card** [ajdenn'titti ka:d] identitetskort, legitimationskort **ideology** [ajdiàll'ədsji] ideologi, världsåskådning **idiom** [idd'iəm] idiom, språkegenhet **idiot** [idd'iət] idiot **idiotic** [iddiått'ikk] idiotisk, fånig **idle** [aj'dl] fåfäng, sysslolös; slöa; gå på tomgång **idling** [aj'dling] tomgång **idol** [aj'dl] idol **idolize** [aj'dəlajz] avguda **idyll** [idd'ill] idyll **idyllic** [ajdill'ikk] idyllisk **i.e.** (utläses *that is* [ðatt' izz']) dvs. **if** [iff] om, ifall **igloo** [igg'lo:] snögrotta, igloo **ignition** [iggnisj'ən] tändning *(på bil)* **ignition key** [iggnisj'ən ki:] startnyckel **ignoble** [ignåo'bl] låg, tarvlig **ignominious** [iggnəminn'iəs] snöplig **ignorant** [igg'nərənt] okunnig **ignore** [ignå:'] ignorera; vara okunnig om; ej låtsas om **ill** [ill] sjuk, dålig; *feel ill at ease* vantrivas; *get ill, be taken ill* bli sjuk **ill-bred** [ill'bredd'] uppfostrad **illegal** [illi:'gəl] illegal, olaglig **illegible** [illedd'sjəbl] oläslig **illegitimate** [illidsjitt'imitt] olaglig, illegitim **ill-humoured** [ill'hjo:'məd] misslynt **illicit** [illiss'itt] olaglig, otillåten **illiteracy** [illitt'ərəsi] analfabetism **illiterate** [illitt'əritt] analfabet **ill-mannered** [ill'männ'əd] ohyfsad **illness** [ill'niss] sjukdom **illogical** [illådd'sjikəl] ologisk **illuminate** [illjo:'minejt] illuminera, belysa **illuminated** [illjo:'minejtidd] upplyst; *illuminated sign* ljusreklam **illusion** [illo:'sjən] illusion, villa **illustrate** [ill'əstrejt] illustrera **illustration** [illəstrej'sjən] illustration **illustrious** [illass'triəs] berömd, lysande **image** [imm'idsj] bild, avbild **imagery** [imm'idsjri] bildverk; bildspråk **imaginary** [immädd'sjinri] inbillad **imagination** [imäddsjinej'sjən] fantasi, inbillning **imaginative** [imädd'sjinətivv] fantasifull **imagine** [imädd'sjinn] föreställa sig, ha för sig, inbilla sig **imagined** [imädd'sjinnd] inbillad, tänkt **imbibe** [imbaj'b] dricka, absorbera **imbue** [imbjo:'] genomdränka, genomsyra **imitate** [imm'itejt] härma, imitera, efterlikna **immaculate** [immäkk'jolitt] ren, obefläckad **immaterial** [imməti'əriəl] okroppslig; oväsentlig **immature** [immətjo'ə] omogen **immeasurable** [immesj'ərəbl] omätlig **immediately** [immi:'djətli] omedelbart, omgående **immemorial** [immimå:'riəl] urminnes **immense** [immenn's] ofantlig **immersion** [immə:'sjən] nedsänkning **immigrant** [imm'igrənt] invandrare **immigrate** [imm'igrejt] immigrera, invandra **immigration** [immigrej'sjən] invandring **imminent** [imm'inənt] nära förestående, överhängande **immoderate** [immädd'əritt] omåttlig **immodest** [immädd'ist] oblyg **immoral** [immårr'əl] omoralisk **immortal** [immå:'tl] odödlig **immovable** [immo:'vəbl] orubblig, orörlig **immune** [imjo:'n] immun **imp** [immp] satunge **impact** [imm'päkkt] slag, stöt **impair** [impä:'ə] skada, försämra **impart**

[impa:'t] meddela; förläna **impartial** [immpa:'sjəl] opartisk **impassable** [immpa:'səbl] oframkomlig **impasse** [ämmpa:'s] återvändsgata; dödläge **impatient** [immpej'sjənt] otålig **impeach** [immpi:'tsj] anklaga **impeachment** [immpi:'tsjmənt] anklagelse, förebråelse **impeccable** [immpekk'əbl] oklanderlig **impede** [immpi:'d] hindra **impediment** [immpedd'imənt] hinder **impel** [im-pell'] tvinga; *feel impelled to* känna sig föranledd att **impending** [immpenn'ding] överhängande, hotande **impenetrable** [imm-penn'itrəbl] ogenomtränglig **imperative** [immperr'ətivv] nöd-vändig, obligatorisk **imperceptible** [immpəsepp'təbl] omärklig **imperfect** [immpə:'fikkt] ofullkomlig **imperial** [immpi:'əriəl] kejserlig **imperialism** [impi:'əriəlizzəm] imperialism **imperil** [imperr'ill] äventyra **impersonal** [immpə:'snl] opersonlig **im-pertinence** [immpə:'tinəns] oförskämdhet **impertinent** [imm-pə:'tinənt] närgången, näsvis **imperturbable** [immpətə:'bəbl] orubblig **impervious** [immpə:'viəs] ogenomtränglig **impetuous** [immpett'joəs] våldsam, häftig **impetus** [imm'pitəs] fart **im-placable** [immplakk'əbl] obeveklig, obönhörlig, oförsonlig **im-plement** [imm'plimənt] tillbehör, verktyg, redskap **implicate** [imm'plikejt] inbebära; inbegripa **implication** [immplikej'sjən] innebörd **implicit** [immpliss'itt] inbegripen; underförstådd **im-plied** [immplaj'd] underförstådd **implore** [immplå:'] bönfalla **imply** [immplaj'] innebära **impolite** [immpəlaj't] ohövlig, oartig **import** [immpå:'t] importera; [imm'på:t] import **importance** [immpå:'təns] betydelse, vikt **important** [impå:'tənt] betydande, viktig **impose** [immpåo'z] pålägga; imponera; föra bakom ljuset **impossible** [immpåss'əbl] omöjlig **impostor** [impåss'tə] bedra-gare **impotent** [imm'pətnt] maktlös, impotent **impoverish** [immpavv'ərisj] utarma **impracticable** [immpräkk'tikəbl] outför-bar **impregnable** [immpregg'nəbl] ointaglig; obestridlig **im-pregnate** [imm'preggnejt] impregnera **impress** [imm'press] intryck, prägel, märke **impression** [immpresj'ən] (*bildl.*) in-tryck; *make an impression* imponera, göra intryck **impressive** [immpress'ivv] imponerande **imprint** [imm'print] avtryck **im-prison** [immprizz'n] fängsla, sätta i fängelse **imprisonment** [immprizz'nmənt] fängelse[straff] **improbable** [immpråbb'əbl] otrolig, osannolik **improper** [immpråpp'ə] opassande **improve** [immpro:'v] förbättra; förädla; *she improves on closer acquaintance* hon vinner i längden **improvement** [immpro:'vmənt] förbättring **improvise** [imm'prəvajz] improvisera **imprudent** [immpro:'dənt] oförståndig, oklok, oförsiktig **impudent** [imm'pjodənt] fräck **impulse** [imm'palls] impuls **impulsive** [immpall'sivv] impulsiv **impunity** [immpjo:'nitti] straffrihet; *with impunity* ostraffat **impure** [immpjoə] oren **impute** [immpjo:'t] tillskriva, tillvita **in** [inn] i, in, inom, på; inne; *in a week* om en vecka; *in the country* på landet; *is Mr. A. in?* träffas herr A.? **inability** [innə-bill'itti] oförmåga **inaccessible** [innäkksess'əbl] otillgänglig, oåtkomlig **inaccurate** [innäkk'joritt] felaktig **inaction** [inäkk'-sjən] overksamhet **inactive** [innäkk'tivv] overksam **inadequate** [innädd'ikwitt] otillräcklig; inadekvat **inadmissible** [innädd-miss'əbl] otillåtlig **inane** [innej'n] tom; idiotisk **inasmuch** [inəzmatt'sj] *inasmuch ... as* eftersom **inattentive** [innətenn'-tivv] ouppmärksam **inaudible** [innå:'dəbl] ohörbar **inaugurate** [innå:'gjorejt] inviga **inauguration** [innå:gjorej'sjən] invigning **inborn** [inn'bå:'n] medfödd **incalculable** [innkäll'kjolabl] oöver-skådlig **incapable** [innkej'pəbl] oförmögen **incapacitate** [inn-kəpäss'itejt] göra oförmögen **incendiary** [innsenn'djəri] pyro-man; brandbomb; mordbrands- **incense** [inn'senns] rökelse; [insenn's] [upp]reta **incentive** [innsenn'tivv] motiv; eggande **incessant** [innsess'nt] oavbruten, oupphörlig **inch** [inntsj] tum **incidence** [inn'sidns] frekvens; räckvidd **incident** [inn'sidənt] händelse, episod, intermezzo **incidental** [innsidenn'tl] tillfällig **incidentally** [innsidenn'tli] helt apropå **incinerate** [innsinn'ə-rejt] förbränna **incision** [innsisj'ən] snitt, inskärning **incite** [innsaj't] hetsa, [upp]egga **inclination** [innklinej'sjən] lutning; böjelse, benägenhet, lust **inclined** [inklaj'nd] benägen, hågad, upplagd **include** [innklo:'d] inberäkna, inkludera **included** [innklo:'didd] inklusive **incoherent** [innkåohi:'ərnt] osamman-hängande **income** [inn'kəm] inkomst[er]; *income and expenditure* inkomster och utgifter **income tax** [inn'kəmtäkks] inkomstskatt; *income-tax demand note* skattsedel **incomparable** [innkåmm'-pərəbl] oförliknelig, ojämförlig **incomparably** [innkåmm'pərəbli] ojämförligt **incompatible** [innkəmmpätt'əbl] oförenlig **incom-petent** [innkåmm'pitənt] inkompetent, oduglig **incomplete** [innkəmpli:'t] ofullständig **incomprehensible** [innkåmmpri-henn'səbl] obegriplig **inconceivable** [innkənnsi:'vəbl] otänkbar **incongruity** [innkånggro:'itti] missförhållande **incongruous** [innkång'groəs] oförenlig; motsägande **inconsiderate** [inn-kənsidd'əritt] hänsynslös **inconsistent** [innkənsiss'tənt] inkon-sekvent **inconsolable** [innkənsåo'ləbl] otröstlig **incontrover-tible** [inn'kånntrəvə:'təbl] ovedersäglig **inconvenience** [inn-kənvi:'njəns] olägenhet **inconvenient** [innkənvi:'njənt] oläglig, besvärlig **incorporate** [innkå:'pərejt] införliva **incorrect** [inn-kərekk't] oriktig **incorruptible** [innkərapp'təbl] omutlig **increase** [innkri:'s] öka, växa, tillta (*by* med); [inn'kri:s] ökning, tilltagande; *increase the control* skärpa kontrollen **incredible** [innkredd'əbl] otrolig **incredulous** [innkredd'joləs] skeptisk **increment** [inn'-krimənt] tillväxt; höjning (av lön) **incriminate** [innkrimm'inejt] anklaga **incubation period** [innkjobej'sjən pi:'əriəd] inkubations-tid **incubator** [inn'kjobejtə] äggkläckningsmaskin; kuvös **incur** [innkə:'] ådraga sig **incurable** [innkjo:'ərəbl] obotlig **indebted** [inndett'idd] skyldig, skuldsatt **indecent** [inndi:'snt] oanständig, sedlighetssårande **indeed** [inndi:'d] sannerligen, minsann; *indeed!* jaså **indefatigable** [inndifätt'igəbl] outtröttlig **indefinite** [inndeff'initt] obestämd **indelible** [inndell'ibl] outplånlig **indelicate** [inndell'ikitt] ofin **indemnity** [inndemm'nitti] gottgörelse **indent** [inndenn't] tanda, göra snitt i kanten **indentation** [inndenntej'sjən] tandning; skåra **independence** [inndipenn'dəns] självständighet, oberoende **independent** [inndipenn'dənt] självständig **indescribable** [inndisskraj'bəbl] obeskrivlig **index** [inn'dekks] index; pekfinger; *subject index* sakregister **India** [inn'djə] Indien **Indian** [inn'djən] indisk; indier; indiansk; indian; *Red Indian* indian **india-rubber** [inn'djərabb'ə] kautschuk, radergummi **indicate** [inn'dikejt] utvisa, visa, tyda på **indication** [inndikej'sjən] angivande; symtom **indict** [inndaj't] anklaga, åtala **indictment** [inndaj'tmənt] anklagelse, åtal **indifference** [inndiff'rəns] likgiltighet **indifferent** [inndiff'rənt] likgiltig **indigenous** [inndidd'sjinəs] infödd; medfödd **indigestion** [inndiddsjess'tsjən] dålig matsmältning **indignant** [inndigg'nənt] indignerad, uppbragt **indignation** [inndiggnej'sjən] indignation **indignity** [inndigg'nitti] skymf **indirect** [inndirekk't] indirekt **indiscreet** [inndiskri:'t] taktlös; tanklös **indiscriminate** [inndiskrimm'initt] omdömeslös **indispensable** [inndispenn'səbl] oumbärlig, omistlig **indisposed** [inndisspåo'zd] indisponerad; ohågad **indisputable** [inndisspjo:'təbl] obestridlig **indistinct** [inndissting'kt] otydlig **individual** [inndividd'joəl] individ; individuell, enstaka, enskild; *individual taxation* särbeskattning **indolent** [inn'dələnt] slö, loj, indolent **indomitable** [inndåmm'ittəbl] otämjbar, oövervinnerlig **indoors** [inn'då:'z] inne, inomhus **indubitable** [inndjo:'bittəbl] otvivelaktig **induce** [inndjo:'s] förmå; tubba **indulge** [inndall'dsj] skämma bort; tillfredsställa, hysa; *indulge in day-dreams* fantisera **indulgence** [indall'dsjəns] eftergivenhet, överseende **indulgent** [inndall'dsjənt] överseende, släpphänt; *be indulgent towards* ha överseende med **industrial** [inndass'triəl] industriell; *industrial democracy* företagsdemokrati; *industrial injury* yrkesskada; *industrial worker* industriarbetare **industrialization** [inndasstriəlajzej'sjən] industrialisering **industrious** [indass'triəs] arbetsam, flitig **industry** [inn'dəstri] industri, näring; flit; *trade and industry* näringsliv **inebriate** [inni:'briitt] drucken **ineffaceable** [innifej'səbl] outplånlig **ineffective** [innifekk'tivv] ineffektiv **inefficient** [innifisj'ənt] ineffektiv **inept** [innepp't] orimlig; dum **ineradicable** [inniràdd'ikəbl] outrotlig **inert** [innə:'t] trög, slö **inertia** [innə:'sjə] tröghet **inevitable** [innevv'itəbl] oundviklig, ofrånkomlig **inexcusable** [innikkskjo:'zəbl] oursäktlig **inexhaustible** [inniggzå:'stəbl] outsinlig **inexorable** [innekk'srəbl] obeveklig **inexpensive** [innekkspenn'sivv] billig **inexperienced** [innikkspi:'əriənst] oerfaren **inexplicable** [innekk'splikəbl] oförklarlig **infallible** [innfall'əbl] ofelbar **infamous** [inn'fəməs] ökänd; avskyvärd **infancy** [inn'fənsi] barndom **infant** [inn'fənt] spädbarn **infant baby** [inn'fənt bej'bi] spädbarn **infant prodigy** [inn'fənt prådd'iddsji] underbarn

infant school — injustice 288

infant school [inn'fənt sko:l] småskola **infant teacher** [inn'-fənt ti:'tsjə] småskollärare **infatuation** [innfättjoej'sjən] svärmeri, förälskelse **infeasible** [infi:'zəbl] ogenomförbar **infect** [inn-fekk't] smitta [ner], infektera **infection** [innfekk'sjən] smitta, infektion **infer** [innfə:'] sluta sig till; innebära **inference** [inn'-frəns] slutsats **inferior** [innfi:'əriə] mindervärdig, underhaltig; underlägsen (*to s.b.* ngn); lägre **inferiority** [innfiəriårr'itti] under-lägsenhet **inferiority complex** [innfiəriårr'itti kåmm'plekks] mindervärdeskomplex **infernal** [innfə:'nl] djävulsk, infernalisk **in-fest** [innfess't] hemsöka **infidel** [inn'fidl] otrogen, icke-kristen **infidelity** [innfidell'itti] otrohet **in-fighting** [inn'faj'ting] (*sport.*) närkamp **infinite** [inn'finitt] oändlig **infinitesimal** [innfinni-tess'iml] mycket liten **infirm** [innfə:'m] orkeslös **infirmary** [innfə:'məri] sjukhus, sjuksal **inflammable** [inflämm'əbl] eld-farlig **inflammation** [innfləmej'sjən] inflammation; *inflammation of the bladder* blåskatarr; *inflammation of the ears* öroninflamma-tion **inflatable** [innflej'təbl] uppblåsbar **inflated** [innflej'tidd] uppblåst **inflation** [innflej'sjən] inflation **inflict** [innflikk't] tillfoga, förorsaka **influence** [inn'floəns] inverkan, inflytande, påverkan; påverka **influential** [innfloenn'sjəl] inflytelserik **in-fluenza** [innfloenn'zə] influensa **influx** [inn'flakks] tillströmning **inform** [innfå:'m] informera, underrätta, orientera, meddela; ange, uppge **informal** [innfå:'məl] informell **informant** [innfå:'mənt] sagesman **information** [innfəmej'sjən] uppgift[er], upplysning[ar], information[er], underrättelse[r]; *a piece of in-formation* en upplysning (*etc.*); *further information* närmare underrättelser; *by way of information* upplysningsvis **informative** [innfå:'mətivv] upplysande **informer** [infå:'mə] angivare **in-fringe** [innfrinn'dsj] överträda, kränka; *infringe on* inkräkta **infringement** [innfrinn'dsjmənt] intrång; kränkning **infuriate** [innfjo:'əriejt] göra rasande **infuse** [innfjo:z] ingjuta **ingenious** [inndsji:'njəs] fyndig, sinnrik **ingot** [ing'gət] [guld]tacka **ingrain-ed** [inn'grej'nd] inrotad **ingratiate** [inngrej'sjiejt] *ingratiate o.s.* ställa sig in **ingratitude** [inngrätt'itjo:d] otack **ingredient** [inngri:'djənt] ingrediens **inhabit** [innhäbb'itt] bebo **inhabitable** [inhäbb'ittəbl] beboelig **inhabitant** [innhäbb'itənt] invånare **inhale** [innhej'l] inandas **inherent** [innhi:'ərnt] inneboende, medfödd **inherit** [innherr'itt] ärva (*from av*) **inheritance** [in-herr'ittəns] arv; påbrå **inhibited** [inhibb'itidd] hämmad **inhibition** [innhibisj'ən] hämning **inhuman** [innhjo:'mən] omänsklig **inimi-cal** [innimm'ikl] fientlig **inimitable** [inimm'itəbl] oefterhärmlig **iniquity** [innikk'witti] ogärning **iniquitous** [innikk'wittəs] orätt-färdig **initial** [inisj'əl] initial; *initial capital* startkapital **initiate** [innisj'iejt] påbörja, inleda **initiative** [inisj'iətivv] initiativ **injec-tion** [inndsjekk'sjən] injektion **injunction** [innjang'ksjən] upp-maning, föreskrift **injure** [inn'dsjə] kränka; såra **injurious** [inn-dsjo:'əriəs] skadlig **injury** [inn'dsjəri] (*subst.*) skada **injustice**

[inndsjass'tiss] orättvisa **ink** [ingk] bläck **inkling** [ing'kling] aning **inkpot** [ing'kpått] bläckhorn **inland** [inn'lənd] inrikes; *inland revenue office* uppbördsverk **in-laws** [inn'lå:z] släktingar genom giftermål **inlet** [inn'lett] ingång; vik **inmate** [inn'mejt] intern; invånare **inmost** [inn'måost] innerst **inn** [inn] värdshus **innate** [inn'ej't] medfödd **inner** [inn'ə] inre **innermost** [inn'ə-måost] innersta **innings** [inn'ingz] inne-period (i kricket) **inn-keeper** [inn'ki:pə] värdshusvärd **innocence** [inn'əsns] oskuld **innocent** [inn'əsnt] oskyldig, oskuldsfull **innovator** [inn'åo-vejtə] nyskapare **innuendo** [innjoenn'dåo] anspelning, insinuation **innumerable** [innjo:'mərəbl] otalig, oräknelig **inoculate** [in-nåkk'jolejt] inympa, vaccinera **inorganic** [innå:gänn'ikk] oorganisk **inquest** [inn'kwesst] (*rättsligt*) förhör **inquire** [innkwaj'ə] fråga; *inquire into* undersöka **inquiry** [innkwaj'əri] förfrågan **inquisitive** [innkwizz'itivv] nyfiken, frågvis **inroad** [inn'råod] intrång **insane** [innsej'n] vansinnig **insanitary** [innsänn'itəri] ohygienisk **insanity** [innsänn'itti] vansinne **insatiable** [innsej'sjəbl] omättlig **inscription** [innskripp'sjən] inskrift, inskription **inscrutable** [innskro:'təbl] outgrundlig **insect** [inn'sekkt] insekt **insecticide** [innsekk'tisajd] insektsmedel **insecure** [innsikjo:'ə] otrygg **insensible** [innsenn'səbl] okänslig **insensitive** [innsenn'sitivv] (*kroppsligt*) känslolos **inseparable** [innsepp'ərəbl] oskiljaktig **insert** [innsə:'t] inskjuta, infora **inside** [inn'saj'd] inne, innanfor, inuti; inre, insida; *inside out* avig; *turn ... inside out* vända ut och in på **insidious** [innsidd'iəs] lömsk **insight** [inn'sajt] inblick; inlevelse **insignificant** [innsignniff'ikənt] obetydlig, ringa, oansenlig **insinuate** [innsinn'joejt] insinuera **insinuation** [insinjoej'sjən] antydning **insipid** [innsipp'idd] smaklös, tråkig **insist** [innsiss't] insistera; *insist on* vidhålla **insolent** [inn'sə-lənt] oförskämd **insoluble** [innsåll'jobl] olöslig **insomnia** [inn-såmm'njə] sömnlöshet **insomuch** [innsåomatt'sj] *insomuch as* till den grad att, eftersom **inspect** [innspekk't] inspektera, besiktiga, visitera, syna **inspection** [innspekk'sjən] besiktning, inspektion, översyn **inspector** [innspekk'tə] inspektor; poliskommissarie **inspiration** [innspərej'sjən] inspiration **inspire** [innspaj'ə] inspirera **install** [innstå:'l] installera **instalment** [innstå:'lmənt] avbetalning; avsnitt; *instalment credit* annuitetslån; *buy on the instalment plan* köpa på avbetalning **instance** [inn'stəns] exempel; *for instance* till exempel **instantaneous** [innstəntej'njəs] ögonblicklig **instantly** [inn'stəntli] omedelbart, på stående fot **instead** [innstedd'] i stället; *instead of* i stället för **instep** [inn'stepp] vrist **instigation** [innstigej'sjən] tillskyndan **instil[l]** [instill'] indrypa, ingiva **instinct** [inn'stingkt] instinkt, drift **institute** [inn'stitjo:t] institut; *institute of technology* teknisk högskola **institution** [innstitjo:'sjən] institution, anstalt **instruct** [innstrakk't] utbilda, undervisa; *be instructed to* få i uppdrag att **instruction** [innstrakk'sjən] anvisning, instruktion;

utbildning, undervisning; *programmed instruction* programmerad undervisning **instructive** [innstrakk'tivv] lärorik **instructor** [innstrakk'tə] instruktör **instrument** [inn'strəmənt] instrument, redskap; *instrument of debt* skuldsedel **instrumental** [instro:menn'tl] instrumental; bidragande **instrument panel** [inn'strəmənt pänn'l] instrumentbräde **insubordinate** [innsəbbå:'dnitt] uppstudsig, olydig **insufferable** [innsaff'ərəbl] olidlig **insufficient** [innsəfisj'ənt] otillräcklig **insular** [inn's-jolə] ö-; öinvånare **insulate** [inn's-jolejt] isolera **insulin** [inn'sjolinn] insulin **insult** [inn'sallt] förolämpning, skymf, kränkning; förolämpa, kränka **insulting** [innsall'ting] sårande, kränkande **insuperable** [innsjo:'pərəbl] oöverstiglig **insurance** [innsjo:'ərəns] försäkring **insurance company** [innsjo:'ərəns kamm'pəni] försäkringsbolag **insure** [innsjo:'ə] försäkra, assurera **insurmountable** [innsə:mao'ntəbl] oöverkomlig **insurrection** [innsərekk'sjən] uppror **intact** [inntäkk't] orörd, intakt **integral** [inn'tigrəl] väsentlig; hel- **integrity** [inntegg'ritti] fullständighet; okränkbarhet **intellect** [inn'tilekkt] förstånd, tankeförmåga **intellectual** [inntilekk'tsjoəl] andlig, intellektuell **intelligence** [intell'idsjəns] intelligens; underrättelse[r] **intelligent** [intell'i-dsjənt] intelligent **intelligible** [intell'idsjəbl] begriplig **intemperate** [inntemm'pritt] omåttlig **intend** [inntenn'd] ämna, avse, ha för avsikt **intense** [inntenn's] intensiv **intensify** [inntenn'sifaj] intensifiera **intensity** [inntenn'sitti] intensitet **intention** [inntenn'sjən] avsikt, mening, uppsåt **intentional** [inntenn'sjənl] avsiktlig, uppsåtlig **inter** [inntə:'] begrava **interaction** [inntəräkk'sjən] växelverkan **intercept** [inntəsepp't] uppsnappa; genskjuta **interceptor** [inntəsepp'tə] jaktplan **interchange** [inntətsjej'ndsj] utväxla; omväxla **intercourse** [inn'tə:kå:s] umgänge; *sexual intercourse* sexuellt umgänge, samlag **interest** [inn'trisst] intresse; ränta; intressera; *interested in* intresserad av (för) **interesting** [inn'trissting] intressant **interfere** [inntəfi:'ə] ingripa; *interfere with* störa, hindra, inkräkta på **interference** [inntəfi:'ərəns] inblandning, ingrepp; *unlawful interference* egenmäktigt förfarande **interior** [innti:'əriə] inre, interiör **interlace** [inntəlej's] sammanfläta **interlude** [inn'təlo:d] intermezzo **intermediate** [inntə:mi:'djət] mellanliggande; *make an intermediate landing* mellanlanda **interment** [inntə:'mənt] begravning **interminable** [inntə:'mnəbl] ändlös **intermission** [inntəmisj'ən] uppehåll, avbrott **internal** [inntə:'nl] invändig, intern, invärtes; *internal combustion engine* förbränningsmotor **international** [inntə:näsj'ənl] internationell; *international match* landskamp **interplay** [inn'təplej'] samspel **interpose** [inntəpåo'z] inskjuta **interpret** [inntə:'pritt] tolka, tyda **interpretation** [inntə:pritej'sjən] tolkning **interpreter** [inntə:'prittə] tolk **interrogate** [innterr'agejt] förhöra **interrogation** [innterragej'sjən] förhör, utfrågning **interrupt** [inntərapp't] avbryta **intersect** [inntəsekk't] skära, korsa **intersection** [inntəsekk'sjən] skärningspunkt, korsning **intersperse** [ˌinntəspəːˈs] inblanda, inströ **interval** [ˈinnˈtəvəl] mellanrum, intervall, tonsteg, mellanakt **intervene** [ˌinntəˈviːˈn] ingripa **intervention** [ˌinntə-vennˈsjən] ingripande, intervention **interview** [ˈinnˈtəvjoː] intervju; intervjua **interrupt** [ˌintərappˈt] avbryta **intestine** [inntessˈtinn] tarm; *intestines* tarmar, inälvor **intimacy** [innˈtimməsi] förtrolighet **intimate** [innˈtimitt] intim, förtrolig; låta påskina **intimidate** [inn-timmˈidejt] skrämma **into** [innˈto] in i **intolerant** [inntållˈərənt] intolerant **intonation** [ˌinntåonejˈsjən] tonfall **intoxicate** [in-tåkkˈsikejt] berusa **intoxication** [inntåkksikejˈsjən] rus **intrepid** [inntreppˈidd] djärv **intrepidity** [ˌinntripiddˈitti] djärvhet **intri-cate** [inˈtrikitt] invecklad **intrigue** [inntriːˈg] intrig; intrigera; förbrylla **intrinsic** [inntrinnˈsikk] inre **introduce** [ˌinntrədjoːˈs] introducera, införa; presentera **introduction** [ˌinntrədakkˈsjən] inledning, introduktion; presentation; *doctor's letter of introduc-tion* läkarremiss **introductory** [ˌinntrədakkˈtəri] inledande **intrude** [inntroːˈd] tränga sig på, störa **intrusion** [inntroːˈsjən] intrång **intrusive** [inntroːˈsivv] närgången **intuition** [ˌinntjoisjˈən] in-tuition **inundate** [innˈanndejt] översvämma **invade** [innvejˈd] invadera, infalla i **invader** [innvejˈdə] inkräktare **invalid** [innvällˈ-idd] ogiltig; [innˈvəlidd] invalid; sjuklig **invaluable** [innvällˈ-joəbl] ovärderlig **invariable** [innvaˈəriəbl] oföränderlig **invari-ably** [innvaˈəriəbl] ständigt **invasion** [innvejˈsjən] invasion **in-vective** [innvekkˈtivv] invektiv, skymford **inveigle** [innviːˈgl] locka **invent** [innvennˈt] uppfinna, hitta på **invented** [innvennˈ-tidd] uppdiktad **invention** [innvennˈsjən] uppfinning **inventive** [innvennˈtivv] uppfinningsrik **inventor** [innvennˈtə] uppfinnare **invert** [innvəːˈt] kasta om; *inverted commas* citationstecken **in-vertebrate** [innvəːˈtibritt] ryggradslös **invest** [innvessˈt] placera (*pengar*), investera **investigate** [innvessˈtigejt] utreda, under-söka, utforska **investigation** [innvesstigejˈsjən] utredning, under-sökning **investment** [innvessˈtmənt] investering, kapitalplacering **inveterate** [innvettˈritt] inbiten **invidious** [innvidˈjəs] anstöt-lig; förhatlig **invigorate** [innviggˈərejt] stärka **invincible** [inn-vinnˈsəbl] oövervinnelig **inviolable** [innvajˈələbl] okränkbar **in-visible** [innvizzˈəbl] osynlig **invitation** [innvitejˈsjən] inbjudan **invitation card** [innvitejˈsjən kaːd] inbjudningskort **invite** [innvajˈt] [in]bjuda, invitera; *invite s.b. to dinner* bjuda ngn på middag; *invite s.b. out for dinner* bjuda ngn på middag på restau-rang; *invited out* bortbjuden **invoice** [innˈvåjs] faktura; fakturera **invoke** [innvåoˈk] anropa; framkalla **involuntary** [innvållˈəntri] ofrivillig **involve** [innvållˈv] inveckla **inward** [innˈwəd] invändig, in-re; inåt **inwards** [innˈwədz] inåt **iodine** [ajˈədiːn] jod **IOU** [ajˈåojoːˈ] (=*I owe you*) skuldförbindelse **irascible** [irässˈibl] lättretlig **Ireland** [ajˈələnd] Irland **iris** [ajˈəriss] iris **Irish** [ajˈərisj] irländsk; irländska (*språket*); *the Irish* irländarna **Irishman** [ajˈərisjmən] irländare **irksome** [əːˈksəm] tröttsam **iron** [ajˈən] järn; strykjärn;

stryka **ironic[al]** [ajrånn'ikk(l)] ironisk **ironing** [aj'əning] strykning (med strykjärn) **ironmonger's** [aj'ənmonggəz] järnhandel **irony** [aj'ərəni] ironi **irradiate** [irrej'diejt] [be]stråla **irreconcilable** [irrekk'ənsajləbl] oförsonlig, oförenlig **irregular** [irregg'- jollə] oregelbunden **irregularities** [irregjolärr'itizz] oegentligheter **irrelevant** [irrell'ivənt] ovidkommande, osaklig, irrelevant **irremissible** [irrimiss'əbl] oeftergivlig **irreplaceable** [irriplej'səbl] oersättlig **irreproachable** [irripråo'tsjəbl] oklanderlig **irresistible** [irrizis'təbl] oemotståndlig **irresolute** [irrezz'əlo:t] obeslutsam, villrådig **irresolution** [irr'ezzəlo:'sjən] vankelmod, obeslutsamhet **irrespective** [irrispekk'tivv] irrespective of oavsett **irresponsible** [irrispånn'səbl] oansvarig, ansvarslös **irrevocable** [irrevv'əkəbl] oåterkallelig **irrigation** [irrigej'sjən] konstbevattning; irrigation system bevattningsanläggning **irritable** [irr'itəbl] retlig **irritate** [irr'itejt] reta, irritera **irritating** [irr'itejting] retsam, irriterande **island** [aj'lənd] **isle** [ajl] ö **islet** [aj'litt] holme, kobbe **isolate** [aj'səlejt] isolera **Israel** [izz'rejəl] Israel **issue** [iss'jo:] utfärda, ge ut; utgång, resultat; nummer; special issue extranummer **isthmus** [iss'məs] näs **it** [itt] den, det; that's it det är sant, så är det; it is five klockan är fem **Italian** [itäll'jən] italienare; italienska (språket); italiensk **Italics** [itäll'ikks] kursivering **Italy** [itt'əli] Italien **itch** [ittsj] klåda; skabb; klia **item** [aj'temm] punkt, nummer; [bokförings]post; extra item extranummer **itinerary** [ajtinn'ərəri] resplan, resväg **its** [itts] dess; sin **itself** [ittsell'f] själv, den (det, sig) själv **ivory** [aj'vəri] elfenben **ivy** [aj'vi] murgröna **jab** [dsjäbb] stöta; stöt **jabber** [dsjäbb'ə] snattra **jack** [dsjäkk] domkraft; knekt (i kortspel) **jackal** [dsjäk'å:l] sjakal **jackdaw** [dsjäkk'då:] kaja **jacket** [dsjäkk'itt] jacka, kavaj, blazer **jack-of-all-trades** [dsjäkk'əvå:'ltrejdz] tusenkonstnär **jade** [dsjejd] hästkrake; jade **jaded** [dsjej'didd] utsliten, blaserad **jag** [dsjägg] hack **jagged** [dsjägg'idd] tandad, naggad **jail** [dsjejl] fängelse **jail-bird** [dsjejl'bə:d] fängelsekund **jam** [dsjämm] **1** sylt; make jam [of] sylta **2** klämma; stockning; the lock has jammed dörren har gått i baklås **Jamaica pepper** [dsjəmej'kə pepp'ə] kryddpeppar **jangle** [dsjäng'gl] gnissla, slamra; gnissel, slammer **janitor** [dsjänn'itə] portvakt **January** [dsjänn'joəri] januari **Japan** [dsjəpänn'] Japan **Japanese** [dsjäppəni:'z] japansk; japan; japanska (språket) **jar** [dsja:] burk, krus **jargon** [dsja:'gən] struntprat, rotvälska, jargong **jaundice** [dsjå:'ndiss] gulsot **jaunt** [dsjå:nt] utflykt **jaunty** [dsjå:'nti] käck; nonchalant **javelin** [dsjävv'linn] [kast]spjut **jaw** [dsjå:] käke; jaws (djurs) gap, käftar **jay** [dsjej] nötskrika **jay-walker** [dsjej'- wå:kə] oförsiktig fotgängare **jealous** [dsjell'əs] svartsjuk **jealousy** [dsjell'əsi] svartsjuka **jeer** [dsji:'ə] håna; hån **jelly** [dsjell'i] gelé **jelly-fish** [dsjell'ifisj] manet **jemmy** [dsjemm'i] kofot **jeopardize** [dsjepp'ədajz] äventyra, riskera **jerk** [dsjə:k] knycka, rycka; knyck, ryck **jerky** [dsjə:'ki] ryckig **Jerry** [dsjerr'i] tysk [soldat] **jerry-built** [dsjerr'ibillt] fuskbyggd, byggd på spekulation **jersey** [dsjə:'zi] tröja **jest** [dsjesst] skämt; skämta **jet** [dsjett] [vätske]stråle; munstycke **jet plane** [dsjett' plejn] jetplan **jetty** [dsjett'i] pir, kaj **Jew** [dsjo:] jude **jewel** [dsjo:'əl] juvel **jeweller** [dsjo:'ələ] juvelerare **jewellery** [dsjo:'əlri] smycken, juveler; *piece of jewellery* smycke **Jewess** [dsjo:'iss] judinna **Jewish** [dsjo:'isj] judisk; *Jewish woman* judinna **jib** [dsjibb] klyvare; streta emot; gipa **jiff[y]** [dsjiff'(i)] ögonblick **jigsaw** [dsjigg'så:] lövsåg; *jigsaw puzzle* pussel **jingle** [dsjing'gl] klirra, pingla; klirrande, pinglande **jitters** [dsjitt'əz] nervositet **job** [dsjåbb] jobb **jocular** [dsjåkk'jollə] skämtsam **jog** [dsjågg] knuffa; lunka; friska upp (minnet) **join** [dsjåjn] förena, foga ihop, skarva, sammansluta, ansluta sig till, sälla sig till **joiner** [dsjåj'nə] [möbel]snickare **joinery** [dsjåj'nəri] snickeri **joint** [dsjåjnt] skarv, fog, led; stek; gemensam; *joint stock* aktiekapital; *joint taxation* sambeskattning **joke** [dsjåok] skämt, kvickhet, vits, skoj; skoja, skämta; *practical joke* spratt **joker** [dsjåo'kə] skojare, skämtare **jolly** [dsjåll'i] glad, livad; mycket **jolt** [dsjåolt] guppa **jostle** [dsjåss'l] knuffa[s] **jot** [dsjått] jota; anteckna **journal** [dsjə:'nl] journal, dagbok; tidskrift, tidning **journalist** [dsjə:'nəlisst] journalist **journey** [dsjə:'ni] resa, färd; *a pleasant journey!* lycklig resa!; *journey home* hemresa; *journey through* genomresa **journeyman** [dsjə:'nimən] gesäll; hantlangare **Jove** [dsjåov] Jupiter; *by Jove!* ta mig tusan! **jovial** [dsjåo'vjəl] gladlynt, jovialisk **joy** [dsjåj] glädje, fröjd (*at* över) **joyful** [dsjåj'foll], **joyous** [dsjåj'əs] glad, glädjande **jubilant** [dsjo:'bilənt] jublande **jubilee** [dsjo:'bili:] jubileum **judge** [dsjaddsj] bedöma, döma; domare; kännare **judg[e]ment** [dsjadd'sjmənt] dom, omdöme **judging** [dsjadd'sjing] bedömande **judicial system** [dsjo:disj'əl siss'timm] rättsväsen **judicious** [dsjodisj'əs] förståndig **jug** [dsjagg] kanna, mugg **juggle** [dsjagg'l] jonglera **Jugoslavia** [jo:'gåosla:'vjə] Jugoslavien **Jugoslavian** [jo:'gåosla:'vjən] jugoslav; jugoslavisk **juice** [dsjo:s] saft **juicy** [dsjo:'si] saftig; mustig **July** [dsjo:laj'] juli **jumble** [dsjamm'bl] blanda ihop; virrvarr **jump** [dsjammp] hoppa; hopp; *jumping on the spot* svikthopp **jumper** [dsjamm'pə] jumper **jumping sheet** [dsjamm'ping sji:t] brandsegel **jumpy** [dsjamm'pi] nervös **junction** [dsjang'ksjən] knutpunkt **juncture** [dsjang'ktsjə] föreningspunkt; kritiskt ögonblick **June** [dsjo:n] juni **jungle** [dsjang'gl] djungel **junior** [dsjo:'njə] junior, yngre **juniper** [dsjo:'nipə] en (buske) **junk** [dsjangk] skräp; djonk **juridical** [dsjoəridd'ikəl] juridisk **jurisdiction** [dsjoərisdikk'sjən] rättskipning; domvärjo **juror** [dsjo:'ərə] jurymedlem **jury** [dsjo:'əri] jury **just** [dsjasst] rättvis, rättfärdig; nyss, just; *just like that* utan vidare; *just outside* strax utanför; *just right* lagom; *just washed* nytvättad **justice** [dsjass'tiss] rättvisa; *do justice* skipa rättvisa **justifiable** [dsjass'tifajəbl] befogad **justification** [dsjasstifikej'sjən] berättigande **justify** [dsjass'tifaj] rättfärdiga,

berättiga **juvenile** [dsjoː'vinajl] ungdomlig; barnslig; *juvenile books* ungdomsböcker; *juvenile delinquency* ungdomsbrottslighet **kangaroo** [känggəroː'] känguru **keel** [kiːl] köl **keen** [kiːn] vass, skarp; skarpsinnig; angelägen; *keen on* pigg på **keep** [kiːp] hålla, behålla, bibehålla; uppehålla; förhålla sig, hålla sig, förbli; förvara; *keep away from* avhålla sig från; *keep going* hålla i gång; *keep together* hålla ihop; *keep up* uppehålla, hålla uppe, underhålla; *keep s.b. waiting* låta ngn vänta **keeper** [kiː'pə] vaktare, vårdare; [musei]intendent **keep-fit enthusiast** [kiː'pfitt' innθjoː'- ziässt] frisksportare **keeping** [kiː'ping] förvar; *in keeping with* i stil med **keepsake** [kiː'psejk] minne, souvenir **keg** [kegg] kagge **kennel** [kenn'l] hundkoja, hundgård **kept** [keppt] imperf. och perf. part. av *keep* **kerb** [kəːb] trottoarkant **kerchief** [kəː'tsjiff] huvudduk **kernel** [kəː'nl] kärna **kerosene** [kerr'əsiːn] (*Am.*) fotogen **kettle** [kett'l] kittel **kettledrum** [kett'ldramm] puka **key** [kiː] nyckel; tangent, tonart **keyboard** [kiː'bå:d] klaviatur **keyhole** [kiː'håol] nyckelhål **key map** [kiː' mäpp] översiktskarta **key-note** [kiː'nåot] grundton **kick** [kikk] spark; sparka **kick-off** [kikk'å:'f] avspark **kid** [kidd] killing; [barn]unge; narra; *no kidding* det menar du inte **kidney** [kidd'ni] njure **kill** [kill] döda, slå ihjäl **kiln** [killn] kalkugn **kilo** [kiː'låo] kilo **kilometre** [kill'əmiːtə] kilometer **kilt** [killt] kilt, skotsk kjol **kin** [kinn] släkting[ar]; *next of kin* närmaste släkting[ar] **kind** [kajnd] slag, sort; vänlig, snäll (*to* mot); *all kinds of things* allt möjligt; *... of that kind* dylik; *kind deed* välgärning; *kind regards* hjärtliga hälsningar **kindle** [kinn'dl] tända[s] **kindly** [kaj'ndli] vänlig; vänligen **kindness** [kaj'ndniss] vänlighet **kindred spirit** [kinn'd- ridd spirr'itt] själsfrände **king** [king] kung **kingdom** [king'dəm] kungadöme, kungarike, (*bildl.*) rike **kink** [kingk] fnurra; hugskott **kinsman** [kinn'zmən] släkting **kiosk** [kiåss'k] kiosk **kipper** [kipp'ə] rökt fisk (sill) **kiss** [kiss] kyss; kyssa **kisser** [kiss'ə] trut, mun **kit** [kitt] utrustning, redskap **kit-bag** [kitt'bägg] redskapsväska; packning **kitchen** [kitt'sjinn] kök **kitchenette** [kittsjinnett'] kokvrå **kitchen garden** [kitt'sjinn ga:dn] köksträdgård **kite** [kajt] [leksaks]drake **kith and kin** [kiθ'n kinn'] släkt och vänner **kitten** [kitt'n] kattunge **knack** [näkk] skicklighet; vana; handlag **knapsack** [näpp'säkk] ränsel **knave** [nejv] skurk; knekt (*i kortspel*) **knead** [niːd] knåda **knee** [niː] knä **knee-cap** [niː'käpp] knäskål **kneel** [niːl] knäböja **knelt** [nellt] imperf. och perf. part. av *kneel* **knew** [njoː] imperf. av *know* **knickers** [nikk'əz] knäbyxor; dambyxor **knife** [najf] (*pl knives* [najvz]) kniv **knight** [najt] riddare; springare (*i schack*) **knit** [nitt] sticka (*med stickor*) **knitting** [nitt'ing] stickning **knob** [nåbb] knapp, knopp **knock** [nåkk] knacka, bulta; knackning; *knock down* fälla, slå omkull **knoll** [nåol] liten kulle **knot** [nått] knut; knop; kvist (*i trä*) **know** [nåo] veta, kunna, känna till; *you know* ju, som du vet; *get to know* få kännedom om

know-how [nåo'hao] expertkunnande **knowingly** [nåo'ingli] med vett och vilja **knowledge** [nåll'iddsj] kunskap, vetskap, kännedom; *previous knowledge* förkunskaper; *thorough knowledge* solida kunskaper **knowledgeable** [nåll'iddsjəbl] kunnig **known** [nåon] känd, bekant **knuckle** [nakk'l] knoge **knuckle-duster** [nakk'ldasstə] knogjärn **£** tecken för *pound*, pund **label** [lej'bl] etikett; adresslapp; polletera **laboratory** [ləbårr'ətəri] laboratorium **laborious** [ləbå:'riəs] mödosam **labor union** [lej'bə jo:'njən] (*Am.*) fackförening **labour** [lej'bə] möda, arbete, arbetskraft; kroga, arbeta **labourer** [lej'bərə] arbetare **laburnum** [ləbə:'nəm] gullregn **labyrinth** [läbb'ərinnθ] labyrint **lace** [lejs] snöra; spetsa; snöre; virkad[e] spets[ar] **lacerate** [läss'ərejt] riva sönder; plåga **lack** [läkk] brist; sakna; *be lacking* saknas, fattas **lackey** [läkk'i] lakej **lacquer** [läkk'ə] lackera; lack **lad** [lädd] pojke **ladder** [lädd'ə] stege; maska (*på strumpor*) **laden** [lej'dn] lastad; nedtyngd **lading** [lej'ding] lastning; *bill of lading* konossement **ladle** [lej'dl] slev **lady** [lej'di] dam; *ladies'* [*cloak-*] *room* damtoalett; *ladies and gentlemen!* mina damer och herrar!; *ladies' hairdresser* damfrisörska; *ladies' hairdressers* damfrisering **lady-bird** [lej'dibə:d] nyckelpiga **Lady Day** [lej'di dej] Marie bebådelsedag **ladylike** [lej'dilajk] förnäm, som anstår en dam **lag behind** [lägg' bihaj'nd] sacka efter **laggard** [lägg'əd] sölkorv; sölig **lagoon** [ləgo:'n] lagun **laid** [lejd] imperf. och perf. part. av *lay; laid up* upplagd, sängliggande **lain** [lejn] perf. part. av *lie* **lair** [lä:'ə] lya **laird** [lä:'əd] skotsk godsägare **lake** [lejk] [in]sjö **lamb** [lämm] lamm **lamb chop** [lämm' tsjåpp] lammkotlett **lamb's-wool** [lämm'zwoll] lammull **lame** [lejm] halt; (*bildl.*) lam **lamella** [ləmell'ə] lamell **lament** [ləmenn't] klagan, jämmer; klaga **lamp** [lämmp] lampa, lykta **lamp-post** [lämm'ppåost] lyktstolpe **lamp-shade** [lämm'psjejd] lampskärm **lance** [la:ns] lans, spjut; *lance corporal* vicekorpral **land** [lännd] land; landa, hamna **landed** [länn'didd] jordägande **landing** [länn'ding] landning, landstigning **landing-net** [länn'dingnett] håv **landlady** [länn'd-lejdi] [hyres]värdinna **landlord** [länn'lå:d] [hyres]värd **land-mark** [länn'dma:k] gränsmärke; milstolpe **landscape** [länn'skejp] landskap **landslide** [länn'dslajd] ras, skred **lane** [lejn] gränd; [kör]fil **language** [läng'gwiddsj] språk; *correct language* vårdat språk **languid** [läng'gwidd] trög; matt **languish** [läng'gwisj] avmattas; tråna **lank** [längk] mager; rakt (om hår) **lanky** [läng'ki] lång och gänglig **lantern** [länn'tən] lykta, lanterna **lap** [läpp] knä, sköte; skvalp; (*sport.*) varv; skvalpa; (*sport.*) varva; lapa **lapel** [ləpell'] rockuppslag **Laplander** [läpp'länndə] same **lapse** [läpps] misstag; förlopp; förfalla; förflyta **larceny** [la:'sni] stöld **larch** [la:tsj] lärkträd **lard** [la:d] ister, späck **large** [la:dsj] stor, omfångsrik; *large pincers* hovtång; *at large* i frihet, i allmänhet **largely** [la:'dsjli] till stor del **larger** [la:'dsjə] större **large-scale production** [la:'dsjskejˈl prədakk'sjən] stordrift **largest**

[la:'dsjisst] störst **lark** [la:k] lärka; skoj; skoja **larynx** [lärr'ingks] struphuvud **lascivious** [ləsivv'jəs] vällustig, liderlig **lash** [läsj] prygla, piska; snärt; piska **lass** [läss] flicka **lassitude** [läss'itjo:d] trötthet **lasso** [läss'åo] lasso **last** [la:st] **1** räcka, vara **2** sist; sista, förra; *at last* till sist; *last spring* i våras; *last week* förra veckan; *the last but one* näst sist **lasting** [la:'sting] varaktig, dryg **lastly** [la:'stli] slutligen **latch** [lättsj] dörrklinka, lås **latch-key** [lätt'sjki:] dörrnyckel, portnyckel **late** [lejt] sen; sent; *of late* på sista tiden; *be late* dröja, vara försenad, komma för sent; *later in the day* fram på dagen; *later on* längre fram, senare; *by Saturday at the latest* senast på lördag **lately** [lej'tli] på senaste tiden **latent** [lej'tənt] latent **lateral** [lätt'rl] sido- **lath** [la:θ] ribba, spjäla **lathe** [lejð] svarv **lather** [la:'ðə] lödder; löddra **Latin** [lätt'inn] latin **latitude** [lätt'itjo:d] breddgrad; obundenhet **latter** [lätt'ə] sistnämnd, senare **lattice** [lätt'iss] gallerverk **laud** [lå:d] lov; prisa **laugh** [la:f] skratta (*at* åt); *laughed to scorn* utskrattad **laughing-stock** [la:'fingståkk] driftkucku **laughter** [la:'ftə] skratt **launch** [lå:ntsj] barkass; sjösätta; lansera **laundry** [lå:'ndri] tvättinrättning, tvättstuga, tvätt[kläder] **laureate** [lå:'riitt] lagerkrönt **laurel** [lårr'əl] lager[träd] **lava** [la:'və] lava **lavatory** [lävv'ətəri] toalett, WC; *men's lavatory* herrtoalett **lavender** [lävv'inndə] lavendel **lavish** [lävv'isj] slösaktig; slösande **law** [lå:] lag, förordning, rätt, juridik **lawful** [lå:'foll] laglig, lagenlig **lawless** [lå:'liss] laglös **lawn** [lå:n] gräsmatta **lawn-mower** [lå:'nmåoə] gräsklippare **lawsuit** [lå:'s-jo:t] process, rättstvist **lawyer** [lå:'jə] jurist, advokat **lawyer's office** [lå:'jəzz åff'iss] advokatbyrå **lax** [läkks] lös; slarvig; vag **lay** [lej] **1** lägga; *lay ... bare* blotta; *lay eggs* värpa; *lay out* lägga ut; *lay down rules* uppställa regler; *lay the table* duka; *lay ... waste* ödelägga **2** imperf. av *lie* **layer** [lej'ə] lager, skikt; *put in layers* varva **layman** [lej'mən] lekman **lay-out** [lej'aot] layout; planering **laziness** [lej'ziniss] lättja **lazy** [lej'zi] lat; *be lazy* lata sig **lb.** *pound* pund **lead 1** [li:d] leda, föra, anföra; mynna; ledning; koppel; *lead an active life* föra ett rörligt liv; *lead to* föranleda **2** [ledd] bly, blyerts **leader** [li:'də] ledare, anförare; ledarartikel **leading** [li:'ding] ledande, tongivande; *leading part* huvudroll **leaf** [li:f] (*pl leaves* [li:vz]) löv, blad; *in leaf* utslagen **leaflet** [li:'flitt] reklamlapp, flygblad **league** [li:g] förbund; (*sport.*) liga **leak** [li:k] läcka **lean** [li:n] **1** mager **2** luta [sig] **leaning** [li:'ning] lutad **leant** [lennt] imperf. och perf. part. av *lean* **leap** [li:p] språng, hopp; hoppa; *by leaps and bounds* med stormsteg **leap-day** [li:'pdej] skottdag **leap-frog** [li:'pfrågg] hoppa bock **leapt** [leppt] imperf. och perf. part. av *leap* **leap-year** [li:'pjə:] skottår **learn** [lə:n] lära [sig], erfara, få veta **learned** [lə:'nidd] lärd **learner's car** [lə:'nəz ka:] övningsbil **learning** [lə:'ning] lärdom **learnt** [lə:nt] imperf. och perf. part. av *learn* **lease** [li:s] arrende; arrendera, hyra ut **leash** [li:sj] koppel; koppla **least** [li:st] minst;

at least åtminstone; *least of all* allra minst **leather** [leð'ə] läder, skinn **leather-jacket** [leð'ədsjäkkitt] skinnjacka **leave** [li:v] lämna, efterlämna; avgå, avresa; permission, tjänstledighet; *leave ...alone* lämna...i fred, låta bli; *leave...behind* lämna kvar; *leave off* sluta; *leave out* utelämna; *I leave it to you to* jag överlåter åt dig att; *take leave* säga adjö; *be on leave* vara tjänstledig, ha permission **leaven** [levv'n] surdeg **lecture** [lekk'tsjə] föredrag, föreläsning; föreläsa **lecturer** [lekk'tsjərə] föredragshållare; *senior lecturer* docent **led** [ledd] imperf. och perf. part. av *lead* **ledge** [leddsj] hylla **ledger** [ledd'sjə] huvudbok; liggare **lee** [li:] lä **leech** [li:tsj] blodigel **leek** [li:k] purjolök **leer** [li:'ə] snegla **leeward** [li:'wəd] *to leeward* i lä **left** [lefft] **1** vänster; *to the left* till vänster; *the Left* vänstern **2** imperf. och perf. part. av *leave;* kvar; *be left* finnas kvar, återstå, bli över; *left behind* kvarlämnad **left-handed** [lefft'thänn'didd] vänsterhänt **left-hand page** [lefft'thännd pej'dsj] vänstersida **left-hand traffic** [lefft'-hännd träff'ikk] vänstertrafik **left-luggage office** [lefft'lagg'iddsj åff'iss] effektförvaring **left-overs** [lefft'tåo'vəz] rester **leg** [legg] ben; [stövel]skaft; *pull a person's leg* driva med ngn **legacy** [legg'əsi] arv **legal** [li:'gəl] rättslig, laglig; *legal aid* rättshjälp; *legal domicile* hemort; *legal proceedings* rättegång; *legal science* rättsvetenskap **legation** [ligej'sjən] legation **legend** [ledd'sjənd] legend, sägen; inskrift **legendary** [ledd'sjəndəri] legendarisk **leggings** [legg'ingz] benläder; barndamasker **legible** [ledd'sjəbl] läslig **legislation** [leddsjisslej'sjən] lagstiftning **legitimate** [li-dsjitt'imejt] legitimera; [lidsjitt'imitt] legitim, rättmätig **leisure** [lesj'ə] fritid; ledig; *at your leisure* när det passar dig **leisurely** [lesj'əli] ledig, maklig; utan brådska **lemon** [lemm'ən] citron **lemonade** [lemmənej'd] läskedryck, lemonad **lend** [lennd] låna [ut] *(to* åt) **lending** [lenn'ding] utlåning **lending rate** [lenn'ding rejt] utlåningsränta **length** [lengθ] längd; *at length* till slut, utförligt **lengthen** [leng'θən] förlänga **lengthy** [leng'θi] långvarig; *a lengthy dispute* en segsliten tvist **lenient** [li:'njənt] skonsam **lens** [lenns] lins, objektiv **lent** [lennt] imperf. och perf. part. av *lend* **Lent** [lennt] fastan **leopard** [lepp'əd] leopard **leper** [lepp'ə] spetälsk **leprosy** [lepp'rəsi] spetälska **less** [less] mindre **lessen** [lessə'n] [för]minska, minskas **lesser** [less'ə] mindre **lesson** [less'n] läxa; lektion **lest** [lesst] för att inte, av fruktan att **let** [lett] låta; hyra ut; *let down* fälla ner; *let loose* släppa, frige; *let out* släppa ut **lethal** [li:'θəl] dödlig **lethargy** [leθ'ədsji] letargi; slöhet; dvala **letter** [lett'ə] bokstav; brev, skrivelse; *letter of attorney* fullmakt; *express letter* expressbrev; *special delivery letter (Am.)* expressbrev **letter-box** [lett'əbåkks] brevlåda **letter-card** [lett'əka:d] kortbrev **letting [out]** [lett'ing (aot)] uthyrning **lettuce** [lett'iss] sallad, salladshuvud **level** [levv'l] nivå; [ut]jämna; *a level teaspoonful* en struken tesked; *on a level with* i jämnhöjd med **levelling** [levv'ling] nivellering

lever [li:'və] hävstång, spak **levity** [levv'itti] lättsinnighet **levy** [levv'i] uppbåd; uttaxering **lewd** [lo:d] liderlig **ley** [lej] [slåtter]vall **liability** [lajəbill'itti] ansvar; *liabilities* skulder; *liability insurance* ansvarighetsförsäkring **liable** [laj'əbl] ansvarig; utsatt; *be liable to* riskera att **liaison** [liej'zå:ng] förbindelse; *liaison officer* sambandsofficer **liana** [li:änn'ə], **liane** [li:a:'n] lian **liar** [laj'ə] lögnare **libel** [laj'bl] ärekränkning, smädeskrift **liberal** [libb'ərəl] liberal; frikostig **liberalism** [libb'ərəlizzəm] liberalism **liberalize** [libb'ə-rəlajz] liberalisera **liberate** [libb'ərejt] befria, frige **liberation** [libbərej'sjən] befrielse, frigörelse, frigivning **liberty** [libb'əti] frihet **librarian** [lajbrä:'əriən] bibliotekarie **library** [laj'brəri] bibliotek **libretto** [librett'åo] libretto **lice** [lajs] (pl av *louse*) löss **licence** [laj'səns] licens, tillstånd; tygellöshet; ge tillstånd; *be fully licensed* ha spriträttigheter **licentious** [lajsenn'sjəs] utsvävande, tygellös **lichen** [laj'kenn] lav **lick** [likk] slicka **lid** [lidd] lock (*på kärl o.d.*) **lie** [laj] **1** lögn; ljuga (*to* för); *white lie* nödlögn **2** ligga **lie down** lägga sig **lieu** [ljo:] *in lieu of* i stället för **lieutenant** [lefftenn'ənt] löjtnant **life** [lajf] liv, levnad; *life in society* samhällsliv **lifebelt** [laj'fbellt] livbälte **lifeboat** [laj'fbåot] livbåt **life insurance** [laj'f innsjo:'ərəns] livförsäkring **life jacket** [laj'f dsjäkk'itt] flytväst **lifeless** [laj'fliss] livlös **life-saving** [laj'fsejving] livräddning **life-size** [laj'fsajz] naturlig storlek **lifetime** [laj'ftajm] livstid **lift** [lifft] lyfta; lätta (*om dimma*); hiss; *get a lift* [få] åka med **ligament** [ligg'əmənt] ligament, band **light** [lajt] **1** ljus, sken, lyse, belysning; ljus; tända; *you are standing in my light* du skymmer mig; *get light* ljusna; *light blue* ljusblå; *light a fire* elda **2** lätt; *light current* svagström; *light music* underhållningsmusik **lighten** [laj'tn] **1** blixtra; lysa upp; ljusna **2** lätta, göra lättare **lighter** [laj'tə] tändare; läktare, pråm **light-hearted** [laj'tha:'tidd] bekymmerslös **lighthouse** [lajthaos] fyr **lighting** [laj'ting] belysning **lightly** [laj'tli] (*adv.*) lätt; *lightly boiled* löskokt **lightness** [laj'tniss] lätthet **lightning** [laj'tning] blixtrande; *a flash of lightning* en blixt; *lightning-conductor* [laj'tningkəndakktə] åskledare **like** [lajk] **1** lik; som; i likhet med; liksom; like; *nothing like* inte tillnärmelsevis; *or the like* eller liknande, eller dylikt; *like that* så där; *just like that* utan vidare; *something like that* någonting ditåt; *like this* så här; *what's it like living in London?* hur är det att bo i London? **2** tycka om; *he likes being in England* han trivs i England **liked** [lajkt] omtyckt **likelihood** [laj'klihodd] sannolikhet **likely** [laj'kli] sannolik, trolig; sannolikt; *it is hardly likely* det är föga troligt; *he is likely to* han torde, han lär **likeness** [laj'kniss] likhet **liking** [laj'king] tycke, förkärlek; *take a liking to* fatta tycke för **lilac** [laj'lək] syren; lila **lilt** [lillt] visa; rytm **lily** [lill'i] lilja; *lily of the valley* liljekonvalje **limb** [limm] lem **limbering-up** [limm'-bəringapp'] (*sport.*) uppmjukning **limbo** [limm'båo] förgård till helvetet; glömska; fängelse **lime** [lajm] **1** kalk **2** lind; limon

limelight [laj'mlajt] rampljus **limestone** [laj'mståon] kalksten **limit** [limm'itt] gräns; begränsa; *speed limit* fartbegränsning; *that's really the limit!* det är höjden!; *limited* [*liability*] *company* aktiebolag med begränsad ansvarighet **limitation** [limmitej'sjən] begränsning **limited company** [limm'itidd kamm'pəni] aktiebolag **limp** [limmp] halta, linka **limpid** [limm'pidd] klar, genomskinlig **linden** [linn'dn] lind **line** [lajn] **1** linje, streck, rad; lina, rev; bransch, fack; replik; linjera; *line of cars* bilkö; *line up* (*Am.*) kö, köa, ställa sig i kö **2** fodra **lineage** [linn'iidsj] härstamning **linear** [linn'iə] längd-, linje-; linear- **lineman** [laj'nmən] banvakt **linen** [linn'inn] linne[tyg] **liner** [laj'nə] linjefartyg, linjeflygplan **lingerie** [läng'sjəri] damunderkläder **linguistic** [ling'gwisstikk] språklig **lining** [laj'ning] foder (*i kläder o.d.*) **link** [lingk] led, länk; förena **links** [lingks] golfbana lino [laj'nåo], **linoleum** [linåo'ljəm] korkmatta, linoleum **linseed** [linn'si:d] linfrö **lintel** [linn'tl] överstycke (på dörr, fönster) **lion** [laj'ən] lejon **lip** [lipp] läpp **lip-service** [lipp'sæ:viss] tomma ord **lipstick** [lipp'stikk] läppstift **liqueur** [likjo:'ə] likör **liquid** [likk'widd] vätska; flytande **liquidate** [likk'widejt] likvidera **liquidity** [likkwidd'itti] likviditet **liquids** [likk'widdz] flytande ämnen **liquor** [likk'ə] vätska; sprit **liquorice** [likk'əriss] lakrits **Lisbon** [lizz'bən] Lissabon **lisp** [lissp] läspa **list** [lisst] **1** lista, förteckning (*of* över) **2** slagsida **listen** [liss'n] lyssna (*to* på), höra på; *listen in* lyssna på radio; *listen to* avlyssna, åhöra **listener** [liss'nə] lyssnare **listless** [liss'tliss] likgiltig, apatisk **lit** [litt] imperf. och perf. part. av *light* **litany** [litt'əni] litania **literal** [litt'ərəl] ordagrann **literally** [litt'ərəli] bokstavligen **literary** [litt'ərəri] litterär **literature** [litt'ərittsjə] litteratur **lithe** [lajð] smidig, vig **litigation** [littigej'sjən] process **litre** [li:'tə] liter **litter** [litt'ə] kull (*av däggdjur*); skräp; bår **little** [litt'l] liten, litet, lilla, små, föga; *a little* något litet, en smula; *little by little* så småningom, undan för undan; *little children* småbarn; *little finger* lillfinger **live 1** [livv] leva, bo **2** [lajv] levande; *live ammunition* skarpladdad ammunition **livelihood** [laj'vlihodd] uppehälle **lively** [laj'vli] livlig **liver** [livv'ə] lever **liver paste** [livv'ə pejst] leverpastej **livery** [livv'əri] livré **live-stock** [laj'vståkk] kreatursbesättning **livid** [livv'idd] blygrå, dödsblek **living** [livv'ing] levande; leve-bröd **living-room** [livv'ingromm] vardagsrum **lizard** [lizz'əd] ödla **load** [låod] lasta, belasta, ladda; last, belastning, laddning **loading** [låo'ding] lastning **loaf** [låof] limpa; *tin loaf* formbröd **loan** [låon] lån **loath** [låoθ] ovillig, ohågad **loathing** [låo'ðing] vämjelse **loathsome** [låo'ðsəm] vämjelig **lobby** [låbb'i] korridor; foajé **lobbyist** [låbb'iist] korridorpolitiker **lobe** [låob] flik, lob **lobster** [låbb'stə] hummer; *spiny lobster* langust **local** [låo'kəl] orts-, lokal; *local taxes* kommunalskatt **locality** [låokäll'itti] läge, plats **locate** [lakej't] förlägga, placera, lokalisera **loch** [låkk] sjö; vik **lock** [låkk] **1** lås, sluss, låsa; *pass* (*take*) *through a* *lock* slussa; *lock ... up* låsa in **2** [hår]lock **locker** [låkk'ə] [förvaringsfack i] skåp **locket** [låkk'itt] medaljong **locksmith** [låkk'smiθ] låssmed **locust** [låo'kəst] gräshoppa **lodestar** [låo'dsta:] polstjärna; ledstjärna **lodge** [låddsj] härbärgera; [grind]-stuga; [ordens]loge **lodger** [låd'sjə] inneboende, hyresgäst **lodgings** [låd'sjingz] hyresrum, bostad **loft** [låfft] vind, loft **lofty** [låff'ti] förnäm, högdragen **log** [lågg] [timmer]stock, vedträ **logic** [låd'sjikk] logik **logical** [låd'sjikl] logisk **loin** [låjn] länd[stycke]; *loin of pork* fläskkarré **loiter** [låj'tə] gå och driva, stå och hänga **loll** [låll] vräka sig, sträcka sig **lollipop** [låll'ipåpp] klubba, slickepinne **Londoner** [lann'dənə] londonbo **loneliness** [låo'nliniss] ensamhet **lonely** [låo'nli], **lonesome** [låo'nsəm] ensam **long** [lång] **1** lång; länge, långt; *be long* dröja, vara sen; *long jump* längdhopp; *long trousers* långbyxor **2** längta (*for* efter) **longed for** [lång'd få:] efterlängtad **longevity** [lån-dsjevv'itti] långt liv **longing** [lång'ing] längtan (*for* efter); längtansfull **longitude** [lånn'dsjitjo:d] longitud **loo** [lo:] utedass **look** [lokk] titta, se (*at* på); blick, titt; *look and see* titta efter; *look after* se efter, passa; *look down upon* ringakta, se ner på; *look for* leta efter; *look forward to* se fram emot; *we shall look into the matter* vi skall undersöka saken; *look out for* se upp för, hålla utkik efter; *look through* se igenom **looking-glass** [lokk'ingglα:s] spegel **look-out** [lokk'ao't] utkik **looks** [lokks] utseende **loom** [lo:m] vävstol **loop** [lo:p] ögla **loop-hole** [lo:'phåol] skottglugg; kryphål **loose** [lo:s] lös; loss; lossa; *come loose* lossna; *get loose* slita sig **loosen** [lo:'sn] lösa, lossa på **loot** [lo:t] rov, byte; plundra **lop-eared** [låpp'i:əd] slokörad **lop-sided** [låpp'sajdidd] osymmetrisk; skev **lord** [lå:d] lord; herre; *the Lord* Herren **lordly** [lå:'dli] högdragen; ståtlig **lordship** [lå:'dsjipp] herravälde; *your lordship* ers nåd **lorry** [lårr'i] lastbil; *breakdown lorry* bärgningsbil; *transport lorry* långtradare **lose** [lo:z] mista, tappa bort, förlora; *lose ground* förlora terräng; *lose the tread* tappa tråden; *lose one's way* villa bort sig **loss** [låss] förlust; *at a loss for a reply* svarslös **lost** [låsst] förlorad, bortkommen, borttappad; *get lost* komma bort, gå förlorad; *lost property office* hittegodsmagasin; *lost in* fördjupad i **lot** [lått] lott; mängd, massa; *draw lots for* dra lott om; *lots of ... en massa ...; quite a lot* [*of*] en hel del; *the lot* allthop **lotion** [låo'sjn] hår-, rakvatten **lottery** [lått'əri] lotteri **lottery prize-list** [lått'əri praj'zlisst] dragningslista **lottery ticket** [lått'əri tikk'itt] lottsedel **loud** [laod] ljudlig, högljudd **loud-speaker** [lao'dspi:'kə] högtalare **lounge** [lao'ndsj] flanera; vestibul; soffa **lounge suit** [lao'ndsj sjo:t] kavajkostym **louse** [laos] (*pl lice* [lais]) lus **lout** [laot] drummel **love** [lavv] kärlek (*for* till); älska; *in love* förälskad; *love from* kära hälsningar från **love-letter** [lavv'lettə] kärleksbrev **loveliness** [lavv'liniss] ljuvlighet, skönhet **lovely** [lavv'li] ljuvlig, vacker; härlig **lover** [lavv'ə] älskare **love-story** [lavv'stå:ri] kärlekshistoria, kärleksroman **loving** [lavv'ing] kärleksfull **low** [låo] **1** låg; gemen; *low[power] current* svagström; *low heat* sparlåga; *low neck* urringning; *low tide* ebb **2** råma **lower** [låo'ə] lägre, nedre; fälla, sänka; *lower class* underklass; *lower jaw* underkäke; *lower lip* underläpp; *lower part of the body* underkropp **lowest** [låo'isst] lägst, nederst **lowlands** [låo'ləndz] lågland **low-necked** [låo'-nekk't] urringad **loyal** [låj'əl] solidarisk, lojal **Ltd.** (förk. för *limited*) AB **lubricant** [lo:'brikənt] smörjmedel **lubricate** [lo:'b-rikejt] smörja **lucid** [lo:'sidd] klar, strålande **luck** [lakk] tur, lycka; *good luck!* lycka till! **lucky** [lakk'i] lycko-, lyckosam; *be lucky* ha tur **lucrative** [lo:'krətivv] lukrativ, lönande **ludicrous** [lo:'-dikrəs] löjlig **lug** [lagg] släpa **luggage** [lagg'iddsj] bagage **luggage ticket** [lagg'iddsj tikk'itt] polletteringskvitto **lukewarm** [lo:'kwå:m] ljum **lull** [lall] vysjunga; lugna sig; stiltje; avbrott **lullaby** [lall'əbaj] vaggsång **lumbago** [lammbej'gåo] ryggskott **lumber** [lamm'bə] timmer; skräp; lufsa **luminous** [lo:'minəs] självlysande **lump** [lammp] klump, klimp; *lump sugar* bitsocker; *lump [of] sugar* sockerbit **lumpy** [lamm'pi] klimpig **lunacy** [lo:'-nəsi] vansinne **lunar** [lo:'nə] mån- **lunatic** [lo:'nətikk] vansinnig; dåre **lunch** [lanntsj] lunch **lung** [lang] lunga **lunge** [lanndsj] utfall; göra utfall **lurch** [lə:tsj] sladda, kränga; krängning; *leave in the lurch* lämna i sticket **lure** [ljo:'ə] lockbete **lurid** [ljo:'əridd] spöklik; brandröd, gulbrun **lurk** [lə:k] ligga på lur **luscious** [lasj'əs] härlig, ljuvlig **lush** [lasj] yppig **lustre** [lass'tə] glans **lustrous** [lass'trəs] glansig **lusty** [lass'ti] kraftig, stark **lute** [lo:t] (*subst.*) luta **luxuriant** [laggzjo:'əriənt] yppig, frodig **luxurious** [laggzjo:'əriəs] lyxig **luxury** [lakk'sjəri] lyx **lying** [laj'ing] **1** lögnaktig **2** liggande **lymph gland** [limm'f glännd] lymfkörtel **lynch** [linntsj] lyncha **lynx** [lingks] lodjur **lyre** [laj'ə] lyra **lyric poet** [lirr'ikk påo'itt] lyriker **lyrics** [lirr'ikks] lyrik **ma** [ma:] mamma **macadam** [məkädd'əm] makadam **macaroni** [mäkkəråo'ni] makaroner **mace** [mejs] spira; spikklubba **machination** [mäkkinej'sjən] intrig **machine** [məsji:'n] maskin **machine-gun** [məsji:'ngann] kulspruta **machinery** [məsji:'nəri] maskineri **mackerel** [mäkk'rəl] makrill **mack** [mäkk] (*intåsj*) regnrock **mad** [mädd] galen, tokig (*with* av; *on* i, på) **madam** [mädd'əm] min fru, fröken **made** [mejd] imperf. och perf. part. av *make* **madman** [mädd'mən] dåre, galning **madness** [mädd'-niss] vansinne **magazine** [mäggəzi:'n] magasin **maggot** [mägg'ət] [ost]mask **Magi** [mej'dsjaj] de tre vise männen **magic** [mädd'sjikk] trolleri, magi; magisk; *magic formula* trollformel **magician** [mədsjisj'ən] trollkarl **magistrate** [mädd'-sjistritt] rådman **magnanimous** [mägnänn'iməs] storsint **magnet** [mägg'nitt] magnet **magnetic** [mäggnett'ikk] magnetisk **magnificence** [mäggniff'isns] prakt, glans **magnificent** [mäggniff'issnt] praktfull, storslagen, ståtlig **magnify** [mägg'nifaj] förstora **magnitude** [mägg'nitjo:d] storlek **magpie** [mägg'paj] skata **mahogany** [məhǻgg'əni] mahogny **maid** [mejd] ungmö; tjänsteflicka, hembiträde **maiden name** [mej'dn nej'm] flicknamn **maiden voyage** [mej'dn vǻj'dsj] jungfruresa **mail** [mejl] post **mail-coach** [mej'lkǻotsj] diligens **mail-order** [mej'lǻ:də] post-order **maim** [mejm] stympa **main** [mej'n] huvud-, viktigast; *main building* huvudbyggnad; *main road* utfart (*från stad*); *main street* huvudgata; *the main theme* den röda tråden; *the main thing* huvudsaken **mainland** [mej'nlənd] fastland **mainly** [mei'nli] framför allt, huvudsakligen **mainmast** [mej'nma:st] stormast **maintain** [menn'tej'n] upprätthålla, bibehålla, underhålla; hävda, påstå **maintenance** [mej'ntinəns] underhåll **maize** [mejz] majs **majestic** [mədsjess'tikk] majestätisk **majesty** [mädd'sjissti] majestät **major** [mej'dsjə] major; dur; större, huvud-; *major road* huvudled **majority** [mədsjårr'itti] majoritet, flertal; myndig ålder **make** [mejk] göra, låta, förmå; utgöra, bli; tillaga; fabrikat; *make s.b. change his mind* få ngn på andra tankar; *make … clear[er]* förtydliga; *make good* gottgöra; *make sure of* förvissa sig om; *make up* hitta på, utgöra, sminka; *make up for it* ta skadan igen; *make … up into packets* bunta ihop; *make up one's mind* besluta sig; *make … worse* förvärra **make-believe** [mej'kbili:v] låtsaslek; föregiven, falsk **maker** [mej'kə] tillverkare **makeshift** [mej'ksjift] provisorium; provisorisk **make-up** [mej'kapp] smink **maladjusted** [mäll'ədsjass'tidd] missanpassad **malady** [mäll'ədi] sjukdom **malcontent** [mäll'kəntennt] miss-nöjd **male** [mejl] man; hane; manlig **malefactor** [mäll'ifäkktə] missdådare **malevolent** [məlevv'ələnt] illvillig **malice** [mäll'iss] illvillighet, skadeglädje **malicious** [məlisj'əs] illvillig, elak **malign** [məlaj'n] elakartad, skadlig **malignant** [məligg'nənt] ondskefull; svårartad **mallard** [mäll'əd] [vild]and, gräsand **malleable** [mäll'-jəbl] smidbar, foglig **mallet** [mäll'itt] klubba; hammare **malt** [må:lt] malt **maltreat** [mälltri:'t] misshandla **mammal** [mämm'əl] däggdjur **mammoth** [mämm'əθ] mammut **man** [männ] man, människa; bemanna **manage** [männ'iddsj] klara [sig], orka, sköta, få bukt med; *manage to find* lyckas hitta; *managing director* verkställande direktör; *deputy managing director* vice verkställande direktör **management** [männ'iddsjmənt] ledning, skötsel, förvaltning, direktion **manager** [männ'iddsjə] föreståndare, ledare, chef, direktör **mandatory** [männ'dətri] mandat-; obligatorisk **mandoline** [männdəli:'n] mandolin **mane** [mejn] [häst]man **manger** [mej'ndsjə] krubba **mangle** [mäng'gl] mangel; mangla; fördärva **manhandle** [männ'hänndl] tilltyga **mania** [mej'njə] mani **maniac** [mej'njäkk] dåre **manifest** [männ'ifesst] manifest; manifestera, visa; uppenbar **manifestation** [männifesstej'sjən] yttring **manifold** [männ'ifåold] mångfaldig **manipulate** [mə-nipp'jolejt] hantera; manipulera; förfalska **mankind** [männkaj'nd] mänskligheten, människosläktet **manly** [männ'li] manlig **manner** [männ'ə] sätt, vis, maner; *good manners* takt och ton; *manner of* *speaking* uttryckssätt **mannerism** [männ'ərizm] maner **man-of-war** [männ'əvwå:'] örlogsfartyg **manor[-house]** [männ'ə(haos)] herrgård **manœuvre** [məno:'və] manöver; manövrera **mansion** [männ'sjən] herrgård **manslaughter** [männ'slå:tə] dråp **mantelpiece** [männ'tlpi:s] spiselhylla **mantle** [männ'tl] mantel **manual** [männ'jœl] hand-; handbok **manual labour** [männ'jœl lej'bə] kroppsarbete **manufacture** [männjofäkk'tsjə] tillverka, fabricera; tillverkning, fabrikation, fabrikat **manufacturer** [männjofäkk'tsjərə] tillverkare **manure** [mənjo:'ə] gödsla; gödsel **manuscript** [männ'joskrippt] manuskript, handskrift **Manx** [mängks] från ön Man **many** [menn'i] många, mycket, flera, åtskilliga; *a great many* en hel del **many-sided** [menn'isaj'didd] mångsidig **map** [mäpp] karta (*of* över); kartlägga; *map out* (*bildl.*) kartlägga **maple** [mej'pl] lönn **mar** [ma:] fördärva **marauder** [mərå:'də] plundrare, marodör **marble** [ma:'bl] marmor; [leksaks]kula **March** [ma:tsj] mars **march** [ma:tsj] marschera, tåga; marsch, tåg; *march off* avtåga **marchioness** [ma:'sjəniss] markisinna **mare** [mä:'ə] sto **margarine** [ma:dsjəri:'n] margarin **margin** [ma:'dsjinn] marginal **marguerite** [ma:gəri:'t] prästkrage **marigold** [mä:'rigåold] ringblomma **marinade** [märrinej'd] marinad **marine** [məri:'n] flotta, marin **mariner** [märr'inə] matros, sjöman **marital** [märr'itl] äktenskaplig **maritime** [märr'itajm] sjöfarts-; kust- **mark** [ma:k] märke, spår, kännetecken; betyg; markera, märka; betygsätta; *mark my words!* sanna mina ord! **market** [ma:'kitt] torg, marknad; marknadsföra; *find a market for* vinna avsättning för **market-day** [ma:'kittdej] torgdag **market-stall** [ma:'kittstå:l] torgstånd **marksman** [ma:'ksmən] skarpskytt **marmalade** [ma:'məlejd] marmelad **marmot** [ma:'mət] murmeldjur **maroon** [məro:'n] 1 kastanjebrun 2 landsätta på öde ö **marquess** [ma:'kwiss] markis (*adelstitel*) **marriage** [märr'iddsj] äktenskap, giftermål, vigsel; *church marriage* kyrklig vigsel; *civil marriage* borgerlig vigsel **married** [märr'idd] gift (*to* med) **marrow** [märr'åo] märg **marry** [märr'i] viga, gifta sig [med] **marsh** [ma:sj] kärr, träsk **marshal** [ma:'sjəl] marskalk; ställa upp **marshy** [ma:sji] sumpig **marsupial** [ma:sjo:'pjəl] pungdjur **mart** [ma:t] handelsplats **marten** [ma:'tinn] mård **martial** [ma:'sjl] krigisk; *martial law* belägringstillstånd **martin** [ma:'tinn] hussvala **martyr** [ma:'tə] martyr **marvel** [ma:'vl] under; förundra sig **marvellous** [ma:'villəs] underbar **Marxist** [ma:'ksisst] marxistisk **marzipan** [ma:zipänn'] marsipan **mascot** [mäss'kət] maskot **mash** [mäsj] mos; mosa; *mashed apples* äppelmos; *mashed potatoes* potatismos **mask** [ma:sk] mask; maskera; *skin-diver's mask* cyklopöga **mason** [mej'sn] stenhuggare; frimurare; mura **masque** [ma:sk] maskspel **masquerade** [mässkərej'd] maskerad **mass** [mäss] 1 massa, mängd 2 mässa; *high mass* (*katolsk*) högmässa **massacre** [mäss'əkə] massaker; massakrera **massage** [mäss'a:sj] massage; massera **massive** [mäss'ivv] massiv, stadig **mass media** [mäss' mi:'djə] massmedia **mass production** [mäss' prədakk'sjən] massproduktion **mast** [ma:st] mast **master** [ma:'stə] husbonde, mästare; bemästra; *master and mistress* herrskap; *Master of Business Administration* (*Am.*) civilekonom **master-builder** [ma:'stəbildə] byggmästare **masterly** [ma:'stəli] virtuos, mästerlig **masterpiece** [ma:'stəpi:s] mästerverk **mastery** [ma:'stəri] mästerskap; herravälde; *gain the mastery of* bli herre över **mastiff** [mäss'tiff] stor dogg **masturbation** [mässtəbej'sjən] onani **mat** [mätt] matta; matt **matador** [mätt'ədá:] matador **match** [mätt'sj] **1** like, make; match; parti; passa ihop **2** tändsticka; *box of matches* tändsticksask **match-box** [mätt'sjbåkks] tändsticksask (*tom*) **matchless** [mätt'sjliss] makalös **mate** [mejt] styrman; kamrat; para sig **material** [məti:'əriəl] material, tyg; väsentlig **materials** [məti:'əriəls] materiel **maternal** [mətə:'nl] moders-; *maternal uncle* morbror **maternity clinic** [mətə:'nitti klinn'ikk] mödravårdscentral **mathematical** [mäθi-mätt'ikəl] matematisk **mathematics** [mäθimätt'ikks] matematik **matinée** [mätt'inej] matiné **matriculate** [mətrikk'jolejt] skriva in sig vid universitet **matriculation** [mətrikkjolej'sjən] inträdes-examen **matrimonial** [mättrimåo'njəl] äktenskaps- **matrimony** [mätt'riməni] äktenskap **matron** [mej'trən] fru; husmor (på sjukhus o.d.) **matter** [mätt'ə] materia; ämne; angelägenhet, fråga; *it doesn't matter* det gör detsamma (ingenting); *it is a matter of course* det är självklart; *what's the matter?* hur är det fatt?, vad är det?; *matter of habit* vanesak; *matter of secondary importance* bisak; *matter of taste* smaksak; *it matters a lot* det har stor betydelse **matter-of-fact** [mätt'ərəvfäkk't] nykter, saklig **mattress** [mätt'-riss] madrass **mature** [mətjo:'ə] (*bildl.*) mogen **maturity** [mətjo:'-ritti] mognad **maudlin** [må:'dlinn] gråtmild, sentimental **maul** [må:l] misshandla **Maundy Thursday** [må:'ndi θə:'zdi] skärtors-dag **mauve** [må:v] malvafärgad, ljuslila **maxim** [mäkk'simm] regel, maxim **maximum** [mäkk'siməm] maximal **maximum speed** [mäkk'siməm spi:d] topphastighet **may** [mej] **1** kan, får, må, torde **2** hagtorn **May** [mej] maj **maybe** [mej'bi:] kanske **May Day** [mej'dej] första maj **mayonnaise** [mejənej'z] majonnäs **mayor** [mä:'ə] borgmästare **may-pole** [mej'påol] majstång **maze** [mejz] labyrint **me** [mi:] mig; *it's me* det är jag **mead** [mi:d] mjöd **meadow** [medd'åo] äng **meagre** [mi:'gə] (*bildl.*) mager **meal** [mi:l] mål[tid]; [råg]mjöl **mean** [mi:n] **1** mena, avse; betyda **2** medeltal; medel- **3** gemen, nedrig; snål **meander** [miänn'də] slingrande lopp; slingra sig **meaning** [mi:'ning] betydelse, innebörd, mening **means** [mi:nz] medel; *by means of* medelst; *by all means!* ja, gärna [för mig]!; *by no means* ingalunda; *means of communication* kommunikationsmedel **means test** [mi:'nz tesst] behovsprövning **meant** [mennt] imperf. och perf. part. av *mean* **meantime** [mi:'ntaj'm] *in the meantime* under tiden **meanwhile** [mi:'nwajl] under tiden

measles [mi:'zlz] mässling; *German measles* röda hund **measly** [mi:'zli] ynklig **measure** [mesjˈə] mått; åtgärd; mäta **measurement** [mesjˈəmənt] mätning; mått **meat** [mi:t] kött; *ground meat* (*Am.*) köttfärs **meat ball** [mi:'t bå:l] köttbulle **mechanic** [mikännˈikk] mekaniker, montör **mechanical** [mikännˈikəl] mekanisk, maskinell **mechanism** [mekkˈənizəm] mekanism **medal** [meddˈl] medalj **meddle** [meddˈl] blanda sig i **meddlesome** [meddˈlsəm] som lägger sig i, klåfingrig **mediate** [mi:ˈdiejt] medla, förmedla **mediation** [mi:diejˈsjən] medling **mediator** [mi:ˈdiejtə] medlare **medical** [meddˈikəl] medicinsk; *medical care* sjukvård, läkarvård; *medical staff* vårdpersonal **medicine** [meddˈsinn] medicin, läkemedel **medieval** [meddii:ˈvəl] medeltida **mediocre** [mi:ˈdiåokə] slätstruken, medelmåttig **meditate** [meddˈitejt] meditera **Mediterranean** [medditərejˈnjən] *the Mediterranean* Medelhavet **medium** [mi:ˈdjəm] medel-; medelmåttig; medium, medel; *medium size* mellanstorlek **medley** [meddˈli] blandning; potpurri; brokig **meek** [mi:k] ödmjuk **meet** [mi:t] möta(s), träffa(s), sammanträda; *meet with* röna, erfara; råka ut för **meeting** [mi:ˈting] möte; sammanträffande; sammanträde; *sports meeting* idrottstävling **megalomania** [meggˈəlåomejˈnjə] storhetsvansinne **melancholy** [mellˈənkəli] svårmod; melankolisk, vemodig **mellow** [mellˈåo] mogen; fyllig; mogna **melody** [mellˈədi] melodi **melon** [mellˈən] melon **melt** [mellt] smälta **melting-point** [mellˈtingpåjnt] smältpunkt **melting-pot** [mellˈtingpått] smältdegel **member** [memmˈbə] medlem, ledamot **membership** [memmˈbəsjipp] medlemskap **membership fee** [memmˈbəsjipp fi:] medlemsavgift **membrane** [memmˈbrejn] hinna, membran **memo** [mi:ˈmåo] PM **memoirs** [memmˈwa:z] memoarer **memorable** [memmˈərəbl] minnesvärd **memorandum** [memmˈərännˈdəm] promemoria; diplomatisk not **memorial** [mimå:ˈriəl] minnesmärke **memory** [memmˈəri] minne; *escape one's memory* falla ur minnet **menace** [mennˈəs] hot; hota **mend** [mennd] laga, reparera; bättra sig **menial** [mi:ˈnjəl] simpel; tjänar- **men's room** [mennˈz romm] toalett (*på restaurang o.d.*) **menstruation** [mennstroejˈsjən] menstruation **men's wear** [mennˈz wä:ə] herrkläder **mental** [mennˈtl] mental, själslig; *mental desease* sinnessjukdom; *mentally ill* sinnessjuk **mention** [mennˈsjən] [om]nämna; omnämnande; *not to mention* för att inte tala om; *don't mention it!* för all del! **menu** [mennˈjo:] matsedel, meny **mercantile** [mə:ˈkəntajl] handels-, köpmans- **mercenary** [mə:ˈsinri] legosoldat; sniken **merchandise** [mə:ˈtsjən-dajz] handelsvaror **merchant** [mə:ˈtsjənt] köpman **merchant navy** [mə:ˈtsjənt nej'vi] handelsflotta **merchant vessel** [mə:ˈt-sjənt vessˈl] handelsfartyg **merciful** [mə:ˈsifoll] barmhärtig **merciless** [mə:ˈsiliss] obarmhärtig **mercury** [mə:ˈkjori] kvicksilver **mercy** [mə:ˈsi] barmhärtighet **mere** [mi:ˈə] blott och bar, ren **merely** [mi:ˈəli] enbart, blott och bart **merge** [mə:dsj] slå ihop;

låta uppgå **merger** [məˈdsjə] sammanslagning, fusion **meringue** [məräng] maräng **merit** [merrˈitt] förtjänst, merit **meritorious** [merritåˈriəs] förtjänstfull **mermaid** [məˈmejd] sjöjungfru **merry** [merrˈi] munter, glad **merry-go-round** [merrˈigåoraond] karusell **mesh** [mesj] maska **mess** [mess] **1** röra, oreda; *he looked a mess* han såg ryslig ut; *make a mess* stöka till **2** mäss **message** [messˈiddsj] budskap, meddelande **messenger** [messˈinndsjə] sändebud, bud [bärare] **messy** [messˈi] kletig; rörig **met** [mett] imperf. och perf. part. av *meet* **metabolism** [metäbbˈəlizzəm] ämnesomsättning **metal** [mettˈl] metall; makadam **meteor** [miˈtjə] meteor **meter** [miˈtə] mätare; (*Am.*) meter **method** [meθˈəd] metod **Methodist** [meθˈədisst] metodist **methylated spirit** [meθˈilejtidd spirrˈitt] rödsprit **meticulous** [mittikkˈjoləs] petig, mycket noggrann **metre** [miˈtə] meter **metric system** [mettˈrikk sissˈtimm] metersystem **metropolis** [mitråppˈəliss] världsstad **mettle** [mettˈl] mod, kurage **mew** [mjo:] jama **mews** [mjo:z] stallänga **mica** [majˈka] glimmer **mice** [majs] (*pl av mouse*) råttor **Michaelmas** [mikkˈlməs] mickelsmässa (29/2) **microphone** [majˈkrəfåon] mikrofon **microscope** [majˈkrəskåop] mikroskop **mid** [midd] mellan-, mitt- **middle** [middˈl] mitt, mellan-, mellerst; (*subst.*) mitt; *in the middle of* mitt i; *the Middle Ages* medeltiden **middle-aged** [middˈlejˈdsjd] medelålders **middleman** [middˈlmən] mellanhand **midge** [middsj] mygga **midget** [middˈsjitt] dvärg; liten sportbil; miniatyr- **midnight** [middˈnajt] midnatt **midnight sun** [middˈnajt sannˈ] midnattssol **midshipman** [middˈsjippmən] sjökadett **midst** [middst] *in the midst of* mitt i **midsummer** [middˈsammə] midsommar; *Midsummer Eve* midsommarafton **midway** [middˈwej] halvvägs **midwife** [middˈwajf] barnmorska **mien** [miːn] hållning; uppsyn **might** [majt] **1** kunde [kanske], fick **2** styrka, kraft **mighty** [majˈti] mäktig, väldig; mycket **migraine** [miːˈgrejn] migrän **migrate** [majgrejˈt] flytta **migration** [majgrejˈsjən] folkvandring **migratory bird** [majˈgrətəri bəːˈd] flyttfågel **mild** [majld] mild, lindrig **mildew** [millˈdjo:] rost, mögel **mile** [majl] engelsk mil (1 609 m) **mileage** [majˈlidsj] antal tillryggalagda mil; milkostnad **militant** [millˈitnt] stridslysten **military** [millˈitəri] militär; *military forces* stridskrafter; *military power* krigsmakt; *military service* militärtjänst; *military unit* truppförband **militia** [milisjˈə] lantvärn, milis **milk** [millk] mjölk; mjölka **milk-man** [millˈkmən] mjölkbud **milksop** [millˈksåpp] morsgris, mes **milk-tooth** [millˈkto:θ] mjölktand **Milky Way** [millˈki wejˈ] *the Milky Way* vintergatan **mill** [mill] kvarn; fabrik **millennium** [milennˈiəm] årtusende **millet** [millˈitt] hirs **milliard** [millˈjaːd] miljard **milliner** [millˈinə] modist **millinery** [millˈinri] modevaror **million** [millˈjən] miljon **millionaire** [milljənäːˈə] miljonär **mimic** [mimmˈikk] imitator; härma **mimicry** [mimmˈikri] härmande; skyddande förklädnad **mince** [minns] finhacka; *not mince matters* inte skräda orden **minced meat** [minn'st mi:t] köttfärs **mind** [majnd] sinne[lag], själ; åsikt, avsikt, lust; bry sig om; ha ngt emot; sköta, passa; *broaden one's mind* vidga sina vyer; *divert one's mind* skingra tankarna; *keep in mind* hålla i minnet; *never mind!* bry dig inte om det!; *mind one's P's and Q's* hålla tungan rätt i mun **minded** [maj'ndidd] -sinnad, benägen **mine** [majn] **1** gruva; mina; gräva **2** min, mitt, mina **miner** [maj'nə] gruvarbetare **mineral** [minn'ərəl] mineral **mingle** [ming'gl] blanda [sig] **miniature camera** [minn'jətsjə kämm'ərə] småbildskamera **minimize** [minn'imajz] minska till ett minimum; underskatta **minimum** [minn'iməm] minimal; minimum **mining** [maj'ning] gruvdrift; gruv- **minion** [minn'jən] gunstling, kelgris **minister** [minn'isstə] minister; [frikyrko]pastor **ministry** [minn'isstri] ministerium; *Ministry of Education* undervisnings-departement **mink** [mingk] mink **mink coat** [ming'k kåot] minkpäls **minor** [maj'nə] mindre; minderårig; moll **minority** [majnårr'itti] minoritet; minderårighet **mint** [minnt] **1** mynta (växt) **2** mynt[verk]; mynta, prägla **minus** [maj'nəs] minus **minute** [minn'itt] **1** minut; *five minutes past three* fem minuter över tre **2** [majnjo:'t] mycket liten; mycket noggrann **minutes** [minn'itts] protokoll **miracle** [mirr'əkl] underverk, mirakel **mirage** [mirr'a:sj] hägring **mire** [maj'ə] dy **mirror** [mirr'ə] spegel **mirth** [mə:θ] munterhet **misadventure** [miss'ədvenn'tsjə] *by misadventure* av våda **misapprehension** [miss'äpprihenn'sjən] missförstånd **misbehaviour** [miss'bihej'vjə] dåligt uppförande **miscalculate** [miss'käll'kjolejt] missräkna **miscarriage** [miss'kärr'iddsj] missfall **miscellaneous** [missilej'njəs] blandad; mångsidig **miscellany** [missell'əni] blandning **mischief** [miss'tsjiff] rackartyg, skada; *there is mischief brewing* det är ugglor i mossen **misconception** [miss'kənsepp'sjən] missförstånd **misconduct** [misskånn'dakkt] vanskötsel; dåligt uppförande **miser** [maj'zə] snåljåp **miserable** [mizz'ərəbl] eländig **misery** [mizz'əri] elände, olycka **misfire** [miss'faj'ə] klicka **misfit** [miss'fitt] missanpassad **misfortune** [missfå:'tsjən] olycka **misgivings** [missgivv'ingz] onda aningar **mishap** [miss'häpp] malör, missöde **misinterpret** [miss'inntə:'pritt] vantolka **mislay** [miss'lej'] förlägga, slarva bort **misleading** [missli:'ding] missvisande, vilseledande **mismanage** [missmänn'idsj] missköta **misplace** [miss'plej's] felplacera **misprint** [miss'prinn't] tryckfel **misrepresent** [miss'-reprizenn't] ge felaktig framställning av **miss** [miss] **1** miss, bom; missa, bomma; sakna; *be missing* fattas, saknas **2** fröken **missile** [miss'ajl] projektil, robot; *guided missile* robotvapen **mission** [misj'ən] mission, uppdrag **missionary** [misj'nəri] missionär **mist** [misst] dimma, imma **mistake** [misstej'k] misstag, fel; *mistake for* förväxla med **mister** [miss'tə] herr[n] **mistletoe** [miss'ltåo] mistel **mistress** [miss'triss] husmor; lärarinna; älskarinna; matte **mistrust** [miss'trass't] misstro **misty** [miss'ti] dimmig **misunderstand** [miss'anndəstänn'd] missförstå, missuppfatta **misunderstanding** [miss'anndəstänn'ding] missförstånd, missuppfattning **mite** [majt] skärv; smula; kvalster **mitigate** [mitt'igejt] mildra, lindra **mitigation** [mittigej'sjən] lindring **mitre** [maj'tə] mitra **mit[ten]** [mitt'(n)] vante **mix** [mikks] blanda [till] **mixer** [mikk'sə] blandare; *be a good mixer* ha lätt att umgås med folk **mixture** [mikk'stsjə] blandning **mix-up** [mikk'sapp] röra; slagsmål **moan** [måon] jämra sig; jämmer **moat** [måot] vallgrav **mob** [måbb] slödder; pöbel **mobile** [måo'bajl] mobil; rörlig **mobility** [måobill'itti] rörlighet **mobilize** [måo'bilajz] mobilisera **mock** [måkk] oäkta, falsk; driva med, göra till åtlöje **mocking** [måkk'ing] spefull **mocking-bird** [måkk'ingbə:d] härmfågel **mode** [måod] sätt; tonart **model** [mådd'l] modell, förebild; föredömlig, mönstergill **moderate** [mådd'əritt] måttlig, moderat; [mådd'ərejt] dämpa **moderation** [måddərej'sjən] måtta **modern** [mådd'ən] modern **modernize** [mådd'ənajz] modernisera **modest** [mådd'ist] blygsam **modesty** [mådd'isti] blygsamhet **modify** [mådd'ifaj] modifiera **modulate** [mådd'jolejt] modulera **Mohammedan** [måohämm'idən] muhammedan **moist** [måjst] fuktig **molar** [måo'lə] kindtand **molasses** [məläss'izz] melass; (*Am.*) sirap **mole** [måol] mullvad; födelsemärke **molecule** [måll'ikjo:l] molekyl **molest** [måoless't] antasta **mollify** [måll'i-faj] blidka **mollusc** [måll'əsk] snäcka **moment** [måo'mənt] ögonblick, moment; *at the moment* för ögonblicket; *in a moment* om ett ögonblick, strax **momentary** [måo'məntri] som varar ett ögonblick; flyktig **momentum** [måomenn'təm] fart **monarch** [månn'ək] monark **monarchy** [månn'əki] monarki **monastery** [månn'əstri] [munk]kloster **Monday** [mann'di] måndag **monetary** [mann'itri] penning-, finans- **money** [mann'i] pengar; *even money* jämna pengar; *be short of money* ha ont om pengar **money-box** [mann'ibäkks] sparbössa, kassaskrin **money-lender** [mann'ilendə] procentare **money order** [mann'i å:də] postanvisning, postväxel **monger** [mang'gə] handlare **Mongolian** [månggåo'ljən] mongolisk **mongrel** [mang'grəl] byracka **monitor** [månn'tə] ordningsman; kontrollapparat för TV **monk** [mangk] munk **monkey** [mang'ki] apa **monkey-nut** [mang'kinatt] jordnöt **monkey-wrench** [mang'kirenntsj] skiftnyckel **monochrome** [månn'əkråom] svartvit (*om film*) **monopolize** [mənåpp'əlajz] lägga beslag på **monopoly** [mənåpp'əli] monopol **monotonous** [mənått'nəs] enformig, monoton **monster** [månn'stə] vidunder, monster, odjur **monstrous** [månn'strəs] monstruös; kolossal **monsoon** [månnso:'n] monsun **month** [mannθ] månad; *six months* ett halvt år **monthly** [mann'θli] månatlig[en]; månadstidskrift **monument** [månn'jomənt] monument **moo** [mo:] råma **mood** [mo:d] humör, stämning **moody** [mo:'di] lynnig, på dåligt humör **moon** [mo:n] måne; *once in a blue moon* mycket sällan **moonlight** [mo:'nlajt] månsken **moor** [mo:'ə] **1** hed **2** förtöja **moose** [mo:s] älg **mop** [måpp] svabb; svabba **mope** [måop] tjura **moped** [måo'pedd] moped **moral** [mårr'əl] moralisk **morale** [mårra:'l] moral, anda **morality** [məräll'itti] moral **morals** [mårr'əlz] moral **morass** [məräss'] moras, träsk **morbid** [må:'-bidd] sjuklig **mordant** [må:'dənt] vass, bitande **more** [må:] mer[a], flera; *more and more* alltmer[a] **moreover** [må:råo'və] dessutom **morgue** [må:g] bårhus **morning** [må:'ning] morgon, förmiddag; *good morning!* god morgon (dag)!; *this morning* i morse, i förmiddags; *yesterday morning* i går **morse morning-coat** [må:'ningkåot] jackett **morning paper** [må:'ning pej'pə] morgontidning **Moroccan** [məråkk'ən] marockansk **Morocco** [məråkk'åo] Marocko **moron** [må:'rånn] idiot **morose** [məråo's] dyster **morphine** [må:'fi:n] morfin **morrow** [mårr'åo] följande dag **morsel** [må:'sl] munsbit, smula **mortal** [må:'tl] dödlig **mortality** [må:täll'itti] dödlighet **mortar** [må:'tə] murbruk; mortel; mörsare **mortgage** [må:'giddsj] inteckning; inteckna **mortification** [må:tiffikej'sjən] späkning; förödmjukelse; harm; kallbrand **mortuary** [må:'tjoəri] bårhus; grav- **mosaic** [məzej'ikk] mosaik **Moslem** [måzz'lemm] muselman **mosque** [måssk] moské **mosquito** [məski:'tåo] mygga, moskit **moss** [måss] mossa **most** [måost] mest, flest, det mesta, de flesta; *most of* större delen; *most of all* allra helst; *at the most* på sin höjd **mote** [måot] dammkorn; skärva, grand **motel** [måotell'] motell **moth** [måθ] mal, nattfjäril **mother** [maδ'ə] mor, mamma **mother-in-law** [maδ'ərinnlå:] svärmor **mother-of-pearl** [maδ'ərəvpə:'l] pärlemor **motion** [måo'sjən] rörelse; motion, förslag; ge tecken **motionless** [måo'sjnliss] orörlig **motive** [måo'tivv] motiv **motive power** [måo'tivv pao'ə] drivkraft **motley** [mått'li] brokig **motor** [måo'tə] motor; bil; bila **motor accident** [måo'tə äkk'sidənt] bilolycka **motor boat** [måo'tə båot] motorbåt **motor-car** [måo'təka:] bil **motor-car repair shop** [måo'təka: ripä:'ə sjåpp] bilverkstad **motor-cycle** [måo'təsajkl] motorcykel **motorism** [måo'tərizəm] bilism **motorist** [måo'tərist] bilist **motorman** [måo'təmən] lokförare (*på ellok*) **motor-way** [måo'təwej] motorväg **motor works** [måo'tə wə:ks] bilfabrik **mottle** [mått'l] fläck; göra fläckig **motto** [mått'åo] valspråk **mould** [måold] **1** mylla **2** mögel **3** forma, gjuta; gjutform; *moulding of public opinion* opinionsbildning **mouldy** [måo'ldi] möglig; *get mouldy* mögla **moult** [måolt] rugga **mound** [maond] gravkulle; riksäpple **mount** [maont] montera; bestiga; berg **mountain** [mao'ntinn] berg, fjäll **mountain ash** [mao'ntinn äsj] rönn **mountain chain** [mao'ntinn tsjejn] bergskedja **mountaineer** [maontini:'ə] bergsbestigare, bergsbo **mountainous** [mao'ntinəs] bergig **mountain slope** [mao'ntinn slåop] bergsluttning **mountebank** [mao'ntibängk] kvacksalvare, skojare **mourn** [må:n] sörja (*en avliden*) **mourner** [må:'nə] sörjande **mourning** [må:'ning] sorgdräkt, sorg; *in mourning* sorgklädd **mouse** [maos] (*pl mice* [majs]) mus **mousse** [mo:s] fromage **moustache** [məstå:'sj]

mouth — mutineer 310

[məsta:'sj] mustasch **mouth** [maoθ] mun, gap; mynning; *the mouth-to-mouth method* mun-mot-mun-metoden **mouth-organ** [mao'θå:gən] munspel **mouthpiece** [mao'θpi:s] munstycke; språkrör, talesman **movable** [mo:'vəbl] rörlig **move** [mo:v] röra [sig], flytta [sig]; beveka; drag; rörelse **moved** [mo:vd] rörd **movement** [mo:'vmənt] rörelse; sats (*i musik*) **movie** [mo:'vi] film **movies** [mo:'vizz] biograf **moving** [mo:'ving] flyttning; rörande **mow** [måo] klippa (*gräs o.d.*), meja **mower** [måo'ə] slåttermaskin **mown** [måon] perf. part. av *mow* **M.P.** [emm'pi:'] förk. för *Member of Parliament* parlamentsledamot **Mr.** [miss'tə] herr (*framför namn*) **Mrs.** [miss'izz] fru (*framför namn*) **much** [mattsj] mycket, mycken; *very much* ganska mycket; *how much is it?* vad kostar det? **muck** [makk] dynga, lort **mucous membrane** [mjo:'kas memm'brejn] slemhinna **mud** [madd] slam, gyttja **muddle** [madd'l] virrvarr; *muddle through* krångla sig igenom **muddy** [madd'i] gyttjig, grumlig **mudguard** [madd'ga:d] stänkskärm **muff** [maff] muff; klåpare; tabbe **muffin** [maff'inn] tekaka, muffin **muffle** [maff'l] dämpa; linda om **mufti** [maff'ti] civila kläder **mug** [magg] mugg; (*sl.*) ansikte; överfalla **mulatto** [mjo:-lätt'åo] mulatt **mulberry** [mall'bri] mullbär[sträd] **mule** [mjo:l] mula, mulåsna **mulish** [mjo:'lisj] trilsk **multiple** [mall'tippl] flerdubbel **multiply** [mall'tiplaj] multiplicera (*by* med), öka[s] **multi-storey building** [mall'tistå:'ri bill'ding] höghus **multistorey garage** [mall'tistå:'ri gärr'a:sj] parkeringshus **multitude** [mall'titjo:d] mängd **mum** [mamm] tyst; tystnad **mumble** [mamm'bl] mumla **mummy** [mamm'i] mamma **mumps** [mamm'ps] påssjuka **munch** [manntsj] mumsa **mundane** [mann'-dejn] världslig **Munich** [mjo:'nikk] München **municipal** [mjo:-niss'ipəl] kommunal; *municipal court* tingsrätt **municipality** [mjo:nisipäll'itti] kommun, samhälle **munition** [mjonisj'ən] ammunition **mural** [mjo:'rəl] mur-, vägg-; väggmålning **murder** [mə:'də] mord; mörda **murderer** [mə:'dərə] mördare **murderous** [mə:'dərəs] mordisk **murky** [mə:'ki] mörk, dyster **murmur** [mə:'-mə] sorl, mummel; sorla, mumla **muscle** [mass'l] muskel **muse** [mjo:z] fundera; musa **museum** [mjo:zi:'əm] museum **mush** [masj] mos **mushroom** [masj'romm] champinjon, svamp **music** [mjo:'zikk] musik; *set ... to music* tonsätta **musical** [mjo:'zikəl] musikalisk; musikal; *musical box* speldosa; *musical comedy* operett; *musical instrument* musikinstrument **music-hall** [mjo:'-zikkhå:l] varieté[lokal] **musician** [mjo:zisj'ən] musiker **music-paper** [mjo:'zikkpejpə] notpapper **musk** [massk] mysk **musket** [mass'kitt] musköt **musketeer** [masskitti:'ə] musketör **musk-rat** [mass'krätt] bisamråtta **muslin** [mazz'linn] muslin **mussel** [mass'l] mussla **must** [masst] **1** måste; *must not* får inte **2** must **mustard** [mass'təd] senap **muster** [mass'tə] uppbjuda; mönstring **musty** [mass'ti] unken **mute** [mjo:t] stum **mutilate** [mjo:'tilejt] lemlästa, stympa **mutineer** [mjo:tini:'ə] myterist

311

mutiny [mjoː'tinni] myteri **mutter** [matt'ə] muttra, mumla; mummel **mutton** [matt'n] fårkött; *leg of mutton* fårstek **mutual** [mjoː'tjoəl] ömsesidig, inbördes **muzzle** [mazz'l] mynning; munkorg; tysta ner **my** [maj] min, mitt, mina **myocardial infarction** [majåoka:'djəl infa:'ksjən] hjärtinfarkt **myrrh** [məː] myrra **myrtle** [məː'tl] myrten **myself** [majsell'f] mig, [mig] själv **mysterious** [missti:'əriəs] hemlighetsfull, mystisk, gåtfull **mystery** [miss'təri] mysterium **mystic** [miss'tikk] mystisk **mystify** [miss'tifaj] förbrylla, mystifiera **myth** [miθ] myt **mythology** [miθåll'ədsji] mytologi **nag** [nägg] tjata; häst[krake] **nail** [nejl] nagel; spik **nail-varnish** [nej'lva:nisj] nagellack **naïve** [na:i:'v] naiv **naked** [nej'kidd] naken, bar **name** [nejm] namn, benämning (of på) **name-day** [nej'mdej] namnsdag **namely** [nej'mli] nämligen **namesake** [nej'msejk] namne **nanny** [nänn'i] barnsköterska **nap** [näpp] **1** tupplur **2** ludd, lugg **napkin** [näpp'kinn] servett, bløja **Naples** [nej'plz] Neapel **nappy** [näpp'i] blöja **narcosis** [na:-kåo'siss] narkos **narcotics** [na:kått'ikks] narkotika **narrate** [närrej't] berätta **narrative** [närr'ətivv] berättelse **narrow** [närr'åo] trång, smal **narrowing** [närr'åoing] avsmalnande **nasal** [nej'zl] nasal, näs- **nasturtium** [nəsta:'sjəm] krasse **nasty** [na:'sti] otäck; smutsig; elak; *have a nasty smell* lukta illa **natal** [nej'tl] födelse- **natality** [nätäll'itti] nativitet **nation** [nej'sjən] nation **national** [näsj'ənl] nationell; *national anthem* nationalsång; *national coat of arms* riksvapen; *national income* nationalinkomst; *national insurance* socialförsäkring; *national park* reservat, nationalpark; *national planning* samhällsplanering; *national team* landslag **nationality** [näsjənäll'itti] nationalitet **nationalize** [näsj'nəlajz] förstatliga **native** [nej'tivv] infödd; infödig; *native country* fosterland, hemland; *native of* hemmahörande i; *native place* hembygd **nativity** [nətivv'itti] födelse **natural** [nätt'sjrəl] naturlig; *natural resources* naturtillgångar; *natural science* naturvetenskap **naturally** [nätt'sjrəli] naturligtvis **nature** [nej'tsjə] natur **naught** [nå:t] nolla, intet **naughty** [nå:'ti] stygg, elak **nausea** [nå:'sjə] äckel **nauseate** [nå:'siejt] äckla **nauseating** [nå:'siejting] äcklig **nautical mile** [nå:'tikəl majl] sjömil, nautisk mil **naval** [nejv'l] sjö-, fartygs- **nave** [nejv] hjulnav; skepp (i kyrka) **navel** [nej'vəl] navel **navigate** [nävv'igejt] navigera **navigation** [nävvigej'sjən] navigation **navvy** [nävv'i] rallare **navy** [nej'vi] flotta, marin **nay** [nej] nej; till och med **Nazi[st]** [na:'tsi(st)] nazist **near** [ni:'ə] nära, i närheten av, vid *be near* förstå, vara nära; *bring ... near* närma **nearer** [ni:'ərə] närmare **nearest** [ni:'ərisst] närmast **nearly** [ni:'əli] nästan, inemot **nearsighted** [ni:'əsaj'tidd] närsynt **neat** [ni:t] prydlig, vårdad **nebulous** [nebb'joləs] dimmig, dunkel **necessary** [ness'i-səri] nödvändig; *be necessary* behövas; *if necessary* om så erfordras **necessity** [nisess'itti] nödvändighet; *necessities* förnödenheter **neck** [nekk] hals; *the back of the neck* nacken **necklace**

[nekk´liss] halsband **neck-tie** [nekk´taj] slips **née** [nej] född **need** [ni:d] behöva; behov; *be needed* behövas, gå åt; *badly (much) needed* välbehövlig; *be in need* lida nöd; *in case of need* i nödfall **needle** [ni:´dl] nål, synål; barr **needless** [ni:´dliss] onödig **needlework** [ni:´dlwə:k] handarbete **needy** [ni:´di] behövande **negative** [negg´ətivv] negativ; *answer in the negative* svara nekande **neglect** [niglekk´t] försumma, underlåta, vansköta; försummelse **neglected** [niglekk´tidd] ovårdad **negligence** [negg´lidsjəns] försumlighet, vårdslöshet **negligent** [negg´lidsjənt] försumlig **negligible** [negg´lidsjəbl] försumbar, som kan bortses från **negotiate** [nigåo´sjiejt] förhandla, underhandla **negotiation** [nigåosjiej´sjən] förhandling, underhandling **Negress** [ni:´griss] negerkvinna, negress **Negro** [ni:´gråo] neger **neigh** [nej] gnägga **neighbour** [nej´bə] granne **neighbourhood** [nej´bəhodd] grannskap, närhet; *in this neighbourhood* här i trakten **neighbouring** [nej´bəring] närbelägen; *neighbouring country* grannland **neither** [naj´ðə] ingendera; *neither ... nor* varken ... eller **neon tube** [ni:´ən tjo:b] neonrör **nephew** [nevv´jo] brorson, systerson **nerve** [nə:v] nerv; själsstyrka; fräckhet; *get on a p.'s nerves* enervera ngn **nerve-racking** [nə:´vräkking] nervpåfrestande **nervous** [nə:´vəs] nervös; *nervous disorder* nervsjukdom **nest** [nesst] (fågel)bo **nesting-box** [ness´tingbåkks] fågelholk **nestle** [ness´l] bygga bo; trycka sig intill **net** [nett] **1** nät **2** netto; *net weight* nettovikt **Netherlands** [neð´ələndz] *the Netherlands* Nederländerna **nettle** [nett´l] nässla; *stinging nettle* brännässla **net-work** [nett´wə:k] nätverk; kedja av radiostationer **neurosis** [njoəråo´siss] neuros **neurotic** [njoərått´ikk] neurotisk; neurotiker **neuter** [njo:´tə] neutrum; neutral **neutral** [njo:´trəl] neutral **neutrality** [njo:träll´itti] neutralitet **neutralize** [njo:´trəlajz] neutralisera **neutron** [njo:´trånn] neutron **never** [nevv´ə] aldrig **nevertheless** [nevvəðəless´] likväl, icke desto mindre, ändå **new** [njo:] ny; färsk; *new moon* nymåne; *new year* nyår; *New Year's Day* nyårsdagen; *New Year's Eve* nyårsafton **new-born** [njo:´bå:n] nyfödd **new-built** [njo:´billt] nybyggd **newcomer** [njo:´kamm´ə] nykomling **new-fangled** [njo:´fänggld] nymodig **newly established** [njo:´li isstabb´-lisjt] nystartad (*om företag*) **newly formed** [njo:´li få:md] nybildad **newly-married** [njo:´li märr´idd] nygift **newly-pressed** [njo:´lipresst] nypressad **newly qualified** [njo:´li kwäll´ifajd] nyexaminerad **news** [njo:z] nyheter, underrättelser; *a piece of news* en nyhet **news agency** [njo:´z ej´dsjənsi] nyhetsbyrå **news broadcast** [njo:´z brå:´dka:st] nyhetsutsändning **news-item** [njo:´zajtemm] (tidnings)notis **newspaper** [njo:´spejpə] tidning **newsreel** [njo:´zri:l] journalfilm **news-stand** [njo:´z-stännd] tidningskiosk **newt** [njo:t] vattenödla **New Zealand** [njo:zi:´lənd] Nya Zeeland **next** [nekkst] nästa, nästkommande; *next autumn* i höst (nästkommande); *next to* intill **nib** [nibb] spets; näbb; penna **nibble** [nibb'l] knapra på; nafsa efter **nice** [najs] snäll, rar, skön; *we had a very nice time* vi hade mycket trevligt; *nice and comfortable* hemtrevlig **nicety** [naj'sitti] finhet; noggrannhet; läckerhet; *to a nicety* precis lagom, elegant **nick** [nikk] skåra; *in the nick of time* i grevens tid **nickel** [nikk'l] nickel; 5 centsslant **nickname** [nikk'nejm] öknamn **nicotine** [nikk'ŏti:n] nikotin **niece** [ni:s] systerdotter **niggardly** [nigg'ŏdli] knusslig **nigh** [naj] nära; nästan **night** [najt] natt, kväll; *good night!* god natt!; *first night* premiär **night club** [najt' klabb] nattklubb **nightingale** [naj'tinggejl] näktergal **nightmare** [naj'tmä:ə] mardröm **night-watchman** [naj'twått'sjmən] nattvakt **nil** [nill] intet, noll **Nile** [naj'l] *the Nile* Nilen [nimm'bl] livlig; händig **nincompoop** [ninn'kampo:p] dumhuvud, våp **nine** [najn] nio; nia **ninepins** [naj'npinnz] kägelspel **nineteen** [naj'nti:'n] nitton **nineteenth** [naj'nti:'nθ] nittonde **ninetieth** [naj'ntiiθ] nittionde **ninety** [naj'nti] nittio **ninth** [najnθ] nionde **nip** [nipp] nypa, knipa; *nip in the bud* kväva i sin linda **nippers** [nipp'əz] avbitartång **nitrate** [naj'trejt] nitrat **nitric acid** [naj'trikk äss'idd] salpetersyra **nitrogen** [naj'tridsjən] kväve **no** [nåo] nej; ingen, ingenting; *no one* ingen **Nobel Prize** [nåobell' prajz] nobelpris **nobility** [nobill'itti] adel **noble** [nåo'bl] ädel, förnäm, adlig **nobody** [nåo'bədi] ingen **nocturnal** [nåkktə:'nl] nattlig **nod** [nådd] nicka; nick **noise** [nåjz] buller, oljud; ljud; *make a noise* bullra, stoja **noiseless** [nåj'zliss] ljudlös **noisy** [nåj'zi] högljudd, bråkig; *be noisy* väsnas; *be noisy* bråka (stoja); *noisy funfare* tingeltangel **nomad** [nåmm'əd] nomad **nominal** [nåmm'innl] nominell **nominate** [nåmm'inejt] benämna; nominera **nominee** [nåmmini:'] kandidat **nonchalant** [nånn'sjələnt] nonchalant **non-commissioned officer** [nånn'kəmisj'ənd åff'issə] underbefäl **non-committal** [nånn'kəmitt'l] vägran att uttala sig; avvaktande **nondescript** [nånn'diskrippt] obestämbar **none** [nann] ingen, inget, inga; *none the less* icke desto mindre **non-existent** [nånn'iggziss'tənt] obefintlig **non-iron** [nånn'aj'ən] strykfri **nonplus** [nånn'plass'] bryderi; göra förlägen **non-returnable bottle** [nånn'ritə:'nəbl bått'l] engångsglas **nonsense** [nånn'səns] nonsens, struntprat **non-stop** [nånn'ståpp'] utan uppehåll **nook** [nokk] vinkel, vrå **noon** [no:n] middag; *at noon* klockan tolv på dagen **noose** [no:s] ögla, snara **nor** [nå:] ej heller; *neither … nor* varken … eller **Nordic** [nå:'dikk] nordisk; *the Nordic countries* Norden **normal** [nå:'məl] normal **Norman** [nå:'mən] normand; normandisk **normative** [nå:'mətivv] normgivande **Norse** [nå:s] norsk **north** [nå:θ] nord, norr; nordlig; *to the north* mot norr **north-east** [nå:'θi:'st] nordost **northern** [nå:'ðən] nordlig, nordisk; *Northern Africa* Nordafrika **northerner** [nå:'ðənə] nordbo; *the north pole* nordpolen; *the North Sea* Nordsjön **Norway** [nå:'wej] Norge **Norwegian** [nå:wi:'dsjən] norsk; norrman; norska (språket) **nose** [nåoz] näsa, nos; *blow*

---

one's nose snyta sig **nose-bleeding** [nåo'zbli:ding] näsblod **nose dive** [nåo'z daj'v] störtdykning **nosegay** [nåo'zgej] bukett **nostalgia** [nåsställ'dsjiə] hemlängtan, nostalgi **nostalgic** [nåsställ'dsjikk] nostalgisk, hemsjuk **nostril** [nåss'trill] näsborre **not** [nått] inte; *not at all* visst inte; *not only ... but* [*also*] icke blott utan även; *he is not at all himself* han är sig inte lik **notable** [nåo'təbl] märkvärdig, framstående **notation** [nåotej'sjən] beteckningssätt **notch** [nåttsj] hack **note** [nåot] not, ton; anteckning; lägga märke till, anteckna *note of hand* revers; *give the note* ange tonen; *make a note of* notera; *strike the right note* träffa den rätta tonen **notebook** [nåo'tbokk] anteckningsbok **noted** [nåo'tidd] berömd **note-paper** [nåo'tpejpə] brevpapper **noteworthy** [nåo'twə:ði] anmärkningsvärd **nothing** [naθ'ing] ingenting; *nothing like* inte tillnärmelsevis **nothingness** [naθ'ingniss] intet, intighet **notice** [nåo'tiss] meddelande, anslag; uppsägning, förvarning, varsel (*vid strejk*); uppmärksamma, märka; *give notice* varsla, varsko; *give notice of* utlysa; *take notice of* lägga märke till; *under notice* uppsagd **noticeable** [nåo'tissəbl] anmärkningsvärd; märkbar **notice-board** [nåo'tissbå:d] anslagstavla **notify** [no'tifaj] underrätta **notion** [nåo'sjən] aning, föreställning **notoriety** [nåotəraj'əti] allbekanthet, allmänt känd person **notorious** [nåotå:'riəs] beryktad, ökänd **notwithstanding** [nåttwiθstänn'ding] trots **nought** [nå:t] nolla; noll **noun** [naon] substantiv **nourish** [narr'isj] uppföda; (*bildl.*) hysa **nourishing** [narr'isjing] närande **nourishment** [narr'isjmənt] näring, föda **novel** [nåvv'əl] roman **novelty** [nåvv'əlti] nyhet, nymodighet **November** [nåovemm'bə] november **novice** [nåvv'iss] novis, nybörjare **now** [nao] nu; *till now* hittills; *now ... now* än ... än; *now and then* stundtals, då och då **nowadays** [nao'ədejz] nuförtiden, numera **nowhere** [nåo'wä:ə] ingenstans **noxious** [nåkk'sjəs] skadlig **nozzle** [nåzz'l] munstycke; nos, tryne **nuclear** [njo:'kliə] kärn-; *nuclear physics* kärnfysik; *nuclear power* kärnkraft; *nuclear weapon* kärnvapen **nucleic acid** [njo:'kliikk äss'idd] nukleinsyra **nucleus** [njo:'kliəs] cellkärna **nude** [njo:'d] naken **nudge** [naddsj] knuffa till; lätt knuff **nugget** [nagg'itt] guldklimp **nuisance** [njo:'sns] obehag, besvär; *what a nuisance* så förargligt! **null** [nall] ogiltig; värdelös **nullify** [nall'ifaj] annullera, förklara ogiltig **numb** [namm] valhänt **number** [namm'bə] nummer, tal, antal; numrera; *in large numbers* massvis **numerator** [njo:'mərejtə] täljare **numerical order** [njo:merr'ikəl å:'də] nummerordning **numerous** [njo:'mərəs] talrik **nun** [nann] nunna **nuptial** [napp'sjəl] bröllops-, äktenskaplig **nurse** [nə:s] [sjuk]sköterska; barnsköterska; sköta, vårda; *male nurse* sjukvårdare **nursery** [nə:'sri] barnkammare; plantskola **nursery school** [nə:'sri sko:l] lekskola, förskola **nurture** [nə:'tsjə] näring; uppföda **nut** [natt] nöt; mutter; *nuts* tokig **nut-cracker** [natt'kräkkə] nötknäppare **nutmeg** [natt'megg] muskotnöt **nutrition** [njotrisj'ən] näring **nutritious** [njo:trisj'əs] näringsrik **nutshell** [natt'sjell] nötskal **nylon** [naj'-lən] nylon **nylon shirt** [naj'lən sjə:t] nylonskjorta **o** [åo] noll (*i telefonnummer m.m.*) **oak** [åok] ek **oaken** [åo'kn] av ek **oakum** [åo'kəm] drev **oar** [å:] åra **oasis** [åoej'siss] oas **oath** [åoθ] ed; svordom; *take one's oath upon* gå ed på **oats** [åots] havre **obedience** [əbi:'djəns] lydnad **obedient** [əbi:'djənt] lydig **obese** [åobi:'s] för fet **obesity** [åobi:'sitti] överdriven fetma **obey** [əbej'] lyda **obituary notice** [əbitt'joəri nåo'tiss] döds-annons **object** [åbb'dsjikkt] objekt, föremål; [əbdsjekk't] in-vända (*to* mot); *object lesson* skolexempel **objection** [əbb-dsjekk'sjən] invändning, anmärkning **objective** [åbbdsjekk'tivv] objektiv; avsikt **obligation** [åbbligej'sjən] förbindelse, förpliktelse **oblige** [əblaj'dsj] tillmötesgå; göra en tjänst; *be obliged to* vara tvungen att; *much obliged!* tack så mycket! **obliging** [əblaj'-dsjing] tillmötesgående, tjänstvillig **obligingness** [əblaj'dsjingniss] tillmötesgående **oblique** [əbli:'k] sned **obliquely** [əbli:'kli] på snedden **obliterate** [əblitt'ərejt] utplåna **oblivion** [əblivv'iən] glömska **oblong** [åbb'lång] avlång **obnoxious** [åbnåkk'sjəs] anstötlig; avskyvärd **oboe** [åo'båo] oboe **obscene** [åbbsi:'n] slipprig, oanständig **obscure** [əbskjo:'ə] oklar, dunkel **obscurity** [əbskjo:'əritti] oklarhet, dunkel **observance** [əbzə:'vəns] efter-levnad **observation** [åbbzə:vej'sjən] observation, iakttagelse, rön **observe** [əbzə:'v] observera, iaktta, beakta **observatory** [əbzə:'vətri] observatorium **observer** [əbzə:'və] iakttagare **ob-session** [əbsesj'ən] tvångsföreställning **obsolete** [åbb'səli:t] föråldrad **obstacle** [åbb'stəkl] hinder (*to* för, mot) **obstinate** [åbb'stinitt] envis; *the obstinate age* trotsåldern **obstruct** [əbstrakk't] spärra, hindra **obtain** [əbtej'n] erhålla, förvärva; *obtain ... by force* tilltvinga sig **obtainable** [əbtej'nəbl] *be ob-tainable* finnas att tillgå **obtrusive** [əbtro:'sivv] påträngande **obtuse** [əbtjo:'s] trubbig, trög (om förstånd) **obvious** [åbb'viəs] uppenbar, tydlig, självklar **obviously** [åbb'viəsli] uppenbarligen, tydligen **occasion** [əkej'sjən] tillfälle **occasional** [əkej'sjənl] enstaka; tillfällig **occasionally** [əkej'sjnəli] emellanåt **occupa-tion** [åkkjopej'sjən] sysselsättning, yrke; ockupation **occupa-tional** [åkkjopej'sjənl] yrkes-; *occupational disease* yrkesjuk-dom; *occupational therapy* sysselsättningsterapi **occupied** [åkk'-jopajd] sysselsatt, upptagen **occupy** [åkk'jopaj] sysselsätta; ockupera **occur** [əkə:'] inträffa, hända, förekomma; *it never occurred to me* det föll mig aldrig in **occurrence** [əkarr'əns] händelse, förekomst **occurring** [əkə:'ring] förekommande **ocean** [åo'sjən] ocean, världshav **Oceania** [åosjiej'njə] Oceanien **o'clock** [əklåkk'] *six o'clock* klockan sex **octane value** [åkk'-tejn väll'jo:] oktanvärde **octave** [åkk'tivv] oktav **octavo** [åkktej'-våo] oktavformat **October** [åkktåo'bə] oktober **octopus** [åkk'-təpəs] bläckfisk **odd** [ådd] udda; konstig; *odd fish* stofil **odds** [åddz] odds, utsikter; handikapp **odious** [åo'djəs] avskyvärd

odometer [åodåmm'itta] vägmätare **odour** [åo'də] lukt **œsophagus** [i:såff'əgəs] matstrupe **of** [åvv] av, från, om **off** [åff] åstad, i väg; bort; *be off* ge sig i väg; *be well off* vara förmögen **offal** [åff'l] avfall, avskräde **offence** [əfenn's] anstöt, förseelse **offend** [əfenn'd] förnärma, stöta **offender** [əfenn'də] förbrytare, syndare **offensive** [əfenn'sivv] offensiv; anstötlig **offer** [åff'ə] erbjuda [sig]; erbjudande, anbud, offert **offering** [åff'əring] offer[gåva]; erbjudande **off-hand** [åff'hänn'd] genast; på rak arm; nonchalant **office** [åff'iss] kontor; ämbete **officer** [åff'issə] officer; polisman; ämbetsman **official** [əfisj'əl] officiell; ämbetsman, tjänsteman, funktionär; *official journey* tjänsteresa; *official reports* offentliga utredningar **officious** [əfisj'əs] servil; officiös **off-print** [åff'prinnt] särtryck **offset** [åff'sett] offset; kompensation; kompensera **offset print** [åff'sett print] offsettryck **off-spring** [åff'spring] avkomma **often** [å:'fn] ofta **ogle** [åo'gl] snegla på; flirta **ogre** [åo'gə] jätte, troll **oh** [åo] jaså **ohm** [åom] ohm **oil** [åjl] olja **oilcloth** [åj'lklåθ] vaxduk **oil-paint** [åj'lpej'nt] oljefäg **oil-painting** [åj'lpej'nting] oljemålning **oil-skins** [åj'lskinnz] oljeställ **ointment** [åj'ntmənt] salva **old** [åold] gammal; *old age* ålderdom; *old man* gubbe; *old woman* gumma **older** [åo'ldə] äldre **oldest** [åo'ldisst] äldst **old-fashioned** [åo'ldfäsj'ənd] omodern, gammaldags, gammalmodig **olive** [åll'ivv] oliv; olivgrön **Olympic Games** [əlimm'pikk gej'mz] olympiad, olympiska spel **ombudsman** [åmm'bodzmən] ombudsman **omelet[te]** [åmm'litt] omelett **omen** [åo'men] omen, förebud **ominous** [åmm'inəs] olycksbådande **omission** [åomisj'ən] utelämnande, underlåtenhet **omit** [åmitt'] utelämna **omnipotent** [åmnipp'ətnt] allsmäktig **omnipresent** [åm'niprezz'nt] allestädes närvarande **omniscient** [åmniss'iənt] allvetande **on** [ånn] på, vid; framåt **once** [wanns] en gång; *at once* genast, med ens; *for once* för en gångs skull; *once more* en gång till; *once a week* en gång i veckan; *once in a while* ngn enstaka gång, då och då **once-for-all cost** [wanns farå:'l kåss't] engångskostnad **one** [wann] en, ett, endera; etta; man; *[the] one ... the other* den ene ... den andre; *one after the other* efter varandra; *one of these days* endera dagen **one-coloured** [wann'kall'əd] enfärgad **one-family house** [wann'fämm'illi haos] enfamiljshus **oneself** [wannsell'f] sig [själv] **one-sided** [wann'saj'didd] ensidig **onion** [ann'jən] lök **onlooker** [ånnlokk'ə] åskådare **only** [åo'nli] bara, endast; enda; *only so-so* si och så; *I saw him only yesterday* jag såg honom senast i går **onset** [ånn'sett] anfall; början **onslaught** [ånn'slå:t] våldsamt anfall **onwards** [ånn'wədz] framåt **ooze** [o:z] sippra fram, läcka ut **opaque** [åopej'k] ogenomskinlig, oklar **open** [åo'pən] öppen; öppna; inleda; *open out* utmynna (*om gata o.d.*) **open-air restaurant** [åo'pnä:ə ress'tərånnt] uteservering **open-hearted** [åo'pənha:tidd] öppenhjärtig **opening** [åo'pning] öppning; öppnande; uppslag (*i bok*)

openness [åo'pənniss] öppenhet **opera** [åpp'ərə] opera **operahouse** [åpp'ərəhaos] operahus **opera-singer** [åpp'ərəsiŋə] operasångare **operate** [åpp'ərejt] operera (*on s.b.* ngn); verka, vara i gång; *be operated on* bli opererad **operation** [åppərej'sjən] operation; drift, gång; *in operation* i funktion **operator** [åpp'ərejtə] telefonist; maskinist; kirurg **opiate** [åo'piitt] sömnmedel **opinion** [əpinn'jən] åsikt, mening; opinion; *form an opinion of* bilda sig en uppfattning om; *in my opinion* enligt min åsikt; *of one opinion* enig, ense; *public opinion* den allmänna opinionen **opinionated** [əpinn'jənejtidd] dogmatisk; egensinnig **opium** [åo'pjəm] opium **opponent** [əpåo'nənt] motståndare **opportune** [åpp'ətjo:n] läglig, passande **opportunist** [åpp'ətjo:nisst] opportunist; *take the opportunity* passa på tillfället **opportunity** [åppətjo:'nitti] tillfälle, chans **oppose** [əpåo'z] motsätta sig **opposite** [åpp'əzitt] motsatt, mitt emot; motsats **opposition** [åppəzisj'ən] opposition **oppress** [əpress'] förtrycka; nedtynga **oppression** [əpresj'ən] förtryck **opt** [åppt] välja; *opt for* uttala sig för **optical** [åpp'tikəl] optisk; *optical illusion* synvilla **optimist** [åpp'timisst] optimist **optimistic** [åpptimiss'tikk] optimistisk **option** [åpp'sjən] valfrihet, alternativ; option **optional** [åpp'sjənl] valfri, frivillig **opulence** [åpp'joləns] välstånd, överflöd **opulent** [åpp'jolənt] rik, överflödande **or** [å:] eller; annars; *3 or 4 days* 3 à 4 dagar **oral** [å:'rəl] muntlig **orange** [årr'indsj] apelsin; brandgul **orang-outang** [å:'rəŋgo:'täŋ] orangutang **oration** [å:rej'sjən] högtidligt tal **orator** [årr'ətə] vältalare **orb** [å:b] klot, sfär; riksäpple **orbit** [å:'bitt] (*satellits etc.*) bana **orchard** [å:'tsjəd] fruktträdgård **orchestra** [å:'kisstrə] orkester, kapell **orchid** [å:'kidd] orkidé **ordeal** [å:di:'l] eldprov **order** [å:'də] beställa, befalla, påbjuda; beställning, order (*for* på); befallning; ordning; orden; *order off* (*sport.*) utvisa; *get ... into order* ordna, reda ut; *out of order* trasig, i olag; *social order* samhällsskick **orderly** [å:'dəli] redig, ordentlig; sjukvårdsbiträde; ordonnans **ordinance** [å:'dinəns] förordning **ordinary** [å:'dnri] vanlig, ordinär, ordinarie; *ordinary people* vanligt folk; *ordinary plate* flat tallrik; *ordinary share* stamaktie; *ordinary train* persontåg **ordnance** [å:'dnəns] artilleri **ore** [å:] malm **organ** [å:'gən] organ; orgel **organic** [å:gänn'ikk] organisk **organism** [å:'gənizzəm] organism **organization** [å:gənajzej'sjən] organisation **organize** [å:'gənajz] organisera **organizing ability** [å:'gənajziŋ əbill'itti] organisationsförmåga **orgasm** [å:'gäzzəm] orgasm **orgy** [å:'dsji] orgie **orient** [å:'riennt] orientera **Orient** [å:'riənt] *the Orient* Orienten **oriental** [å:rienn'tl] orientalisk **orifice** [å:'rifiss] öppning, mynning **origin** [årr'idsjinn] ursprung, upphov, härstamning **original** [əridd'sjənl] ursprunglig, originell; original; *original inhabitant* urinnevånare **originally** [əridd'sjnəli] ursprungligen **originate** [əridd'sjinejt] härröra, bottna **originator** [əridd'sjinejtə] upphovsman **ornament** [å:'nəmənt] ornament **orphan** [å:'fən] föräldralös **orthodox** [å:'θədåkks] rättrogen **oscillate** [åss'ilejt] pendla **ostensible** [åstenn'səbl] uppgiven, påstådd **ostentatious** [åsstenntej'sjəs] vräkig, prålig **ostrich** [åss'trittsj] struts **other** [að'ə] annan, övrig; *each other* varandra; *the other day* häromdagen; *on the other hand* däremot **otherwise** [að'əwajz] annars, i annat fall; annorlunda, på annat sätt **otter** [ått'ə] utter **ought to** [å:'t to:] bör, borde **ounce** [aons] uns (*ca 28 gram*) **our** [ao'ə], **ours** [ao'əz] vår **ourselves** [aoəsell'vz] oss (själva) **oust** [aost] fördriva **out** [aot] ut, fram, ute, framme; *out there* där ute; *out of* av, upp (ut) ur, ur **outboard motor** [ao'tbå:'d måo'tə] aktersnurra **outbreak** [ao'tbrejk] utbrott **outburst** [ao'tbə:st] utbrott **outcast** [ao'tka:st] utstött varelse **outclass** [aotkla:'s] utklassa **out-come** [ao'tkamm] resultat **outcry** [ao't-kraj] rop, larm; [aotkraj'] ropa, larma; överrösta **outdo** [aotdo:'] överträffa **outdoor clothes** [ao'tdå: klåoðz] ytterkläder **outdoor life** [ao'tdå: laj'f] friluftsliv **outdoors** [ao'tdå:'z] utomhus **outer** [ao'tə] yttre; *outer dimension* yttermått; *outer door* ytterdörr; *outer space* världsrymden **outermost** [ao'təmåost] ytterst **outfit** [ao'tfitt] utrustning; företag; arbetslag; utrusta **outflow** [ao'tflåo] utlopp, utflöde **outgrow** [aotgråo'] växa ur **outgrown** [aotgråo'n] urvuxen **outgrowth** [ao'tgråoθ] utväxt **outhouse** [ao'thaos] uthus **outing** [ao'ting] utflykt **outlandish** [aotlänn'-disj] egendomlig, bisarr **outlaw** [ao'tlå:] fredlös **outlay** [ao'tlej] utlägg, utgifter **outlet** [ao'tlett] utgång; avlopp **outline** [ao'tlajn] kontur; utkast; skissera; *in rough outline* i grova drag **outlive** [aotlivv'] överleva, leva längre än **outlook** [ao'tlokk] utsikt, utkik **outman[o]euvre** [aotmäno:'və] utmanövrera **outnumber** [aotnamm'bə] vara överlägsen i antal **out-of-date** [ao'təvvdej't] föråldrad **out-of-doors** [ao'təvvdå:'z] utomhus **out-of-the-way spot** [ao'təvvðəwej' spått'] avkrok **out-patient department** [ao'tpejsjənt dipa:'tmənt] poliklinik **outpost** [ao'tpåost] utpost **output** [ao'tpott] produktion **outrage** [ao'trejdsj] övergrepp, skymf; kränka, skymfa **outrageous** [aotrej'sjəs] kränkande **outright** [aotraj't] rent ut, helt och hållet; [ao'trajt] fullständig **outset** [ao'tsett] början **outside** [ao'tsaj'd] utanför, utanpå, utom; utsida; *from outside* utifrån; *outside forward* (*sport.*) ytter **outsider** [ao'tsajdə] utomstående **outskirts** [ao'tskə:ts] utkanter, ytterområden **outspoken** [aotspåo'kən] frispråkig **outstanding** [aotstänn'ding] framstående **outward** [ao'twəd] utvändig, utåt **outwards** [ao'twədz] utåt **outwit** [aotwitt'] överlista **oval** [åo'vəl] oval **ovary** [åo'vəri] äggstock **oven** [avv'n] ugn **ovenproof** [avv'npro:'f] ugnseldfast **over** [åo'və] över; omkull; *be over* vara över[ständen]; *over again* om igen **overall** [åo'vərå:l] städrock **overalls** [åo'vərå:lz] overall **overbearing** [åovəbä:'əring] myndig, högdragen **overcast** [åo'vəka:st] mulen **overcoat** [åo'vəkåot] ytterock, överrock **overcome** [åovəkamm'] övervinna **overcrowding** [åovəkrao'ding] trångboddhet

overdo [åovədo:'] överdriva **overdraft** [åo'vədra:ft] överskridande av bankkonto **overdress** [åo'vədress'] styra ut **overdue** [åo'vədjo:'] för länge sedan förfallen; försenad **overeat** [åo'vəri:'t] föräta sig **overexcited** [åo'vərikksaj'tidd] uppjagad **overflow** [åovəflåo'] svämma över **overflowing** [åovəflåo'ing] översvallande **overhaul** [åo'vəhå:l] översyn **overheads** [åo'vəhedd'z] fasta driftskostnader **overhead valve** [åo'vəhedd väll'v] toppventil **overhear** [åovəhi:'ə] råka få höra **overland** [åovəlänn'd] landvägen **overlap** [åovəläpp'] delvis täcka, överlappa **overload** [åo'vəlåo'd] överbelasta **overlook** [åovəlokk'] förbise; överse med **overpopulation** [åo'vəpåppjolej'sjən] överbefolkning **overpower** [åovəpao'ə] överväldiga **over-qualified** [åo'vəkwåll'ifajd] överkvalificerad **overrate** [åo'vərej't] överskatta **override** [åovəraj'd] åsidosätta; överskrida **overripe** [åo'vəraj'p] övermogen **overrule** [åovəro:'l] upphäva; ogilla **overseas** [åo'vəsi:'z] utomlands, på andra sidan havet **overseer** [åo'vəsi:ə] uppsyningsman **oversight** [åo'vəsajt] förbiseende **oversleep** [åo'vəsli:'p] försova sig **overstate** [åo'vəstej't] överdriva **overstrain** [åo'vəstrej'n] överanstränga [sig] **overstrung** [åo'vəstrang'] överspänd **overt** [åo'vət] offentlig; öppen **overtake** [åovətej'k] köra (gå) om, hinna upp **overtaking** [åovətej'king] omkörning **overtax** [åo'vətäkk's] överbeskatta; fordra för mycket av **overthrow** [åovəθråo'] störta, avsätta **overtime** [åo'vətajm] övertid **overture** [åo'vətjo:ə] uvertyr **overweight** [åo'vəwejt] övervikt **overwhelm** [åovəwell'm] överväldiga **overwork** [åo'vəwə:'k] överansträngning; överanstränga; [åo'vəwə:k] övertidsarbete **overworked** [åo'vəwə:'kt], **overwrought** [åo'vərå:'t] överansträngd **owe** [åo] vara skyldig, ha att tacka för; *owing to* på grund av; *owing to this* härigenom **owl** [aol] uggla **own** [åon] **1** äga, rå om, vidkännas **2** egen; *one's own* ens egen; *get one's own way* få sin vilja igenom **owner** [åo'nə] ägare **ownership** [åo'nəsjipp] äganderätt **ox** [åkks] (*pl oxen* [åkk'sən]) oxe **oxide** [åkk'sajd] oxid **oxidize** [åkk'sidajz] oxidera **Oxonian** [åkksåo'njən] oxford-; oxfordstudent **oxygen** [åkk'sidsjən] syre **oyster** [åj'stə] ostron **oyster-catcher** [åj'stəkättsjə] strandskata **oz.** fork. för *ounce*[*s*] **pa** [pa:] pappa **pace** [pejs] tempo; steg; hastighet **Pacific** [pəsiff'ikk] *the Pacific* Stilla havet **pacify** [päss'ifaj] stilla, lugna **pack** [päkk] emballera, packa; [*varg*]flock; packe; *packed lunch* matsäck; *pack up* packa in; *pack of cards* kortlek **package** [päkk'iddsj] förpackning, packe, kolli **packet** [päkk'itt] bunt, paket; *packet of cigarettes* cigarrettpaket **packing** [päkk'ing] emballage **pact** [päkkt] pakt, fördrag **pad** [pädd] sudd, tuss; skrivblock; vaddera **paddle** [pädd'l] paddel; paddla; plaska **paddling-pool** [pädd'lingpo:l] plaskdamm **paddock** [pädd'ək] hästhage; sadelplats **Paddy** [pädd'i] irländare **padlock** [pädd'låkk] hänglås **pagan** [pej'gən] hedning; hednisk **page** [pejdsj] sida, blad **pageant** [pädd'sjənt] parad, skådespel **page boy** [pej'dsj båj] pickolo **paid** [pejd] imperf. och perf. part. av *pay* **pail** [pejl] hink **pain** [pejn] plåga, smarta; *give pain* göra ont; *I have a pain in my back* jag har ont i ryggen; *take pains to* vinnlägga sig om att **painful** [pej'nfoll] plågsam, smärtsam; pinsam **painless** [pej'nliss] smärtfri **pain-relieving** [pej'nrili:'ving] smärtstillande **painstaking** [pej'nstej-king] flitig, noggrann **paint** [pejnt] måla, pensla; [målar]färg; smink; *freshly painted* nymålad; *wet paint!* nymålat! **paint-brush** [pej'ntbrasj] pensel **painter** [pej'ntə] målare **painting** [pej'nting] måleri, målning **pair** [pä:'ə] par **pal** [päll] kamrat, kompis **palace** [pall'iss] palats, slott **palatable** [päll'ətəbl] smaklig **palate** [päll'itt] gom **pale** [pejl] **1** blek **2** påle **Palestine** [päll'istajn] Palestina **palette** [päll'itt] palett **paling** [pej'ling] plank, staket **pall** [på:l] bårtäcke; äcklas **palliative** [päll'iətivv] lindrande (medel) **pallid** [päll'idd] blek **palm** [pa:m] **1** palm **2** handflata **palpable** [päll'pəbl] kännbar **palpitate** [päll'pitejt] klappa; darra **palsy** [på:'lsi] slaganfall; förlamning **paltry** [på:'ltri] eländig **pamper** [pämm'pə] klema bort **pamphlet** [pämm'flitt] broschyr **pan** [pänn] panna **pancake** [pänn'kejk] pannkaka **pane** [pejn] [fönster]ruta **panel** [pänn'l] ruta, fält; panel (*personer*); instrumenttavla **panelling** [pänn'ling] panel **pang** [päng] smärta; *pangs of conscience* samvetskval **panic** [pänn'ikk] panik **panic-stricken** [pänn'ikkstrikkən] skräckslagen **pansy** [pänn'si] pensé **pant** [pännt] flämta; flämtning **panther** [pänn'θə] panter **panties** [pänn'tizz] [damunder]byxor **pantry** [pänn'tri] skafferi **pants** [pännts] byxor, underbyxor **papal** [pej'pəl] påvlig **paper** [pej'pə] papper; tidning; uppsats, skrivning; *a piece of paper* ett papper; *cross-ruled paper* rutat papper; *hang paper* tapetsera **paperback** [pej'pəbäkk] pocketbok **paper mill** [pej'pə mill] pappersbruk **paprika** [päppri:'kə] paprika **par** [pa:] pari; jämlikhet **parable** [pärr'əbl] parabel, liknelse **parachute** [pärr'əsjo:t] fallskärm **parade** [pərej'd] parad; paradera **paradise** [pärr'ədajs] paradis **paradox** [pärr'ədäkks] paradox **paraffin** [pärr'əfinn] fotogen; *solid paraffin* paraffin **paragon** [pärr'əgən] mönster **paragraph** [pärr'əgra:f] paragraf; stycke, avsnitt **parallel** [pärr'ə-ləl] parallell; *parallel connection* parallellkoppling **paralyse** [pärr'əlajz] förlama, paralysera **paralysis** [pərall'isiss] förlamning **paramount** [pärr'əmaont] förnämst **parapet** [pärr'əpitt] skyttevärn; bröstvärn **paraphernalia** [pärrəfənəj'ljə] grejor **parasite** [pärr'əsajt] parasit; snyltgäst **parasol** [pärrəsäll'] parasoll **parcel** [pa:'sl] paket **parcel-post** [pa:'slpåost] paketpost; *send by parcel-post* skicka som paket **parch** [pa:tsj] förtorka **parchment** [pa:'tsjmənt] pergament **pardon** [pa:'dn] benåda, förlåta; förlåtelse; *I beg your pardon* förlåt, hur sa? **pare** [pä:'ə] beskära; skala **parent** [pä:'ərənt] förälder, målsman **parentheses** [pərenn'θisiss] parentes **parish** [pärr'isj] församling, socken **park** [pa:k] park; parkera **parking** [pa:'king] parkering; *parking prohib-*

321

parking meter — patient

ited parkeringsförbud **parking meter** [pɑ:'kiŋ mi:tə] parkerings-automat **parking offence** [pɑ:'kiŋ əfen's] felparkering **parking place** [pɑ:'kiŋ plejs] parkeringsplats **parlance** [pɑ:'ləns] talspråk; *in common parlance* i dagligt tal **parley** [pɑ:'li] överläggning; underhandla **parliament** [pɑ:'ləmənt] parlament, riksdag **parlour** [pɑ:'lə] vardagsrum **parlour-maid** [pɑ:'ləmejd] husa **parochial** [pərʌo'kjəl] församlings-; trångsynt **parody** [pärr'ədi] parodi **parole** [pərʌo'l] hedersord; lösen; villkorlig frigivning **parquet** [pɑ:'kej] parkett **parrot** [pärr'ət] papegoja **parry** [pärr'i] parera **parsimonious** [pɑ:simʌo'njəs] njugg, knusslig **parsley** [pɑ:'sli] persilja **parsnip** [pɑ:'snip] palsternacka **parson** [pɑ:'sn] kyrkoherde; präst **part** [pɑ:t] del, avdelning; roll; stämma (*i musik*); dela sig, skiljas; *part of the world* världsdel; *be part of* ingå i; *take part* deltaga **partake** [pɑ:tej'k] delta; *partake of* förtära **partial** [pɑ:'sjəl] partisk; ofullständig **participant** [pɑ:tiss'ipənt] deltagare **participate** [pɑ:tiss'ipejt] deltaga, medverka **participation** [pɑ:tissipej'sjən] deltagande, medverkan, delaktighet **particle** [pɑ:'tikkl] partikel **particular** [pətikk'jollə] speciell; noggrann, nogräknad; *in particular* i synnerhet **particularly** [pətikk'joləli] i synnerhet **parting** [pɑ:'tiŋ] avsked; delning; bena **partisan** [pɑ:tizän'] anhängare; partisan **partition** [pɑ:tisj'ən] delning; fack **partly** [pɑ:'tli] delvis, dels **partner** [pɑ:'tnə] kompanjon, partner, delägare; [bords]kavaljer **partridge** [pɑ:'triddsj] rapphöna **part-time** [pɑ:'tajm] deltid **party** [pɑ:'ti] parti; fest, kalas; part **party game** [pɑ:'ti gejm] sällskapsspel **party novelty** [pɑ:'ti nåvv'əlti] skämtartikel **pass** [pɑ:s] 1 [bergs]pass **2** passera; förflyta; hända; godkänna; (*sport.*) passa; *pass over* förbigå; *pass the winter* övervintra **passable** [pɑ:'səbl] framkomlig **passage** [päss'iddsj] passage, genomgång, [över]-resa, genomfart; korridor **pass book** [pɑ:'s bokk] bankbok **passenger** [päss'inndsjə] passagerare **passenger plane** [päss'-indsjə plejn] trafikflygplan **passenger train** [päss'inndsjə trejn] persontåg **passer-by** [pɑ:'səbaj'] förbipasserande **passing** [pɑ:'sing] övergående; *in passing* i förbifarten **passion** [päsj'ən] passion, lidelse; vrede **passionate** [päsj'ənitt] lidelsefull **passive** [päss'ivv] passiv **pass-key** [pɑ:'ski:] huvudnyckel; dyrk **passport** [pɑ:'spå:t] pass **past** [pɑ:st] förbi, förfluten; *the past* det förflutna **paste** [pejst] deg; klister; klistra **paste board** [pej'stbå:d] papp, kartong **pastel colour** [päss'tl kall'ə] pastellfärg **pasteurize** [päss'-tərajz] pastörisera **pastime** [pɑ:'stajm] tidsfördriv **pastry** [pej'stri] bakelse **pasture** [pɑ:'stsjə] betesmark, bete **pasty** [pej'sti] köttpastej **pat** [pätt] klapp; klick; klappa; precis **patch** [pättsj] lappa; lapp **patent** [pej'tənt] patent; patentera; uppenbar; *patent medicine* patentmedicin; *patent pending* patentsökt **paternal** [pətə:'nl] faders-, faderlig **path** [pɑ:θ] stig, bana, gång **pathetic** [pəθett'ikk] gripande, patetisk **patience** [pej'sjəns] tålamod; patiens; *play (at) patience* lägga patiens **patient** [pej'sjønt] patient; tålig **patina** [pätt'innə] patina **patrol** [pətråo'l] patrull; patrullera **patron** [pej'trən] beskyddare, skyddshelgon, gynnare **patronage** [pätt'rəniddsj] beskydd **patter** [pätt'ə] smattra; tassa **pattern** [pätt'ən] mönster **paunch** [på:ntsj] buk **pauper** [på:'pə] fattighjon **pause** [på:z] paus **pave** [pejv] stenlägga; *pave the way for* bana väg för **pavement** [pej'vmənt] gångbana, trottoar **pavilion** [pəvill'jən] paviljong **paw** [på:] tass **pawn** [på:n] [schack]bonde; pant; pantsätta **pawnbroker** [på:'nbråokə] pantlånare **pawnshop** [på:'nsjåpp] pantbank **pay** [pej] betala; löna sig; avlöning; *be paid* få betalt; *how much am I to pay?* vad är jag skyldig?; *pay attention to* beakta; *pay a fine* böta; *pay for* betala (*vara, arbete*), bekosta, umgälla; *get paid out* få betalt för gammal ost; *pay off by instalments* amortera **payable** [pej'əbl] betalbar **pay-day** [pej'dej] avlöningsdag **payment** [pej'mənt] betalning, utbetalning **pea** [pi:] ärta **peace** [pi:s] frid, ro, fred; *keep the peace* hålla fred; *in peace and quiet* i lugn och ro **peaceable** [pi:'səbl] fredlig **peaceful** [pi:'sfoll] fridfull, fredlig **peach** [pi:tsj] persika **peacock** [pi:'kåkk] påfågel **peak** [pi:k] topp, spets; höjdpunkt; *peak season* högsäsong **peaked** [pi:kt] spetsig; mager **peal** [pi:l] [åsk]knall; klockringning **peanut** [pi:'natt] jordnöt **pear** [pä:'ə] päron **pearl** [pə:l] pärla; *pearls before swine* pärlor för svin **pearl necklace** [pə:'l nekk'liss] pärlhalsband **pearl onion** [pə:'l ann'jən] syltlök **peasant** [pezz'nt] bonde **pea soup** [pi:' so:'p] ärtsoppa **peat** [pi:t] torv **peat bog** [pi:'t bågg] torvmosse **pebble** [pebb'l] kiselsten; *pebbles* småsten **peck** [pekk] picka, hacka **peckish** [pekk'isj] hungrig, sugen **peculiar** [pikjo:'ljə] säregen, egendomlig **peculiarity** [pikjo:liärr'itti] egendomlighet **pecuniary** [pikjo:'njəri] penning- **pedagogic[al]** [peddagådd'sjikk(əl)] pedagogisk **pedal** [pedd'l] pedal, trampa **pedal car** [pedd'l ka:] trampbil **pedant** [pedd'ənt] pedant **peddle** [pedd'l] gå omkring och sälja **pedestrian** [pidess'triən] fotgängare **pedestrian crossing** [pidess'triən kråss'ing] övergångsställe **pedigree** [pedd'igri:] stamtavla **pedlar** [pedd'lə] gårdfarihandlare **peel** [pi:l] skala, flagna av, fjälla; skal; *peel off* skala av **peep** [pi:p] kika **peeping-tom** [pi:'pingtåmm] [smyg]tittare **peer** [pi:'ə] **1** jämlike; pär **2** stirra **peerless** [pi:'əliss] makalös **peevish** [pi:'visj] retlig **peg** [pegg] pinne **pelican** [pell'ikən] pelikan **pellet** [pell'itt] liten kula; piller; hagel **pell-mell** [pell'mell'] huller om buller **pelt** [pellt] djurskinn; kasta på **pelvis** [pell'viss] bäcken **pen** [penn] penna, bläckpenna; kätte, bur **penal** [pi:'nl] straff-; *penal servitude* straffarbete **penalty** [penn'lti] straff; vite; straffspark; utvisning (*i ishockey*); *under* [a] *penalty of a £10 fine* vid vite av 10 pund **pence** [penns] pennyslantar **pencil** [penn'sl] [blyerts]penna; pensla **pendant** [penn'dənt] örhänge; vimpel; nedhängande **pending** [penn'ding] pågående; i avvaktan på **pendulum** [penn'djoləm] pendel **penetrate** [penn'itrejt] genomtränga **penguin** [peng'gwinn] pingvin **penholder** [penn'håoldə] pennskaft **penicillin** [pennisill'inn] penicillin **peninsula** [pinninn'sjolə] halvö **penis** [pi:'niss] penis **penitence** [penn'itəns] ånger **penitent** [penn'itənt] ångerfull **penitentiary** [pennitenn'sjəri] fängelse; bot- **penknife** [penn'najf] pennkniv **pen-name** [penn'nejm] pseudonym **pennant** [penn'ənt], **pennon** [penn'ən] vimpel **penny** [penn'i] (*pl pence* [penns]) eng. mynt = 1/100 pund **pension** [penn'sjən] pension; *grant a pension to* pensionera **pensioner** [penn'sjənə] pensionär **pensive** [penn'sivv] tankfull **pent** [pennt] inspärrad **pentagon** [penn'təgən] femhörning; *the Pentagon* amerikanska försvarsledningen **penthouse** [penn'thaos] skjul; lyxvåning på taket av byggnad **peony** [pi:'əni] pion **people** [pi:'pl] folk, människor; man **pep** [pepp] fart, kläm **pepper** [pepp'ə] peppar; peppra **per** [pə:] per **perambulator** [prämm'bjolejtə] barnvagn **perceive** [pəsi:'v] förnimma, bli varse **per cent** [pəsenn't] procent **percentage** [pəsenn'tiddsj] procent[tal] **perceptible** [pəsepp'təbl] kännbar, förnimbar **perception** [pəsepp'sjən] förnimmelse; uppfattning **perch** [pə:tsj] abborre; hönspinne **perchance** [pətsja:'ns] till äventyrs **percolate** [pə:'kəlejt] brygga (*kaffe*) **percussion instrument** [pəkasj'ən inn'strəmənt] slaginstrument **perdition** [pə:disj'ən] fördärv **peremptory** [pəremm'tri] bestämd; diktatorisk **perennial** [pərenn'jəl] flerårig **perfect** [pə:'fikkt] perfekt, fullkomlig **perfection** [pəfekk'sjən] fulländning **perfidious** [pə:fidd'jəs] trolös **perforate** [pə:'fərejt] perforera **perform** [pəfå:'m] uppföra; uppträda; fullgöra (*plikt*) **performance** [pəfå:'məns] framförande; föreställning; prestation **perfume** [pə:'fjo:m] parfym **perfunctory** [pəfang'ktəri] vårdslös, likgiltig **perhaps** [pəhäpp's] kanske, eventuellt **peril** [perr'ill] fara; *deadly peril* livsfara **perilous** [perr'iləs] livsfarlig **period** [pi:'əriəd] period **periodical** [piəriädd'ikəl] tidskrift; periodisk **perish** [perr'isj] omkomma, förgås; bli skämd **perishable goods** [perr'isjəbl goddz] färskvaror **perjury** [pə:'dsjəri] mened **perk** [pə:k] tränga sig på; *perk up* kvickna till, sätta näsan i vädret **perky** [pə:'ki] morsk, kavat **perm** [pə:m] permanenta; permanent **permanent** [pə:'mənənt] permanent, stadigvarande; ordinarie **permanent-wave** [pə:'mənəntwejv] permanenta **permeate** [pə:'miejt] genomtränga **per mill[e]** [pəmill'] promille **permission** [pəmisj'ən] tillåtelse, lov, tillstånd **permit** [pəmitt'] tillåta; [pə:'mitt] tillstånd **permutation lock** [pə:mjotej'sjən låkk] bokstavslås **pernicious** [pə:nisj'əs] fördärvlig **perpendicular** [pə:pəndikk'jollə] lodrät **perpetrate** [pə:'pitrejt] föröva **perpetually** [pəpett'joəli] ideligen **perplexed** [pəplekk'st] rådlös **persecute** [pə:'sikjo:t] förfölja **persevere** [pə:sivi:'ə] framhärda **Persia** [pə:'sjə] Persien **Persian** [pə:'sjən] persisk; *Persian lamb coat* persianpäls **persistent** [pəsiss'tənt] uthållig **person** [pə:'sn] person **personage** [pə:'səniddsj] personlighet **personal** [pə:'snl] personlig; *personal* *estate* lös egendom; *personal matter* privatangelägenhet **personality** [pə:sənäll'itti] personlighet **personnel** [pə:sənell'] personal **perspective** [pəspekk'tivv] perspektiv **perspicacious** [pə:spikej'sjəs] skarpsynt **perspicuous** [pəspikk'joəs] åskådlig, tydlig **perspiration** [pə:spərej'sjən] svettning, transpiration; *underarm perspiration* armsvett **perspire** [pəspaj'ə] svettas **persuade** [pəswej'd] övertala **persuasion** [pəswej'sjən] övertalning **persuasive powers** [pəswej'sivv pao'əz] övertalningsförmåga **pert** [pə:t] näsvis **pertain** [pə:tej'n] angå, gälla **pertinence** [pə:'tinəns] saklighet **pertinent** [pə:'tinənt] saklig **perturb** [pətə:b'] störa; förvirra **Peru** [pəro:'] Peru **peruse** [pəro:'z] noggrant genomläsa **Peruvian** [pəro:'viən] peruan; peruansk **pervade** [pəvej'd] genomtränga **perverse** [pəvə:'s] oriktig; vrång **perverted** [pəvə:'tidd] pervers **pessimist** [pess'i-misst] pessimist **pessimistic** [pessimiss'tikk] pessimistisk **pest** [pesst] plågoris **pester** [pess'tə] trakassera **pestilence** [pess'-tiləns] farsot **pestle** [pess'l] mortelstöt **pet** [pett] kela; kelgris, favoritdjur **petal** [pett'l] kronblad **peter out** [pi:'tə ao't] ta slut **petition** [pitisj'ən] inlaga, skrift; anhållan **petrify** [pett'rifaj] förstena **petrol** [pett'rəl] bensin **petroleum** [pitråo'ljəm] petroleum **petrol tank** [pett'rəl tängk] bensintank **petticoat** [pett'i-kåot] underkjol **petty** [pett'i] liten; småaktig; *petty theft* snatteri **petulant** [pett'julənt] kinkig **pew** [pjo:] kyrkbänk **pewit** [pi:'witt] vipa **pewter** [pjo:'tə] tennlegering, -kärl **phantom** [fänn'təm] spöke, vålnad **pharmacy** [fa:'məsi] apotek **phase** [fejz] fas, skede **pheasant** [fezz'nt] fasan **phenomenal** [finämm'innl] fenomenal **phenomenon** [finämm'inən] fenomen, företeelse **philanderer** [filänn'dərə] flickjägare **Philistine** [fill'istajn] bracka **philosopher** [filåss'əfə] filosof **philosophize** [filåss'əfajz] filosofera **philosophy** [filåss'əfi] filosofi **phone** [fåon] telefon; ringa **phonetic notation** [fåonett'ikk nåotej'sjən] uttalsbeteckning **phon[e]y** [fåo'ni] (*Am.*) falsk, skum **phonograph** [fåo'nəgra:f] (*Am.*) grammofon **photo** [fåo'tåo] foto **photograph** [fåo'təgra:f] fotografera, fotografi **photographer** [fətågg'rəfə] fotograf **phrase** [frejz] fras **phrase-book** [frej'zbokk] parlör **pH-value** [pi:'ej'tsjvall'jo:] pH-värde **physical** [fizz'ikəl] fysisk; *physical suffering* sveda och värk **physician** [fizisj'ən] läkare; *assistant physician* underläkare **physicist** [fizz'isist] fysiker **physics** [fizz'ikks] fysik **physiotherapy** [fizz'iåoθerr'əpi] sjukgymnastik **physique** [fizi:'k] kroppsbyggnad, fysik **pianist** [pjänn'ist] pianist **piano** [pjänn'åo] piano **pick** [pikk] plocka; rensa; välja; bestjäla; (*subst.*) hacka; *pick one's teeth* peta tänderna; *pick up* snappa upp **picket** [pikk'itt] stake; piket; strejkvakt **pickle** [pikk'l] ättikslag; besvärlig situation **pickled cucumber** [pikk'ld kjo:'kəmbə] ättiksgurka **pickpocket** [pikk'-påkkitt] ficktjuv **picnic** [pikk'nikk] utflykt, picknick **pictorial** [pikktå:'riəl] illustrerad (veckotidning) **picture** [pikk'tsjə] bild, tavla, målning; *the pictures* bio; *motion picture* film **picture-book** [pikk'tsjəbokk] bilderbok; *picture of the time* tidsskildring **picture-gallery** [pikk'tsjəgälləri] tavelgalleri **picture postcard** [pikk'tsjə påo'stka:d] vykort **picturesque** [pikktsjəress'k] pittoresk **Pidgin English** [pidd'sjinn ing'glisj] bruten engelska, rotvälska **pie** [paj] paj, pastej **piece** [pi:s] bit, stycke; pjäs, föremål; *go to pieces* gå i kras; *a piece of good advice* ett gott råd; *a piece of information* en underrättelse; *piece of music* musikstycke; *a piece of news* en nyhet **piecemeal** [pi:'smi:l] bit för bit **piecework** [pi:'swə:k] ackordsarbete **pier** [pi:'ə] pir, kaj **pierce** [pi:'əs] spetsa, genomborra **piercing** [pi:'əsing] genomträngande **piety** [paj'əti] fromhet **pig** [pigg] gris, svin; [järn]tacka; *buy a pig in a poke* köpa grisen i säcken **pigeon** [pidd'sjinn] duva **pigeon-hole** [pidd'sjinnhåol] fack (i hylla o.d.) **pig-iron** [pigg'ajən] tackjärn **pigsty** [pigg'staj] svinstia **pike** [pajk] gädda; pik **pike-perch** [paj'kpə:tsj] gös **pile** [pajl] trave, stapel; lugg (*på tyg*); trava, stapla **pilfer** [pill'fə] snatta **pilgrim** [pill'grimm] pilgrim **pilgrimage** [pill'grimiddsj] vallfart **pill** [pill] piller; *the Pill* p-piller **pillage** [pill'iddsj] plundring; plundra **pillar** [pill'ə] pelare **pillar-box** [pill'əbåkks] brevlåda **pillow** [pill'åo] [huvud]kudde **pillow-case** [pill'åokejs] örngott **pilot** [paj'lət] lots, pilot **pimpernel** [pimm'pənell] *scarlet pimpernel* rödarv **pimple** [pimm'pl] finne, kvissla **pin** [pinn] knappnål, nål, stift; kägla; fästa **pinafore** [pinn'əfå:] barnförkläde **pincers** [pinn'səz] kniptång; klo (på kräftdjur) **pinch** [pinntsj] nypa, klämma; knycka, stjäla **pincushion** [pinn'kosjən] nåldyna **pine** [pajn] **1** tall, fura **2** tyna [bort] **pineapple** [paj'näppl] ananas **pining** [paj'ning] trånsjuk **pinion** [pinn'jən] vingspets, vinge; litet kugghjul **pink** [pingk] skär; nejlika **pinnacle** [pinn'akl] tinne **pint** [pajnt] pint = 0,57 l **pioneer** [pajəni:'ə] pionjär, föregångsman **pioneering** [pajəni:'əring] banbrytande **pios** [paj'əs] from **pip** [pipp] [frukt]kärna; prick (på tärning); tidssignal **pipe** [pajp] rör[ledning]; pipa; blåsa **pipe-cleaner** [paj'pkli:nə] piprensare **pipe tobacco** [paj'p təbäkk'åo] piptobak **pipe wrench** [paj'p renntsj] rörtång **piping** [paj'ping] rörledning **pique** [pi:k] förtrytelse; såra **pirate** [paj'əritt] pirat, sjörövare **pistil** [piss'till] pistill **pistol** [piss'tl] pistol **piston** [piss'tn] kolv **piston ring** [piss'tən ring] kannring **pit** [pitt] grop, gruva; bakre parkett **pitch** [pittsj] **1** tonhöjd, stämning; kasta **2** beck; *pitch dark* kolmörk **pitcher** [pitt'sjə] tillbringare **piteous** [pitt'iəs] ömklig; sorglig **pitfall** [pitt'få:l] fallgrop **pith** [piθ] märg **pithy** [piθ'i] märgfull, kraftfull **pitiable** [pitt'iəbl] ynklig **pitiful** [pitt'ifoll] ynklig, ömklig **pitiless** [pitt'iliss] obarmhärtig **pittance** [pitt'ns] torftig lön (mat etc.) **pity** [pitt'i] beklaga; medlidande; synd, skada; *what a pity!* så synd! **pivot** [pivv'ət] svängtapp **pivot tooth** [pivv'ət to:θ] stifttand **placard** [pläkk'a:d] plakat, löpsedel **placate** [pləkej't] försona, bilda **place** [plejs] ställe, plats, ort, lokal; placera, anbringa; *place of* *birth* födelseort; *place of refuge* tillflyktsort; *place of work* arbetsplats; *in place* i rätt läge; *in the first place* i första hand; *take place* äga rum, bli av **place-name** [plej'snejm] ortnamn **placid** [pläss'idd] lugn, fridfull **placing** [plej'sing] placering **plagiarize** [plej'dsjjərajz] plagiera **plague** [plejg] pest **plaice** [plejs] rödspotta **plaid** [plädd] schal, pläd **plain** [plejn] slätt; klar; enkel, alldaglig; *plain speaking* (*words*) ord och inga visor; *plain truth* osminkad sanning **plainly** [plej'nli] rent ut **plaintiff** [plej'ntiff] kärande, målsägare **plaintive** [plej'ntivv] klagande **plait** [plätt] fläta **plan** [plänn] planera; plan **plane** [plejn] hyvel; hyvla; plan **planet** [plänn'itt] planet **plank** [plängk] planka **planned economy** [plänn'd i:kånn'əmi] planhushållning **planning** [plänn'ing] planläggning, planering **plant** [pla:nt] planta; aggregat; (*Am.*) fabrik; plantera **plantation** [plänntej'sjən] plantering; plantage **planting-seed** [pla:'ntingsi:d] utsäde **plaque** [pla:k] minnestavla **plaster** [pla:'stə] gips; murbruk; plåster; rappa; *put ... in plaster* gipsa **plastic** [pläss'tikk] plast; *plastic bag* plastpåse **plastic-coated fabric** [pläss'tikk-kåo'tidd fäbb'rikk] galon **plate** [plejt] platta, skiva; plansch; tallrik; *small plate* assiett **plater** [plej'tə] plåtslagare **plate rack** [plej't räkk] torkställ, diskställ **platform** [plätt'få:m] plattform, estrad, talarstol; perrong; lastflak; *platform ticket* perrongbiljett **platinum** [plätt'inəm] platina **platitude** [plätt'itjo:d] platthet, banalitet **platter** [plätt'ə] tallrik **plausible** [plå:'zəbl] rimlig, antaglig **play** [plej] spela, leka; spel, lek; pjäs; *play truant* skolka; *fair play* rent spel **player** [plej'ə] spelare **playground** [plej'graond] skolgård, lekplats **playing-card** [plej'-ingka:d] spelkort **playmate** [plej'mejt] lekkamrat **playwright** [plej'rajt] skådespelsförfattare **plea** [pli:] svaromål; ursäkt **plead** [pli:d] plädera; bönfalla; *plead guilty* erkänna sig skyldig **pleasant** [plezz'nt] trevlig, angenäm; *pleasant journey!* lycklig resa! **please** [pli:z] behaga, tilltala, göra till lags; *please ...* var snäll och ...; *yes, please!* ja tack! **pleasure** [plesj'ə] glädje, nöje, behag; *at pleasure* efter behag **pleat** [pli:t] vecka, plissera; veck **plebiscite** [plebb'isitt] folkomröstning **plectrum** [plekk'trəm] plektron **pledge** [pleddsj] pant **plenty of** [plenn'ti əvv] mycket, gott om **pliable** [plaj'əbl] smidig, böjlig **pliers** [plaj'əz] flacktång **plight** [plajt] tillstånd; pant **plod on** [plådd' ånn'] traggla, knoga **plot** [plått] komplott; konspirera; tomt **plough** [plao] plöja; plog **pluck** [plakk] mod; plocka; pungslå **plucky** [plakk'i] kavat **plug** [plagg] plugg, tapp; stickkontakt; plugga **plum** [plamm] plommon **plumb** [plamm] [bly]lod; sänke; lodrät **plumber** [plamm'ə] rörmokare **plumbing** [plamm'ing] rörmokeri **plummet** [plamm'itt] lod, sänke **plump** [plammp] knubbig, fyllig **plunder** [plann'də] plundra; plundring; byte **plunge** [planndsj] dyka ner, störta sig i **plural** [plo:'ərəl] pluralis **plus** [plass] plus **plus-fours** [plass'få:'z] golfbyxor **plush** [plasj] plysch; finfin **ply** [plaj] veck; lager; bearbeta **p.m.** [pi:'emm'] e.m. (eftermiddagen)

327   **pneumatic drill — pore**

pneumatic drill [njo:mätt'ikk drill] tryckluftsborr **pneumonia** [njo:måo'njə] lunginflammation **poach** [påotsj] **1** förlora (ägg) **2** tjuvjaga **poacher** [påo'tsjə] tjuvskytt **pocket** [påkk'itt] ficka **pocket-knife** [påkk'ittnajf] fickkniv **pocket lens** [påkk'itt lenns] lupp **pock-marked** [påkk'ma:kt] koppärrig **pod** [pådd] balja, skida **poem** [påo'imm] dikt **poet** [påo'itt] poet, diktare, skald **poetical** [påoett'ikəl] poetisk **poetry** [påo'ittri] poesi **poignant** [påj'nənt] skarp, stickande **point** [påjnt] peka (at på); spetsa; punkt; poäng; spets; *point out* påpeka, peka ut; *be on the point of choking* hålla på att kvävas; *main point* (*bildl.*) tyngdpunkt; *his strong point* hans starka sida; *point at issue* sakfråga; *point of the compass* väderstreck; *point of view* ståndpunkt, synpunkt, åsikt; *to the point!* till saken! **point-blank** [påj'ntblängk] rättfram, rakt på sak **point-duty** [påj'ntidjo:ti] tjänstgöring som trafikpolis **pointed** [påj'ntidd] spetsig **pointer** [påj'ntə] pekpinne, visare (*på instrument*) **pointless** [påj'ntliss] uddlös **poise** [påjz] balansera; balans **poison** [påj'zn] förgifta; gift **poisoning** [påj'zning] förgiftning **poisonous** [påj'znəs] giftig **poke** [påok] **1** peta (*at* på); *poke about* rota, böka; *poke fun at* driva med **2** *buy a pig in a poke* köpa grisen i säcken **poker** [påo'kə] **1** poker **2** eldgaffel **Poland** [påo'lənd] Polen **polar circle** [påo'lə sə:'kl] polcirkel **pole** [påol] **1** stör, stång, påle **2** pol **Pole** [påol] polack **polecat** [påo'lkätt] iller **polemics** [pålemm'ikks] polemik **pole-vault** [påo'lvå:'lt] stavhopp **police** [pəli:'s] polis **policeman** [pəli:'smən] polis[man] **police station** [pəli:'s stej'sjən] polisstation **policy** [påll'issi] politik, taktik; försäkringsbrev **polio** [påo'liåo] polio **polish** [påll'isj] putsa, polera; putsmedel, polityr **Polish** [påo'lisj] polsk **polite** [pəlajt'] artig, hövlig **politic** [påll'itikk] klok; *the body politic* staten **political** [pəlitt'ikəl] politisk; *political science* statskunskap **politician** [pållitisj'ən] politiker **politics** [påll'itikks] politik **polka** [påll'kə] polka **poll** [påol] röstning; rösta **pollute** [pəlo:'t] förorena **pollution** [pəlo:'sjən] förorening, miljöförstöring **polygamy** [påligg'əmi] polygami **pommel** [pamm'l] sadelknapp **pompous** [påmm'pəs] ståtlig; uppblåst **pond** [pånnd] damm **ponder** [pånn'də] begrunda, fundera **ponderous** [pånn'drəs] tung **pontoon** [pånnto:'n] ponton **pony** [påo'ni] ponny **poodle** [po:'dl] pudel **pooh-pooh** [po:po:'] rynka på näsan åt **pool** [po:l] pöl; bassäng; pott; *play the pools* tippa **pools coupon** [po:'lz ko:pånn] tipskupong **poop** [po:p] akter[däck] **poor** [po:'ə] fattig; stackars **poorly** [po:'əli] illamående; *feel poorly* må illa **pop** [påpp] smäll, knall; *pop in* titta in **pope** [påop] påve **pop-eyed** [påpp'ajd] med utstående ögon; förvånad **poplar** [påpp'lə] poppel **pop musician** [påpp' mjo:zisj'ən] popmusiker **poppy** [påpp'i] vallmo **popular** [påpp'jolə] populär, omtyckt, folklig **popularity** [påppjolärr'itti] popularitet **population** [påppjolej'sjən] befolkning **populous** [påpp'joləs] tättbefolkad, folkrik **porch** [på:tsj] portal; (*Am.*) veranda **porcupine** [på:'kjopajn] piggsvin **pore** [på:] por

pork [på:k] fläsk; *loin of pork* fläskkarré **pork-butcher's** [på:'kbott'sjəz] charkuteri **pork chop** [på:'k tsjåpp] fläskkotlett **pornography** [på:någg'rəfi] pornografi **porous** [på:'rəs] porös **porpoise** [på:'pəs] tumlare **porridge** [pårr'iddsj] gröt **port** [på:t] **1** hamn[stad] **2** babord; *to port* om babord **3** portvin **portable** [på:'təbl] portabel, bärbar; *portable typewriter* reseskrivmaskin **portend** [på:tenn'd] förebåda **porter** [på:'tə] stadsbud, bärare; portvakt **portfolio** [på:tfåo'ljåo] portfölj **port-hole** [på:'thåol] hyttventil; kanonport **portion** [på:'sjən] portion; del **portly** [på:'tli] ståtlig **portrait** [på:'tritt] porträtt **Portugal** [på:'tjogəl] Portugal **Portuguese** [på:tjogi:'z] portugis; portugisisk **pose** [påoz] posera; pose **posh** [påsj] flott **position** [pəzisj'ən] position, ställning **positive** [påzz'ətivv] positiv **posse** [påss'i] civiluppbåd; polisstyrka **possess** [pəzess'] äga, besitta **possession** [pəzesj'ən] besittning, innehav; *come into possession of* komma i åtnjutande av; *take possession of* ta i besittning **possessor** [pəzess'ə] innehavare **possibility** [påssəbill'itti] möjlighet **possible** [påss'əbl] möjlig, eventuell; *as soon as possible* så snart som möjligt **possibly** [påss'əbli] eventuellt **post** [påost] **1** post; befattning; posta **2** stolpe **postage** [påo'stiddsj] porto **postal** [påo'stl] post-; *postal giro account* postgirokonto; *postal parcel* postpaket **postcard** [påo'stka:d] brevkort **postcode** [påo'stkåod] postnummer **poster** [påo'stə] affisch **poste restante** [påo'stress'ta:nt] poste restante **posterior** [påsti:'əriə] senare än; bakre; bakdel **posterity** [påsterr'itti] efterkommande, eftervärld **posthumous** [påss'tjoməs] postum, efterlämnad **postman** [påo'stmən] brevbärare **postmark** [påo'stma:k] poststämpel **post-mortem** [påo'stmå:'temm] obduktion **post office** [påo'st åff'iss] postkontor **post-office box** [påo'st-åffiss båkks] postbox **postpone** [påostpåo'n] uppskjuta, bordlägga **postponement** [påostpåo'nmənt] uppskov **postscript** [påo'stskrippt] efterskrift, P.S. **posture** [påss'tsjə] hållning; läge **posy** [påo'zi] blombukett **pot** [pått] kruka, burk, kanna, gryta **potash** [pått'äsj] pottaska; soda **potato** [pətej'tåo] *(pl potatoes)* potatis **potato flour** [pətej'tåo flao'ə] potatismjöl **potato salad** [pətej'tåo säll'əd] potatissallad **potency** [påo'tənsi] styrka, makt, potens **potent** [påo'tənt] stark, mäktig, potent **potential** [pətenn'sjəl] möjlig **pot-luck** [pått'lakk] husmanskost; *take pot-luck* hålla till godo med vad huset förmår **potter** [pått'ə] krukmakare **pouch** [paotsj] pung **poultry** [påo'ltri] fjäderfä, höns **pounce** [paons] kasta sig över **pound** [paond] **1** stöta, dunka **2** pund; vikt = ca 454 g; *pound sterling* engelska pund **pour** [på:] hälla, ösa, strömma, ösregna; *pour down* ösregna **pouring rain** [på:'ring rejn] ösregn **pout** [paot] tjura **poverty** [påvv'əti] fattigdom **powder** [pao'də] krut; pulver, puder; pudra **power** [pao'ə] makt, förmåga, kraft; *be in power* ha makten **power failure** [pao'ə fej'ljə] strömavbrott **powerful** [pao'əfoll] kraftfull, mäktig, kraftig **powerless** [pao'əliss] kraftlös, maktlös **power station** [pao'ə stej'sjən] kraftverk **practicable** [präkk'tikəbl] utförbar **practical** [präkk'tikəl] praktisk; *practical reason* sakskäl **practically** [präkk'tikkli] praktiskt taget, så gott som **practice** [präkk'tiss] övning, vana; praktik; *it is the practice* det är praxis; *put ... into practise* omsätta ... i praktiken, praktisera **practise** [präkk'tiss] utöva; öva sig, träna; praktisera; *practise usury* ockra **practitioner** [präktisj'ənə] praktiserande jurist (läkare) **prairie** [prä:'əri] prärie **praise** [prejz] beröm; berömma **Prague** [pra:g] Prag **pram** [prämm] barnvagn **prance** [pra:ns] kråma sig **prank** [prängk] upptåg **prate** [prejt], **prattle** [prätt'l] prata, babbla **prawn** [prå:n] räka **pray** [prej] be **prayer** [prä:'ə] bön **pre-** [pri:] före-, förut-, för- **preach** [pri:tsj] predika **preamble** [pri:-ämm'bl] inledning **precarious** [prikä:'əriəs] ohållbar, osäker **precaution** [prikå:'sjən] försiktighetsåtgärd **precede** [pri:si:'d] företräda, föregå **precedent** [press'idənt] prejudikat; [prisi:'dnt] föregående **preceding** [pri:si:'ding] föregående **precept** [pri:'seppt] föreskrift **precinct** [pri:'singkt] område **precious** [presj'əs] dyrbar, värdefull **precipice** [press'ipiss] stup, brant **precipitate** [prisipp'itejt] störta ner; påskynda; [prisipp'ititt] brådstörtad **precise** [prisaj's] precis, just **precisely** [prisaj'sli] precis **precision** [prisisj'ən] precision **preclude** [priklo:'d] utestänga **precocious** [prikåo'sjəs] brådmogen **precursor** [prikə:'sə] föregångare **predatory** [predd'ətri] rov- **predecessor** [pri:'disessə] företrädare, föregångare **predict** [pridikk't] förutsäga **prediction** [pridikk'-sjən] förutsägelse **predilection** [pri:dlekk'sjən] förkärlek **predominance** [pridåmm'inəns] (*bildl.*) övervikt **predominant** [pridåmm'inənt] förhärskande, övervägande **pre-eminent** [pri:emm'inənt] överlägsen **prefab** [pri:'fåbb'] monteringsfärdigt hus **preface** [preff'iss] förord, företal **prefer** [prifə:'] föredra (*to* framför) **preferably** [preff'ərəbli] företrädesvis, helst **preference** [preff'ərəns] företräde; förkärlek **prefix** [pri:'fikks] förstavelse **pregnancy** [pregg'nənsi] graviditet **pregnant** [pregg'nənt] gravid; innehållsrik **prejudice** [predd'sjodiss] fördom **preliminary** [prilimm'inəri] preliminär, förberedande **prelude** [prell'jo:d] förspel, upptakt **premature** [premmətjo:'ə] omogen; förhastad **prematurely** [premmətjo:'əli] i förtid **premeditated** [primedd'itejtidd] överlagd **premier** [premm'jə] premiärminister; främst **premise** [premm'iss] premiss; *premises* fastighet, egendom **premium** [pri:mjəm] premie **premium bond** [pri:'mjəm bånd] premieobligation **premonition** [pri:mənisj'ən] förvarning **preoccupied** [priäkk'jopajd] tankfull **preparation** [preppərej'sjən] förberedelse, utarbetande **preparatory** [pripärr'ətri] förberedande **prepare** [pripä:'ə] förbereda, bereda, tillreda, preparera, tillaga; *prepared for* beredd på **preponderance** [pripånn'dərəns] (*bildl.*) slagsida, överlägsenhet **preposterous** [pripåss'trəs] orimlig **prerogative** [prirågg'ətivv] privilegium, förmånsrätt **prescribe** [priskraj'b] ordinera; föreskriva **prescription** [priskripp'sjøn] före-skrift; [läkar]recept; *sold on prescription* receptbelagd **presence** [prezz'ns] närvaro; *presence of mind* sinnesnärvaro **present 1** [prezz'nt] nuvarande, närvarande; *at present* för tillfället; *for the present* tills vidare; *under present conditions* under rådande för-hållanden **2** [prezz'nt] present; [prizenn't] skänka, överlämna; erbjuda, förete **presentation** [prezzenntej'sjøn] presentation **present-day** [prezz'ntdej'] nutida **presentiment** [prizenn'ti-mønt] aning, förkänsla **preserve** [prizø:'v] bevara, bibehålla; konservera; sylt **president** [prezz'idønt] president, ordförande; (*Am.*) verkställande direktör **press** [press] pressa, trycka; ansätta; press; *press s.b. for money* kräva ngn på pengar; *be pressed for time* ha ont om tid **press conference** [press' kånn'førøns] press-konferens **press-stud** [press'stadd] tryckknapp **pressure** [presj'ø] press, tryck, påtryckning **prestige** [pressti'sj] prestige **presumably** [prizjo:'møbli] förmodligen **presume** [prizjo:'m] förutsätta, förmoda **presumption** [prizamm'psjøn] förutsättning; övermod **presumptuous** [prizamm'ptjoøs] övermodig, arrogant, självsäker **presuppose** [pri:søpåo'z] förutsätta **pretence** [pri-tenn's] förevändning **pretend** [pritenn'd] låtsas; *pretend to be* ge sig ut för att vara **pretention** [pritenn'sjøn] anspråk **preten-tious** [pritenn'sjøs] anspråksfull **pretext** [pri:'tekkst] förevänd-ning, svepskäl **pretty** [pritt'i] söt, nätt; (*ironiskt*) snygg; tämligen **pretty-pretty** [pritt'ipritti] snarfager **prevail** [privej'l] segra, ta överhanden; råda; övertala **prevailing** [privej'ling] rådande **pre-valent** [prevv'ølønt] vanlig, gängse **prevarication** [privärrikej'-sjøn] bortförklaring **prevent** [privenn't] [för]hindra, förebygga, avhålla **preview** [pri:'vjo:'] förhandsgranskning; förhandsgranska **previous** [pri:'vjøs] föregående, förutvarande **previously** [pri:'v-jøsli] förut, tidigare **prey** [prej] byte, rov; *prey on* tära på **price** [prajs] pris; *at the price of* till ett pris av; *at about what price?* i vilket prisläge? **price freeze** [praj's fri:z] prisstopp **price-less** [praj'sliss] ovärderlig **price-list** [praj'slisst] prislista **price range** [praj's rejndsj] prisläge **price reduction** [praj's ridakk'-sjøn] prissänkning **prick** [prikk] stick; sticka **prickle** [prikk'l] tagg; sticka **pride** [prajd] stolthet **priest** [pri:st] (*katolsk*) präst **prig** [prigg] pedant **priggish** [prigg'isj] pedantisk **prim** [primm] pryd **primacy** [praj'møsi] överhöghet; företräde **primary** [praj'-møri] primär; *primary school* grundskola, folkskola **prime** [prajm] början; primär; förnämst **prime minister** [praj'm minn'isstø] statsminister, premiärminister **primer** [praj'mø] nybörjarbok **pri-meval forest** [prajmi:'vøl fårr'isst] urskog **primitive** [primm'itivv] primitiv **primrose** [primm'råoz] gullviva **prince** [prinns] prins, furste **princely** [prinn'sli] furstlig **princess** [prinnsess'] prinsessa, furstinna **principal** [prinn'søpøl] huvudsaklig; chef, uppdrags-givare; *the principal parts of a verb* tema på ett verb; *the principal point* kärnpunkten **principality** [prinsipäll'itti] furstendöme **principally** [prinn'səpli] främst, framför allt **principle** [prinn'səpl] grundsats, princip; *on (in) principle* av (i) princip; *based on principle* principiell **print** [prinnt] trycka; kopiera; tryck; kopia; *appear in print* komma ut i tryck **printer** [prinn'tə] boktryckare **printing** [prinn'ting] tryckning **printing ink** [prinn'- ting ingk] trycksvärta **printing press** [prinn'ting press] tryckpress **printing-works** [prinn'tingwə:ks] tryckeri **prints** [prinnts] grafik, grafiska blad **prior** [praj'ə] föregående, tidigare **prism** [prizz'əm] prisma **prison** [prizz'n] fängelse **prisoner** [prizz'nə] fånge; *prisoner of war* krigsfånge **privacy** [praj'vəsi] avskildhet **private** [praj'vitt] privat, enskild; menig; *private person* privatperson; *in private* mellan fyra ögon **privately** [praj'vittli] underhand **privation** [prajvej'sjən] umbärande, försakelse **privilege** [privv'iliddsj] privilegiera; privilegium **privy** [privv'i] hemlig; avträde; *Privy Council* kungens stora råd **prize** [prajz] **1** pris, vinst, belöning; värdera högt **2** bända (*open* upp); baxa **prize competition** [praj'z kåmmpitisj'ən] pristävlan **prize-winner** [praj'zwinnə] pristagare **probability** [pråbbəbill'itti] sannolikhet **probable** [pråbb'əbl] sannolik, trolig **probably** [pråbb'əbli] troligen, nog, antagligen **probation** [prəbej'sjən] prov; villkorlig dom; *be on probation* stå under övervakning **probationer** [prəbej'sjnə] villkorligt dömd [person] **probation officer** [prəbej'sjən åff'issə] övervakare **probe** [pråob] sondera **problem** [pråbb'ləm] problem **procedure** [prəsi:'dsjə] procedur, tillvägagångssätt **proceed** [prəsi:'d] förfara, gå till väga **proceeds** [pråo'si:dz] avkastning **process** [pråo'sess] process; behandla, preparera **proclaim** [prəklej'm] proklamera **procure** [prəkjo:'ə] skaffa, uppbringa **prod** [prådd] sticka; egga **prodigal** [prådd'igl] slösande; *the prodigal son* den förlorade sonen **prodigious** [prədidd'sjəs] ofantlig **prodigy** [prådd'idsji] underverk; vidunder **produce** [prədjo:'s] producera, framställa, skapa, åstadkomma; ta fram; regissera; [prådd'jo:s] jordbruksalster, -produkt **producer** [prədjo:'sə] producent; regissör **product** [prådd'əkt] produkt, alster **production** [prədakk'sjən] produktion, framställning; [film]inspelning, uppsättning **productive** [prədakk'tivv] produktiv **profane** [prəfej'n] världslig; vanhelga **profession** [prəfesj'ən] yrke, yrkesarbete; bekännelse **professional** [prəfesj'ənl] facklig, professionell, yrkes-; *professional man* fackman; *professional woman* yrkeskvinna **professor** [prəfess'ə] professor; *assistant professor (Am.)* docent **proffer** [pråff'ə] erbjuda; erbjudande **proficient** [prəfisj'ənt] skicklig **profile** [pråo'fajl] profil **profit** [pråff'itt] vinst, förtjänst; *profit by* vinna på, dra fördel av, begagna sig av; *profit and loss account* vinst- och förlustkonto; *sell at a profit* sälja med vinst; *yield a profit* ge vinst **profitable** [pråff'itəbl] givande, lönande **profiteer** [pråffiti:'ə] ockrare **profound** [prəfao'nd] djup; djupsinnig **profuse** [prəfjo:'s] överflödande; slösaktig **progeny** [prådd'sjini] avkomma **prognosis** [prågnåo'siss] prognos **program** [pråo'grämm] program; programmera **progress** [pråo'gress] framsteg, framåtskridande; [prøgress'] göra framsteg; *make progress* göra framsteg **prohibit** [prøhibb'itt] förbjuda **prohibition** [pråoibisj'øn] förbud **project** [prådd'sjekkt] projekt, plan; [prødsjekk't] planlägga **projecting** [prødsjekk'ting] utskjutande **proletarian** [pråoletä:'øriøn] proletär **prolific** [prøliff'ikk] fruktbar **prolong** [prølång'] förlänga **prom** [pråmm] promenadkonsert **prominence** [pråmm'inøns] *give prominence to* framhålla, framhäva **prominent** [pråmm'inønt] framstående, framträdande **promiscuous** [premiss'kjoøs] oordnad, blandad **promise** [pråmm'iss] löfte, utfästelse; lova, utfästa sig **promissory note** [pråmm'issøri nåot] skuldsedel **promontory** [pråmm'øntri] hög udde **promote** [prømåo't] [be]främja, bidraga till **promotion** [prømåo'sjøn] befordran **prompt** [pråmmt] rask; precis; driva på; sufflera **prompter** [pråmm'ptø] sufflör **promulgate** [pråmm'ølgejt] kungöra, utfärda; förkunna **prone** [pråon] raklång, framstupa; benägen **prong** [prång] gaffelspets; grepe **pronoun** [pråo'naon] pronomen **pronounce** [prønao'ns] uttala; avkunna **pronounced** [prønao'nst] utpräglad **pronunciation** [prønannsiej'sjøn] uttal **proof** [pro:f] bevis; prov; korrektur; -säker **proof sheet** [pro:'f sji:t] råbalans **prop** [pråpp] stötta **propaganda** [pråppøgänn'dø] propaganda **propagate** [pråpp'øgejt] fortplanta sig; utbreda; propagera **propagation** [pråppøgej'sjøn] fortplantning; utbredning **propel** [prøpell'] framdriva **propeller** [prøpell'ø] propeller **propensity** [prøpenn'sitti] böjelse, benägenhet **proper** [pråpp'ø] passande; säregen; egen; *proper name* egennamn; *the proper authority* vederbörande myndighet; *it is not proper* det passar sig inte **properly** [pråpp'øli] ordentligt; *talk properly* tala rent **property** [pråpp'øti] egendom, ägodelar; *landed property* fastighet, jordagods **prophesy** [pråff'issi] spådom **prophet** [pråff'itt] profet **propitious** [prøpisj'øs] fördelaktig **proportion** [prøpå:'sjøn] proportion, förhållande **proportional** [prøpå:'sjønl] proportionell **proportionately** [prøpå:'sjnittli] förhållandevis **proposal** [prøpåo'zøl] förslag; frieri **propose** [prøpåo'z] föreslå; fria; *propose a toast to* utbringa en skål för **proposed** [prøpåo'zd] tilltänkt **proposition** [pråppøzisj'øn] förslag; påstående **proprietor** [prøpraj'ø̈tø] ägare **propriety** [prøpraj'øti] anständighet **propulsion** [prøpøll'sjøn] framdrivande **prose** [pråoz] prosa **prosecute** [pråss'ikjo:t] åtala **prosecution** [pråssikjo:'sjøn] åtal **prosecutor** [pråss'ikjo:tø] åklagare **prospect** [pråss'pekt] utsikt, förväntningar; [prøspekk't] undersöka, leta efter malm **prospective buyer** [prøspekk'tivv baj'ø] spekulant **prospectus** [prøspekk'tøs] prospekt **prosper** [pråss'pø] blomstra, ha framgång **prosperity** [pråssperr'itti] välstånd, framgång **prosperous** [pråss'prøs] blomstrande; gynnsam **prostate** [pråss'tejt] prostata **prostitute** [pråss'titjo:t] prostituerad **prosthesis** [pråss'θisiss] protes **prostrate** [pråss'trejt] utsträckt på marken; besegrad

protect [prətekk't] [be]skydda **protection** [prətekk'sjən] [be]-skydd **protein** [pråo'ti:n] protein, äggviteämne **protest** [pråo'-tesst] protest; [prətess't] protestera; bedyra **Protestant** [prått'is-stənt] protestant **protract** [prəträkk't] förlänga **protruding** [prə-tro:'ding] utstående, utskjutande **proud** [praod] stolt (*of* över) **prove** [pro:v] bevisa; *experience proves* erfarenheten visar **proverb** [pråvv'əb] ordspråk **provide** [prəvaj'd] förse; skaffa; *provide for* dra försorg om **provided** [prəvaj'didd] förutsatt att, såvida **providence** [pråvv'idəns] försynen **province** [pråvv'inns] provins, landskap; *in the provinces* i landsorten **provision** [prəvisj'ən] anslag; anstalt; förråd; *provisions* livsmedel, proviant, matsäck **provisional** [prəvisj'ənl] provisorisk **provocative** [prəvåkk'ətivv] utmanande **provoke** [prəvåo'k] förarga; framkalla; egga **prow** [prao] stäv **prowess** [prao'iss] tapperhet **prowl** [praol] stryka omkring **proximity** [pråksimm'itti] närhet **proxy** [pråkk'si] fullmakt (*vid röstning*) **prude** [pro:d] pryd **prudence** [pro:'dəns] försiktighet; klokhet **prudent** [pro:'dənt] försiktig, förtänksam **prune** [pro:n] katrinplommon; beskära (träd) **Prussian** [prasj'ən] preussisk **pry** [praj] snoka; *pry open* bända upp **pseudo-** [s-jo:'dåo] falsk, föregiven **psychiatric** [sajkiätt'rikk] psykiatrisk **psychic** [saj'kikk] psykisk **psychologic[al]** [sajkəládd'sjikk(əl)] psykologisk **psychologist** [sajkåll'-ədsjisst] psykolog **psychology** [sajkåll'ədsji] psykologi **physiotherapist** [fizz'iåoθerr'əpist] sjukgymnast **pub** [pabb] krog, värdshus **puberty** [pjo:'bəti] pubertet **public** [pabb'likk] offentlig, allmän; *the public* allmänheten; *public assistance* socialhjälp; *public health committee* hälsovårdsnämnd; *public house* krog, värdshus; *public library* stadsbibliotek; *public revenue* statsinkomster; *public school* internatskola **publican** [pabb'likkən] värdshusvärd **publication** [pabblikej'sjən] publikation, skrift; utgivning **publicity** [pabbliss'itti] publicitet **publish** [pabb'lisj] publicera, ge ut **publisher** [pabb'lisjə] [bok]förläggare **publishing company** [pabb'-lisjing kamm'pəni] bokförlag **pudding** [podd'ing] pudding **puddle** [padd'l] pöl **puerile** [pjo:'ərajl] barnslig **puff** [paff] pust, bloss; blåsa, blossa; *puff and blow* stånka **pug** [pagg] mops **pugnacious** [paggnej'sjəs] stridslysten **pull** [poll] dra[ga], rycka, slita (*at* i); dragning, ryck; *pull down* riva; *pull o.s. together* rycka upp sig; *pull faces* grimasera **pullet** [poll'itt] unghöna **pulley** [poll'i] talja, block **pulmonary** [pall'mənəri] lung- **pulp** [pallp] [pappers]-massa, mos **pulpit** [poll'pitt] talarstol, predikstol **pulsate** [pall-sej't] pulsera **pulse** [palls] puls pimpsten **pump** [pammp] pump; pumpa **pumpkin** [pamm'pkinn] pumpa (frukt) **pun** [pann] vits; vitsa **punch** [panntsj] stansa, klippa (*biljett*); stans; [vin]bål **Punch-and-Judy show** [pann'tsjəndsjo:'di sjåo] kasperteater **punch card** [pann'tsj ka:d] hålkort **punctilious** [pangktill'jəs] pedantisk **punctual** [pang'ktjəəl] punktlig **punctuation mark** [pangktjoej'sjən ma:k] skiljetecken

puncture [pang'ktsjə] punktering **pundit** [pann'ditt] lärd hindu; lärd person **pungent** [pann'dsjənt] skarp; stickande **punish** [pann'isj] [be]straffa **punishment** [pann'isjmənt] straff **punt** [pannt] staka; eka **puny** [pjo:'ni] liten, ynklig **pup** [papp] valp **pupil** [pjo:'pl] elev, lärjunge; pupill **puppet** [papp'itt] marionett **puppet-show** [papp'ittsjåo] dockteater **puppy** [papp'i] valp **purblind** [pə:'blajnd] skumögd, närsynt **purchase** [pə:'tsjəs] [in]köp, uppköp; köpa **purchase tax** [pə:'tsjəs täkks] omsättningsskatt **pure** [pjo:'ə] ren, äkta, oblandad; *pure silk* helsiden **pure-bred** [pjo:'əbredd] renrasig **purée** [pjo:'arej] puré **purely** [pjo:'əli] enbart **purgative** [pə:'gətivv] avföringsmedel, laxativ **purgatory** [pə:'gətəri] skärseld **purge** [pə:dsj] utrensning; rening; rena **purify** [pjo:'ərifaj] rena; *purifying plant* reningsverk **purity** [pjo:'əritti] renhet **purple** [pə:'pl] purpur **purport** [pə:'pət] betydelse, mening **purpose** [pə:'pəs] ändamål, avsikt, föresats; *for the purpose of* i avsikt att; *on purpose* med avsikt, med flit; *to no purpose* förgäves **purposeful** [pə:'pəsfoll] målmedveten **purposely** [pə:'pəsli] enkom, uppsåtligen **purr** [pə:] spinna (om katt) **purse** [pə:s] portmonnä, börs; snörpa på **pursue** [pəs-jo:'] förfölja **pursuit** [pəs-jo:'t] förföljelse, förföljande, jakt **purvey** [pə:vej'] leverera, anskaffa (livsmedel) **purveyor** [pə:vej'ə] leverantör; *purveyor to the Queen (King)* hovleverantör **pus** [pass] var **push** [posj] skjuta, knuffa[s], stöta; knuff, stöt; energi; *push ... back* stöta ifrån sig; *push o.s. forward* hålla sig framme; *push up the prices* trissa upp priserna **push-button** [posj'battn] tryckknapp **pusher** [posj'ə] streber **pushing** [posj'-ing] framfusig **push-over** [posj'åovə] (*Am.*) lätt sak; lättbesegrad motståndare **pusillanimous** [pjo:sillänn'iməs] rädd; försagd **pussy-cat** [poss'ikätt] kissekatt **put** [pott] sätta, ställa, lägga, sticka, stoppa; *put forward* framlägga (*planer o.d.*); *put in* inskjuta, insätta; *put off* uppskjuta; *put on* sätta på sig; *put out* [pott' ao't] sätta fram, släcka; *put ... to death* avliva; *put ... together* sammanställa; *put ... to sleep* söva, få att sova; *put up at a hotel* ta in på hotell; *put up with* finna sig i, hålla till godo med **putrid** [pjo:'tridd] rutten **putty** [patt'i] spackel; spackla **puzzle** [pazz'l] gåta; förbrylla **pygmy** [pigg'mi] pygmé; dvärg **pyjamas** [pədsja:'mæz] pyjamas **pylon** [paj'lən] [radio]mast **pyramid** [pirr'əmidd] pyramid **Pyrenees** [pirrəni:'z] *the Pyrenees* Pyreneerna **quack** [kwäkk] snattra **quadrangle** [kwådd'ränggl] gård i college **quadruped** [kwådd'ropedd] fyrfota djur **quail** [kwejl] tappa modet, bäva; vaktel **quaint** [kwejnt] gammaldags; egendomlig **quake** [kwejk] skalv; skälva, skaka **Quaker** [kwej'kə] kväkare **qualification** [kwållifikej'sjən] kvalifikation, merit, förutsättning **qualified** [kwåll'ifajd] behörig **qualify** [kwåll'ifaj] kvalificera **quality** [kwåll'itti] kvalitet, egenskap **qualm** [kwå:m] kväljningar; oro; *qualms* samvetsbetänkligheter **quandary** [kwånn'dəri] bryderi **quantity** [kwånn'titti] kvantitet, mängd

quarantine [kwårr'ənti:n] karantän **quarrel** [kwårr'əl] gräl; gräla, träta **quarrelsome** [kwårr'ləsm] grälsjuk **quarry** [kwårr'i] stenbrott **quart** [kwå:t] stop (1/4 gallon) **quarter** [kwå:'tə] fjärdedel; kvartal; kvarter; väderstreck; *quarter of an hour* kvart **quarter-deck** [kwå:'tədekk] akterdäck **quarter-final** [kwå:'tə-fajnl] kvartsfinal **quarter-master** [kwå:'təma:stə] intendent; styrman **quartet** [kwå:tett'] kvartett **quaver** [kwej'və] darra; åttondelsnot **quay** [ki:] kaj **queasy** [kwi:'zi] äcklig; ömtålig; illamående; granntyckt **queen** [kwi:n] drottning; dam (*i kortspel*) **queer** [kwi:'ə] egendomlig; homosexuell **quell** [kwell] undertrycka **quench** [kwentsj] släcka; svalka; förstöra **querulous** [kwerr'oləs] gnällig **query** [kwi:'əri] fråga; ifrågasätta **quest** [kwesst] undersökning; söka efter **question** [kwess'tsjən] fråga; utfråga, ifrågasätta; *be a question of* handla om, vara fråga om; *the ... in question* vederbörande; *out of the question* uteslutet **questionnaire** [kwesstjənä:'ə] frågeformulär **question-mark** [kwess'tsjənma:k] frågetecken **queue** [kjo:] kö; köa; *queue up* köa, ställa sig i kö **quibble** [kwibb'l] ordlek; rida på ord, krångla **quick** [kwikk] rask, kvick **quicken** [kwikk'ən] ge liv åt; påskynda **quickly** [kwikk'li] raskt, kvickt **quicksand** [kwikk'sänd] kvicksand, flygsand **quicksilver** [kwikk'sillvə] kvicksilver **quick-witted** [kwikk'witt'idd] slagfärdig **quid** [kwidd] (*sl.*) pund **quiescence** [kwajess'ns] lugn **quiet** [kwaj'ət] lugn, stilla; lugn, stillhet; lugna, stilla **quill** [kwill] gåspenna **quilt** [kwillt] sängtäcke **quinine** [kwini:'n] kinin **quirk** [kwə:k] spydighet; snirkel **quit** [kwitt] ge sig av; kvitt **quite** [kwajt] alldeles, helt och hållet; ganska; *quite contrary* tvärtemot; *quite a lot* en hel del; *quite right* mycket riktigt; *I don't quite understand* jag förstår inte riktigt **quits** [kwitt's] kvitt **quiver** [kwivv'ə] darra, skälva, flimra **quiz** [kwizz] förhör; frågelek; skoja, driva med **quotation** [kwåo-tej'sjən] citat **quote** [kwåot] citera; offerera **quotient** [kwåo'-sjənt] kvot **rabbit** [räbb'itt] kanin; *Welsh rabbit* grillad ostsmörgås **rabble** [räbb'l] slödder **rabid** [räbb'idd] galen, ursinnig **rac-[c]oon** [rəko:'n] tvättbjörn **race** [rejs] 1 lopp, kapplöpning; springa i kapp; rusa (*om motor*) 2 ras **race-course** [rejs'kå:s] kapplöpningsbana **race-horse** [rejs'hå:s] kapplöpningshäst **racer** [rej'sə] racerbil **race track** [rejs'träkk] (*Am.*) kapplöpningsbana **racial prejudice** [rej'sjəl predd'sjodiss] rasfördom **racing** [rej'sing] kapplöpning **racing-boat** [rej'singbåot] kappseglingsbåt **racing driver** [rej'sing draj'və] racerförare **rack** [räkk] ställ, hylla; sträckbänk **racket** [räkk'itt] racket; oväsen; bedrägeri **racketeer** [räkkiti:'ə] utpressare **racy** [rej'si] karakteristisk; livlig **radar** [rej'də] radar **radiance** [rej'djəns] strålglans **radiate** [rej'diejt] utstråla **radiation** [rejdiej'sjən] strålning **radiator** [rej'diejtə] [värme]element; [bil]kylare **radical** [rädd'ikəl] radikal **radio** [rej'diåo] radio **radioactive** [rej'diåoäkk'tivv] radioaktiv **radio program** [rej'diåo pråo'grämm] radioprogram **radio**

transmitter [rej'diåo trännzmitt'ə] radiosändare **radish** [rädd'isj] rädisa **radium** [rej'djəm] radium **R.A.F.** (förk. för *Royal Air Force*) engelska flygvapnet **raffle** [räff'l] tombola; lotta bort **raft** [ra:ft] flotte; flotta **rag** [rägg] trasa; bråk; skoja; *rags* lump,· trasor **rage** [rejdsj] raseri, ilska **ragged** [rägg'id] trasig **rag-rug** [rägg'-ragg] trasmatta **raid** [rejd] räd, razzia; göra en räd **rail** [rejl] räcke; räls, järnvägsskena; reling; okväda **railbus** [rej'lbass] rälsbuss **railing** [rej'ling] räcke; ovett **railroad** [rej'lråod] (*Am.*) järnväg **railway** [rej'lwej] järnväg **railway junction** [rej'lwej dsjang'ksjən] järnvägsknut **railway station** [rej'lwej stej'sjən] järnvägsstation **railway timetable** [rej'lwej taj'mtejbl] tågtidtabell **railway track** [rej'lwej träkk] järnvägsspår **raiment** [rej'mənt] skrud **rain** [rejn] regn; regna **rainbow** [rej'nbåo] regnbåge **raincoat** [rej'nkåot] regnrock, -kappa **rainfall** [rej'nfå:l] regnskur; nederbörd **rainy** [rej'ni] regnig **raise** [rejz] höja, lyfta; uppväcka; uppföda; odla; stegra **raisin** [rej'zn] russin **raising** [rej'zing] höjning **rake** [rejk] räfsa, kratta; rucklare; *rake ... together* rafsa ihop **rally** [räll'i] samla[s]; driva med; samling **ram** [rämm] bagge; ramm **ramble** [rämm'bl] flanera; svamla **ramification** [rämmifikej'sjən] förgrening **ramify** [rämm'ifaj] förgrena [sig] **rampant** [rämm'pənt] vild; frodig **rampart** [rämm'pa:t] fästningsvall **ramshackle house** [rämm'-sjäkkl haos] ruckel, kyffe **ran** [ränn] imperf. av *run* **rancid** [ränn'sidd] härsken **rancour** [räng'kə] hat, hätskhet **random** [ränn'dəm] *at random* på en höft, på måfå **rang** [räng] imperf. av *ring* **range** [rejndsj] skotthåll; räckvidd; rad; köksspis; skjutbana; bergskedja; ordna **range-finder** [rej'ndsjfajndə] avståndsmätare **ranger** [rej'ndsjə] skogvaktare; vandrare; ridande polis **rank** [rängk] **1** grad, rang; (*mil.*) led; rangordna; *the rank and file* manskapet **2** frän, stinkande **ransack** [ränn'säkk] rannsaka **ransom** [ränn'səm] lösen; lösensumma **rant** [rännt] orera; skryta; skryt **rape** [rejp] **1** raps **2** våldta; våldtäkt **rapid** [räpp'idd] hastig; *rapids* fors **rapture** [räpp'tsjə] hänförelse **rare** [rä:'ə] sällsynt, rar **rarity** [rä:'əritti] sällsynthet, raritet **rascal** [ra:'skl] lymmel, skojare **rash** [räsj] **1** överilad **2** utslag (*på huden*) **rasp** [ra:sp] rasp; raspa **raspberry** [ra:'zbəri] hallon **rat** [rätt] råtta **rate** [rejt] hastighet; taxa, valutakurs; värdera; gräla på; *rates* kommunalskatt *at a rate of* med en hastighet av; *at any rate* i varje fall; *rate of exchange* växelkurs; *rate of growth* tillväxttakt; *rate of interest* räntefot **rat[e]able value** [rej'təbl väll'jo:] taxeringsvärde **rather** [ra:'ðə] hellre, snarare; tämligen; väl, alltför **ratify** [rätt'ifaj] stadfästa **rating** [rej'ting] **1** värdering; taxering; matros **2** uppsträckning **ratio** [rej'sjiåo] förhållande, proportion **ration** [räsj'ən] ransonera; ranson **rational** [räsj'ənl] rationell **rationalize** [räsj'nəlajz] rationalisera **rationing** [räsj'ning] ransonering **rat-poison** [rätt'påj'zn] råttgift **rattle** [rätt'l] skramla, skallra; skrämma; skrammel; *rattle off* rabbla upp **rattlesnake** [rätt'lsnejk] skallerorm

raucous [rå:'kəs] hes, skrovlig **ravage** [rävv'iddsj] härja **rave** [rejv] yra; (om vind) rasa; svärma **raven** [rej'vn] korp **ravenous** [rävv'inəs] hungrig som en varg **ravine** [rəvi:'n] ravin **ravish** [rävv'isj] hänföra **raw** [rå:] rå; obearbetad; raw material råmaterial, råvara **ray** [rej] **1** stråle **2** rocka **rayon** [rej'ånn] konstsilke **raze** [rejz] rasera **razor** [rej'zə] rakapparat **razor blade** [rej'zə blejd] rakblad **reach** [ri:tsj] nå, räcka, uppnå; räckhåll, räckvidd **react** [ri:äkk't] reagera (to för); återverka **reaction** [riäkk'sjən] reaktion **reactionary** [ri:äkk'sjnəri] reaktionär **reactor** [ri:äkk'tə] reaktor **read** [ri:d] (imperf. och perf. part. read [redd]) läsa; avläsa; uppfatta **reader** [ri:'də] läsare, läsebok **readers** [ri:'dəz] läsekrets **readily** [redd'illi] gärna **readiness** [redd'iniss] beredskap; villighet **reading** [ri:'ding] läsning, lektyr **ready** [redd'i] färdig, klar, redo; get ... ready göra ... färdig **ready-made clothing** [redd'i-mejd klåo'ðing] konfektion **real** [ri:'əl] faktisk, verklig, reell; real estate fast egendom; real income realinkomst **realistic** [ri:əliss'tikk] realistisk; realistic description verklighetsskildring **reality** [riäll'itti] realitet, verklighet **realization** [riəlajzej'sjən] förverkligande **realize** [ri:'əlajz] förverkliga; inse **really** [ri:'əli] verkligen, faktiskt, egentligen **realm** [rellm] rike **reap** [ri:p] skörda **reaper** [ri:'pə] skördeman, skördemaskin **reaper-binder** [ri:'pəbajndə] självbindare **rear** [ri:'ə] bakre del; bakre; resa; uppföda; rear engine svansmotor; rear light baklykta; rear wheel bakhjul **rear-admiral** [ri:'erädd'mrəl] konteramiral **rear-guard** [ri:'əga:d] eftertrupp **rearmament** [ri:'a:'məmənt] upprustning **rearrange** [ri:'ərej'ndsj] omplacera **rearrangement** [ri:'ərej'ndsjmənt] omläggning **reason** [ri:'zn] skäl, orsak, anledning (for, of till); förnuft; resonera; weighty reasons tungt vägande skäl; for that reason av den orsaken; what is the reason for ...? varpå beror ...? **reasonable** [ri:'znəbl] skälig, rimlig, förnuftig; be reasonable ta reson **reasoning** [ri:'zning] resonemang **reassure** [ri:əsjo:'ə] lugna **reassuring** [ri:əsjo:'əring] betryggande **rebel** [rebb'l] rebell **rebellion** [ribell'jən] uppror **rebound** [ribao'nd] studsa tillbaka **rebuff** [ribaff'] avvisa, snäsa av **rebuke** [ribjo:'k] tillrättavisa; tillrättavisning **rebuilding** [ri:'bill'ding] återuppbyggnad, ombyggnad **recalcitrant** [rikäll'sitrənt] motspänstig **recall** [ri-kå:'l] återkalla; erinra (sig) **recede** [risi:'d] gå tillbaka **receipt** [risi:'t] kvitto; kvittera [ut] **receive** [risi:'v] få, erhålla, mottaga **receiver** [risi:'və] mottagare **recent** [ri:'snt] ny, färsk; in recent times på senare tid **recently** [ri:'sntli] nyligen **receptacle** [risepp'təkl] [förvarings]kärl **reception** [risepp'sjən] mottagning, reception **recipe** [ress'ippi] [mat]recept **recipient** [risipp'jənt] mottagare; mottaglig **reciprocal** [risipp'rəkl] ömsesidig **recital** [risaj'tl] recitation, solistframträdande **recite** [risaj't] deklamera **reckless** [rekk'liss] våghalsig; hänsynslös **reckon** [rekk'n] beräkna; anse **reclaim** [riklej'm] återkräva; återfå; uppodla **recline** [riklaj'n] luta sig bakåt, vila **recluse** [riklo:'s] enslig; eremit

recognition [rekkəggnisj'ən] igenkännande; *gain recognition* vinna erkännande **recognize** [rekk'əgnajz] känna igen **recoil** [rikåj'l] rekyl; rygga tillbaka **recollection** [rekkəlekk'sjən] håg- komst, erinring **recommend** [rekkəmenn'd] rekommendera **re- compense** [rekk'əmpenns] ersätta; ersättning **reconcile** [rekk'ən- sajl] försona, förlika **reconnaissance** [rikånn'isəns] spaning, rekognoscering **reconnoitre** [rekkənåj'tə] rekognosera **recon- sider** [ri:'kənsidd'ə] ompröva **reconstruct** [ri:'kənstrakk't] re- konstruera, återuppbygga **reconstruction** [ri:'kənstrakk'sjən] uppbyggnadsarbete, rekonstruktion **record** [rekk'å:d] rekord; grammofonskiva; uppteckning **recorder** [rikå:'də] blockflöjt; in- spelningsapparat; registrator **recording** [rikå:'ding] inspelning **recording clerk** [rikå:'ding kla:k] notarie **record player** [rekk'å:d plej'ə] skivspelare **recount** [rikaо'nt] uppräkna, berätta **recover** [rikavv'ə] tillfriskna, hämta sig **recovery** [rikavv'əri] förbättring, tillfrisknande **recreation** [rekkriej'sjən] rekreation **recrimination** [rikrimminej'sjən] motbeskyllning **recruit** [rikro:'t] rekryt; rekry- tera **rectify** [rekk'tifaj] rätta; likrikta **rector** [rekk'tə] kyrkoherde **recumbent** [rikamm'bənt] tillbakalutad **recuperate** [rikjo:'prejt] hämta sig **recur** [rikə:'] återkomma; upprepas **red** [redd] röd; *the Red Cross* Röda korset; *red onion* rödlök; *the Red Sea* Röda havet; *red tape* byråkrati; *red wine* rödvin **redden** [redd'n] bli röd, rodna **redeem** [ridi:'m] infria **redhaired** [redd'ha:'əd] röd- hårig **red-headed** [redd'hedd'idd] rödhårig **red-hot** [redd'hått'] rödglödgad **red-letter-day** [redd'lettədej'] helgdag **redouble** [ridabb'l] fördubblas, öka **redoubtable** [ridaо'təbl] fruktansvärd **redress** [ridress'] upprättelse, gottgörelse; avhjälpa, gottgöra **reduce** [ridjo:'s] minska, reducera **reduction** [ridakk'sjən] [för]minskning, sänkning (*av pris*), inskränkning **redundant** [ridann'dənt] överfull; överflödig **redwood** [redd'wodd] röd- vedsträd **reed** [ri:d] rö, vass **re-educate** [ri:'edd'jo:kejt] omskola **reef** [ri:f] reva (*segel*); [klipp]rev **reef-knot** [ri:'fnått] råbands- knop **reek** [ri:k] stank; ryka; stinka **reel** [ri:l] filmrulle, rulle; polska; ragla; *reel of cotton* trådrulle **re-election** [ri:'ilekk'sjən] omval **re-establish** [ri:'isstäbb'lisj] återupprätta **refer** [rifə:'] hänvisa **referee** [reffəri:'] [fotbolls]domare; döma (*i fotboll*) **reference** [reff'rəns] hänvisning; *have reference to* hänföra sig till **reference book** [reff'rəns bokk] uppslagsbok **referendum** [reffərenn'dəm] folkomröstning **refine** [rifaj'n] förädla, raffinera **refinements** [rifaj'nmənts] finesser **reflect** [riflekk't] [åter]- spegla, reflektera; överväga; *be reflected* avspegla sig **reflection** [riflekk'sjən] reflexion, eftertanke; spegelbild **reflex** [ri:'flekks] reflex **reflex camera** [ri:'flekks kämm'ərə] spegelreflexkamera **reform** [rifå:'m] reformera; reform **reformation** [reffəmej'sjən] reformation **reformatory** [rifå:'mətəri] uppfostringsanstalt **re- fractory** [rifräkk'təri] uppstudsig **refrain** [rifrej'n] **1** avhålla sig, avstå **2** refräng **refresh** [rifresj'] friska upp; *refresh o.s.* läska sig

refreshment [rifresj'mənt] förfriskning **refrigerator** [rifridd'-sjərejtə] kylskåp **refuel** [rifjo:'əl] tanka **refuge** [reff'jo:dsj] till-flykt **refugee** [reffjodsji:'] flykting **refund** [rifann'd] återbetala **refusal** [rifjo:'zəl] vägran, nekande, avslag **refuse 1** [rifjo:'z] vägra, neka **2** [reff'jo:s] avfall, sopor **refuse chute** [reff'jo:s sjo:t] sopnedkast **refuse dump** [reff'jo:s dammp] soptipp **refute** [rifjo:'t] vederlägga **regain** [rigej'n] återfå, återvinna **regal** [ri:'gl] kunglig **regale** [rigej'l] undfägna; kalasa **regard** [riga:'d] hänsyn; betrakta, anse; *regards* hälsningar; *as regards* vad beträffar **regarding** [riga:'ding] i fråga om **regardless of** [riga:'dliss əvv] utan hänsyn till **regeneration** [ridsjennərej'sjən] pånyttfödelse **regent** [ri:'dsjnt] regent **regime** [rejsji:'m] regim; levnadsordning **regiment** [redd'sjimənt] regemente **region** [ri:'dsjən] region **register** [redd'sjistə] register; registrera, in-registrera; skriva in sig (*på hotell*); rekommendera (*brev*); pollette-ra; *registered* (*reg(d).*) rekommenderas **registration** [reddsji-strej'sjən] [in]registrering **registration certificate** [reddsjistrej'-sjən sətiff'ikitt] besiktningsinstrument **registration fee** [redd-sjistrej'sjən fi:] anmälningsavgift **regret** [rigrett'] ångra; beklaga; ånger; saknad, sorg **regrettable** [rigrett'əbl] beklaglig **regular** [regg'jolə] regelbunden, reguljär; riktig, äkta; stamanställd; stam-gäst **regulate** [regg'jolejt] reglera **regulation** [reggjolej'sjən] stadga, förordning, bestämmelse; *regulations* reglemente **rehabi-litation** [ri:'əbillitej'sjən] rehabilitering **rehabilitate** [ri:əbill'itejt] upprätta, rehabilitera **rehearsal** [rihə:'səl] repetition **rehearse** [rihə:'s] repetera **reign** [rejn] regering; regera **rein** [rejn] töm, tygel; tygla **reindeer** [rej'ndi:ə] ren **reindeer sleigh** [rej'ndi:ə slej] pulka **reinforce** [ri:infå:'s] förstärka; armera **reiterate** [ri:itt'ərejt] ånyo upprepa **reject** [ridsjekk't] förkasta, kassera, utdöma, underkänna **rejoicing** [ridsjåj'sing] jubel **rejoin** [rid-sjåj'n] svara **rejoinder** [ridsjåj'ndə] replik **rejuvenate** [ridsjo:'-vinejt] föryngra[s] **relapse** [rilæpp's] återfalla; återfall **relate** [rilej't] berätta **related** [rilej'tidd] besläktad (*to* med) **relation** [rilej'sjən] anförvant, släkting; relation, förhållande **relationship** [rilej'sjənsjipp] förhållande; släktskap; *enter into a relationship with* träda i förbindelse med **relative** [rell'ətivv] relativ; släkting, anhörig **relapse** [rilæpp's] återfall **relax** [rilækk's] koppla av, vila **relaxed** [rilækk'st] avspänd **relay race** [ri:'lej rejs] stafettlöpning **release** [rili:'s] befria, frige, utlösa; befrielse, frigivning **relegate** [rell'igejt] hänskjuta; förvisa **relentless** [rilenn'tliss] omedgörlig **relevant** [rell'ivənt] relevant, hörande till saken **reliable** [ri-laj'əbl] pålitlig, vederhäftig **relief** [rili:'f] lättnad, lindring, und-sättning; relief; *be a relief* ge lättnad, lätta **relieve** [rili:'v] befria; avlösa, undsätta **relieved** [rili:'vd] lättad **relieving** [rili:'ving] avlösning **religion** [rilidd'sjən] religion **religious** [rilidd'sjəs] religiös; *religious community* trossamfund **relinquish** [riling'k-wisj] frångå, ändra **relish** [rell'isj] smak; krydda; njuta av; *give* *relish to* sätta piff på (mat) **reloading** [ri:'låo'ding] omlastning **reluctant** [rilakk'tənt] motvillig **rely** [rilaj'] förlita sig, lita **remain** [rimej'n] [för]bli, återstå, bli kvar; *it remains to be seen* det återstår att se **remainder** [rimej'ndə] behållning, rest **remaining** [rimej'ning] överbliven, återstående, resterande **remains** [rimej'nz] lämningar, kvarlevor **remand** [rima:'nd] återsända, återförvisa **remark** [rima:'k] yttrande, anmärkning; iaktta **remarkable** [rima:'kəbl] märklig, märkvärdig **remarried** [ri:'mär'rid] omgift **remedy** [remm'iddi] botemedel, bot; avhjälpa, bota bot för **remember** [rimemm'bə] minnas, komma ihåg; *remember me to your parents!* hälsa dina föräldrar! **remembrance** [rimemm'brəns] minne **remind** [rimaj'nd] påminna, erinra (*of* om) **reminder** [rimaj'ndə] påminnelse **reminiscence** [reminniss'ns] minne, hågkomst **remit** [rimitt'] förlåta; skicka **remittance** [rimitt'əns] [penning]remissa **remnant** [remm'nənt] kvarleva, rest **remorse** [rimå:'s] ånger, samvetskval **remote** [rimåo't] avlägsen **removable** [rimo:'vəbl] avtagbar **removal** [rimo:'vəl] flyttning **remove** [rimo:'v] undanröja, avlägsna, avsätta **remuneration** [rimjo:nərej'sjən] ersättning, gottgörelse **Renaissance** [rənej'səns] *the Renaissance* renässansen **rend** [rennd] slita sönder **render** [renn'də] återge; tolka **rendezvous** [rånn'divo:] träff, möte **renew** [rinjo:'] förnya, uppliva; omsätta (*växel*) **renewal** [rinjo:'əl] förnyelse; omsättning (*av växel*) **renounce** [rinao'ns] avsäga sig, ta avstånd från **renovate** [renn'åovejt] renovera **renown** [rinao'n] ryktbarhet **rent** [rennt] **1** hyra; spricka, reva **2** imperf. och perf. part. av *rend* **reorganization** [ri:'å:gənajzej'sjən] nyordning, omorganisation **reorganize** [ri:'å:gənajz] omorganisera **repair** [ripä:'ə] reparera; bege sig; reparation; skick *keep … in repair* underhålla **repairing** [ripä:'əring] lagning **repair man** [ripä:'ə männ] reparatör **reparation** [reppərej'sjən] reparation; ersättning **repartee** [reppa:ti:'] kvick replik **repast** [ripa:'st] måltid **repay** [ri:pej'] återbetala; vedergälla **repeal** [ripi:'l] upphäva **repeat** [ripi:'t] repetera, upprepa; (*mus.*) repris **repeatedly** [ripi:'tiddli] upprepade gånger **repel** [ripell'] stöta tillbaka **repent** [ripenn't] ångra [sig] **repentance** [ripenn'təns] ånger **repentant** [ripenn'tənt] ångerfull **repertory** [repp'ətəri] repertoar **repetition** [reppitisj'ən] repetition, upprepning **replace** [riplej's] ersätta, byta ut **replacement** [riplej'smənt] ersättare; ersättning **replenish** [riplenn'isj] åter fylla **replica** [repp'likkə] replik, kopia **reply** [riplaj'] replikera, svara; svar; *in reply to* som svar på; *at a loss for a reply* svarslös **report** [ripå:'t] rapportera, referera, meddela; ange (*för myndighet*) skvallra på; rapport, reportage; betyg; anmälan; knall **reporter** [ripå:'tə] reporter **repose** [ripåo'z] vila sig; vila, lugn **repository** [ripázz'itri] förvaringsrum **reprehensible** [repprihenn'səbl] klandervärd **represent** [repprizenn't] föreställa, presentera, fram-

341   **representation — responsibility**

ställa, företräda **representation** [repprizenntej'sjən] framställning; föreställning; representation **representative** [repprizenn'tətivv] representativ; representant, ombuds[man] **repress** [ripress'] undertrycka **reprieve** [ripri:'v] benåda; uppskov **reprimand** [repp'rima:nd] reprimand **reprisals** [ripraj'zəlz] repressalier **reproach** [ripråo'tsj] förebrå; förebråelse **reproduce** [ri:prədjo:'s] avbilda, återge, reproducera **reproduction** [ri:prədakk'sjən] reproduktion, avbildning **reproof** [ripro:'f] tillrättavisning **reprove** [ripro:'v] tillrättavisa **reptile** [repp'tajl] reptil, kräldjur **republic** [ripabb'likk] republik **republican** [ripabb'likən] republikan **repudiate** [ripjo:'diejt] förkasta, tillbakavisa **repugnance** [ripagg'nəns] motvilja; motsägelse **repugnant** [ripagg'nənt] motbjudande; motstridig **repulsive** [ripall'sivv] vedervärdig, motbjudande **reputable** [repp'jotəbl] aktad **reputation** [reppjotej'sjən] rykte, anseende **repute** [ripjo:'t] anseende, rykte **request** [rikwess't] anmoda, uppmana, begära; anhållan, bön, begäran, uppmaning; *at the request of* på uppdrag av; *request s.b. to pay* kräva ngn på pengar; *request permission to speak* begära ordet **requested** [rikwess'tidd] ombedd **require** [rikwaj'ə] [er]fordra, kräva; *be required* fordras **requisite** [rekk'wizzitt] erforderlig **re-run** [ri:'rann'] repris, nypremiär **rescue** [ress'kjo:] räddning; rädda **research** [risə:'tsj] forskning; forska **resemblance** [rizemm'bləns] likhet (*to* med) **resemble** [rizemm'bl] likna **resent** [rizenn't] ta illa upp **resentment** [rizenn'tmənt] förbittring **reservation** [rezzəvej'sjən] reservation; (*Am.*) förköp; reservat; *make a reservation* reservera sig **reserve** [rizə:'v] reserv, förbehåll; reservera; *reserve for* (*to*) förbehålla sig **reserved** [rizə:'vd] reserverad, tillknäppt **reside** [rizaj'd] residera **residence** [rezz'idəns] residens **residence permit** [rezz'idəns pə:'mitt] uppehållstillstånd **resident** [rezz'idənt] bofast, bosatt **residential** [rezzidenn'sjəl] bostads- **residue** [rezz'idjo:] återstod, rest **resign** [rizaj'n] ta avsked [från]; *resign o.s.* resignera; *resign o.s. to* foga sig i **resignation** [rezziggnej'sjən] avskedsansökan; resignation **resilient** [rizill'jənt] elastisk **resin** [rezz'inn] kåda **resist** [riziss't] motstå **resistance** [riziss'təns] motstånd **resistant** [riziss'tənt] resistent **resolute** [rezz'əlo:t] rådig, beslutsam **resolution** [rezzəlo:'sjən] resolution **resolve** [rizåll'v] besluta; lösa; beslut **resort** [rizå:'t] utväg, tillflykt; *resort to* tillgripa, anlita **resound** [rizao'nd] genljuda **resource** [riså:'s] resurs **respect** [risspekk't] respekt, aktning; avseende; respektera; *in this respect* härvidlag **respectable** [risspekk'təbl] respektabel, anständig **respective** [risspekk'tivv] (*adj.*) respektive **respectively** [risspekk'tivvli] (*adv.*) respektive **respiration** [rissspərej'sjən] andning, andhämtning **respiratory organ** [risspaj'ərətri å:'gən] andningsorgan **respite** [ress'pajt] respit, frist **resplendent** [risplenn'dənt] glänsande **respond** [rispånn'd] svara; reagera på **response** [rispånn's] gensvar **responsibility** [rispånsəbill'itti] ansvar; *shirk responsibil-*

ity undandra sig ansvar **responsible** [rispånn'səbl] ansvarig; ansvarsfull **rest** [resst] **1** rest, återstod; *the rest* det övriga **2** vila **restaurant** [ress'tərånnt] restaurang, krog **restaurant-keeper** [ress'tərånnt ki:pə] källarmästare **restful** [ress'tfoll] vilsam **restive** [ress'tivv] motspänstig **restless** [ress'tliss] rastlös **restore** [risstå:'] restaurera, återställa **restrain** [ristrej'n] lägga band på **restraint** [ristrej'nt] hämning; hinder; förbehållsamhet **restrict** [risstrikk't] inskränka, begränsa **restriction** [risstrikk'sjən] restriktion, inskränkning **result** [rizall't] resultat; resultera **results pool** [rizall'ts po:l] stryktips **resume** [rizjo:'m] återuppta[ga] **resurrection** [rezzərekk'sjən] uppståndelse **retail** [ri:'tejl] detaljhandel **retail dealer** [ri:'tejl di:'lə] återförsäljare **retain** [ritej'n] behålla **retainer** [ritej'nə], **retaining fee** [ritej'ning fi:'] förhandsarvode till advokat **retaliation** [ritålliej'sjən] vedergällning, hämnd **retarded** [rita:'didd] utvecklingsstörd **reticence** [rett'isns] tystlåtenhet **retina** [rett'innə] näthinna **retire** [ritaj'ə] retirera, dra sig tillbaka **retired** [ritaj'əd] pensionerad **retirement** [ritaj'əmənt] avskildhet **retort** [ritå:'t] kolv **retouch** [ri:'tatt'sj] retuschera **retreat** [ritri:'t] reträtt, tillflyktsort; retirera **retribution** [rettribjo:'sjən] vedergällning **retrieve** [ritri:'v] apportera; återvinna **retroactive** [rettråoäkk'tivv] retroaktiv **retrograde** [rett'råogrejd] tillbakariktad; gå tillbaka **retrospect** [rett'råospekkt] återblick **return** [ritə:'n] retur; återkomst; avkastning; returnera, återkomma, återlämna; återsända; *many happy returns!* har den äran att gratulera!; *return home* hemkomst; *in return* i gengäld **return ticket** [ritə:'n tikk'itt] tur- och returbiljett **reunion** [ri:jo:'njən] återförening **reunite** [ri:'jo:naj't] återförena **revalue** [ri:'väll'jo:] omvärdera **reveal** [rivi:'l] yppa, uppenbara, avslöja **revel** [revv'l] festa om; frossa **Revelation** [revvilej'sjən] uppenbarelseboken **revenge** [rivenn'dsj] hämnd, revansch; hämnas; *take one's revenge* ta revansch **revenue** [revv'injo:] inkomst; statsinkomster **reverberate** [rivə:'bərejt] genljuda **reverberation** [rivə:bərej'sjən] eko **reverence** [revv'ərəns] vördnad; pietet **reverend** [revv'rənd] vördnadsvärd; *the Rev. John Smith* kyrkoherde (pastor) John Smith **reverie** [revv'əri] dagdröm **reverse** [rivə:'s] backa; bakslag; baksida; omvänd, motsatt **reversed** [rivə:'st] omvänd **reversing light** [rivə:'sing lajt] backlykta **revert** [rivə:'t] återgå **review** [rivjo:'] recensera; recension; resning (*i mål*); revy **reviewer** [rivjo:'ə] recensent **revile** [rivaj'l] smäda **revise** [rivaj'z] omarbeta, revidera; repetera; *revise one's opinion* ändra ståndpunkt **revision** [rivisj'ən] omarbetning, revision; repetition **revival** [rivaj'vəl] återupplivande; väckelse; repris, nypremiär **revive** [rivaj'v] återuppliva **revoke** [rivåo'k] återkalla **revolt** [rivåo'lt] revolt, uppror **revolting** [rivåo'lting] upprörande; upprorisk **revolution** [revvəlo:'sjən] revolution; varv **revolve** [rivåll'v] rotera **revolver** [rivåll'və] revolver **revue** [rivjo:'] revy **revulsion** [rivall'sjən] häftig reaktion **reward** [riwå:'d] belöna; belöning, hittelön **rheumatic** [ro:'mätt'ikk] reumatiker **rheumatism** [ro:'mətizzəm] reumatism **rheumatoid arthritis** [ro:'mətəd a:θraj'tiss] ledgångsreumatism **Rhine** [raj'n] *the Rhine* Rhen **rhinoceros** [rajnåss'ərəs] noshörning **rhubarb** [ro:'ba:b] rabarber **rhyme** [rajm] rim; rimma (*with* på) **rhythm** [rið'əm] rytm **rib** [ribb] revben; spröt; spant **ribald** [ribb'ld] plump, rå **ribbon** [ribb'ən] band **rice** [rajs] [ris]gryn **rich** [rittsj] rik (*in* på); mustig; dråplig **richness** [ritt'sjniss] (*bildl.*) rikedom **rickets** [rikk'itts] rakitis **rickety** [rikk'itti] skranglig **rid** [ridd] befria från; *get rid of* göra sig av med, bli kvitt **ridden** [ridd'n] perf. part. av *ride* **riddle** [ridd'l] gåta **ride** [rajd] rida; åka; ritt; åktur **rider** [raj'də] ryttare; cyklist **ridge** [riddsj] ås, rygg **ridicule** [ridd'ikjo:l] åtlöje **ridiculous** [ridikk'joləs] löjlig **riding-dress** [raj'dingdress] riddräkt **rife** [rajf] gängse, vanlig; *rife with* uppfylld av **rifle** [raj'fl] räffla; gevär **rift** [rifft] reva, spricka **rig** [rigg] rigg; rigga; göra klar; lura **right** [rajt] rätt[ighet]; riktig, rätt; rät; höger; ända; *right of way* förkörsrätt; *be right* ha rätt; *I'm all right* jag mår bra, det är ingen fara med mig; *right up to* ända [fram] till; *just right* lagom; *quite right* mycket riktigt; *rightly or wrongly* med rätt eller orätt **right-about** [raj'təbaot] helt om **righteous** [raj'tsjəss] rättfärdig **right-handed** [raj't-händidd] högerhänt **rigid** [ridd'sjidd] stel; sträng **rigmarole** [rigg'mərəol] svammel **rigorous** [rigg'ərəs] sträng **rigour** [rigg'ə] stränghet **rim** [rimm] fälg; kant, brädd **rind** [rajnd] skal; svål; bark **ring** [ring] ring; klang, ringning; ringa, klinga **ring-finger** [ring'finggə] ringfinger **ring-leader** [ring'li:də] anstiftare **ring-off** [ring'å:'f] avringning **rink** [ringk] skridskobana **ringworm** [ring'wə:m] revorm **rinse** [rinss] skölja, spola **riot** [raj'ət] upplopp **rip** [ripp] sprätta; reva, rispa **ripe** [rajp] mogen **ripen** [raj'pən] mogna **ripping** [ripp'ing] (*sl.*) jätte-, väldigt **ripple** [ripp'l] krusning, vågskvalp; krusa sig, klucka **rise** [rajz] resa sig, stiga [upp]; uppgång, ökning; *give rise to* föranleda; *rise in value* värdestegring **risen** [rizz'n] perf. part. av *rise* **rising** [raj'zing] resning, uppror **risk** [rissk] risk (*of* för); riskera, äventyra **risky** [riss'ki] riskabel **risqué** [ri:'skej] vågad, frivol **rival** [raj'vəl] rival, medtävlare; tävla med **river** [rivv'ə] flod, älv; *small river* å **river trout** [rivv'ə traot] forell **rivet** [rivv'itt] nita; nit **roach** [råotsj] mört **road** [råod] väg **road block** [råo'd blåkk] vägspärr **road communication** [råo'd kəmjo:nikej'sjən] vägförbindelse **road-hogg** [råo'dhågg] bildrulle **road map** [råo'd mäpp] bilkarta, vägkarta **road safety** [råo'd sej'fti] trafiksäkerhet **roadside** [råo'dsajd] vägkant **road sign** [råo'd sajn] vägskylt, vägmärke **roadster** [råo'dstə] häst; sportbil **road surface** [råo'd sə:'fiss] vägbeläggning **road-user** [råo'djo:zə] trafikant **roadway** [råo'dwej] körbana **road work** [råo'd wə:k] vägarbete; konditions-, löpträning **roam** [råom] ströva omkring; strövtåg **roar** [rå:] ryta (*at* åt), vråla; brusa, dåna; vrål; dån; *roar of laughter* gapskratt; *roar with laughter* gapskratta **roast** [råo'st] steka, rosta, steka i ugn **roast beef** [råo'st bi:f] rostbiff **roast lamb** [råo'st lämm'] lammstek **rob** [råbb] röva, plundra **robber** [råbbə] rövare, rånare **robbery** [råbb'əri] rån **robin** [råbb'inn] rödhake **robot** [råo'bått] robot **robust** [rəbass't] oöm **rock** [råkk] klippa; (*Am.*) sten; polkagris; vagga, vicka; *sunk rock* [klipp]grund **rockery** [råkk'əri] stenparti **rocket** [råkk'itt] raket **rocking-chair** [råkk'-ingtsjä:ə] gungstol **rocky** [råkk'i] klippig, bergig **rococo** [rəkåo'-kåo] rokoko **rod** [rådd] spö (*met-*) **rode** [råod] imperf. av *ride* **rodent** [råo'dənt] gnagare **roe** [råo] **1** (fisk)rom **2** rådjur **roe-deer** [råo'di:ə] rådjur **rogue** [råog] skälm **roll** [råol] rulla, välta, kavla; rulle; vals; lista; frukostbröd; *rolling in money* stenrik; *roll up* rulla ihop **roll-call** [råo'lkå:l] namnupprop **roller** [råo'lə] kavel, vals; binda **roller-skate** [råo'ləskejt] rullskridsko; åka rullskridskor **rollick** [råll'ikk] leka upplopspet **rolling-mill** [råo'lingmill] valsverk **rolling-pin** [råo'lingpinn] kavel **Roman** [råo'mən] romersk **romance** [råomann's] romantik **romantic** [rəmänn'tikk] romantisk **Romanticism** [råomänn'tisizzəm] Romantiken **Rome** [råom] Rom **romp** [råmmp] leka, rasa, stoja; vild lek **roof** [ro:f] [ytter]tak **roof rack** [ro:'f räkk] takräcke (*på bil*) **rook** [rokk] **1** torn (*schackpjäs*) **2** råka (*fågel*) **room** [romm] rum; utrymme, plats **roost** [ro:st] hönspinne, hönshus **rooster** [ro:'stə] tupp **root** [ro:t] rot **root-filling** [ro:'tfilling] rotfyllning **rope** [råop] rep, lina; *learn the ropes* lära sig knepen **rope-ladder** [råo'plåddə] repstege **ropeway** [råo'pwej] linbana **rosary** [råo'zəri] radband **rose** [råoz] **1** ros; rosa **2** imperf. av *rise* **rose-coloured** [råo'z-kalləd] rosa **rose-hip** [råo'zhipp] nypon **rosemary** [råo'zməri] rosmarin **roseola** [råozi:'åolə] röda hund **rosin** [råzz'inn] harts; hartsa **rostrum** [råss'trəm] talarstol **rot** [rått] röta; ruttna **rotate** [råotej't] rotera **rotation** [råotej'sjən] rotation **rotisserie** [råo-tiss'əri:] grillbar **rotten** [rått'n] rutten, skämd; *get rotten* ruttna **rotter** [rått'ə] kräk **rough** [raff] skrovlig, ojämn, strär, lurvig; hårdhänt; *rough copy* kladd; *rough homespun* vadmal; *rough play* ruff (*i sport*) **roughly** [raff'li] rått, våldsamt; ungefär **roulette** [rolett'] rulett **R[o]umania** [ro:mej'njə] Rumänien **round** [raond] rund; omgång, varv, rond, sväng; avrunda; runt omkring **round-about** [rao'ndəbaot] omväg; rondell; rundresa **round-shaped** [rao'ndsjejpt] trind **round-up** [rao'ndapp] razzia **rouse** [raoz] elda, egga **rout** [raot] vild flykt **route** [ro:t] rutt, färdväg **routine** [ro:ti:'n] rutin, slentrian; slentrianmässig **rove** [råov] ströva omkring **rover** [råo'və] vandrare; sjörövare **row 1** [råo] rad; gata **2** [råo] ro **3** [rao] gräl, bråk **rowanberry** [rao'ənberri] rönnbär **rowdy** [rao'di] busig **rowing** [råo'ing] rodd **rowing-boat** [råo'ingbåot] roddbåt **rowlock** [råll'ək] årtull **royal** [råj'əl] kunglig **royalty** [råj'əlti] kunglighet; royalty, författar-honorar **R.S.V.P.** [a:essvi:pi:'] o.s.a. **rub** [rabb] gnida, frottera; *rub out* sudda ut **rubber** [rabb'ə] gummi; kautschuk **rubber band** [rabb'ə bännd] gummiband **rubber-boots** [rabb'əbo:ts] gummi-stövlar **rubbers** [rabb'əz] galoscher **rubbish** [rabb'isj] skräp, smörja, strunt **rubble** [rabb'l] stenskärv; klappersten **ruby** [ro:'bi] rubin **rucksack** [rokk'säkk] ryggsäck **rudder** [radd'ə] roder **ruddy** [radd'i] rödbrun; rödblommig; jäkla **rude** [ro:d] ohövlig; obearbetad **rue** [ro:] ångra **rueful** [ro:'foll] ynklig; sorglig **ruff** [raff] krås, halskrage; brushane; snorgärs **ruffian** [raff'iən] buse, skurk **ruffle** [raff'l] rufsa till; reta; skrävla; volanger; oro **rug** [ragg] (*liten*) matta; resfilt, pläd **Rugby football** [ragg'bi fott'bå:l] rugby **rugged** [ragg'idd] skrovlig; barsk **rugger** [ragg'ə] rugby[fotboll] **ruin** [ro:'inn] ruin, undergång, fördärv; fördärva; ruinera; *go to ruin* förfalla (*om byggnad o.d.*) **rule** [ro:l] härska, regera; linjera; styrelse, välde; regel; *as a rule* i allmänhet; *rule of thumb* tumregel **ruler** [ro:'lə] härskare; linjal **rum** [ramm] rom (*dryck*); underlig **rumba** [ramm'bə] rumba **rumble** [ramm'bl] dåna, mullra; dån muller **ruminate** [ro:'minejt] idissla; grubbla **rummage** [ramm'-iddsj] genomleta; genomletande **rumour** [ro:'mə] rykte; *it is rumoured* det ryktas **rump** [rammp] bakdel; kvarleva **rumple** [ramm'pl] skrynkla, rufsa till **run** [rann] springa, löpa; rinna; sköta; köra; lyda, låta; lopp; [an]sats; *be running* vara i gång; *run aground* gå på grund; *run away* rymma; *run down* springa omkull, köra över; *it runs in the family* det ligger i släkten; *run into* köra på; *run a race with* springa ikapp med; *run short* tryta, ta slut; *in the long run* på sikt, i det långa loppet; *take a run* ta sats **runaway** [rann'əwej] förrymd; rymmare **rune** [ro:n] runa **rung** [rang] **1** perf. part. av *ring* **2** stegpinne **runner** [rann'ə] löpare; [kälk]med **runner-up** [rann'ərapp'] i final besegrad medtävlare **running** [rann'ing] drift, gång; löpning; i följd **runway** [rann'wej] startbana **rupture** [rapp'tsjə] bristning **rural** [ro:'ərəl] lantlig **ruse** [ro:z] knep, list **rush** [rasj] **1** rusa, störta; rusning **2** säv **rush-hour** [rasj'aoə] rusningstid **rusk** [rassk] skorpa **Russia** [rasj'ə] Ryss-land **Russian** [rasj'ən] ryss; rysk; *Russian pasty* pirog **rust** [rasst] rosta; rost **rustic** [rass'tikk] lantlig; lantbo **rustle** [rass'l] prassla; prassel **rusty** [rass'ti] rostig **rut** [ratt] slentrian **ruthless** [ro:θliss] obarmhärtig **rye** [raj] råg; (*Am.*) whisky **rye-bread** [raj'bredd] rågbröd **rye-flour** [raj'flao:ə] rågmjöl **Sabbath** [säbb'əθ] sabbat **sable** [sej'bl] sobel **sabotage** [säbb'əta:sj] sabotage; sabotera **sabre** [sej'bə] sabel **sack** [säkk] säck; sekt, vitt vin; avskeda; plundra **sacred** [sej'kridd] helig **sacrifice** [säkk'rifajs] offer, uppoffring; offra, uppoffra **sacrilege** [säkk'riliddsj] helgerån **sacristy** [säkk'rissti] sakristia **sad** [sädd] sorglig; ledsen (*about* över) **saddle** [sädd'l] sadel; sadla **saddle-horse** [sädd'lhå:s] rid-häst **safe** [sejf] (*pålitlig*) säker, trygg, välbehållen, riskfri; kassaskåp **safe-deposit box** [sej'fdipäzitt båkks] bankfack **safe-guard** [sej'fga:d] garanti, skydd; skydda **safety** [sej'fti] säkerhet **safety belt** [sej'fti bellt] säkerhetsbälte **safety device** [sej'fti divaj's] säkerhets-, skyddsanordning **safety pin** [sej'fti pinn] säkerhetsnål **safety razor** [sej'fti rej'zə] rakhyvel **safety-valve** [sej'ftivällv] säkerhetsventil **saffron** [säff'rən] saffran **sag** [sägg] bågna **sagacity** [səgäss'itti] skarpsinne, klokhet **sage** [sejdsj] **1** vis **2** salvia **Sahara** [səha:'rə] *the Sahara* Sahara **said** [sedd] imperf. och perf. part. av *say* **sail** [sejl] segel; segla; *sail large* slöra **sailcloth** [sej'lklåð] segelduk **sailing** [sej'ling] segling **sailing-boat** [sej'lingbåot] segelbåt **sailor** [sej'lə] sjöman, seglare; *be a good sailor* tåla sjön **sailplane** [sej'lplejn] segelflygplan **saint** [sejnt] helgon **sake** [sejk] *for your sake* för din skull **salad** [säll'əd] sallad *(rätt)* **salary** [säll'əri] *(tjänstemans)* lön **salary-earner** [säll'əriə:nə] löntagare **sale** [sejl] försäljning; realisation *for sale* till salu **salesman** [sej'lzmən], **saleswoman** [sej'lz-wommən] försäljare, butiksbiträde **salient** [sej'ljənt] framträdande, iögonfallande **saline** [səlo:'n] offentlig lokal; täckt bil; *(Am.)* krog **salt** [så:lt] salt; salta; *salt water* saltvatten **salt-cellar** [så:'ltsellə] saltkar **saltpetre** [så:'ltpi:tə] salpeter **salubrious** [səlo:'briəs] hälsosam **salutary** [säll'jotəri] välgörande, hälsosam **salutation** [säljotej'sjən] hälsning **salute** [səlo:'t] salut; salutera, hälsa **salvage** [säll'viddsj] bärgning; bärga **salvation** [sällvej'sjən] frälsning; räddning; *the Salvation Army* frälsningsarmén **salve** **1**[sällv] bärga **2** [sa:v] salva; lindra **salver** [säll'və] silverbricka **same** [sej'm] samma; *the same* samma, detsamma; *all the same* i alla fall; *much the same* ungefär detsamma **sample** [sa:'mpl] [varu]prov; pröva **sample test** [sa:'mpl tesst] stickprov **sanatorium** [sännətå:'riəm] sanatorium **sanctify** [säng'ktifaj] helga **sanction** [säng'ksjən] sanktion; sanktionera **sanctuary** [säng'-tjəəri] helgedom **sand** [sännd] sand; sanda **sandal** [sänn'dl] sandal **sandbank** [sänn'dbängk] rev, sandbank **sandpaper** [sänn'dpejpə] sandpapper **sand-pit** [sänn'dpitt] sandlåda **sandstone** [sänn'dståon] sandsten **sandwich** [sänn'widdsj] sandwich, dubbelsmörgås **sandy** [sänn'di] sandig, sandfärgad; *sandy beach* sandstrand **sane** [sejn] klok, förnuftig **sang** [säng] imperf. av *sing* **sanguinary** [säng'gwinəri] blodig; blodtörstig **sanguine** [säng'gwinn] sangvinisk **sanitary** [sänn'itəri] sanitär, bakterie-fri; *sanitary napkin (towel)* dambinda **sanitation** [sännitej'sjən] hygien; sanitetsinstallation **sanity** [sänn'itti] normalt sinnestillstånd **sank** [sängk] imperf. av *sink* **Santa Claus** [sänntəklå:'z] jultomten **sap** [sägp] sav; dumbom **sapling** [säpp'ling] ungt träd **sapper** [säpp'ə] ingenjörssoldat **sapphire** [säff'ajə] safir **sarcastic** [sa:käss'tikk] spydig, sarkastisk **Sardinia** [sa:dinn'jə] Sardinien **sash** [säsj] skärp; fönsterbåge **sat** [sätt] imperf. och perf. part. av *sit* **Satan** [sej'tən] satan **satchel** [sätt'sjəl] axelväska **satellite** [sätt'əlajt] satellit **satiate** [sej'sjiejt] mätta; proppa i **satin** [sätt'inn] satäng **satire** [sätt'ajə] satir **satiric** [sətirr'ikk] satirisk

satisfaction [sättissfäkk'sjən] belåtenhet, tillfredsställelse; *give satisfaction* utfalla till belåtenhet **satisfactory** [sättissfäkk'təri] tillfredsställande **satisfied** [sätt'issfajd] nöjd, tillfreds; mätt; **satisfy** [sätt'issfaj] tillfredsställa, tillgodose **saturate** [sätt'sjə-rejt] indränka **Saturday** [sätt'ədi] lördag **sauce** [så:s] sås; uppnosighet; *white sauce* stuvning, vit sås; *cook in white sauce* stuva **saucepan** [så:'spən] kastrull **saucepan holder** [så:'spən håo'ldə] grytlapp **saucer** [så:'sə] tefat; *flying saucer* flygande tefat **saucy** [så:'si] uppkäftig **Saudi Arabia** [sao:'di ərej'bjə] Saudi-Arabien **sauna** [sao'nə] bastu **saunter** [så:'ntə] flanera, släntra **sausage** [såss'iddsj] korv **savage** [sävv'iddsj] vilde; vild **savanna** [sə-vänn'ə] savann **save** [sejv] rädda, bärga; spara; utom **saving** [sej'ving] sparande, besparing **savings association** [sej'vingz əsåosiej'sjən] sparkassa **savings-bank** [sej'vingzbängk] sparbank **saviour** [sej'vjə] frälsare **savoury** [sej'vəri] välsmakande **saw** [så:] **1** såg; såga **2** imperf. av *see* **saw-blade** [så:'blejd] sågblad **sawdust** [så:'dasst] sågspån **sawmill** [så:'mill] sågverk **sawn** [så:n] perf. part. av *saw* **Saxon** [säkk'sən] angelsaxare; saxisk **saxophone** [säkk'səfåon] saxofon **say** [sej] säga; *that is to say* det vill säga; *I say* hör på, hör ŋu; *that is not to say that* därmed är inte sagt att; *you don't say?* säger du det?, det menar du inte!; *it says in the paper* det står i tidningen; *he is said to be rich* han sägs (*lär*) vara rik **saying** [sej'ing] ordstäv **scab** [skäbb] skabb; strejkbrytare **scabbard** [skäbb'əd] svärdskida **scaffold** [skäff'əld] [byggnads]ställning **scalding hot** [skå:'lding hått] skållhet **scale** [skejl] **1** vågskål **2** skala; klättra upp för; *on a large scale* i stor skala **3** [fisk]fjäll; fjälla **scales** [skejlz] [hushålls]våg **scallop** [skåll'əp] kammussla **scalp** [skällp] skalp **scamp** [skämmp] fuska, slarva; lymmel, odåga **scan** [skänn] studera noggrant; ögna igenom; avsöka **scandal** [skänn'dl] skandal **scandalous** [skänn'dələs] skandalös **Scandinavia** [skänndi-nej'vjə] Skandinavien **Scandinavian** [skänndinej'vjən] skandinavisk; skandinav **scantily** [skänn'tili] knappt **scanty** [skänn'ti] torftig, knapp **scapegoat** [skej'pgåot] syndabock **scar** [ska:] ärr **scarce** [skä:'əs] sällsynt; knapp **scarcely** [skä:'əsli] knappast; *scarcely ... before* knappt ... förrän **scarcity** [skä:'sitti] knapphet **scare** [skä:'ə] skrämma **scarecrow** [skä:'əkråo] fågelskrämma **scarf** [ska:f] halsduk **scarlet** [ska:'litt] scharlakansröd **scarlet fever** [ska:'litt fi:'və] scharlakansfeber **scathing** [skej'ðing] dräpande (kritik o.d.) **scatter** [skätt'ə] sprida; *scatter ... about* strö ... omkring sig **scatter-brained** [skätt'əbrejnd] virrig **scavenger** [skävv'indsjə] gatsopare **scene** [si:n] scen; uppträde; *make a scene* ställa till en scen **scenery** [si:'nəri] landskap; kulisser **scent** [sennt] doft, vittring; parfymera; vädra **scent spray** [sennt' sprej] rafräschissör **sceptic** [skepp'tikk] skeptisk **sceptre** [sepp'tə] spira **schedule** [sjedd'jo:l] schema, plan **scheme** [ski:m] plan; schema; intrig **schizofrenia** [skittsåofri:'njə]

schnapps — sculptor 348

schizofreni **schnapps** [sjnäpps] brännvin **scholar** [skåll'ə] lärd man; stipendiat; lärjunge **scholarship** [skåll'əsjipp] stipendium; lärdom **school** [sko:l] **1** skola; *public school* internatskola **2** fiskstim **schoolbag** [sko:'lbägg] skolväska **schoolbook** [sko:l'bokk] skolbok **schoolboy** [sko:'lbåj] skolpojke **schoolchild** [sko:'ltsjajld] skolbarn **schoolfellow** [sko:'lfellåo] skolkamrat **schoolgirl** [sko:'lgə:l] skolflicka **schooling** [sko:'ling] skolning, skolgång **schoolmaster** [sko:'lma:stə] magister **schoolmistress** [sko:'lmistriss] lärarinna **schoolteacher** [sko:'lti:tsjə] skollärare, -inna **school-year** [sko:'ljə:] skolår **schooner** [sko:'nə] skonare **sciatica** [sajätt'ikkə] ischias **science** [saj'əns] [natur]vetenskap **scientific** [sajəntiff'ikk] vetenskaplig **scientist** [saj'əntisst] vetenskapsman, forskare **scissors** [sizz'əzz] *a pair of scissors* en sax **scoff** [skåff] håna **scold** [skåold] skälla på, gräla på **scolding** [skåo'lding] skrapa, tillrättavisning **scoop** [sko:'p] skopa; uppseendeväckande tidningsnyhet; ösa **scooter** [sko:'tə] sparkcykel, skoter **scope** [skåop] spelrum **scorch** [skå:tsj] sveda, förbränna **score** [skå:] skåra; tjog; poängsumma; partitur; göra mål **scorn** [skå:n] hån; *put ... to scorn* håna **scornful** [skå:'nfoll] hånfull **scorpion** [skå:'pjən] skorpion **Scot** [skått] skotte **Scotch** [skåttsj] skotsk **Scotchman** [skått'sjmən] skotte **Scotland** [skått'lənd] Skottland **Scotsman** [skått'smən] skotte **Scottish** [skått'isj] skotsk **scotfree** [skått'fri:'] ostraffad; oskadd **scoundrel** [skao'ndrəl] skurk, rackare **scour** [skao'ə] skura; genomsöka **scourge** [skə:dsj] gissel; gissla **scouring-cloth** [skao'əring klåθ] skurtrasa **scout** [skaot] spejare; scout; spana; tillbakavisa med förakt **scowl** [skaol] se bister ut; bister uppsyn **scramble** [skrämm'bl] kravla; kivas om; rusning; kiv **scrambled eggs** [skrämm'bld eggz] äggröra **scrap** [skräpp] skrot; bit, urklipp; skrota **scrape** [skrejp] (*verb*) skrapa; skrapning; *scrape through* trassla sig igenom **scraper** [skrej'pə] (*subst.*) skrapa, sickling **scrap merchant** [skräpp' mə:'tsjənt] skrothandlare **scratch** [skrättsj] skråma, rispa; riva; klösa; *start from scratch* börja från början; *scratch o.s.* klia sig **scrawl** [skrå:l] klottra **scream** [skri:m] skrik; skrika **screamer** [skri:'mə] skrikhals **screech** [skri:tsj] gnissel; gnissla **screen** [skri:n] skärm; raster; [TV-]ruta; skydda **screw** [skro:] skruv; propeller; skruva; *screw up one's eyes* kisa **screw clamp** [skro:' klämmp] skruvtving **screw-driver** [skro:'drajvə] skruvmejsel **scribble** [skribb'l] klottra; klotter **scribe** [skrajb] skrivare; skriftlärd **script** [skrippt] handskrift **scripture** [skripp'tsjə] bibelställe; *the Holy Scripture* den heliga skrift **scroll** [skråol] pergamentsrulle; snirkel **scrotum** [skråo'təm] pung **scrub** [skrabb] **1** buske **2** skrubba **scrubbing brush** [skrabb'ing brasj] rotborste **scruples** [skro:'plz] samvetsbetänkligheter, skrupler **scrupulous** [skro:'pjoləs] samvetsgrann **scrutinize** [skro:'tinajz] skärskåda **scuffle** [skaff'l] slagsmål (*på lek*) **scull** [skall] vrickåra; ro **scullery** [skall'əri] diskrum **sculptor** [skall'ptə] skulptör, bildhuggare **sculpture** [skall'ptsjə] skulptur **scum** [skamm] skum; avskum; skumma **scurrilous** [skarr'iləs] plump, grovkornig **scurry** [skarr'i] springa, trippa **scurvy** [skə:'vi] skörbjugg **scuttle** [skatt'l] ventil; kolhink; sänka; smita undan **scythe** [sajð] lie **sea** [si:] sjö, hav; sjögång; *at sea* till sjöss **sea-acorn** [si:'ejkå:n] havstulpan **sea-bird** [si:'bə:d] sjöfågel **sea-captain** [si:'käpptinn] sjökapten **sea-gull** [si:'gall] fiskmås **sea horse** [si:'hå:s] sjöhäst **seal** [si:l] **1** säl **2** sigill; försegla, lacka **sealing-wax** [si:'lingwäkks] lack **seam** [si:m] söm; sömma **seaman** [si'mən] sjöman; *able seaman* matros **seamstress** [semm'striss] sömmerska **seamy** [si:'mi] med sömmar; *the seamy side* avigsidan **seance** [sej'a:ns] seans **search** [sə:tʃ] söka, leta (*for* efter); kroppsvisitera; sökande, spaning **searchlight** [sə:'tʃlajt] strålkastare, sökarljus **seascape** [si:'skejp] marinmålning **seashore** [si:'sjå:] havsstrand **seasick** [si:'sikk] sjösjuk **seaside** [si:'sajd] havskust **seaside resort** [si:'sajd rizå:'t] badort **season** [si:'zn] årstid, säsong; (*verb*) krydda; härda **seasoning** [si:'zning] krydda **seat** [si:t] säte, sits, sittplats, bänk; [riksdags]mandat **seat belt** [si:'t bellt] säkerhetsbälte **seat reservation** [si:'t rezzəvej'sjən] platsbiljett **seaweed** [si:'wi:d] sjögräs, tång **seaworthy** [si:'-wə:ði] sjösäker **secession** [sisesj'ən] utträde **secluded** [siklo:'-didd] avskild **second** [sekk'ənd] andra; sekund; sekundant *second cousin* syssling; *the second best* den näst bästa; *on second thoughts* vid närmare eftertanke **secondary** [sekk'əndəri] sekundär; senare; *secondary effects* biverkningar; *secondary school* läroverk **second-class ticket** [sekk'əndkla:'s tikk'itt] andraklassbiljett **second-hand** [sekk'əndhänn'd] andrahands-, begagnad; sekundvisare **second-hand bookshop** [sekk'əndhännd bokk'sjåpp] antikvariat **second-rate** [sekk'əndrej't] sekunda **secrecy** [si:'krissi] hemlighetsfullhet; *in secrecy* i hemlighet **secret** [si:'kritt] hemlig; hemlighet; *secret motive* baktanke; *secret service* underrättelsetjänst **secretariat[e]** [sekkrətä:'əriət] sekretariat, kansli **secretary** [sekk'rətri] sekreterare; *Foreign Secretary* (*engelsk*) utrikesminister; *secretary of state* minister, (*Am.*) utrikesminister **secrete** [sikri:'t] utsöndra **secretion** [sikri:'sjən] utsöndring, sekretion **sect** [sekkt] sekt **section** [sekk'sjən] sektion; [tvär]snitt **sector** [sekk'tə] sektor, avsnitt **secular** [sekk'jolə] världslig **secure** [sikjo:'ə] trygg, säker; säkra, försäkra sig om, tillförsäkra **security** [sikjo:'əritti] trygghet, säkerhet; borgen; värdepapper **sedan** [sidänn'] täckt bil, sedan **sedate** [sidej't] lugn, stillsam **sedative** [sedd'ətivv] lugnande (*medel*) **sedentary** [sedd'ntəri] stillasittande **sediment** [sedd'imənt] avlagring, sediment **seduce** [sidjo:'s] förföra **see** [si:] se, inse; besöka, träffa; *be seen* synas; *we'll see* vi får väl se; *see you again!* på återseende!; *I'll be seeing you!* vi ses!; *see [to it]* the se till att; *see through* genomskåda **seed** [si:d] frö; utsäde; *seed of dissension* tvistefrö **seedy** [si:'di] sjaskig; illamående **seek** [si:k] söka; *seek out* uppsöka, leta reda på

seem [si:m] verka, förefalla, tyckas **seeming** [si:'ming] synbar; skenbar **seemly** [si:'mli] anständig, passande **seen** [si:n] perf. part. av *see* **seep** [si:p] läcka, sippra ut **see-saw** [si:'så:] gungbräde **segment** [segg'mənt] segment; klyfta **seethe** [si:ð] sjuda **segregate** [segg'rigejt] avskilja [sig] **seize** [si:z] gripa, fatta tag i; beslagta **seizure** [si:'sjə] gripande; anfall, attack **seldom** [sell'dəm] sällan **select** [silekk't] utse, utvälja **selection** [silekk'sjən] uttagning, urval **selective strike** [silekk'tivv straj'k] punktstrejk **self** [sellf] jag; själv **self-adhesive** [sell'fədhi:'sivv] självhäftande **self-assured** [sell'fasjo:'əd] självmedveten **self-centred** [sell'f-senn'təd] självupptagen **self-confidence** [sell'fkånn'fidəns] självförtroende **self-confident** [sell'fkånn'fidənt] självsäker **self-conscious** [sell'fkånn'sjəs] självmedveten; besvärad, generad **self-contained house** [sell'fkəntej'nd haos] enfamiljshus **self-control** [sell'fkəntråo'l] självbehärskning **self-criticism** [sell'fkritt'isizzəm] självkritik **self-deception** [sell'fdisepp'sjən] självbedrägeri **self-defence** [sell'fdifenn's] självförsvar **selfish** [sell'fisj] självisk **self-knowledge** [sell'fnåll'iddsj] självkännedom **self-mastery** [sell'fma:'stəri] självövervinnelse **self-portrait** [sell'fpå:'tritt] självporträtt **self-possession** [sell'fpəzzej'ən] fattning, besinning **self-preservation** [sell'fprezzəvej'sjən] självbevarelsedrift **self-reproach** [sell'fripråo'tsj] självförebråelse **self-sacrificing** [sell'fsäkk'rifajsing] självuppoffrande **self-satisfied** [sell'fsätt'isfajd] självbelåten **self-service** [sell'fsə:'viss] självbetjäning, självservering **self-service shop** [sell'fsə:'viss sjåpp] snabbköp **self-supporting** [sell'fsəpå:'ting] självförsörjande **self-willed** [sell'fwill'd] självsvåldig **sell** [sell] sälja; *sell off* slumpa, realisera **seller** [sell'ə] säljare **semblance** [semm'bləns] utseende, skepnad **semester** [simess'tə] (*Am.*) termin **semi-circle** [semm'isə:kl] halvcirkel **semi-final** [semm'ifaj'nl] semifinal **seminal fluid** [si:'minnl flo:'idd] sädesvätska **seminar** [semm'i-na:] seminarium (*vid univ.*) **Semitic** [simitt'ikk] semitisk **senate** [senn'itt] senat **senator** [senn'ətə] senator **send** [sennd] skicka, sända; *send away* avvisa; *send for* tillkalla, skicka efter; *send out* utvisa **sender** [senn'də] avsändare **sending out** [senn'ding ao't] utvisning **send-off** [senn'dåff] följande (*till tåg o.d.*) **senil** [si:'najl] senil **senior** [si:'njə] äldre; *senior high school* (*Am.*) gymnasium; *senior master* lektor **sensation** [sennsej'sjən] känsla; sensation **sensational** [sennsej'sjənl] uppseendeväckande, sensationell **sense** [senns] sinne, förnuft; bemärkelse; *sense of justice* rättskänsla; *sense of smell* luktsinne; *common sense* sunt förnuft; *out of one's senses* från vettet; *it doesn't make sense* det är obegripligt **senseless** [senn'sliss] meningslös; sanslös **sensible** [senn'səbl] förståndig, förnuftig **sensitive** [senn'sitivv] känslig, ömtålig (*to* för) **sensual** [senn'sjoəl] sinnlig **sent** [sennt] imperf. och perf. part av *send* **sentence** [senn'təns] döma; dom; mening, sats; *death sentence* dödsdom **sententious** [sentenn'sjəs] koncis, kärnfull **sentiment** [senn'timənt] känsla; känslosamhet **sentimental** [senntimenn'tl] sentimental; *sentimental value* affektionsvärde **sentinel** [senn'tinəl], **sentry** [senn'tri] vaktpost **separate** [sepp'ərejt] skilja, avskilja; [sepp'ritt] separat, skild **September** [səptemm'bə] september **sepulchre** [sepp'əlkə] grav **sequel** [si:'kwəl] följd, fortsättning **sequence** [si:'kwəns] serie, sekvens **sequester** [si:kwess'tə] avskilja; belägga med kvarstad **Serbo-Croatian** [sə:'båokråoej'sjən] serbokroatisk **serenade** [serrinej'd] serenad **serene** [siri:'n] lugn, fridfull **serenity** [sirenn'itti] lugn, stillhet **serf** [sə:f] livegen, träl **serge** [sə:dsj] sars, slags ylletyg **sergeant** [sa:'dsjənt] sergeant **serial** [si:'əriəl] följetong; *serial production* tempoarbete **series** [si:'ə-ri:z] serie, rad **serious** [si:'əriəs] allvarlig, allvarsam, seriös; *be serious* mena allvar **seriousness** [si:'əriəsniss] allvar **sermon** [sə:'mən] predikan **serpent** [sə:'pnt] orm **servant** [sə:'vənt] tjänare; *servants* tjänstefolk **serve** [sə:v] tjäna, betjäna, servera **service** [sə:'viss] tjänst, betjäning; servering; gudstjänst; servis; *morning service* högmässa; *service in return* gentjänst **servile** [sə:'vajl] servil **servitude** [sə:'vitjo:d] träldom, slaveri **servo technique** [sə:'våo tekkni:'k] servoteknik **session** [sesj'ən] sammanträde **set** [sett] sätta; lägga (*hår*); uppsättning; orörlig; *set about* gripa sig an med; *set a day* bestämma en tid; *set free* befria; *set in* tillstöta; *set out* ge sig av; *set one's mind on s.th.* föresätta sig ngt; *set up* resa **set-back** [sett'bäkk] motgång **set-square** [sett'skwä:'ə] vinkelhake **settee** [setti:'] soffa för två **setting** [sett'ing] infattning; sättning; iscensättning **settle** [sett'l] sätta till rätta; bosätta sig, slå sig ner; ordna upp; bestämma **settlement** [sett'lmənt] uppgörelse; betalning; koloni **settler** [sett'lə] nybyggare **set-up** [sett'app] hållning; spänstig **seven** [sevv'n] sju; sjua **seventeen** [sevv'nti:'n] sjutton **seventh** [sevv'nθ] sjunde **seventy** [sevv'nti] sjuttio **sever** [sevv'ə] hugga av, slita av **several** [sevv'rəl] åtskilliga, ett flertal **severe** [sivi:'ə] sträng; kännbar, svår **sew** [såo] sy; *sew on* sy fast (i); *sew up* sy ihop **sewer** [s-jo:'ə] kloak, avlopp **sewing cotton** [såo'ing kått'n] sytråd **sewing materials** [såo'ing məti:'əriəlz] sybehör **sewing-needle** [såo'ingni:dl] synål **sewn** [såon] perf. part. av *sew* **sex** [sekks] kön, sex **sex instruction** [sekk's innstrakk'sjən] sexualundervisning **sexton** [sekk'stən] kyrkvaktmästare **sexual** [sekk'sjoəl] sexuell; *sexual instinct* sexualdrift; *sexual offence* sedlighetsbrott **shabby** [sjäbb'i] sjabbig, tarvlig **shack** [sjäkk] timmerkoja, hydda **shade** [sjejd] skugga; nyans **shading** [sjej'ding] schattering **shadow** [sjädd'åo] skugga **shady** [sjej'di] skuggig; skum, ruskig **shaft** [sja:ft] axel; schakt; skaft; stråle **shaggy** [sjägg'i] lurvig, raggig **shake** [sjejk] skaka; skälva **shaken** [sjej'kən] perf. part. av *shake* **shaking-up** [sjej'kingapp'] uppryckning **shaky** [sjej'ki] trasslig; skakande

shale [sjejl] lerskiffer **shall** [själl] skall, kommer att **shallow** [själl'åo] grund **sham** [sjämm] simulera; simulerad, falsk **shamble** [sjämm'bl] lufsa **shambles** [sjämm'blz] blodbad; röra **shame** [sjejm] skam; *shame on you!* fy skäms! **shameful** [sjej'mfoll] skamlig **shampoo** [sjämmpo:'] schamponera; schamponering, schamponeringsmedel **shamrock** [sjämm'råkk] vitklöver **shanty** [sjänn'ti] hydda, kåk; sjömansvisa **shape** [sjejp] gestalt; form; forma, gestalta (*sig*) **shapely** [sjej'pli] valväxt **share** [sjä:'ə] [an]-del, aktie; plogbill; dela; *go shares* dela lika **shareholder** [sjä:'ə-håoldə] aktieägare; *annual meeting of shareholders* bolagsstämma **shark** [sja:k] haj **sharp** [sja:p] skarp; häftig; precis **sharpen** [sja:'pən] skärpa, vässa **sharpness** [sja:'pniss] skärpa **shatter** [sjätt'ə] splittra; skingra **shave** [sjejv] raka [sig]; *a shave* en rakning; *it was a close shave* det var nära ögat **shavings** [sjej'vingz] hyvelspån **shawl** [sjå:l] sjal **she** [sji:] hon **sheaf** [sji:f] kärve **shear** [sji:'ə] klippa (*får*) **shearing** [sji:'əring] skjuvning **shears** [sji:'əz] stor sax **sheath** [sji:θ] slida **sheath-knife** [sji:'θnajf] slidkniv **shed** [sjedd] **1** skjul, kur **2** fälla (*tårar*); *shed its needles* barra **sheep** [sji:p] (*pl. sheep*) får **sheepish** [sji:'pisj] fåraktig **sheer** [sji:'ə] **1** gir; gira **2** ren, idel; skir; tvärbrant **sheet** [sji:t] lakan; [pappers]ark; skot; skota; *sheets of music* nothäfte **sheet-metal** [sji:'tmettl] plåt **shelf** [sjell'f] hylla **shell** [sjell] skal; snäcka; granat; skala, rensa; bombardera **shellac** [sjəläkk'] schellack **shellfish** [sjell'fisj] skaldjur **shelter** [sjell'tə] skydd; skyddsrum **shelve** [sjellv] lägga på hyllan, skjuta upp **shelving** [sjell'ving] långgrund **shepherd** [sjepp'əd] herde **shield** [sji:ld] sköld; skydda **shift** [sjifft] ombyte; skift; skifta, byta om **shift work** [sjiff't wə:k] skiftarbete **shifty** [sjiff'ti] listig **shimmer** [sjimm'ə] skimmer; skimra **shin[-bone]** [sjinn'(båon)] skenben **shine** [sjajn] skina, lysa, stråla, glänsa; glans **shingle** [sjing'gl] takspån, skifferplatta; klappersten **shining** [sjaj'ning] lysande; *shining light* ljussken **shiny** [sjaj'ni] blank, glänsande; blanksliten **ship** [sjipp] fartyg, skepp; skeppa **shipbroker** [sjipp'bråokə] skeppsmäklare **shipment** [sjipp'mənt] skeppning **shipowner** [sjipp'åone] skeppsredare **shipping** [sjipp'ing] sjöfart; tonnage **shipping company** [sjipp'ing kamm'pəni] rederi **shipshape** [sjipp'sjejp] i mönstergill ordning **shipwreck** [sjipp'rekk] skeppsbrott, haveri; förlisa **shipyard** [sjipp'ja:d] skeppsvarv **shirk** [sjə:k] smita ifrån **shirt** [sjə:t] skjorta **shiver** [sjivv'ə] huttra, rysa, darra; *have the shivers* ha frossa **shoal** [sjåol] [fisk]stim; sandrev **shock** [sjåkk] stöt; chock; kalufs; skyl; chockera **shock absorber** [sjåkk' əbbså:'bə] stötdämpare **shocking** [sjåkk'ing] upprörande **shockproof** [sjåkk'pro:f] stötsäker **shod** [sjådd] imperf. och perf. part. av *shoe* [sjådd'i] oäkta; usel **shoe** [sjo:] sko **shoeblack** [sjo:'bläkk] skoputsare **shoe-brush** [sjo:'brasj] skoborste **shoehorn** [sjo:'hå:n] skohorn **shoe-lace** [sjo:'lejs] skosnöre **shoemaker** [sjo:'mejkə] skomakare **shoe**

polish [sjo:'påll'isj] skokräm **shoe-tree** [sjo:'tri:] skoblock **shone** [sjånn] imperf. och perf. part. av *shine* **shook** [sjokk] imperf. av *shake* **shoot** [sjo:t] skjuta; filma, fotografera; skott *(på träd)*; fors **shooting** [sjo:'ting] skytte, jakt *(med gevär)* **shop** [sjåpp] affär, butik; verkstad; handla **shopkeeper** [sjåpp'ki:pə] affärsinnehavare, handlande **shop-lifter** [sjåpp'liftə] butikssnattare **shopping-bag** [sjåpp'ingbägg] shoppingväska **shopping street** [sjåpp'ing stri:t] affärsgata **shop-steward** [sjåpp'stjo:'əd] fackföreningsombud **shop-window** [sjåpp'winndåo] skyltfönster **shore** [sjå:] **1** strand **2** imperf. av *shear* **shorn** [sjå:n] perf. part. av *shear* **short** [sjå:t] kort- kortvarig; *be short of* ha ont om; *run short* tryta, ta slut; *short cut* genväg; *short film* kortfilm; *short story* novell **shortage** [sjå:'tiddsj] brist **shortbread** [sjå:'tbredd] mörbakelse **short-circuit** [sjå:'tsə'kitt] kortslutning **shortcoming** [sjå:'tkamming] underskott, brist **shorten** [sjå:'tn] förkorta[s], lägga upp **shortening** [sjå:tning] avkortning; fett till bakning **shorthand** [sjå:'thännd] stenografi **shorthand pad** [sjå:'thännd pädd] stenogramblock **shortly** [sjå:'tli] snart, inom kort **shorts** [sjå:ts] kortbyxor, shorts **short-sighted** [sjå:'t-saj'tidd] närsynt; kortsynt **shot** [sjått] skott, hagel, kula; skylt; imperf. och perf. part. av *shoot*; *put the shot* stöta kula; *be shot with green* skifta i grönt **should** [sjodd] skulle, bör, borde **shoulder** [sjåo'ldə] axel, skuldra; bog **shoulder-blade** [sjåo'l-dəblejd] skulderblad **shoulder-strap** [sjåo'ldəsträpp] axelband **shout** [sjaot] skrika, ropa; skrik, rop; *shout for joy* jubla **shove** [sjavv] knuffa[s]; knuff **shovel** [sjavv'l] skovel, skyffel; skyffla, skotta **show** [sjåo] visa [sig], uppvisa; ställa ut; visning, revy; *show off* briljera **show-case** [sjåo'kejs] monter **shower** [sjao'ə] skur, dusch; *have a shower* duscha **shower-bath** [sjao'əbaθ] dusch **showmanship** [sjåo'mənsjipp] publikfrieri **shown** [sjåon] perf. part. av *show* **show-window** [sjåo'windåo] skyltfönster **showy** [sjåo'i] prålig, grann **shrank** [sjrängk] imperf. av *shrink* **shred** [sjredd] lapp, remsa; skära i remsor **shrew** [sjro:] argbigga **shrewd** [sjro:d] slug **shriek** [sjri:k] skrika; gällt skrik **shrill** [sjrill] gäll **shrimp** [sjrimmp] räka **shrine** [sjrajn] vallfartsort **shrink** [sjringk] krympa; *shrink at* rygga tillbaka för **shrivel** [sjrivv'l] skrynkla; skrumpna **shroud** [sjraod] svepning **shrub** [sjrabb] buske **shrug** [sjragg] *shrug one's shoulders* rycka på axlarna **shrunk** [sjrangk] perf. part. av *shrink* **shudder** [sjadd'ə] rysa; rysning **shuffle** [sjaff'l] gå släpigt; blanda kort; slarva **shun** [sjann] sky, undvika **shunt** [sjannt] växla; växling **shunt-lead** [sjann'tli:d] shuntledning **shut** [sjatt] stänga[s]; *shut one's eyes* blunda; *shut ... up* spärra in, fälla ihop, hålla mun **shutter** [sjatt'ə] [fönster]lucka; slutare *(på kamera)* **shutter lever** [sjatt'ə li:'və] avtryckare **shutter-setting** [sjatt'əsetting] tidsinställning **shuttle** [sjatt'l] skyttel, skottspole **shuttlecock** [sjatt'lkåkk] fjäderboll; lekboll **shy** [sjaj] blyg, skygg; skygga; kasta

Siberia [sajbi:'əriə] Sibirien **Sicilian** [sisill'jən] siciliansk **Sicily** [siss'illi] Sicilien **sick** [sikk] sjuk; illamående; *be sick* kräkas, ha kväljningar; *feel sick* må illa, vilja kräkas; *report sick* sjukskriva sig **sickle** [sikk'l] skära **sick-listed** [sikk'lisstidd] sjukskriven **side** [sajd] sida, kant, håll; *side by side* jämsides; *take sides for, side with* ta parti för **side-burns** [saj'dbə:nz] korta polisonger **side-car** [saj'dka:] sidvagn **sidewalk** [saj'dwå:k] (*Am.*) trottoar **sideways** [saj'dwejz] åt i (från) sidan, på sned **side whiskers** [saj'd wiss'kəz] polisonger **siege** [si:dsj] belägring **sieve** [sivv] såll; sålla **sift** [sifft] sikta, sålla; granska; *sifted rye-flour* rågsikt **sigh** [saj] suck; sucka **sight** [sajt] syn; anblick, åsyn, synhåll; se-värdhet; sikta; *catch sight of* få syn på **sighted** [saj'tidd] seende **sightseeing tour** [saj'tsi:ing to:ə] rundtur **sign** [sajn] tecken; skylt; underteckna, signera **signal** [sigg'nl] signal; signalera; märklig **signal-box** [sigg'nlbåkks] ställverk **signature** [sigg'-nittsjə] signatur, underskrift **signboard** [saj'nbå:d] skylt **signif-icance** [siggniff'ikəns] betydelse **significant** [siggniff'ikənt] betydelsefull **signification** [siggnifikej'sjən] innebörd **signify** [sigg'nifaj] betyda; beteckna **signing** [saj'ning] undertecknande **sign post** [saj'n påost] vägvisare **silence** [saj'ləns] tystnad, tysthet; tysta **silencer** [saj'lənsə] ljuddämpare **silent** [saj'lənt] tyst; *silent film* stumfilm **silhouette** [silloett'] silhuett **silica** [sill'ikə] kiselsyra **silicon** [sill'ikən] kisel **silk** [silk] siden, silke **silkworm** [sill'kwə:m] silkesmask **sill** [sill] fönsterbräde **silly** [sill'i] dum, enfaldig **silo** [saj'låo] silo **silver** [sill'və] silver; försilvra; *silver wedding* silverbröllop **silver-plated ware** [sill'və-plej'tidd wä:ə] nysilver **similar** [simm'ilə] liknande, snarlik **simmer** [simm'ə] puttra, sjuda **simper** [simm'pə] le tillgjort **simple** [simm'pl] enkel; enfaldig **simpleton** [simm'pltən] dum-merjöns **simplicity** [simpliss'itti] enkelhet **simplify** [simm'pli-faj] förenkla **simply** [simm'pli] helt enkelt **simulate** [simm'jolejt] simulera **simultaneous** [simməltej'njəs] samtidig **sin** [sinn] synd; synda; *sin of omission* underlåtenhetssynd **since** [sinns] eftersom, emedan; *since then* sedan dess **sincere** [sinnsi:'ə] uppriktig **sincerely** [sinnsi:'əli] *Yours sincerely* Din tillgivne **sincerity** [sinnserr'itti] uppriktighet **sine** [sajn] sinus **sinew** [sinn'jo:] sena **sinful** [sinn'foll] syndig **sing** [sing] sjunga **singe** [sinndsj] sveda **singer** [sing'ə] sångare, sångerska **singing-bird** [sing'ingbə:d] sångfågel **single** [sing'gl] enkel; enda; ogift **singles** [sing'gls] (*sport*) singel **singular** [sing'gjolə] singularis **sinister** [sinn'istə] ondskefull; olycksbådande **sink** [singk] sjunka; sänka; slasktratt, diskbänk; *sink down* digna, segna ner **sinker** [sing'kə] sänke **sinking** [sing'king] sänkning **sinner** [sinn'ə] syndare **sip** [sipp] smutta, läppja på; liten klunk **siphon** [saj'fən] sifon **sir** [sə:] min herre; *Sir* titel för *baronet* och *knight* **sirloin** [sə:'låjn] ländstycke, oxstek **sister** [siss'tə] syster **sister-in-law** [siss'tərinnlå:] svägerska **sit** [sitt] sitta; *sit down* sätta sig;

sit on eggs ruva **site** [sajt] läge; *(obebyggd)* tomt **site-leasehold right** [saj'tli:shåold raj't] tomträtt **sitting room** [sitt'ingromm] vardagsrum **situated** [sitt'joejtidd] belägen **situation** [sittjoej'sjən] situation, läge **six** [sikks] sex; sexa; *six months* ett halvår **sixteen** [sikk'sti:'n] sexton **sixth** [sikksθ] sjätte **sixty** [sikk'sti] sextio **size** [sajz] storlek, nummer, format; *they are the same size* de är lika stora; *size up* skatta, bedöma **sizzle** [sizz'l] fräsa *(i stekpanna)* **skate** [skejt] skridsko; åka skridskor **skeleton** [skell'itn] skelett **skerry** [skerr'i] skär, ö **sketch** [skettsj] skiss; sketch; skissera **ski** [ski:] skida; åka skidor **ski-boot** [ski:'bo:t] pjäxa **skid** [skidd] sladda, slira; sladd **skier** [ski:'ə] skidåkare **skiff** [skiff] jolle, liten roddbåt **skiing** [ski:'ing] skidåkning; *good skiing surface* bra skidföre **skiing boot** [ski:'ing bo:t] pjäxa **ski-jumping** [ski:'dsjammping] backhoppning **skilful** [skill'foll] skicklig, kunnig **ski-lift** [ski:'lifft] skidlift **skill** [skill] skicklighet **skilled** [skilld] erfaren, kunnig **skim** [skimm] skumma; *skimmed milk* skummjölk **skimp** [skimmp] snåla med **skimpy** [skimm'pi] snål; knapp **skin** [skinn] skinn, hud; skal; skala; flå **skin-cream** [skinn'kri:m] hudkräm **skip** [skipp] skutta, hoppa; hoppa över; skutt; *skip it!* strunt i det! **skipper** [skipp'ə] skeppare, kapten **skipping-rope** [skipp'ingråop] hopprep **skirmish** [skə:'misj] skärmytsling **skirt** [skə:t] kjol **ski stick** [ski:' stikk] skidstav **skittle** [skitt'l] kägla **ski-wax** [ski:'wäkks] valla **skulk** [skallk] hålla sig undan, maska; smyga sig **skull** [skall] skalle **sky** [skaj] himmel, sky **sky-high** [skaj'haj'] skyhög **skylark** [skaj'la:k] lärka; skoja **skyscraper** [skaj'skrejpə] skyskrapa **slab** [släbb] stenplatta, skiva **slack** [släkk] lös, slapp, slak **slacken** [släkk'ən] slappna; minska; släcka på *(skot)* **slacks** [släkks] [fritids]långbyxor **slag** [slägg] slagg **slain** [slejn] perf. part. av *slay* **slake** [slejk] släcka *(törst)* **slalom** [slej'ləm] slalom **slalom-skiing** [slej'ləmski:'ing] slalomåkning **slalom slope** [slej'ləm slåop] slalombacke **slam** [slämm] smälla igen; smäll **slander** [sla:'ndə] förtal; baktala **slang** [släng] slang; skälla ut **slang expression** [släng' ikkspresj'ən] slanguttryck **slant** [sla:'nt] slutta; snedda **slanting** [sla:'nting] sned, lutande **slap** [släpp] smälla; smäll; mitt på **slapstick** [släpp'stikk] filmfars **slash** [släsj] hugga till, slitsa upp; hugg, jack **slat** [slätt] spjäla, latta **slate** [slejt] skiffer **slaughter** [slå:'tə] slakt; slakta **slaughter-house** [slå:'təhaos] slakteri **Slav** [sla:v] slav *(folk)* **slave** [slejv] slav, träl **slave-driver** [slej'vdrajvə] slavdrivare **slave market** [slej'v ma:kitt] slavmarknad **slavery** [slej'vəri] slaveri **slave trade** [slej'v trejd] slavhandel **Slav[ic]** [sla:v (slä:v'ikk)] slavisk **slavish** [slej'visj] slavisk **slay** [slej] dräpa **sledge** [sleddsj] kälke; åka kälke **sledge-hammer** [sledd'sjhämmə] slägga **sleek** [sli:k] slät, blank **sleep** [sli:p] sova; sömn; *the Sleeping Beauty* Törnrosa **sleeper** [sli:'pə] syll, sliper; sovare; *be a sound sleeper* ha god sömn **sleeper ticket** [sli:'pə tikk'itt] sovvagnsbiljett **sleeping-bag** [sliːˈpingbägg] sovsäck **sleeping-car** [sliːˈpingkaː] sovvagn **sleeping-compartment** [sliːˈpingkämpaːˈtmənt] sovkupé **sleeping-drug** [sliːˈpingdragg] sömnmedel **sleeping-sickness** [sliːˈpingsikkniss] sömnsjuka **sleeping-tablet** [sliːˈpingtäbblitt] sömntablett **sleepless** [sliːˈpliss] sömnlös **sleep-walker** [sliːˈpwåːkə] sömngångare **sleepy** [sliːˈpi] sömnig **sleet** [sliːt] snöslask **sleeve** [sliːv] ärm; *have s.th. up one's sleeve* ha ngt i beredskap **sleigh** [slej] släde; åka släde **slender** [slennˈdə] smärt, spenslig; knapp **slept** [sleppt] imperf. och perf. part. av *sleep* **sleuth[-hound]** [sloːˈθhaond] spårhund; detektiv **slew** [sloː] imperf. av *slay* **slice** [slajs] skiva **slick** [slikk] flink; glatt; smart **slid** [slidd] imperf. och perf. part. av *slide* **slide** [slajd] kana, rutschbana; slid; diapositiv; halka, låta glida **slide-rule** [slajˈdroːl] räknesticka **slight** [slajt] lindrig, obetydlig, lätt **slim** [slimm] banta; smärt, liten **slime** [slajm] slem **sling** [sling] slunga **slink** [slingk] slinka **slip** [slipp] halka, glida; papperslapp; underklänning; snedsprång; ras; *slip through* slinka igenom; *slip of the tongue* felsägning **slipped disc** [slippˈt dissˈk] diskbrock **slipper** [slippˈə] toffel **slipperiness** [slippˈəriniss] halka **slippery** [slippˈəri] glatt, hal; slipprig **slipping clutch** [slippˈing klattˈsj] frikoppling **slipshod** [slippˈsjådd] vårdslös, slarvig **slipway** [slippˈwej] slip **slit** [slitt] skära upp; skåra, springa, sprund **slither** [sliˈðə] hasa, glida **slithery** [sliˈðəri] hal **sloe** [slåo] slånbär **slogan** [slåoˈgən] slagord, slogan **slop** [slåpp] utspillt vatten; *slops* slaskvatten **slope** [slåop] luta, slutta; lutning, sluttning **slop-pail** [slåppˈpejl] slaskhink **slot** [slått] springa, öppning **sloth** [slåθ] slöhet **slot-machine** [slåttˈməsjiːn] [mynt]automat **slouch** [slaotsj] dålig hållning; sloka **slough 1** [slao] urkrupet ormskinn **2** [slaff] träsk **slovenly** [slavvˈnli] sjaskig **slow** [slåo] långsam, trög; *be slow* gå efter (*om klocka*) **slow-motion** [slåoˈmåoˈsjən] ultrarapid **slug** [slagg] snigel **sluggish** [slaggˈisj] trög **slum** [slamm] slum **slumber** [slammˈbə] slumra; slummer **slump** [slammp] prisfall, kris **slung** [slang] imperf. och perf. part. av *sling* **slunk** [slangk] imperf. och perf. part. av *slink* **slush** [slasj] slask, snösörja; gyttja **slur** [sləː] [ut]tala otydligt; otydligt [ut]tal **slut** [slatt] slampa **sly** [slaj] slug; *on the sly* i smyg **smack** [smäkk] smacka; slag; bismak; fiskebåt **small** [småːl] liten, ringa; *small beer* svagdricka; *small change* småpengar; *the small hours* småtimmarna; *small town* småstad **smaller** [småːˈlə] mindre **smallest** [småːˈlisst] minst **smallholder** [småːˈlhåoˈldə] småbrukare **smallpox** [småːˈlpåkks] smittkoppor **smart** [smaːt] stilig; smart, slipad; svida; sveda; *smarten up* piffa upp **smarting pain** [smaːˈting pejˈn] sveda **smash** [smäsj] krossa, slå sönder **smear** [smiːˈə] smeta [ner]; fläck; *make smears* smeta av sig **smeary** [smiːˈəri] kladdig **smell** [smell] lukta, dofta, osa; lukt, doft, os **smelt** [smellt] imperf. och perf. part. av *smell* **smile** [smajl] leende; le (*at* åt); *smile scornfully* hånle **smirk** [sməːk] mysa **smith** [smiθ] smed **smithy** [smið'i] smedja **smock** [småk] överdragsklänning **smog** [smågg] rökblandad dimma **smoke** [småok] rök; röka, ryka **smoker** [små·o'kə] rökare; rökkupé **smoke-screen** [små·o'kskri:n] rökridå **smoking** [små·o'king] rökning; rökning tillåten **smoky** [små·o'ki] rökig **smooth** [smo:ð] jämn, slät; jämna (släta) till **smorgasbord** [små·'rgəsbo:rd] smörgåsbord **smother** [smað'ə] kväva; överhölja **smoulder** [små·ldə] pyra **smudge** [smaddsj] fläcka; smutsfläck **smug** [smagg] prudentlig; självbelåten **smuggle** [smagg'l] smuggla **smut** [smatt] sotflaga; oanständighet **snack** [snäkk] mellanmål **snag** [snagg] sjunkstock; krux **snail** [snejl] snigel (*med hus*) **snake** [snejk] orm **snake-charmer** [snej'ktsja:mə] ormtjusare **snake bite** [snej'k bajt] ormbett **snap** [snäpp] nafsa; knäcka[s]; knäppa; knäpp[ning] **snaps** [snäpps] snaps **snare** [snä·'ə] snara **snarl** [sna:l] morra **snatch** [snättsj] rycka [till sig]; *snatch up* uppsnappa **sneak** [sni:k] smyga **sneakers** [sni·'kəz] skor med mjuka sulor **sneer** [sni·'ə] hånle; driva med; hånleende **sneeze** [sni:z] nysa **sniff** [sniff] vädra, andas in **snigger** [snigg'ə] fnittra; fnitter **sniper** [snaj'pə] prickskytt, krypskytt **snivel** [snivv'l] snörvla; lipa **snipe** [snajp] beckasin **snob** [snåbb] snobb **snobbish** [snåbb'isj] snobbig **snooker** [sno·'kə] slags biljardspel **snoop** [sno:p] snoka; lägga näsan i blöt **snooze** [sno:z] tupplur; ta sig en tupplur **snore** [snå:] snarka; snarkande **snorkel** [snå·'kl] snorkel **snort** [snå:t] fnysa **snot** [snått] snor **snout** [snaot] nos, tryne **snow** [snåo] snö; snöa **snowball** [snåo'bå:l] snöboll **snow-clearing** [snåo'kli·əring] snöskottning **snow-drift** [snåo'drifft] snödriva **snowman** [snåo'männ] snögubbe **snow-plough** [snåo'plao'] snöplog **snow scooter** [snåo' sko:tə] snöskoter **snowstorm** [snåo'stå:m] snöstorm **snub** [snabb] snäsa av **snub nose** [snabb' nåoz] uppnäsa **snuff** [snaff] snus; snusa; vädra; *take snuff* snusa **snuff-box** [snaff'båkks] snusdosa **snuffle** [snaff'l] snörvla **snug** [snagg] hemtrevlig **snuggle** [snagg'l] lägga sig skönt; kura ihop sig **so** [såo] så; *and so on* och så vidare; *so do I* det gör jag också; *so that* för att; *I think so* jag tror det; *isn't that so?* eller hur? **soak** [såok] blöta, genomdränka; rotblöta; *soaking wet* genomblöt **soap** [såop] såpa; tvål **soap-box** [såo'pbåkks] tvålask; provisorisk talarstol **soap-bubble** [såo'pbabbl] såpbubbla **soap-flakes** [såo'pflejks] tvålflingor **soar** [så:] sväva högt **sob** [såbb] snyfta **sober** [såo'bə] nykter, sansad; sober **so-called** [såo'kå:'ld] så kallad **soccer** [såkk'ə] (*association football*) fotboll **sociable** [såo'sjəbl] trevlig, sällskaplig; *sociable person* sällskapsmänniska **social** [såo'sjəl] social, samhälls-; sällskaplig; samkväm; *social conditions* samhällsförhållanden; *social criticism* samhällskritik; *social democracy* socialdemokrati; *social life* sällskapsliv; *social order* samhällsskick; *social science* socialvetenskap; *social welfare* socialvård; *social welfare committee* socialnämnd; *social [welfare] policy* socialpolitik **socialism** [såo'sjə-lizzəm] socialism **socialist** [såo'sjəlisst] socialist; socialistisk **socialistic** [såosjəliss'tikk] socialistisk **socialization** [såosjə-lajzej'sjən] socialisering **socialize** [såo'sjəlajz] socialisera **society** [səsaj'əti] samhälle, samfund, sällskap **sociology** [såosiåll'ədsji] sociologi **sock** [såkk] socka, strumpa; klappa till **socket** [såkk'itt] (*elektriskt*) urtag, [lamp]sockel **sod** [sådd] grästorva **soda** [såo'də] soda **soda water** [såo'də wå:tə] sodavatten, vichyvatten **sodden** [sådd'n] genomdränkt **sodium** [såo'djəm] natrium **sofa** [såo'fə] soffa **sofa bed** [såo'fə bedd] bäddsoffa **soft** [såfft] mjuk, len; vek; stilla; *soft breeze* svag bris; *soft drink* läskedryck; *soft soap* [såff't såo'p] såpa **soil** [såjl] **1** jordmån, mark **2** smutsa ner **soiled** [såjld] solkig, smutsig **soirée** [swa:'rej] soaré **sojourn** [sådd'sjə:n] vistas; vistelse **solace** [såll'əs] tröst; trösta **solar eclipse** [såo'lə iklipp's] solförmörkelse **solar energy** [såo'lə enn'ədsji] solenergi **solar system** [såo'lə siss'timm] solsystem **sold** [såold] sålde; *sold out* slutsåld **solder** [såo'ldə] löda **soldier** [såo'ldsjə] soldat **sole** [såol] **1** ensam, enda **2** sula; sjötunga **solemn** [såll'əm] högtidlig **solemnity** [səlemm'nitti] högtidlighet **solicit** [səliss'itt] enträget be om, söka utverka **solicitor** [səliss'ittə] domstolsjurist, lägre advokat **solicitous** [səliss'ittəs] ivrig; bekymrad, orolig **solid** [såll'idd] gedigen, massiv, solid; fast; *solids* fasta ämnen **solidarity** [sållidärr'itti] solidaritet, samhörighet **soliloquy** [səlill'əkwi] monolog **solitary** [såll'itəri] enslig; ensam[stående] **solitude** [såll'itjo:d] ensamhet **solo** [såo'låo] solo **soloist** [såo'låoisst] solist **solo part** [såo'låo pa:t] solostämma **solstice** [såll'stiss] solstånd **soluble** [såll'jobl] löslig, lösbar **solution** [səlo:'sjən] lösning **solve** [sållv] lösa (*gåta*) **solvent** [såll'vənt] lösande; solvent; lösningsmedel **sombre** [såmm'bə] mörk, dyster **some** [samm] någon, något, några, somliga; omkring **somebody** [samm'bədi] någon **somehow** [samm'hao] på ett eller annat sätt **someone** [samm'wann] någon **somersault** [samm'əså:lt] kullerbytta, frivolt; *turn a somersault* slå en kullerbytta **something** [samm'θing] något, någonting; *something like that* någonting ditåt **sometimes** [samm'tajmz] ibland; *sometimes ..., sometimes ...* ömsom ... ömsom ... **somewhat** [samm'wått] något, en smula **somewhere** [samm'wä:ə] någonstans **son** [sann] son **sonata** [səna:'tə] sonat **song** [sång] sång, visa; *for a song* för en spottstyver **song-bird** [sång'bə:d] sångfågel **song-book** [sång'bokk] visbok **song-thrush** [sång'θrasj] taltrast **sonic bang** [sånn'ikk bäng'] [överljuds]bang **son-in-law** [sann'innlå:] svärson, måg **soon** [so:n] snart **sooner** [so:'nə] hellre; förr, tidigare **soot** [sott] sot; sota ner **soothe** [so:ð] lindra; lugna, lena **sop** [såpp] doppad brödbit; mähä **sophisticated** [səfiss'tikejtidd] raffinerad; förkonstlad, sofistikerad **soprano** [səpra:'nåo] sopran **sorcerer** [så:'sərə] trollkarl **sordid** [så:'didd] smutsig; simpel; *sordid gain* snöd vinning **sore** [så:]

öm, ond; ömt ställe; *have a sore throat* ha ont i halsen **sorrel** [sårr'l] harsyra; fux; rödbrun **sorrow** [sårr'åo] sorg **sorrowful** [sårr'åofoll] sorgtyngd **sorry** [sårr'i] ledsen; *sorry!* förlåt!; *be sorry for* beklaga; *feel sorry for* tycka synd om **sort** [så:t] sort, slag; sortera; *out of sorts* vissen, nere **soufflé** [so:'flej] sufflé **sought** [så:t] imperf. och perf. part. av *seek* **soul** [såol] själ **sound** [saond] **1** läte, ljud; låta, ljuda **2** sund, frisk; grundlig; *be a sound sleeper* ha god sömn **3** sund **4** sondera, pejla **sound barrier** [sao'nd bärr'iə] ljudvall **sough** [sao] sus, susa **soup** [so:p] soppa; *clear soup* buljong **soup-plate** [so:'pplejt] djup tallrik, sopptallrik **sour** [sao'ə] sur **source** [så:s] källa **souse** [saos] saltlake; lägga i saltlake; blöta **south** [saoθ] söder; *to the south of* söder om; *South Afrika* Sydafrika; *South America* Sydamerika; *south coast* sydkust; *the South Pacific* Söderhavet; *the South Pole* sydpolen; *the South Sea Islands* Söderhavsöarna **south-east** [sao'θi:'st] sydostlig **southern** [saδ'ən] södra, sydlig, sydländsk; *Southern Europe* Sydeuropa **south-west** [sao'θ-wess't] sydväst **southwester** [saoθwess'tə] sydväst (*huvudbonad*) **south-westerly** [saoθwess'təli] sydvästlig **souvenir** [so:'-vəniə] souvenir **sovereign** [såvv'rinn] suverän; guldmynt = 20 shilling **Soviet** [såo'viett] sovjetisk; *the Soviet Union* Sovjetunionen **sow 1** [sao] sugga **2** [såo] så, utså **sowing** [såo'ing] sådd **sown** [såon] perf. part. av *sow* **soya** [såj'ə] soja **spa** [spa:] kurort **space** [spejs] utrymme; rymd; tidrymd **space-craft** [spej'skra:ft] rymdfarkost **space research** [spej's risə:'tsj] rymdforskning **space rocket** [spej's råkk'itt] rymdraket **space suit** [spej's sjo:t] rymddräkt **spacious** [spej'sjəs] rymlig **spade** [spejd] spade **spades** [spejdz] spader **Spain** [spejn] Spanien **span** [spänn] [bro]spann; spännvidd; överbrygga; imperf. av *spin* **spangle** [späng'gl] paljett, glitter **Spaniard** [spänn'jəd] spanjor **Spanish** [spänn'isj] spansk; spanska **spank** [spängk] daska till, ge smisk **spanking** [späng'king] stryk, smisk **spanner** [spänn'ə] skruvnyckel; *adjustable spanner* skiftnyckel **spar** [spa:] bom, mast; träningsboxas **spare** [spä:'ə] skona; avvara; reserv-; *enough and to spare* mer än nog; *kindly spare me* jag undanber mig; *spare part* reservdel; *spare rib* revbensspjäll; *spare room* gästrum; *spare time* fritid; *spare wheel* reservhjul **spark** [spa:k] gnista; gnistra, blixtra; *emit sparks* gnistra **sparkle** [spa:'kl] spraka, gnistra, tindra **spark plug** [spa:'k plagg] tändstift **sparrow** [spärr'åo] [grå]sparv **sparrow-hawk** [spärr'åohå:k] sparvhök **sparse** [spa:s] gles, tunnsådd **Spartan** [spa:'tən] spartansk **spasm** [späzz'əm] spasm **spastic** [späss'tikk] spastiker **spat** [spätt] **1** kort damask **2** imperf. och perf. part. av *spit* **spatter** [spätt'ə] stänka ner **spawn** [spå:n] [fisk]rom; lägga rom **speak** [spi:k] tala (*to* med), yttra sig; *so to speak* så att säga; *speaking clock* fröken Ur **speak-easy** [spi:'ki:zi] lönnkrog **speaker** [spi:'kə] talare, talman **spear** [spi:'ə] spjut **special** [spesj'əl] speciell, särskild; *special performance* gästspel; *special [train]* extratåg **specialist** [spesj'əlisst] specialist (*in* på), fackman **speciality** [spesjäll'itti] specialitet **specialize** [spesj'əlajz] specialisera sig (*in* på) **specially** [spesj'əli] särskilt **species** [spi:'sji:z] art, slag, sort **specific** [spisiff'ikk] enskild, särskild; *specific nature* särart **specification** [spessifikej'sjən] specifikation; förteckning **specify** [spess'ifaj] specificera **specimen** [spess'iminn] exemplar; prov **specious** [spesj'əs] bestickande, skenfager **speck** [spekk] fläck, prick **speckled** [spekk'ld] spräcklig **spectacle** [spekk'təkl] skådespel **spectacles** [spekk'təklz] glasögon **spectacular** [spekktäkk'jolə] effektfull **spectator** [spekktej'tə] åskådare **spectre** [spekk'tə] spöke **speculate** [spekk'jolejt] spekulera **spectrum** [spekk'trəm] spektrum **speech** [spi:tsj] tal; anförande **speech-day** [spi:'tsjdej] skolavslutning **speechless** [spi:'tsjliss] mållös, stum **speed** [spi:d] fart, hastighet; *speed up* skynda på, forcera **speedboat** [spi:'dbåot] racerbåt **speeding offence** [spi:'ding əfenn's] fortkörning **speed limit** [spi:'d limmitt] hastighetsbegränsning **speedometer** [spidämm'ittə] hastighetsmätare **spell** [spell] **1** stava, bokstavera **2** förtrollning **3** period **spelling** [spell'ing] rättstavning, rättskrivning **spelt** [spellt] imperf. och perf. part. av *spell* **spend** [spennd] tillbringa; ge ut, spendera **spendthrift** [spenn'dθrifft] slösare **spent** [spennt] imperf. och perf. part. av *spend*; slut **sperm** [spə:m] sperma **sphere** [sfi:'ə] sfär, glob, krets **sphinx** [sfingks] sfinx **spice** [spajs] krydda **spider** [spaj'də] spindel **spike** [spajk] ax; pigg **spiked shoe** [spaj'kt sjo:] spiksko **spill** [spill] spilla **spilt** [spillt] utslagen, utspilld **spin** [spinn] snurra, rotera; spinna **spinach** [spinn'iddsj] spenat **spinal cord** [spaj'nl kå:'d] ryggmärg **spindle** [spinn'dl] spole **spin-dry** [spinn'draj'] centrifugera **spine** [spajn] ryggrad **spinning** [spinn'ing] spinnfiske **spinningwheel** [spinn'ingwi:l] spinnrock **spinster** [spinn'stə] ungmö **spiral** [spaj'ərəl] spiral **spire** [spaj'ə] tornspira, spets **spirit** [spirr'itt] anda, stämning; ande; själ; spöke; sprit; mod; *in high spirits* uppsluppen **spirited** [spirr'itidd] käck, hurtig **spirit level** [spirr'itt levvl] vattenpass **spirits** [spirr'itts] sprit, spritdrycker **spiritual** [spirr'itsjoəl] andlig, själslig; andlig sång **spit** [spitt] **1** spotta; (*om katt*) fräsa **2** [stek]spett **spite** [spajt] *in spite of* trots **spiteful** [spaj'tfoll] skadeglad **spitz** [spitts] spets (hund) **splash** [splasj] plaska **splashing** [splasj'ing] slask[ande] **spleen** [spli:n] mjälte; livsleda, svårmod **splendid** [splenn'didd] härlig **splendour** [splenn'də] ståt **splint** [splinnt] spjäla **splinter** [splinn'tə] flisa, sticka, splitter, spillra; splittra **split** [splitt] klyva; kluven; splittra[s]; *split pin* saxsprint **splutter** [splatt'ə] sluddra, spotta fram, fräsa **spoil** [spåjl] spoliera, förstöra; skämma bort; byte **spoilt** [spåjlt] bortskämd **spoke** [spåok] **1** eker; spak **2** imperf. av *speak* **spoken** [spåo'kn] perf. part. av *speak* **spokesman** [spåo'ksmən] talesman **sponge** [spanndsj] [tvätt]svamp; parasitera, snylta **sponge-cake** [spann'dsjkej'k] sockerkaka **sponsor** [spånn'sə] borgensman; fadder; stå för **spontaneous** [spånntej'njəs] spontan **spool** [spo:l] spole; spola **spoon** [spo:n] sked; ösa **sporadic** [spəradd'ikk] sporadisk **spore** [spå:] spor **sport** [spå:t] sport, idrott; idrottsman; ståta med; *a good sport* en trevlig kamrat **sporting** [spå:'ting] sportslig **sports** [spå:ts] idrott, sport **sports car** [spå:'ts ka:] sportbil **sports ground** [spå:'ts graond] idrottsplats **sportsman** [spå:'tsmən] idrottsman; friluftsmänniska **sporty** [spå:'ti] sportig **spot** [spått] fläck, prick; kvissla; känna igen; *jumping on the spot* svikthopp **spotlight** [spått'lajt] strålkastare **spotted** [spått'idd] prickig, fläckig **spot test** [spått' tesst] stickprov **spouse** [spaoz] make, maka **spout** [spaot] pip; stuprör; spruta ut **sprang** [spräng] imperf. av spring **sprain** [sprejn] stuka, vricka **sprat** [srätt] skarpsill **sprawl** [srå:l] sträcka ut, spreta med **spray** [srej] **1** spruta, bespruta **2** kvist **spray-paint** [srej'pejnt] sprutlackera **spread** [spredd] sprida [sig], breda ut [sig]; kalas, skrovmål **spreading** [spredd'-ing] spridning **spree** [sri:] festa om **sprig** [srigg] kvist **sprightly** [sraj'tli] munter, yster **spring** [spring] vår; fjäder, resår; svikt; källa; hoppa; skjuta upp; *last spring* i våras; *this spring* i vår **spring-board** [spring'bå:d] trampolin, svikt **spring-board diving** [spring'bå:d daj'ving] svikthopp **spring-cleaning** [spring'kli:ning] storstädning, vårstädning **spring day** [spring' dej] vårdag **springiness** [spring'iniss] svikt, spänst **springlike** [spring'lajk] vårlik **spring term** [spring' tə:m] vårtermin **sprinkle** [spring'kl] stänk; stänka, bespruta **sprite** [srajt] fe, tomte, älva **sprout** [spraot] spira, gro; grodd, skott; *Brussels sprouts* brysselkål **spruce** [spro:s] gran; prydlig; göra fin **sprung** [sprang] imperf. och perf. part. av *spring* **spry** [sraj] rask, pigg **spun** [spann] imperf. och perf. part. av *spin* **spur** [spə:] sporra; sporre **spurious** [spjo:'əriəss] falsk, oäkta **spurn** [spə:n] föraktfullt avvisa **spurt** [spə:t] spurta; spruta; spurt **spy** [spaj] spionera, speja; spion, spejare **squabble** [skwåbb'l] kabbla, kivas **squad** [skwådd] grupp; patrull **squadron** [skwådd'rn] skvadron; eskader; division **squalid** [skwåll'idd] smutsig; eländig **squall** [skwå:l] skrika, skråla; vindstöt **squalor** [skwåll'ə] smuts **squander** [skwånn'də] slösa [bort] **square** [skwä:'ə] kvadrat, ruta; torg; fyrkantig; kraftig; ärlig; kvitt **square measure** [skwä:'ə mesj'ə] ytmått **square metre** [skwä:'ə mi:'tə] kvadratmeter **squash** [skwåsj] pressa sönder; trängsel; mos; saft **squat** [skwått] sitta på huk; ta i besittning; undersätsig **squatter** [skwått'ə] kolonist **squaw** [skwå:] indiankvinna **squeak** [skwi:k] gnissla, pipa; gnissel **squeal** [skwi:l] skrika; förråda **squeamish** [skwi:'misj] illamående; överkänslig **squeeze** [skwi:z] klämma, krama **squint** [skwinnt] skela; vindögdhet **squint-eyed** [skwinn'tajd] vindögd **squire** [skwaj'ə] godsägare; väpnare **squirm** [skwə:m] vrida sig; våndas **squirrel** [skwirr'əl]

ekorre **squirt** [skwə:t] spruta ut; stråle **stab** [stäbb] hugga,
sticka; hugg, stöt **stability** [stəbill'itti] stabilitet **stabilize** [stej'-
bilajz] stabilisera **stable** [stej'bl] **1** stabil, stadig **2** stall **stack**
[stäkk] stack; hög; skorsten; stapla **stadium** [stej'djəm] stadion;
stadium **staff** [sta:f] stav; stab, personal **stag** [stägg] hjorthane;
man[sperson] **stage** [stejdsj] stadium, etapp; scen; uppföra
stage-coach [stej'dsjkåotsj] [post]diligens **stage-fright**
[stej'dsjfrajt] rampfeber **stage manager** [stej'dsj männ'iddsjə]
inspicient **stagger** [stägg'ə] vingla, ragla **staggering** [stägg'ə-
ring] förbluffande **staging** [stej'dsjing] iscensättning **stagnate**
[stägg'nejt] stagnera **stagnation** [stäggnej'sjən] stagnation
stag party [stägg' pa:ti] svensexa **staid** [stejd] stadgad, lugn
stain [stejn] fläcka ner; betsa; fläck **stainless** [stej'nliss] rostfri;
fläckfri **stain remover** [stej'n rimo:'və] fläckurtagningsmedel
stair [stä:'ə] trappsteg **staircase** [stä:'əkejs] trappuppgång
stairs [stä:'əz] trappa; trappuppgång **stake** [stejk] satsa (i spel);
insats; stake; be at stake stå på spel; stake out utstaka **staking**
[stej'king] satsning (i spel) **stale** [stejl] gammal (om bröd o.d.);
avslagen **stalemate** [stej'lmejt] dödläge; pattställning **stalk**
[stå:k] stjälk, skaft; smyga sig på **stall** [stå:l] stånd, salubod;
spilta; stanna; försena **stallion** [ställ'jən] hingst **stalls** [stå:lz]
parkett (på teater) **stalwart** [stå:l'lwət] stor och stark, robust;
trofast **stamen** [stej'menn] ståndare **stamina** [stämm'inə] livs-
kraft, uthållighet **stammer** [stämm'ə] stamma **stammering**
[stämm'əring] stamning **stamp** [stämmp] stämpel, prägel; fri-
märke; stämpla, prägla; frankera; stampa **stamp-collector**
[stämm'pkəlekktə] frimärkssamlare **stamp duty** [stämm'p djo:'ti]
stämpelavgift **stampede** [stämmpi:'d] vild flykt av boskap;
panikflykt **stand** [stännd] stå, stiga, ligga; tåla, stå ut med;
läktare; stativ, ställ; salustånd; stand out avteckna sig, framstå
standard [stänn'dəd] standard, norm; klass; standar; normal;
standard of living levnadsstandard **standardize** [stänn'dədajz]
standardisera **stand-in** [stänn'dinn'] vikarie, ersättare **standing**
[stänn'ding] stående; ställning, anseende **standing-room**
[stänn'dingroom] ståplats **standstill** [stänn'dstill] stillestånd
stank [stängk] imperf. av stink **stanza** [stänn'zə] strof **staple**
[stej'pl] märla; häftklammer; stapelvara **star** [sta:] stjärna **star-
board** [sta:'bəd] styrbord **starch** [sta:tsj] stärkelse; stärka **stare**
[stä:'ə] stirra, glo (at på) **starfish** [sta:'fisj] sjöstjärna **stark**
[sta:k] stel; fullständigt; stark naked spritt naken **starlet** [sta:'litt]
liten stjärna; ung filmstjärna **starling** [sta:ling] stare **starlit**
[sta:'litt] stjärnklar **start** [sta:t] börja, starta, avgå; spritta (till);
början, start, ansats; försprång; sprittning; start going sätta i gång;
start out from utgå från; get a start ta fart; rycka till; give s.b. a start
hjälpa ngn på traven **starting-point** [sta:'tingpåjnt] utgångs-
läge, utgångspunkt **startle** [sta:'tl] överraska, skrämma **startled**
[sta:'tld] uppskrämd **starvation** [sta:vej'sjən] svält **starve** [sta:v]

svälta **starved** [staːvd] utsvulten **state** [stejt] stat, välde; tillstånd; statlig; förklara, uppge; *state of emergency* undantagstillstånd; *state ... as a condition* uppställa ... som villkor **state authority** [stej't åːθårr'itti] statsmakt **state department** [stej't diːpaˈtmənt] (*Am.*) utrikesdepartement **state expenditure** [stej't ikkspennˈdittsjə] statsutgifter **stately** [stej'tli] ståtlig, imponerande **statement** [stej'tmənt] påstående, uttalande, yttrande **state property** [stej't pråppˈəti] statsegendom **state-room** [stej'tromm] praktgemak; lyxhytt **statesman** [stej'tsmən] statsman **state-subsidized** [stej'tsabbˈsidajzd] statsunderstödd **static** [stätt'ikk] statisk **station** [stej'sjən] station; ställning, rang; förlägga **stationary** [stej'sjnəri] stillastående, fast **stationer's** [stej'sjənəz] pappershandel **stationery** [stej'sjənri] brevpapper, kontorsartiklar **statistic** [stətiss'tikk] statistisk **statistics** [stətiss'tikks] statistik **statuary** [stätt'joəri] bildhuggar-; skulptur[er] **statue** [stätt'joː] staty **stature** [stätt'sjə] kroppsstorlek **status** [stej'təs] civilstånd; status **status symbol** [stej'təs simm'bəl] statussymbol **statute** [stätt'joːt] lag; statut **statute-barred** [stätt'joːtbaːd] preskriberad **staunch** [ståːntsj] pålitlig, trofast **stave** [stejv] tunnstav; *stave off* avvärja, förhala **stay** [stej] stanna (kvar), vistas, uppehålla sig; förbli; vistelse, uppehåll (*with* hos); stag; *stay the night* övernatta **staying power** [stej'ing pao'ə] uthållighet **stead** [stedd] ställe **steadfast** [stedd'fəst] ståndaktig **steady** [stedd'i] stadig **steak** [stejk] biffstek, stekt köttskiva **steal** [stiːl] stjäla; smyga sig **stealthily** [stell'θilli] i smyg **steam** [stiːm] ånga, imma; *let off steam* avreagera sig **steam boiler** [stiː'm båj'lə] ångpanna **steamer** [stiː'mə] ångare **steel** [stiːl] stål **steep** [stiːp] **1** brant, tvär **2** doppa **steeple** [stiː'pl] spetsiga torn, tornspira **steeple-chase** [stiː'pltsjejs] hinderlöpning, terrängritt **steer** [stiː'ə] **1** styra **2** ungtjur **steerage** [stiː'riddsj] styrning; turistklass **steeringwheel** [stiːˈəringwiːl] [bil]ratt **stellar** [stell'ə] stjärn- **stem** [stemm] stam, stjälk; för[stäv]; dämma upp, hejda **stench** [stenntsj] stank **stencil** [stenn'sl] schablon **step** [stepp] stiga; steg, trappsteg; *step aside* gå åt sidan; *step on it* sätta full fart **stepdaughter** [stepp'dåːtə] styvdotter **stepfather** [stepp'faːðə] styvfar **step-ladder** [stepp'läddə] trappstege **stepmother** [stepp'maðə] styvmor **steppe** [stepp] stäpp **stepping-stone** [stepp'ingståon] språngbräda **steps** [stepps] yttertrappa **stepson** [stepp'sann] styvson **stereo equipment** [stiːˈəriåo ikwipˈmənt] stereoanläggning **stereotyped** [stiːˈəriətajpt] stereotyp, schablonmässig **sterile** [sterr'ajl] steril **sterilize** [sterr'ilajz] sterilisera **sterling** [stəːˈling] fullödig; äkta, gedigen **stern** [stəːn] **1** akter **2** sträng, barsk **stevedore** [stiːˈvidåː] stuvare **stew** [stjoː] [kött]stuvning; sjuda; stuva; vara utom sig **steward** [stjoː'əd] förvaltare; uppassare (*på båt*) **stick** [stikk] käpp, pinne, stång; sitta fast; klistra [fast]; sticka **stickleback** [stikk'lbäkk] spigg

sticky [stikk'i] kladdig, klibbig; besvärlig **stiff** [stiff] stel, styv, stram; *get stiff* stelna **stiffen** [stiff'n] styvna **stifle** [staj'fl] kväva[s] **stile** [stajl] stätta **stiletto** [stilett'åo] stilett **still** [still] **1** fortfarande, ännu; dock; stilla; stillbild; *be still there* finnas kvar **2** destillera; destilleringsapparat, bränneri **still-born** [still'bå:n] dödfödd **still life** [still' laj'f] stilleben **stilt** [stillt] stylta **stilted** [still'tidd] uppstyltad **stimulate** [stimm'jolejt] stimulera; pigga upp **stimulation** [stimmjolej'sjən] stimulans **sting** [sting] sticka (*om insekt*); stick, sting; gadd; skärpa; *take the sting out of* bryta udden av (*bildl.*) **stinging nettle** [sting'ing nett'l] brännässla **stingy** [stinn'dsji] snål **stink** [stingk] stinka; stank **stint** [stinnt] snåla med; inskränkning **stipend** [staj'pend] [präst']lön **stipple** [stipp'l] ströppla **stipulate** [stipp'jolejt] stipulera **stipulation** [stippjolej'sjən] bestämmelse (*i kontrakt*) **stir** [stə:] röra [på], röra om [i], röra på sig; väcka; uppståndelse; *stir ... up* uppvigla **stirring** [stə:'ring] spännande; uppseendeväckande **stirrup** [stirr'əp] stigbygel **stitch** [stittsj] stygn, maska; håll (*i sidan*); sy ihop **stock** [ståkk] [varu]lager; aktie[r]; kreatursbestånd; *have in stock* ha på lager; *take stock* inventera **stockade** [ståkkej'd] palissad **stock-broker** [ståkk'bråokə] börsmäklare **stock exchange** [ståkk'ikkstsjej'ndsj] fondbörs **stockholder** [ståkk'håoldə] aktieägare **stocking** [ståkk'ing] strumpa **stock-raising** [ståkk'rejzing] kreatursskötsel **stockyard** [ståkk'-ja:d] boskapsinhägnad **stodgy** [ståddsji] mastig, kraftig **stoic[al]** [ståo'ikk(əl)] stoisk **stoke** [ståok] elda **stokehold** [ståo'håold] pannrum **stole** [ståol] **1** stola **2** imperf. av *steal* **stolen** [ståo'lən] stulen; *stolen goods* stöldgods; **stolid** [ståll'idd] trög, slö **stomach** [stamm'ək] mage; *on an empty stomach* på fastande mage **stomach-ache** [stam'əkejk] *have stomach-ache* ha ont i magen **stone** [ståon] sten; kärna; vikt = 14 pounds; *the Stone Age* stenåldern **stone-dead** [ståo'nedd'] stendöd **stonemasonry** [ståo'nmejsnri] stenhuggeri **stone pine** [ståo'n paj'n] pinje **stood** [stodd] imperf. och perf. part. av *stand* **stool** [sto:l] pall **stoop** [sto:p] böja sig [ner], luta sig; förnedra sig **stooping** [sto:'ping] framåtlutad, böjd **stop** [ståpp] stanna, stoppa, hejda; stopp, avbrott, uppehåll; hållplats; punkt; *stop a cheque* spärra en check; *stop dead* tvärstanna; *stop up* täta, täppa för (till) **stopgap** [ståpp'gäpp] tillfällig ersättare **stoppage** [ståpp'iddsj] stockning; *stoppage of game* avblåsning **stopper** [ståpp'ə] propp **stopping** [ståpp'ing] fyllning **stop-watch** [ståpp'wåttsj] tidtagarur, stoppur **storage** [stå:'riddsj] magasinering; lagringskostnader **store** [stå:] lagra, magasinera; förråd, upplag; (*Am.*) butik **stores** [stå:z] varuhus; [militära] förråd **stor[e]y** [stå:'ri] etage, våning **storehouse** [stå:'haos] magasin, förråd **storing** [stå:'ring] lagring **stork** [stå:k] stork **storm** [stå:m] oväder, storm; storma **stormy** [stå:'mi] stormig **story** [stå:'ri] historia, berättelse; *short story* novell **stout** [staot] tjock; ståndaktig; porter

stove [ståov] spis, kamin **stove-enamel** [ståo'vinämm'əl] ugns-
lackera **stow** [ståo] stuva, lasta in **stow-away** [ståo'awej]
fripassagerare **straddle** [strädd'l] stå bredbent; sitta grensle [på]
straggle [strägg'l] sacka efter; ströva **straggler** [strägg'lə]
eftersläntrare **straight** [strejt] rak, rät; rakt; *straight away* genast;
straight on rakt fram; *straight out* utan omsvep **straighten**
[strej'tn] räta; *straighten out* räta ut, reda upp **straightforward**
[strejtfå:'wəd] rättfram **strain** [strejn] spänna, anstränga [sig];
överdriva; sila; påfrestning; drag; ton **strainer** [strej'nə] sil
straitened [strej'tnd] *straightened circumstances* knappa om-
ständigheter **strait-jacket** [strej'tdsjäkk'itt] tvångströja **straits**
[strejts] trångmål; sund **strand** [strännd] **1** strand; stranda
2 repsträng, kardel **stranded** [stränn'didd] strandsatt **strange**
[strejndsj] underlig, konstig; främmande; *strange but true* otroligt
men sant **strangeness** [strej'ndsjniss] egendomlighet **stranger**
[strej'ndsjə] främling **strangle** [sträng'gl] strypa **strap** [sträpp]
rem, stropp, slejf; spänna fast **strapping** [sträpp'ing] stor och
stark, stöddig **stratagem** [strätt'idsjəm] krigslist **strategic**
[strəti:'dsjikk] strategisk **strategy** [strätt'idsji] strategi **strato-
sphere** [strätt'åosfi:ə] stratosfär **stratum** [stra:'təm] (*pl strata*
[stra:'ta]) skikt, lager **straw** [strå:] halm, strå; sugrör **straw-
berry** [strå:'bəri] jordgubbe; smultron **stray** [strej] gå vilse;
vilsekommen **streak** [stri:k] strimma **streaked** [stri:kt] strimmig
stream [stri:m] ström; strömma **streamer** [stri:'mə] vimpel
streamlined [stri:'mlajnd] strömlinjeformad **street** [stri:t] gata;
in the street på gatan **street-car** [stri:'tka:] (*Am.*) spårvagn
street lamp [stri:'t lämmp] gatlykta **strength** [strengθ] styrka,
kraft **strengthen** [streng'θən] stärka, styrka, förstärka **strength-
ening** [streng'θəning] förstärkning **strenuous** [strenn'joəs] an-
strängande **stress** [stress] tonvikt, betoning; eftertryck; stress;
betona; *under stress* stressad **stretch** [strettsj] tänja, töja, sträcka;
(*subst.*) sträcka; *at a stretch* i (ett) sträck **stretchable** [strett'-
sjəbl] tänjbar **stretcher** [strett'sjə] [sjuk]bår **stretch tights**
[strett'sj taj'ts] strumpbyxor **strew** [stro:] [be]strö, översålla
strewn [stro:n] perf. part. av *strew* **stricken** [strikk'n] slagen,
drabbad **strict** [strikkt] strikt; noggrann; sträng; *strictly speaking*
strängt taget **stridden** [stridd'n] perf. part. av *stride* **stride** [strajd]
kliva; kliv **strident** [straj'dnt] gnisslande; gäll **strife** [strajf] tvist
strike [strajk] slå [till]; anslå (*i musik*); tända; stryka, avlägsna;
strejka; strejk; slag **strike-breaker** [straj'kbrejkə] strejkbrytare
strike notice [straj'k nåo'tiss] strejkvarsel **striking** [straj'king]
iögonfallande, markant, effektfull **string** [string] sträng, snöre;
stränga; trä upp **stringent** [strinn'dsjnt] bindande; strikt **string-
bag** [string'bägg] kasse **string orchestra** [string' å:'kisstrə]
stråkorkester **strip** [stripp] dra av; klä av [sig]; remsa; *strip of*
beröva; *comic strip* tecknad serie **stripe** [strajp] strimma; band
striped [strajpt] randig, strimmig **strive** [strajv] sträva, kämpa

striven [strivv'n] perf. part. av *strive* **strode** [stråod] imperf. av *stride* **stroke** [stråok] stryka, smeka; slag, tag; streck; *stroke of lightning* blixtnedslag; *stroke of luck* lyckträff **stroll** [stråol] ströva **strong** [strång] stark **stronghold** [strång'håold] (*bildl.*) fäste **strong-room** [strång'romm] kassavalv **strong-willed** [strång'-will'd] viljestark **strove** [stråov] imperf. av *strive* **struck** [strakk] imperf. och perf. part. av *strike* **structure** [strakk'tsjə] struktur **struggle** [stragg'l] kamp, strid; kämpa, strida (*for* om) **struma** [stro:'mə] struma **strung** [strang] imperf. och perf. part. av *string* **strut** [stratt] stoltsera, strutta; stötta **stub** [stabb] stump; stubbe; talong **stubble** [stabb'l] stubb, skäggstubb **stubborn** [stabb'ən] envis, tjurskallig **stubby** [stabb'i] stubbig, kort och tjock **stuck** [stakk] imperf. och perf. part. av *stick*; fast; *get stuck* fastna **stuck-up** [stakk'app'] uppblåst, högfärdig **stud** [stadd] stuteri; dubb; knapp **student** [stjo:'dənt] studerande, student; *student of economics* ekonomie studerande; *law student* juris studerande; *medical student* medicine studerande **student-like** [stjo:dəntlajk] studentikos **students' hostel** [stjo:'dənts håss'təl] studenthem **students' union** [stjo:'dənts jo:'njən] studentkår **stud-farm** [stadd'fa:m] stuteri **studied** [stadd'idd] utstuderad **studio** [stjo:'diåo] studio, ateljé **studious** [stjo:'djəs] flitig **study** [stadd'i] studera; studium; studie (*of* över); arbetsrum; *study for a doctor* utbilda sig till läkare **study circle** [stadd'i sə:'kl] studiecirkel **study loan** [stadd'i låon] studielån **study tour** [stadd'i to:'ə] studiebesök **study trip** [stadd'i tripp] studieresa **stuff** [staff] stoff, material; sak[er]; skräp; stoppa (*upp*) **stuffed** [stafft] uppstoppad **stuffy** [staff'i] instängd, unken; inskränkt **stumble** [stamm'bl] snava, snubbla; *stumble along* stappla sig fram **stumbling-block** [stamm'blingblåkk] stötesten **stump** [stammp] stump; stubbe **stun** [stann] bedöva; göra perplex **stung** [stang] imperf. och perf. part. av *sting* **stunk** [stangk] imperf. och perf. part. av *stink* **stunning** [stann'ing] överväldigande; jätte-, fantastisk **stunt** [stannt] konststycke; reklamtrick; hämma **stupefy** [stjo:'pifaj] bedöva; förbluffa **stupendous** [stjopenn'dəs] förbluffande **stupid** [stjo:'pidd] dum **stupidity** [stjopidd'itti] dumhet **stupor** [stjo:'pə] dvala; apati **sturdy** [stə:'di] kraftig; orubblig **sturgeon** [stə:'dsjən] stör (*fisk*) **stutter** [statt'ə] stamma; stamning **sty** [staj] stia; vagel **style** [stajl] stil; titulera **stylish** [staj'lisj] flott, elegant, stilig **stylistic** [stajliss'tikk] stilistisk **stylize** [staj'lajz] stilisera **suave** [swa:v] ljuvlig; älskvärd **subaltern** [sabb'ltən] underordnad [officer, tjänsteman] **subconscious** [sabb'kånn'sjəs] undermedveten **sub-contractor** [sabb'kənträkk'tə] underleverantör **subdue** [səbbdjo:'] [under]kuva **subdivision** [sabb'divisjən] underavdelning **subject** [sabb'dsjikkt] ämne, föremål; subjekt; undersåte; [sabbdsjekk't] underkuva; *sub'ject for rejoicing* glädjeämne *sub'ject to* utsatt för, underkastad; *sub'ject to prescription* receptbelagd **subjective** [sabbdsjekk'tivv] subjektiv **subjugate** [sabb'dsjogejt] underkuva **subjunctive** [səbdsjang'ktivv] konjunktiv **sublet** [sabb'lett'] hyra ut i andra hand **submarine** [sabb'məri:n] ubåt **submerge** [səbmə:'dsj] sätta under vatten; doppa ner; dyka ner **submission** [səbmisj'ən] underkastelse; ödmjukhet **submissive** [səbbmiss'ivv] undergiven **submit** [səbmitt'] underkasta sig; framlägga; framhålla; *submit ... to* underställa **subordinate** [səbå:'dnitt] underordnad **subpoena** [səbpi:'nə] stämning; kalla inför rätta **subscribe** [səbskraj'b] abonnera, prenumerera (*for* på) **subscriber** [səbskraj'bə] abonnent **subscription** [səbskripp'sjən] abonnemang **subsequent** [sabb'-sikwənt] [på]följande **subservient** [səbsə:'vjənt] tjänlig; servil **subside** [səbsaj'd] sjunka [undan] **subsidiary** [səbsidd'jəri] hjälp-, bi-; *subsidiary company* dotterbolag **subsidize** [sabb'si-dajz] subventionera **subsistence** [səbsiss'təns] uppehälle **substance** [sabb'stəns] substans; förmögenhet **sub-standard film** [sabb'stänn'dəd fillm] smalfilm **substantial** [səbstänn'sjəl] kraftig, rejäl; verklig **substantiate** [səbstänn'sjiejt] bevisa; bekräfta **substitute** [sabb'stitjo:t] ersättare; vikarie; surrogat; ersätta **subterfuge** [sabb'təfjo:dsj] undanflykt **subterranean** [sabb-tərej'njən] underjordisk **subtle** [satt'l] hårfin, subtil; skarp[sinnig] **subtract** [səbträkk't] subtrahera **suburb** [sabb'ə:b] förort, förstad **subvention** [səbvenn'sjən] subvention **subversive** [səbvə:'sivv] omstörtande **subway** [sabb'wej] gångtunnel; (*Am.*) tunnelbana **succeed** [səksi:'d] efterträda, följa; lyckas **success** [səksess'] framgång, succé; *be a success* göra succé **successful** [səksess'foll] lyckad; framgångsrik **succession** [səksesj'ən] följd, räcka **successive** [səksess'ivv] på varandra följande, successiv **successor** [səksess'ə] efterträdare, ersättare; *successor to the throne* tronföljare **succinct** [səksing'kt] kortfattad **succour** [sakk'ə] bistå; bistånd **succumb** [səkamm'] digna, duka under **such** [sattsj] sådan; *such a thing* ngt sådant; *such as* sådan[a] som, den (de) som **suck** [sakk] suga; dia **sucker** [sakk'ə] sugapparat; spädgris, diande unge; lättlurad person **suction** [sakk'sjən] sugning **Sudan** [so:da:'n] *the Sudan* Sudan **sudden** [sadd'n] plötslig, tvär; [*all*] *of a sudden* plötsligt; *sudden change* omsvängning **suddenly** [sadd'nli] plötsligt **suds** [saddz] såpvatten, såplödder **sue** [sjo:] stämma; bönfalla **suède** [swejd] mocka **suet** [sjo:'itt] talg **suffer** [saff'ə] lida; tåla, utstå **suffering** [saff'əring] lidande **suffice** [səfaj's] förslå, räcka till **sufficient** [səfisj'ənt] tillräcklig **suffocate** [saff'əkejt] kväva[s] **suffocating** [saff'əkejting] kvalmig, kvävande **suffocation** [saffəkej'sjən] kvävning **suffrage** [saff'ridsj] rösträtt; *universal suffrage* allmän rösträtt **suffuse** [səfjo:'z] övergjuta **sugar** [sjogg'ə] socker **sugar basin** [sjogg'ə bejsn] sockerskål **sugar-beet** [sjogg'əbi:t] sockerbeta **sugar-cane** [sjogg'əkejn] sockerrör **suggest** [sədsjess't] föreslå, antyda; suggerera **suggestion** [sədsjess'tjən] förslag; antydan; suggestion **suicide** [s-jo:'isajd] självmord; självmördare **suit** [s-jo:t] kostym; passa, klä; färg (*i kortspel*) **suitable** [s-jo:'təbl] lagom, passande, lämplig; *be suitable* duga (*for* till) **suitcase** [s-jo:'tkejs] resväska, kappsäck **suite** [swi:t] följe; svit **suited** [s-jo:'tidd] ägnad **suitor** [s-jo:'tə] friare; part i mål **sulk** [sallk] tjura **sulky** [sall'ki] tjurig **sullen** [sall'n] sur, trumpen **sully** [sall'i] fläcka, smutsa ner **sulphur** [sall'fə] svavel **sulphuric acid** [sallfjo:'ərikk äss'idd] svavelsyra **sultry** [sall'tri] kvav **sum** [samm] summa; tal; *sum up* sammanfatta, summera **summary** [samm'əri] sammanfattning, sammandrag; kortfattad **summer** [samm'ə] sommar; *last summer* i somras; *late summer* sensommar **summer school** [samm'ə sko:l] ferieskola **summer['s] day** [samm'ə(z) dej] sommardag **summer time** [samm'ə tajˑm] sommartid **summing-up** [samm'ingapp'] sammanfattning **summit** [samm'itt] topp, höjdpunkt **summon** [samm'ən] inkalla, tillkalla, sammankalla; *summon ... to appear* instämma (*till rättegång*) **summons** [samm'ənz] kallelse; stämning **sumptuous** [samm'tjoəs] praktfull, överdådig **sun** [sann] sol; sola sig **sun-bath** [sann'ba:θ] solbad **sun-bathe** [sann'bejð] solbada **sunbeam** [sann'bi:m] solstråle **sun-blind** [sann'blajnd] markis **sunburn** [sann'bə:n] solbränna **sunburnt** [sann'bə:nt] solbränd **sundae** [sann'dej] fruktglass (*i skål*) **Sunday** [sann'di] söndag **Sunday-school** [sann'disko:l] söndagsskola **sundial** [sann'dajəl] solur **sundries** [sann'driz] diverse saker **sundry** [sann'dri] diverse, olika **sunflower** [sann'flaoə] solros **sung** [sang] perf. part. av *sing* **sun-glasses** [sann'gla:sizz] solglasögon **sun-helmet** [sann'hell'mitt] tropikhjälm **sunk** [sangk] perf. part. av *sink* **sunlit** [sann'litt] solbelyst **sunny** [sann'i] solig **sun-rash** [sann'räsj] soleksem **sunrise** [sann'rajz] soluppgång **sunset** [sann'sett] solnedgång **sunshade** [sann'sjejd] parasoll; markis **sunshine** [sann'sjajn] solsken **sun-spot** [sann'spått] solfläck **sunstroke** [sann'stråok] solsting **sun suit** [sann' sjo:t] soldräkt **suntan oil** [sann'tänn' åjl] sololja **sup** [sapp] äta kvällsmat, supera; liten klunk **superb** [s-jo:pə:'b] storartad, förträfflig **supercilious** [s-jo:pəsill'jəs] högdragen, överlägsen **supercool** [s-jo:pəko:'l] underkyla **superficial** [s-jo:pəfisj'əl] ytlig **superfluous** [s-jo:pə:'floəs] överflödig **superhuman** [s-jo:pəhjo:'mən] övermänsklig **superintend** [s-jo:prinntenn'd] övervaka **superintendent** [s-jo:prinntenn'dənt] kommissarie **superior** [s-jo:pi:'əriə] överordnad; överlägsen; över-, högre; överman; *superior force* övermakt **superiority** [s-jo:piəriårr'itti] företräde, överlägsenhet (*to* framför) **superlative** [s-jo:pə:'lətivv] superlativ **supermarket** [s-jo:pəma:kitt] stormarknad **supernatural** [s-jo:pənätt'sjrəl] övernaturlig **supersede** [s-jo:pəsi:'d] ersätta **supersonic** [s-jo:pəsånn'ikk] överljuds- **superstition** [s-jo:pəstisj'ən] övertro, vidskepelse **superstitious** [s-jo:pəsti- sj'əs] vidskeplig **supervise** [s-jo:'pəvajz] övervaka, ha tillsyn över

supervision [s-jo:pəvisj'ən] överinseende, uppsikt, övervakning **supervisor** [s-jo:'pəvajzə] övervakare; verkmästare **supine** [s-jo:'pajn] liggande på rygg, utsträckt **supper** [sapp'ə] kvällsmat, supé **supplant** [səpla:'nt] undantränga **supple** [sapp'l] smidig; medgörlig; inställsam **supplement** [sapp'limennt] tillägg, bilaga **supplementary** [sapplimenn'təri] tilläggs-; *supplementary express ticket* snälltågsbiljett *supplementary pension* tilläggspension **supplication** [sapplikej'sjən] ödmjuk bön **supplier** [səplaj'ə] leverantör **supply** [səplaj'] leverera, tillhandahålla, förse; tillgång; förråd; *supply and demand* tillgång och efterfrågan **support** [səpå:'t] stöd, understöd; stödja, understödja, försörja; tillstyrka **supporter** [səpå:'tə] anhängare, supporter **suppose** [səpåo'z] förmoda, antaga, förutsätta **supposition** [sappəzisj'ən] förmodan, antagande **suppress** [səpress'] undertrycka **suppression** [səpresj'ən] undertryckande; *suppression of free opinion* åsiktsförtryck **supremacy** [s-jopremm'əsi] överhöghet; överlägsenhet **supreme** [sjo:pri:'m] högst; suverän, överlägsen **sure** [sjo:'ə] säker, viss; (*Am.*) [ja]visst!; *make sure* förvissa sig (*of* om); *to be sure* minsann **surety** [sjo:'əti] säkerhet, borgen; *go* (*stand*) *surety for* gå i borgen för **surf** [sə:f] bränning **surface** [sə:'fiss] yta; *surface of water* vattenyta **surf-riding** [sə:'frajding] surfing **surge** [sə:dsj] svallvåg; svalla **surgeon** [sə:'dsjən] kirurg; *assistant surgeon* underläkare **surly** [sə:'li] butter, vresig **surmise** [sə:maj'z] gissa, förmoda **surmount** [sə:mao'nt] ta sig över; övervinna **surname** [sə:'nejm] efternamn **surpass** [sə:pa:'s] överträffa, övergå **surplus** [sə:'pləs] överskott **surprise** [səpraj'z] överraska, förvåna; överraskning, förvåning **surprising** [səpraj'zing] förvånansvärd **surrender** [sərenn'də] kapitulera, ge sig **surreptitious** [sarrəptisj'əs] hemlig, smygande **surround** [səraoʼnd] omge, omringa **surroundings** [səraoʼn-dingz] omgivning[ar] **surtax** [sə:'täkks] extraskatt **survey** [sə:vej'] överblicka; granska; [sə:'vej] överblick, översikt **survival** [səvaj'vəl] överlevande; kvarleva **survive** [səvaj'v] överleva **survivor** [səvaj'və] efterlevande **susceptible** [sə'sepp'təbl] känslig, lättpåverkad; *susceptible to* mottaglig för **suspect** [səspekk't] misstänka (*of* för); [sass'pekt] misstänkt [person] **suspend** [səspenn'd] hänga upp; uppskjuta; inställa (*betalningar*) **suspenders** [səspenn'dəz] (*Am.*) hängslen **suspense** [səspenn's] ovisshet; uppskov **suspicion** [səspisj'ən] misstanke **suspicious** [səspisj'əs] misstänksam **sustain** [səstej'n] hålla uppe; understödja; utstå **sustenance** [sass'tinəns] näring; livs-uppehälle **swab** [swåbb] svabb; skura **swaddle** [swådd'l] linda (spädbarn) **swagger** [swägg'ə] stoltsera, skrävla; skryt **swallow** [swåll'åo] 1 svälja 2 svala **swam** [swämm] imperf. av *swim* **swamp** [swåmmp] kärr, sumpmark; översvämma, dränka **swampy** [swåmm'pi] sank **swan** [swånn] svan **swap** [swåpp] byta **swarm** [swå:m] svärm; svärma, vimla **swarthy** [swå:'ði] mörkhyad, svartmuskig **swathe** [swejð] svepa [in] **sway** [swej] svaja; påverka; inflytande, makt **sway-backed** [swej'bäkkt] svankryggig **swear** [swä:'ə] svära; gå ed på; *swear black is white* göra svart till vitt **sweat** [swett] svett; svettas **sweater** [swett'ə] [ylle]tröja **swede** [swi:d] kålrot **Swede** [swi:d] (*subst.*) svensk **Sweden** [swi:'dn] Sverige **Swedish** [swi:'disj] svensk; *Swedish punch* punsch; *Swedish turnip* kålrot **Swedish-American** [swi:'disjəmerr'ikən] svensk-amerikan[sk] **Swedish-speaking** [swi:'disjspi:'king] svenskspråkig, svensktalande **sweep** [swi:p] sopa; svepa; sota; svep, drag; sotare **sweeping** [swi:'ping] våldsam; allmän[t hållen]; väldig **sweepstake** [swi:'pstejk] totalisator-; totospel **sweet** [swi:t] söt, ljuv[lig], färsk, frisk; karamell; efterrätt; *sweet pea* luktärt; *sweet smell* vällukt **sweeten** [swi:'tn] söta, sockra **sweetener** [swi:'tnə], **sweetening** [swi:'tning] sötningsmedel **sweetheart** [swi:'tha:t] älskling, käraste **sweetmeat** [swi:'tmi:t] karamell, sötsak **sweets** [swi:ts] sötsaker, snask **swell** [swell] svälla, pösa, svullna; knöl; flott **swelter** [swell'tə] försmäkta; tryckande hetta **swept** [sweppt] imperf. och perf. part. av *sweep* **swerve** [swə:v] vika av; avvikelse **swift** [swifft] snabb; tornsvala **swim** [swimm] simma; simtur; bad; *take a swim* bada (*utomhus*); *my head is swimming* det svindlar för ögonen **swimmer** [swimm'ə] simmare **swimming-pool** [swimm'ingpo:l] simbassäng **swimming-trunks** [swimm'-ingtrangks] badbyxor **swindle** [swinn'dl] skoja, bedra; svindel, uppskörtning **swindler** [swinn'dlə] svindlare, bedragare **swine** [swajn] svin **swing** [swing] svänga, svinga; svängning; gunga; sving (*i boxning*) **swinish** [swaj'nisj] svinaktig **swirl** [swə:l] virvla [runt]; virvel **swish** [swisj] susa, vina; sus **Swiss** [swiss] schweizare; schweizisk **switch** [swittsj] strömbrytare, kontakt; spö, käpp; *switch off* (*on*) koppla av (på) **switchback** [switt'sjbäkk] berg- och dalbana **Switzerland** [switt'sələnd] Schweiz **swivel** [swivv'l] svängtapp **swivel-chair** [swivv'l-tsjä:ə] snurrstol **swollen** [swåo'lənn] svullen, uppsvälld **swoon** [swo:n] svimning; svimma; *in a swoon* avsvimmad **swoop** [swo:p] slå ner; angrepp **swop** [swåpp] byta **sword** [så:d] svärd, värja **sword-fish** [så:'dfisj] svärdfisk **swore** [swå:] imperf. av *swear* **sworn** [swå:n] perf. part. av *swear* **swot** [swått] plugga, läsa; plugghäst **swum** [swamm] perf. part. av *swim* **swung** [swang] imperf. och perf. part. av *swing* **syllable** [sill'əbl] stavelse **syllabus** [sill'əbəs] sammanfattning; kursplan **symbol** [simm'bəl] symbol **symbolic** [simmbåll'ikk] symbolisk **symbolize** [simm'bəlajz] symbolisera **symmetric** [simett'rikk] symmetrisk **sympathetic** [simmpəðett'ikk] full av medkänsla, förstående **sympathize** [simm'pəðajz] sympatisera **sympathy** [simm'pəði] medkänsla, sympati **symphony** [simm'fəni] symfoni **symptom** [simm'ptəm] symtom **synagogue** [sinn'əgågg] synagoga **synchromesh gearbox** [sing'kråomesj' gi:'əbäkks] synkroniserad växellåda **syncope** [sing'kəpi] synkop **synchronize** [sing'krənajz] synkronisera **synonymous** [sinänn'iməs] synonym **synopsis** [sinnåpp'siss] sammanfattning, synops **synthesis** [sinn'θisiss] syntes **synthetic** [sinnθett'ikk] syntetisk **syphilis** [siff'iliss] syfilis **Syria** [sirr'ia] Syrien **syringe** [sirr'indsj] injektionsspruta **syrup** [sirr'əp] sirap; sockerlag **system** [siss'timm] system **systematic** [sisstimätt'ikk] systematisk **systematics** [sisstimätt'ikks] systematik **systematize** [siss'timətajz] systematisera **tab** [täbb] lapp; etikett **tabby** [täbb'i] spräcklig katt, katta **table** [tej'bl] bord; tabell; *clear the table* duka av; *lay the table* [lej' ðə tej'bl] duka **table cloth** [tej'bl klåθ] bordduk **table-lamp** [tej'bllämmp] bordslampa **tableland** [tej'bllännd] högslätt **table spoon** [tej'bl spo:'n] matsked **tablet** [täbb'litt] tablett; minnestavla **table tennis** [tej'bl tennis] bordtennis **table-top** [tej'bltåpp] bordsskiva **tabloid** [täbb'låjd] tablett; tidning i litet format **taboo** [təbo:'] tabu **tacit** [täss'itt] stillatigande, tyst **tack** [täkk] nubba; tråckla; nubb; (*sjö*) kurs, slag (*vid segling*); skaffning, mat **tackle** [täkk'l] redskap; tackel, talja; angripa, hugga in på; tackla **tacky** [täkk'i] klibbig **tact** [täkkt] takt, finkänslighet **tactful** [täkk'tfoll] taktfull **tactical** [täkk'tikl] taktisk taktik **tactless** [täkk'tliss] taktlös **tadpole** [tädd'påol] grodyngel **tag** [tägg] adress-, prislapp; spets; refräng **tail** [tejl] svans, stjärt; skört; skugga, följa efter; *heads or tails?* krona eller klave? **tail-coat** [tej'klåot] frack **tailor** [tej'lə] skräddare **tailor's shop** [tej'ləz sjåpp] skrädderi **tail-wind** [tej'lwinnd] medvind **taint** [tejnt] fläck; vanära; besmitta **tainted** [tej'ntidd] skämd (*om kött*) **take** [tejk] ta; ta med sig; antaga, intaga, äta, dricka; fångst; *take after* brås på; *take away* förtaga, hindra; *take back* återtaga; *take care* akta sig; *take care of* vårda, ta vara på, sköta; *be taken in* låta lura sig; *take off* ta av sig; *take on* påtaga sig; *take out* ta fram; *take over* tillträda, överta; *take place* försiggå, äga rum, bli av **taken** [tej'kn] perf. part. av *take* **take-off** [tej'kåff] start; startplats **takings** [tej'kingz] intäkter **talc[um]** [täll'k(əm)] talk **tale** [tejl] berättelse; *tell tales* skvallra **talent** [täll'ənt] anlag, talang, begåvning **talented** [täll'əntidd] talangfull **talk** [tå:k] tala, prata, samtala; prat; *talk around* övertala; *talk shop* tala om sitt yrke **talkative** [tå:'kətivv] pratsam **talker** [tå:'kə] pratmakare **talkie** [tå:'ki] ljudfilm **tall** [tå:l] lång (*om pers.*), hög; fantastisk **tallow** [täll'åo] talg **tally** [täll'i] kontrollräkning; stämma; pricka av **talon** [täll'ən] [grip]klo; talong **tame** [tejm] tämja; tam, matt **tamper** [tämm'pə] fingra på; *tamper with* manipulera med **tan** [tänn] garva; solbränna **tang** [täng] stark smak (lukt); anstrykning **tangible** [tänn'dsjəbl] påtaglig, gripbar **tangle** [täng'gl] trassel, oreda; trassla till **tangled** [täng'gld] trasslig **tango** [täng'gåo] tango **tank** [tängk] 1 stridsvagn, tank 2 cistern, tank **tankard** [täng'kəd] sejdel, krus **tanker** [täng'kə] tankfartyg **tanner** [tänn'ə] garvare; sixpenceslant **tantalize** [tänn'təlajz] pina, reta **tantamount** [tänn'təmaont] likvärdig, liktydig **tantrum** [tänn'trəm] misshumör **tap** [täpp] **1** klappa, knacka; klapp, knackning **2** tapp, kran; tappa, slå upp **tap-dance** [täpp'da:ns] steppa **tape** [tejp] band; *red tape* byråkrati **tape-measure** [tej'pmesjə] måttband **taper** [tej'pə] smalt ljus; smalna av **tape recorder** [tej'p rikå:'də] bandspelare **tapestry** [täpp'isstri] gobeläng **tar** [ta:] tjära; sjöman **tardy** [ta:'di] senfärdig **target** [ta:'gitt] skottavla, måltavla, mål **tariff** [tärr'iff] tariff **tarmac** [ta:'mäkk] asfalt[beläggning]; startbana **tarn** [ta:n] tjärn **tarnish** [ta:'nisj] göra matt; glanslöshet **tarpaulin** [ta:på:'linn] presenning **tarry** [tärr'i] **1** söla, dröja **2** [ta:'ri] tjärig **tart** [ta:t] fruktkaka; fnask; frän, besk **tartan** [ta:'tn] skotskrutigt tyg **task** [ta:sk] uppgift, åliggande **tassel** [täss'l] tofs **taste** [tejst] smak; smaka **tasteful** [tej'stfoll] smakfull **tasteless** [tej'stliss] smaklös **tatter** [tätt'ə] trasa; förfalla **tattoo** [təto:'] **1** tatuera; tatuering **2** tapto **taught** [tå:t] imperf. och perf. part. av *teach* **taunt** [tå:nt] håna; hån **taut** [tå:t] spänd **tawny** [tå:'ni] läderfärgad, gulbrun **tax** [täkks] värdera; beskatta; anstränga; skatt *(till staten)*; *pay taxes* skatta, betala skatt **taxable** [täkk'səbl] beskattningsbar **tax evasion** [täkk's ivej'sjən] skattefusk **tax-free** [täkk'sfri:'] skattefri **taxi-[cab]** [täkk'si(käbb)] taxi **taxi-driver** [täkk'sidrajvə] taxichaufför **taxpayer** [täkk'spejə] skattebetalare **tea** [ti:] te; *high tea* kvällsmåltid med te, tesupé **tea-caddy** [ti:'käddi] teburk **teach** [ti:tsj] lära *(andra)*, undervisa **teacher** [ti:'tsjə] lärare, lärarinna; *teacher's desk* [ti:'tsjəz dessk] kateder **teach-in** [ti:'tsjinn] offentlig politisk debatt **teaching** [ti:'tsjing] undervisning **tea-cosy** [ti:'kåozi] tehuva **teacup** [ti:'kapp] tekopp **tea-kettle** [ti:'kettl] tekittel **team** [ti:m] lag; spann **team competition** [ti:'m kåmmpitisj'ən] lagtävling **teamster** [ti:'mstə] kusk; *(Am.)* transportarbetare **teamwork** [ti:'mwə:k] samspel; lagarbete **tea-pot** [ti:'pått] tekanna **tear 1** [tä:'ə] riva sönder; reva **2** [ti:'ə] tår; *burst into tears* brista i gråt **tease** [ti:z] reta, retas [med] **teaspoon** [ti:'spo:n] tesked; *a level teaspoonful* en struken tesked **teat** [ti:t] bröstvårta; spene; napp **technical** [tekk'nikəl] teknisk **technician** [tekknisj'ən] tekniker **technology** [tekknåll'ədsji] teknik, teknologi **tedious** [ti:'djəs] trist, långtråkig **teem** [ti:m] vimla, myllra **teen-ager** [ti:'nejdsjə] tonåring **teeth** [ti:θ] *(sg tooth)* tänder **teetotaller** [ti:tåo'tlə] absolutist, nykterist **telegram** [tell'igrämm] telegram **telegraphic** [telligräff'ikk] telegrafisk **telepathic** [tellipäÿ'ikk] telepatisk **telephone** [tell'ifåon] telefon; *you are wanted on the telephone* det är telefon till dig; *talk on the telephone* tala i telefon **telephone conversation** [tell'ifåon kånnvəsej'sjən] telefonsamtal **telephone directory** [tell'ifåon dirəkk'təri] telefonkatalog **telephone number** [tell'ifåon namm'bə] telefonnummer **telephoto lens** [tell'ifåo'tåo lenns] teleobjektiv **televiewer** [tell'ivjo:ə] TV-tittare **television** [tell'ivisjən] television **tell** [tell] tala om, berätta; säga till, be; [ur]skilja; *I can tell you!*

må du tro!; *I cannot tell them apart* jag kan inte skilja dem från varandra; *tell fortunes* spå **telling** [tell'ing] imponerande, kraftfull **tell-tale** [tell'tejl] skvallerbytta **telly** [tell'i] TV-apparat **temerity** [timmerr'itti] dumdristighet **temper** [temm'pə] temperera; mildra; härda; humör **temperament** [temm'pərəmənt] temperament, lynne **temperance** [temm'prəns] måttlighet; nykterhet **temperate** [temm'pritt] tempererad; måttlig **temperature** [temm'prittsjə] temperatur; *have a temperature* ha feber **tempest** [temm'pisst] storm **temple** [temm'pl] **1** tinning **2** tempel **tempo** [temm'påo] tempo **temporal** [temm'pərəl] timlig, världslig **temporary** [temm'pərəri] tillfällig, temporär; *temporary solution* nödlösning **temporize** [temm'pərajz] söka vinna tid **tempt** [temmpt] fresta, locka **temptation** [temmptej'sjən] frestelse **ten** [tenn] tio; tiotal; tia **tenacious** [tinnej'sjəs] orubblig; klibbig **tenant** [tenn'ənt] arrendator; hyresgäst **tend** [tennd] sköta, ansa; tendera **tendency** [tenn'dənsi] tendens; dragning, benägenhet **tender** [tenn'də] öm; späd; mör; anbud; betalningsmedel; erbjuda; inlämna **tenderness** [tenn'dəniss] ömhet **tendon** [tenn'dn] sena **tenement** [tenn'imənt] arrendegård, hyrd fastighet **Tenerif[f]e** [tennəri:'f] Teneriffa **tenet** [ti:'nett] grundsats **tenfold** [tenn'fåold] tiodubbel **tennis court** [tenn'iss kå:t] tennisbana **tennis racket** [tenn'iss räkk'itt] tennisracket **tenor** [tenn'ə] tenor; förlopp; [ande]mening **tense** [tenns] **1** spänd **2** tempus **tension** [tenn'sjən] spänning **tent** [tennt] tält; tälta **tentative** [tenn'tətivv] försöks-; trevande **tenterhooks** [tenn'təhokks] *on tenterhooks* på helspänn **tenth** [tennθ] tionde; tiondel **tenure** [tenn'joə] besittningsrätt; period **tepid** [tepp'idd] ljum **term** [tə:m] term; termin; *terms* ordalag, villkor; *bring s.b. to terms* få ngn att ta reson; *terms of payment* betalningsvillkor; *terms of sale* försäljningsvillkor **terminal** [tə:'minl] terminal; slutterminate [tə:'minejt] avsluta **terminus** [tə:'minəs] slutstation **tern** [tə:n] tärna *(fågel)* **terrace** [terr'əs] terrass; husrad **terrace-house** [terr'əshaos] radhus **terrain** [terr'ejn] terräng **terrestrial** [tirress'triəl] jordisk **terrible** [terr'əbl] fruktansvärd, ryslig, gräslig **terrier** [terr'iə] terrier **terrific** [terriff'ikk] förfärlig, oerhörd **terrified** [terr'ifajd] livrädd **terrify** [terr'ifaj] skrämma **territory** [terr'itəri] territorium **terror** [terr'ə] skräck *(of för)*; terror **terrorism** [terr'ərizzəm] skräckvälde **terrorize** [terr'ərajz] terrorisera **terry cloth** [terr'i klåθ] frotté **terse** [tə:s] koncis, knapphändig **terylene** [terr'ili:n] terylene **test** [tesst] prova, pröva, testa; prov, prövning, test **Testament** [tess'təmənt] *the Old (New) Testament* Gamla (Nya) testamentet **testicle** [tess'tikkl] testikel **testify** [tess'tifaj] vittna, intyga **testimonial** [tesstimåo'njəl] vitsord, vittnesbörd; tjänstgöringsbetyg **testimony** [tess'timəni] vittnesbörd **test-tube** [tess'ttjo:b] provrör **tetanus** [tett'ənəs] stelkramp **tether** [teð'ə] tjudra; tjuder; *I'm at the end of my tether* jag förmår inte mer **Teuton** [tjo:'tn] german

Teutonic [tjotånn'ikk] germansk **text** [tekkst] text **text-book** [tekk'stbokk] lärobok **textile mill** [tekk'stajl mill] textilfabrik **textiles** [tekk'stajlz] textilier **texture** [tekk'stsjə] vävnad; struktur **Thames** [temm'z] *the Thames* Temsen **than** [ðänn] än **thank** [θängk] tacka; *thank you!, thanks!* tack!; *many thanks!* tack så mycket; *thank goodness* gudskelov; *thanks to* tack vare **thankful** [θäng'kfoll] tacksam **Thanksgiving Day** [θäng'ksgivving dej'] tacksägelsedagen **that** [ðått] den (det) där; att; som; *above that* därutöver; *at that* därvid; *of that* därav; *to that* därtill; *in that case* i så fall; *like that* sådan där; *just like that* utan vidare; *that is* nämligen, det vill säga **thatch** [θättsj] takhalm, halmtak; halmtäcka **thaw** [θå:] tina, töa; tö[väder] **the** [ðə, ði] den, det, de; *the sooner the better* ju förr desto bättre **theatre** [θi:'ətə] teater; operationssal; *go to the theatre* gå på teatern **theft** [θefft] stöld **their** [ðä:'ə] (*förenat*) deras, sin **theirs** [ðä:'əz] (*självst.*) deras, sin **them** [ðemm] dem **theme** [θi:m] tema; *the main theme* den röda tråden **themselves** [ðəmsell'vz] de (dem, sig) själva; sig **then** [ðenn] då, sedan, därpå; dåvarande; *before* (*till*) *then* innan (till) dess; *how then?* hur så?; *since then* sedan dess **theology** [θiåll'adsji] teologi **theorem** [θi:'ərəm] (*matematisk*) sats **theoretic[al]** [θiərett'ikk(əl)] teoretisk **theory** [θi:'əri] teori; *theory of evolution* utvecklingslära; *theory of probabilities* sannolikhetslära **therapist** [θerr'əpist] terapeut **therapy** [θerr'əpi] terapi; *occupational therapy* arbetsterapi **there** [ðä:'ə] där, dit; fram[me]; *from there* därifrån; *over there* där borta; *there and back* fram och tillbaka; *there are a lot of people here* det är mycket folk här **thereabout[s]** [ðä'.ərəbaot(s)] däromkring **thereby** [ðä:'əbaj'] därigenom **therefore** [ðä:'əfå:] därför **thermometer** [θəmåmm'ittə] termometer **thermos** [θə:'måss] termosflaska **these** [ði:z] dessa, de här **thesis** [θi:'siss] tes **they** [ðej] de; *they say* man säger; *they themselves* de själva **thick** [θikk] tjock; tät; *in the thick of* mitt [uppe] i **thicken** [θikk'ən] tätna, bli tätare; reda (*soppa*) **thicket** [θikk'itt] snår **thickness** [θikk'niss] grovlek **thief** [θi:f] (*pl* thieves [θi:vz]) tjuv **thieve** [θi:v] tillgripa, stjäla **thievish** [θi:'visj] tjuvaktig **thigh** [θaj] lår **thimble** [θimm'bl] fingerborg **thin** [θinn] tunn, smal; gles; gallra (*skog*); *thin out* gallra (*plantor*); *get thinner* magra **thing** [θing] sak, ting; *things* grejor, tillhörigheter; *how are things with?* hur förhåller det sig med? **think** [θingk] tänka (*of* på); anse, mena, tycka, tro; *don't you think?* eller hur?, inte sant? **third** [θə:d] tredje; tredjedel **thirst** [θə:st] törst; törsta **thirsty** [θə:'sti] törstig **thirteen** [θə:'ti:'n] tretton **thirteenth** [θə:'ti:'nθ] trettonde **thirtieth** [θə:'tieθ] trettionde **thirty** [θə:'ti] trettio; *some thirty* ett trettiotal; *in the thirties* på trettiotalet **this** [ðiss] denne, denna, detta; den (det) här; *like this* så här; *to this* härtill; *this autumn* i höst; *this morning* i dag på morgonen; *this way* hitåt, den här vägen **thistle** [θiss'l] tistel **thong** [θång]

läderrem; pisksnärt **thorax** [θå:'räkks] bröstkorg **thorn** [θå:n]
törne, tagg **thorn-bush** [θå:'nbosj] törnbuske **thorough** [θarr'ə]
grundlig, ingående; *thorough knowledge* solida kunskaper;
thoroughly rested utvilad **thoroughbred** [θarr'əbredd] rasren;
fullblod **thoroughfare** [θarr'əfa:ə] genomfartsled, huvudgata
those [ðåoz] de, de där; *those taking part* de deltagande **though**
[ðåo] fast[än]; *as though* som om **thought** [θå:t] tanke (*of* på);
imperf. och perf. part. av *think*; *thoughts* funderingar, tankar;
on second thoughts vid närmare eftertanke **thoughtful** [θå:'tfoll]
tankfull, fundersam **thoughtless** [θå:'tliss] tanklös, obetänksam
thought-reader [θå:'tri:də] tankeläsare **thousand** [θao'zənd]
tusen; *thousands* [*of*] tusentals **thousandth** [θao'zənntθ] tu-
sende; tusendel **thrall** [θrå:l] träl[dom] **thrash** [θräsj] slå, klå
upp; tröska **thrashing** [θräsj'ing] [kok] stryk **thread** [θredd]
tråd; trä [på] **threadbare** [θredd'ba:ə] luggsliten; uttjatad
threat [θrett] hot, hotelse **threaten** [θrett'n] hota **three** [θri:]
tre **three-figure** [θri:'figg'ə] tresiffrig **three-star** [θri:'sta:']
trestjärnig **three-wheeler** [θri:'wi:'lə] trehjuling **thresh** [θresj]
tröska **thresher** [θresj'ə] tröskverk **threshold** [θresj'håold]
tröskel **threw** [θro:] imperf. av *throw* **thrift** [θrifft] sparsamhet
thrill [θrill] rysa; gripa; rysning **thriller** [θrill'ə] rysare, spännande
berättelse (film) **thrilling** [θrill'ing] spännande **thrive** [θrajv]
frodas, trivas **thriven** [θrivv'n] perf. part. av *thrive* **thriving**
[θraj'ving] frodig, blomstrande **throat** [θråot] hals, strupe, svalg
throb [θråbb] dunka **throe** [θråo] häftig smärta **throne** [θråon]
tron **throng** [θrång] trängsel; mängd; trängas **throttle** [θrått'l]
spjäll, gaspedal; strypa, kväva **through** [θro:] [i]genom; *right
through* tvärs igenom; *through and through* alltigenom; *through
here* härigenom **throughout** [θroao't] överallt i; genom (över)
hela **throve** [θråov] imperf. av *thrive* **throw** [θråo] kast; kasta
thrown [θråon] perf. part. av *throw* **throw-outs** [θråo'aots]
utskott, dålig vara **thrush** [θrasj] trast **thrust** [θrasst] stöta;
stöt, anfall **thud** [θadd] duns; dunsa **thug** [θagg] bandit
thumb [θamm] tumme; *twiddle one's thumbs* rulla tummarna
thumbscrew [θamm'skro:] tumskruv **thumbtack** [θamm'täkk]
(*Am.*) häftstift **thump** [θammp] bulta, dunka **thunder** [θann'də]
dån, dunder, åska; dåna, dundra, åska **thunderbolt** [θann'də-
båolt] blixt **thunderclap** [θann'däkläpp] åskknall **thundercloud**
[θann'däklaod] åskmoln **thunderstorm** [θann'dəstå:m] åskväder
Thursday [θə:'zdi] torsdag **thus** [ðass] sålunda, alltså **thwart**
[θwå:t] hindra **thyme** [tajm] timjan **thyroid gland** [θaj'råjd
glänn'd] sköldkörtel **Tibet** [tibett'] Tibet **tick** [tikk] **1**
ticka; bocka för; tickande; bock **2** fästing **ticket** [tikk'itt]
biljett; lottsedel **ticket-collector** [tikk'ittkəlekk'tə] konduktör
tickle [tikk'l] kittla **ticklish** [tikk'lisj] kittlig; kinkig **tide** [tajd]
tidvatten; *low tide* ebb; *high tide* flod; *tide over* [hjälpa att]
komma över **tidings** [taj'dingz] nyheter **tidy** [taj'di] snygg;

ordentlig; *tidy up* snygga upp **tie** [taj] knyta, binda; knut, band, slips; oavgjord match **tier** [ti:'ə] bänkrad; lager **tiff** [tiff] dispyt, gnabb **tiger** [taj'gə] tiger **tight** [tajt] spänd; tät; snäv (*om plagg*); påstruken **tighten** [taj'tn] strama [åt]; täta **tights** [taj'ts] strumpbyxor; trikåer **tile** [tajl] kakel[platta], tegel[panna]; *tiled stove* kakelugn **till** [till] **1** till[s]; *not till* icke förrän **2** plöja **3** kassalåda **tiller** [till'ə] **1** jordbrukare **2** rorkult **3** [växt]skott **tilt** [tillt] vippa, luta [på] **timber** [timm'bə] timmer, trä **timber industry** [timm'bə inn'dəstri] träindustri **time** [tajm] tid[punkt]; gång; takt; *any time* när som helst; *time and again* gång på gång; *time of waiting* väntetid; *what time is it?* hur mycket är klockan?; *have time* hinna, ha (få) tid; *have a good time* ha roligt; *time off* ledighet (*från arbete*); *it is about time* we det är på tiden att vi; *one at a time* en i taget; *at what time?* hur dags?; *for all time* för all framtid; *be in time* hinna, komma i tid; *the ... of that time* dåvarande; *out of time* i otakt **time-consuming** [taj'mkən-s-jo:'ming] tidsödande **time limit** [taj'm limm'itt] tidsbegränsning **timely** [taj'mli] i rätt tid; aktuell **time-server** [taj'msə:və] ögontjänare **timetable** [taj'mtejbl] turlista, tidtabell; schema **timid** [,imm'idd] blyg **timorous** [timm'ərəs] ängslig **timothy** [timm'əθi] timotej **tin** [tinn] tenn; konservburk; konservera; *tinned fruit* fruktkonserver; *tinned goods* konserver **tincture** [ting'ktsjə] tinktur **tinder** [tinn'də] fnöske **tinfoil** [tinn'fåj'l] stanniol **tinge** [tinndsj] skiftning, nyans, anstrykning; lätt färga; *be tinged with green* skifta i grönt **tingle** [ting'gl] sticka, svida; pirra **tinker** [ting'kə] kittelflickare; klåpare; knåpa, pyssla **tin loaf** [tinn' låof] formbröd **tin-opener** [tinn'åopnə] konservöppnare **tint** [tinnt] färgton; färga **tiny** [taj'ni] mycket liten; *tiny bit* gnutta **tip** [tipp] **1** spets, tipp, topp **2** tippa, luta på; ge dricks; tips, vink; dricks **tipple** [tipp'l] dricka, pimpla **tipsy** [tipp'si] berusad **tire** [taj'ə] **1** trötta **2** gummidäck **tired** [taj'əd] trött **tiredness** [taj'ədniss] trötthet **tiresome** [taj'əsəm] tröttsam **tiring** [taj'əring] tröttsam **tiro** [taj'ərå o] nybörjare **tissue** [tiss'jo:] vävnad; flor **tissue-paper** [tiss'jo:pejpə] silkespapper **tit** [titt] mes **titanic** [tajtänn'ikk] jättelik **titbit** [titt'bitt] godbit, läckerbit **tithe** [tajð] tionde **title** [taj'tl] titel; benämna **titmouse** [titt'maos] mes **tittle-tattle** [titt'ltattl] tissel och tassel **to** [to:] till, åt; att; *to and fro* fram o. tillbaka, av och an **toad** [tåod] padda **toadstool** [tåo'dsto:l] flugsvamp **toast** [tåost] rostat bröd; rosta; skåla **toaster** [tåo'stə] brödrost **toast-master** [tåo'stma:stə] ceremonimästare **tobacco** [təbäkk'åo] tobak **tobacconist's** [təbäkk'ənissts] tobaksaffär **toboggan** [təbågg'ən] kälke; åka kälke **today** [tədej'] i dag; *today's news* dagsnyheter **toddle** [tådd'l] tulta **toe** [tåo] tå; *toe the line* ställa upp sig, hålla sig till partiets linje **toffee** [tåff'i] knäck **together** [təgeð'ə] tillsammans, ihop; *being together* samvaro; *go together* följas åt **toil** [tåjl] slita, släpa, knoga; slit, knog; *toil and moil* slit och släp **toilet** [tåj'litt] toalett **toilet-paper** [tåj'littpejpə] toalettpapper **toilet requisites** [tåj'litt rekk'wizitts] toalettartiklar **token** [tåo'kn] tecken; bevis **told** [tåold] imperf. och perf. part. av *tell*; *all told* allt som allt **tolerable** [tåll'ərəbl] uthärdlig; ganska bra **tolerably** [tåll'ərəbli] tämligen **tolerance** [tåll'ərəns] tolerans, fördragsamhet **tolerant** [tåll'ərənt] tolerant **tolerate** [tåll'ərejt] tolerera **toll** [tåoll] klämta; klämtning; tull; avgift **tomato** [təma:'tåo] tomat **tomato ketchup** [təma:'tåo kett'sjəp] tomatketchup **tomb** [to:m] grav (*murad e.d.*) **tomboy** [tåmm'båj] yrhätta **tomcat** [tåmm'kätt'] hankatt **tome** [tåom] volym **Tommy** [tåmm'i] engelsk soldat **tomorrow** [təmar'rǻo] i morgon; *the day after tomorrow* i övermorgon; *to-morrow morning* i morgon bitti **ton** [tann] ton; *long ton* eng. ton = 1016 kg; *metric ton* ton = 1000 kg **tone** [tåon] ton; röst; *give the tone* ange tonen (*bildl.*) **tongs** [tångz] *a pair of tongs* en tång **tongue** [tang] tunga, tungomål; plös; spont **tonic** [tånn'ikk] stärkande [medel]; grundton; ton- **tonight** [tənaj't] i kväll, i natt **tonnage** [tann'-iddsj] tonnage **tonsil** [tånn'sl] tonsill **too** [to:] [allt]för, också, även; *too bad!* det var verkligen tråkigt!; *not to bad* inte så illa **took** [tokk] imperf. av *take* **tool** [to:l] verktyg, redskap **tool-box** [to:'lbåkks] verktygslåda **toot** [to:t] tuta **tooth** [to:θ] (*pl. teeth* [ti:θ]) tand **toothache** [to:'θejk] tandvärk **toothbrush** [to:'θ-brasj] tandborste **toothpaste** [to:'θpejst] tandkräm **toothpick** [to:'θpikk] tandpetare **tootle** [to:'tl] tuta **top** [tåpp] topp, över-del; [leksaks]snurra; *at the top* upptill **toper** [tåo'pə] suput **topic** [tåpp'ikk] samtalsämne **topical** [tåpp'ikl] aktuell **topicality** [tåppikäll'itti] aktualitet **topic of conversation** [tåpp'ikk əvv kånnvəsej'sjən] samtalsämne **top-level politics** [tåpp'levvl påll'itikks] storpolitik **topographical** [tåppəgräff'ikəl] topogra-fisk **top performance** [tåpp' pəfå:'məns] topprestation **topple** [tåpp'l] stjälpa **top sheet** [tåpp' sji:t] överlakan **topsyturvy** [tåpp'sitə:'vi] huller om buller, upp och ner **torch** [tå:tsj] fackla, bloss, marschall; ficklampa **tore** [tå:] imperf. av *tear 1* **torment** [tå:menn't] (*verb*) pina, plåga; [tå:'menn't] plåga, kval **torn** [tå:n] perf. part. av *tear 1* **tornado** [tå:nej'dåo] tromb **torpedo** [tå:pi:'dåo] torped; torpedera **torpid** [tå:'pidd] domnad; slö **torpor** [tå:'pə] dvala; slöhet **torrent** [tårr'nt] ström; störtflod **torrid** [tårr'idd] förbränd, förtorkad **tortoise** [tå:'təs] [land]-sköldpadda **tortous** [tå:'tjəəs] slingrande **torture** [tå:'tsjə] tor-tera; tortyr **Tory** [tå:'ri] konservativ **toss** [tåss] slänga, singla; släng; *toss for* singla slant om **toss-up** [tåss'app] slant-singling **tot** [tått] parvel **total** [tåo'tl] total, fullständig, sam-manlagd; [slut]summa; belopa sig till; *total abstainer* helnykterist; *total loss* totalhaveri **totalitarian** [tåotällitä:'əriən] totalitär **totalizator** [tåo'tələjzejtə] totalisator **totter** [tått'ə] stappla, vackla **touch** [tattsj] [be]röra; beröring; anstrykning; släng; an-slag (*i musik*); *touch up* bättra på; *touch upon* tangera; *get into touch with* få kontakt med; *out of touch with realities* verklighetsfrämmande **touching** [tatt'sjing] rörande **touchy** [tatt'sji] snarstucken **tough** [taff] seg, hård; (*Am.*) skurkaktig **tour** [to:'ə] tur, [rund]resa, turné; turnera **tourism** [to:'ərizzəm] turism **tourist** [to:'ərisst] turist **tourist attraction** [to:'ərisst əträkk'sjən] turistattraktion **tournament** [to:'ənəmənt] turnering; tornerspel **tousle** [tao'zl] rycka och slita i; rufsa till **tout** [taot] värva röster (kunder etc.); spionera på; [kund]värvare **tow** [tåo] bogsera; dra; *take … in tow* ta på släp **towards** [təwå:'dz] mot; inemot; bortåt; *towards (the) north* norrut **towel** [tao'əl] handduk **tower** [tao'ə] torn; höja sig **towering** [tao'əring] upphöjd; jättehög **towing** [tåo'ing] bogsering **town** [taon] stad **town council** [tao'n kao'nsl] stadsfullmäktige **town-dweller** [tao'n-dwellə] stadsbo **town hall** [tao'n hå:l] stadshus, rådhus **town plan** [tao'n plänn'] stadsplan **town planning** [tao'n plänn'ing] stadsplanering **toxic** [tåkk'sikk] giftig, toxisk **toxin** [tåkk'sinn] gift, toxin **toy** [tåj] leksak; leka **trace** [trejs] spår; aning; spåra [upp]; rita upp; *not a trace of* inte en tillstymmelse till **track** [träkk] spår; bana; *the beaten track* allfarvägen; *track down* spåra upp **track suit** [träkk' sjo:t] träningsoverall **tract** [träkkt] **1** område; sträcka **2** broschyr **tractable** [träkk'təbl] lätthanterlig, medgörlig **traction** [träkk'sjən] dragande; sammandragning; dragningskraft **tractor** [träkk'tə] traktor **trade** [trejd] handel; yrke, bransch; handla [med] **trade mark** [trej'd ma:k] firmamärke, varumärke **trader** [trej'də] affärsman; handelsfartyg **tradesman** [trej'dzmən] handlande, köpman **trade union** [trej'd jo:'njən] fackförening **trade union branch** [trej'd jo:'njən bra:ntsj] verkstadsklubb **trade-wind** [trej'dwinnd] passad[vind] **tradition** [trədisj'ən] tradition **traditional** [trədisj'ənl] traditionell **traffic** [träff'ikk] trafik; handel; handla; *heavily trafficked* livligt trafikerad **traffic accident** [träff'ikk akk'sidənt] trafikolycka **traffic jam** [träff'ikk dsjämm] trafikstockning **traffic light[s]** [träff'ikk lajt(s)] trafikljus **tragedy** [trädd'sjiddi] tragedi, tragik **tragic[al]** [trädd'sjikk(əll)] tragisk **trail** [trejl] svans, släp, rad; spår; släpa, släpa sig [fram] **trailer** [trej'lə] släp[vagn] **train** [trejn] tåg; träng; släp (*på plagg*); träna, öva, utbilda; dressera **trained** [trejnd] utbildad, skolad **trainee** [trejni:'] praktikant **trainer** [trej'nə] tränare **training** [trej'ning] träning, övning; utbildning; dressyr **training-college** [trej'ningkålliddsj] lärarseminarium **train-oil** [trej'nåjl] tran **trait** [trej] [karaktärs]drag **traitor** [trej'tə] förrädare **tram** [trämm] spårvagn **tramp** [trämmp] trampa, klampa; luffare; trampfartyg **trample** [trämm'pl] trampa [ner] **tranquil** [träng'kwill] lugn **tranquillizer** [träng'kwilajzə] [nerv]lugnande medel **transaction** [trännzäkk'sjən] transaktion **transcend** [trännsenn'd] överstiga; överträffa **transept** [tränn'-seppt] tvärskepp (i kyrka) **transfer** [trännsfə:'] överföra, överlåta; girera; över-, förflyttning **transfer ticket** [tränn'sfə: tikk'itt] övergångsbiljett **transfigure** [trännsfigg'ə] omgestalta; förhärliga

transfix [trännsfikk´s] genomborra **transform** [trännsfå:´m] omvandla, ombilda, förvandla **transformation** [trännsfəmej´-sjən] omvandling, förvandling **transformer** [trännsfå:´mə] transformator **transfusion** [trännsfjo:´sjən] transfusion; överföring **transgress** [trännsgress´] överträda **transgression** [trännsgresj´ən] överträdelse **transistor radio** [trännziss´tə rej´diåo] transistorradio **transit** [tränn´sitt] genomresa; *in transit* på vägen **transition** [trännsisj´ən] övergång[speriod] **transitory** [tränn´-sitri] övergående **translate** [trännslej´t] översätta **translation** [trännslej´sjən] översättning (*into* till) **translator** [trännslej´tə] översättare **translucent** [trännslo:´snt] genomskinlig **transmigration** [trännzmajgrej´sjən] själavandring **transmission** [trännzmisj´ən] radioutsändning **transmit** [trännzmitt´] sända (*i radio*) **transmitter** [trännzmitt´ə] [radio]sändare **transparency** [trännspä:´ərənsi] diapositiv **transparent** [trännspä:´ə-rent] genomskinlig **transpire** [trännspaj´ə] utdunsta, svettas; sippra ut **transplant** [trännspla:´nt] transplantera **transport** [trännspå:´t] transportera, frakta; [tränn´spå:t] transport **transshipment** [trännsjipp´mənt] omlastning **trap** [träpp] (*subst.*) fälla **trap-door** [träpp´då:] fallucka **trapeze** [trəpi:´z] trapets **trapper** [träpp´ə] pälsjägare, trapper **trappings** [träpp´ingz] grannlåt, utstyrsel **trash** [träsj] skräp, smörja **travel** [trävv´l] resa; färdas; *travel by car* bila **travel agency** [trävv´l ej´dsjənsi] resebyrå, turistbyrå **travel book** [trävv´l bokk] reseskildring **travel folder** [trävv´l fåo´ldə] turistbroschyr **travelled** [trävv´ld] berest **traveller** [trävv´lə] resenär; representant, resande **traveller's cheque** [trävv´ləz tsjekk] resecheck **travelling-expenses account** [trävv´lingikkspenn´sizz əkao´nt] reseräkning **travel-weary** [trävv´lwi:əri] restrött **traverse** [trävv´əs] färdas (gå) genom; travers; tvärstycke **trawl** [trå:l] trål; tråla **trawler** [trå:´lə] trålare **tray** [trej] bricka **treacherous** [trett´sjərəs] förrädisk, svekfull **treachery** [trett´sjəri] förräderi, svek **treacle** [tri:´kl] sirap **tread** [tredd] trampa, stiga; steg; *lose the tread* tappa tråden **treason** [tri:´zn] förräderi **treasure** [tresj´ə] skatt, klenod; skatta, värdera **treasurer** [tresj´ərə] skattmästare **treasury** [tresj´əri] skattkammare **treat** [tri:t] behandla; handskas med, bemöta; traktera; kalas; *treat to* bjuda på, undfägna med **treatise** [tri:´tizz] avhandling **treatment** [tri:´mənt] behandling, kur **treaty** [tri:´ti] fördrag, traktat **treble** [trebb´l] tredubbel; sopran **tree** [tri:] träd; skoblock **tree sparrow** [tri:´ spärr´åo] pilfink **tree trunk** [tri:´ trangk] trädstam **trek** [trekk] mödosam färd; färdas (med vagn) **trellis** [trell´iss] spaljé, gallerverk **tremble** [tremm´bl] darra **tremendous** [trimenn´dəs] oerhörd, ofantlig **tremor** [tremm´ə] skälvning **trench** [trenntsj] dike; skyttegrav **trencher** [trenn´tsjə] skärbräde **trend** [trennd] tendens, trend **trespass** [tress´pəs] inkräkta; bryta (*against* mot); *no trespassing* tillträde förbjudet **trespasser** [tress´pəssə] inkräktare **tress**

[tress] hårlock, fläta **triad** [traj'əd] treklang **trial** [traj'əl] försök, prov; rannsakning; prövning **triangle** [traj'ängg] triangel **triangular** [trajäng'gjollə] trekantig **tribe** [trajb] [folk]stam **tribulation** [tribbjolej'sjən] vedermöda **tribunal** [trajbjo:'nl] domstol **tributary** [tribb'jotəri] biflod **tribute** [tribb'jo:t] skatt, tribut; hyllning **trichina** [trikaj'nə] trikin **trick** [trikk] knep, trick, spratt; stick (*i kortspel*); lura **trickle** [trikk'l] sippra **tricot** [trikk'åo] trikå **tried** [trajd] [be]prövad **trifle** [traj'fl] småsak, bagatell; struntsumma; frukttårta; leka, slarva **trifling** [traj'fling] lättsinnig; obetydlig **trigger** [trigg'ə] avtryckare **trigger-happy** [trigg'ähäppi] skjutgalen **trigonometry** [triggənämm'ittri] trigonometri **trill** [trill] drilla; drill **trim** [trimm] snygg, välskött; putsa, trimma; garnera; skick, trim **trinity** [trinn'itti] treenighet **trinket** [tring'kitt] prydnadssak **trio** [tri:'åo] trio **trip** [tripp] tripp, resa; trippa, snava; sätta krokben för **tripe** [trajp] ox-, komage; smörja **triplet** [tripp'litt] trilling **tripod** [traj'pådd] trefot, stativ **tripper** [tripp'ə] person på utflykt **trite** [trajt] sliten, banal **triumph** [traj'əmf] triumf; triumfera **triumphant** [trajamm'fənt] triumferande, segersäll **trivial** [trivv'iəl] obetydlig; trivial **trod** [trådd] imperf. av *tread* **trodden** [trådd'n] perf. part. av *tread* **troll** [tråol] **1** tralla **2** troll **trolley** [tråll'i] kärra; tralla **trolley-bus** [tråll'ibass] trådbuss **trombone** [tråmmbåo'n] basun, trombon **troop** [tro:p] trupp, skara; marschera; *troop the colours* göra parad för fanan **troops** [tro:ps] soldater **trophy** [tråo'fi] trofé **tropical** [tråpp'ikəl] tropisk **Tropics** [tråpp'ikks] *the Tropics* tropikerna **trot** [trått] trava; trav **trotter** [trått'ə] travhäst **trotting race** [trått'ing rejs] travtävling **troubadour** [tro:'bədo:ə] trubadur **trouble** [trabb'l] besvär, trassel; bekymmer; besvära, bekymra **troublesome** [trabb'lsəm] besvärlig, krånglig **trough** [tråff] tråg **throughdraught** [θro:'dra:'ft] korsdrag **trousers** [trao'zəz] byxor **trouser suit** [trao'zə sjo:t] byxdress **trousseau** [tro:'såo] brudutstyrsel **trout** [traot] forell **trowel** [trao'əl] murslev; planteringsspade **truant** [tro:'ənt] skolkare; *play truant* skolka **truce** [tro:s] stilleståndsavtal **truck** [trakk] truck **truculent** [trakk'jolənt] vild, våldsam **trudge** [traddsj] traska **true** [tro:] sann; trofast **true-hearted** [tro:'ha:'tidd] troskyldig **truffle** [traff'l] tryffel **truly** [tro:'li] sant; *Yours truly* Högaktningsfullt **trump** [trammp] trumf, trumfkort; *no trumps* sang **trumpet** [tramm'pitt] trumpet; trumpeta, utbasunera **truncheon** [trann'tsjən] batong **trundle** [trann'dl] rulla, snurra **trunk** [trangk] bål; trädstam; koffert; snabel **trust** [trasst] lita på; anförtro; förtroende; trust; *trust in s.b.* förlita sig på ngn **trusted** [trass'tidd] betrodd **trustee** [trassti:'] förtroendeman, förmyndare **trustworthy** [trass'twə:ði] pålitlig, tillförlitlig **truth** [tro:θ] sanning; *home truths* bittra sanningar **truthful** [tro:'θfoll] sanningsenlig **try** [traj] försöka, pröva; rannsaka; försök; *try one's hand at* försöka sig på; *try hard* bemöda sig; *try on* prova (*kläder*);

try to find leta reda på **trying** [traj'ing] påfrestande, besvärlig
tsar [za:] tsar **tub** [tabb] balja; [bad]kar **tuba** [tjo:'bə] tuba
tube [tjo:b] tub, rör, slang; tunnelbana; (*Am.*) radiorör **tubeless
tyres** [tjo:'bliss taj'əz] slanglösa däck **tuberculosis** [tjo:bə:-
kjolåo'siss] tuberkulos **tuck** [takk] stoppa [in]; vecka; veck;
snask **Tuesday** [tjo:'zdi] tisdag **tuft** [tafft] tuva; tofs **tug** [tagg]
bogserbåt; bogsera, släpa **tug-of-war** [tagg'əvwå:'] dragkamp
tuition [tjoisj'ən] undervisning, uppfostran **tulip** [tjo:lipp]
tulpan **tumble** [tamm'bl] tumla; ramla; tumlande; villervalla
tumble-down [tamm'bldaon] fallfärdig **tumbler** [tamm'blə]
dricksglas, bägare **tumour** [tjo:'mə] tumör, svulst **tumult**
[tjo:'mallt] tumult **tuna-fish** [tjo:'nəfisj] tonfisk **tundra** [tann'drə]
tundra **tune** [tjo:n] melodi; stämma (*instrument*), ställa in (*radio*)
tunic [tjo:'nikk] tunika **tuning-fork** [tjo:'ningfå:k] stämgaffel
Tunisia [tjo:nizz'iə] Tunisien **tunnel** [tann'l] tunnel **tunny-fish**
[tann'i(fisj)] tonfisk **turban** [tə:'bən] turban **turbid** [tə:'bidd]
grumlig; rörig **turbine** [tə:'binn] turbin **turbot** [tə:'bət] piggvar
turbulent [tə:'bjolənt] orolig; bråkig **turf** [tə:f] torva; *the turf*
kapplöpningsbanan, hästsporten **Turk** [tə:k] turk **turkey** [tə:'ki]
kalkon **Turkey** [tə:'ki] Turkiet **Turkish** [tə:'kisj] turkisk; *Turkish
towel* frottéhandduk **turmoil** [tə:'måjl] röra, bråk, tumult **turn**
[tə:n] vända [på], vända sig, vrida, svänga; förvandlas (*into* till),
bli; svarva; vändning; varv; krök, sväng; tur, följd; *turn out* avlöpa,
utfalla; *turn out* [*to be*] visa sig vara; *turn s.b. out of the room*
köra ut ngn; *turn over* kantra; *turn over the leaves* bläddra;
turn pale blekna; *turn the edge of* bryta udden av (*bildl.*);
turn to vända sig till, ty sig till; *not turn up* utebli; *turn of the
century* sekelskifte; *turn of the year* årsskifte; *turn of the scales*
utslag (*på våg*); *in turn* i tur och ordning **turner** [tə:'nə] svarvare
turning [tə:'ning] vändning; avtagsväg, gathörn **turning-lathe**
[tə:'ninglejð] svarv **turning-point** [tə:'ningpåjnt] vändpunkt
turnip [tə:'nipp] rova; *Swedish turnip* kålrot **turnover** [tə:'n-
åovə] omsättning **turnpike** [tə:'npajk] vägbom, tullbom; av-
giftsbelagd väg **turnstile** [tə:'nstajl] vändkors **turntable** [tə:'n-
tejbl] vändskiva; skivtallrik **turquoise** [tə:'kwa:z] turkos **turret**
[tarr'itt] litet torn **turtle** [tə:'tl] [vatten]sköldpadda **turtle-dove**
[tə:'tldavv] turturduva **tusk** [tassk] bete, huggtand **tussle**
[tass'l] slagsmål; slåss **tutor** [tjo:'tə] privatlärare, studiehand-
ledare **tuxedo** [takksi:'dåo] (*Am.*) smoking **TV set** [ti:'vi:' sett]
televisionsapparat **twain** [twejn] tvenne, två **twang** [twäng]
anstrykning; klang, dallrande ton; knäppa [på]; vibrera **tweezers**
[twi:'zəz] pincett; *a pair of tweezers* en pincett **twelfth** [twellfθ]
tolftedel; *Twelfth Day* trettondagen; *Twelfth Night* trettondags-
afton **twelve** [twellv] tolv **twentieth** [twenn'tiiθ] tjugonde;
tjugondel **twenty** [twenn'ti] tjugo; *in the twenties* på tjugotalet
twice [twajs] två gånger; *twice as large as* dubbelt så stor som
twig [twigg] kvist; *twigs* ris, kvistar **twilight** [twaj'lajt] skymning

twin [twinn] tvilling **twine** [twajn] tvinna **twinge** [twinndsj] smärta; värka **twinkle** [twing'kl] tindra **twinkling** [twing'kling] blink **twist** [twisst] sno, vrida, skruva; krök, sväng **twitch** [twittsj] rycka [i]; ryck **twitter** [twitt'ə] kvittra; kvitter **two** [to:] två; *the two* båda; *in two* itu **two-storeyed house** [to:'stå:'rid haos] tvåvåningshus **two-stroke engine** [to:'strå̊o'k enn'dsjinn] tvåtaktsmotor **two-year-old** [to:'jə:åo'ld] tvåårig **tycoon** [taj-ko:'n] pamp, magnat **type** [tajp] typ; stilsort; skriva på maskin; *type out* renskriva *(på maskin)* **type face** [taj'p fejs] typsnitt **typographer** [tajpågg'rəfə] typograf **type-setting machine** [taj'psetting məsji:'n] sättmaskin **typewriter** [taj'p-rajtə] skrivmaskin **typewriter ribbon** [taj'prajtə ribb'ən] färgband **type-setter** [taj'psettə] sättare **typhoon** [tajfo:'n] tyfon **typhus** [taj'fəs] tyfus **typical** [tipp'ikəl] typisk **typing** [taj'ping] maskinskrivning **typing paper** [taj'ping pej'pə] skrivmaskinspapper **typist** [taj'pisst] maskinskriverska **tyranny** [tirr'əni] tyranni **tyrant** [taj'ərənt] tyrann **tyre** [taj'ə] ring, däck **tyro** [taj'əråo] nybörjare **ubiquitous** [jobikk'wittəs] allestädes närvarande **udder** [add'ə] juver **ugh** [oh] usch **ugly** [agg'li] ful **Ukraine** [jo:'krej'n] Ukraina **ulcer** [all'sə] (varigt) sår; skamfläck **ulster** [all'stə] ulster **ulterior** [allti:'əriə] bortre; framtida; fördold **ultimate** [all'timmitt] ytterst, slut- **ultimatum** [alltimej'təm] ultimatum; *present an ultimatum* ställa ultimatum **ultramarine** [alltrəməri:'n] ultramarin **ultra-short wave** [all'trəsjå:'t wejv] ultrakortvåg **ultrasonic sound** [all'trəsånn'ik saond] ultraljud **ultra-violet** [all'trəvaj'əlitt] ultraviolett **umbrella** [ammbrell'ə] paraply **umpire** [amm'pajə] domare *(i tennis o.d.)*; döma **unable** [annej'bl] oförmögen, ur stånd **unacceptable** [ann'əkksepp'təbl] oantagbar **unaccustomed** [ann'əkass'təmd] ovan **unaffected** [ann'ə-fekk'tidd] oberörd, opåverkad; okonstlad **unaided** [annej'didd] utan hjälp **unanimous** [jonänn'iməs] enhällig **unappetizing** [ann'äpp'itajzing] oaptitlig **unarmed** [ann'a:'md] obeväpnad **unassailable** [annəsej'ləbl] oantastlig **unassuming** [ann'ə-s-jo:'ming] blygsam, anspråkslös **unattainable** [ann'ətej'nəbl] ouppnåelig **unattractive** [annəträkk'tivv] osympatisk **unavailable** [ann'əvej'ləbl] oanträffbar, inte tillgänglig **unavoidable** [ann-əvåj'dəbl] oundviklig **unawares** [ann'əwä:'əz] oförmodat; oförmärkt **unbalanced** [ann'bäll'ənst] obalanserad **unbearable** [annbä:'ərəbl] outhärdlig, odräglig **unbecoming** [ann'bikamm'-ing] missklädsam; *be unbecoming to* missklä **unbiassed** [ann'baj'əst] opartisk **unblushing** [annblasj'ing] oblyg **unbound** [ann'bao'nd] obunden **unbridled** [annbraj'dld] otyglad **unbroken** [ann'bråo'kən] obruten **unbutton** [ann'batt'n] knäppa upp **uncalled-for** [annkå:'ldfå:] omotiverad **uncanny** [ann-känn'i] kuslig, mystisk **unceasingly** [annsi:'singli] i ett kör, oupphörligen **uncertain** [annsə:'tn] osäker, oviss, tveksam **unchanged** [ann'tsjej'ndsjd] oförändrad **unchecked** [ann'-

tsjekk't] ohämmad **uncle** [aṇg'kl] farbror, onkel **unclean** [ann'-kliː'n] oren **uncomfortable** [annkamm'fətəbl] obekväm, obehaglig; orolig **uncommon** [annkåmm'ən] ovanlig **uncompromising** [annkåmm'prəmajzing] orubblig **unconcerned** [ann'kənsə:'nd] obekymrad **unconditional** [ann'kəndisj'ənl] förbehållslös, obetingad **unconfirmed** [ann'kənfə:md] obekräftad **unconquered** [ann'kåṅg'kəd] obesegrad **unconscious** [annkånn'sjəs] medvetslös; omedveten **uncontested** [ann'kəntess'tidd] obestridd **uncontrolled** [ann'kəntråo'ld] obehärskad **uncork** [annkå:'k] korka upp **uncouth** [annko:'θ] klumpig, ohyfsad **uncover** [annkavv'ə] avtäcka **unction** [aṅg'ksjən] smörjelse; salvelse; salva **uncultivated** [ann'kall'tivejtidd] okultiverad **undecided** [ann'disaj'didd] oavgjord **undefeatable** [anndifi:'təbl] oslagbar **undeliverable** [ann'dilivv'ərəbl] obeställbar **undeniably** [anndinaj'əbli] onekligen **under** [ann'də] (*prep.*) under; *under age* omyndig **underbite** [ann'dəbaj't] underbett **underbrush** [ann'dəbrasj] undervegetation **undercut** [ann'dəkatt'] sälja till lägre pris (än] **underdeveloped** [ann'dədivell'əpt] underutvecklad **underdog** [ann'dədåg] strykpojke **underdrainage** [ann'dədrej'niddsj] täckdikning **underestimate** [ann'deress'timejt] undervärdera **under-expose** [ann'dərikkspåo'z] underexponera **underfed** [ann'dəfedd'] undernärd **undergo** [ann'dəgåo'] undergå **undergraduate** [anndəgrädd'joitt] universitetsstuderande **underground** [ann'dəgraond] underjordisk; tunnelbana **undergrowth** [ann'dəgråoθ] undervegetation, snårskog **underhand** [ann'dəhännd] hemlig[en] **underline** [ann'dəlaj'n] understryka **underling** [ann'dəling] underhuggare **undermine** [ann'dəmaj'n] underminera, undergräva **underneath** [anndəni:'θ] under, nedanför **underpants** [ann'dəpännts] kalsonger **underpay** [ann'dəpej] underbetala **underrate** [anndərej't] underskatta **underseal** [ann'dəsi:'l] underredsbehandling **underside** [ann'dəsajd] undersida **undersign** [anndəsaj'n] underteckna; *I, the undersigned* undertecknad **underskirt** [ann'dəska:t] underkjol **understand** [anndəstänn'd] förstå [sig på], begripa; *hard to understand* svårbegriplig **understandable** [anndəstänn'dəbl] förståelig **understanding** [anndəstänn'ding] förståelse, samförstånd; förstånd **understatement** [ann'dəstej'tmənt] undervärdering, försiktig uppgift **understudy** [ann'dəstaddi] ersättare (*i roll*) **undertake** [anndətej'k] åtaga sig, företaga (sig] **undertaker** [ann'dətejkə] begravningsentreprenör **undertaking** [anndətej'king] åtagande **underwear** [ann'dəwä:ə] underkläder **underserved** [ann'dizə:'vd] oförtjänt **undesirable** [ann'dizzaj'ərəbl] icke önskvärd **undignified** [anndigg'nifajd] ovärdig, opassande **undiluted** [ann'dajljo:'tidd] outspädd **undiscovered** [ann'diskavv'əd] oupptäckt **undisputed** [ann'dispjo:'tidd] obestridd **undisturbed** [ann'dissta:'bd] ostörd **undo** [ann'do:'] lösa (*knut o.d.*); riva upp **undone** [anndann'] ogjord **undoubtedly** [anndåo'tiddli] otvivel-

aktigt **undress** [ann'dress'] klä av [sig] **undue** [ann'djo:'] otill-
börlig **undulate** [ann'djolejt] (*verb*) bölja **unearth** [ann'ə:'θ]
gräva upp **uneasy** [anni:'zi] orolig; olustig **uneatable** [ann'i:'təbl]
oätbar **uneconomic** [ann'i:kənámm'ikk] oekonomisk **unem-
ployed** [ann'implåj'd] arbetslös; oanvänd **unemployment** [ann'-
implåj'mənt] arbetslöshet **unenterprising** [ann'enn'təprajzing]
oföretagsam **unerring** [ann'ə:'ring] osviklig **unessential** [ann'-
isenn'sjəl] oväsentlig **uneven** [ann'i:'vən] ojämn **unevenness**
[ann'i:'vəniss] ojämnhet **unexpected** [ann'ikkspekk'tidd] ovän-
tad, oförmodad **unexplored** [ann'ikksplå:'d] outforskad **unfaith-
ful** [ann'fej'θfoll] otrogen **unfair** [ann'fä:'ə] ojust **unfamiliar**
[ann'fəmill'jə] obekant **unfavourable** [ann'fej'vərəbl] ogynnsam
unfeeling [annfi:'ling] känslolös, hjärtlös **unfinished** [ann'-
finn'isjt] ofullbordad **unfit** [ann'fitt'] otjänlig **unfold** [annfåo'ld]
veckla ut [sig], utbreda [sig]; avslöja **unforeseen** [ann'få:si:'n]
oförutsedd **unforgettable** [ann'fəgett'əbl] oförglömlig **unfor-
tunately** [annfå:'tsjnittli] olyckligtvis, tyvärr **unfounded** [ann'-
fao'ndidd] ogrundad **unfurnished** [ann'fə:'nisjt] omöblerad
ungainly [anngej'nli] otymplig **ungentle** [ann'dsjenn'tl] omild
ungrateful [anngrej'tfoll] otacksam **unground** [ann'grao'nd]
oslipad **unhappy** [annhäpp'i] olycklig **unhealthy** [annhell'θi]
ohälsosam, osund **unhook** [ann'hokk'] haka av **unhurt** [ann'-
hə:'t] oskadad **unhygienic** [annhajdsji:'nikk] ohygienisk **uni-
fication** [jo:nifikej'sjən] sammanslagning **uniform** [jo:'nifå:m]
uniform; enhetlig **unify** [jo:'nifaj] förena **unilateral** [jo:'nilätt'rəl]
ensidig **unimaginative** [ann'imädd'sjinətivv] fantasilös **unin-
habited** [ann'innhäbb'itidd] obebodd **unintentional** [ann'inn-
tenn'sjənl] oavsiktlig, ofrivillig **uninterested** [ann'inn'trisstidd]
ointresserad **uninteresting** [ann'inn'trissting] ointressant **union**
[jo:'njən] union, förbund, förening **unique** [jo:ni:'k] enastående,
unik **unison** [jo:'nizzn] unison; samklang **unit** [jo:'nitt] enhet;
aggregat; (*militärt*) förband **unite** [jo:naj't] ena, förena [sig],
sluta sig samman **united** [jo:naj'tidd] enig, [för]enad **unity**
[jo:'nitti] enhet, enighet, sammanhållning **universal** [jo:nivə:'səl]
universell; allmän; *universal current* allström; *universal joint*
kardanknut **universe** [jo:'nivə:s] universum **university** [jo:nivə-
və:'sitti] universitet, högskola **university degree** [jo:nivə:'sitti
digri:'] universitetsexamen **university graduate** [jo:nivə:'sitti
grädd'joejt] akademiker **university student** [jo:nivə:'sitti stjo:'-
dənt] universitetsstuderande **unjust** [ann'dsjass't] orättvis, orätt-
färdig **unjustified** [anndsjass'tifajd] oberättigad, obefogad **un-
kempt** [ann'kemm'pt] okammad; ovårdad **unkind** [annkaj'nd]
ovänlig **unknowing** [ann'nåo'ing] ovetande **unknown** [ann'-
nåo'n] okänd, obekant **unlace** [ann'lej's] snöra upp **unlawful**
[ann'lå:'foll] orättmätig, olaglig; *unlawful interference* egenmäktigt
förfarande **unless** [annless'] om (såvida) inte **unlet** [ann'lett']
outhyrd **unlike** [ann'laj'k] olik **unlikely** [annlaj'kli] osannolik

unlimited [annlimm'itidd] obegränsad **unload** [ann'låo'd] lossa, lasta ur **unloading** [ann'låo'ding] avlastning, lossning **unlock** [ann'låkk'] låsa upp **unlocked** [ann'låkk't] olåst **unlucky** [annlakk'i] olycklig; olycks-; *be unlucky* ha otur **unmachined** [ann'məsji:nd] obearbetad (*i maskin*) **unmanned** [ann'männ'd] obemannad **unmarried** [ann'märr'idd] ogift **unmask** [ann'ma:sk] demaskera [sig] **unmerciful** [annmə:'sifoll] obarmhärtig **unmistakable** [ann'misstej'kəbl] omisskännlig, otvetydig **unmodern** [ann'mådd'ən] omodern **unmusical** [ann'mjo:zikəl] omusikalisk **unnatural** [annätt'sjrəl] onaturlig **unnecessarily** [anness'isərilli] i onödan **unnecessary** [anness'isəri] onödig, obehöviig **unnerve** [ann'nə:'v] förslappa; förlama **unnoticed** [ann'nåo'tisst] obeaktad **unobserved** [ann'əbzə:'vd] obemärkt **unoccupied** [ann'åkk'jopajd] ledig (*om sittplats o.d.*) **unofficial** [ann'əfisj'əl] inofficiell **unpack** [ann'päkk'] packa upp **unpacking** [ann'päkk'ing] uppackning **unpaid** [ann'pej'd] obetald **unpainted** [ann'pej'ntidd] osminkad, omålad **unpleasant** [annplezz'nt] olustig **unpolished** [ann'påll'isjt] oputsad **unpolitical** [ann'pəlitt'ikəl] opolitisk **unpopular** [ann'påpp'jolə] impopulär **unpractical** [ann'präkk'tikəl] opraktisk **unpredictable** [ann'pridikk'təbl] oberäknelig **unprejudiced** [annpredd'sjodisst] fördomsfri **unprepared** [ann'pripä:'əd] oförberedd, oberedd **unpretentious** [ann'pritenn'sjəs] opretentiös, anspråkslös **unprotected** [ann'prətekk'tidd] oskyddad **unqualified** [ann'kwåll'i-fajd] okvalificerad **unravel** [annrävv'l] reda upp (ut) **unreal** [ann'ri:'əl] overklig **unrealistic** [ann'ri:əliss'tikk] orealistisk **unreasonable** [annri:'znəbl] oresonlig, oskälig; oförnuftig **unrecognizable** [ann'rekk'əgnajzəbl] oigenkännlig **unrejectable** [annridsjekk'təbl] oavvislig **unreliable** [ann'rilaj'əbl] opålitlig, otillförlitlig **unreserved** [ann'rizə:'vd] oförbehållsam, oreserverad **unrest** [ann'ress't] oro **unripe** [ann'raj'p] omogen; *unripe fruit* kart **unroll** [ann'råo'l] rulla av **unruly** [annro:'li] oregerlig **unsaid** [ann'sedd'] osagd **unsatisfactory** [ann'sättisfäkk'təri] otillfredsställande **unsatisfied** [ann'sätt'is-fajd] otillfredsställd **unscientific** [ann'sajəntiff'ikk] ovetenskaplig **unscrupulous** [annskro:'pjoləs] samvetslös **unseasoned** [ann'-si:'znd] okryddad **unseemly** [annsi:'mli] opassande; ful **unselfish** [ann'sell'fisj] osjälvisk **unshrinkable** [ann'sjring'kəbl] krympfri **unsightly** [annsaj'tli] ful **unskilled worker** [ann'skill'd wə:'kə] grovarbetare **unsurmountable** [ann'sə:mao'ntəbl] oöverstiglig **unsurpassed** [ann'sə:pa:'st] oöverträffad **unsolved** [ann'såll'vd] olöst (*om problem o.d.*) **unspeakable** [annspi:'kəbl] outsäglig **unsuccessful** [ann'səksess'foll] misslyckad **unsuitable** [ann'sjo:'təbl] olämplig **unsteady** [ann'stedd'i] ostadig **unstressed** [ann'stress't] obetonad **unsympathetic** [ann'simmpəthett'ikk] oförstående **untalented** [ann'täll'əntidd] talanglös, obegåvad **untenable** [ann'tenn'əbl] ohållbar (*om åsikt*) **untenanted**

[ann'tenn'əntidd] obebodd (*om hus*) **untether** [ann'teð'ə] lösa (*tjudrat djur*) **untidy** [anntaj'di] ostädad, skräpig **untie** [ann'taj'] knyta upp (*loss*) **until** [əntill'] tills; *not until* icke förrän; *not until now* först nu **untimely** [anntaj'mli] oläglig(t) **untold** [ann'tåo'ld] oräknad, oräknelig **untrained** [ann'trej'nd] otränad **untrue** [ann'tro:'] osann **untruth** [ann'tro:'θ] osanning **untruthful** [ann'tro:'θfoll] lögnaktig **unusable** [annjo:'zəbl] oanvändbar **unused** [ann'jo:'zd] outnyttjad **unusual** [annjo:'sjoəl] ovanlig **unveil** [annvej'l] avtäcka (*staty*) **unverified** [ann'verr'ifajd] obestyrkt **unwell** [ann'well'] illamående, krasslig **unwieldy** [annwi:'ldi] åbäkig, ohanterlig **unwilling** [ann'will'ing] ovillig **unwillingly** [annwill'ingli] ogärna **unwise** [ann'waj'z] oklok **unwittingly** [annwitt'ingli] omedvetet, oavsiktligt **unworthy** [annwə:'ði] ovärdig **up** [app] upp, fram; uppe, framme; uppför; slut; *up and down* av och an; *what's up now?* vad nu då?; *be hard up* ha ont om pengar; *up till now* tills nu; *up to* i stånd till, i form för; *right up to* ända (fram) till; *it's up to you* det får du bestämma; *up to town* in till stan **upbringing** [app'bringing] uppfostran **upheaval** [apphi:'vl] omvälvning **uphill** [app'hill'] uppför **uphold** [apphåo'ld] hålla uppe, stödja; försvara **upholster** [apphåo'lstə] stoppa (möbler) **upkeep** [app'ki:p] underhåll **upon** [əpånn'] på; jfr *on* **upper** [app'ə] övre; *the upper classes* överklassen; *upper floor* övervåning; *upper jaw* överkäke; *upper lip* överläpp **uppermost** [app'əmåost] överst **upright** [app'raj't] upprätt (stående), rak; [app'rajt] uppriktig; stolpe **uprising** [appraj'zing] resning, uppror **uproar** [app'rå:] tumult, oväsen **upset** [appsett'] stjälpa, välta; göra upprörd **upshot** [app'sjått] resultat **upside down** [app'sajd dao'n] uppochnedvänd **upstairs** [appstä:'əz] en trappa upp, uppför trappan **upstart** [app'sta:t] uppkomling **upswing** [app'swing] uppsving **uptake** [app'tejk] *be quick on the uptake* ha lätt för att fatta **up-to-date** [app'tədej't] tidsenlig **upward[s** [app'wəd(z)] uppåt *the Urals* [jo:'ərəlz] *the Urals* Uralbergen **uranium** [joərej'-njəm] uran **urban** [ə:'bən] stads- **urbane** [ə:bej'n] belevad **urchin** [ə:'tsjinn] rackarunge; sjöborre **urge** [ə:dsj] driva på; enträget be; eggelse **urgent** [ə:'dsjənt] brådskande, angelägen **urine** [jo:'ərinn] urin **urinal** [jo:'ərinnl] pissoar **urn** [ə:n] urna **U.S.** [jo:'ess'] *the U.S.* USA **us** [ass] oss **usage** [jo:'ziddsj] språkbruk, vana; användning **use** [jo:z] använda, bruka, begagna; [jo:s] bruk, användning, nytta; *used to* brukade; *be (get) used to* vara (bli) van vid; *be used up* gå åt, ta slut; *make use of* begagna sig av, använda; *it is no use* det lönar sig inte, det är ingen idé **used** [jo:zd] begagnad, använd; [jo:st] van (*to* vid) **useful** [jo:'sfoll] nyttig, användbar **useless** [jo:'sliss] lönlös, meningslös, onyttig **usher** [asj'ə] dörrvaktmästare, platsanvisare; föra (visa) in **usherette** [asjərett'] platsanviserska (på bio etc.) **usual** [jo:'sjoəl] vanlig (*with* hos) **usually** [jo:'sjoəli] vanligen, vanligtvis; *I usually have lunch at twelve o'clock* jag brukar äta lunch kl. 12 **usurer** [jo:'sjərə] ockrare **usurp** [jo:zə:'p] tillskansa sig; inkräkta [på] **usurper** [jo:zə:'pə] inkräktare **usury** [jo:'sjorri] ocker **utensil** [jotenn'sl] [hushålls]redskap, verktyg **utility** [jotill'itti] nytta, nyttighet; standard; allmännyttig **utilize** [jo:'tilajz] utnyttja **utmost** [att'məost] ytterst; *do one's utmost* göra sitt yttersta **utopia** [jo:tåo'pjə] utopi **utopian** [jo:tåo'pjən] utopisk **utter** [att'ə] yttra; ytterlig; *utter a sound* knysta **utterance** [att'ərəns] yttrande **utterly** [att'əli] ytterst **vacancy** [vej'kənsi] tomrum; ledig plats; fritid **vacant** [vej'kənt] ledig, vakant (*om tjänst o.d.*) **vacate** [vəkej't] utrymma **vacation** [vəkej'sjən] ferier; (*Am.*) semester **vaccinate** [väkk'sinejt] vaccinera **vaccination** [väkksinej'sjən] vaccination **vaccine** [väkk'-si:n] vaccin **vacillate** [väss'ilejt] vackla **vacuum** [väkk'joəm] vakuum **vacuum cleaner** [väkk'joəm kli:'nə] dammsugare **vacuum-packed** [väkk'joəmmpäkkt] vakuumförpackad **vagina** [vədsjaj'nə] slida, vagina **vagrant** [vej'grənt] kringvandrande; luffare **vague** [vejg] vag, obestämd **vain** [vejn] fåfäng, vanmäktig; *in vain* förgäves **vale** [vejl] dal **valet** [väll'itt] betjänt; passa upp **valiant** [väll'jənt] tapper **valid** [väll'idd] giltig, gällande **validity** [vəlidd'itti] giltighet; *period of validity* giltighetstid **valise** [vəli:'z] liten resväska **valley** [väll'i] dal **valour** [väll'ə] tapperhet **valuable** [väll'joəbl] värdefull; *valuable document* värdepapper **valuation** [välljoej'sjən] värdering **value** [väll'jo:] värdera; värde, valör; *value of money* penningvärde; *get good value for* få valuta för **value-added tax** [väll'jo:äddidd täkks] mervärdesskatt, moms **valve** [vällv] ventil; [radio]rör **valve rubber** [väll'v rabb'ə] ventilgummi **vampire** [vämm'pajə] vampyr; blodsugare **van** [vänn] skåpbil; förtrupp **vanguard** [vänn'ga:d] förtrupp **vanilla** [vənill'ə] vanilj **vanilla ice** [vənill'ə ajs] vaniljglass **vanish** [vänn'isj] försvinna **vanity** [vänn'itti] fåfänga **vanquish** [väng'-kwisj] övervinna, besegra **vantage** [va:'ntiddsj] fördel (*i tennis*); *point of vantage* gynnsam position **vapour** [vej'pə] ånga; [d]imma **variant** [vä:'əriənt] variant **variation** [vä:əriej'sjən] omväxling, variation **varicose vein** [värr'ikåos vejn] åderbråck **varied** [vä:'əridd] skiftande, brokig **variegated** [vä:'ərigejtidd] brokig, omväxlande **variety** [vəraj'əti] omväxling; mångfald; sort; varieté **variety show** [vəraj'əti sjåo] varieté **various** [vä:'əriəs] diverse, olika; omväxlande **varnish** [va:'nisj] fernissa, lack; fernissa, lackera **varsity** [va:'sitti] (*vard.*) universitet **vary** [vä:'əri] variera **varying** [vä:'əriing] omväxlande **vase** [va:z] vas **vast** [va:st] vidsträckt, stor **vat** [vätt] kar **Vatican** [vätt'ikən] *the Vatican* Vatikanen **vaudeville** [våo'dəvill] musiklustspel; (*Am.*) varieté **vault** [vå:lt] valv; hopp, språng; välva sig **veal** [vi:l] kalv[kött] **veal chop** [vi:'l tsjåpp] kalvkotlett **veer** [vi:'ə] vända gira; ändra åsikt **vegetable** [vedd'sjitəbl] köksväxt, grönsak; vegetabilisk **vegetarian** [veddsjitä:'əriən] vegetarian; vegetarisk **vegetation** [veddsjitej'sjən] växtlighet, vegetation **vehement** [vi:'imənt] häftig **vehicle** [vi:'ikkl] fordon, åkdon **veil** [vejl] slöja; beslöja **vein** [vejn] åder, ven; ådra; lynne **velocity** [vilåss'itti] hastighet, snabbhet **velvet** [vell'vitt] sammet **vender, vendor** [venn'də] säljare, gatuförsäljare; automat **veneer** [vini:'ə] faner; polityr **venerable** [venn'rəbl] vördnadsvärd **venerate** [venn'ərejt] vörda **venereal disease** [vini:'əriəl dizi:'z] venerisk sjukdom **Venetian** [vini:'sjən] venetiansk **Venetian blind** [vini:'sjən blaj'nd] persienn **vengeance** [venn'dsjəns] hämnd; *with a vengeance* i överkant **Venice** [venn'iss] Venedig **venison** [venn'zn] hjort-, rådjurskött **venom** [venn'əm] [orm]gift **vent** [vennt] utlopp; sprund **ventilation** [venntilej'sjən] ventilation **ventilator** [venn'tilejtə] ventil; fläkt **ventriloquist** [ventrill'ə-kwist] buktalare **venture** [venn'tsjə] vågstycke; försök, tilltag; våga [sig på]; *I venture to say that* jag vågar påstå att; *boldly ventured is half won* friskt vågat är hälften vunnet **veracious** [vərej'sjəs] sannfärdig, sanningsenlig **veranda** [vərann'də] veranda **verb** [və:b] verb **verbal** [və:'bəl] muntlig; ordagrann **verbose** [və:bəo's] mångordig **verdant** [və:'dənt] grönskande, grön **verdict** [və:'dikkt] dom, utslag **verdigris** [və:'digriss] ärg **verdure** [və:'dsjə] (*subst.*) grönska **verge** [və:dsj] (*bildl.*) rand, kant; *verge on* närma sig **verger** [və:'dsjə] kyrkvaktmästare **verification** [verrifikej'sjən] verifikation **verify** [verr'ifaj] verifiera; bevisa, bekräfta **verily** [verr'illi] sannerligen **verity** [verr'itti] sanning **vermin** [və:'minn] ohyra **vernacular** [vənäkk'jolə] inhemsk, lokal-; dialekt **vernal equinox** [və:'nl i:'kwinåkks] vårdagjämning **vernier** [və:'njə] nonie **versatile** [və:'sətajl] mångsidig; rörlig (*om intellekt*) **verse** [və:s] vers **versed** [və:st] skicklig, kunnig **version** [və:'sjən] version **versus** [və:'səs] mot, kontra **vertebra** [və:'tibrə] kota **vertebrate** [və:'tibritt] ryggradsdjur **vertical** [və:'tikəl] vertikal **very** [verr'i] mycket; allra; blotta; *not very good* inget vidare bra; *very lately* helt nyligen; *from the very beginning* från första början; *this very day* redan i dag **vessel** [vess'l] kärl; farkost **vest** [vesst] undertröja, linne; ikläda; förläna **vestige** [vess'tiddsj] spår **vestry** [vess'tri] sakristia **vet** [vett] (*vard.*) veterinär **veteran** [vett'ərən] veteran **veterinarian** [vettrinä:'əri-ən] veterinär **veto** [vi:'tåo] veto; *put one's veto on* inlägga sitt veto mot **vex** [vekks] reta, förarga **vexation** [vekksej'sjən] förargelse **via** [vaj'ə] via **vibrate** [vajbrej't] vibrera **vibration** [vajbrej'sjən] vibration, svängning **vicar** [vikk'ə] pastor; *assistant vicar* komminister **vicarage** [vikk'əriddsj] prästgård; pastorat **vice** [vajs] **1** skruvstäd **2** last **3** vice **viceroy** [vaj'sråj] vicekung **vicinity** [vissinn'itti] grannskap **vicious** [visj'əs] lastbar, ond **vicissitude** [vississ'itjo:d] växling **victim** [vikk'timm] offer **victimize** [vikk'timajz] plåga; offra **victor** [vikk'tə] segrare **victorious** [vikktå:'riəs] segrande, segerrik **victory** [vikk'təri] seger **victual** [vitt'l] proviantera **victuals** [vitt'lz] livsmedel,

proviant **vie** [vaj] tävla (*for* om) **Vienna** [vienn'ə] Wien **view**
[vjo:] [å]syn, synhåll; anblick, utsikt; åsikt; beskåda; *in view of*
med hänsyn till, i betraktande av; *with a view to* i syfte (avsikt) att;
point of view ståndpunkt; *view of life* livsåskådning **viewer**
[vjo:'ə] [TV-]tittare **view-finder** [vjo:'fajndə] sökare (*i kamera*)
view-point [vjo:'påjnt] synpunkt; utsiktspunkt **vigil** [vidd'sjill]
vaka, nattvak **vigilance** [vidd'sjiləns] vaksamhet **vigorous**
[vigg'ərəs] spänstig, kraftig **vigour** [vigg'ə] vigör, kraft, styrka
Viking [vaj'king] viking; *the Viking Age* vikingatiden; *Viking raid*
vikingatåg **vile** [vajl] usel; avskyvärd; värdelös **villa** [vill'ə] villa
village [vill'iddsj] by **villain** [vill'inn] bov, skurk **villainous**
[vill'ənəs] skurkaktig **vim** [vimm] energi, kraft **vindicate** [vinn'-
dikejt] rättfärdiga; försvara; hävda **vindictive** [vinndikk'tivv]
hämndlysten **vine** [vajn] vinranka **vinegar** [vinn'iggə] ättika
vineyard [vinn'jəd] vingård **vintage** [vinn'tiddsj] årgång (*av
vin*) **viola** [viåʹlə] viola **violate** [vaj'əlejt] kränka, bryta mot;
våldta; göra våld på **violation** [vajəlej'sjən] kränkning, över-
trädelse; våldtäkt **violence** [vaj'ələns] våld **violent** [vaj'ələnt]
våldsam, häftig **violet** [vaj'əlitt] viol; violett **violin** [vajəlinn']
violin, fiol **violinist** [vaj'əlinisst] violinist **violoncello** [vajəlinn-
tsjell'åo] violoncell **V.I.P.** [vipp] förk. för *very important person*
mycket betydande person **viper** [vaj'pə] huggorm **virgin**
[və:'dsjinn] oskuld, jungfru; jungfrulig **Virginia creeper** [və:-
dsjinn'iə kri:'pə] vildvin **virile** [virr'ajl] viril, manlig **virtual** [və:'-
tjoəl] faktisk, egentlig **virtually** [və:'tjoəli] praktiskt taget **virtue**
[və:'tjo:] dygd, fördel; *by virtue of* i kraft av, tack vare
virtuoso [və:tjoåo'zåo] (*subst.*) virtuos **virtuous** [və:'tjoəs]
dygdig **virulent** [virr'olənt] giftig; häftig **virus** [vaj'ərəs] virus
virus disease [vaj'ərəs dizi:'z] virussjukdom **vis** [vi:z] visum;
visera **viscount** [vaj'kaont] vicomte, eng. adelstitel mellan
baron och *earl* **visibility** [vizzibill'itti] sikt **visible** [vizz'əbl]
synlig **vision** [visj'ən] vision; syn; *with defective vision* syn-
skadad **visit** [vizz'itt] besöka, gästa; besök (*to* hos, i); *frequent
visits* täta besök **visitation** [vizzitej'sjən] besök; hemsökelse
visiting-hours [vizz'ittingao əz] besökstid **visitor** [vizz'ittə]
besökare, gäst, turist; **visitors** främmande **visor** [vaj'zə] mösskärm;
hjälmvisir **vista** [viss'tə] utsikt, perspektiv; glänta **visual** [vizz'joəl]
syn-; synlig-; visuell **vital** [vaj'tl] vital; livsviktig; livsfarlig;
vital force livskraft **vitamin** [vitt'əminn] vitamin **vitamin de-
ficiency** [vitt'əminn difisj'ənsi] vitaminbrist **vivacious** [vivej'-
sjəs] livlig, pigg **vivid** [vivv'idd] livlig, livfull; skarp (*om färg etc.*)
vixen [vikk'sn] ragata; rävhona **viz.** [vidi:'lisett] (*utläses vanl.
namely*) nämligen **vocabulary** [vəkäbb'joləri] ordförråd, voka-
bulär **vocal** [våo'kl] stäm-, röst-; *vocal cord* stämband **vocation**
[våokej'sjən] yrke, kall **vocational guidance** [våokej'sjənl
gaj'dəns] yrkesorientering **vociferous** [våosiff'ərəs] högljudd
vodka [vådd'kə] vodka **vogue** [våog] mod[e]; sed; popularitet

voice — wangle 390

voice [våjs] röst, stämma **voiced** [våjst] tonande **void** [våjd] renons, tom; ogiltig **volatile** [våll'ətajl] flyktig **volcano** [vållkej'nåo] vulkan **vole** [våol] sork **volition** [våolisj'ən] vilja **volley** [våll'i] salva, skur **volt** [våolt] (*elektr.*) volt **voltage** [våo'ltiddsj] (*elektr.*) spänning **voluble** [våll'jobl] munvig, talför **volume** [våll'jomm] band, volym; årgång (*av tidskrift etc.*) **voluntary** [våll'əntəri] frivillig **volunteer** [vållənti:'ə] frivillig, volontär; frivilligt åta sig **voluptuousness** [vəlapp'tjoəsniss] vällust **vomit** [våmm'itt] kräkas **voracious** [vərej'sjəs] glupsk **vote** [våot] rösta, votera; röst, omröstning, votering; rösträtt; *vote for* (*against*) rösta ja (nej); *right to vote* rösträtt **voter** [våo'tə] väljare, röstande **voting** [våo'ting] [om]röstning **voting-paper** [våo'tingpejpə] röstsedel **vouch** [vaotsj] garantera; bekräfta **voucher** [vao'tsjə] kupong **vouchsafe** [vaotsjsej'f] värdigas; bevärdiga med **vowel** [vao'əl] vokal **voyage** [våj'dsj] [sjö]resa **vulcanize** [vall'kənajz] vulkanisera **vulgar** [vall'gə] vulgär, rå **vulnerable** [vall'nərəbl] sårbar **vulture** [vall'tsjə] gam **wad** [wådd] vadd; tuss, sudd; sedelbunt **wadding** [wådd'ing] bomullsvadd; stoppning **waddle** [wådd'l] stulta, vagga; vaggande gång **wade** [wejd] vada **wader** [wej'də] vadare **wafer** [wej'fə] oblat, rån **waffle** [wåff'l] våffla **waft** [wa:ft] pust, fläkt **wag** [wägg] vifta [på], vagga; skämtare **wage** [wejdsj] *wage war* föra krig **wage-earner** [wej'dsjə:nə] löntagare, arbetare **wage-earning** [wej'dsjə:ning] förvärvsarbetande **wager** [wej'dsjə] vad; slå vad **wages** [wej'dsjizz] (*arbetares*) lön **wag[g]on** [wägg'ən] vagn **wagtail** [wägg'tejl] sädesärla **waif** [wejf] hittegods; hittebarn; herrelös hund **wail** [wejl] jämra sig **wainscot** [wej'nskət] panel **waist** [wejst] midja **waistcoat** [wej'skåot] väst **waist-measurement** [wej'stmesj'əmənt] midjemått **wait** [wejt] vänta (*for* på); passa upp; väntan; *have to wait* få vänta; *keep s.b. waiting* låta ngn vänta; *wait upon* uppvakta, passa upp; *while waiting* i väntan på; *lie in wait* ligga på lur **waiter** [wej'tə] kypare, servitör; uppassare **waiting list** [wej'ting lisst] väntelista **waiting-room** [wej'tingromm] väntrum, väntsal **waitress** [wej'triss] servitris **waive** [wejv] avstå från; ge upp **wake** [wejk] vakna, väcka; vaka, likvaka; kölvatten; *wake up* vakna, väcka **waken** [wej'kn] vakna; väcka **walk** [wå:k] gå, promenera; gång, promenad; *go for a walk* gå ut och gå **walkie-talkie** [wå:'kitå:'ki] bärbar radiosändare och -mottagare **wall** [wå:l] mur, vägg **wall-bars** [wå:'lba:z] ribbstol **wallet** [wåll'itt] plånbok **wallflower** [wå:'lflaoə] penelhöna **wallow** [wåll'åo] vältra sig; göl **wallpaper** [wå:'lpejpə] tapet **walnut** [wå:'lnət] valnöt **Walpurgis night** [vällpo:'əgiss najt] valborgsmässoafton **walrus** [wå:'lrəs] valross **waltz** [wå:ls] vals; dansa vals **wan** [wånn] urblekt; glåmig **wand** [wånnd] trollspö **wander** [wånn'də] vandra; irra; fantisera **wanderer** [wånn'dərə] vandrare **wandering** [wånn'dəring] vandring **wane** [wejn] avta **wangle**

[wäng'gl] lura [sig till]; fuska ihop **want** [wånnt] önska, vilja [ha]; behov, brist; *do as s.b. wants* göra ngn till viljes; *what do you want me to do?* vad vill du att jag skall göra?; *be wanting* fattas **wanton** [wånn'tən] yster; meningslös; lättsinnig **war** [wå:] krig; föra krig; *make war* kriga; *war of liberation* befrielsekrig **warble** [wå:'bl] kvittra; kvitter **warbler** [wå:'blə] sångfågel **ward** [wå:d] skyddsling; [sjukhus]avdelning, sal; *ward off* avvärja **warden** [wå:'dn] föreståndare **warder** [wå:'də] fångvaktare **wardrobe** [wå:'dråob] garderob, klädskåp **warehouse** [wä:'əhaoz] lager, magasin **ware[s]** [wä:'ə(z)] gods, varor **warfare** [wå:'fä:ə] krigföring **warlike** [wå:'lajk] krigisk **warm** [wå:m] varm; värma **warmonger** [wå:'mɔngə] krigshetsare **warmth** [wå:mθ] värme **warn** [wå:n] varna (*of* för), förmana; varsko; *I warned her not to do it* jag varnade henne för att göra det **warning** [wå:'ning] varning **warp** [wå:p] varp; snedvrida; bågna, slå sig; *warp and weft* varp och inslag **warped** [wå:pt] skev, vind; partisk **warrant** [wårr'ənt] garantera; bemyndiga; garanti; fullmakt; *warrant of arrest* häktningsorder **warrior** [wårr'iə] krigare **warship** [wå:'sjipp] krigsfartyg, örlogsfartyg **Warsaw** [wå:'så:] Warszawa **wart** [wå:t] vårta **wary** [wä:'əri] försiktig, på sin vakt **was** [wåzz] var, blev **wash** [wåsj] tvätta [sig], vaska; tvätt[ning]; *wash away* spola bort; *wash the dishes* (Am.) diska; *wash up* diska **washboard** [wåsj'bå:d] tvättbräde **washbowl** [wåsj'båol] (Am.) handfat **washer** [wåsj'ə] tvättare; tvättmaskin; packning **washing** [wåsj'ing] tvättning **washing detergent** [wåsj'ing ditə:'dsjənt] tvättmedel **washing-machine** [wåsj'ingməsji:n] tvättmaskin **washing-up** [wåsj'ing app'] disk[ning] **wash-out** [wåsj'aot] urskölning; fiasko; misslyckad individ **wash-proof** [wåsj'pro:f] tvättäkta **washstand** [wåsj'stännd] tvättställ **wasp** [wåssp] geting **wastage** [wej'stiddsj] spill **waste** [wejst] slösa, öda, ödsla bort; slöseri; avfall; svinn; ödemark; öde[lagd]; *be wasted* förfaras **waste-basket** [wej'stba:skitt] (Am.) papperskorg **wasted** [wej'stidd] tillspillogiven **wasteful** [wej'stfoll] slösaktig **waste-paper basket** [wej'stpejpə ba:skitt] papperskorg **watch** [wåttsj] iaktta, titta på; ge akt på; vakta; vaka; vakt; vaka; armbands-, fickur **watchful** [wått'sjfoll] vaksam **watchmaker** [wått'sjmejkə] urmakare **watchman** [wått'sjmən] nattvakt **watchword** [wått'sjwə:d] lösen[ord] **water** [wå:'tə] vatten; vattna; *waters* farvatten **water-closet** [wå:'təklåzzitt] vattenklosett **water-colour** [wå:'təkalə] vattenfärg; akvarell **watercourse** [wå:'təkå:s] vattendrag **water-fall** [wå:'təfå:l] vattenfall **water-front** [wå:'təfrannt] sjösida (*i stad*) **water-lily** [wå:'təlilli] näckros **water main** [wå:'tə mejn] vattenledning **water pollution** [wå:'tə pəlo:'sjən] vattenförorening **water power** [wå:'tə pao'ə] vattenkraft **waterproof** [wå:'təpro:f] vattentät, vattenfast **water-sprite** [wå:'təsprajt] näck **water ski** [wå:'tə ski] vattenskida; åka vattenskidor **water-tap** [wå:'tətäpp] vattenkran **watertight** [wå:'tətajt] vattentät; tillförlitlig **water turbine** [wå:'tə tə:binn] vattenturbin **wave** [wejv] vinka [med], vifta [med]; vaja; ondulera; våg; ondulering **waver** [wej'və] vackla; fladdra **wavy** [wej'vi] vågig **wax** [wäkks] vax; vaxa bona; tillta, växa **way** [wej] väg; sätt, vis; *by way of* via; *såsom; till; by the way* för övrigt, i förbigående; *the other way* åt andra hållet; *well under way* i full gång; *give way* ge vika; *make way* välja; *make one's way* slå sig fram; *way of life* livsföring; *they went their separate ways* de gick åt var sitt håll; *the wrong way round* bakvänd; *all the way there* ända fram; *way through* genomfart; *way up* uppgång **waylay** [wejlej'] ligga i försåt för **wayward** [wej'wəd] egensinnig; nyckfull **we** [wi:] vi; *we ourselves* vi själva **weak** [wi:k] svag, matt, vek; *grow weak* försvagas; *weak in health* sjuklig **weaken** [wi:'kən] försvaga[s], matta[s] **weakening** [wi:'kning] försvagning **weakling** [wi:'k-ling] vekling **weakness** [wi:'kniss] svaghet **weal** [wi:l] välbefinnande; *the public weal* det allmänna bästa **wealth** [wellθ] rikedom, förmögenhet, välstånd **wealthy** [well'θi] förmögen, rik **weapon** [wepp'ən] vapen, tillhygge **wean** [wi:n] avvänja **wear** [wä:'ə] bära (*kläder*), ha på sig; slita, nöta; hålla [bra]; slitage, nötning; *wear out* slita ut **weariness** [wi:'əriniss] trötthet, leda **weary** [wi:'əri] trött; modlös; trötta [ut]; tröttna **weasel** [wi:'zl] vessla **weather** [weð'ə] väder **weathercock** [weð'ə-kåkk] vindflöjel **weather report (forecast)** [weð'ə ripå:'t (få:'ka:st)] väderleksrapport; *telephone weather forecast* Fröken Väder **weather-strip** [weð'əstripp] tätningslist **weave** [wi:v] väva **weaving mill** [wi:'ving mill] väveri **web** [webb] väv, varp; spindelväv; simhud **webbed** [webbd] [försedd] med simhud **wed** [wedd] gifta sig med; gifta bort; viga **wedding** [wedd'ing] bröllop **wedding-dress** [wedd'ingdress] brudklänning **wedding ring** [wedd'ing ring] vigselring **wedge** [weddʒ] kil, kila **wedlock** [wedd'låkk] äktenskap **Wednesday** [wenn'zdi] onsdag **wee** [wi:] kissa; liten **weed** [wi:d] ogräs; rensa **weed control** [wi:'d kəntråo'l] ogräsbekämpning **week** [wi:k] vecka; *today week* i dag om en vecka **weekday** [wi:'kdej] vardag **week-end** [wi:'kenn'd] veckohelg, veckoslut **weekend cottage** [wi:'kenn'd kått'iddsj] sommarställe, sportstuga **weekly** [wi:'kli] veckotidning; vecko- **weekly press** [wi:'kli press] veckopress **weep** [wi:p] gråta **wee-wee** [wi:'wi:'] kissa **weft** [wefft] inslag i väv **weigh** [wej] väga; tynga; *weigh anchor* lätta ankar **weighing** [wej'ing] vägning **weight** [wejt] vikt; tyngd; *put the weight* stöta kula; *put on weight* lägga på hullet **weight-lifter** [wej't-liftə] tyngdlyftare **weird** [wi:'əd] kuslig, hemsk **welcome** [well'kəm] välkommen; *he is very welcome to it* det är honom väl unt **weld** [welld] svetsa **welding** [well'ding] svetsning

welding set [well'ding sett] svetsaggregat **welfare** [well'fä:ə] välfärd; välgång; *social welfare* socialvård **welfare officer** [well'fä:ə åff'isə] kurator **welfare state** [well'fä:ə stejt] välfärdssamhälle **well** [well] **1** brunn; välla **2** frisk, bra; väl; *well!* nål, tjal; *as well as* så väl som; *oh well!* nåja; *well, I must go now!* nej nu måste jag gå! **well-arranged** [well'ərej'ndsjd] välordnad **well-being** [well'bi:'ing] trivsel, välbefinnande **well-bred** [well'bredd] väluppfostrad, belevad **well-deserved** [well'dizə:'vd] välförtjänt **well-dressed** [well'dress't] välklädd **well-fitting** [well'fitt'ing] välsittande **well-groomed** [well'gromm'd] vårdad (*om klädsel*) **well-informed** [well'infå:md] allmänbildad; välinformerad **well-known** [well'nåo'n] välkänd, bekant **well-made** [well'mej'd] välgjord **well-managed** [well'männ'iddsjd] välskött **well-meaning** [well'mi:'ning] välmenande **well-nigh** [well'naj] nära nog **well-off** [well'åff'] välsituerad **well-read** [well'redd'] beläst **well-spoken** [well'spåokn] vältalig; belevad **well-stocked** [well'ståkk't] välförsedd **well-to-do** [well'tədo:'] välbärgad **well-trained** [well'trej'nd] vältränad **well-tried** [well'traj'd] beprövad **Welsh** [wellsj] walesisk **Welshman** [well'sjmən] walesare **welter** [well'tə] vältra sig, rulla sig; kaos, röra **wend** [wennd] *wend one's way* bege sig **went** [wennt] imperf. av *go* **wept** [weppt] imperf. och perf. part. av *weep* **were** [wə:] vore, var, blev **werewolf** [wə:'wollf] varulv **west** [wesst] västlig; västra; väst[er]; *the West* västerlandet; *the Wild West* Vilda Västern; *the West Indies* Västindien **westerly** [wess'təli] västlig **western** [wess'tən] västlig, västra, västerländsk; *Western Europe* Västeuropa; *Western Germany* Västtyskland **wet** [wett] våt, blöt; väta, blöta ner; väta, fukt; *wet through* genomvåt **whack** [wäkk] smäll; smälla till **whale** [wejl] val **whaler** [wej'lə] valfångare **wharf** [wå:f] lastkaj **what** [wått] vad, vilken; *what a beautiful hat!* en sådan vacker hatt!; *I don't know what to do* jag vet inte vad jag skall göra **whatever** [wåttevv'ə] vad ... än; *no risk whatever* ingen som helst risk **whatnot** [wått'nått] prydnadshylla **wheat** [wi:t] vete **wheat-flour** [wi:'tflaoə] vetemjöl **wheel** [wi:l] hjul; ratt, trissa; *turn wheels* hjula **wheelbarrow** [wi:'lbärråo] skottkärra **wheel chair** [wi:'l tsjä:ə] rullstol **wheeze** [wi:z] väsa, flåsa **when** [wenn] när, då; *when necessary* vid behov **whence** [wenns] varifrån; varav **whenever** [wennevv'ə] när ... än **where** [wä:'ə] var, vart; där, dit; *where ... from* varifrån **whereabouts** [wä:'ərəbaots] vistelseort; [wä:'ərəbao'ts] var någonstans **whereas** [wä:əräzz'] då däremot **whereby** [wä:'əbaj] varigenom **whereupon** [wä:ərəpånn'] varpå **wherever** [wäərevv'ə] var ... än **whet** [wett] vässa, slipa; stimulera **whether** [weð'ə] huruvida; *whether ... or* vare sig ... eller **whey** [wej] vassla **which** [wittsj] som, vilken; *at which* varvid; *to (for) which* vartill **whichever** [wittsjevv'ə] vilken ... än **whiff** [wiff] pust, fläkt; doft; bloss; fläkta; dofta; blossa

while [wajl] stund; medan; *once in a while* då och då; *quite a while* ganska länge; *worth while* värt besväret, lönt; *while away the time* fördriva tiden **whilst** [wajlst] medan **whim** [wimm] nyck, infall **whimper** [wimm´pə] smågnälla **whimsical** [wimm´-zikl] nyckfull **whine** [wajn] gnäll; gnälla, jämra sig; vina **whinny** [winn´i] gnägga; gnäggning **whip** [wipp] piska; vispa; *whipped cream* vispgrädde **whippet** [wipp´itt] slags vinthund **whirl** [wə:l] virvel; virvla, yra **whir[r]** [wə:] surra; (om motor) spinna; surr **whirlpool** [wə:´lpo:l] strömvirvel **whisk** [wissk] dammvippa; tofs; knyck; vifta (till) med; rusa **whiskers** [wiss´kəz] morrhår; polisonger **whisky** [wiss´ki] whisky; *whisky and soda* grogg **whisper** [wiss´pə] viska; viskning **whistle** [wiss´l] vissla; vissling; visselpipa **white** [wajt] vit; vitt, vita; *white lie* nödlögn; *white pepper* vitpeppar **white-collar worker** [waj´tkål´ə wə:´-kə] tjänsteman **whitefish** [waj´tfisj] sik **white-tailed eagle** [waj´ttej´ld i:´gl] havsörn **whitewash** [waj´twåsj] vitkalka; rentvå; vitkalkning, rappning **white washing** [waj´t wåsj´ing] vittvätt **whiting** [waj´ting] vitling **Whit Monday** [witt´mann´di] annandag pingst **Whit Sunday** [witt´sann´di] pingstdagen **Whitsun Eve** [witt´sn i:´v] pingstafton **Whitsun[tide]** [witt´sn(tajd)] pingst **whizz** [wizz] susa, vissla **who** [ho:] som, vilken, vilka; vem **whoa** [wåo] ptro! **whoever** [ho:evv´ə] vem … än **whole** [håol] hel; *as a whole* i sin helhet; *on the whole* på det hela taget, över huvud taget **wholesale** [håo´lsejl] grosshandels-, parti-; *wholesale dealer* grosshandlare, grossist; *wholesale price* partipris; *wholesale trade* grosshandel **wholesome** [håo´lsəm] hälsosam, nyttig **wholly** [håo´lli] helt, fullständigt **whom** [ho:m] (*efter prep.*) vem **whopper** [wåpp´ə] jättelögn; baddare **whooping-cough** [ho:´pingkåff] kikhosta **whore** [hå:] hora **whose** [ho:z] vars, vilkens, vilkas; vems **why** [waj] varför; *why?* hur så?, varför? det? **wick** [wikk] veke **wicked** [wikk´idd] elak **wicker** [wikk´ə] flätverk **wicket** [wikk´itt] kricketgrind; krocketbåge **wide** [wajd] vid, bred; *far and wide* vitt och brett; *wide awake* klarvaken; *wide of* långt från; *wide open* vidöppen **wide-angle lens** [waj´däng´gl lenns] vidvinkelobjektiv **widely** [waj´dli] vitt omkring, vida **widen** [waj´dn] vidga **widow** [widd´åo] änka **widower** [widd´åoə] änkling **width** [widdθ] bredd, vidd **wield** [wi:ld] hantera; utöva (inflytande) **wife** [wajf] hustru, fru, maka; *wedded wife* äkta maka **wig** [wigg] peruk **wiggle** [wigg´l] vicka med **wigwam** [wigg´wämm] indianhydda **wild** [wajld] vild; *wild beast* vilddjur; *wild boar* vildsvin; *wild duck* and; *wild strawberry* smultron; *wild wine* vildvin **wildcat** [waj´ldkätt] vildkatt **wildcat strike** [waj´ldkätt strajk] vild strejk **wilderness** [wild´dəniss] vildmark, obygd **wildfire** [will´dfajə] löpeld **wile** [wajl] list; förleda **wilful** [will´foll] uppsåtlig **will** [will] skall, kommer att, ämnar, vill; vilja; testamente; *he will be 25 tomorrow* han fyller 25 år i morgon; *you will please* *observe* ni torde observera; *at will* efter behag; *work one's will* driva sin vilja igenom; *make one's will* upprätta sitt testamente **willing** [will'ing] villig **willingly** [will'ingli] gärna **willow** [will'åo] vide, pil **will-power** [will'paoə] viljestyrka **wilt** [willt] vissna **wily** [waj'li] listig **win** [winn] vinna, segra; vinst, seger; *win back* återvinna **wince** [winns] rygga tillbaka **winch** [winntsj] vinsch **wind 1** [winnd] vind, blåst; munväder; väder; blåsinstrument; vädra, få korn på **2** [wajnd] vrida [på], veva, linda; slingra [sig]; *wind up* avveckla, dra upp **windfall** [winn'dfå:l] fallfrukt; skänk från ovan **windmill** [winn'mill] väderkvarn **window** [winn'dåo] fönster **window-dressing** [winn'dåo-dressing] fönsterskyltning **window-pane** [winn'dåopejn] fönsterruta **window-sill** [winn'dåosill] fönsterbräde **windpipe** [winn'dpajp] luftrör **windscreen** [winn'dskri:n] vindruta **wind-screen washer** [winn'dskri:n wåsj'ə] vindrutespolare **wind-screen wiper** [winn'dskri:n waj'pə] vindrutetorkare **windward** [winn'dwəd] i lovart, mot vinden **windy** [winn'di] blåsig **wine** [wajn] vin **wine-list** [waj'nlisst] vinlista **wine-vinegar** [waj'nvinn'iggə] vinäger **wing** [wing] vinge; flygel; flottilj; *wings* kulisser **wing-commander** [wing'kəma:ndə] flottiljchef (i flyget) **wing nut** [wing' natt] vingmutter **wink** [wingk] blinka [med]; blinkning; blund; *wink at* blinka åt, blunda för; *not get a wink of sleep* inte få en blund i ögonen **winner** [winn'ə] vinnare, segrare **winnow** [winn'åo] sålla **winsome** [winn'səm] charmerande, vinnande **winter** [winn'tə] vinter; *this winter* i vinter; *last winter* i vintras **winter coat** [winn'tə kåot] vinterkappa, vinterrock **winter half** [winn'tə ha:f] vinterhalvår **winter['s] day** [winn'tə[z] dej] vinterdag **winter sports** [winn'tə spå:ts] vintersport **wipe** [wajp] torka [av]; *wipe off* torka bort; *wipe out* stryka ut, tillintetgöra **wire** [waj'ə] [metall]tråd, ledning; telegram; linda; telegrafera; *barbed wire* taggtråd **wireless** [waj'əliss] trådlös; radio **wire-tapping** [waj'ətäpping] avlyssning **wiring** [waj'əring] ledningsnät **wiry** [waj'əri] trådig; senig, seg **wisdom** [wizz'dəm] visdom **wisdom-tooth** [wizz'-dəmto:θ] visdomstand **wise** [wajz] klok, vis, förståndig **wiseacre** [waj'zejkə] besservisser, snusförnuftig person **wisecrack** [waj'z-kräkk] kvickhet; säga kvickheter **wish** [wisj] önskan, önskemål; önska; *good wishes* välgångsönskningar; *wish for* önska sig, längta efter; *wish s.b. well* vilja ngn väl **wisp** [wissp] hötapp; hårtott **wistful** [wiss'tfoll] trånande; grubblande **wit** [witt] kvickhet; kvickhuvud; förstånd; *wits* själsförmögenheter **witch** [wittsj] häxa **witchcraft** [witt'sjkra:ft] trolldom **with** [wið] med; hos; av; *with this* härmed **withdraw** [wiðdrå:'] utträda, dra [sig] tillbaka **withdrawal** [wiðdrå:'əl] uttag (*av pengar*); utträde **wither** [wið'ə] vissna, förtorka **withhold** [wiðhåo'ld] undanhålla **within** [wiðinn'] inom, inuti; inne; *from within* inifrån **without** [wiðåo't] utan; *without nuances* onyanserad;

withstand — worn 396

do without undvara, klara sig utan **withstand** [wiðstänn'd]
motstå **witless** [witt'liss] vettlös, dum **witness** [witt'niss]
vittne; vittnesbörd; bevittna, vara vittne till; vittna **witticism**
[witt'isizzəm] kvickhet **wittingly** [witt'ingli] avsiktligt **witty**
[witt'i] spirituell, kvick **wives** [wajvz] (*pl.* av *wife*) hustrur, fruar
wizard [wizz'əd] trollkarl **wobble** [wåbb'l] vagga; vackla, vingla
woe [wåo] ve; *woe betide you!* ve dig! **woke** [wåok] imperf.
och perf. part. av *wake* **woken** [wåo'kn] perf. part. av *wake*
wolf [wollf] varg, ulv; *a wolf in sheep's clothing* en ulv i fåra-
kläder **wolverine** [woll'vəri:n] järv **woman** [womm'ən] (*pl.
women* [wimm'inn] kvinna **womb** [wo:m] livmoder; sköte
women's wear [wimm'innz wä:ə] damkläder **won** [wann]
imperf. och perf. part. av *win* **wonder** [wann'də] under[verk];
undran; undra, förundras (*at* över); *wonder of wonders!* under
över alla under!; *do* (*work*) *wonders* göra underverk; *I don't
wonder* det undrar jag inte på **wonderful** [wann'dəfoll] under-
bar **wondrous** [wann'drəs] förunderlig; underbar **woo** [wo:]
fria till, söka vinna **wood** [wodd] skog; trä, ved, virke; *planed
wood* hyvlat virke **wood anemone** [wodd' ənemm'əni] vitsippa
woodcock [wodd'kåkk] morkulla **woodcut** [wodd'katt] träsnitt
wooded [wodd'idd] skogbevuxen **wooden** [wodd'n] trä-, av
trä; *wooden shoe* träsko **woodpecker** [wodd'pekkə] hackspett
wood-pulp [wodd'pallp] trämassa **woodshed** [wodd'sjedd]
vedbod **wood[s]man** [wodd'(z)mən] skogsarbetare **woodwind
instrument** [wodd'winnd inn'strəmənt] träblåsinstrument **wood-
work** [wodd'wə:k] träslöjd; *do woodwork* snickra **woody**
[wodd'i] trähaltig **wool** [woll] ull, ylle, yllegarn **woollen**
[woll'inn] ylle-, av ylle; *woollen glove* [ylle]vante **wooly** [woll'i]
ullig **word** [wə:d'] ord, glosa; bud; besked; avfatta, formulera;
by word of mouth muntligen; *plain words* ord och inga visor
wording [wə:'ding] lydelse **word order** [wə:'d å:də] ordföljd
wore [wå:] imperf. av *wear* **work** [wə:k] arbete, verk, jobb;
arbeta, jobba; fungera, bearbeta; *work of art* konstverk; *out of
work* utan arbete; *work against* motarbeta; *work on* avtjäna;
work out utarbeta, utforma, räkna ut; *worked up* uppriven; *work
one's hardest* arbeta allt vad man orkar; *work one's will* driva
sin vilja igenom **worker** [wə:'kə] arbetare **working capital**
[wə:'king käpp'ittl] rörelsekapital **working day** [wə:'king dej]
arbetsdag **workman** [wə:'kmən] arbetare; fackman **workman-
ship** [wə:'kmənsjipp] yrkesskicklighet **workroom** [wə:'kromm]
arbetsrum **works** [wə:ks] fabrik; bruk; *works of a clock* urverk
workshop [wə:'ksjåpp] verkstad **world** [wə:ld] värld **world
championship** [wə:'ld tsjämm'pjənsjipp] världsmästerskap
world-famous [wə:'ldfej'məs] världsberömd **world history**
[wə:'ld hiss'təri] världshistoria **worldly** [wə:'ldli] världslig **world
record** [wə:'ld rekk'å:d] världsrekord **world war** [wə:'ld wå:]
världskrig **worm** [wə:m] mask; kräk **worn** [wå:n] perf. part. av

wear; nött, sliten; tärd; *worn out* utnött, utsliten **worry** [warr'i] bekymra, oroa [sig] (*about* om); bekymmer, oro **worse** [wə:s] sämre, värre; *so much the worse* så mycket värre; *grow worse* förvärras; *to make matters worse* till råga på olyckan **worship** [wə:'sjipp] dyrka, tillbe; dyrkan **worst** [wə:st] sämst, värst; *if the worst comes to the worst, at worst* i värsta fall **worsted** [woss'tidd] kamgarn **wort** [wə:t] vört **worth** [wə:θ] värd; värde; *worth considering* tänkvärd; *worth mentioning* nämnvärd **worthless** [wə:'θliss] värdelös **worth-while** [wə:'θwajl] lönande, givande **worthy** [wə:'ði] värdig **would** [wodd] skulle; *it would be nice* det vore trevligt **would-be** [wodd'bi:] förment, så kallad; blivande **would-be-wise** [wodd'bi:waj'z] snusförnuftig **wound 1** [wo:nd] sår, såra **2** [waond] imperf. och perf. part. av *wind 2* **wove** [wåov] imperf. och perf. part. av *weave* **woven** [wåo'vən] perf. part. av *weave* **wow** [wao] braksuccé **wrangle** [räng'gl] gräla, bråka **wrap** [räpp] veckla, svepa, slå in; *wrap up* vira in, linda in **wrapped-up** [räpp'tapp'] inslagen (*om paket*) **wrapping** [räpp'ing] omslag, emballage **wrapping-paper** [räpp'ingpejpə] omslagspapper **wrath** [rå:θ] vrede **wrathful** [rå:'θfoll] vred **wreath** [ri:θ] krans **wreck** [rekk] vrak; skeppsbrott; göra till vrak; *be wrecked* förlisa **wreckage** [rekk'iddsj] vrakgods; skeppsbrott **wrecking truck** [rekk'ing trakk] (*Am.*) bärgningsbil **wren** [renn] gärdsmyg **Wren** [renn] (av *W.R.N.S.* [rennz] *Women's Royal Naval Service*) marinlotta **wrench** [renntsj] ryck; skiftnyckel; vrickning; rycka; vricka **wrest** [resst] rycka; förvrida **wrestle** [ress'l] brottas **wrestler** [ress'lə] brottare **wrestling** [ress'ling] brottning **wretch** [rettsj] stackare **wretched** [rett'sjidd] usel **wriggle** [rigg'l] slingra sig (*out of* ifrån) **wring** [ring] vrida **wrinkle** [ring'kl] rynka; rynka sig, skrynkla **wrist** [risst] handled **wrist-watch** [riss'twåttsj] armbandsur **writ** [ritt] skrivelse; stämning **write** [rajt] skriva; *write down* skriva upp **writer** [raj'tə] skribent, författare **writhe** [rajð] vrida [sig] **writing** [raj'ting] skrift; skrivning **writing-desk** [raj'tingdessk] sekretär **writing-paper** [raj'tingpejpə] skrivpapper **written** [ritt'n] skriftlig; *written language* skriftspråk **wrong** [rång] fel[aktig], orätt; oförrätt, orättvisa; göra orätt, kränka; *be wrong* ha fel; *go wrong* gå på tok; *wrong idea* vanföreställning; *wrong side* avigsida; *the wrong way round* bak och fram **wrote** [råot] imperf. av *write* **wrung** [rang] imperf. och perf. part. av *wring* **wry** [raj] förvriden, skev; *wry face* ful grimas, sur min **xenophobia** [zennəfåo'bjə] främlingshat **Xmas** [kriss'məs] = *Christmas* jul **X-ray** [ekk'srej'] röntga; röntgen; *X-ray examination* röntgenundersökning; *X-ray photography* röntgenfotografering **xylophone** [zaj'ləfåon] xylofon **yacht** [jått] lustjakt **yacht-racing** [jått'rejsing] kappsegling **yank** [jängk] rycka, slita [i] **Yank[ee]** [jäng'k(i)] amerikan; amerikanska [språket] **yap** [jäpp] gläfsa, bjäbba **yard** [ja:d] gård, gårdsplan; mått=0,914 m

yarn [ja:n] garn; skepparhistoria **yawn** [jå:n] gäspa; gäspning **yea** [jei] (*åld. eller dialektalt*) ja **year** [jə:] år; *Happy New Year* Gott Nytt År!; *year of birth* födelseår; *turn of the year* årsskifte; ... *of many years* mångårig **yearling** [jə:'ling] årsgammalt djur **year-long** [jə:'lång] årslång **yearly** [jə:'li] årlig[en], årsvis **yearn** [jə:n] längta (*for* efter) **yeast** [ji:st] jäst **yell** [jell] gallskrika, skräna **yellow** [jell'åo] gul **yelp** [jellp] gläfs; gläfsa **yeoman** [jåo'mən] odalman; kammartjänare; *Yeoman of the Guard* medlem av kungl. livvakten **yes** [jess] ja, jo; *yes certainly* ja visst!; *oh yes* åjo; jo då **yesterday** [jess'tədi] i går; *yesterday morning* i går morse **yet** [jett] dock, likväl, ändå; ännu **yew** [jo:] idegran **yield** [ji:ld] inbringa, avkasta; ge sig, ge efter, vika (*to* för); avkastning **yoke** [jåok] ok; besparing (*på plagg*) **yokel** [jåo'kl] tölp **yolk** [jåok] äggula **yonder** [jånn'də] där borta; den (det, de) där **you** [jo:] du, ni; dig, er; man **young** [jang] ung; unge; *young bird* fågelunge; *young man* yngling; *young people* ungdomar; *young rascal* slyngel **youngster** [jang'stə] grabb, pojkspoling **your** [jå:] (*förenat*) din, er; *your people* de dina **yours** [jå:z] (*självst.*) din, er; *Yours faithfully*, (*Am.*) *Very truly yours* högaktningsfullt **yourself** [jå:sell'f] du (dig, ni, er) själv, själv **yourselves** [jå:sell'vz] du (dig, ni, er) själva, själva **youth** [jo:θ] ungdom **youthful** [jo:'θfoll] ungdomlig **youth hostel** [jo:'θ håss'təl] vandrarhem **Yule-tide** [jo:'ltajd] jultid **zany** [zej'ni] tokstolle; tokrolig, befängd **zeal** [zi:l] nit, iver **Zealand** [zi:'lənd] Själland **zealous** [zell'əs] nitisk **zebra** [zi:'brə] sebra **zebra crossing** [zi:'brəkråssing] övergångsställe för fotgängare **zenith** [zenn'iθ] zenit **zero** [zi:'əråo] noll; nolla; fryspunkten **zest** [zesst] krydda; aptit, entusiasm **zigzag** [zigg'zägg] sicksack **zinc** [zingk] zink **Zionist** [zaj'ənisst] sionist **zip** [zipp] vinande; blixtlås; vina; stänga med blixtlås **zipfastener** [zipp'-fa:snə] blixtlås **zither** [ziθ'ə] cittra **zon** [zåon] zon **zoo[logical gardens]** [zåo(əlådd'sjikəl ga:'dnz)] djurpark, zoologisk trädgård **zoology** [zåoåll'ədsji] zoologi

Engelsk grammatik
En liten repetitionskurs

a boy [ə båjj'] en pojke]
an apple [ən äpp'l] ett äpple
a year [ə jə:'] ett år
an hour [ən ao'ə] en timme

Obestämda artikeln (en, ett)
heter *a* framför konsonantljud
och *an* framför vokalljud.

the boy [ðə båjj'] pojken
the apple [ði äpp'l] äpplet

Bestämda artikeln heter *the*
och uttalas [ðə] framför kon-
sonantljud och [ði] framför vo-
kalljud.

My wife is a teacher. Min fru
är lärarinna. *Can you drive a
car?* Kan du köra bil?

Obestämd artikel används unge-
fär som i svenskan. Den utsätts
i engelskan vid yrke m.m. eller då
man kan tänka sig obestämd arti-
kel på svenska.

The following story. Följande
historia. *The right (the wrong)
method.* Rätt (fel) metod. *In
the same way.* På samma sätt.
— *The Rhine.* Rhen. *The Daily
Express.* Daily Express. *The
Grand Hotel.* Grand Hotel.

Bestämd artikel används unge-
fär som i svenskan. Engelskan
har dock bestämd form i följande
fall där svenskan saknar artikel:
Framför *following, previous, pre-
ceding, right, wrong, past, pres-
ent, same, usual* m.fl. samt vid
namn på bergskedjor, floder, hav,
fartyg, hotell, teatrar och en del
tidningar.

Go to school (church). Gå i
skolan (kyrkan). *Spring is here.*
Våren är här. *Breakfast is at
8.* Frukosten är kl. 8. *North-
ern (southern, modern) Eng-
land.* Prisserna stiger. (Men: *the prices
of books* ... priserna på böck-
er.)

Engelskan använder inte bestämd
artikel i följande fall där artikel
vanligen utsätts i svenskan: vid
(go to, be at) school, church, vid
årstider, högtider, månader, veck-
or, dagar, måltider, gator, offent-
liga platser samt vid nationali-
tetsadjektiv, *all, northern* m.fl.
framför namn på länder o. städer

cats [kätts] katter
months [mannθs] månader
boys [båjz] pojkar
glasses [gla:'siz] glas
flies [flajz] flugor
(av *fly*)

Substantiven bildar pluralis genom ändelsen *-s* eller *-es* (efter s- och sje-ljud). *-s* uttalas [s] efter tonlösa ljud (f, k, p, t, θ) och [z] efter tonande ljud (vokalerna, b, d, g, j, l, m, n, r, v, ð). *-es* uttalas [iz].

a man, the men en man, männen
a woman, the women [wimm'in] en kvinna, kvinnorna
a child, the children ett barn, barnen

Några substantiv har i engelskan oregelbunden pluralis (utom de t.v. även *mouse—mice* mus, *goose—geese* gås, *ox—oxen* oxe, *sheep—sheep* får m.fl.)

He has a large income. Han har goda inkomster. *That was good news.* Det var goda nyheter. *The furniture was ugly.* Möblerna var fula.

Följande substantiv är singularis i engelskan: *income* inkomst[er], *furniture* möbler, *advice* råd, *news* nyheter, *knowledge* kunskaper, *money* pengar, *information* upplysningar, *business* affärer.

Did you see many people? Såg du mycket folk? *Here are the scissors (tongs).* Här är saxen (tången).

Följande substantiv är pluralis i engelskan: *people* folk, *cattle* boskap, *contents* innehåll, *thanks* tack, *scissors* sax, *tongs* tång m.fl.

George's brother. Georgs bror. *The boys' mother.* Pojkarnas mamma. *One hour's sleep.* En timmes sömn.

Apostrofgenitiv bildas genom tillägg av *'s* (i pluralis efter ändelsen *-s* endast ') och används om levande varelser och vid tids- och måttsbestämningar.

The book of the century. Århundradets bok. *The roof of the house.* Husets tak.

I övriga fall används **of-genitiv.**

big, bigger, biggest
early, earlier, earliest
severe, severer, severest

Alla till uttalet enstaviga och många tvåstaviga **adjektiv,** särskilt de på *-y, -er* och *-ow* samt de med tonvikten på andra stavelsen, kompareras med ändelserna *-(e)r,* och *-(e)st.*

bent, more bent, most bent
distant, more distant, most
distant

Övriga kompareras med *more*
och *most*.

funny, funnier, funniest

red, redder, reddest

Ändelsen -*y* övergår efter kon-
sonant till *i* framför -*er* och -*est*.
I enstaviga adjektiv efter kort,
enkel vokal fördubblas slutkon-
sonanten framför -*er* och -*est*.

$\left.\begin{array}{l}good \\ well\end{array}\right\}$ *better*   *best*

$\left.\begin{array}{l}bad \\ ill \\ evil\end{array}\right\}$ *worse*   *worst*

little   *less*   *least*

$\left.\begin{array}{l}many \\ much\end{array}\right\}$ *more*   *most*

Oregelbunden komparation.

far $\left\{\begin{array}{l}farther \\ further\end{array}\right.$ *farthest* / *furthest*

late $\left\{\begin{array}{l}later \\ latter\end{array}\right.$ *latest* / *last*

near   *nearer* $\left\{\begin{array}{l}nearest \\ next\end{array}\right.$

old $\left\{\begin{array}{l}older \\ elder\end{array}\right.$ *oldest* / *eldest*

Dubbla komparationsformer. *Far-*
ther och *further* används båda
för att beteckna avstånd i rum,
further dessutom i betydelsen
vidare, ytterligare. *Later* och *lat-*
est avser tid, *latter* och *last* ord-
ningsföljd. *Elder* och *eldest* an-
vänds om personer av samma
familj eller släkt. Äldre än heter
alltid *older than*.

brave modig — *bravely* modigt
happy lycklig — *happily* lyck-
ligt, lyckligen
full full — *fully* fullt

Ett adjektiv kan i allmänhet för-
vandlas till **adverb** genom till-
lägg av -*ly*. Adverb kompareras
som adjektiv. Med ändelser kom-
pareras endast till uttalet ensta-
viga adverb samt *early*.

well	*better*	*best*
$\left.\begin{array}{l}badly \\ ill\end{array}\right\}$	*worse*	*worst*
little	*less*	*least*
much	*more*	*most*

Oregelbunden komparation.

far { farther   farthest
    { further   furthest

late   later   { latest
                 { last

near   nearer   { nearest
                 { next

Dubbla komparationsformer.

Märk: *lastly* slutligen, *at last* äntligen, *at least* åtminstone.

He was brave. Han var modig.
He behaved bravely. Han
uppförde sig modigt.

Skilj noga mellan adjektiv och
adverb.

Hard work. Hårt arbete. *To
work hard.* Att arbeta hårt.
A high game. Ett högt spel.
To play high. Att spela högt.

Följande adjektiv används oför-
ändrade som adverb: *hard, direct,
high, loud, aloud, fast.*

*A lot (a great deal) of pulp is
exported from Sweden.*
Mycket pappersmassa expor-
teras från Sverige.

Mycket, mycken framför sub-
stantiv heter oftast *a lot of* eller
a great deal of.

A very interesting book. En
mycket intressant bok. *He felt
much better.* Han kände sig
mycket bättre. *I like you very
much.* Jag tycker mycket om
dig.

Framför positivformen av adjek-
tiv och adverb heter mycket
very, framför komparativformer
och vid verb (*very*) much.

Räkneord

Grundtal	Ordningstal	Grundtal	Ordningstal
0 *nought*			
1 *one*	*the first*	16 *sixteen*	*the sixteenth*
2 *two*	*the second*	17 *seventeen*	*the seventeenth*
3 *three*	*the third*	18 *eighteen*	*the eighteenth*
4 *four*	*the fourth*	19 *nineteen*	*the nineteenth*
5 *five*	*the fifth*	20 *twenty*	*the twentieth*
6 *six*	*the sixth*	21 *twenty-one*	*the twenty-first*
7 *seven*	*the seventh*	30 *thirty*	*the thirtieth*
8 *eight*	*the eighth*	40 *forty*	*the fortieth*
9 *nine*	*the ninth*	50 *fifty*	*the fiftieth*
10 *ten*	*the tenth*	60 *sixty*	*the sixtieth*
11 *eleven*	*the eleventh*	70 *seventy*	*the seventieth*
12 *twelve*	*the twelfth*	80 *eighty*	*the eightieth*
13 *thirteen*	*the thirteenth*	90 *ninety*	*the ninetieth*
14 *fourteen*	*the fourteenth*		
15 *fifteen*	*the fifteenth*		

Grundtal		Ordningstal
100	*a (one* mer betonat) *hundred*	the *(one) hundredth*
101	*one (a) hundred and one*	the *(one) hundred and first*
200	*two hundred*	the *two hundredth*
1 000	*a (one* mer betonat) *thousand*	the *(one) thousandth*
1 001	*one (a) thousand and one*	the *(one) thousand and first*
10 000	*ten thousand*	the *ten thousandth*
10 050	*ten thousand and fifty*	the *ten thousand and fiftieth*
1 000 000	*a (one* mer betonat) *million*	the *millionth*

Vid datering av brev skriver man vanligen *October 1(st)* (läs *October the first*), *1974* eller *1(st) October* (läs *the first of October*), *1974*.

Pronomen

Personliga pronomen		Reflexiva pronomen	Possessiva pronomen	
subjekt	objekt		förenade	självständiga
I	*me*	*myself*	*my*	*mine*
you	*you*	*yourself*	*your*	*yours*
he	*him*	*himself*	*his*	*his*
she	*her*	*herself*	*her*	*hers*
it	*it*	*itself*	*its*	*its own*
we	*us*	*ourselves*	*our*	*ours*
you	*you*	*yourselves*	*your*	*yours*
they	*them*	*themselves*	*their*	*theirs*
		oneself	*one's*	*one's own*

I myself. Jag själv. *I saw him.* Jag såg honom. *She cut herself.* Hon skar sig. *Is that my lighter?* Är det där min tändare? *No, it's mine.* Nej, det är min.

Exempel på användningen av personliga, reflexiva och possessiva pronomen.

This is my husband. Det här är min man. *You can't trust those people.* De där människorna är inte att lita på. *That was a dirty trick.* Det där var ett fult trick. *These belong to me.* De här tillhör mig.

Demonstrativa pronomen: this, that, these, those. Används som i svenskan.

Who gave you that? Vem har givit dig den där? *Who(m) do you mean?* Vem menar du? *Which of the boys did not come?* Vilka av pojkarna kom inte? *What did you say?* Vad sa du?

Interrogativa pronomen: who, which, what. Används som i svenskan.

The girl who laughed. Flickan som skrattade. *The house in which he lives is yellow.* Huset som han bor i är gult. *That's a boy that I like.* Det är en pojke som jag tycker om. *He said he saw me there, which was a lie.* Han sa att han såg mig där, vilket var lögn.

Relativa pronomen: who som (om personer), *which* vilken, vilka (om djur och saker), *that* som (om personer, djur och saker), *what* det som, vad.

The house [that] he lives in. Huset [som] han bor i.

Liksom i svenskan kan relativpronominet utelämnas i engelskan.

I saw some of them. Jag såg några av dem. *I have something to tell you.* Jag har något att berätta för dig. *Would you like some coffee?* Vill du ha lite kaffe? *Somebody has been here.* Någon har varit här.

Indefinita pronomen. Någon, något, några: I jakande satser används *some* med sammansättningar.

Is there any coffee left? Finns det något kaffe kvar? *I never saw anything so beautiful.* Jag har aldrig sett något så vackert. *Just let me know if there is anything I can do for you.* Säg bara till om det är något jag kan hjälpa dig med.

I nekande och frågande satser samt i *if*-satser används *any* med sammansättningar.

Nobody (No one) could help me. Ingen kunde hjälpa mig. *There is no place like home.* Borta bra men hemma bäst. *None of them could come.* Ingen av dem kunde komma.

Ingen, inget, inga

Everybody (Everyone) has his hobby-horse. Var och en har sin käpphäst. *He came to see me every week.* Han kom och hälsade på mig varje vecka. *They had 5 pounds each.* De hade 5 pund var.

Var och en, varje, vardera:

One never knows! Det kan man aldrig veta! *You mustn't do that!* Så får man inte göra! *In England they drink a lot of tea.* I England dricker man mycket te. *It is said (People say) that.* Man påstår att.

Man översätts med *one* då den talande själv är inbegripen. *You* då den tilltalade är inbegripen samt i anvisningar. *They* (de) eller *we* (vi) för att beteckna sedvänja. Passiv konstruktion eller *people* (folk).

Verb

	Pre-sens	Im-per-fekt	Perfekt	Plus-kvam-perfekt	Futurum
I	*have*	*had*	*have had*	*had had*	*shall have*
you	*have*	*had*	*have had*	*had had*	*will have*
he *she* *it*	*has*	*had*	*has had*	*had had*	*will have*
we	*have*	*had*	*have had*	*had had*	*shall have*
you	*have*	*had*	*have had*	*had had*	*will have*
they	*have*	*had*	*have had*	*had had*	*will have*
I	*am*	*was*	*have been*	*had been*	*shall be*
you	*are*	*were*	*have been*	*had been*	*will be*
he *she* *it*	*is*	*was*	*has been*	*had been*	*will be*
we	*are*	*were*	*have been*	*had been*	*shall be*
you	*are*	*were*	*have been*	*had been*	*will be*
they	*are*	*were*	*have been*	*had been*	*will be*
I	*do*	*did*	*have done*	*had done*	*shall do*
you	*do*	*did*	*have done*	*had done*	*will do*
he *she* *it*	*does*	*did*	*has done*	*had done*	*will do*
we	*do*	*did*	*have done*	*had done*	*shall do*
you	*do*	*did*	*have done*	*had done*	*will do*
they	*do*	*did*	*have done*	*had done*	*will do*

Can kan, förmår, är i stånd har formen *can* i presens och *could* i imperfekt. Övriga former omskrivs vanligen med *to be able to* = att vara i stånd [till] att, kunna.

May må, får, kan [kanske] har formen *may* i presens och *might* i imperfekt. Felande former av *may* i betydelsen få ersätts vanligen med *to be allowed* [*to*], *to be permitted* [*to*].

Must måste, är tvungen (tvungna) att har formen *must* i såväl presens som imperfekt. Imperfekten används vanligen bara i indirekt tal. Felande former ersätts genom omskrivning, särskilt med *to have to*, *to be obliged to*.

De regelbundna verbens böjningsformer

	Pre-sens	Imper-fekt	Perfekt	Pluskvam-perfekt	Futurum
I	*help*	*helped*	*have helped*	*had helped*	*shall help*
you	*help*	*helped*	*have helped*	*had helped*	*will help*
he *she* *it*	*helps*	*helped*	*has helped*	*had helped*	*will help*
we	*help*	*helped*	*have helped*	*had helped*	*shall help*
you	*help*	*helped*	*have helped*	*had helped*	*will help*
they	*help*	*helped*	*have helped*	*had helped*	*will help*

Ändelsen -*ed* uttalas som [d] efter tonande ljud (utom d-ljud), t.ex. *called* [kå:ld], som [t] efter tonlösa ljud (utom t-ljud), t.ex. *helped* [hellpt], och som [idd] efter d- och t-ljud, t.ex. *waited* [wej'tidd]. Ändelsen -*s* uttalas [z] efter tonande ljud och [s] efter tonlösa ljud. Ändelsen -*es* uttalas [iz]. Ex.: *he pays* [pejz], *he works* [wə:ks], *he passes* [pa:'siz].

I was shown the way by the policeman = Jag visades vägen av polismannen = Polismannen visade mig vägen.

Passiv form bildas av verbet *be* + perfekt particip av huvudverbet.

I do not remember him. Jag kommer inte ihåg honom. *Did you say anything?* Sa du något?

I alla med *not* nekade satser och direkta frågesatser med omvänd ordföljd i svenskan (dvs. med predikatet före subjektet) används **omskrivning med do** + infinitiven av det omskrivna verbet.

He is sitting at the table. Han sitter vid bordet. *I was reading a newspaper, when she came in.* Jag läste en tidning när hon kom in.

Pågående form, dvs. omskrivning med *be*+presens particip (*ing*-formen) av huvudverbet, används för att beteckna en handling eller ett tillstånd såsom pågående vid det tillfälle som det just är fråga om.

I think it is going to rain. Jag tror det blir regn. *I was just going to fire the pistol, when he seized me by the shoulder.* Jag skulle just avlossa pistolen då han fattade mig i axeln.

Omskrivning (i presens och imperfekt) med *be going to*+infinitiv av huvudverbet används för att beteckna något omedelbart förestående eller en avsikt (=skall (skulle) till att, tänker (tänkte), ämnar (ämnade)).

They were to inherit a very great fortune. De skulle komma att få ärva en stor förmögenhet.

Omskrivning (i presens och imperfekt) med *be*+*to*+infinitiv av huvudverbet används för att beteckna något på förhand bestämt (ofta av försynen, ödet), överenskommet eller avtalat.

It is likely to take place. Det kommer sannolikt att äga rum. *He is sure to succeed.* Han kommer säkert att lyckas.

Omskrivning med *be likely to, sure to*+infinitiv av huvudverbet används för att beteckna att det är antagligt eller säkert att något skall (skulle) ske.

It will soon be winter. Det blir snart vinter.

Svenskt presens med betydelse av futurum återges i engelskan i regel med futurum.

I shall (You will) never forget it. Jag (Du) skall aldrig glömma det.

Skall (=kommer att) översätts med *shall* i 1:a person (*I, we*) och *will* i 2:a och 3:e person (*You, he, she, it, they*).

I will help you. Jag skall hjälpa dig. *You shall do as I tell you.* Du skall göra som jag säger.

Skall (=vill, ämnar, lovar) översätts med *will*. Skall (=måste) översätts med *shall*.

To be or not to be. Att vara eller inte vara.

Att före **infinitiv** heter *to*.

Not to mention. För att inte tala om. *He stepped softly in order not to wake the children.* Han gick försiktigt för att inte väcka barnen.

She went on reading without taking any notice of him. Hon fortsatte att läsa utan att ta någon notis om honom.

It is raining. Det regnar.

Do you know John? Yes, he is a nice chap. Känner du John? Ja, det är en trevlig kille.

There was no cheese left. Det fanns ingen ost kvar.

He is ill, and so am I. Han är sjuk och det är jag med. *Can you speak English? Yes, I can.* Kan du tala engelska? Ja, det kan jag. *He went to Paris, didn't he?* Han for till Paris, eller hur? *Yes, he did.* Ja, det gjorde han. *I am so glad.* Det gläder mig. *What a pity!* Det var tråkigt!

För att översätts med *to* eller *in order to.*

Efter preposition använder engelskan i regel *-ing-form.*

Opersonligt (obetonat) **det** översätts:
med *it* i fråga om väderlek, temperatur, tid och avstånd.
med *he, she, they* då "det" i svenskan kan utbytas mot han, hon, de.

med *there* när "det" är formellt subjekt och det egentliga subjektet är ett substantiviskt ord. "Det är" kan då utbytas mot "det finns".

med *so* då "det" = "det—också", "det—med".

"Det" översätts inte när det står som objekt vid hjälpverb, vid *dare* och *need* samt vid *do* när detta står i stället för ett annat verb.

Engelskan kräver ibland konstruktion med ett substantiviskt ord som subjekt där svenskan har en opersonlig konstruktion.

Några andra fall där engelskan skiljer sig från svenskan

In the morning I take a shower. På morgonen duschar jag.

They washed their faces. De tvättade sig i ansiktet.

I påstående satser är *ordföljden* i allmänhet rak, dvs. subjektet kommer före predikatet.

Ett substantiv som hänför sig till flera ägare sätts i engelskan i pluralis då det ägda tillhör varje ägare särskilt.

A cup of coffee. En kopp kaffe. *The spring of 1974.* Våren 1974. *The 1st of April.* Första april (endast i tal, ej i skrift).

Efter substantiv som betecknar mängd, antal, slag, efter årstider, högtider, *name, title* m.fl. samt i datum inskjuter engelskan prepositionen *of.*

Half a loaf. En halv limpa. *He is such a nice man.* Han är en så trevlig man. *What a shame!* Så synd!

Obestämd artikel sätts *efter half, many, such, what* (i utrop) och *quite.*

Any day will suit me. Vilken dag som helst passar mig. *Anything will do.* Vad som helst går bra.

Any med sammansättningar betyder i jakande påstående satser vilken (vilket, vilka) som helst.

One ship left for France and the other for Norway. Det ena fartyget avgick till Frankrike och det andra till Norge.

One betyder den ena då det står i motsats till *the other* den andra.

My red skirt and my green one. Min röda kjol och min gröna.

One (pluralis *ones*) ersätter substantiv efter adjektiv.

He has several cars. Han har flera bilar. *He has more than anyone else.* Han har flera än någon annan. *Most newspapers come out in the morning.* De flesta tidningar utges på morgonen.

Lägg märke till skillnaden mellan *several* (flera, åtskilliga) och *more* (mera, flera). *Most* betyder den (det) mesta, de flesta.

The car is little damaged. Bilen är obetydligt skadad. *The car is a little damaged!* Bilen är lite skadad.

Lägg märke till skillnaden mellan *little* (litet, föga) och *a little* (något litet).

I have few friends willing to help me. Jag har få vänner som vill hjälpa mig. *I have a few friends willing to help me.* Jag har några vänner som vill hjälpa mig.

Lägg märke till skillnaden mellan *few* (få) och *a few* (några).

I never heard the like. Jag har aldrig hört på maken.

Vid *ever* och *never* är imperfekt vanligt där svenskan har perfekt.

I don't want them to know.
Jag vill inte att de skall få
veta det.

Efter önske- och viljeverb (*want,
like, expect* m.fl.) har engelskan
ackusativ med infinitiv där sven-
skan har att-sats.

He made me laugh. Han kom
mig att skratta. *You had
better ask somebody else.*
Det är bäst att du frågar nå-
gon annan.

Efter *make* (förmå, komma att)
och *bid* (befalla) har engelskan
infinitiv.

We waited for you to come.
Vi väntade på att du skulle
komma.

Efter *long for* (längta efter),
wait for (vänta på), *count on*
(räkna på) och *rely on* (lita på)
har engelskan ackusativ med in-
finitiv.

I did it without knowing.
Jag gjorde det utan att veta
om det.

Efter preposition har engelskan
nästan alltid *-ing*-form.

Excuse my troubling you.
Förlåt att jag besvärar er. *I am
busy packing.* Jag håller på
att packa.

Efter *mind, excuse, forgive, it is
no use, cannot help, finish, stop,
go on, keep* (on), *want, busy,
like* och *worth* har engelskan
-ing-form.

Oregelbundna verb

abide dröja, förbli	abode	abode
	abided	abided
arise uppstå	arose	arisen
awake vakna; väcka	awoke	awaked
	awaked	awoke
bear bära; föda	bore	borne[1]
		born[2]
beat slå	beat	beaten
become bli; passa	became	become
beget avla, föda	begot	begotten
begin börja	began	begun
behold skåda	beheld	beheld
bend böja (sig)	bent	bent
bereave beröva	bereft	bereft
	bereaved	bereaved
beseech bönfalla	besought	besought
bet hålla vad	bet	bet
	betted	betted
bid befalla, bjuda	bade	bidden
	bid	bid
bid bjuda (ett pris)	bid	bid
bind binda	bound	bound
bite bita	bit	bitten
		bit
bleed blöda; åderlåta	bled	bled
blow blåsa; spränga	blew	blown
break bryta; brista	broke	broken
breed (fram)föda	bred	bred
bring ha med sig	brought	brought
build bygga	built	built
burn bränna; brinna	burnt	burnt
	burned	burned
burst brista; spränga	burst	burst
buy köpa	bought	bought
cast kasta; gjuta	cast	cast
catch fånga	caught	caught
chide banna	chid	chidden
		chid
choose välja	chose	chosen

[1] burit, buren, fött. [2] född.

cleave klyva	cleft	cleft
	clove	cloven
	cleaved	cleaved
cling hålla sig fast	clung	clung
clothe (be)kläda	clothed	clothed
		clad
come komma	came	come
cost kosta	cost	cost
creep krypa	crept	crept
crow gala	crew	crowed
	crowed	
cut skära, hugga	cut	cut
dare våga, riskera	dared	dared
	durst	
deal utdela; handla	dealt	dealt
dig gräva	dug	dug
draw dra; rita	drew	drawn
dream drömma	dreamt	dreamt
	dreamed	dreamed
drink dricka	drank	drunk
drive driva; köra	drove	driven
dwell bo, vistas	dwelt	dwelt
eat äta	ate	eaten
fall falla	fell	fallen
feed föda, mata	fed	fed
feel känna (sig)	felt	felt
fight fäkta, strida	fought	fought
find finna	found	found
flee (und)fly	fled	fled
fling kasta	flung	flung
fly flyga; fly	flew	flown
forbear låta bli	forbore	forborne
forbid förbjuda	forbade	forbidden
	forbad	
forget glömma	forgot	forgotten
forgive förlåta	forgave	forgiven
forsake överge	forsook	forsaken
freeze frysa (ner)	froze	frozen
get få; bli	got	got
gild förgylla	gilded	gilded
		gilt[1]
gird omgjorda	girded	girded
	girt	girt
give ge	gave	given
go gå, resa	went	gone

---

[1] förgylld.

grave begrava; gravera	*graved*	*graved*
		graven
grind mala	*ground*	*ground*
grow växa	*grew*	*grown*
hang hänga(s)	*hung*	*hung*
	hanged[1]	*hanged*[1]
hear höra	*heard*	*heard*
heave häva, lyfta	*heaved*	*heaved*
	hove	*hove*
hew hugga	*hewed*	*hewn*
		hewed
hide gömma (sig)	*hid*	*hidden*
		hid
hit slå, träffa	*hit*	*hit*
hold hålla	*held*	*held*
hurt såra; värka	*hurt*	*hurt*
keep (be)hålla	*kept*	*kept*
kneel knäböja	*kneeled*	*kneeled*
	knelt	*knelt*
knit sticka	*knitted*	*knitted*
	knit	*knit*
know veta, kunna	*knew*	*known*
lade lasta	*laded*	*laden*
lay lägga	*laid*	*laid*
lead leda	*led*	*led*
lean luta (sig)	*leaned*	*leaned*
	leant	*leant*
leap hoppa	*leapt*	*leapt*
	leaped	*leaped*
learn lära sig	*learned*	*learned*[2]
	learnt	*learnt*
leave lämna; resa	*left*	*left*
lend låna (ut)	*lent*	*lent*
let låta	*let*	*let*
lie ligga	*lay*	*lain*
light tända	*lighted*	*lighted*
	lit	*lit*
light slå ned (om fågel)	*lighted*	*lighted*
	lit	*lit*
lose förlora	*lost*	*lost*
make göra	*made*	*made*
mean mena, betyda	*meant*	*meant*
meet möta(s)	*met*	*met*
melt smälta	*melted*	*melted*

[1] Används endast i betydelsen hänga = avliva genom hängning.
[2] [lə:'nidd], adjektiviskt i betydelsen lärd.

mow meja	mowed	mowed
		mown[1]
pay betala	paid	paid
put sätta, ställa, lägga	put	put
read läsa	read	read
rend gå (slita) sönder	rent	rent
rid befria	ridded	ridded
	rid	rid[2]
ride rida, åka	rode	ridden
ring ringa	rang	rung
rise stiga (upp)	rose	risen
rive splittra(s)	rived	riven
		rived
run springa	ran	run
saw såga	sawed	sawn
		sawed
say säga	said	said
see se	saw	seen
seek söka	sought	sought
sell sälja	sold	sold
send sända	sent	sent
set sätta	set	set
sew sy	sewed	sewn
		sewed
shake skaka	shook	shaken
shave raka (sig)	shaved	shaved
		shaven[3]
shear klippa (får)	sheared	shorn
		sheared
shed gjuta, fälla	shed	shed
shine skina	shone	shone
shoe sko	shod	shod
shoot skjuta	shot	shot
show visa	showed	shown
		showed
shrink krympa	shrank	shrunk
shut stänga	shut	shut
sing sjunga	sang	sung
sink sjunka	sank	sunk
sit sitta	sat	sat
slay dräpa	slew	slain
sleep sova	slept	slept

[1] Som adjektiv används endast mown.
[2] Endast i uttrycket be (get) rid of vara (göra sig) kvitt.
[3] Används endast som adjektivattribut.

slide glida	slid	slid
		slided, slidden
sling slunga	slung	slung
slink smyga, slinka	slunk	slunk
slit skära upp	slit	slit
smell lukta (på)	smelt	smelt
	smelled	smelled
smite slå	smote	smitten
sow (be)så	sowed	sown
		sowed
speak tala	spoke	spoken
speed hasta, ila	sped	sped
spell stava	spelt	spelt
	spelled	spelled
spend ge ut; tillbringa	spent	spent
spill spilla (ut)	spilt	spilt
	spilled	spilled
spin spinna	spun	spun
	span	
spit spotta	spat	spat
split splittra(s), klyva(s)	split	split
spoil fördärva	spoilt	spoilt
	spoiled	spoiled
spread sprida (sig)	spread	spread
spring hoppa	sprang	sprung
	sprung	
stand stå	stood	stood
steal stjäla	stole	stolen
stick fästa; sticka	stuck	stuck
sting sticka, stinga	stung	stung
stink stinka	stank	stunk
	stunk	
strew (be)strö	strewed	strewed
		strewn
stride kliva	strode	stridden
strike slå (till); strejka	struck	struck
string (be)stränga	strung	strung
strive sträva	strove	striven
swear svär(j)a	swore	sworn
sweep sopa	swept	swept
swell svälla	swelled	swollen
swim simma	swam	swum
swing svänga; gunga	swung	swung
take ta	took	taken
teach lära (ut)	taught	taught
tear riva sönder	tore	torn
tell berätta	told	told

think tänka	thought	thought
thrive frodas	throve	thriven
	thrived	thrived
throw kasta	threw	thrown
thrust stöta	thrust	thrust
tread trampa (på)	trod	trodden
wake vakna; väcka	woke	waked
	waked	woken
		woke
wear bära, ha på sig	wore	worn
weave väva	wove	woven
		wove
weep gråta	wept	wept
win vinna	won	won
wind vrida	wound	wound
work arbeta	worked	worked
	wrought[1]	wrought[1]
wring vrida (ur)	wrung	wrung
write skriva	wrote	written

[1] Ålderdomligt och tekniskt.

Parlör

Några vanliga ord och uttryck

Adjö!	*Goodbye!* [goddbaj']
Bor ... här?	*Does ... live here?* [dazz ... livv' hi:']
Det finns	*There is (are)* [ðä:'ər izz' (a:')]
Det gör ingenting!	*Never mind!* [nevv'ə maj'nd]
Ett ögonblick!	*Just a minute!* [dsjass't ə minn'itt]
Får jag komma in?	*May I come in?* [mej' aj kamm inn']
Får jag presentera ...?	*May I introduce ...* [mej' aj intrə-djo:'s]
Förlåt! (ursäkta)	*Excuse me!* [ikkskjo:'z mi]
God afton!	*Good evening!* [godd i:'vning]
God dag!	*Good morning (afternoon, evening)!* [godd må:'ning (a:'ftəno:'n, i:'vning)]
God middag!	*Good afternoon* [godd a:'ftəno:'n]
God morgon!	*Good morning!* [godd må:'ning]
God natt!	*Good night!* [godd naj't]
Hej!	*Hello!* [hell'åo']
Hej då!	*Bye!* [baj]
Hur dags ...?	*What time ...?* [wått' taj'm]
Hur mycket kostar det?	*How much does it cost?* [hao' matt'sj dazz itt kåss't]
Hur mycket är klockan?	*What time is it?* [wått taj'm izz itt]
Hur sa?	*I beg your pardon?* [aj begg' jå: pa:'dn]
Hur stavas det?	*How do you spell it?* [hao' do jo spell' itt]
Hur står det till?	*How are you?* [hao a:' jo]
Ingen orsak	*Don't mention it!* [dåo'nt menn'sjən itt]
Inte alls	*Not at all* [nått ət å:'l]
Jag heter ...	*My name is ...* [maj' nej'm izz']
Jag skulle vilja tala med ...	*I'd like to speak to ...* [aj'd laj'k to spi:'k to]
Jag talar mycket lite engelska	*I speak very little English* [aj spi:'k verri littl ing'glisj]
Jag är svensk	*I am Swedish* [aj ämm swi:'disj]
Jaså	*Really* [ri:'əli]
Ja tack	*Yes, please* [jess' pli:'z]
Javisst	*Of course* [əvv kå:'s]
Kan ni säga mig ...	*Can you tell me ...* [känn' jo tell' mi]
Kan ni visa mig	*Can you show me ...* [känn' jo sjåo' mi]

Parlör 418

Kan jag få ...	*May I have ...* [mej' aj hävv']
Klockan är fem	*It's five (o'clock)* [itts faj'v (əklåkk')]
Lite	*A little* [ə litt'l]
Med nöje	*With pleasure* [wið plesj'ə]
Nej tack	*No, thank you* [nåo' θäng'k jo]
Stör jag?	*Am I disturbing you?* [ämm' aj distə:'bing jo]
Tack bra, och ni?	*Very well, thank you. And you?* [verr'i well' θäng'k jo ännd jo:']
Tack	*Thank you* [θäng'k jo]
Tack, detsamma!	*Thanks. The same to you* [θäng'ks ðə sej'm to jo:']
Tack för hjälpen	*Thank you for your help* [θäng'k jo fə jå: hell'p]
Tala inte så fort	*Don't speak so quickly* [dåo'nt spi:'k såo kwikk'li]
Talar ni engelska?	*Do you speak English* [do:' jo spi:k ing'glisj]
Vad heter det på engelska?	*What is the English for that?* [wått' izz ði ing'glisj fə ðätt']
Vad heter ni?	*What is your name?* [wått' izz jå: nej'm]
Vad sa ni?	*What did you say?* [wått' didd jo sej']
Var finns (ligger, är) ...	*Where is ...?* [wä:'ər izz]
Var snäll och upprepa det	*Please repeat that* [pli:'z ripi:'t ðätt']

Ute på stan

Den passar inte	*It does'nt fit* [itt dazz'nt fitt']
Den (det) är för dyr(t)	*It's too expensive* [itts to:' ikkspenn - sivv']
Fortsätt rakt fram	*Go straight on* [gåo strej't ånn']
Förlåt, är det här vägen till ...?	*Excuse me, is this the way to ...?* [ikksjo:'z mi, izz ðiss' ðə wej' to ...?]
Går den här bussen till ...?	*Is this the bus to ...?* [izz ðiss' ðə bass' to]
Har ni några ...?	*Have you any ...?* [hävv' jo enn'i ...?]
Hur kommer jag till ...?	*How do I get to ...?* [hao' do aj gett' to]
Hur långt är det till ...?	*How far is it to ...?* [hao fa:'r izz itt to]
Jag har ett litet lexikon här. Kan ni visa mig vilket ord ni menar?	*I have a small dictionary here. Can you show me the word you mean?* [aj hävv ə små:'l dikk'sjənri hi:ə känn jo sjåo' mi ðə wə:'d jo mi:'n]
Jag har storlek (nummer) ...	*My size is ...* [maj' saj'z izz]
Jag skall åka till ...	*I am going to ...* [aj ämm gåo'ing to]
Jag skulle vilja se på ...	*I should like to see ...* [aj sjodd laj'k to si:]

Jag talar inte engelska så
så bra
My English is not very good [maj
ing'glisj izz nått' verri godd]

Jag är ledsen, men jag
förstod inte
I'm sorry, but I didn't understand [ajm
sårr'i, batt aj didd'nt anndəstänn'd]

Kan jag få den här lagad?
Can I have this repaired [känn' aj
hävv' ðiss' ripä:'əd]

Kan jag få prova den?
May I try it on? [mej' aj traj' itt ånn']

Kan ni bokstavera det?
Could you spell it? [kodd' jo spell' itt]

Kan ni säga mig ...?
Could you tell me [kodd jo tell' mi]

Kan ni säga mig var ...
ligger?
Could you tell me where ... is? [kodd
jo tell' mi wä:'ər izz]

Kan ni tala mycket
långsamt?
Could you speak very slowly? [kodd
jo spi:'k verri slåo'li]

Måste jag byta?
Do I have to change? [do: aj hävv to
tsjej'ndsj]

När är ... öppet (öppna)?
When is (are) ... open? [wenn' izz
(a:) åo'pn]

Tack så mycket för hjälpen
Thank you so much for your help
[θäng'k jo såo' matt'sj fə jå: hell'p]

Ta nästa tvärgata till
vänster
Take the next turning to the left [tej'k
ðə nekkst tə:'ning to ðə leff't]

Vad kostar den?
What does it cost? [wått' dazz itt
kåss't]

Vad kostar inträdet?
How much is it to go in? [hao' matt'sj
izz it to gåo' inn']

Var ligger posten (tele-
stationen)?
*Where is the post-office (telephone
and telegraph office)?* [wä:'ər izz
ðə påo'ståffiss (tell'ifåon ännd
tell'igra:f åff'iss)]

Var är kassan?
Where do I pay? [wä:'ə do aj pej']

Vilken buss (tunnelbane-
linje) går till ...?
*What bus (underground) do I take to
get to ...?* [wått bass' (ann'd
graond) do aj tej'k to gett' to]

Vill ni säga till när jag skall
gå av?
*Will you please tell me when to get
off?* [will jo pli:'z tell' mi wenn to
gett åff']

Apotek *Chemist's* [kemm'ists]

Kan jag få någonting mot
Have you got anything for [hävv jo
gått enn'iθing få]

    diarré
    diarrhoea [dajəri:'ə]

    förstoppning
    constipation [kånnstipej'sjən]

    hosta
    a cough [ə kåff']

    huvudvärk
    headaches [hedd'ejks]

    sömnlöshet
    insomnia [insåmm'niə]

    åksjuka
    travel sickness [trävv'l sikk'niss]

När kan jag hämta medicinen?	*When can I collect my medicine?* [wenn' känn aj kəlekk't maj medd'i-sinn]
Är det på recept?	*Must I have a doctor's prescription?* [mass't aj hävv ə dåkk'təz pris-kripp'sjən]
bomull	*cotton wool* [kått'n woll']
dambindor	*sanitary towels* [sänn'itəri tao'əlz]
gasbinda	*bandage* [bänn'didsj]
hostmedicin	*cough medicine* [kåff' medd'isinn]
huvudvärkstabletter	*headache tablets* [hedd'ejk täbb'litts]
häftplåster	*adhesive plaster* [ədhi:'sivv pla:'stə]
koltabletter	*charcoal tablets* [tsja:'kåol täbb'litts]
laxativ	*laxative* [läkk'sətivv]
medicin	*medicine* [medd'isinn]
recept	*prescription* [priskripp'sjən]
salva	*ointment* [åj'ntmənt]
smärtstillande medel	*painkiller* [pej'nkillə]
sololja	*suntan oil* [sann'tänn åj'l]
sömntabletter	*sleeping pills* [sli:'ping pill'z]
tandborste	*toothbrush* [to:'θbrasj]
tandkräm	*toothpaste* [to:'θpejst]
termometer	*thermometer* [θəmåmm'itə]
tvål	*soap* [såop]

Bensinstation och bilverkstad *Petrol station and garage* [pett'rl stej'sjən ännd gärr'a:sj]

Det är något fel på ...	*There is something wrong with ...* [ðä:r izz sammθing rång' wið]
Kan jag få full tank	*Fill up the tank, please* [fill' app ðə täng'k pli:z]
Kan jag få 20 liter bensin	*20 litres (four and a half gallons) of petrol, please* [twenn'ti li:'təz (få:'r ännd ə ha:'f gäll'ənz) əvv pett'rl pli:'z]
När kan bilen vara klar?	*When will the car be ready?* [wenn' will ðə ka:' bi redd'i]
Vad kommer reparationen att kosta?	*What will the repair cost?* [wått' will ðə ripä:'ə kåss't]
Vill ni vara vänlig och	*Will you, please,* [will' jo pli:'z]
byta olja	*change the oil* [tsjej'ndsj ðí åj'l]
justera bromsarna	*adjust the brakes* [ədsjass't ðə brej'ks]
laga punkteringen	*fix the flat tyre* [fikk's ðə flätt' taj'ə]
rundsmörja bilen	*do a complete lubrication* [do: ə kəmpli:'t lo:brikej'sjən]
tvätta bilen	*wash the car* [wåsj' ðə ka:']

Vill ni vara vänlig och kontrollera	*Will you, please, check* [will jo pli:'z tsjekk']
batteriet	*the battery* [ðə bätt'əri]
kylarvattnet	*the level in the radiator* [ðə levv'l in ðə rej'diejtə]
lufttrycket i däcken	*the pressure in the tyres* [ðə presj'ə inn ðə taj'əz]
oljan	*the oil* [ði åj'l]

avgasrör exhaust pipe [iggzå:'st paj'p] **batteri** battery [bätt'əri] **bensintank** petrol tank [pett'rl täng'k] **broms** brake [brejk] **bromsljus** stop-light [ståpp'lajt] **bromsvätska** brake fluid [brej'kflo:idd] **bromspedal** brake pedal [brej'kpeddl] **bärgningsbil** break-down lorry [brej'kdaon lårr'i] **chassi** chassis [sjäss'i] **choke** choke [tsjåok] **cylinder** cylinder [sill'inndə] **domkraft** jack [dsjäkk] **däck** tyre [taj'ə] **fjädring** spring system [spring' siss'təm] **fläktrem** fan belt [fänn' bell't] **fördelare** distributor [distribb'jotə] **förgasare** carburettor [ka:bjorett'ə] **gaspedal** accelerator [äkksell'ərejtə] **generator** generator [dsjenn'ərejtə] **gördeldäck** radial tyre [rej'djəl taj'ə] **halvljus** dipped headlights [dipp't hedd'lajts] **handbroms** handbrake [hänn'dbrejk] **hastighetsmätare** speedometer [spidåmm'ittə] **helljus** headlights [hedd'lajts] **kardanaxel** propeller shaft- [prəpell'ə sja:'ft] **koppling** clutch [klattsj] **kylare** radiator [rej'diejtə] **lager** bearing [bä:'ring] **ljuddämpare** silencer [saj'lənsə] **luftrenare** air cleaner [ä:'ə kli:'nə] **motorhuv** bonnet [bånn'itt] **navkapsel** hub cap [habb' käpp'] **reservdelar** spare parts [spä:'ə pa:'ts] **reservhjul** spare wheel [spä:'ə wi:'l] **slanglösa däck** tubeless tyres [tjo:'bliss taj'əz] **startmotor** starter motor [sta:'tə måo'tə] **startnyckel** ignition key [iggnisj'ənki:'] **stötdämpare** shock absorber [sjåkk'- əbzå:'bə] **stötfångare** bumper [bamm'pə] **säkring** fuse [fjo:z] **tomgång** idling [aj'dling] **tändning** ignition [iggnisj'ən] **tändstift** spark plug [spa:'k plagg'] **ventil** valve [vällv] **verkstad** garage [gärr'a:sj] **vindrutetorkare** windscreen wiper [winn'dskri:n waj'pə] **vägmätare** mileometer [majlåmm'ittə] **växellåda** gearbox [gi:'əbåkks] **växelspak** gear lever [gi:'ə li:'və]

Hotell och pensionat *Hotel and boarding-house* [håotell' ännd bå:'dinghaos]

Finns det någon post till mig?	*Are there any letters for me?* [a: ðä:ər enni lett'əz fə mi:']
Finns det något billigare (mindre, större) rum?	*Is there a cheaper* (*smaller, bigger*) *room?* [izz ðä:ər ə tsji:'pə (små:'lə, bigg'ə) romm]
Goddag, mitt namn är ...	*Good morning* (*afternoon, evening*) *my name is ...* [godd må:'ning (a:'ftəno:'n, i:'vning), maj' nej'm izz']

God morgon, kan vi få upp en te och en kaffe
Good morning, may we have one tea and one coffee [godd må:'ning, mej' wi hävv wann' ti:' ännd wann' kåff'i]

Har ni något ledigt rum för tre nätter?
Have you a room for three nights? [hävv' jo ə romm' fə θri:' naj'ts]

Ingår frukost i priset?
Is breakfast included in the room price? [izz brekk'fəst inklo:'didd in ðə romm praj's]

Kan jag få nyckeln till rum nummer 13
May I have the key to room number 13, please [mej aj hävv ðə ki:' to romm' namm'bə θə:'ti:'n pli:z]

Kan ni göra i ordning vår räkning
Would you please make up our bill [wodd jo pli:'z mejk app' ao bill']

Kan vi få frukost på rummet?
May we have breakfast in our room? [mej wi hävv brekk'fəst inn ao romm']

Kan vi få väckning klockan 7 i morgon bitti
Would you please call us tomorrow morning at seven [wodd jo pli:'z kå:'l ass təmårr'åo må:'ning ätt sevv'n]

När serveras frukosten?
When is breakfast served? [wenn' izz brekk'fəst sə:'vd]

Vad kostar rummet?
How much is the room? [hao matt'sj izz ðə romm']

Var kan jag parkera bilen?
Where can I park my car? [wä:'ə känn aj pa:'k maj ka:']

Var ligger frukostrummet (matsalen)?
Where is the breakfast-room (dining-room)? [wä:'ər izz ðə brekk'fəst-romm (daj'ningromm)]

Jag hade beställt ett enkelrum (dubbelrum)
I have booked a single room (double room) [aj hävv bokk't ə sing'gl romm' (dabb'l romm')]

Vill ni beställa en taxi åt mig?
Could you get me a taxi? [kodd jo gett' mi ə täkk'si]

Vi reser tidigt i morgon bitti
We are leaving early to-morrow morning [wi: a: li:'ving ə:'li təmårr'åo må:'ning]

Är betjäningsavgiften inkluderad?
Is service included? [izz sə:'viss innklo:'didd]

bagage luggage [lagg'idsj], (*Am.*) baggage [bägg'idsj] **dricks-pengar** tip [tipp] **extrasäng** extra bed [ekk'strəbedd'] **halv-pension** partial board [pa:'sjəl bå:'d] **helpension** full board [foll' bå:'d] **hiss** lift [lifft], (*Am.*) elevator [ell'ivejtə] **hotell-direktör** manager [männ'idsjə] **med bad** with a bath [wið ə ba:'θ] **nyckel** key [ki:] **portier** hall porter [hå:'l på:'tə] **reception**

Parlör

reception desk [risepp'sjən dess'k] **rum åt gatan (gården)** front (back) room [frann't (bäkk') romm'] **städerska** chamber maid [tsjej'mbə mej'd] **telefonhytt** call-box [kå:'lbåkks] **vestibul** lounge [laondsj]

Läkare och tandläkare denn'tisst]	*Doctor and dentist* [dåkk'tə ännd
Hur mycket blir jag skyldig?	*How much do I owe you?* [hao mattsj do aj åo' jo]
Jag har	*I have* [aj hävv']
bitit av en tand	*broken a tooth* [bråo'kən ə to:'θ]
feber	*a temperature* [ə temm'prittsjə]
influensa	*the flu* [ðə flo:']
en kraftig förkylning	*a severe cold* [ə sivi:'ə kåo'ld]
kväljningar	*nausea* [nå:'sjə]
ont i halsen	*a sore throat* [ə så:' θråo't]
ont i huvudet	*a headache* [ə hedd'ejk]
ont i magen	*a stomach-ache* [ə ståmm'əkejk]
ont i öronen	*earache* [i'ərejk]
svårt att sova	*difficulty in sleeping* [diff'ikallti inn sli:'ping]
tandvärk	*toothache* [to:'θejk]
tappat en plomb	*lost a filling* [låss't ə fill'ing]
vrickat en fot	*sprained my ankle* [sprejn'd maj äng'kl]
Jag skulle vilja tala med en läkare	*I should like to see a doctor* [aj sjodd laj'k to si:' ə dåkk'tə]
Jag är sjuk	*I am ill* [aj ämm ill']
Kan jag få något smärt-stillande?	*Could you give me something to ease the pain?* [kodd jo givv' mi samm'-θing to i:z ðə pej'n]
Kan jag få ett recept på ...	*Could you give me a prescription for ...* [kodd jo givv' mi ə priskripp'sjən fə]
Kan ni skicka efter en läkare	*Could you send for a doctor* [kodd jo senn'd fər ə dåkk'tə]
Måste jag hålla mig inom-hus?	*Must I stay indoors?* [mass't aj stej' inn'då:'z]
Måste jag ligga till sängs?	*Must I stay in bed?* [mass't aj stej' in bedd']
När har doktorn mottag-ning?	*What are the doctor's surgery hours?* [wått' a: ðə dåkk'təz sə:'dsjəri ao'əz]
När kan jag få komma?	*When can I come?* [wenn' kənn aj kamm']
Skulle ni vilja skriva ett intyg till försäkrings-kassan	*Could you give me a medical certifi-cate for health insurance?* [kodd jo givv' mi ə medd'ikəl sətiff'ikitt fə hell'θ innsjo'ərəns]

allergi allergy [äll'ədsji] **barnläkare** paediatrician [pi:diətrisj'ən] **bedövning** anaesthetic [ännəsθett'ikk] **blindtarmsinflammation** appendicitis [əpenndisaj'tiss] **blodförgiftning** blood poisoning [bladd' påj'əning] **blodgrupp** blood group [bladd' gro:'p] **blodtryck** blood pressure [bladd' presj'ə] **blåskatarr** cystitis [sisstaj'tiss] **bruten arm** broken arm [bråo'kn a:'m] **brutet ben** broken leg [bråo'kn legg'] **diarré** diarrhoea [dajəri:'ə] **förkylning** cold [kåold] **förstoppning** constipation [kånnstipej'·sjən] **gallstensanfall** biliary colic [bill'jəri kåll'ikk] **gulsot** jaundice [dsjå:'ndiss] **gynekolog** gynaecologist [gajnikåll'ədsjist] **hjärtfel** heart disease [ha:'tdizi:z] **hosta** cough [kåff] **hål** hole [håol] **ischias** sciatica [sajätt'ikkə] **jourhavande läkare** doctor on duty [dåkk'tə ånn djo:'ti] **klåda** itching [itt'sjing] **kirurg** surgeon [sə:'dsjən] **kräkas** vomit [våmm'itt] **lunginflammation** pneumonia [njo:måo'njə] **magsår** gastric ulcer [gäss'trikk all'sə] **matförgiftning** food poisoning [fo:'d påj'səning] **medicin** medicine [medd'isinn] **medicinare** physician [fizisj'ən] **mottagningstid** surgery hours [sə:'dsjəri ao'əz] **njurstensanfall** renal colic [ri:'nl kåll'ikk] **plomb** filling [fill'ing] **protes** artificial limb [a:tifisj'əl limm'], (tand-) denture [denn'tsjə] **röntga** X-ray [ekk'srej] **sjukhus** hospital [håss'pitəl] **sjuksköterska** nurse [nə:s] **smittsam** infectious [innfekk'sjəs] **smärta** pain [pejn] **snuva** head cold [hedd' kåo'ld] **sockersjuka** diabetes [dajəbi:'-tizz] **solsting** sunstroke [sann'ströåk] **stifttand** pivot tooth [pivv'ət to:'θ] **svimma** faint [fejnt] **svullnad** swelling [swell'ing] **sår** wound [wo:nd] **sömnlöshet** insomnia [insåmm'niə] **tandkött** gums [gammz] **underkäke** lower jaw [låo'ə dsjå:'] **urinprov** urine sample [jo:'ərinn sa:'mpl] **vrickning** sprain [sprejn] **värk** ache [ejk] **yrsel** dizziness [dizz'iniss] **överkäke** upper jaw [app'ə dsjå:']

Nöjen Entertainments [enntətej'nmənts]

Jag skulle vilja hyra en kikare	May I hire a pair of opera-glasses? [mej aj haj'ə ə pä:r əvv åpp'ə-rəgla:siz]
Jag vill gärna sitta i mitten	I should like a seat in the middle [aj sjodd lajk ə si:'t inn ðə midd'l]
Kan jag få ett program?	May I have a programme, please? [mej aj hävv ə prå'grämm pli:z]
Kan jag få två biljetter till i kväll	May I have two tickets for this evening? [mej aj hävv to:' tikk'itts få ðiss i:'vning]
Kan ni rekommendera något trevligt dansställe (diskotek)	Can you recommend a nice dance-hall (discothèque)? [känn jo rekəmenn'd ə najs da:'nshå:l (diss'-kåotekk)]

Måste vi köpa biljetter i
förväg?

Do we have to buy tickets in advance?
[do wi hävv to baj' tikk'itts inn
ədva:'ns]

När börjar (slutar) före-
ställningen?

*When does the performance start
(end)?* [wenn' dazz ðə pəfå:'məns
sta:'t (enn'd)]

Är platserna numrerade?

Are the seats reserved? [a: ðə si:'ts
rizə:'vd]

Är det utsålt till i kväll?

Are all tickets sold for this evening?
[a: å:'l tikk'itts såo'ld få ðiss i:'v-
ning]

andra raden upper circle [app'ə sə:'kl] **bakre parkett** the pit
[ðə pitt'] **balkong** balcony [bäll'kəni] **biljettlucka** box-office
[båkk'såffiss] **biograf** cinema [sinn'imə] **bänkrad** row [råo]
cirkus circus [sə:'kəs] **dansställe** dance-hall [da:'nshå:l] **disko-
tek** discothèque [diss'kåotekk] **främre parkett** the orchestra
stalls [ði å:'kistrə stå:'lz] **föreställning** performance [pəfå:'məns]
förköp advance booking [ədva:'ns bokk'ing] **första raden**
dress circle [dress' sə:'kl] **garderob** cloak-room [klåo'kromm]
kasperteater Punch and Judy show [pann'tsj ännd dsjo:'di
sjåo'] **konsert** concert [kånn'sət] **loge** box [båkks] **marionett-
teater** puppet theatre [papp'itt θi:'ətə] **matiné** matinée [mätt'inej]
musikal musical [mjo:'zikəl] **nattklubb** night club [naj't klabb']
opera opera [åpp'ərə] **operett** musical comedy [mjo:'zikl kåmm'i-
di] **parkett** the stalls [ðə stå:'lz] **plats** seat [si:t] **premiär**
opening night [åo'pəning naj't] **program** programme [pråo'-
grämm] **rad** circle [sə:'kl] **revy** revue [rivjo:'], show [sjåo]
tivoli amusement park [əmjo:'zmənt pa:'k] **utsålt** full house [foll'
hao's] **varieté** variety show [vəraj'əti sjåo']

Resebyrå *Travel bureau* [trävv'l bjo:'əråo]

Går planet direkt till
Stockholm?

*Does this plane go direct to Stock-
holm?* [dazz ðiss' plej'n gåo daj-
rekk't to ståkk'håom]

Hur dags är jag framme i ...

When will I get to ... [wenn' will aj
gett' to]

Hur länge gäller biljetten?

How long is the ticket valid? [hao
lång' izz ðə tikk'itt väll'idd]

Jag vill boka plats för bilen
på färjan till ...

*I should like to make a booking for
my car on the ferry to ...* [aj sjodd
laj'k to mejk ə bokk'ing få maj ka:'
ånn ðə ferr'i to]

Jag vill gärna avbeställa
biljetten

I should like to cancel my ticket
[aj sjodd lajk to känn'sl maj tikk'itt]

Kan jag få en förstaklass-
biljett till ...

I should like a first-class ticket to ...
[aj sjodd lajk ə fə:'stkla:'s tikk'itt to]

Kan jag få se på en tid-tabell
Have you a time-table, please [hävv jo ə taj'mtejbl pli:z]

Kan ni sätta upp mig på väntelista
Can you put my name on the waiting list? [känn jo pott maj nej'm ånn ðə wej'ting lisst]

Mellanlandar det här planet någonstans?
Does this plane touch down en route? [dazz ðiss' plej'n tattsj dao'n a:nro:t]

När får man gå ombord?
When can I go onboard? [wenn' känn aj gåo ånnbå:'d]

När går tåget till ...?
When does the train for ... leave? [wenn' dazz ðə trej'n få li:'v]

När måste jag vara på flygplatsen (terminalen)?
When do I have to be at the airport (terminal)? [wenn' do aj hävv to bi:' ätt ði ä:'əpå:t (tə'minəl)]

När måste bilen vara vid färjan?
When must the car be at the ferry? [wenn' masst ðə ka:' bi ätt ðə ferr'i]

Varifrån går bussen till flygplatsen?
From where does the bus depart for the airport? [frəm wä:'ə dazz ðə bass' dipa:'t fə ði ä:'əpå:t]

---

ankomst arrival [əraj'vəl] **avbeställa** cancel [känn'səl] **avgång, avresa** departure [dipa:'tsjə] **bagage** luggage [lagg'idsj] **beställa, boka** book [bokk] **biljett** ticket [tikk'itt] **enkel biljett** single ticket [sing'gl tikk'itt] **flygning** flight [flajt] **flygplats** airport [ä:'əpå:t] **försening** delay [dilej'] **försäkring** insurance [insjo:'ərəns] **handbagage** hand luggage [hänn'd lagg'idsj] **hyttplats** berth [bə:θ] **invägning** weighing in [wej'ing inn'] **landning** landing [länn'ding] **mellanlandning** intermediate landing [intəmi:'djət länn'ding] **platsbiljett** seat reservation [si:'t rezəvej'sjən] **reseledare** guide [gajd] **resgodsförsäkring** luggage insurance [lagg'idsj insjo:'ərəns] **resgodsinlämning** left-luggage office [leff'tlagg'idsj åff'iss] **restaurangvagn** restaurant car [ress'tərång ka:] **rumsförmedling** accomodation agency [əkåmmədej'sjən ej'dsjənsi] **snälltåg** fast train [fa:'st trej'n] **sovplatsbiljett** sleeper ticket [sli:'pə tikk'itt] **sällskapsresa** conducted tour [kəndakk'tidd to:'ə] **tillägg** additional charge [ədisj'ənəl tsjа:'dsj] **tur och retur-biljett** return ticket [ritə:'n tikk'itt] **övervikt** excess weight [ekk'sess wej't]

Restaurang *Restaurant* [ress'tərång]

Får jag be om notan
May I have the bill, please [mej aj hävv ðə bill' pli:z]

Får jag tala med hovmästaren
May I speak to the head waiter? [mej aj spi:'k to ðə hedd' wejtə]

Får vi´slå oss ner här?	*Do you mind if we sit here?* [do jo maj'nd iff wi sitt' hi:'ə]
Fröken!	*Miss!* [miss]
Har ni någon specialitet?	*Have you any speciality?* [hävv jo enni spesjäll'itti]
Har ni barnportioner?	*Do you have children's portions?* [do jo hävv tsjill'drənz på:'sjənz]
Jag vill ha biffen genom-stekt (lätt stekt, blodig)	*I like my steak well done (medium, rare)* [aj laj'k maj stej'k well' dann' (mi:'djəm, rä:'ə)]
Kan ni rekommendera någon trevlig restaurang (barservering)?	*Can you recommend a nice restaurant (self-service restaurant)?* [känn jo rekəmenn'd ə naj's ress'tərång (sell'fsə:viss ress'tərång)]
Kan vi få ett bord för fyra	*May we have a table for four?* [mej wi hävv ə tej'bl fə få:']
Kan vi få se på matsedeln (vinlistan)	*May we see the menu (wine-list)?* [mej wi si: ðə menn'jo (waj'nlisst)]
Kan vi få två biffstek	*May we have two steaks?* [mej wi hävv to:' stej'ks]
Vaktmästarn!	*Waiter!* [wej'tə]
Vi skulle vilja ha ...	*We should like ...* [wi sjodd laj'k]
Är det ledigt här?	*Is this seat free?* [izz ðiss si:'t fri:']
Är servisen inräknad?	*Is service included?* [izz sə:'viss in-klo:'didd]

---

ale [ejl] öl **anchovy** [änn'tsjəvi] ansjovis **artichoke** [a:'tisjåok] kronärtskocka **asparagus** [əspärr'əgəs] sparris **bean** [bi:n] böna **beef** [bi:f] oxkött **beer** [bi:'ə] öl **beet-root** [bi:'tro:t] rödbeta **beverage** [bevv'əridsj] dryck **biscuit** [biss'kitt] kex **brandy** [bränn'di] konjak **brill** [brill] slätvar **brisket** [briss'kitt] bringa **Brussels sprouts** [brass'lz spraots] brysselkål **burbot** [bə:'bət] lake **cabbage** [käbb'idsj] kål **cake** [kejk] tårta **caramel cream** [kärr'əmell kri:'m] brylépudding **carrot** [kärr'ət] morot **cauli-flower** [kåll'iflaoə] blomkål **celery** [sell'əri] selleri **cheese** [tsji:z] ost **chestnut** [tsjess'natt] kastanj **chicken** [tsjikk'inn] kyckling **chips** [tsjipps] pommes frites **chop** [tsjåpp] kotlett **Christmas pudding** [kriss'məs podd'ing] plumpudding **clear soup** [kli:'ə so:'p] buljong **cod** [kådd] torsk **cookie** [kokk'i] småkaka **crab** [kräbb] krabba **crayfish** [krej'fisj] kräfta **cream** [kri:m] grädde **crispbread** [kriss'pbredd] knäckebröd **croissant** [kroa:sa:'ng] giffel **crumpet** [kramm'pitt] mjuk tekaka **cucumber** [kjo:'kammbə] gurka **custard** [kass'təd] vaniljsås **cutlet** [katt'-litt] kotlett **cuttle-fish** [katt'lfisj] bläckfisk **decanter** [dikänn'tə] karaff **dessert** [dizə:'t] dessert **doughnut** [dåo'natt] munk **draught beer** [dra:'ft bi:'ə] fatöl **duck** [dakk] anka **eel** [i:l] ål **filleted fish** [fill'itidd fisj'] fiskfilé **fillet of steak** [fill'itt əvv stej'k] oxfilé **fish** [fisj] fisk **flounder** [flao'ndə] flundra **French loaf** [frenn'tsj låo'f] långfranska **garlic** [ga:'likk] vitlök **gravy** [grej'vi] sky **grouse** [graos] ripa **haddock** [hädd'ək] kolja **halibut** [häll'ibət] hälleflundra **ham** [hämm] skinka **hash** [häsj] ragu **hors d'œuvre** [å:də:'vr] förrätt **horse-radish** [hå:'sräddisj] pepparrot **ice-cream** [aj'skri:m] glass **jam** [dsjämm] sylt **jelly** [dsjell'i] gelé **kidney** [kidd'ni] njure **kipper** [kipp'ə] rökt sill **lemon** [lemm'ən] citron **lettuce** [lett'iss] sallad **liqueur** [likjo:'ə] likör **liver** [livv'ə] lever **lobster** [låbb'stə] hummer **macaroon** [mäkkəro:'n] mandelbiskvi **mackerel** [mäkk'rəl] makrill **meat** [mi:t] kött **meatball** [mi:'tbå:l] köttbulle **milk** [millk] mjölk **mineral water** [minn'ərəl wå:'tə] mineralvatten **mint** [minnt] mynta **mock turtle soup** [måkk' tə:tl so:'p] falsk sköldpadds- soppa **mussel** [mass'l] mussla **mustard** [mass'təd] senap **non- alcoholic** [nånn'älkəhåll'ikk] alkoholfri **onion** [ann'jən] lök **oxtail soup** [åkk'stejl so:'p] oxsvanssoppa **oyster** [åj'stə] ostron **parsley** [pa:'sli] persilja **partridge** [pa:'triddsj] rapphöna **pea** [pi:] ärta **perch** [pə:tsj] abborre **pike** [pajk] gädda **pike-perch** [paj'k pə:tsj] gös **plaice** [plejs] rödspätta **pork** [på:k] griskött **porridge** [pårr'idsj] gröt **rabbit** [räbb'itt] kanin **radish** [rädd'isj] rädisa **rice** [rajs] ris **roast beef** [råo'st bi:'f] oxstek, rostbiff **rumpsteak** [ramm'pstejk] biffstek **rusk** [rassk] skorpa **salmon** [sämm'ən] lax **sauce** [så:s] sås **sauerkraut** [sao'əkraot] surkål **sausage** [såss'idsj] korv **scrambled eggs** [skrämm'bld egg'z] äggröra **shellfish** [sjell'fisj] skaldjur **shepherd's pie** [sjepp'ədz paj'] hackat oxkött med potatismos **shrimp** [sjrimp] räka **soft drink** [såff't dring'k] läskedryck **sole** [såol] sjötunga **sparkling** [spa:'kling] musserande **spice** [spajs] krydda **spinach** [spinn'- iddsj] spenat **sponge cake** [spann'dsj kej'k] sockerkaka **sprat** [sprätt] skarpsill **squash** [skwåsj] saft **stuffing** [staff'ing] fyllning **sweet** [swi:t] efterrätt **sweetbread** [swi:'tbredd] kalv- bräss **toast** [tåost] rostat bröd **treacle** [tri:'kl] sirap **trifle** [traj'fl] frukttårta **tripe** [trajp] oxmage **trout** [traot] forell **turbot** [tə:'bət] piggvar **turkey** [tə:'ki] kalkon **veal** [vi:l] kalvkött **vegetables** [vedd'sjətəblz] grönsaker **venison** [venn'zn] hjort **Welsh rabbit (rarebit)** [well'sj räbb'itt (rä:'bitt)] grillad ost- smörgås **whipped cream** [wipp't kri:'m] vispgrädde **whiting** [waj'ting] vitling **yorkshire pudding** [jå:'ksjə podd'ing] slags pannkaka

Tull och passkontroll *Customs and passport control* [kass'təmz ännd pa:'spå:t kəntråo'l]

Får jag se på ert pass	*May I see your passport, please* [mej aj si: jå: pa:'spå:t pli:z]
Har ni något att förtulla?	*Have you anything to declare?* [hävv jo enn'iθing to diklä:'ə]

Hur länge tänker ni stanna i landet?	*How long are you going to stay in this country?* [hao' lång' a: jo gåo'ing to stej' inn ðiss' kann'tri]
Hur mycket pengar har ni med er?	*How much money are your carrying?* [hao' matt'sj mann'i a: jo kärr'iing]
Jag har bara personliga saker	*I have only personal effects* [aj hävv åo'nli pa:'sənəl iffekk'ts]
Kan jag få se försäkrings-beskedet till bilen	*May I see the insurance certificate for the car, please?* [mej aj si: ði insjo:'ərəns sətiff'ikitt få:' ðə ka:' pli:'z]
Vad har ni för utländsk valuta?	*What foreign currency do you have?* [wått' fårr'inn karr'ənsi do jo hävv']
Var vänlig och öppna den här väskan	*Please open this suitcase* [pli:'z åo'pən ðiss sjo:'tkejs]
Vill ni fylla i den här blanketten	*Please fill up this form* [pli:'z fill' app' ðiss få:'m]

ankomstdatum date of arrival [dej't əvv əraj'vəl] **betala tull för** pay duty on [pej' djo:'ti ånn] **efternamn** surname [sə:'nejm] **födelsedatum** date of birth [dej't əvv bə:'θ] **födelseort** place of birth [plej's əvv bə:'θ] **förnamn** Christian name [kriss'tjən nej'm] **gå igenom tullen** pass through the customs [pa:'s θro ðə kass'-təmz] **hemort** place of domicile [plej's əvv dåmm'isajl] **inresa** entry [enn'tri] **kontanter** cash [käsj] **nationalitet** nationality [näsjənäll'itti] **pass** passport [pa:'spå:t] **passkontroll** passport control [pa:'spå:t kəntråo'l] **resecheck** traveller's cheque [trävv'ə-ləz tsjekk'] **sedel** bank-note [bäng'knåot] **titel** title [taj'tl] **tullfri** duty-free [djo:'tifri:] **tullpliktig** dutiable [djo:'tjəbl] **utresa** exit [ekk'sitt] **valutakontroll** currency check [karr'ənsi tsjekk'] **visum** visa [vi:'zə] **yrke** occupation [åkkjopej'sjən]

Mått, mynt och vikt

I Storbritannien pågår för närvarande en gradvis övergång till metersystemet. Detta beräknas vara helt infört i slutet av 1975. Tills vidare gäller följande.

Mynt
1 pund = 100 pence. För pund används tecknet £. Penny och pence förkortas P. (Före myntreformen som genomfördes i februari 1971 var 1 pund = 20 shilling = 240 pence. Tecknet £ användes även då. Shilling förkortades s. och pence d.)

Längdmått
1 inch (in.)	= 25,4 mm
1 foot (ft.)	= 30,48 cm
1 yard (yd.)	= 91,44 cm

1 760 yards (yds.) = 1 mile (m.) = 1 609,34 m
1 nautisk mil i Storbritannien = 6080 feet = 1 853,2 m. 1 internationell nautisk mil = 6076,115 feet = 1 852 m.

Ytmått
1 square inch (sq. in.)	= 6,452 cm²
1 square foot	= 929,03 cm²
1 square yard	= 0,836 m²
1 acre	= 4 046,86 m²
1 square mile	= 2,59 km²

Rymdmått (volym)
1 cubic foot	= 28,317 dm³ (liter)
1 cubic yard	= 764,56 dm³ (liter)
1 fluid once (fl. oz.)	= 2,84 centiliter
1 gill	= 14,2 centiliter
1 pint (p.)	= 0,568 liter
1 quart (qt.)	= 1,137 liter
1 Imperial gallon (Imp. gal.)	= 4,546 liter
1 peck	= 9,092 liter
1 bushel (bu.)	= 36,37 liter
1 quarter (qu., qr.)	= 290,9 liter

1 bulk barrel (bar.) = 5,8 cubic feet = 163,7 liter
OBS! 1 US gallon = 3,785 liter.
Registerton är också ett rymdmått. 1 registerton = 100 cubic feet = 2,8317 m³.

Vikt

1 dram	= 1,77 gram
1 ounce (oz.)	= 28,35 gram
1 pound (lb.)	= 453,59 gram
1 stone	= 6,35 kilogram
1 quarter (qu., qr.)	= 12,7 kilogram
1 hundredweight (cwt.)	= 50,8 kilogram
1 /long/ ton (t.)	= 1 016 kilogram

Ibland används också short ton. 1 short ton = 2 000 pounds = 907
kilogram. (1 long ton = 2 240 pounds.)
För mynt och ädelmetaller används s.k. troy- eller fine-vikter. 1 oz.
troy t.ex. är = 31,1035 grm.

Hastighet

1 mile/hour = 1,609 km/tim
1 mile/gallon (Imp.) = 0,354 km/liter

Temperatur

Dra 32 från gradtalet i Fahrenheit (F), multiplicera med 5 och
dividera med 9 så erhålls gradtalet i Celsius eller Centigrade (C).
Exempel: 59°F ger 59 − 32 = 27 som multipliceras med 5 till 135.
Division med 9 ger 15°C; 17°F: 17 − 32 = − 15 som multipliceras
med 5 till − 75. Division med 9 ger − 8,3°C.
Multiplicera gradtalet i Celsius med 9, dividera med 5 och lägg till
32 så erhålls gradtalet i Fahrenheit.
Exempel: 37°C. 37 multiplicerat med 9 ger 333, som efter
division med 5 blir 66,6. Till detta tal läggs 32, varvid erhålls
98,6°F.
− 10°C. − 10 multiplicerat med 9 ger − 90, som efter division
med 5 blir − 16. Till detta tal läggs 32 (− 16 + 32) varvid erhålls
+ 16°F.

0°C	= 32°F
100°C	= 212°F
0°F	= − 17,8°C

Diverse

Om öl, vin och spritdrycker används ofta i vardagligt tal följande
volymbeteckningar:

öl

nip = 1/4 pint = 14,2 centiliter
small = 1/2 pint = 28,4 centiliter
large = 1 pint = 56,8 centiliter

Mått, mynt och vikt   432

vin och spritdrycker
tot (whisky) = 1/6 eller 1/5 eller 1/4 gill = 2,4, 2,8 respektive
3,6 centiliter
noggin = 1 gill = 14,2 centiliter
bottle = 1 1/3 pints = 75,7 centiliter